INTERNATIONAL COMMITTEE OF HISTORICAL SCIENCES
COMITÉ INTERNATIONAL DES SCIENCES HISTORIQUES
LAUSANNE — PARIS

INTERNATIONAL BIBLIOGRAPHY OF HISTORICAL SCIENCES

INTERNATIONALE BIBLIOGRAPHIE DER GESCHICHTSWISSENSCHAFTEN
BIBLIOGRAFIA INTERNACIONAL DE CIENCIAS HISTORICAS
BIBLIOGRAPHIE INTERNATIONALE DES SCIENCES HISTORIQUES
BIBLIOGRAFIA INTERNAZIONALE DELLE SCIENZE STORICHE

VOLUME L
1981

Edited with the Contribution of the National Committees
by Jean Glénisson and Michael Keul

Published with the assistance of Unesco
and under the patronage of the
International Council for Philosophy and Humanistic Studies

K·G·SAUR   MÜNCHEN · NEW YORK · LONDON · PARIS

CIP-Kurztitelaufnahme der Deutschen Bibliothek

International bibliography of historical sciences = Internationale Bibliographie der Geschichtswissenschaften = Bibliografia internacional de ciencias historicas / Internat. Committee of Historical Sciences, Lausanne, Paris. Ed. with the contribution of the National Committees. — München, New York, London, Paris: Saur.
ISSN 0074-2015
Erscheint zweijährl.

Vol. 45/46. 1976/77ff. — 1980ff.
Auf d. Haupttitels. auch: Comité International des Sciences Historiques. — Bis Vol. 43/44. 1974/75 im Verl. Colin, Paris.

NE: International Committee for Historical Sciences; 1. PT; 2. PT

Copyright © 1985
by K. G. Saur Verlag KG München
Printed and bound in the Federal Republic of Germany.
All rights reserved. No part of this publication may be reproduced, stored in a retrieval system or transmitted in any form or by any means, electronic, mechanical, photocopying, recording, or otherwise, without permission in writing from the publisher.

Printed by grafik + druck GmbH & Co, München
Bound by Thomas Buchbinderei GmbH, Augsburg
ISSN 0074-2015
ISBN 3-598-20405-1

The International Bibliography of Historical Sciences is published under the supervision of a « Bibliographical Commission » composed of :

Prof. Boyd C. SHAFER, Tucson, Arizona (U.S.A.),
Honorary President ;

Jean GLÉNISSON, Paris
President ;

Dr phil. Michael KEUL, Paris,
Secretary ;

Dr J. BAUMGART, Krakow,
Prof. G. EDWARDS, London,
Dr Ernesto de la TORRE VILLAR, México,
Prof. Hermann HEIMPEL, Göttingen,
Mme Inessa KHODOS, Moskva,
Prof. Raffaello MORGHEN, Roma,
Dr Adam HEYMOWSKI, Stockholm,
Prof. H. Kohachiro TAKAHASHI, Tokyo,
Members.

This volume was edited by Mr. **Jean GLÉNISSON**, directeur de l'Institut de recherche et d'histoire des textes (C.N.R.S.), and Mr. **Michael KEUL**, C.N.R.S., Paris.

A list of correspondents of the International Committee of Historical Sciences who have collaborated in the preparation of this volume is given on pages XIII-XV.

This volume was typewritten by Mme Nicole Sentise.

NOTICE

THE UNESCO general conference adopted, during its second session in Mexico City, in november 1947, the following resolution :

« The Director General is instructed to develop international co-operation in the field of philosophy and humanistic studies by grants-in-aid or contracts for financial assistance to the International Council of Philosophy and Humanistic Studies.

In return, the Director-General shall secure the Council's collaboration with a view to :

a) Encouraging the creation of international organizations in branches of humanistic studies, where such organizations do not exist and where the need for them has been felt ;

b) Facilitating the dissemination of ideas and the spread of knowledge, more particularly by the organization of congresses and committees of enquiry, the publication of works of reference, information or synthesis throwing light upon insufficiently known aspects of certain cultures;

c) Promoting and co-ordinating, within each subject field, bibliographical work in accordance with resolution 6.52 and studying the possibility of establishing rules for abstracting which may be applied within the fields of philosophy and humanistic studies ;

d) Obtaining the help of international organizations and specialists in humanistic studies in the carrying out of Unesco's programme. »

The subvention which was given in fulfillement of this resolution has, only for a part, permitted the International Committee of historical Sciences to publish the present volume.

For information concerning the other bibliographical publications recommended by UNESCO, see the descriptive notes at the end of the present volume.

INDICE DE MATERIAS

	Paginas
ADVERTENCIA	VII
MEMBROS O DELEGADOS DE LAS COMISIONES HISTÓRICAS NACIONALES Y DE LAS ORGANIZACIONES INTERNACIONALES QUE HAN COLABORADO EN EL TOMO L DE LA « INTERNATIONAL BIBLIOGRAPHY OF HISTORICAL SCIENCES »	XI
PLAN DE CLASIFICACIÓN	XV
BIBLIOGRAFÍAS HISTÓRICAS GENERALES	XXI
BIBLIOGRAFÍA	1
ÍNDICE DE AUTORES Y DE PERSONAS	268
ÍNDICE GEOGRÁFICA	316

ADVERTENCIA

La *International Bibliography of Historical Sciences* es una reseña bibliográfica selectiva y los trabajos que menciona, obras y artículos de revistas, son distribuidos según un plan, a la vez metódico y cronológico, establecido desde su origen por la Comisión de bibliografiá del C. I. C. H., el cual ha sido objeto de retoques sólo en el detalle y que, en su reunión de junio de 1952, en Bruselas, la Comisión ha juzgado oportuno conservar.

Se hallarán, a continuación, los principios seguidos por la selección de los trabajos, y las reglas, a las cuales se han atenido para señalarlos.

A. Modo de selección.

En conformidad con el deseo expresado por la Comisión de bibliografía del C. I. C. H., el Consejo de Redacción está animado por el doble cuidado de conservar a la I. B. O. H. S. su caracter de bibliografía general que abarque el conjunto de las ciencias históricas, evitando los dobles empleos, y de poner a la disposición de los historiadores y tambien de los bibliotecarios, en un solo volúmen de aparición anual, lo esencial de la producción histórica mundial.

Frente a la multiplicación de las bibliografías especializadas, parece, efectivamente, necesario, más que nunca, permitir a los sabios aislados y también a entidades científicas que no pueden procurarse la totalidad de esas bibliografías, seguir enterados de los adelantos de la ciencia histórica, en el curso de cada año.

Se ha indicado, en cabeza de la selección bibliográfica, la lista de las bibliografías nacionales, ó de las bibliografías propias de las grandes disciplinas históricas, dónde se encuentra el censo de todos los trabajos relativos a un pais ó a una disciplina determinada.

De otra parte se ha mencionado, a la cabeza de cada división ó subdivisión del plan de clasificación, haciendolas preceder de un asterisco, las bibliografías consagradas, más particularmente, a un tema ó a un autor, que encuentran su sitio lógico en esta división ó subdivisión. Se ha mostrado, pues, tanto más estricto, en la selección de trabajos escogidos, cuánto mas numerosas y amplias son las bibliografías especializadas, a las cuales corresponden.

Han sido tambien eliminados, deliberadamente, salvo caso excepcional, dejado a la apreciación del Consejo de Redacción :

Las reediciones — traducciones — reseñas de folletos sin elementos nuevos de información — trabajos de detalle, de interés meramente local — catálogos de exposiciones — trabajos mecanografiados ó multicopiados por roneotipia — obras de vulgarización ó de propaganda — volúmenes ó artículos cuyas señas bibliográficas quedaban incompletas en las fichas, sin que las pudiera reformar el Consejo de Redacción.

Por el contrario, se ha empeñado en señalar todos los trabajos, bien que sean de poca amplitud ó de interés aparentemente local, que contengan una aportación evidente a la Historia general ó a la solución de problemas en curso. Es el caso de ciertos relatos de excavaciones, particularmente en prehistoria, y de artículos relativos a puntos de controversia tocantes a la historia de las instituciones ó de la civilización. En este caso, se ha puesto a continuación del título, una breve mención, entre corchetes, precisando la naturaleza del trabajo y las razones por las que ha sido elegido.

Contrariamente a la mayoría de las bibliografías nacionales, la I. B. O. H. S. no limita sus búsquedas a una fecha fija, es decir, que los trabajos tocantes a la más moderna Historia encuentran en ella su lugar, particularmente en lo que se refiere a las relaciones internationales (P § 8) ; sin embargo, la selección debia de hacerse más estricta, a medida que se avanzaba más en el tiempo.

Así concebida, la I. B. O. H. S. conserva una fisionomía propia ; no intenta sustituir ninguna bibliografía existente, sino que, evitando al máximo los dobles empleos, admite como necesarios los campos comunes, en los cuales el mundo docente sabrá siempre encontrar su provecho.

B. Reglas de presentación.

En el interior de cada una de las subdivisiones, los trabajos están presentados en el orden alfabético de los autores. Los nombres eslavos son transcritos en caracteres latinos y colocados en el orden de las letras del alfabeto latino, sin tener en cuenta los signos diacríticos que las acompañan. Los nombres germánicos y escandinavos están clasificados en función del valor desarollado de las lettras con la inflexión ä, ö, ü = ae, oe, ue. *Mac*, *Mc*, *M'* se alfabetizan todos como *Mac*. Por el contrario, los nombres de santos, papas y emperadores romanos se imprimen en su forma latina únicamente en el índice.

Por lo que se refiere a los nombres geográficos, hemos respetado la nomenclatura nacional de cada país. En los casos en que la forma nacional era dudosa o imposible de representar, hemos adoptado la forma francesa.

Las obras anónimas ó colectivas están clasificadas en su lugar alfabético según la inicial de la palabra « tipo » de su título : v. g. *Congrès (quatorzième) des sociétés savantes*..., sin embargo, en la subdivisión B § 3 c, las misceláneas van indicadas en el orden alfabético de los nombres de sabios, a los cuales hayan sido dedicadas ; estos van impresos en caracteres gruesos.

Se tendrá en cuenta, igualmente, que están impresos en caracteres gruesos, los nombres de sabios objeto de una mención biográfica (B § 3 b) y los de santos, a los cuales ha sido consagrado un estudio (G § 4, I § 13 d) ; en ambos casos los trabajos van indicados en el orden alfabético de los personajes interesados.

Cuando en una subdivisión los trabajos están repartidos por paises (B § 6 b, K § 2), estos paises se indican según el orden alfabético de su forma francesa, cualquiera que sea la lengua en la que figuren.

Como se ha hecho para las bibliografías propias de una división ó subdivisión, han sido sacadas de la serie alfabética de cada una de estas divisiones ó subdivisiones las publicaciones de textos, llevándolas a la cabeza, a continuación de las menciones de bibliografías y haciéndolas preceder de dos asteriscos. Así, el lector tiene compendiadas immediatamente bajo sus ojos, las más recientes bibliografías y ediciones de textos relativas a un tema ó a un período. Pero no se ha adoptado este procedimiento para las secciones E, F, G, H, y I, que ya tienen cada una, una división consagrada a los textos.

Cuando el año en curso ha sido marcado por la commemoración de un acontecimiento histórico importante, los trabajos a los cuales esta conmemoración ha dado lugar van agrupados a parte y bajo un título particular al fin de la subdivisión en la cual este acontecimiento, normalmente, tiene su sitio.

Además de estas conmemoracions, ocurre que varios libros o articulos sean dedicados a un mismo tema o a un mismo personaje. En este caso, los trabajos con ellos relacionados, van enumerados por orden alfabético de sus autores, bajo un mismo número destinado al intitulado del tema o al nombre del personaje, los cuales, entonces, se encuentran en el cuadro alfabético de la subdivisión.

Cuando una obra, aparecida hace tres ó cuatro años, ha sido anualmente objeto de una reseña, se vuelven a indicar con el número de la última mención de la obra, el nombre de su autor y lo esencial de su título, todas las reseñas sucesivas de las cuales ha sido objeto : se puede seguir así, de año en año, el estado de la crítica que ha provocado la publicación de un libro.

Para la *collation*, se ha intentado, en la medida de lo posible, unificar las menciones refiriendo las al francés ó al inglés, las dos lenguas que tienen más palabras ó iniciales de palabra, idénticas.

Las llamadas a obras que interesen, de una parte, una sección, y cuyo sitio lógico estaba en otra, llamadas anunciades por *Cf. n°...*, han sido colocadas al fin de dicha sección.

Para los nombres de continentes y de grandes países, bajo los cuales cabrían tantas llamadas que resultarían inútiles, solo se refiere, en el índice onomástico de lugares, a las cédulas bibliográficas agrupadas, dentro de cada división, por ser relativas a una de esas entidades geográficas, y también a los trabajos generales que traten de ellas.

MEMBROS O DELEGADOS

DE LAS COMISIONES HISTORICAS NACIONALES
Y DE LAS ORGANIZACIONES INTERNACIONALES
QUE HAN COLABORADO
EN EL TOMO L DE LA « INTERNATIONAL BIBLIOGRAPHY
OF HISTORICAL SCIENCES »[1]

REPÚBLICA DEMOCRATICA DE ALEMANIA

Dr Peter WICK, Leiter der Abteilung Information und Dokumentation des Zentralinstituts für Geschichte der Akademie der Wissenschaften der DDR (Berlin). – Dr Lutz NOACK, Bibliotheksrat an der Deutschen Bücherei (Leipzig).

REPÚBLICA FEDERAL DE ALEMANIA

Prof. Dr Dr h.c. Hermann HEIMPEL, Max-Planck-Institut für Geschichte (Göttingen), und Frau Gisela ENGELSING-SCHICK (Bielefeld).

AUSTRIA

Univ.-Prof. Dr Wolfdieter BIHL, Institut für Geschichte, Universität Wien (Wien).

BÉLGICA

Léon ZYLBERGELD, archiviste adjoint de la ville de Bruxelles (Bruxelles)

BULGARIA

Mme Emilia KOSTOVA, attachée de recherches à l'Institut d'Histoire auprès de l'Académie Bulgare des Sciences (Sofia).

CANADÁ

Normand St PIERRE, Directeur de la Bibliothèque des Archives publiques du Canada (Ottawa).

DANIMARCÁ

Bent JØRGENSEN, Chief Librarian, Aalborg Universitetsbibliotek (Aalborg).

---

1. Clasificación por estados según el orden alfabético de su forma francesa.

ESPAÑA

Mme Nuria COLL JULIA, docteur ès sciences historiques (Barcelona).

ESTADOS UNIDOS DE AMÉRICA

Thomas T. HELDE, professor of history, Georgetown University (Washington, D.C.).

FINLANDIA

Mme Pirjo NEUVONEN, conservateur à la Bibliothèque de l'université de Turku (Turku). – Mme Ilse VAHAKYRO, conservateur à la Bibliothèque de l'université de Turku (Turku).

FRANCIA

Michael KEUL, C.N.R.S. (Paris).

GRAN BRETAÑA

Louis B. FREWER, formerly librarian, Rhodes House Library (Oxford).

HUNGRIA

Ferenc MUCSI, sous-directeur de l'Institut des sciences historiques de l'Académie des Sciences de Hongrie (Budapest).

IRLANDA

Dr Art COSGROVE, on behalf of the Irish Committee of Historical Sciences, University College (Dublin).

ISRAEL

Mrs Libby KAHANE, Reference Service, The Jewish National and University Library (Jerusalem).

ITALIA

Giunta Centrale per gli Studi Storici (Roma). – Prof. Margherita BETTONI, ordinaria di Lettere Italiane e Storia negli Istituti superiori. – Prof. Manuela AIRES, ordinaria di Lettere Italiane e Storia negli Istituti superiori.

JAPÓN

Takeshi KIDO, professor of history, the University of Tokyo (Tokyo).

LUXEMBURGO

Gilbert TRAUSCH, directeur de la Bibliothèque nationale (Luxembourg).

NORUEGA

Dr. Wilhelm K. STØREN, conservateur en chef de la Bibliothèque de l'université de Trondheim (Trondheim).

PAÍSES BAJOS

Th. S.H. BOS, membre du Bureau de la Commission de l'État pour l'histoire néerlandaise (Gouda).

POLONIA

Doc. dr hab. Wieslaw BIENKOWSKI, directeur du Service de Documentation scientifique de l'Institut d'Histoire de l'Académie polonaise des Sciences (Krakow).

PORTUGAL

José Gentil DA SILVA, maître de conférences à la Faculté des Lettres et des Sciences Humaines, université de Nice (Nice).

RUMANIA

Dr phil. Michael KEUL, C.N.R.S. (Paris).

SUECIA

Adam HEYMOWSKI, docteur ès lettres, conservateur en chef de la bibliothèque Bernadotte (Stockholm).

SUIZA

Pierre SURCHAT, docteur ès lettres, Bibliothèque nationale Suisse (Berne).

CHECO-ESLOVAQUIA

Prof. Dr Jaroslav PURS, membre titulaire de l'Académie Tchécoslovaque des Sciences, directeur de l'Institut d'Histoire tchécoslovaque et mondiale de l'Académie Tchécoslovaque des Sciences.

U.R.S.S.

Dr. R. MDIVANI, Chef de la Division pour l'information bibliographique de l'Institut d'Information scientifique en sciences sociales, Académie des Sciences de l'U.R.S.S. (Moscou).

ORGANIZACIONES INTERNACIONALES

Fondation Égyptologique Reine Élisabeth (Bruxelles) : Bibliographie Papyrologique (sur fiches) rédigée par Marcel HOMBERT et Georges NACHTERGAEL.

PLAN DE CLASIFICACION

BIBLIOGRAFÍAS HISTÓRICAS GENERALES
(p. XXI-XIII)

A

CIENCIAS AUXILIARES DE LA HISTORIA
(p. 1-8)

§ 1. Paleografía e historia de la escritura. 1-21.– § 2. Diplomática. 22-24.– § 3. Historia del libro. 25-50.– § 4. Cronología. 51-55.– § 5. Genealogía. 56-63.– § 6. Sigilografía y heráldica. 64-79.– § 7. Numismática y metrología. 80-124.– § 8. Linguística. 125-150.– § 9. Geografía histórica e historia de la geografía. 151-194.– § 10. Iconografía. 195-206.

B

MANUALES, OBRAS DE CARÁCTER GENERAL, TRABAJOS DE CONJUNTO
(p. 9-38)

§ 1. Congresos y organizaciones históricas. 207-226.– § 2. Archivos, bibliotecas y museos (*a.* Archivos ; *b.* Bibliotecas ; *c.* Museos). 227-268.– § 3. Historia de las ciencias históricas (*a.* Generalidades ; *b.* Biografías ; *c.* Misceláneas). 269-437.– § 4. Metodología, filosofía y enseñanza de la historia. 438-547.– § 5. Etnografía y folklore. 548-599.– § 6. Historia general (*a.* Generalidades ; *b.* Historia por Estados). 600-733.– § 7. Teoría del Estado y de la sociedad. 734-748.– § 8. Historia del derecho y constitucional. 749-755.– § 9. Historia economica y social. 756-800.– § 10. Historia de la civilisación, de las ciencias y de la enseñanza. 801-843.– § 11. Historia del arte. 844-873.– § 12. Historia religiosa (*a.* Generalidades ; *b.* Estudios particulares). 874-927).– § 13. Historia de la filosofía. 928-936.– § 14. Historia de la literatura. 937-956.

C

PREHISTORIA Y PROTOHISTORIA
(p. 39-46)

§ 1. Generalidades. 957-1010.– § 2. Paleolítico y mesolitico. 1011-1033.– § 3. Neolítico. 1034-1061.– § 4. Edad del bronce. 1062-1096.– § 5. Edad del hierro. 1097-1120. – § 6. Pueblos protohistóricos de Europa, excepto los de Grecia e Italia antiguas. 1121-1155.

D

HISTORIA DEL ANTIGUO ORIENTE
(incluidas las monarquías helénicas)
(p. 47-52)

§ 1. Antigüedad en general. 1156-1163.– § 2. Asia anterior (generalidades). 1164-1173.– § 3. Egipto. 1174-1227.– § 4. Cirene. 1228-1229.– § 5. Mesopotamia. 1230-1241.– § 6. Hilitas. 1242-1245.– § 7. Judíos y pueblos semíticos hasta el fin de la edad antigua. 1246-1279.– § 8. Iran. 1280-1285.

E

HISTORIA DE GRECIA
(p. 53-60)

§ 1. Antigüedad clásica en general. 1286-1302.– § 2. Edad prehelénica. 1303-1307.– § 3. Fuentes y crítica de las mismas. 1308-1337.– § 4. Historia general y política. 1338-1361.– § 5. Historia del derecho y de las instituciones. 1362-1364.– § 6. Historia económica y social. 1365-1372.– § 7. Historia de la literatura, de la filosofía y de las ciencias. 1373-1450.– § 8. Religión y mitología. 1451-1457.– § 9. Arqueología e historia del arte. 1458-1484.

F

HISTORIA DE ROMA, DE ITALIA ANTIGUA Y DEL IMPERIO ROMANO
(p. 61-70)

§ 1. Los pueblos de Italia antigua. 1485-1489.– § 2. Etruscología. 1490-1505.– § 3. Fuentes y crítica de las mismas. 1506-1529.– § 4. Historia general y política. 1530-1583.– § 5. Historia del derecho y de las instituciones. 1584-1613.– § 6. Historia económica y social. 1614-1646.– § 7. Historia de la literatura, de la filosofía y de las ciencias. 1647-1693.– § 8. Religión y mitología. 1694-1705.– § 9. Arqueología e historia del arte. 1706-1754.

G

HISTORIA ANTIGUA DE LA IGLESIA HASTA GREGORIO EL MAGNO
(p. 71-73)

§ 1. Fuentes. 1755-1771.– § 2. Generalidades. 1772-1776.– § 3. Estudios particulares. 1777-1810.– § 4. Hagiografía. 1811-1815.

H

HISTORIA BIZANTINA DESDE JUSTINIANO
(p. 74-77)

§ 1. Fuentes. 1816-1829.– § 2. Generalidades. 1830-1837.– § 3. Estudios particulares. 1838-1897.

I

HISTORIA DE LA EDAD MEDIA
(p. 78-103)

§ 1. Fuentes y críticas de las mismas. 1898-1985.– § 2. Obras generales. 1986-2022.– § 3. Historia política (*a*. Generalidades ; *b*. 476-900 ; *c*. 900-1300 ; *d*. 1300-1500). 2023-2135.– § 4. Judíos. 2136-2143.– § 5. Islam. 2144-2153.– § 6. Vikingos. 2154-2163.– § 7. Historia del derecho y de las instituciones. 2164-2201.– § 8. Historia ecónomica y social. 2202-2316.– § 9. Historia de la civilización. Historia literaria. Historia de las ciencias. Historia de la enseñanza. 2317-2385.– § 10. Historia del arte (*a*. Generalidades ; *b*. Estudios particulares). 2386-2453.– § 11. Historia de la música. 2454-2462.– § 12. Historia de la filosofía. 2463-2487.– § 13. Historia de la Iglesia (*a*. Generalidades ; *b*. Historia del Papado ; *c*. Historia monástica ; *d*. Hagiografía ; *e*. Estudios particulares). 2488-2580.– § 14. Historia de la publación. Toponimía. Urbanismo. 2581-2621).

K

EDAD MODERNA, OBRAS GENERALES
(p. 104-148)

§ 1. Generalidades. 2622-2688.– § 2. Historia por Estados. 2689-3898.– § 3. Descubrimientos geográficos. 3898-3906.

L

HISTORIA RELIGIOSA DE LA EDAD MODERNA
(p. 149-159)

§ 1. Generalidades. 3907-3943.– § 2. Catolicismo (*a*. Generalidades ; *b*. Historia del Papado ; *c*. Estudios particulares ; *d*. Historia monástica ; *e*. Historia de las misiones). 3944-4072.– § 3. Ortodoxia. 4073-4082.– § 4. Protestantismo. 4083-4173.– § 5. Religiones y sectas no cristianas. 4174-4198.

M

HISTORIA DE LA CULTURA EN LA EDAD MODERNA
(p. 160-188)

§ 1. Generalidades. 4199-4249.– § 2. Academias y organización intelectual. 4250-4264.– § 3. Pedagogía y ensenanza. 4265-4375.– § 4. Prensa. 4376-4424.– § 5. Filosofía y concepto del mundo. 4425-4552.– § 6. Ciencias exactas, técnica, ciencias naturales y medicina. 4553-4689.– § 7. Literatura (a. Generalidades ; b. Renacimiento ; c. Clasicismo ; d. Romanticismo y presente). 4690-4838.– § 8. Arte y arte industrial (a. Generalidades ; b. Arquitectura ; c. Escultura, pintura, dibujos, grabado ; d. Artes decorativos, arte popular, arte industrial). 4839-4926.– § 9. Música, teatro y cinematografía. 4927-5009.

N

HISTORIA ECÓNOMICA Y SOCIAL DE LA EDAD MODERNA
(p. 189-223)

§ 1. Economía política. 5010-5039.– § 2. Historia económica general. 5040-5123.– § 3. Industria, minas y transportes. 5133-5278.– § 4. Comercio. 5279-5350.– § 5. Agricultura y problemas agrários. 5351-5454.– § 6. Moneda y hacienda. 5455-5494.– § 7. Demografía y urbanismo. 5495-5561.– § 8. Historia social y de las costumbres. 5562-5798.– § 9. Movimiento obrero y socialismo. 5799-5964.

O

HISTORIA DEL DERECHO E HISTORIA CONSTITUCIONAL DE LA EDAD MODERNA
(p. 224-229)

§ 1. Historia general del derecho. 5965-5977.– § 2. Historia del derecho constitucional. 5978-6003.– § 3. Derecho público e instituciones. 6004-6047.– § 4. Derecho civil y penal. 6048-6096.– § 5. Derecho internacional. 6097-6104.

P

HISTORIA DE LAS RELACIONES ENTRE LOS ESTADOS MODERNOS
(p. 230-258)

§ 1. Generalidades. 6105-6152.– § 2. Historia de la colonización (a. Generalidades ; b. Asia ; c. África ; d. América ; e. Oceania). 6153-6342.– § 3. De 1500 à 1789 (a. Generalidades ; b. 1500-1648 ; c. 1648-1789). 6343-6395.– § 4. De 1789 à 1815. 6396-6425.– § 5. De 1815 à 1910. 6426-6482.– § 6. De 1910 à 1935. La primera guerra mundial. 6483-6578.— § 7. De 1935 à 1945. La segunda guerra mundial (*a.* Generalidades ; *b.* Diplomacia. Economía ; *c.* Operaciones de guerra ; *d.* Resistencia). 6579-6796.— § 8. Desde 1945. 6797-6902.

R

ASIA
(desde los orígenes a la colonización)
(p. 259-263)

§ 1. Generalidades. 6903-6908.— § 2. Asia central y occidental. 6909-6935.— § 3. Asia del sur. 6936-6964.— § 4. Asia del sudeste. 6965-6974.— § 5. China. 6975-7031.— § 6. Japon (antes de 1868). 7032-7040.— § 7. Corea. 7041-7045.

S

ÁFRICA
(desde los orígenes a la colonización)
(p. 264-265)

N°s 7046-7072.

T

AMÉRICA
(desde los orígenes a la colonización)
(p. 266)

N°s 7073-7091.

U

OCEANÍA
(desde los orígenes a la colonización)
(p. 267)

N°s 7092-7109.

BIBLIOGRAFÍAS HISTÓRICAS GENERALES

I. [Allemagne] : Jahresberichte für deutsche Geschichte. Hrsg. v. d. Akad. d. Wiss. d. DDR, Zentralinst. f. Gesch., Abt. Inf. u. Dok. N. F. [Jg. 28/29. Cf. Bibl. 78-79, n° *I.*] Jg. 30/31. 1978.1979, mit Nachträgen. Verantw. : Hans-Stephan BRATHER. Mitarb. bei d. bibliogr. Bearb. : Deutsche Bücherei. Verantw. : Lutz NOACK. Berlin, Akad.-Verl., 81, in-8, 934 p.

II. Année (L') philologique. Bibliographie critique et analytique de l'antiquité gréco-latine (fondée par J. MAROUZEAU).]T. 49. Cf. Bibl. 80, n° *II.*] T. 50 : Bibliographie de l'année 1979 et compléments d'années antérieures. Publ. par Juliette ERNST et par Viktor POESCHL et William C. WEST, avec la collab. de Marianne DUVOISIN-BAMMATE, Ingrid ROBBE-GRILLET, Pierre LANGLOIS, Claude-Lise FOULT, Pierre-Paul CORSETTI et Helga GARTNER. Paris, Les Belles Lettres, 81, in-8, LXII-833 p.

III. [Art et archéologie] : Acta archaeologica. Table of contents volumes 1-50. *Acta archaeologica*, 79 [80], vol. 50, p. 241-252.— Archaeological bibliography for Great Britain and Ireland. [1975. Cf. Bibl. 78-79, n° *III*] 1976. London, Council for British Archaeology, 81, in-8, XIV-173 p.— Archäologische Bibliographie. Deutsches Archäologisches Institut. [1979. Cf. Bibl. 80, n° *III*] 1980. Bearb. v. Werner HERMANN, in Zusammenarbeit mit Hubert MANDERSCHEID u. Felix PREISSHOFEN. Berlin, 81, in-4, XXXVI-393 p.— Bibliographia Archaeologica Hungarica.- Magyar régészeti irodalom [1979. Cf. Bibl. 80, n° *III*]. 1980. Réd. par JAKABFFY (Imre). *Archaeol. Ért.*, 81, vol. 108, n° 1, p. 120-134.— Répertoire d'art et d'archéologie (de l'époque paléochrétienne à 1939). [1980. Cf. Bibl. 80, n° *III*]. 1981, n. s., t. 17, n° 1-5. Paris, Centre de documentation sciences humaines (C.N.R.S.), 81, 5 fasc. in-4, 206, 188, 198, 186, 216 p.— Répertoire international de la littérature de l'art. International repertory of the literature of art. RILA. [Vol. 6. Cf. Bibl. 80, n° *III*]. Vol. 7 : 1981. Williamstown, Mass., Sterling a. Francine Clark Art Institution, 81, in-4, 832 p.

IV. [Autriche] : Osterreichische historische Bibliographie. Austrian historical bibliography. Hrsg. v. Günther HODL u. Wolfdieter BIHL. [1978. Cf. Bibl. 80, n° *IV*]. 1979. Bearb. v. Günther HODL, Herbert PAULHART, Wolfdieter BIHL. Salzburg, Neugebauer ; Santa Barbara, Calif., Clio, 81, in-8, 203 p.

V. [Belgique] : Bibliographie de l'histoire de Belgique [1979. Cf. Bibl. 80, n° *V*]. 1980.— Bibliografie van de geschiedenis van België 1980. *R. belge Philol. Hist.*, 81, t. 59, p. 883-993.

VI. [Bulgarie] : KOSTOVA (Emilia), ALADŽEMOVA (Dora). La littérature historique bulgare. Janv.-juin 1980. *Bulg. hist. R.*, 81, a. 9, n° 1-2, p. 248-256.

VII. [Canada] : Canadiana. [Cf. Bibl. 78-79, n° *V.*]. 1981. Ottawa, National Library of Canada. Bibliothèque nationale du Canada, 81, 7 v. in-4, 1230, A-1237, B-523, C-526, D-195, E-76 p.— Recent publications relating to Canada, prepared in the editorial office of University of Toronto Press by Murray BARKLEY a. Bradley ADAMS.

[Cf. Bibl. 78-79, n° *V.*] *Canad. hist. R.*, 80, vol. 61, p. 121-140, 262-281, 428-452, 563-580 ; 81, vol. 62, p. 122-140, 261-281, 385-406, 568-584.

VIII. [Celtes] : Bibliotheca Celtica : A register of publications relating to Wales and the Celtic peoples and languages. [1971-1972. Cf. Bibl. 76-77, n° *VII.*] 1973-1976. Aberystwith, The National Library of Wales, 81, in-8, XXIII-708 p.

IX. [France] : Bibliographie annuelle de l'histoire de France, du cinquième siècle à 1958. Année [1979. Cf. Bibl. 80, n° *VIII.*] 1980. Réd. par Colette ALBERT-SAMUEL, Brigitte MOREAU, Sylvie POSTEL. Paris, Éd. du C.N.R.S., 81, in-8, LXXXVII-812 p.

X. [Grande-Bretagne] : Annual bibliography of British and Irish history. Royal historical Society. General ed. : G. R. ELTON. Publications of [1978, 1979. Cf. Bibl. 80, n° *IX.*] 1980, 1981. Brighton, Harvester Press, 81, 2 vol. in-8, 190, 210 p.– Writings on British history, 1962-1964, 1965-1966. Ed. by Heather J. CREATON. London, Univ., Inst. of Hist. Research, 81, 2 vol., in-8, 311, XX-225 p.

XI. Historical abstracts. Bibliography of the world's periodical literature. Bibliographie des publications périodiques mondiales. Bibliographie der Zeitschriftenliteratur der Welt. Bibliografía mundial de publicaciones periodicas. Bibliografija mirovoi periodičeskoi literaturij. Eric H. BOEHM, editor. [Vol. 26. Cf. Bibl. 80, n° *X.*] Vol. 27 : 1981. Part A : Modern history abstracts 1450-1914. Part. B : Twentieth century abstracts 1914-1978. Santa Barbara, Calif., a. Oxford, Clio, 81, 2 vol. in-4, VI-403, VI-303 p.

XII. [Hongrie] : Bibliographie choisie d'ouvrages d'histoire publiés en Hongrie en [1977. Cf. Bibl. 80, n° *XI.*] 1978. *Acta hist. Acad. Sci. hungaricae*, 80, vol. 26, n° 3-4, p. 497-515.– Magyarországon (A) megjelent hadtörténelmi irodalom bibliográfiája, 1978/2., 1979/1. Összeall. VINICZAI István, WINDISCH Aladárné. (Bibliographie de la littérature de l'histoire militaire parus en Hongrie [1978/1. Cf. Bibl. 80, n° *XI.*] 1978/2, 1979/1. Réd. par –.) *Hadtört. Közl.*, 81, vol. 28, p. 146-159, 660-679.– Magyarországon (A) megjelent történeti munkák (Onálló kötetek, tanulmányok, cikkek) válogatott jegyzéke, 1980. Összeall. ROZSNYÓI Agnes, Sz. GYIVICSÁN Maria. (Liste choisie des ouvrages historiques - monographies, études, articles - parus en Hongrie [1979. Cf. Bibl. 80, n° *XI.*] 1980. Réd. par –.) *Századok*, 81, vol. 115, n° 6, p. 1378-1475.

XIII. International Committee of Historical Sciences. Comité International des Sciences Historiques. Lausanne – Paris. International bibliography of historical sciences. Internationale Bibliographie der Geschichtswissenschaften. Bibliografia internacional de ciencias historicas. Bibliographie internationale des sciences historiques. Bibliografia internazionale delle scienze storiche. Vol. [47-48. Cf. Bibl. 80, n° *XII.*] XLIX : 1980. Ed. with the contribution of the national committees by Jean GLENISSON and Michael KEUL. Publ. with the assistance of UNESCO and under the patronage of the International Council for Philosophy and Humanistic Studies. München, New York, London a. Paris, 84, in-8, XXVII-406 p.

XIV. [Luxembourg] : Bibliographie d'histoire luxembourgeoise pour l'année [1977-1979. Cf. Bibl. 80, n° *XV.*] 1980 (avec compléments des années précédentes). Luxembourg, Bibliothèque nationale, 81, in-8, 72 p.

XV. [Norvège] : Norsk Bokfortegnelse. (The Norwegian national bibliography). Årskatalog [1979. Cf. Bibl. 80, n° *XVI.*] 1980. Utarb. ved Universitetsbiblioteket i Oslo. Norske avdeling. Publ. by Den norske bokhandlerforening. Oslo, 81, in-4, 575 p.

XVI. [Pays-Bas] : Repertorium van boeken en tijdschriftartikelen betreffende de geschiedenis van Nederland verschenen in [1975-1978. Cf. Bibl. 78-79, n° *XIV.*] 1979 (met aanvullingen uit voorafgaande jaren). Samengesteld door Th. S. H. BOS. (Répertoire de livres et d'articles de revues concernant l'histoire des Pays-Bas parus en 1979 avec compléments pour les années précédentes. Comp. par –.) 's-Gravenhage, Nijhoff, 81, in-8, LXII-369 p.

XVII. [Pologne] : Bibliografia historii polskiej za lata 1938-1939. (Bibliographie de l'histoire polonaise des années 1938-1939). Sur la base des matériaux recueillis en partie par Maria FRIEDBERGOWA, élab. par Wiesław BIEŃKOWSKI, Aleksandra PRZYBOSIOWA, Roman ŻELEWSKI. Réd. W. BIEŃKOWSKI. Wrocław, Zakł. Narod. im. Ossolińskich, 81, in-8, VIII, 405 p. (Pol. Akad. Nauk. Inst. Hist. Pracownia Informacji Nauk.).– GŁUSZEK (Stanisław), MALCÓWNA (Anna), PERZANOWSKA (Irena). Bibliografia historii polskiej za rok 1978. (Bibliographie de l'histoire polonaise de l'année 1978). Réd. Wiesław BIEŃKOWSKI. Wrocław, Zakł. Narod. im. Ossolińskich, 81, in-8, VIII-504 p. (Pol. Akad. Nauk., Inst. Hist. Pracownia Informacji Nauk).

XVIII. [Roumanie] : PENELEA (Georgeta). Bibliographie historique 1977. [Cf. Bibl. 78-79, n° *XVI.*] *R. roumaine Hist.*, 80, t. 19, p. 129-142, 765-774.– TAFTA (Lucia), ISTICIOAIA-BUDURA (Tatiana). Bibliographie historique 1978. *Ibid.*, 81, t. 20, p. 181-204, 369-392, 561-575.

XIX. [Suisse] : Bibliographie der Schweizergeschichte. Bibliographie de l'histoire suisse. [1978. Cf. Bibl. 80, n° *XX.*]. 1979. Bearb. von / Établie par Pierre Louis SURCHAT. Hrsg. von der Schweizer. Landesbibliothek / Publ. par la Bibliothèque nationale Suisse. Bern, Eidgenöss. Drucksachen- und Materialzentrale, 81, in-8, XXIV-216 p.

XX. [Tchécoslovaquie] : Historiografie v Československu 1970-1980. Výběrová bibliografie. (Historiography in Czechoslovakia 1970-1980. Selected Bibliography). By Bohumila HOUBOVÁ, Miloslav KUDELÁSEK, Milada MATUROVÁ, Věroslav MYŠKA, Lumír NESVADBÍK, Anna ŠKORUPOVÁ. Praha, Ústav českosl. a svět. dějin ČSAV, 80, in-4, XXVII-387 p.

A

CIENCIAS AUXILIARES DE LA HISTORIA

§ 1. Paleografía e historia de la escritura. 1-21. - § 2. Diplomática. 22-24. - § 3. Historia del libro. 25-50. - § 4. Cronología. 51-55. - § 5. Genealogía. 56-63. - § 6. Sigilografía y heráldica. 64-79. - § 7. Numismática y metrología. 80-124. - § 8. Lingüística. 125-150. - § 9. Geografía histórica e historia de la geografía. 151-194. - § 10. Iconografía. 195-206.

§ 1. Paleografía e historia de la escritura.

1. AYLMER (Charles). The origins of the Chinese script, an introduction to Sinopalaeography. London, East Asia Books, 81, in-8, 48 p.

2. BAKER (Arthur). The life of Sir Isaac Pitman. London, Pitman, 81, in-8, 272 p. [Shorthand pioneer].

3. BARBOUR (R.). Greek literary hands, A. D. 400-1600. London, Oxford U.P., 81, in-8, 72 p. (ill.). (Palaeographical Hdbks.).

4. Bibl. 78-79, n° 4. BISCHOFF (Bernhard). Paläographie des römischen Altertums und des abendländischen Mittelalters. - CR : W. Speyer, Gnomon, 81, Bd 53, p. 456-460. [Cf. n° 2325].

5. CANART (Paul). Les écritures livresques chypriotes du milieu du XIe siècle au milieu du XIIIe et le style palestino-chypriote "epsilon". Scrittura e Civ., 81, a. 5, p. 17-75.

6. Epigrafia e paleografia. Inchiesta sui rapporti fra due discipline. Scrittura e Civiltà, 81, t. 5, p. 265-312.

7. GARAND (Monique-Cécile). Auteurs latins et autographes des XIe et XIIe siècles. Scrittura e Civ., 81, a. 5, p. 77-104.

8. GASNAULT (Pierre). Observations paléographiques et codicologiques tirées de l'inventaire de la librairie pontificale de 1369 [Avignon]. Scriptorium, 80, vol. 34, p. 269-275.

9. GILISSEN (Léon). Les réglures des manuscrits - réflexions sur quelques études récentes. Scrittura e Civ., 81, a. 5, p. 231-252.

10. HORNSHØJ MØLLER (Stig). Die Beziehung zwischen der älteren und der jüngeren römischen Kursivschrift. Versuch einer kulturhistor. Deutung. Aegyptus, 80, a. 60, p. 161-223.

11. MALOV (V.N.). Gli studi di paleografia latina in Russia dal 1940 agli anni settanta. Archivi e Cultura, 80 [81], a. 14, p. 17-31.

12. METZGER (Bruce M.). Manuscripts of the Greek Bible, introduction to palaeography. New York a. London, Oxford U.P., 81, in-8, 160 p. (ill., fig.).

13. MORISON (Stanley). Selected essays on the history of letter forms in manuscript and print. Ed. by David McKITTERICK. London, Cambridge U.P., 81, 2 vol. in-4, 543 p. (ill.).

14. OUY (Gilbert), RENO (Christine M.). Identification des autographes de Christine de Pizan. Scriptorium, 80, vol. 34, p. 221-238.

15. Repertorium der griechischen Kopisten 800-1600. T. 1 : Handschriften aus Bibliotheken Grossbritanniens. A : Verzeichnis der Kopisten. Erstellt v. Ernst GAMILLSCHEG u. Dieter HARLFINGER. B : Paläographische Charakteristika. Erstellt v. Herbert HUNGER. C : Tafeln, Wien, Verl. d. Österr. Akad. d. Wiss., 81, 3 vol. in-4, 227, 166, 387 p. (fac-sim.). (Österr. Akad. d. Wiss., Veröff. d. Kommission f. Byzantinistik, 3).

16. RYCKMANS (J.). L'ordre des lettres de l'alphabet sud-sémitique. Contribution à la question de l'origine de l'écriture alphabétique. Antiquité class., 81, t. 50, p. 698-706.

17. SCARCIA PIACENTINI (Paola). Angelo Decembrio e la sua scrittura. Scrittura e Civ., 80, a. 4, p. 247-277.

18. SEIDER (Richard). Paläographie der lateinischen Papyri. Bd 2, [1. Cf. Bibl. 78-79, n° 17.] 2 : Juristische und christliche Papyri. Stuttgart, Hiersemann, 81, in-4, 208 p. (40 pl.). - IDEM. Beiträge zur Geschichte und Paläographie der antiken Cicerohandschriften. Bibl. u. Wiss., 79, Bd 13, p. 101-149.

19. SIRAT (Colette). La lettre hébraïque et sa signification. AVRIN (Leila). Micrography as art. Paris, Ed. du C.N.R.S. ; Jerusalem, Israel Museum, Dept. of Judaica, 81, in-4, 80 p. (118 pl.). (Etudes de paléogr. hébraïque).

20. WILSON (Nigel). Miscellanea palaeografica. Greek, roman a. byzant. Stud., 81, vol. 22, p. 395-404.

21. ZILZER (Michaela). Die Umschrift lateinischer Texte am Ende der Antike und ihre Bedeutung für die Textkritik. Bemerkungen zur Entstehung d. Minuskel-B u. zu frühen Verderbnissen in Cicero, De legibus. Wiener Stud., 81, N.F., Bd 15, p. 211-231 (6 fig.).

§ 2. Diplomática.

22. CSENDES (Peter). Die Kanzlei Kaiser Heinrichs VI. Wien, Verl. d. Österr. Akad. d. Wiss., 81, in-4, 355 p. (Abb.). (Österr. Akad. d. Wiss., Phil.-hist. Kl. Denkschriften, 151).

23. NORTIER (Michel). Les actes faussement attribués à la chancellerie de Philippe Auguste. C. R. Acad. Inscript., 81, p. 658-683.

24. TORELLI (Pierre). Studi e ricerche di diplomatica comunale. Roma, Cons. naz. del notariato, 80, in-8, VIII-384 p. (tav.). (Studi stor. sul notariato ital., 5).

Cf. n° 2502.

§ 3. Historia del libro.

* 25. ABHB. Annual bibliography of the history of printed books and libraries. [Vol. 7. Cf. Bibl. 78-79, n° 35.] Vol. 8 : Publications of 1977 and additions from the preceding years. Ed. by Hendrick D.L. Vervliet. The Hague, Nijhoff, 81, in-8, 504 p.

* 26. BENZING (Josef). Bibliographie strasbourgeoise. Bibliographie des ouvrages imprimés à Strasbourg (Bas-Rhin) au XVIe siècle. T. 1. Baden-Baden, Koerner, 81, in-8, 345 p. (Bibliotheca bibliographica Aureliana, 80).

* 27. Répertoire bibliographique des livres imprimés en France au XVIe siècle. Fasc. 30 : Tables [des fasc. 1-29]. Baden-Baden, Koerner, 80, in-8, 221 p.

------

28. Angelo Fortunato Formiggini, un editore del Novecento. A cura di Luigi BALSAMO e Renzo CREMANTE. Bologna, Il mulino, 81, in-8, 485 p. (Temi e discussioni).

29. BARBERI (Francesco). Per una storia del libro. Profili, note, ricerche. Roma, Bulzoni, 81, in-8, 450 p.

30. BONDY (Louis W.). Miniature books, their history from the beginnings to the present day. London, Sheppard Press, 81, in-8, X-222 p. (ill.).

31. BOTTASSO (Enzo). L'editoria torinese dopo l'unità d'Italia. Accad. Bibl. Italia, 81, a. 49, n.s., 32, p. 116-125.

32. BOZZOLO (Carla), ORNATO (Ezio). Les fluctuations de la production manuscrite à la lumière de l'histoire de la fin du Moyen Age français B. philol., 79 [81], p. 51-75.

33. Buch und Buchhandel in Europa im achtzehnten Jahrhundert. Vorträge. The book and the book trade in eighteenth-century Europe. 5. Wolfenbütteler Symposium v. 1.-3. Nov. 1977. Hrsg. v. Giles BARBER u. Bernhard FABIAN. Hamburg, Hauswedell, 81, in-8, 360 p. (Ill.). (Wolfenbütteler Schriften z. Gesch. d. Buchwesens, 4).

34. BUCHWALD-PELCOWA (Paulina). Emblematy w drukach polskich i Polski dotyczących XVI-XVIII wieku. Bibliografia. (Les emblèmes dans les imprimés polonais et concernant la Pologne desXVIe-XVIIIe s. Bibliographie.) Wrocław, Zakł. Narod. im. Ossolińskich, 81, in-8, 308 p. (Książka w Dawnej Kulturze Pol., 18).

35. CHARTIER (Roger). L'Ancien Régime typographique : réflexions sur quelques travaux récents. A., Ec. Soc. Civ., 81, a. 36, p. 191-209.

36. COLORNI (Vittore). Abraham Conat, primo stampatore di opere ebraiche in Mantova e la cronologia delle sue edizioni. Bibliofilia [Firenze], 81, a. 83, p. 113-128.

37. DREGE (Jean-Pierre). Papiers de Dunhuang. Essai d'une analyse morphologique des manuscrits chinois datés. T'oung Pao, 81, vol. 67, p. 305-360.

38. ECKER (Gisela). Einblattdrucke von den Anfängen bis 1555. Unters. zu e. Publikationsform literar. Texte. Bd 1, 2. Göppingen, Kümmerle, 81, 2 vol. in-8, 342, 78 p. (Ill.). (Göppinger Arbeiten z. Germanistik, 314).

39. Fedorovskie čtenia. 1978. (Readings in memory of Fedorov, 1978.). Redkol. : E.L. NEMIROVSKIJ (Predsedatel') i dr. Moskva, Nauka, 81, 239 p. (ill.). (AN SSSR. Nauč. sovet po istorii mirovoj kultury. Gos. b-ka SSSR im. V. I. Lenina).

40. GOFF (Frederick R.). Uncle Sam has a book. Libr. Cong. quar. J., 81, vol. 38, n° 3, p. 123-133. [U.S. copy, Gutenberg Bible].

41. GRIMME (Ernst Günther). Die Geschichte der abendländischen Buchmalerei. Köln, Du Mont, 80, in-8, 238 p. (pl.).

42. HARTHAN (John). History of the illustrated book, Western tradition. London, Thames a. Hudson, 81, in-4, 288 p. (ill., pl.).

43. LOWRY (Martin). The social world of Nicholas Jenson and John of Cologne. Bibliofilia [Firenze], 81, a. 83, p. 193-218.

44. PALLIER (Denis). Les impressions de la Contre-Réforme en France et l'apparition des grandes compagnies de libraires parisiens. R. franç. Hist. Livre, 81, a. 50, n. sér., n° 31, p. 215-273.

45. PRZYWECKA-SAMECKA (Maria). Początki drukarstwa muzycznego w Europie - wiek XV. (Les débuts de l'imprimerie de musique en Europe -XVe s.). Wrocław, Zakł. Narod. im. Ossolińskich, 81, in-8, 132 p. (Travaux de la Soc. des Sci. et des Lettres de Wrocław. Ser. A, 221).

46. SHAW (Graham W.). Printing in Calcutta to 1800, a description and checklist of printing in late 18th century Calcutta. London, Oxford U.P., 81, in-8, 262 p. (ill.).

47. SOUTER (Gavin Geoffrey). The Company of Heralds : a century and a half of Australian publishing by John Fairfax Limited and its predecessors, 1831-1981. Melbourne, U.P., 81, in-8, 684 p. (ill.).

48. Studien zum Buch- und Bibliothekswesen. Im Auftr. d. Deutsch. Staatsbibliothek hrsg. von Friedhilde KRAUSE u. Hans-Erich TEITGE. Bd 1. Leipzig, Bibliograph. Inst., 81, in-4, 100 p. (Abb.).

49. TERENT'EV-KATANSKIJ (A.P.). Knižnoe delo v gosudarstve tangutov (Po materialam kollekcii P. K. Kozlova). (Book Publishing in the

Tangut state.) Moskva, Nauka, 81, 196 p. (ill.). (AN SSSR. In-t vostokovedenija).

50. VAN EERDE (Katherine S.). Robert Waldegrave : the printer as agent and link between sixteenth-century England and Scotland. Renaissance Quar., 81, vol. 34, n° 1 p. 40-78.

Cf. n°s 263, 2176, 2375,2401,2408, 4166, 4251.

§ 4. Cronología.

51. BIERNAT (Andrzej). O niektórych sposobach wyrażania czasu w XIX wieku. Na przykładzie źródeł epigraficznych z ziem Królestwa Polskiego. (Quelques façons d'exprimer le temps au XIXe siècle dans l'épigraphie du Royaume de Pologne.) Stud. źródłozn., 81, vol. 26, p. 165-174.

52. BOSWORTH (Clifford Edmund). The Islamic dynasties : a chronological and genealogical handbook. Edinburgh, Univ. Press, 80, in-8, XVIII-243 p. (Islamic surveys, 5).

53. DEL PIAZZO (Marcello). Manuale di cronoligia. Rist. anast. Roma, Il centro di Ric., 81, in-8, 148 p. (Fonti e Studi del Corpus membranarum Italicarum, 4) [Ripr. fac-sim. dell' ediz. : Roma, A.N.A.I., 1969].

54. KRAMER (Bärbel), HAGEDORN (Dieter). Datierungen unter Tiberius II. in Ägypten. Z. f. Papyrol. u. Epigr., 81, Bd 43, p. 123-127.

55. LIENARD (E.). Calendrier de Romulus. Les débuts du calendrier romain. Antiquité class., 81, t. 50, p. 469-482.

§ 5. Genealogía.

56. BETTO (Bianca). Linee di politica matrimoniale nella nobiltà veneziana fino al XV secolo. Alcune note genealogiche e l'esempio della famiglia Mocenigo. Arch. stor. ital., 81, a.139, p. 3-64.

57. BOŽILOV (Ivan). La famille des Asen (1186-1460). Généalogie et prosopographie. Bulg. hist. R., 81, a. 9, n° 1-2, p. 135-156.

58. CHAFFANJON (Arnaud). Histoires des familles royales : impératrice Joséphine, Louis-Philippe et leurs descendances de 1800 à nos jours. Paris, Ramsay, 80, 242 p. (ill.).

59. JONES (Michael). Notes sur quelques familles bretonnes en Angleterre après la conquête normande. M. Soc. Hist. Archéol. Bretagne, 81, t. 58, p. 73-97.

60. LABUDA (Gerard). Z badań genealogią książąt Pomorza Gdańskiego w XII i XIII wieku. (Contribution aux études sur la généalogie des princes de la Poméranie de Gdańsk des XIIe et XIIIe s.). Roczn. Gdańsk., 81, vol. 41, fasc. 1, p. 5-35.

61. PERSIN (Michel). Initiation à la généalogie familiale. Bois-d'Arcy, Ed. d'Austrasie, 81, in-8, 60 p. (ill.).

62. PODHORODECKI (Leszek). Sobiescy herbu Janina. (Les Sobieski à blason Janina.) Warszawa, Lud. Spółdz. Wydawn., 81, in-8, 316 p.

63. TARPINO (Antonella). Tradizione pubblica e radicamento signorile nello sviluppo signorile dei Visconti di Baratonia (secoli XI-XIII). B. stor. bibliogr. subalpino, 81, a. 79, p. 5-65.

Cf. n°s 52, 2064.

§ 6. Sigilografía y heráldica.

64. ARZ VON STRAUSSENBURG (Albert). Beiträge zur siebenbürgischen Wappenkunde. Mit Beiträgen v. Hermann A. HIENZ u. Balduin HERTER. Köln u. Wien, Böhlau, 81, in-8, VIII-243 p. (Ill.). (Siebengürg. Archiv, Folge 3, Bd 16).

65. BARNEA (I.). Sceau de Constantin IV, empereur de Byzance, trouvé à Durostorum. R. roumaine Hist., 81, vol. 20, p. 625-628 (ill.).

66. BASCAPE' (Giacomo C.). Rassegna di sigillografia e di araldica. Arch. stor. ital., 81, a. 139, p. 323-336.

67. BEDDOE (Alan). Beddoe's Canadian heraldry. Revised by Strome GALLOWAY. Belleville, Ont., Mika, 81, in-8, 224 p.

68. BEDOS (Brigitte). Archives nationales. Corpus des sceaux français du Moyen Age. T 1 : Les sceaux des villes. Paris, Archives nationales, 80, in-8, 546 p. (pl.).

69. HEIM (Bruno Bernard). Heraldry in the Catholic church, its origins, customs and laws. 2nd rev. ed. Gerrards Cross, Van Duren Contract Publ., 81, in-4, 192 p. (ill., pl.).

70. KAGANIEC (Małgorzata). Ze studiów nad heraldyką Piastów śląskich - Piastowie Oleśniccy. (Contribution aux études sur l'héraldique des Piast en Silésie : les Piast d'Oleśnica.) Ślaski Kwart. hist. Sobótka, 81, a. 36, n° 2, p. 197-218.

71. KLEIN (René). Zum Ursprung des Luxemburger Wappens. Hémecht, 81, t. 33, p. 499-511 (ill.).

72. LAMANT (Hubert). Armorial général et nobiliaire français. T. 3, 3 : Dantin-Darain. T. 7, 1 : Delaroa-Delavau. T. 7, 2 : Delavau-Delfau. Eaubonne, chez l'Auteur, 77-80, 3 fasc. in-8, p. 165-245, 1-161. [Cf. Bibl. 78-79, n° 95].

73. LAUNET (Charles de). Le blason du pays basque. Hidalguía, 81, a. 29, p. 337-361.

74. MERCERON (P.), MERCERON (R.), ALIQUOT (H.). Armorial des cardinaux limousins de la papauté d'Avignon. Lémouzi, 81, a. 61, sér. 5, p. 43-65, 177-203, 259-276, 357-380.

75. MÖHLENKAMP (Renate). Die ältesten Siegel moldauischer Städte. Jb. f. Gesch. Osteuropas, 81, N.S., Bd 29, p. 337-365 (ill.).

76. PASTOUREAU (Michel). Héraldique arthurienne et civilisation médiévale. Notes sur les armoiries de Bohort et de Palamède. R.franç. Hérald. Sigillogr., 80, a. 32, p. 23-31.

77 Public Record Office, London. Catalogue of seals in the Public Record Office. Personal seals. Vol. 1, 2. London, H. M. Stationery Office, 78-81, 2 vol. in-8, X-82, 170 p. (ill., pl.).

78. SOBOLEVA (N.A.). Rossijskaja gorodskaja i oblastnaja geral'dika XVIII-XIX vv. (Heraldry of Russian towns and regions in the 18th-19th centuries.) Moskva, Nauka, 81, 263 p. (ill.). (AN

SSSR. Inst. istorii SSSR).

79. VOLBORTH (Carl Alexander von). Heraldry : customs, rules and styles. London, Blandford Press, 81, in-4, 230 p. (ill., pl.).

§ 7. Numismática y metrología.

* 80. DELMAIRE (Roland). Chronique numismatique. R. Nord, 81, t. 63, p. 1019-1024.

------

81. ALLEN (Derek F.). The coins of the ancient Celts. Ed. by Daphne NASH. Edinburgh, Univ. Press, 80, in-8, XI-265 p. (29 fig., 41 pl., maps).

82. BALOG (Paul). Coinage of the Ayyubids. London, Brit. Mus., Dept. of Coins a. Medals, 81, in-4, 334 p. (ill.). (Roy. Numism. Soc.). - IDEM. Contributions to the Arabic metrology and coinage. A. Istit. ital. Numism., 80-81, vol. 27-28, p. 115-154.

83. BAYARD (Françoise). Les espèces monétaires à l'Epargne en 1636. In : Lyon et l'Europe [Cf. n° 417], vol. 1, p. 7-32 (cartes).

84. BECKER (C.J.). Studies in northern coinage of the eleventh century. Copenhague, Royal Acad. of Sci. a. Letters, 81, in-8, 176 p. (pl.). (Hist.-filos. Skr., 9/4).

85. BUZA (János). Der Kurs der Löwentaler in Ost-Mitteleuropa (mit besonderer Rücksicht auf Siebenbürgen und Ungarn). Acta hist. Acad. Sci. hungaricae, 81, vol. 27, nos 3-4, p. 335-358.

86. CARSON (R.A.G.). Principal coins of the Romans. [Vol. 2. Cf. Bibl. 80, n° 84.] Vol. 3 : The Dominate. London, Brit. Museum, 81, in-4, 112 p. (ill.).

87. CHALMETA (P.). Précisions au sujet du monnayage hispano-arabe (dirham qāsimī et dirham arbā'īnī). J. econ. soc. Hist. Orient, 81, vol. 24, p. 316-324.

88. CHIȚESCU (Maria). The numismatic aspects of the history of the Dacian State. London, Brit. Archaeol. Rep., 81, in-4, 429 p.

89. CRAYENCOUR (C. de). Comment dater, localiser ou tirer un écu ? Nord Généal., 81, n° 48, p. 1-38.

90. DOBROVOL'SKIJ (I. G.), DUBOV (J. V.), KUZ'MENKO (Ju. K.). Klassifizierung und Interpretation von Graffiti auf orientalischen Münzen. Z. f. Archäol., 81, Jg. 15, p. 217-242 (2 Abb.).

91. DROULERS (Frédéric). Les trésors de monnaies royales de Louis XIII à Louis XVI, découverts en France et dans le monde depuis le XIXe siècle. Paris, Feydeau Numismatique, 80, 259 p. (ill.).

92. Epaves (Les) de Gruissan. Sous la dir. de Yves SOLIER. Le trésor de l'anse Saint-Roch à Antibes. Par Georges B. ROGERS. Ouvrage publ. avec le concours du Ministère de la Culture, Sous-dir. de l'Archéologie. Paris, Ed. du C.N.R.S. 81, in-4, 436 p. (fig.). (Archaeonautica, 3).

93. FEDOROV-DAVYDOV (G.A.). Monety Moskovskoj Rusi. Moskva v bor'be za nezavisimoe i centraliz. gosudarstvo. (Moscow coins. Struggle for the creation of the independent and centralized state.) Moskva, Izd-vo MGU, 81, 222 p. (ill.). (Arkheologija i etnografija).

94. FRERE (Hubert). Le denier carolingien. R. belge Numism. Sigillogr., 80, t. 126, p. 109-127.

95. GEDAI (István). A magyar pénzverés első évszázada. (Le premier siècle du monnayage hongrois.) Pénzügyi Szle, 81, vol. 25, n° 12, p. 930-934.

96. GRUEL (Katherine). Le trésor de Trébry (Côtes-du-Nord). Contribution à l'hist. du monnayage des Coriosolites : méthodes physiques et mathématiques en numismatique. Paris, Belles lettres, 81, in-8, XII-178 p. (36 fig., 20 pl., 17 tableaux). (Etudes de numismat. celtique, 1).

97. HAHN (Wolfgang). Moneta Imperii Byzantini. (Rekonstruktion des Prägeaufbaues auf synoptisch-tabellarischer Grundlage.) 1 : Von Anastasius 1. bis Justinianus I. (491-565), einschliessl. d. ostgotischen u. vandalischen Prägungen. 2 : von Justinus II. bis Phocas (565-610), einschliessl. d. Prägungen d. Heraclius-Revolte u. mit Nachträgen zum Bd 1. 3 : Von Heraclius bis Leo III. Alleinregierung (610-720). Mit Nachtr. zum 1. u. 2. Bd. Wien, Verl. d. Österr. Akad. d. Wiss., 73-81, 3 vol. in-4, 141, 146, 315 p. (Abb., Taf.). (Veröff. d. Numismat. Kommission, 1, 4, 10) (Österr. Akad. d. Wiss., Phil.-hist. Kl. Denkschr., 109, 119, 148).

98. JURUKOVA (Jordanka). Griechisches Münzwerk. Die Münzprägung v. Bizye. Textbd. Tafelbd. Berlin, Akad.-Verl., 81, 2 vol. in-8, III-94, 29 p. (Abb.). (Schr. z. Gesch. u. Kultur d. Antike, 18).

99. KIERSNOWSKI (Ryszard). Münze und Staat in Polen während der Piastenzeit. Jb. f. Gesch., 81, Bd 23, p. 57-78.

100. KOLNÍKOVÁ (Eva). Rímske mince na Slovensku. (Römische Münzen in der Slowakei.) Bratislava, Tatran, 80, in-8, 120 p.

101. KOPICKI (Edmund). Katalog podstawowych typów monet i banknotów Polski oraz ziem historycznie z Polską związanych. [T. 4-6. Cf. Bibl. 80, n° 97.] T. 7 : Monety pomorskie XVI-XIX w. (Catalogue des types essentiels des monnaies et billets de banque de la Pologne et des terres historiquement unies à la Pologne. Vol. 7 : Les monnaies de la Poméranie, XVIe-XIXe s.) Warszawa, Pol. Tow. Archeol. i Numizmat., Komisja Numizmat., 81, in-8, 177 p.

102. LAFAURIE (Jean). Les monnaies de Marseille, du VIe au VIIIe siècle. B. Soc. franç. Numism., 81, a. 36, n° 6, p. 68-73.

103. LO CASCIO (Elio). Il primo denarius. A. Istit. ital. Numism., 80-81, vol. 27-28, p. 335-358.

104. MATUSZEWSKI (Józef). Najstarsze polskie zdanie prozaiczne. Zdanie henrykowskie i jego tło historyczne. (La plus ancienne phrase de la prose polonaise. La phrase [dans le "Livre"] de Henrykow et son aspect historique.) Wrocław, Zakł. Narod. im. Ossolińskich, 81, in-8, 149 p. (Łódzkie Tow. Nauk. Prace Wydz. 2 Nauk Hist. i Społ., 88) ["Le livre de Henryków" = Liber fundationis claustri Sanctae Mariae Virginis in Heinrichow]).

105. Mélanges de numismatique, d'archéologie et d'histoire offerts à Jean Lafaurie. Ed. par P. BASTIEN, F. DUMAS, H. HUVELIN, C. MORRISSON. Paris, Soc. franç. de numismatique, 80, in-4, 286 p. (28 pl.).

106. METCALF (David M.). Continuity and change in English monetary history c. 973-1086. Part I. Brit. numism. J., 80 [81], vol. 50, p. 20-49 (maps).

107. MIRNIK (I.A.). Coin hoards in Yugoslavia. Oxford, Brit. Archaeol. Rep., 81, in-4; 247 p. (ill., maps). (Brit. Archaeol. Rep., International ser., 95).

108. MORRISSON (C.). La numismatique des Paléologues. R. Et. byzant., 81, t. 39, p. 319-332.

109. MOSER (Heinz), TURSKY (Heinz). Die Münzstätte Hall in Tirol 1665-1809. Rum bei Innsbruck, Erhard, 81,in-4, 280 p. (ill.).

110. NORTH (J.J.). English hammered coinage. Vol. 1 : A.D. 650-1272. London, Spink, 81, in-8, 218 p. (ill.).

111. PERRIER (Jean). Trésors monétaires du moyen âge en Haute-Vienne. B. Soc. archéol. hist. Limousin, 80, t. 107, p. 142-159.

112. ROSS HOLLOWAY (R.). Alexander the Great's choice of coin types. A. Istit. ital. Numism., 80-81, vol.27-28, p. 57-60.

113. SCHWARZ (Ted). History of United States coinage. London, Tantivy Press, 81, in-8, 363 p. (ill.).

114. SEAR (David R.). Roman coins and their values. 3rd rev.ed. London, Seaby, 81, in-8, 376 p. (ill.). [1st ed. Cf. Bibl. 70-71, n° 160.]

115. ŠELOV (D.V.). Ješče o bosporskikh monetakh perioda denežnogo krizisa III v. do n. è. (Once more on the Bosporan coins of the 3rd cent. B.C. monetary crisis.). Sovet. Arkheol., 81, n° 2, p. 31-42.

116. SERVET (Jean-Michel). Essai sur les origines des monnaies. Lyon, Inst. des études écon., 79, in-4, 205 p. (ill.). (Monnaie et financement, 8).

117. SMIRNOVA (A.I.). Svodnyj katalog sogdijskikh monet. Bronza. (Union catalogue of Sogdian coins. Bronze Age.) Moskva, Nauka, 81, 548 p. (ill.). (AN SSSR. In-t vostokovedenija).

118. STRZAŁKOWWKI (Jacek). Medale polskie 1901-1944. (Les médailles polonaises 1901-1944.) Warszawa, 81, in-8, 216-LXIV p. (Pol. Tow. Archeol. i Numizmat. Komisja Numizmat.).

119. SUTHERLAND (C.H.V.), CARSON (R.A.G.). Roman imperial coinage. Vol. 8 : The family of Constantine I, A.D. 337-364. London, Spink, 81, in-8, 605 p. (ill.).

120. SWEENY (James O.). Numismatic history of the Birmingham mint. Birmingham, The Mint, 81, in-8, 256 p. (ill.).

121. Sylloge Nummorum Graecorum. Vol. 5 : Ashmolean Museum. Oxford. [Pt. 3. Cf. Bibl. 76-77, n° 113.] Pt. 4 : Paeoni-Thessaly (n° 3313-3934). London, Oxford U.P., 81, in-fol. 20 p. (ill.).

122. Sylloge Nummorum Graecorum. The Collection of the American Numismatic Society. Part 6 : MESHOVER (Ya'akov). Palestine-South Arabia. New York, Am. Numism. Soc., 81, in-fol. 54 p. (pl.).

123. Sylloge of coins of the British Isles. Index to Vol. 1-20, by Veronica SMART. London, Oxford U.P., 81, in-4, 164 p. - Sylloge of coins of the British Isles. 27 : Coins in Lincolnshire collections. By Anthony J. H. GUNSTONE. London, Oxford U.P., 81, in-4, XXXV-171 p. (ill., 69 p. of pl.).

124. VAN GELDER (H. Enno). Oost-Nederlands geld omstreeks 1400. (L'argent des Pays-Bas de l'Est vers 1400.) Jb. Munt- en Penningkde, 80, vol. 67, p. 45-66 (ill.).

Cf. n°s 161, 199, 1475, 1713, 2029, 2305, 2402, 2413, 3599.

§ 8. Lingüística.

* 125. Bibliographie zur lateinischen Wortforschung. Hrsg. v. O. HILTBRUNNER. Bd 1 : A - acutus. Bern u. München, Francke, 81, in-8, XXII-298 p.

------

126. Ausbildung (Zur) der Norm der deutschen Literatursprache (1470-1730). [4. Cf. Bibl. 80, n° 116.] 5 : GUCHMANN (M.M.), SEMENJUK (N.N.). Zur Ausbildung der Norm der deutschen Literatursprache im Bereich des Verbs (1470-1730). Tempus u. Modus. Berlin, Akad.-Verl., 81, in-8, 278 p. (Bausteine z. Sprachgesch. d. Neuhochdeutschen, 56).

127. Auswirkungen der industriellen Revolution auf die deutsche Sprachentwicklung im 19. Jahrhundert. Von e. Autorenkoll. unter Leitung v. Joachim SCHILDT. Berlin, Akad.-Verl., 81, in-8, 308 p. (Bausteine z. Sprachgesch. d. Neuhochdeutschen, 60).

128. BAHNER (Werner). Methodologische Aspekte und Prinzipien einer Geschichte der romanischen Sprachwissenschaft. Beitr. z. roman. Philol., 81, Jg. 20, p. 5-27.

129. Beiträge zur Erforschung der deutschen Sprache. Hrsg. v. Gabriele SCHIEB [u.a.]. Bd 1. Leipzig, Bibliograph. Inst., 81, in-8, 261 p.

130. BRAUSSE (Ursula). Zur Vorgeschichte der historischen Sprachwissenschaft. Die Auseinandersetzungen im Frankreich d. 18. Jh. über d. keltischen Anteil an d. französischen Sprachentwicklung. Beitr. z. roman. Philol., 81, Jg. 20, p. 79-93.

131. BRETSCHNEIDER (Anneliese). Die brandenburgische Sprachlandschaft. Zur Gesch. u. Gliederung (mit Einschluss v. Berlin). Giessen, Schmitz, 81, in-8, XXIV-396 p. (Kt.). (Deutsche Wortforsch. in europ. Bezügen, 7).

132. DARMS (Georges). Die Ionismen des Papyrus Antinoae in der Pharmakeutria des Theokrit. Glotta, 81, Bd 59, p. 165-208.

133. DEES (Anthonij). Atlas des formes et des constructions des chartes françaises du XIIIe siècle. Avec le concours de Pieter Th. VAN REENEN et de Johan A. de VRIES. Tübingen,

Niemeyer, 80, in-8, XIV-371 p. (282 cartes). (Z. f. roman. Philol., Beih. 178).

134. GIGNAC (Francis Thomas). A grammar of the Greek papyri of the Roman and Byzantine periods. [Vol. 1. Cf. Bibl. 76-77, n° 130.] Vol. 2 : Morphology. Milano, Cisalpino - La Goliardica, 81, in-8, XXI-450 p. (Testi e doc. per lo studio dell'antiquità, 55/1-2).

135. IVĂNESCU (G.). Istoria limbii române. (Histoire de la langue roumaine.) Iaşi, Junimea, 80, in-8, XV-766 p.

136. Kolloquium zum wissenschaftlichen Werk August Leskiens (1840-1916). Z. f. Slawistik, 81, Bd 26, p. 167-278.

137. Langues (Les) dans le monde ancien et moderne. Sous la dir. de Jean PERROT. Vol. 1 : Afrique subsaharienne : Pidgins et créoles. Vol. 2 : Cartes. Paris, Ed. du C.N.R.S., 81, XII-691 p., 12 cartes.

138. LAVENCY (M.). La proposition relative du latin classique. Antiquité class., 81, t. 50, p. 445-468.

139. Lexicographie (La) du latin médiéval et ses rapports avec les recherches actuelles sur la civilisation du moyen âge. [Colloque internat. du C.N.R.S.,] Paris, 18-21 oct. 1978. Paris, Ed. du C.N.R.S., 81, in-8, 547 p. (ill., pl.). (Colloques internat. du C.N.R.S., 589).

140. Logos semantikos. Studia linguistica in honorem Eugenio Coseriu 1921-1981. Horst GECKELER [u.a.] eds. Vol. 1 : Geschichte der Sprachphilosophie und der Sprachwissenschaft. Jürgen TRABANT (ed.). Vol. 2 : Sprachtheorie und Sprachphilosophie. Harald WEYDT (ed.). Vol. 3 : Semantik. Wolf DIETRICH, Horst GECKELER (eds.). Vol. 4 : Grammatik. Christian ROHRER (ed.). Vol. 5 : Geschichte und Architektur der Sprache. Brigitte SCHLIEBEN-LANGE (ed.). Berlin u. New York, de Gruyter ; Madrid, Gredos, 81, 5 vol. in-8, XXX-458, X-492, X-513, X-441, X-469 p.

141. McKAY (K. L.). On the perfect and other aspects in New Testament Greek. Novum Testamentum, 81, t. 23, p. 289-329.

142. O'SULLIVAN (J. N.). A lexicon to Achilles Tatius. Berlin u. New York, de Gruyter, 80, in-8, XIX-442 p. (Untersuchungen z. ant. Lit. u. Gesch., 18).

143. POVEJŠIL (Jaromír). Das Prager Deutsch des 17. und 18. Jahrhunderts. Ein Beitrag zur Geschichte der deutschen Schriftsprache. Praha, Academia, 80, in-8, 124 p. (Rozpravy Českoslov. akad. věd. Řada společ. věd, 90/2).

144. SCHILDT (Joachim). Zu einigen Problemen der Periodisierung der deutschen Sprachgeschichte. Z. f. Phonetik, Sprachwiss., u. Kommunikationsforsch., 80, Bd 33, p. 386-394.

145. SCHMITT (Rüdiger). Grammatik des Klassisch-Armenischen. Mit sprachvergleichenden Erläuterungen. Innsbruck. Inst. f. Sprachwiss. d. Univ., 81, in-8, 253 p. (Innsbrucker Beitr. z. Sprachwiss., 32).

146. Slova a dějiny. (Wörter und Geschichte) Hrsg. v. e. Autorenkollektiv unter d. Leitung v. Igor NĚMEC. Praha, Academia, 80, in-8, 328 p. (16 fig.).

147. Soziale Typenbegriffe im alten Griechenland und ihr Fortleben in den Sprachen der Welt. Hrsg. v. Elisabeth Charlotte WELSKOPF. Bd 3 : Untersuchungen ausgewählter altgriech. sozialer Typenbegriffe. Bd 4 : Untersuchungen ausgewählter altgriech. sozialer Typenbegriffe u. ihr Fortleben in Antike u. Mittelalter. Bd 5 : Das Fortleben altgriech. sozialer Typenbegriffe in d. deutsch. Sprache. Berlin, Akademie-Verl., 81, 3 vol. in-8, 419, 405, 335 p. [Bd 1, 2 : noch nicht ersch.]

148. TEMESI (Mihály). A magyar nyelvtudomány. Trányok és eredmények a felszabadulás óta. (La linguistique hongroise. Tendances et résultats depuis la libération du pays.) Budapest, Gondolat Kiadó, 80, in-8, 408 p.

149. VENDRYES (J.). Lexique étymologique de l'irlandais ancien. Lettre B. Par les soins de E. BACHELLERY et P.-Y. LAMBERT. Paris, Ed. du C.N.R.S., 81, in-4, 136 p.

150. ZAJDA (Aleksander). Wörter deutscher Herkunft unter den altpolnischen Bezeichnungen für Feudalpflichten, Abgaben und Steuern. Z. f. slav. Philol., 81, Bd 42, p. 366-383.

§ 9. Geografía histórica e historia de la geografía.

* 151. Bibliografia polskich wydawnictw geodezyjnych i kartograficznych za lata 1918-1978. Rozszerzona o rozprawy doktorskie i habilitacyjne oraz o wydawnictwa sprzed 1918 r. (Bibliographie des publications géodésiques et cartographiques polonaises des années 1918-1978. Augmentées des thèses de doctorat et d'habilitation et des publications d'avant l'an 1918.) Aut. : Róża BUNTOWTT et autres. Réd. Stanisław Różanka et autres. Warszawa, 79 [81], in-8, XXVII-337 p. (Główny Urząd Geodezji i Kartografii)

* 152. Bibliographie d'histoire de la géographie et de géographie historique. Ministère des universités, Comité des travaux hist. et scientif., Section de géographie. [1976. Cf. Bibl. 80, n° 139.] 1977, 1978. Réd. par Roger HERVÉ, avec la collab. de L. LAGARDE, F. GRIVOT. Paris, Bibliothèque nationale, 79-80, 2 vol. in-8, 96, 120 p.

* 153. BROC (Numa). Histoire et historiens de la géographie, notes bio-bibliographiques (milieu du XVIIIe siècle - 1914). B. Sect. Géogr., 78 [81], t. 84, p. 71-116.

------

154. ALEXANDRESCU-DERSCA BULGARU (M.M.). La conquête d'Oradea (Varat) par les Turcs (1660) et la question des cinq comtés. Studia et Acta orient., 80, t. 10, p. 5-13.

155. BERDOULAY (Vincent). La formation de l'Ecole française de géographie, 1870-1914. Pari, Bibliothèque nationale, 81, 245 p.

156. BERNARDINI (Enzo), LEVATI (Ombretta). Lungo le strade del sale. Dal Mar Ligure a Ginevra. Genova, SAGEP, 81, in-4, 206 p. (ill.). (I manufatti).

157. CAPPELLO (Teresa), TAGLIAVINI (Carlo). Dizionario degli etnici e dei toponimi italiani. DETI. Bologna, Pàtron, 81, in-8, LXIII-676 p.

9. GEOGRAFIA HISTORICA E HISTORIA DE LA GEOGRAFIA.

158. Century (A) of Canada's Arctic islands, 1880-1980. = Un siècle des îles arctiques du Canada, 1880-1980. Morris ZASLOW, ed. Ottawa, Royal Society of Canada = Société royale du Canada, 81, in-8, XIX-358 p.

159. ČERNÝ (Ervín). Historico-geographical research into deserted mediaeval villages and their field patterns in the Czech lands. Hist. Geogr., 80, vol. 19, p. 173-193 (6 fig.).

160. COMBA (Rinaldo). Il territorio come spazio vissuto. Ricerche geografiche e storiche nella genesi di un tema di storia sociale. Soc. e Stor., 81, a. 4, p. 1-27.

161. CUNLIFFE (Barry). Coinage and society in Britain and Gaul, some current problems. London, Council for Brit. Archaeol., 81, in-4, 100 p. (ill.).

162. DESTOMBES (Marcel). Astrolabios náuticos del siglo XVI. A propósito de un astrolabio náutico de la Casa de la Contratación (Sevilla, 1563). R. Indias [Madrid], 81, vol. 41, p. 359-394.

163. DUPEUX (Georges). Atlas historique de l'urbanisation de la France (1811-1975). Réalisation : Jocelyne LAURENT. Paris, Ed. du C.N.R.S. 81, in-fol., 130 p. (20 cartes).

164. EDWARDS (Ruth Dudley). Atlas of Irish history. 2nd rev. ed. London, Methuen, 81, in-8, 288 p. (maps).

165. Etudes géographiques sur l'Antiquité. Actes du 104e Congrès national des Sociétés savantes, Bordeaux, 1979. Section de géographie. Paris, Bibliothèque nationale, 80, in-8, 286 p. (ill.).

166. FALKUS (Malcolm E.), GILLINGHAM (John Bennet). Historical atlas of Britain. London, Granada, 81, in-4, 224 p.

167. Géographie historique du village et de la maison rurale. Actes du Colloque tenu à Basaz les 19-21 oct. 1978 [organisé par le Centre de recherches sur l'occupation du sol et le peuplement dans le Midi de la France]. Publ. par le C.N.R.S., Centre régional de publication de Bordeaux. Sous la dir. de Charles HIGOUNET. Paris, Ed. du C.N.R.S., 79, in-8, 234 p. (ill.).

168. GRINGMUTH-DALLMER (Eike). Veränderungen der ländlichen Siedlungsstruktur im Zuge der vollen Durchsetzung feudaler Produktionsverhältnisse in den Gebieten westlich von Oder und Neisse. Z. f. Archäol., 81, Jg. 15, p. 243-263.

169. HEIDENREICH (Conrad E.). Mapping the Great Lakes : the period of Imperial rivalries, 1700-1760. Cartographica, 81, vol. 18, n° 3, p. 74-109.

170. HELLWIG (Fritz). Zur Kartographie der Saargegend im 17. und 18. Jahrhundert. Militärkartographie und Territorialkarten. Jb. f. westdeutsche Landesgesch., 81, Jg. 7, p. 158-242.

171. HILD (Friedrich), RESTLE (Marcell). Kappadokien. (Kappadokia, Charsianon, Sebasteia u. Lykandos.) Wien, Verl. d. Österr. Akad. d. Wiss., 81, in-4, 338 p. (20 Abb., 4Kt.). (Tabula Imperii Byzantini, 2). (Österr. Akad. d. Wiss., Phil.-hist. Kl., Denkschr., 149).

172. HILL (David). Atlas of Anglo-Saxon England, 700-1066. Oxford, Blackwell, 81, in-4, 192 p.

173. Historický místopis Moravy a Slezska v letech 1848-1960. (Topographie historique de la Moravie et de la Silesie des années 1848-1960.) [Vol. 5. Cf. Bibl. 76-77, n° 182.] Vol. 6 :Okresy (Arrondissem.) Přerov, Hranice, Kroměříž. Vol. 7 : Okresy (Arrondissem.) Valašské Meziříčí, Vsetín, Holešov, Gottwaldov (Zlín). Edit. : Josef BARTOŠ, Jindřich SCHULZ, Miloš TRAPL. Ostrava, Profil, 78-80, 2 vol. in-8, 291, 257 p. (cartes).

174. KENNEDY (J. Gerald). The astonished traveler : William Darby, frontier geographer and man of letters. Baton Rouge, Louisiana State U.P., 81, in-8, XIII-238 p. [Darby : 1775-1854].

175. LESZCZYCKI (Stanisław). Links between Italian and Polish cartography in the 15th and 16th centuries. Wrocław, Zakł. Narod. im. Ossolińskich, 81, in-8, 17 p. (Accad. Pol. delle Scienze. Bibl. e Centro di Studi a Roma. Conferenze, 83).

176. MEAD (William Richard). Historical geography of Scandinavia. London, Academic Press, 81, in-8, 313 p.

177. Meshed and Northeastern Iran. Ed. by Ludwig W. ADAMEC. Graz, Akad. Druck-u. Verl.-Anst., 81, in-4, XIX-708 p. (96 Bl. Kt.). (Historical Gazetteer of Iran, 2).

178. Monumenta Cartographica. Budavár erődítésének térképe 1749. (La carte de la forteresse de Buda de 1749.) Budapest, Zrinyi Kiadó, 80, in-4, 10 p. (1 carte).

179. MOODIE (D Wayne), LEHR (John C.). Macro-historical geography and the great chartered companies : the case of the Hudson's Bay Compagny. Canad. Geographer, 81, vol. 25, p. 267-271.

180. MOORE (R.I.). Hamlyn historical atlas. Feltham, Hamlyn, 81, in-2, 176 p.

181. OAKLEY (Stewart). The geography of peasant ecotypes in pre-industrial Scandinavia. Scandia, 81, vol. 47, p. 199-223.

182. PASECKY (V.M.). Russkie geografičeskie otkrytija i issledovanija pervoj poloviny XIX veka. (Russian geographical discoveries and investigations of the first halt of the 19th cent.). Vopr. Ist., 81, n° 12, p. 98-108.

183. PASTOUREAU (Mireille). Les atlas imprimés en France avant 1700. Imago Mundi, 80, t. 32, p. 45-72.

184. SCHRAMM (Gottfried). Eroberer und Eingesessene. Geograph. Lehnnamen als Zeugen d. Gesch. Südosteuropas im 1. Jahrtausend n. Chr. Stuttgart, Hiersemann, 81, in-8, X-467 p. (6 Kt.).

185. SIM (Kathleen). Jean-Louis Burckhardt. London, Quartet Books, 81, in-8, 448 p.

186. SOUSTAL (Peter). Nikopolis und Kephallénia. Unter Mitw. v. Johannes KODER. Wien, Verl. d. Österr. Akad. d. Wiss., 81, in-4, 325 p. (2 Kt.). (Tabula Imperii Byzantini, 3). (Österr. Akad. d. Wiss., Phil.-hist. Kl. Denkschr., 150.

187. SPECKLIN (Robert). Les régions françaises dans la littérature allemande (1870-1945). B. Sect. Géogr., 79 [81], t. 84, p. 117-161.

188. STYLIANOU (Andreas), STYLIANOU (Judith A.). History of the cartography of Cyprus. London, 88 Munster Road, The Authors, 81, in-4, 450 p. (ill.).

189. TAŠEAN (Jakowbos). Tajkh, dracikh eu Hotordžour. Patmakan-telagrakan ousoumnasi-routhiun. Hator 2, 3. (Tayk', Nachbarländer u. Khotorjur. Hist.-geogr. Studien, Bd 2, 3). Wien, Mhitharean Tparan, 80-81, 2 vol. in-8, 494, 268 p. (Azgajin Matenadaran, 218, 219) [Armen.]

190. TATTERSALL (Jill). Sphere or disc ? Allusions to the shape of the earth in some twelfth-century and thirteenth-century vernacular French works. Mod. Language R., 81, vol. 76, p. 31-46.

191. TÓTH (Kálmán). Bibliai atlasz. Kortörténeti bevezetéssel. (Atlas de la Bible. Avec une introd. historique.) Budapest, Ref. Zsinat, 81, in-8, 108 p. (ill.).

192. WHYTE (I.D.), WHYTE (K.A.). Sources for Scottish historical geography. Norwich, Geo Abstracts, 81, in-8, 48 p.

193. WOLDAN (Erich). Die ältesten gedruckten Karten Afrikas. Anz. d. österr. Akad. d Wiss., philos.-hist. Kl., 81, p. 253-257. - IDEM. Die älteste Weltkarte mit dem "wirklichen" Australien. Ibid., p. 258-361.

194. WYNN (Graeme). Timber colony : a historical geography of early nineteenth century New Brunswick. Toronto, Univ. Press, 81, in-8, XIV-224 p. (Canad. univ. paper-book, 258).

Cf. n°s 1379, 1489, 1543, 2621, 2667, 3838.

§ 10. Iconografía.

* 195. Bibliographie zur Symbolik, Ikonographie und Mythologie. Internat. Referateorgan, hrsg. v. Manfred LURKER u. Helmut SCHNEIDER [Jg. 12 : 1979. Cf. Bibl. 80, n° 169.] Jg. 13 : 1980. Baden-Baden, Koerner, 81, in-8, 197 p.

------

196. GAGNON (François-Marc). L'anthropologie sans tête : fondement d'une iconographie de l'Indien. Rech. amérindienne Québec, 81, vol. 11, p. 273-280.

197. HECK (Christian). Iconographie médiévale et héritage antique : la représentation des "Portes du Soleil" dans le calendrier du psautier de Lunel. Scriptorium, 81, t. 35, p. 241-261.

198. IGARASHI-TAKESHITA (Midori). Les lions dans la sculpture romane du Poitou. Cah. Civ. méd;, 80, a. 23, p. 37-54.

199. ILIESCU (Octavian). Questions d'iconographie monétaire géto-dace : origines et signification de l'effigie à double face. R. roumaine Hist., 80, t. 19, p. 161-172. (pl.).

200. KRAUSE (Walter). Planta nuda. Metamorphosen eines antiken Motivs in der früh- und hochmittelalterlichen Kunst. Wiener Jb. f. Kunstgesch., 80, Bd 33, p. 17-29.

201. MARTINO (Vittorio). Questione e ricerche di iconografia pascaliana. Critica stor., 80, a. 17, p. 523-535.

202. Mythologie gréco-romaine, mythologies périphériques. Etudes d'iconographie. [Colloque internat. du] Centre National de la Recherche Scientifique, Paris, 17 mai 1979. Publ. sous la dir. de Lilly KAHIL et Christian AUGÉ. Paris, Ed. du C.N.R.S., 81, in-4, 167 p. (ill., pl.). (Colloques internat. du C.N.R.S., 593).

203. SCHILLER (Gertrud). Ikonographie der christlichen Kunst. [Bd 3. Cf. Bibl. 70-71, n° 296.] Bd 4/2 : Maria. Registerbeiheft zu den Bänden 1-4/2. Bearb. v. Rupert SCHREINER. Gütersloh, Mohn, 80, 2 vol. in-4, 472 p. (839 ill.); 120 p.

204. SERVAIS SOYER (B.). En révisant l'iconographie de Cadmos. Antiquité class., 81, t. 50, p. 733-744.

205. VAN DER MEULEN (Jan), PRICE (Nancy Waterman). The west portals of Chartres cathedral. Vol. 1 : The iconology of the creation. Washington, U.P. of America, 81, in-8, VII-220 p. (26 pl.).

206. VERDIER (Philippe). Le Couronnement de la Vierge : les origines et les premiers développements d'un thème iconographique. Montréal, Inst. d'Etudes médiévales Albert-le-Grand ; Paris, J. Vrin, 80, in-8, 276 p. (ill.).

Cf. n°s 1723, 4850.

B

MANUALES, OBRAS DE CARACTER GENERAL, TRABAJOS DE CONJUNTO

§ 1. Congresos y organizaciones históricas. 207-226. § 2. Archivos, bibliotecas y museos (a. Archivos ; b. Bibliotecas ; c. Museos). 227-268. - § 3. Historia de las ciencias históricas (a. Generalidades ; b. Biografías ; c. Miscelánea). 269-437. - § 4. Metodología, filosofía y enseñanza de la historia. 438-547. - § 5. Etnografía y folklore. 548-599. - § 6. Historia general (a. Generalidades ; b. Historia por Estados). 600-733. - § 7. Teoría del Estado y de la sociedad. 734-748. - § 8. Historia del derecho y constitucional. 749-755. - § 9. Historia económica y social. 756-800. - § 10. Historia de la civilización, de las ciencias y de la ensenanza. 801-843. - § 11. Historia del arte. 844-873. - § 12. Historia religiosa (a. Generalidades ; b. Estudios particulares). 874-927.- § 13. Historia de la filosofía. 928-936. - § 14. Historia de la literatura. 937-956.

§ 1. Congresos y organizaciones históricas.

207. Actes du 104e Congrès national des sociétés savantes, Bordeaux, 1979. Section d'hist. mod. et contemporaine. T. 2. [Cf. n° 3179.]

208. Actes du 104e Congrès national des Sociétés savantes, Bordeaux, 1979. Section de géographie. [Cf. n° 165.].

209. Actes du 104e Congrès national des sociétés savantes, Bordeaux, 1979. Section de philologie et d'histoire jusqu'à 1610. [Cf. n° 1992.]

210. Annual meeting of the History of Science Society. Isis, 81, vol. 72, n° 262, p. 257-262.

211. ANTOSKAK (A.V.). Voprosy voennoj istorii na XV Meždunarodnom kongresse istoričeskikh nauk. (Problems of military history at the XVth International Congress of Historical Sciences.) Nov. novejš. Ist., 81, n° 5, p. 25-40.

212. Atti del Simposio di ricerche e di studi per uno sviluppo scientifico dei rapporti italo-turchi. Ankara-Istanbul, 9-14 ottobre, 1980. Milano, Giuffrè, 81, in-8, 202 p. (Univ. di Cagliari, Istit. di Studi africani e orient.).

213. BARTLY (Numan V.). The forty-sixth annual meeting [of the Southern Historical Association]. J. south. Hist., 81, vol. 47, n° 1, p. 73-96.

214. Festgabe zur Hundert-Jahr-Feier der Gründung des Österreichischen Historischen Institus in Rom. Wien, Verl. d. Österr. Akad. d. Wiss., 81, in-8, XVI-405 p. (Röm. hist. Mitt., 23).

215. HEINEN (Heinz). Das Forschungszentrum Griechisch-Römisches Ägypten der Universität Trier. Wege u. Ziele eines interdisziplinären Unternehmens. Trierer Beitr., 81, Bd 10, p. 1-6 (1 fig.).

216. Iles de Méditerranée. Actes de la table ronde du groupement d'intérêt scientifique Sciences humaines sur l'aire méditerranéenne, Aix-en-Provence, oct. 1980. Paris, Ed. du C.N.R.S., 81, in-4, 158 p. (fig., tabl.). [Cf. n°^{s} 786, 966, 2218, 4029, 5054, 5082, 5109, 5256, 5510.]

217. Na perednem krae ideologičeskogo fronta (K 60-letiju Instituta marksizma-leninizma pri CK KPSS). (In the first line of the ideological front : the 60th anniversary of the Institute of Marxism-Leninism by the CC of the CPSU.) Vopr. Ist. KPSS. 81, n° 1, p. 50-61.

218. Pays (Les) du Nord et Byzance (Scandinavie et Byzance). Actes du Colloque nordique et international de byzantologie tenu à Upsal 20-22 avril1979, [éd. par] Rudolf ZEITLER. Uppsala, Almqvist a. Wiksell international, 81, in-4, 488 p. (ill., maps). (Figura, N.S., 19).

219. Proceedings of the Nordic South Asia Conference held in Helsinki, June 10-12, 1980. Ed. by Asko PARPOLA. Helsinki, The Finnish Oriental Society, 81, in-8, 310 p. (Studia orientalia, 50).

220. Proceedings of the sixteenth International Congress of Papyrology, New York, 24-31 July 1980. Ed. by Roger S. BAGNALL, Gerald M. BROWNE, Ann E. HANSON, a. Ludwig KOENEN. Chico, Calif., Scholars Press, 81, in-8, XXIX-706 p. (23 fig.). (Am. Studies in Papyrology, 23).

221. Rapport sur les travaux de l'Ecole française en Grèce en 1980. B. Corr. hellénique, 81, t. 105, p. 891-965 (fig.). [Cf. Bibl. 76-77, n° 231.]

222. RUDOLF (Karl). Geschichte des Österreichischen Historischen Instituts in Rom von 1881 bis 1938. Röm. hist. Mitt., 81, Bd 23, p. 139-179.

223. Sixty-first (The) annual meeting of the American Catholic Historical Association. Cath. hist. R., 81, vol. 67, n° 2, p. 256-274.

224. Trzydzieści pięć działalności Żydowskiego Instytutu Historycznego w Polsce Ludowej. Dzieje Instytutu i jego zbiory. (Trente-cinq ans d'activité de l'Institut Juif d'Histoire en Pologne Populaire. Histoire de l'Institut et ses collec-

tions.) Warszawa, Państw. Wydawn Nauk., 80, [81], in-8, 160-LXIX p.

225. URSU (D.P.). Vostokovedenie i afrinanistika na XV Meždunarodnom kongresse istoričeskikh nauk v Bukhareste. (Oriental and African studies at the XVth Congress of Historical Sciences in Bucharest.) Nar. Azii Afr., 81, n° 2, p. 175-182.

226. VINOGRADOV (V.N.). K obsuždeniju voprosov istorii narodov Central'noj i Jugo-Vostočnoj Evropy na XV Meždunarodnom kongresse istoričeskikh nauk. (The history of the peoples of Central and South-Eastern Europe at the XVth International Congress of Historical Sciences.) Nov. novejš. Ist., 81, n° 1, p. 46-60.

Cf. n°s 671, 692, 765, 783, 1294, 1445, 1492, 1532, 1833, 2015, 2132, 2161, 2390, 2587, 2616, 2661, 2675, 3606, 3630, 3635, 4210-4112, 4217, 4247, 4250, 4708, 6109.

§ 2. Archivos, bibliotecas y museos.
a. Archivos.

* 227. Guide to Jewish archives. Ed. by Aryeh SEGALL. New York, World Council on Jewish Archives, 81, in-8, 90 p.

* 228. National union catalog of manuscript collections. [Vol. 18, 19. Cf. Bibl. 80, n° 205.] [Vol. 20 :] Catalog 1980. Washington, D.C., Libr. of Congr., 81, in-4, IX-283 p.

------

229. BURKE (Frank G.). The future course of archival theory in the United States. Am. Archivist, 81, vol. 44 n° 1, p. 40-62.

230. CLARKE (Robert I.) a. others. Afro-American history : sources for research. Washington, D.V., Howard U.P., 81, in-8, XVIII-236 p. (National Archives Conferences, 12).

231. CROWE (David M.) Jr. The holocaust : documents in the National Archives of the United States. Am. jewish Hist., 81, vol. 70, n° 3, p. 362-378.

232. GONDOS (Victor) Jr. Franklin Jameson and the birth of the national archives, 1906-1926. Foreword by James B. RHOADS. Philadelphia, Univ. of Pennsylvania Press, 81, in-8, XV-232 p.

233. Guides to the sources for the history of the nations. Guides des sources de l'histoire des nations. Ed. : International Council on Archives. Conseil International des Archives. 3rd ser. : North Africa, Asia a. Oceania. 3e série : Afrique du Nord, Asie et Océanie. Vol. 2 : Sources d'histoire de l'Asie et de l'Océanie dans les archives et bibliothèques françaises. Ed. : Commission franç. du Guide des sources de l'histoire des nations. Part 1 : Archives. Part 2 : Bibliothèque Nationale [Paris]. Vol. 3 : Sources of the history of North Africa, Asia and Oceania in Scandinavia. [Part 1. Cf. Bibl. 80, n° 218.] Part 2 : Sources ... in Finland, Norway, Sweden. Comp. by B. FEDERLEY, Y. O. KIHLBERG, D. JÖRGENSEN, L. NÄSLUND, F. LUDWIGS. Ed. : National Archives of Finland, Norway a. Sweden. München, New York, London a. Paris, K.G. Saur, 81, 3 vol. in-8, XXIII-593, XI-315, 224 p.

234. HERTZ (Deborah). The Varnhagen collection is in Krakow. Am. Archivist, 81, vol. 44, n° 3, p. 223-228.

235. Inventaire des archives de la marine, sous-série B 7 : pays étrangers, commerce, consulats, déposée aux Archives nationales. 6 : Articles 90 à 103. [Rédigé] par Philippe HENRAT. Paris, Archives nationales, 80, in-8, 598 p.

236. Inventář archivního fondu Královské české společnisti nauk. (Inventar des Archivfonds der Königl. böhm. Gesellschaft der Wissenschaften.) 1784-1952. Hrsg. Jiří BERAN. Praha, Ústřední archív Českosl. akad. věd. 81, in-8, 98 p.

237. LUCAS (Lydia). Efficient finding aids : developing a system for control of archives and manuscripts. Am. Archivist, 81, vol. 44, n° 1, p. 21-26.

238. MASON (Philip P.). Archives in the seventies : promises and fulfillment. Am. Archivist, 81, vol. 44, n° 3, p. 199-206.

239. MOTSCH (Johannes). Die Balduineen. Aufbau, Entstehung und Inhalt der Urkundensammlung des Erzbischofs Balduin von Trier. Koblenz, Landesarchivverwaltung Rheinland-Pfalz, 80, in-8, VII-743 p. (Veröff. d. Landesarchivverwaltung Rheinland-Pfalz, 33).

240. MORTON (Ann), DONALDSON (Gordon). British National Archives and the local historian. London, Hist. Assoc., 81, in-8, 52 p.

241. NOWACZYK (Henryk). Archiwum Instytutu Józefa Piłsudskiego w USA. (Les archives de l'Institut Joseph Piłsudski aux Etats-Unis [New York].) Archeion, 81, vol. 72, p. 195-203.

242. ORR (William J.). Archival training in Europe. Am. Archivist, 81, vol. 44, n° 1, p. 27-39.

243. PINKETT (Harold T.). American archival theory : the state of art. Am. Archivist, 81, vol. 44, n° 3, p. 217-222.

244. Sześćdziesięciolecie polskich archiwów państwowych. Materiały z sesji, Łódź 10 XI 1979 r. (Soixante ans d'archives polonaises. Matériaux de la session, Łódź 10-XI-1979.) Réd. scient. Andrzej TOMCZAK. Warszawa, Naczelna Dyrekcja Archiwów Państw., 81, in-8, 133 p.

245. TAILLEMITTE (Etienne). Les Archives de la Marine conservées aux Archives nationales. Vincennes, Service historique de la Marine, 80, in-8, 147 p.

246. WALICHNOWSKI (Tadeusz). Polskie archiwa państwowe (1976-1980). (Les archives d'Etat de Pologne 1976-1980.) Archeion, 81, vol. 71, p. 5-28.

Cf. n° 68.

b. Bibliotecas.

247. Biblioteca teatrale dal '500 al '700. La raccolta della Biblioteca Casanatense. [A cura di] Laura CAIRO, Piccarda QUILICI. Roma, Bulzoni, 81, 2 vol. in-8, 785 p. compless. (Il bibliotecario, 5). (Biblioteca Casanatense).

248. Bibliotheca manuscripta ad Sacrum conventum Assisiensem. [A cura di] Cesare CENCI O.F.M. Perugia, Reg. dell'Umbria ; Assisi, Sacro Convento ; Casa editr. francescana, 81, 2 vol. in-4, 846 p. compless. (Tav.). (Il miracolo di Assisi, 4). (Convento di S. Francesco, Assisi).

3. HISTORIA DE LAS CIENCIAS HISTORICAS

249. BJÖRKENHEIM (Magnus). Äldre fransk literatur på herrgårdar i Finland. - Collections littéraires françaises conservées dans les manoirs de Finlande. Helsinki, 81, in-8, 262 p. (Publ. Univ. Libr. Helsinki, 45) [Texte en suédois et en français].

250. CAMP (John F.). Librairies and the organization of universities in France, 1789-1881. Library Quar., 81, t. 51, p. 170-191.

251. Catalogue of the Arabic manuscripts in the Biblioteca Ambrosiana. By Oscar LÖFGREN and Renato TRAINI. 2 : Nuovo fondo. Series A-D (n°^{s}. 1-830). Vicenza, Pozza, 81, in-4, XXIX-455 p. (tav.). Fontes Ambrosiani, 66).

252. Fondi (I) librari antiche delle biblioteche. Problemi e tecniche di valorizzazione. A cura di Luigi BALSAMO e Maurizio FESTANTI. Atti del Congresso tenuto a Reggio Emilia e Parma nel 1979. Firenze, Olschki, 81, in-8, 267 p. (Biblioteconomia e Bibliogr., 16).

253. GASKELL (Philip). Trinity College Library, the first 150 years. London, Cambridge U.P., 81, in-8, 275 p. (ill., tab.).

254. HUMMEL (Heribert). Die Bibliothek des ehemaligen Benediktierklosters Lorsch. Stud. u. Mitt. z. Gesch. d. Benediktinerordens, 81, Bd 92, p. 131-164.

255. Inventari dei manoscritti delle biblioteche d'Italia. 99 : Napoli, Biblioteca teologica S. Tommaso. A cura di Francesco RUSSO. Firenze, Olschki, 81, in-4, VI-193 p.

256. KOZŁOWSKI (Jan). Z dziejów Biblioteki braci Załuskich (1747-1773). (De l'histoire de la bibliothèque des frères Załuski, 1747-1773.) Kwart Hist. Nauki Techn., 81, a. 26, n° 1, p. 57-86. [Józef Andrzej et Andrzej Stanisław Załuski].

257. Księgozbiory miejskie i mieszczańskie. (Les bibliothèques municipales et bourgeoises.) Warszawa, 81, in-8, 214 p. (Uniw. Warsz. Inst. Bibliotekoznawstwa i Informacji Nauk. Z Badań nad Pol. Księgozbiorami Historycznymi, 6) [XVIe-XXe s.].

258. MAIROLD (Maria). Die Millstätter Bibliothek. Carinthia I, 80, Jg. 170, p. 87-106.

259. NEAL (James G.). The American Merchant Marine Library Association : the first decade of its development 1921-1930. Am. Neptune, 81, vol. 41, n° 1, p. 5-24.

260. PAREDI (Angelo). Storia dell'Ambrosiana. Vicenza, Possa, 81, in-8, 151 p. (ill.). (Fontes Ambosiani, 68).

261. SAMARAN (Charles), MARICHAL (Robert). Catalogue des manuscrits en écriture latine portant des indications de date, de lieu ou de copiste. [T. 3. Cf. Bibl. 74-75, n° 386.] T. 4, 1e partie : Bibliothèque Nationale, fonds latin (supplément), nouvelles acquisitions latines, petits fonds divers. Notices établies par Monique-Cécile GARAND, Madeleine MABILLE, et Denis MUZERELLE, avec le concours de Marie-Thérèse d'ALVERNY. Vol. 1 : Texte. Vol. 2 : Planches. Paris, Ed. du C.N.R.S., 81, 2 vol. in-4, 426 p., 120 pl. (Comité internat. de paléographie).

262. Soupis starých tisků ve fondech Státní vědecké knihovny v Olomouci. (Registro de impresos antiguos en los fondos de la Biblioteca Científica de Estado en Olomouc.) IV : Hispanika a iberoamarikána. (Materiales hispánicos e hispanoamericanos.) 1501-1800. Edit. Václav PUMPRLA, Oldřich KAŠPAR. Olomouc, Státní vědecká knihovna, 81, in-8, XV-333 p.

263. Tisky 16. století ve Státní vědecké (dříve Universitní) knihovně v Brně. Prírůstky 1968-1978. Díl 1 : A-K. Díl 2 : L-Ž. Rejstříky. (Catalogus librorum saec. XVI typis impressorum, qui in Scientiarum bibliotheca publica Brunensi asservantur. Accessiones librorum ab a. MDCCCCLXVIII ad a. MDCCCCLXXVIII. Pars 1 : A-K. Pars 2 : L-Z. Indices.) Edit. Jaroslav VOBR. Brno, Státní vědecká knihovna, 81, 2 vol. in-4, 235, 573 p. (Soupisy tisků 16. století z fondů Stát. věd. knih. v Brně, 10).

264. TÓTH (Béla). Debrecen könyvtári kultúrája a 18. században. (La culture et les bibliothèques à Debrecen au XVIIIe s.) Magy. Könyvszle, 81, vol. 97, n°^{s} 1-2, p. 66-80.

Cf. n°^{s} 4583, 4585.

c. Museos.

265. British Museum [London]. Catalogue of Egyptian antiquities in the British Museum. Vol. 5 : Early dynastic objects. Vol. 6 : Jewellery, I : From the earliest times to the 17th dynasty. London, Brit. Museum, 81, 2 vol. in-4, 192, 152 p. (ill.).

266. Corpus vasorum antiquorum : Schweiz = Suisse = Svizzera. T. [5. Cf. Bibl. 80, n° 260.] 3 : Genève, 2 : Musée d'art et d'histoire. Par Christiane DUNANT et Lilly KAHIL. Bern, Lang, 80, in-4, 83 p. (ill., pl. p. 99-146).

267. GREENE (Christopher M.). Alexandre Lenoir and the Musée des Monuments Français during the French revolution. French hist. Stud., 81, vol. 12, n° 2, p. 200-222.

268. METZGER (Catherine). Les ampoules à eulogie du Musée du Louvre à Paris. Paris, Ed. de la Réunion des Musées Nationaux, 81, in-8, 124 p. 131 fig. (Notes et doc. des Musées de France, 3).

Cf. n°^{s} 1879, 4890.

§ 3. Historia de las ciencias
históricas.
a. Generalidades.

* 269. CUNHA (Rosalina Branca da Silva). Repertório de revistas portuguesas de história, 1818-1974. R. Bibl. nacional [Lisboa], 81, vol. 1, n° 2, p. 313-354.

------

270. Annales (Les) et l'historiographie italienne [par Jacques LE GOFF, Marino CEDRONIO, Maurice AUMARD, Eva CIVOLANI, Francesca CANTU, Sergio ROMANO]. Mél. Ec. franç. Rome. Moyen Age, Temps mod., 81, t. 93, p. 349 -463.

271. BARYCZ (Henryk). Szlakami dziejopisarstwa staropolskiego. Studia nad historiografią w. XVI-XVIII. (Sur les traces de l'historiographie ancienne polonaise. Etudes sur l'historiographie des XVIe-XVIIIe siècles.) Wrocław, Zakł. Narod. im. Ossolińskich, 81, in-8, 308 p.

272. BERGNER (Jeffrey T.). The origin of formalism in social science. Chicago, Univ. of Chicago Press, 81, in-8, XI-162 p.

273. BERTIER DE SAUVIGNY (Guillaume de). The Bourbon restoration : one century of French historiography. French hist. Stud., 81, vol. 12, n° 1, p. 41-67.

274. BURROW (J.W.). Liberal descent : Victorian historians and the English past. London, Cambridge U.P., 81, in-8, 308 p.

275. BUTTERFIELD (Herbert). The origins of history. Ed. by Adam WATSON. London, Eyre Methuen ; New York, Basic Books, 81, in-I, 252 p.

276. CANNADINE (David). La storia urbana in Gran Bretagna. Soc. e Stor., 81, a. 4, p. 685-712.

277. CASTELLI (Clara). Internazionalismo e storia. Gli storici sovietici ai congressi internazionali di scienze storiche : 1928-36. Stor. contemp., 81, a. 12, p. 883-930.

278. COCHRANE (Eric). Historians and historiography in the Italian Renaissance. Chicago, Univ. of Chicago Press, 81, in-8, XX-649 p. - IDEM. The profession of the historian in Italian Renaissance. J. soc. Hist., 81, vol. 15, n° 1, p. 51-72.

279. COHEN (Lester H.). The revolutionary histories : contemporary narratives of the American revolution. Ithaca, N.Y., Cornell U.P., 80, in-8, 286 p.

280. CZUBIŃSKI (Antoni). Problematyka Prus jako przedmiot zainteresowań badawczych historiografii Polskiej Rzeczypospolitej Ludowej. (La problématique de la Prusse comme sujet des recherches scientifiques de l'historiographie en République Populaire de Pologne.) Przegl. zach., 80 [81], a. 36, n° 4, p. 1-24.

281. DALIN (V.M.). Istoriki Francii XIX-XX vekov. (Historians of France of the 19th a. 20th centuries.) Moskva, Nauka, 81, 327 p. (ill.). (AN SSSR. Int vseobšč. istorii).

282. DANIEL (Glyn E.). A short history of archaeology. London, Thames a. Hudson, 81, in-8, 264 p. (pl., ill.). (Ancient Peoples a. Places).- IDEM. Towards a history of archaeology. London, Thames a. Hudson, 81, in-8, 192 p.

283. DANILOV (A.I.). Problema kontinuiteta v istoriografii FRG. (The problem of continuity in West Germany historiography.) Vopr. Ist., 81, n° 3, p. 67-81.

284. DELL'AQUILA (Michele). Giannone, De Sanctis, Scotellaro. Ideologia e passione in tre scrittori del Sud. Napoli, Soc. editr. napol., 81, in-8, 166 p. (Studi e testi di Bibliol. e Crit. letter., 5).

285. DUCHESNE (Raymond). Historiographie des sciences et des techniques au Canada. R. Hist. Amérique franç., 81-82, vol. 35, p. 193-215.

286. EBNER (Michael H.). Urban history : retrospect and prospect. J. am. Hist., 81, vol. 68, n° 1, p. 69-84.

287. Edukacja historyczna społeczeństwa polskiego w XIX w. Zbiór studiów. (L'éducation historique de la société polonaise au XIXe siècle. Recueil d'études.) Sous la réd. de Jerzy MATERNICKI. Warszawa, Państw. Wydawn. Nauk., 81, in-8, 410 p. (Inst. Hist. Pol. Akad. Nauk).

288. ELLIS (William E.). Evolution fundamentalism, and the historians : an historiographical review. Historian, 81, vol. 44, n° 1, p. 15-35.

289. Etudes (Les) classiques aux XIXe et XXe siècles : leur place dans l'histoire des idées. Publ. par Willem den BOER. Vandoeuvres-Genève, Fondation Hardt, 80, in-8, VIII-347 p.

290. FOLTA (Jaroslav). On the development and present state of teaching the history of natural sciences, medicine and technology in Czechoslovakia. Acta Hist. Rerum natur., 81, vol. 11, p. 143-214.

291. FURET (François). La Révolution sous la Terreur ? Le débat des historiens du XIXe siècle. Débat, 81, n° 13, p. 40-54.

292. GALLIOU (Patrick). Bulletin historique: trente ans d'archéologie romaine en Bretagne. M. Soc. Hist. Archéol. Bretagne, 81, t. 58, p. 297-340.

293. HERKLESS (John L.). Seeley and Ranke. Historian, 80, vol. 43, n° 1, p. 1-22.

294. HUDSON (Kenneth). The social history of archaeology. London, Macmillan, 81, in-8, 208 p. (ill.).

295. Issledovanija po istoriografii slavjanovedenija i balkanistiki. (Researches on the historiography of Slav · and Balkan history.) Sbornik. Redkol. : V.A. D'JAKOV (otv. red.) i dr. Moskva, Nauka, 81, 302 p. (AN SSSR. int. slavjanovedenija i balkanistiki.).

296. Istoričeskaja nauka v KNR. (Historical science in the People's Republic of China.) Sb. Statej. Otv. red. R.V. VJATKIN, N.P. SVISTUNOVA. 2-e izd., pererab. i dop. Moskva, Nauka, 81, 357 p. (AN SSSR. Int. vostokovedenija).

297. Istorija i istoriki (History and historians.) Istoriogr. ežegodnik. [1977. Cf. Bibl. 80, n° 288.] 1978. Redkol. : M.V. NEČKINA (otv. red.) i dr. Moskva, Nauka, 81, in-8, 352 p. (AN SSSR. Otd-nie istorii. Nauč. sovet po probl. "Istorija ist. nauki" i dr.).

298. Istoriki-slavisty SSSR. (Slavonic historians of the USSR.) Biobibliogr. Slovar'-Spravočnik. Otv. red. V.A. D'JAKOV. Moskva, Nauka, 81, 205 p. (AN SSSR. Nauč. sovet po kompleks. probl. slavjanovedenija i balkanistiki. In-t slavjanovedenija i balkanistiki).

299. MANNICHE (Jeans Chr.). Den radikale historikertradition : studier i dansk historievidenskabs forudsaetninger og normer. (The radical historical tradition. Studies in Danish historiography, its assumptions and norms.) Aarhus, Universitetsforlaget, 81, in-8, 439 p.(Jysk Selskab for Historie, 38).

300. MATERNICKI (Jerzy). Forschungen zur Geschichtsschreibung und -methologie in Polen. Jb. f. Gesch., 81, Bd 23, p. 437-469.

301. MENANT (François). La connaissance du moyen âge en Lombardie aux XVIIe et XVIIIe siè-

3. HISTORIA DE LAS CIENCIAS HISTORICAS

cles. Un exemple de la révolution historiographique moderne. Moyen Age, 81, t. 87, p.419-459.

302. Metodo storico e scienze sociali. La Revue de synthèse historique (1900-1930). A cura di Bianca ARCANGELI e Margherita PLATANIA. Roma, Bulzoni, 81, in-8, 444 p. (Stor. e Doc., 7).

303. OLDBERG (Ingmar). Partimässighet och historism : soviet-marxistiska böcker om Norge och Danmerk under andra världskriget. (Party conformity and historism : Soviet Marxist books on Norway and Denmark during the Second World War.) [Svensk] Hist. T., 81, vol. 101, p. 62-77. [Eng. summary].

304. PINKNEY (David H.). American historians on the European past. Am. hist. R., 81, vol. 86, n° 1, p. 1-20. [Presidential address, American Historical Association, 28 Dec. 1980].

305. PIOTROVSKIJ (B.B.), TIŠKOV (V.A.). Itogi issledovanij sovetskikh istorikov v desjatoj pjatiletke. (Soviet historical science in the tenth Five-Year Plan period.) Vopr. Ist., 81, n° 2, p. 3-25.

306. RANUM (Orest). Artisans of glory : writers and historical thought in seventeenth-century France. Chapel Hill, Univ. of N.C. Press, 80, in-8, XIV-355 p.

307. SALOV (V.I.). Revoljucionnyj process i sovremennaja buržuaznaja istoriografija. (The revolutionary process and the present-day bourgeois historiography.) Nov. Novejš. Ist., 81, n° 1, p. 77-90.

308. SESTAN (Ernesto). L'Archivio storico italiano nell'età del Risorgimento. R. stor. ital., 81, a. 93, p. 49-54.

309. SONNICHSEN (C.L.). The ambidextrous historian : historical writers and writing in the American West. Norman, Univ. of Oklahoma Press, 81, in-8, 120 p.

310. STEARNS (Peter N.). Applied history and social history. J. soc. Hist., 81, vol. 14, n° 4, p. 533-539.

311. TEODOR (Pompiliu). Noi orientări în istoriografia română în deceniul trei al secolului XX. (Neue Richtungen in d. rumän. Geschichtsschreibung d. 30er Jahre d. 20. Jh.) Studia Univ. Babeş-Bolyai [Cluj], Hist., 81, a. 26, p. 46-62. [Dt. Zsfassung].

312. ZEIL (Wilhelm). Zur Entwicklung der Bulgaristik in Deutschland. Von d. Wiedererrichtung d. bulgar. Staates 1878 bis z. Ende d. ersten Weltkrieges. Z. f. Slawistik, 81, Bd 26, p. 765-781.

Cf. n°S 153, 4206, 4509, 4545, 5596, 7043.

b. Biografías [1].

313. BORZSÁK (István). Ábel Jenő (1858-1889). (Jenő Ábel.) Budapest, Akad. Kiadó, 81, in-16, 198 p., (ill.). (A mult magyar tudósai, X. sor.) [Spécialiste de philologie classique].

314. BLACK (Robert). Benedetto Accolti and the beginnings of humanist historiography. Eng. hist. R., 81, vol. 96, p. 36-58.

315. NOSOV (S.N.). Pervye istoričeskie sočinenija Konstantina Aksakova. (The first historical works of Konstantin Aksakov.) Ist. zap., 81, n° 106, p. 271-290.

316. AMARI (Michele). Diari e appunti autobiografici inediti. A cura di Carmala CASTIGLIONE TROVATO. Present. di Illuminato PERI. Napoli, Ediz. scient. ital., 81, in-8, 195 p. (La Cult. delle idee, 4).

317. DIÓSZEGI (István). Arató Endre emlékezete, 1921-1977. (In memoriam Endre Arató.) Századok, 81, vol. 115, n° 4, p. 820-824.

318. MULLER (Sharon). The origins of Eichmann in Jerusalem : Hannah Arendt's interpretation of Jewish history. Jewish soc. Stud., 81, vol. 43, n° 3-4,p. 237-254.

319. George Bariţ şi contemporanii săi. (G. Bariţ et ses contemporains. Vol. 5. Ediţie îngrijită de Ştefan PASCU (coordonator), Ioan CHINDRIŞ, Gelu NEAMŢU, Dumitru SUCIU, George CIPĂIANU. Bucureşti, Minerva, 81, in-8, 386 p. (34 pl.). [Vol. 3. Cf. Bibl. 76-77, n° 419.]

320. YEAGER (Gertrude Matyoka). Barros Arana's Historia jeneral de Chile : politics, history, and national identity. Fort Worth, Texas Christian U.P., 81, in-8, XIV-187 p.

321. BRAUDEL (Fernand). La vida ejemplar de Marcel Bataillon. Cuad. Invest. hist., 81, t. 5, p. 8-13. - NERVA (el Marqués de). Homenaje postumo a Marcel Bataillon. Ibid., p. 5-7.

322. DIGGINS (John Patrick). Power and authority in American history : the case of Charles A. Beard and his critics. Am. hist. R., 81, vol. 86, n° 4, p. 701-730.

323. KIRSCH (George B.). Jeremy Belknap : man of letters in the young republic. New England Quar., 81, vol. 54, n° 1, p. 33-53. [Am. historian, 1744-1798].

324. SCHROEDER (Hans-Christoph). Eduard Bernstein als Historiker der Englischen Revolution. Gesch. u. Ges., 81, Jg. 7, p. 219-254.

325. GRABSKI (Andrzej Feliks). Marc Bloch przed "Annales". (Marc Bloch avant les "Annales") Dzieje najnowsze, 81, a. 13, n°S 1-2, p. 129-139. RUTKOFF (Peter M.), SCOTT (William B.). Letters to America : the correspondence of Marc Bloch, 1940-1941. French hist. Stud., 81, vol. 12, n° 2, p. 277-303. - WALKER (Lawrence D.). A note on historical linguistics and Marc Bloch's comparative method. Hist. a. Theory, 80, vol. 19, p. 154-164.

326. KINSER (Samuel). Annaliste paradigm ? The geohistorical structure of Fernand Braudel. Am. hist. R., 81, vol. 86, n° 1, p. 63-105. - PERROT (Jean-Claude). Le présent et la durée dans l'oeuvre de Fernand Braudel. A., Ec. Soc. Civ., 81, a. 36, p. 3-15.

327. GRIMAL (Pierre), CARCOPINO (Claude), OURLIAC (Paul). Jérôme Carcopino : un historien au service de l'humanisme. Paris, Belles Lettres, 81, in-8, VII-349 p.

328. TARR (Roger L.). "The Guises" : Thomas Carlyle's lost Renaissance history. Victo-

---
1. Clasificación por orden alfabético de apellidos de las personas estudiadas.

rian Stud., 81, vol. 25, n° 1, p. 7-12.

329. DELCLOS (Jean-Claude). Le témoignage de Geoge Chastellain, historiographe de Philippe le Bon et de Charles le Téméraire. Genève, Droz ; Paris, Minard-Champion, 80, in-8, 374 p.

330. GREEN (Sally). Prehistorian. A biography of V. Gordon Childe. Foreword by Jack LINDSAY. Bradford-on-Avon, Moonraker Press, 81, in-8, XXII-200 p.

331. CLOUGH (Shepard B.). The life I've lived : the formation, career, and retirement of an historian. Washington, D.C., Univ. Press of America, 81, XI-285 p.

332. NIELSEN (Margit Hurup). Re-enactment and reconstruction in Collingwood's philosophy of history. Hist. a. Theory, 81, vol. 20, n° 1, p. 1-31. - VAN DER DUSSEN (W.J.). History as a science : the philosophy of R.G. Collingwood. The Hague, Nijhoff, 81, in-8, XVI-480 p.

333. BOULAY (Ch.). Benedetto Croce jusqu'en 1911. Trente ans de vie intellectuelle. Genève, Droz, 81, in-8, XII-560 p. -(Travaux d'hist. éthico-polit., 37). - CROCE (Benedetto). Lettere a Giovanni Gentile (1896-1924). A cura di Alda CROCE. Introd. di Gennaro SASSO. Milano, Mondadori, 81, in-I, XX-690 p. (Diari, Mem. e Lett.) - KELEMEN (János). Benedetto Croce. Budapest, Kossuth Kiadó, 81, in-8, 80 p.

334. OEXLE (Otto Gerhard). Die "Wirklichkeit" und das "Wissen" : ein Blick auf das sozialgeschichtliche Oeuvre von Georges Duby. Hist. Z., 81, Bd 232, p.61-91.

335. BERNER (Ulrich). Universalgeschichte und kreative Hermeneutik. Reflexionen anhand des Werkes von Mircea Eliade. Saeculum, 81, Bd 32, p. 221-241. - MARINO (Adrian). L'herméneutique de Mircea Eliade. Paris, Gallimard, 81, in-8, 424 p. (Les Essais, 214).

336. GOL'MAN (Lev I.). "Anti-Djuring" F. Engel'sa kak istoričeskij trud. (The Anti-Düring of F. Engels as historical work.) Nov. novejš. Ist., 81, n° 3, p. 24-42. - IDEM. Friedrich Engels, Kritiker der bürgerlichen Historiographie. Marx-Engels-Jb., 81, Jg. 4, p. 182-222.

337. HORWITZ (Sylvia L.). The find of a lifetime : Sir Arthur Evans and the discovery of Knossos. London, Weidenfeld a. Nicolson, 81, in-8, 278 p. (ill.).

338. MASSICOTTE (Guy). L'histoire problème : la méthode de Lucien Febvre. St. Hyacinthe, Québec, Edisem, 81, in-8, 121 p. (Méthodes des sci. humaines, 4).

339. BALLESTEROS GAIBROIS (Manuel). Gonzalo Fernández de Oviedo. Madrid, Fundación univ. española, 81, in-8, 249 p.

340. FUKS-MANSFELD (R.G.). David Franco Mendes als geschiedschrijver. David Franco Mendes as a historian. Studia Rosenth., 80, vol. 14, p. 29-43.

341. MARCHASSON (Yves). Michel François (1906-1981), doyen de la faculté des Lettres de l'Institut catholique de Paris de 1964 à 1970. Nouv. Inst. cath. Paris, 81, n° 4, p. 233-238.

342. CRACCO (Giorgio). Edward Augustus Freeman (1823-1892), un medievista senza Medioevo. A. Sc. norm. sup. Pisa, 81, s. 3, vol. 11, p. 31-362. - GABBA (Emilio). E. A. Freeman e il federalismo antico. Ibid., p. 323-340. - MOMIGLIANO (Arnaldo). Uno storico liberale fautore del Sacro Romano Impero : E. A. Freeman. Ibid., p. 309-322.

343. FALARDEAU (Jean-Charles). L'oeuvre de Guy Frégault. R. Hist. Amérique franç., 81-82, vol. 35, p. 52-68.

344. GALATELLO ADAMO (Andrea). L'antico e il positivo. Per un commento a N.D. Fustel de Coulanges. Napoli, Jovene, 81, in-8, 116 p. (Pubbl. della Fac. giur. dell'Univ. di Napoli, 187).

345. Bibliographie des travaux de Richard Gascon. In : Lyon et l'Europe [Cf. n° 417], vol. 1, p. 5-6.

346. BROWNLEY (Martine Watson). Gibbon's artistic and historical scope in the Decline and Fall. J. Hist. Ideas, 81, vol. 42, n° 4, p. 629-642. - GOSSMAN (Lionel). The Empire unpossessed. An essay on Gibbon's Decline and Fall. Cambridge, Univ. Press, 81, in-8, XVI-160 p.

347. SCHEIBE (Friedrich Carl). Mittelalterbild und liberaler Fortschrittsglaube in der Geschichtsschreibung von Ferdinand Gregorovius. Arch. f. Kulturgesch., 79 [81], Bd 61, p. 191-230.

348. GŁADKIEWICZ (Westyna), SKOWROŃSKA (Anna). Bibliografia prac Romana Hecka. (Bibliographie des travaux de Roman Heck.) Śląski Kwart. hist. Sobótka, 81, a. 36, n° 1, p. 1-17.

349. HEIMPEL (Hermann). Traum im November. Gesch. in Wiss. u. Unterr., 81, Jg. 32, p. 521-525.

350. SIMILI (Raffaelle). La spiegazione nel discorso storico. Il modello di Carl G. Hempel. Bologna, Clueb, 81, in-8, 192 p. (Saggi di Filos. del linguaggio e della Sci., 1).

351. PUŞCAŞ (Vasile). Nicolae Iorga şi istoria contemporană. (N. Iorga et l'histoire contemporaine.) Studia Univ. Babeş-Bolyai [Cluj], Hist., 81, a. 26, p. 63-77. [Rés. franç.].

352. LEROY-MOLINGHEN (A.). In memoriam Emile Janssens. Byzantion, 81, t. 51, p. 339-344.

353. REPGEN (Konrad). Hubert Jedin (1900-1980). Hist. Jb., 81, Bd 101, p. 325-340.

354. STOECKER (Erika). A. A. Jerussalimski. Deutsche Geschichte im Leben eines sowjetischen Historikers u. Kommunisten. Berlin, Akad.-Verl., 80, in-8, VIII-157 p. (Abb.).

355. KLEMPERER (Klemens von). Robert A. Kann, 1906-1981. Central european Hist., 81, vol. 14,n° 4, p. 400-401.

356. TROPPER (Peter G.). Abt Magnus Klein von Göttweig und seine "Privaturkundenlehre". Ein Beitr. z. Wissenschaftsgeschichte d. 18. Jh. Mitt. d. Inst. f. österr. Gesch.-Forsch., 81, Bd 89, p. 269-286.

357. KRASNOBAEV (B.I.). V. O. Kljuçevskij o russkoj kul'ture XVII-XIX vekov. (V.O. Klyuchevski as historian of Russian culture.).Ist. SSSR, 81, n° 5, p. 131-149.

358. KAHLE (Günter). Necrologia : Richard

3. HISTORIA DE LAS CIENCIAS HISTORICAS

Konetzke (1897-1980). Jb. f. Gesch. Lateinamerikas, 81, Bd 18, p. VII-IX.

359. KOSTOVA (Emilija). Dimităr Kosev. Biobliografija. (D. Kosev. Biobibliographie.) Sofija, Izd. Bălg. Akad. Nauk, 81, in-8, 150 p.

360. JORLAND (Gérard). La science dans la philosophie : les recherches épistémologiques d'Alexandre Koyré. Paris, Gallimard, 81, in-8, 372 p.

361. Bibliographie des travaux de Jean Lafaurie, établie par Raymonde LAFAURIE. In : Mélanges de numismatique, ... [Cf. n° 105], p. 13-28.

362. GRABSKI (Andrzej Feliks). Karl Lamprecht i historiografia polska. (Karl Lamprecht et l'historiographie polonaise.). Kwart. Hist. Nauki Techn., 81, a. 26, n° 2, p. 315-334.

363. GLIDDEN (Hope H.). La Poésie du chiffre : Le Roy Ladurie and the Annales schools of historiography. Stanford french R., 81, vol. 5, p. 277-294.

364. GUERCI (Luciano). Linguet storico della Grecia e di Roma. R. stor. ital., 81, a. 93, p. 615-679. - MINERBI (Marco). Le idee di Linguet. Ibid., p. 680-735. - VENTURI (Franco). Linguet in Italia. Ibid., p. 736-774.

365. MACAULEY (Thomas Babington). The letters. [Vol. 4. Cf. Bibl. 76-77, n° 468.] Vol. 5 : January 1849-December 1855. Vol. 6 : January 1856-December 1859. Ed. by Thomas PINNEY. London a. New York, Cambridge U.P., 81, 2 vol. in-8, XIV-484, XII-484 p.

366. LEWANDOWSKA (Stanisława). Bibliografia prac prof. Czesława Madajczyka za lata 1954 -1980. (Bibliographie des travaux du professeur Czesław Madsjczyk, parus dans les années 1954-1980.) Dzieje najnowsze, 81, a. 13, n°s 1-2, p. 5-16. - LUCZAK (Czesław). Wkład profesora Czesława Madajczyka do rozwoju badań naukowych nad dziejami najnowszymi. (L'apport du profeseur Czesław Madajczyk au développement des recherches scientifiques concernant l'histoire récente.) Ibid., p. 17-27. - MAŃKOWSKI (Zygmunt). O twórczości Czesława Madajczyka. (Les travaux de Czesław Madajczyk.) Kwart. hist., 81, a. 88, n° 3; p. 761-769.

367. GIEYSZTOR (Aleksander). Tadeusz Manteuffel historyk i obywatel (1902-1970). (Tadeusz Manteuffel, historien et citoyen, 1902-1970.) Nauka polska, 81, a. 29, n°s 3-4, p. 73-79.

368. ADAMSON (Walter L.). Marx'x four histories : an approach to his intellectual development. Hist. a. Theory, 81, vol. 20, n° 4, p. 379-402.

369. Bibliographie [de Raymond Mauny]. In : Le sol, la parole et l'écrit [Cf. n° 624], p. 5-20.

370. MEHNERT (Klaus). Ein Deutscher in der Welt. Erinnerungen 1906-1981. Stuttgart, Deutsche Verl.-Anst., 81, in-8, 447 p. (ill.).

371. MADDOLI (Gianfranco). Appunti sulla formazione culturale di Eduard Meyer : la Geschichte von Troas e gli anni di Schliemann. R. stor. ital., 81, a. 93, p. 809-820. - MOMIGLIANO (Arnaldo). Premesse per una discussione su Eduard Meyer. Ibid., p. 384-398.

372. LORENTZ (Stanisław). Kazimierz Michałowski 1901-1980. Nauka Polska, 81, a. 29, n°s 7-8, p. 149-151.

373. PUTILOV (B.N.). Nikolaj Nikolaevič Miklukho-Maklaj. Stranicy biogr. Moskva, Nauka, 81, 213 p. (portr.). (Rus. putešestvenniki i vostokovedy).

374. PACH (Zsigmond Pál). A történetiró Molnár Erik. (The historian Erik Molnár [1894-1966].) Tört. Szle, 81, vol. 24, n° 4, p. 513-520.

375. CHRIST (Karl). Theodor Mommsen und sein Biograph. [Buchbespr.] Hist. Z., 81, Bd 233, p. 363-370.

376. Travaux de Roland Mousnier. In : Hommage à Roland Mousnier [Cf. n° 5670], p. XV-XIX.

377. HEUSS (Alfred). Barthold Georg Niebuhrs wissenschaftliche Anfänge. Unters. u. Mitt. über d. Kopenhagener Manuscripte u. z. europ. Tradition d. lex agraria (loi agraire). Göttingen, Vandenhoeck u. Ruprecht, 81, in-8, 568 p. (Abh. d. Akad. d. Wiss. in Göttingen, Phil.-Hist. Kl., Folge 3, 114) - IDEM. Näheres zu Niebuhr. Zur 150. Wiederkehr seines Todestages am 2. Jan. 1981. Antike u. Abendland, 81, Bd 27, p. 1-33.

378. FINAŠINA (G.N.). Aleksej Pavlovič Okladnikov. Vstup. stat'ja R.S. VASIL'EVSKOGO. Moskva, Nauka, 81, 185 p. (AN SSSR. Materialy k biobibliografii učenykh SSSR. Ser. istorii).

379. ORTON (Lawrence D.). Palacký at the Slav congress of 1848. East european Quar., 81, vol. 15, n° 1, p. 15-28.

380. LLOYD-JONES (Hugh). Rudolf Franz Otto Pfeiffer 1889-1979. Proc. brit. Acad., 79, vol. 65, p. 771-781.

381. MONTEVECCHI (Orsolina). Claire Préaux (1904-1979). Aegyptus, 80, a. 60, p. 224-226.

382. ANGRISANI GUERRINI (Isa). Quinet e l'Italia. Paris et Genève, Slatkine, 81, in-8, XVI-230 p.

383. DICKENS (Arthur Geoffrey). Ranke as Reformation historian. Reading, Univ., Dept. of His., 81, in-8, 20 p. (Stenton Lect.).

384. BÓNIS (György). Révay Péter (1568-1622). (P. Révay.) Budapest, Akad. Kiadó, 81, in-8, 113 p. (Irodalomtörténeti füzetek) [Historien, gardien de la couronne.].

385. AUER (Alfred). Der Historiograph Anton Roschmann (1694-1760). Ein Beitr. z. Geistesgesch. d. 18. Jh. Innsbrucker hist. Stud., 81, Bd 45, p. 65-98.

386. Jury (Eine) für Jacques Roux. Dem Wirken Walter Markovs gewidmet. Berlin, Akad.-Verl., 81, in-8, 124 p. (S.-B. d. Akad. d. Wiss. d. DDR : G, Jg. 1981, H. 1).

387. KILLINGER (Charles). Gaetano Salvemini e le autorità americane. Documenti inediti del FBI. Stor. contemp., 81, a. 12, p. 403-442.

388. SETON-WATSON (Hugh), SETON-WATSON (Christopher). The making of a new Europe : R. W. Seton-Watson and the last years of

Austria-Hungary. Seattle, Univ. of Washington Press, 81, in-8, X-458 p.

389. ELEY (Geoff). James Sheehan and the German liberals : a critical appreciation. Central european Hist., 81, vol. 14, n° 3, p. 273-288.

390. ROME (Roman). Louis L. Snyder : a bio-bibliographical essay. In : Nationalism [Cf. n° 431], p. 205-212.

391. GODECHOT (Jacques). Taine, historien de la Révolution française. Romantisme, 81, n° 32, p. 31-40.

392. COUMET (Ernest). Paul Tannery : "L'organisation de l'enseignement de l'histoire des sciences." R. Synthèse, 81, t. 102, p. 87-123.

393. Iz literaturnogo nasledija akademika E. V. Tarle. (From the literary heritage of Academician E. V. Tarle.) Sost. V.A. DUNAEVSKIJ, V.I. DURNOVCEV, E.I. ČAPKEVIČ. Otv. red. M.V. NEČKINA. Moskva, Nauka, 81, 392 p. (ill.). (AN SSSR. Otd-nie istorii. Nauč. sovet po probl. "Istorija ist. nauki. In-t vseobšč. istorii).

394. WRIGLEY (Christopher J.). A.J.P. Taylor, a complete annotated bibliography and guide to his historical and other writings. Brighton, Harvester Press, 81, in-8, 608 p.

395. TELLENBACH (Gerd). Aus erinnerter Zeitgeschichte. Freiburg (Breisgau), Wagner, 81, in-8, 153 p.

396. WINTHROP (Delba). Tocqueville's Old Regime : political history. R. Politics, 81, vol. 43, n° 1, p. 88-111.

397. Bibliography of Eric Gardner Turner. In : Papyri Greek and Egyptian [Cf. n° 1333], p. XIII-XX.

398. GALLAZZI (Claudio). Mariangela Vandoni (1929-1979). Aegyptus, 80, a. 60, p. 227-232.

399. SCHEFFERS (A.A.). Bibliografie van de numismatische publicaties van prof. dr. H. Enno Van Gelder. (Bibliographie des publications numismatiques de H. Enno Van Gelder.) Jb. Munt- en Penningkde, 80, vol. 67, p. 11-44.

400. SCILANGA (Giuseppe). Mezzogiorno e Stato in Pasquale Villari. Cosenza, Pellegrini, 81, in-8, 224 p. (Interventi, 5).

401. WEBB (Eugene). Eric Voegelin : philosopher of history. Seattle, Univ. of Washington Press, 81, in-8, IX-320 p. [Cf. n° 527.]

402. MOMMSEN (Wolfgang J.). Die antinomische Struktur des politischen Denkens Max Webers. Hist. Z., 81, Bd 233, p. 35-64. - ZINGERLE (Arnold). Max Webers historische Soziologie. Darmstadt, Wiss. Buchges., 81, in-8, IX-233 p. (Erträge d. Forschung, 163).

403. HALLENCREUTZ (Carl F.). K. G. Westman som missionsforskare. (Knut Bernhard Westman [Professor of Mission History and East Asian Religious History at Uppsala, 1930-48] as missionologist.) Kyrkohist. Årsskr., 81, vol. 81 [with an Eng. summary].

404. CALDER (William M.) III. Ulrich von Wilamowitz-Moellendorff : An unpublished Latin autobiography. Antike u. Abendland, 81, Bd 27, p. 34-51. - PINTAUDI (Rosario), RÖMER (Cornelia). Le lettere di Wilamowitz a Vitelli. A. Sc. norm. sup. Pisa, 81, s. 3, vol. 11, p. 363-398.

405. WINTER (Eduard). Mein Leben im Dienste des Völkerverständnisses. Nach Tagebuchaufzeichnungen, Briefen, Dokumenten u. Erinnerungen. Bd. 1. Berlin, Akad.-Verl., 81, in-4, 193 p. (Beitr. z. Gesch. d. relig. u. wiss. Denkens, 10).

406. DĄBROWA (Edward). Bibliografia prac naukowych prof. dra Józefa Wolskiego za lata 1937-1979. (Bibliographie des travaux scientifiques du prof. dr. Józef Wolski des années 1937-1979.) Zesz. nauk. Uniw. Jagiell., 81, n° 613 [Prace hist., 70], p. 143-149.

407. ZUB (Alexandru). A.D. Xenopol and the new "serial history". R. roumaine Hist., 80, t. 19, p. 511-519.

408. SCHMIDT (Ernst Günther). Zum 100. Geburtstag von Friedrich Zucker. Philologus, 81, Bd 125,p. 259-272. - Friedrich Zucker †. Gnomon, 81, t. 53, p. 297-304.

409. WIESELTIER (Leon). Etwas über die jüdische Historik : Leopold Zunz and the inception of modern Jewish historiography. Hist. a. Theory, 81, vol. 20, n° 2, p. 135-149.

Cf. n°s 2968, 3710, 4533.

c. Misceláneas [1].

410. Interpretation und Edition deutscher Texte des Mittelalters. Festschr. f. Johan Asher z. 60. Geburtstag. Hrsg. v. Kathryn SMITS [u.a.]. Berlin, E. Schmidt, 81, in-8, XVII-210 p. (ill.).

411. Préhistoire africaine. Mélanges offerts au doyen L. Balout. [Cf. n° 994.]

412. Seis lecciones sobre la España de los Siglos de Oro : homenaje a Marcel Bataillon. [Cf. n° 4241.]

413. Mediaeval studies for J.A.W. Bennet. [Cf. n° 2358.]

414. Ars auro prior. Studia Joanni Białostocki sexagenario dicata. Com. de réd. : Juliusz Antoni CHRÓŚCICKI et autres. Warszawa, Państw. Wydawn. Nauk., 81, in-4, 767 p.

415. Pattern of the past. Essays in honour of David Clarke. [Cf. n° 990.]

416. Antiquity and man. Essays in honour of Glyn Daniel. [Cf. n° 960.]

417. Lyon et l'Europe. Hommes et sociétés. Mélanges d'histoire offerts à Richard Gascon. T. 1, 2. Lyon, Presses univ. Lyon, 80, 2 vol. in-8, 348, 372 p. (tabl., cartes). [Cf. n°s 83, 345, 747, 1571, 2175, 2209, 2593, 3914, 4034, 4324, 4717,

------

1. Clasificación por orden alfabético de apellidos de las personas a quienes se dedicaron los volúmenes de Misceláneas. Los números puestos entre paréntesis al final de cada reseña corresponden a los estudios publicados en las Misceláneas los quales se colocan en sus respectivas subdivisiones metódicas.

4742, 4854, 4986, 5062, 5066, 5100, 5104, 5320, 5375, 5409, 5467, 5490, 5492, 5512, 5587, 5588, 5591, 5609, 5612, 5636, 5697, 5706, 5741, 5743, 5760, 5782, 5785.]

418. Aus Österreichs Rechtsleben in Geschichte und Gegenwart. Festschrift f. Ernst C. Hellbling zum 80. Geburtstag. Hrsg. v. d. rechtswiss. Fak. d. Univ. Salzburg. Berlin, Dunker u. Humblot, 81, in-8, XV-754 p. (1 ill.).

419. Svenskt, nordiskt, afrikanskt : historiska studier tillägnade Åke Holmberg 26 november 1981. (Swedish, Nordic, African : historical studies dedicated to Åke Holmberg, 26th November, 1981.) Göteborg, Hist. inst., 81, in-4, 193 p. (maps.) (Meddel. fran Hist. inst. i Göteborg, 21).

420. Parvula munuscula. Festgabe f. Franz Irsigler z. 40. Geburtstag am 18. Sept. 1981. Bielefeld, Ebeling, 81, in-8, XI-137 p. (graph. Darst.).

421. Studien zur Geschichte Englands und der deutsch-britischen Beziehungen. Festschr. f. Paul Kluke. Hrsg. v. Lothar KETTENACKER [u.a.]. München, Fink, 81, in-8, 397 p.

422. Mélanges de numismatique, d'archéologie et d'histoire offerts à Jean Lafaurie. [Cf. n° 105.]

423. Sol (Le), la parole et l'écrit ... Mélanges en hommage à Raymond Mauny. [Cf. n° 624.]

424. Scritti in onore di Orsolina Montevecchi. A cura di Edda BRESCIANI, Giovanni GERACI, Sergio PERNIGOTTI, Giancarlo SUSINI. Bologna, Libr. Univ. Editrice, 81, in-8, XXIII-469 p. (1 fig., 1 portr., 28 pl.).

425. Hommage à Roland Mousnier. [Cf. n° 5670.]

426. Angles, Saxons and Jutes. Essays presented to J.N.L. Myres. Ed. by Vera I. EVISON London, Oxford U.P., 81, in-4, XXX-254 p. (ill., pl., maps).

427. Studi in memoria di Ernesto Pontieri. [Cf. n° 625.]

428. Tessera. Sztuka jako przedmiot badań. Na jubileusz professora Mieczyława Porębskiego przygot. Muzeum Narodowe w Krakowie i Wydawnictwo Literackie. (Tessera. L'art comme sujet d'études. Pour le jubilé du professeur Mieczysław Porębski préparé par le Musée National à Cracovie et les Editions Littéraires.) Com. de réd. : Jan BIAŁOSTOCKI et autres. Kraków, Wydawn. Liter., 81, in-8, 305 p.

429. Siedlung, Macht und Wirtschaft. Festschrift Fritz Posch zum 70. Geburtstag, hrsg. v. Gerhard PFERSCHY. Graz, 81, in-8, XXIX-641 p. (Veröff. d. Steiermärk. Landesarchivs, 12).

430. Mediaeval and Renaissance studies on Spain and Portugal in honour of P.E. Russell. [Cf. n° 831.].

431. Nationalism : essays in honor of Louis L. Snyder. Ed. by Michael PALUMBO, William O. SHANAHAN. Foreword by Arthur L. SCHLESINGER, jr. Westport, Conn., Greenwood Press, 81, X-219 p. (Contrib. in Pol. Sci., 65) [Cf. n°^{s} 390, 2674, 2677, 2679, 2799, 2888, 3137, 3268, 3524, 3539, 3814, 6147, 6224.]

432. Writing (The) of history in the Middle Ages. Essays presented to Robert William Southern. [Cf. n° 2385.]

433. Olmec (The) and their neighbours. Essays in memory of Matthew W. Stirling. [Cf. n° 7086.]

434. On the laws and customs of England : essays in honor of Samuel E. Thorne. Ed. by Morris S. ARNOLD a. others. Chapel Hill, Univ. of North Carolina Press, 81, XX-426 p. [Cf. n°^{s} 2168, 2174, 2179, 2182, 2187, 2195, 2197, 2198.]

435. Peasants in history. Essays in honour of Daniel Thorner. [Cf. n° 793.]

436. Serta Balcanica-Orientalia Monacensia. In honorem Rudolphi Trofenik septuagenarii. Ed. H. J. KISSLING [u.a.]. München, Trofenik, 81, in-8, 270 p. (1 ill.). (Münchner Z. f. Balkankunde, Sonderbd 1).

437. Nation and ideology : essays in honor of Wayne S. Vucinich. Ed. by Ivo BANAC a. others. Boulder, Colo., 81, in-8, East Eur. Monographs, 479 p. (East Eur. Monographs, 95). [Cf. n°^{s} 732, 1583, 3566, 3609, 3626, 3696, 3698, 3737, 3766, 3816, 3817, 3835, 3873, 3887, 3894, 3895, 4178, 6791.]

Cf. n°^{s} 730, 1163, 1333, 1456, 2354, 2843.

§ 4. Metodología, filosofía y ensenanza de la historia.

438. AFANAS'EV (Ju. N.). Èvoljucija teoretičeskikh osnov školy "Annalov". (Evolution of the theoretical basis of the "Annales" school.) Vopr. ist., 81, n° 9, p. 77-92.

439. Archäologie und Gesellschaft. Forschung u. öffentl. Interesse. Marburger Forum Philippinum. Hrsg. v. Bernard ANDREAE. Stuttgart, Wiss. Verl.-Ges. Frankfurt (Main), Umwelt- u. Medizin-Verl.- Ges., 81, in-8, 216 p. (Ill., graph. Darst., Kt.)

440. BANDELIER (André). Pour une méthodologie différenciée de l'étude de presse : la presse provinciale française au tournant du XIXe siècle. Schweiz. Z. f. Gesch., 81, Bd 31, p. 308-322.

441. BARG (M.A.). Princip sistemnosti v marksistskom istoričeskom issledovanii. (The systematic principale in Marxist historical studies.) Ist. SSSR, 81, n° 2, p. 78-99.

442. BARNARD (Frederik M.). Accounting for actions : causality and teleology. Hist. a. Theory, 81, vol. 20, n° 3, p. 291-312.

443. BARTEL (Horst). Erbe und Tradition in Geschichtsbild und Geschichtsforschung der DDR. Z. f. Geschichtswiss., 81, Jg. 29, p. 387-394.

444. BARTOŠ (Josef). Methodologische und methodische Probleme der Regionalgeschichte. Jb. f. Regionalgesch., 81, Bd 8, p. 7-17.

445. BENNETT (James). Oral history and delinquency : the rhetoric of criminology. Chicago, Univ. of Chicago Press, 81, in-8, XV-363 p.

446. BERNSTEIN (Howard R.). Marxist historiography and the methodology of research programs. Hist. a. Theory, 81, vol. 20, n° 4, p. 424-449.

447. BIEDER (Robert E.). Anthropology and history of the American Indian. Am. Quar., 81, vol. 33, n° 3, p. 309-326.

448. BLASIUS (Dirk). Kriminalität und Geschichtswissenschaft. Perspektiven d. neueren Forsch. [Buchbespr.] Hist. Z., 81, Bd 233, p. 615-626.

449. BORTOLOTTI (Lando). Aspetti e problemi della storiografia urbana recente in Italia. Soc. e Stor., 81, a. 4, p. 671-684.

450. BOUCHARD (Constance B.). Remarques méthodologiques sur l'emploi de la statistique dans la démographie médiévale, à propos de la thèse de Robert Fossier [La Terre et les hommes en Picardie jusqu'à la fin du XIIIe siècle. Cf. Bibl. 70-71, n° 3138.] Moyen Age, 80, t. 86, sér. 4, t. 35, p. 421-438.

451. Buržuaznyj istorizm v zarubežnoj istoriografii. (The bourgeois historical method in historiography abroad.) A.S. ŠOFMAN, N.A. BURMISTROV, B.V. CAREV i dr. Kazan', Izd-vo Kazan. unta, 81, 183 p.

452. CANART (Paul). Nouvelles recherches et nouveaux instruments de travail dans le domaine de la codicologie. Scrittura e Civ., 79, a. 3, p.267-307.

453. CARDOSO (Ciro Flamarion S.). Introducción al trabajo de la investigación histórica. Conocimiento, método e historia. Barcelona, Critia, 81, in-8, 218 p.

454. CASTRONOVO (Valerio). Mass media e storia contemporanea. Soc. e Stor., 81, a. 4, p. 95-108.

455. ČEREPNIN (L.V.). Voprosy metodologii istoričeskogo issledovanija. (Problems of methodology of historical research.) Teoret. probl. istorii feodalizma. (Theoretical problems of the history of feudalism.) Sb. statej. Moskva, Nauka, 81, 280 p. (AN SSSR. Otd-nie istorii. In-t istorii SSSR).

456. CLARY (David A.). Trouble is my business : a private view of "public" history. Am. Archivist, 81, vol. 44, n° 2, p. 105-112.

457. COLLIER (Charles). History, culture, and communication. Hist. a. Theory, 81, vol. 20, n° 2,p. 150-167.

458. GORVISIER (André). Sources et méthodes en histoire sociale. Paris, SEDES, 80, in-8, 257 p. (Regards sur l'hist., 38 : Sci. auxil. de l'hist.)

459. DAVIS (Ralph Henry C.). The content of history. History, 81, vol. 66, p. 361-374.

460. Dejinné poučenie. (Historische Belehrung.) Autorenkollektiv : Milan ČÍČ, Ján DZIAK, Andrej GABAL, Ivan HUTIRA, Miloš MARKO, Ludovít PEZLAR, Viliam PLEVZA, Miloš ŘEHUŘEK, Ján ŠKODA. Bratislava, Pravda, 80, in-8, 320 p.

461. Demografisk-historisk forskning i Uppsala. Red. av Hans Norman. (Demographic-historical research in Uppsala. Ed. by Hans NORMAN.) Uppsala, Hist. inst., Uppsala univ., 80, in-8, 68 p. (maps). (Meddel. fran Familjehist. projektet, 2).

462. DESJATSKOV (S.G.). Revizija politiki "umirotvorenija" (K kritike "revizionistskoj školy" v sovremennoj anglijskoj buržuaznoj istoriografii). (Revizion of "Appeasement Policy" ; criticism of the revisionist school in modern English bourgeois historiography.). Nov. novejš. Ist., 81, n° 5, p. 177-189.

463. DEUTSCH (Robert). "La nouvelle Histoire" - Die Gesch. e. Erfolges. [Buchbespr.] Hist. Z., 81, Bd 233, p. 107-129.

464. DREITZEL (Horst). Die Entwicklung der Historie zur Wissenschaft. Z. f. hist. Forsch., 81, Bd 8, p. 257-284.

465. DUPAQUIER (Jacques). Sans mariages ni sépultures la reconstitution des familles est-elle possible ? A. Démogr. hist., 80, p. 53-65.

466. ELLIOTT (Clark A.). Citation patterns and documentation for the history of science : some methodological considerations. Am. Archivist, 81, vol. 44, n° 2, p. 131-142.

467. FALOLA (Toyin). Trends in Nigerian historiography. Transafrican J. Hist., 81, vol. 10, p. 96-112.

468. FEMIA (Joseph V.). An historicist critique of "revisionist" methods for studying the history of ideas. Hist. a. Theory, 81, vol. 20, n° 2, p. 113-134.

469. FLOTO (Inga). De seneste års danske historiografiske debat. (The Danish historiographical debate in the 1970's.) Scandia, 81, vol. 47, p. 245-254, 309. [Eng. summary].

470. FRIEDMAN (Lawrence J.). "Historical studies sometimes run dry" : the state of abolitionist studies. Historian, 81, vol. 43, n° 2, p. 177-194.

471. FURET (François). En marge des Annales : histoire et sciences sociales. Débat, 81, n° 17, p. 112-126.W

472. GORMAN (Robert A.). Empirical marxism. Hist. a. Theory, 81, vol. 20, n° 4, p. 403-423.

473. GUSEV (K.V.), DROBIŽEV (V.Z.), POKROVSKIJ (V.K.). O podgotovke kadrov vyššej kvalifikacii po otečestvennoj istorii (Po materialam VAK SSSR). (On training high qualification cadres in our homeland's history : on the data of the Higher Attestation Commission of the USSR.) Ist. SSSR, 81, n° 1, p. 120-126.

474. HALL (John R.). The time of History and the history of time. Hist. a. Theory, 80, vol. 19, p. 113-131.

475. Histoire (L'). T. 1.: Les philosophies de l'histoire. T. 2.: L'écriture de l'histoire. Paris, Ed. Marketing, 80, 2 vol. in-8, 352, 288 p.

476. Histoire (L') médiévale et les ordinateurs. Medieval history and computers. Rapports d'une Table ronde internationale, Paris, 1978, publ. par Karl Ferdinand WERNER. München, New York, London et Paris, Saur, 81, in-8, 126 p. (Documentations et recherches).

477. Historische Konjunkturforschung. Wilhelm Heinz SCHRÖDER u. Reinhard SPREE (Hrsg.) Stuttgart, Klett-Cotta, 81, in-8, 419 p.

4. METODOLOGIA, FILOSOFIA Y ENSENANZA DE LA HISTORIA

(Hist.-sozialwiss. Forsch., 11).

478. Historische Sozialforschung. Dokumentation = Historical social research. Zentrum f. hist. Sozialforsch., Köln in Zusammenarb. mit d. Informationszentrum Sozialwiss., Bonn. Wolfgang BICK, Paul J. MÜLLER, Herbert REINKE. Stuttgart, Klett-Cotta, 80 [81], in-8, 360 p. (Hist.-sozialwiss. Forsch., 12).

479. HOFFMEISTER (Elmar). Die "Logik" in der Geschichte. Zum Problem von materialist. u. idealist. Dialektik. Köln, Pahl-Rugenstein, 81, in-8, 277 p. (Pahl-Rugenstein-Hochschulschr. Gesellschafts- u. Naturwiss., 52).

480. HOWARD (Michael). The lessons of history. London, Oxford U.P., 81, in-8, 21 p.

481. HUME (L.J.). Bentham and bureaucracy. London, Cambridge U.P., 81, in-8, 322 p. (Hist. a. Theory of Pol.).

482. HURST (B.C.). The myth of historical evidence. Hist. a. Theory, 81, vol. 20, n° 3, p. 278-290.

483. HUTTON (Patrick H.). The history of mentalities : the new map of cultural history. Hist. a. Theory, 81, vol. 20, n° 3, p. 237-259.

484. IVANOV (G.M.), KORŠUNOV (A.M.), PETROV (Ju.V.). Metodologičeskie problemy istoričeskogo poznanija. (Methodological problems of historical knowledge.) Moskva, Vysš. škola, 81, 296 p.

485. IVANOV (V.V.). V. I. Lenin o vzaimosvjazi istorizma i obektivnosti v naučnom issledovanii. (V.I. Lenin on the interaction of historical method and objectivity in historical research.) Vopr. Ist., 81, n° 7, p. 49-59.

486. KAEGI (Walter Emil) Jr. The crisis in military historiograpgy. Armed Forces a. Soc., 80, vol. 7, n° 2, p. 299-317.

487. KAIN (Philip J.). Marx' theory of ideas. Hist. a. Theory, 81, vol. 20, n° 4, p. 357-378.

488. KEDOURIE (Elie). Reflections on Jewish history. Am. Scholar, 81, vol. 50, n° 2, p. 231-236.

489. KELLE (V.Ž.), KOVAL'ZON (M.Ja.). Teorija i istorija (Probl. teorii ist. processa). (Theory and history.) Moskva, Politizdat, 81, 288 p.

490. KIENIEWICZ (Stefan). Przeszłość narodowa w oczach społeczeństwa i w oczach historyka. (Le Passé national aux yeux de la société et aux yeux de l'historien.) Kwart. hist., 80 [81], a. 87, n° 2, p. 435-445.

491. KLEVE (Knut), FONNES (Ivar). Lacunology : on the use of computer methods in papyrology. Symbolae osloenses, 81, t. 56, p. 156-170.

492. KLUXEN (Kurt). Vorlesungen zur Geschichtstheorie. [1. Cf. Bibl. 74-75, n° 722.] 2. Paderborn, Schöningh, 81, in-8, 264 p.

493. KNODEL (John). Espacement des naissances et planification familiale : une critique de la métode Dupâquier-Lachiver. A. Ec. Soc. Civ., 81, a. 36, p. 473-488 [au sujet de l'article de DUPAQUIER (Jacques), LACHIVER (Marcel). Sur les débuts de la contraception en France ou les deux malthusiennes. Ibid., 69, a. 24, p. 1391-1406]. - Cf. DUPAQUIER (J.), LACHIVER (M.). Du contresens à l'illusion technique [réponse à l'article du J. KNODEL]. Ibid., 81, a. 36, p. 489-492, suivi de : Réponse de John Knodel à Jâques Dupâquier. Ibid., p. 493-494.

494. KOSSOK (Manfred). Vergleichende Geschichte der neuzeitlichen Revolutionen. Methodologische u. empir. Forschungsprobleme. Berlin, Akad.-Verl., 81, in-8, 63 p. (S.-B. d. Akad. d. Wiss. d. DDR : G, Jg. 1981, H. 2).

495. KUDRNA (Jaroslav). Ideologische Aspekte und methodologische Grundlagen der französischen Annales-Schule. Z. f. Gesch.-Wiss., 81, Jg. 29, p. 195-204.

496. KUTTLER (Wolfgang). Begriffsbildung und Gesetzesproblematik in Geschichte und Geschichtserkenntnis. Z. f. Geschichtswiss., 81, Jg. 29, p. 779-797.

497. LIVEANU (Vasile), GAVRILĂ (Irina). Mathematics and history. The study of historical time sequences with missiong data. R. roumaine Hist., 80, t; 19, p. 21-46.

498. Marksistsko-leninskaja teorija istoričeskogo processa. Ist. process : dejstvitel'nost', mater. osnova, pervič. i vtorič. (Marxist-Leninist theory of historical process.) Redkol.: Ju. K. PLETNIKOV (otv. red.) i dr. Moskva, Nauka, 81, 463 p.

499. MARTIN (Bernd). Zur Tauglichkeit eines übergreifenden Faschismus-Begriffs. Ein Vergleich zwischen Japan, Italien u. Deutschland. Vjhefte f. Zeitgesch., 81, Jg. 29, p. 48-73.

500. Matematičeskie metody v social'no-ėkonomičeskikh i arkheologičeskikh issledovanijakh. (Mathematical methods in socio-economic and archaeological research.) Sb. statej. Redkol. : I. D. KOVAL'ČENKO i dr. Moskva, Nauka, 81, 415 p. (ill.). (AN SSSR. Otd-nie istorii. Komis. po primeneniju mat. metodov i ĖVM v ist. issled.).

501. MICHAUD (Claude). Les aliénations du temporel ecclésiastique dans la seconde moitié du XVIe siècle : quelques problèmes de méthode. R. Hist. Eglise France, 81, t. 67, n° 178, p. 61-82.

502. MILLER (Fredric M.). Social history and archival practice. Am. Archivist, 81, vol. 44, n° 2, p. 113-124.

503. MÖRNER (Magnus). Komparation : att vidga historiska perspektiv. (Komparation : eine Erweiterung historischer Perspektiven.) Scandia, 81, vol. 47, p. 225-243, 307. [Deutsche Zusammenfassung].

504. MOMMSEN (Wolfgang J.). Gegenwärtige Tendenzen in der Geschichtsschreibung der Bundesrepublik. Gesch. u. Ges., 81, Jg. 7, p. 149-188.

505. MTŠEDLOV (Michail). Der Zivilisationsbegriff in der marxistisch-leninistischen Theorie. Marx-Engels-Jb., 81, Jg. 4, p. 9-49.

506. MÜLLER (Severin). Paradigmenwechsel und Epochenwandel. Zur Struktur wissenschaftshist. u. gesch. Mobilität bei Thomas S. Kuhn, Hans BLumenberg u. Hans Freyer. Saeculum, 81,

Bd 32, p. 1-30.

507. NIPPERDEY (Thomas). Die Aktualität des Mittelalters. Über d. hist. Grundlagen d. Modernität. Gesch. in Wiss. u. Unterr., 81, Jg. 32, p. 424-431.

508. OLDFIELD (Adrian). Moral judgments in history. Hist. a. Theory, 81, vol. 20, n° 3, p. 260-277.

509. PAŠUTO (V.T.), POLJAKOV (Ju.A.), KHROMOV (S.S.). Nekotorye problemy otečestvennoi istorii i prepodavanija istorii v škole na XV Meždunarodnom kongresse istorikov. (Some problems of the USSR history and teaching history at school at the XVth International Congress of Historical Sciences.) Ist. SSSR, 81, n° 5, p. 115-130.

510. PATRUŠEV (A.I). Neoliberal'naja istoriografija FRG. (Neoliberal historiography of the Federal Republic of Germany.). Formirovanie, metodologija, koncepcija. Moskva, Izd-vo MGU, 81, 149 p.

511. PATZE (Hans). Landesgeschichte. T. 1. Rudolf Lehmann zum 90. Geburtstag. Jb. d. hist. Forschung, 80 [81], p. 15-40.

512. PELLENS (Karl). Geschichte als Horizont unserer Zukunft. Didaktik d. Gesch. während d. XV. Internat. Historikerkongresses in Bukarest. Gesch. in Wiss. u. Unterr., 81, Jg. 32, p. 363-367.

513. PETROV (Ju.V.). Praktika i istoričeskaja nauka. (Practice and historical science.) Probl. subekta i obekta v ist. nauke. Tomsk, Izd-vo Tom. un-ta, 81, 421 p.

514. POMPA (Leon), DRAY (W.). Substance and form in history, essays in the philosophy of history. Edinburgh, U.P., 81, in-8, 224 p.

515. PORTER (Dale H.). The emergence of the past : a theory of historical explanation. Chicago, Univ. of Chicago Press, 81, in-8, X-205 p.

516. Problemy naučnogo opisanija i faksimil'-nogo izdanija pamjatnikov pis'mennosti. (Problems of scientific description and facsimile publication of written language monuments.) Materialy Vsesojuz. konf. Pod red. M.V. KUKUŠKINOJ, S.O. ŠMIDTA. Leningrad, Nauka, 81, 264 p. (illi.). (AN SSSR. B-ka Arkheogr. komis.)

517. Recherches (Les) d'histoire slave depuis 1945. Problèmes et méthodes : Etats-Unis, France, Pologne, Union Soviétique. Colloque de la Commission internat. des études slaves du Comité internat. des sciences historiques, Paris, 13-14 nov. 1978. [Publ. par l'] Institut d'études slaves. Paris, Inst. d'études slaves, 79, [81], in-8, 61 p.

518. REDOND (Pietro). Les tensions actuelles de l'histoire des sciences. A. Ec., Soc., Civ., 81, a. 36, p. 572-590.

519. REINITZ (Richard). Irony and consciousness : American historiography and Reinhold Niebuhr's vision. Lewisburg, Pa., Bucknell U.P., 80, in-8, 230 p.

520. RICHARDSON (Gunnar). Behövs en strategi för utbildningshistorisk forsking ? (Is there a need of strategy for research into educational history ?) [Svensk] Hist. T., 81, vol. 101, p. 131-146. [Eng. summary].

521. ROBINSON (Armstead L.). Beyond the realm of social consensus : new meanings of reconstruction in American history. J. am. Hist., 81, vol. 68, n° 2, p. 276-297.

522. ROTH (Michael S.). Foucault's "History of the Present". Hist. a. Theory, 81, vol. 20, n° 1, p. 32-46.

523. RÜSEN (Jörn). Geschichte als Aufklärung ? Oder : Das Dilemma des historischen Denkens zwischen Herrschaft und Emanzipation. Gesch. u. Ges., 81, Jg. 7, p. 189-218.

524. SAKHAROV (A.M.). Metodoligija istorii i istoriografija. (Methodology of history and historiography.) Stat'i i vystuplenija. Moskva, Izd-vo Moskovsk. un-ta, 81, 214 p. (ill.).

525. SALOV (V.I.). Kriziznye javlenija v sovremennoj buržuaznoj metodologii istorii. (Crisis features in modern bourgeois methodology of history.). Vopr. Ist., 81, n° 4, p. 85-98.

526. SANDIFORD (Keith). The victorians at play : problems in historical methodology. J. soc. Hist., 81, vol. 15, n° 2, p. 271-288.

527. SANDOZ (Ellis). The Voegelinian revolution : a biographical introduction. Baton Rouge, Louisiana State U.P., 81, in-8, XIV-271 p. [Eric Voegelin. Cf. n° 401.].

528. ŠELESTOV (D.K.). Istorija i demografija. (History and demography.) Vopr. Ist., 81, n° 5, p. 3-15.

529. SILARD (Andrei). Hope in history (an essay). R. roumaine Hist., 80, t. 19, p. 467-510.

530. SIMON (Lawrence H.). Vico and Marx : perspectives on historical development. J. Hist. Ideas, 81, vol. 42, n° 2, p. 317-334.

531. SJÖDELL (Ulf). The structure of a historian's reasoning : historical explanation in practice. Scand. J. Hist., 81, vol. 6, p. 91-115.

532. SLAVKO (T.I.). Matematiko-statističeskie metody v istoričeskikh issledovanijakh. (Mathematical and statistical methods in historical research.) Moskva, Nauka, 81, 158 p. (ill.). (AN SSSR. Kazan. fil. In-t jaz. lit. i istorii im. G. Ibragimova).

533. ŠOŁTA (Jan). Forschungen in der DDR zur Geschichte der slawischen Völker. Voraussetzungen, Probleme u. Methoden d. sorbischen Geschichtsschreibung. Letopis, Reihe B, 81, n° 28, p. 51-60.

534. STEINBACH (Peter). Zur Diskussion über den Begriff der "Region" - eine Grundsatzfrage der modernen Landesgeschichte. Hess. Jb. f. Landesgesch., 81, Bd 31, p. 185-210.

535. SYDENHAM (M.J.). The republican revolt of 1793 ; a plea for less localized local studies. French hist. Stud., 81, vol. 12, n° 1, p. 120-138.

536. TILLY (Charles). As sociology meets history. New York, Academic Press, 81, in-8, XIII-237 p. (Stud. in Soc. Discontinuity).

537. TOPOLSKI (Jerzy). Conditions of truth of historical narratives. Hist. a. Theory, 81, vol. 20, n° 1, p. 47-60.

538. TORSTENDAHL (Rolf). Minimum demand and optimum norms in Swedish historical research, 1920-1960 : the "Weibull School" in Swedish historiography. Scand. J. Hist., 81, vol. 6, p. 117-141.

539. TREVOR-ROPER (Hugh R.). History and imagination. London, Duckworth, 81, in-8, 386 p. - IDEM. History and imagination. London, Oxford U.P., 81, in-8, 20 p.

540. TUCHMAN (Barbara), MEREDITH (William). A passion for excellence :a conversation. Libr. Cong. quar. J., 81, vol. 38, n° 1, p. 24-33.

541. URBAŃCZYK (Przemysław). Some problems of formal methods and computer science application against the back-ground of contemporary archaeological theory and methodology. Archaeol. polona, 80, t. 19, p. 97-114.

542. VILLA (Renzo). Sullo studio storico della devianza : note su alcuni aspetti storiografici e metodologici. Soc. e Stor., 81, a. 4, p. 639 -670.

543. Voprosy metodologii istoriko-literaturnykkh issledovanij. (Problems of methodology of historical and literary research.) Sb. Statej. Redkol. : K.I. ROVDA (otv. red.) i dr. Leningrad, Nauka, 81, 259 p. (AN SSSR. In-t rus. lit. Pušk. dom).

544. VORONKOVA (S.V.), MURAV'ËV (A.V.). Istočnikovedenie i vspomogatel'nye istoričeskie discipliny v sisteme vuzovskogo prepodavanija (Iz opyta kafedr otečestvennoj istorii istoričeskogo fakul'teta MGU). (Study of sources and auxiliary historical disciplines in the system of teaching in higher educational establishments. (A case study of the chair of the USSR history at the historical department of the Moscow State University.) Ist. SSSR, 81, n° 4, p. 85-96.

545. WILLIAMS (William Appleman). Thoughts on rereading Henry Adams. J. am. Hist., 81, vol. 68, n° 1, p. 7-15.

546. WISEMAN (T.P.). Practice and theory in Roman historiography. History, 81, vol. 66, p. 375-393.

547. ZSIGMOND (László). A pozitivizmus történetfilozófiájáról. Szociológia és történettudomány. (Sur la philosophie de l'histoire du positivisme. Sociologie et science historique.) Magy. tudom. Akad. Filoz. Törttudom. Oszt. Közl., 80, vol. 29, n°^{s} 1-2, p. 79-102.

Cf. n°^{s} 6, 302, 332, 706, 2565, 4529.

§ 5. Etnografía y folklore.

* 548. Bibliographie ethnographique de l'Afrique sud-saharienne. 1976, 1977. Avec le concours du Centre d'Analyse et de Recherches documentaires pour l'Afrique Noire (CARDAN), Ecole des Hautes Etudes en Sci. sociales, Centre d'études africaines, Paris. Terburen/Belgique, Musée Royal de l'Afrique Centrale, 80-81, 2 vol. in-4; XXXVI-450, XXXIX-488 p. [1969, 1970. Cf. Bibl. 74-75, n° 813.]

* 549. Bibliography (A) of Canadian folklore in English, compiled by Edith FOWKE a. Carole Henderson CARPENTER. Toronto, Univ. Press, 81, in-8, XX-272 p.

* 550. BULLER (Edward). Indigenous performing and ceremonial arts in Canada : a bibliography. An annotated bibliography of Canadian Indian rituals and ceremonies (up to 1976). Toronto, Assoc. for Native Development in the Performing a. Visual Arts, 81, in-8, X-151 p. (ANDPVA books).

* 551. Internationale volkskundliche Bibliographie. International folklore and folklife bibliography. Für die Jahre 1977 u. 1978, mit Nachträgen f. d. vorausgehenden Jahre-Bearb. v. Rudolf W. BREDNICH. Bonn, Habelt, 81, in-8, 775 p.

* 552. MISKA (János). Ethnic and native Canadian literature, 1850-1979 [microform] : a bibliography of primary and secondary materials. Lethbridge, Alta., Microform Biblios, 80, 7 microfiches (363 frames).

* 553. Suomen perinnetieteellinen bibliografia. - [Finnish] Ethnological bibliography 1927-1934 and 1977-1979. Toim.-ed. Päivi HEIKKILÄ, Henni ILLOMÄKI, Tertuu KAIVOLA. Helsinki, Suomalaisen kirjallisuuden seura, 81, in-8, 141 p. (Stud. fennica, 25).

** 554. Contes d'Omdurman, recueillis et trad.par Viviane Amina YAGI. Antibes, Aresae, 81, in-8, 287 p. (Bibl. Peiresc, 2).

------

555. Architecture (L') rurale française. Corpus des genres, des types et des variantes. Coll. dirigée par Jean CUISENIER. [T. 8, 9. Cf. Bibl. 80, n° 542.] T. 10 : Lorraine, par Claude GERARD. Paris, Berger-Levrault, 81, in-4, 348 p. (158 ill., 400 fig. et cartes). (Centre d'ethnol. franç. et Musée national des arts et traditions populaires).

556. BERNUS (Edmond). Touaregs nigériens. Unité culturelle et diversité régionale d'un peuple pasteur. Paris, Ed. du CNRS, 81, in-8, 508 p. (Mém. O.R.S.T.O.M., 94).

557. BODROGI (Tibor). Törzsi müvészet. 1. Köt. : Ausztrália, Oceánia, Afrika. 2. köt. : Amerika, Ázsia. (L'art des tribus. Vol. 1 : Australie, Océanie, Afrique. Vol. 2 : Amérique, Asie.) Budapest, Corvina, 81, 2 vol. in-8, 248, 230 p. (ill.).

558. BROMLEJ (Ju. V.). Sovremennye problemy ètnografii. (Present-day problems of ethnography.) Očerki teorii i istorii. Moskva, Nauka, 81, 390 p. (AN SSSR. In-t ètnografii).

559. BROMLEJ (Ju. V.), KAŠUBA (M. S.). K istoriko-ètnografičeskoj kharakteristike sovremennoj sem'i u narodov Jugoslavii. (Towards a historical-ethnographic description of the contemporary family among the peoples of Yugoslavia.) Sovet. Arkheol., 81, n° 6, p. 27-41.

560. BRUK (S.I.). Naselenie mira. (The population of the world.) Ètno-demogr. spravočnik. Moskva, Nauka, 81, 880 p. (AN SSSR. int ètnografii).

461. BRUK (S.I.), KABUZAN (V.M.). Čislennost' i rasselenie ukrainskogo ètnosa v XVIII-načale XX v. (Numerical strenght and geographical distribution of the Ukrainian people from the 18th to the early 20th cent.) Sovet. Ètnogr., 81, n° 5, p. 15-31.

562. CASTELLU (Jean-Marc). L'égalitarisme économique des Serer du Sénégal. Paris, ORSTOM 81, in-8, 808 p. (cartes). (Trav. et doc. de l'ORSTOM, 128).

563. COCCHIARA (Giuseppe). Storia del folklore in Italia. Palermon, Sellerio, 81, in-8, 263 p. (prisma, 33).

564. CREMÈNE (Adrien). La mythologie du vampire en Roumanie. Avec la collab. de Françoise ZEMMAL. Monaco, Rocher, 81, in-8, 249 p. (ill., pl.). (Itinéraires).

565. DROBIŽEVA (L.M.), SUSOKOLOV (A. A.). Mežètničeskie otnošenija i ètnokul'turnye processy (Po materialam ètnosociol. issled. v SSSR). (Inter-ethnic relations and ethno-cultural processes, on the base of materials of Soviet ethno-sociological studies.) Sovet. Ètnogr., 81, n° 3, p. 11-22.

566. Ètničeskaja istorija narodov Vostočnoj i Jugo-Vostočnoj Azii v drevnosti i srednie veka. (Ethnic history of the peoples of Eastern and South-Eastern Asia in ancient and the middle ages.). Sb. statej. Redkol. : M.V. KRJUKOV i dr. Moskva, Nauka, 81, 302 p. (ill.). (AN SSSR. In-t Dal. Vostoka. in-t ètnografii).

567. Ètniceskie processy v stranakh Južnoj Ameriki. (Ethnic processes in the countries of South America.) Otv. red. I. F. KHOROŠAEVA, È. L. NITOBIRY. Moskva, Nauka, 81, 543 p. (AN SSSR. In-t ètnografii).

568. Etnografia Polski. Przemiany kultury ludowej. (Ethnographie de la Pologne. Les transformations de la culture populaire.) [Vol. 1. Cf. Bibl. 76-77, n° 732.] Vol. 2. Sous la réd. de Marie BIERNACKA, Maria FRANKOWSKA, Wanda PAPROCKA, Mirosława DROZD-PIASECKA. Wrocław, Zakł. Narod. im. Ossolińskich, 81, in-8, 415 p. (Pol. Akad. Nauk., Inst. Hist. Kult. Mater. Bibl. Etnografii Pol., 34).

569. Ètnografija pitanija narodov stran Zarubežnoj Azii. (Ethnography of nutrition of the peoples living in the countries of Asia abroad.) Opyt sravn. tipologii. Otv. red. S.A. ARUTJUNOV. Moskva, Nauka, 81, 256 p. (schem.). (AN SSSR. in-t ètnografii).

570. Ètnografija russkogo krest'janstva Sibiri. XVII-seredina XIX v. (Ethnography of the Russian peasantry of Siberia, 17th-Middle of the 19th cent.) Otv. red. V.A. ALEKSANDROV. Moskva, Nauka, 81, 270 p. (ill.). (AN SSSR. In-t ètnografii).

571. FRIBOURG (Jeannine). Fêtes à Saragosse. Paris, Inst. d'ethnologie, 80, in-8, 282 p. (ill., pl.). (Mém. de l'Inst. d'ethnol., 19).

572. GODELIER (Maurice). Hierarchies sociales chez les Baruya de Nouvelle-Guinée. J. Soc. Océanistes, 80 [81], t. 36, n° 69, p. 239-259 (carte).

573. GRENAND (Pierre). Introduction à l'étude de l'univers Wayapi : ethnoécologie des Indiens du Haut-Oyapock, Guyane française. Paris, SELAF, 80, in-8, 332 p. (ill.). (Langues et civilisations à tradition orale, 40).

574. Grundfragen der Ethnologie. Beiträge zur gegenwärtigen Theorie-Diskussion. Hrsg. v. Wolfdietrich SCHMIED-KOWARZIK u. Justin STAGL. Berlin, Reimer, 81, in-8, XV-479 p.

575. HASSAN (Schéhérazade Qassim). Les instruments de musique en Irak et leur rôle dans la société traditionnelle. Paris et la Haye, Mouton, 80, in-8, 258 p. (ill., 14 p. de pl.). (Cahiers de l'homme, n.s., 21).

576. Iz istorii russkoj sovetskoj fol'kloristiki. (From the history of Russian and Soviet folklore.) Otv. red. A.A. GORELOV. Leningrad, Nauka, 81, 277 p. (AN SSSR. In-t rus. lit. Puškin. dom).

577. KLIGMAN (Gail). Căluş : symbolic transformation in Romanian ritual. With a foreword by Mircea ELIADE. Chicago, Univ. of Chicago Press, 81, in-8, XVI-209 p.

578. KON (I.S.). Ètnographija detstva (Probl. metodol.). (The ethnography of childhood : problems of methodology.) Sov. Ètnogr., 81, n° 5, p. 3-14.

579. LESSARD (Pierre). Les petites images dévotes : leur utilisation traditionnelle au Québec. Québec, Presses de l'Univ. Laval, 81, in-8, VIII-174 p. (Ethnol. de l'Amér. franç.).

580. Material'naja kul'tura i mifologija. (Material culture and mythology.) Sb. Muzeja antropologii i ètnografii. T. 37. Otv. red. : B.N. PUTILOV. Leningrad, Nauka, 81, in-8, 227 p.

581. NALEPIN (A.L.). Izučenie i prepodavanie russkogo fol'klora v universitetakh Velikobritanii i SŠA. (The study and teaching of Russian folklore in British and American universities.) Sovet. Ètnogr., 81, n° 4, p. 130-141.

582. NEKLJUDOV (S. Ju.). Novye materialy po mongol'skomu èposu i problema razvitija narodnykh povestvovatel'nykh tradicij. (New materials on the Mongol epos and the problem of the evolution of folk narrative traditions.) Sovet. Ètnogr., 81, n° 4, p. 119-129.

583. Nomaden (Die) in Geschichte und Gegenwart. Beiträge zu einem internat. Nomadismus-Symposium am 11. u. 12. Dez. 1975 im Museum f. Völderkde. Leipzig. Berlin, Akad.-Verl., 81, in-8, 240 p. (Abb.). (Veröff. d. Museums f. Völkerkde. zu Leipzig, 33).

584. Pygmées de Centrafrique. Etudes ethnologiques, historiques et linguistiques sur les Pygmées Ba.Mbenga (aka-baka) du Nord-Ouest du Bassin congolais. Serge BAHUCHET, éditeur. Paris, SELAF, 79 [81], in-8, 179 p. (pl., cartes). (Soc. d'études linguist. et anthropol. de France, 73-74). (Etudes pygmées, 3).

585. ROYER (Claude). Les vignerons. Usages et mentalités des pays de vignobles. Paris, Berger-Levrault, 80, in-8, 260 p.

586. Russkij fol'klor. Materialy i issled. [T. 18, 19. Cf. Bibl. 78-79, n° 701.] T. 20, 21. (Russian folklore. Data and studies.) Otv. red. A.A. GORELOV. Leningrad, Nauka, 81, 2 vol. in-8, 224, 227 p. (AN SSSR. In-t rus. lit.-Pušk. dom).

587. Russkij fol'klor Sibiri. (Russian folklore of Siberia.) Issled. i materialy. Redkol. : R. P. MATVEEVA (otv. red.) i dr. Novosibirsk, Nauka, 81, 193 p. (AN SSSR. Sib. otdnie. Burjat. fil. Burjat. in-t obščestv. nauk).

588. Russkij Sever : problemy étnografii i fol'klora. (The Russian North : problems of ethnography and folklore.) Otv. red. K. V. ČISTOV, T.A. BERNŠTAM. Leningrad, Nauka, 81, 272 p. (kart., not.). (AN SSSR. In-t étnografii).

589. Slavjanskij i balkanskij fol'klor. (Slavonic and Balkan folklore.) Objad. Tekst. Redkol. : N.I. TOLSTOJ (otv. red.) i dr. Moskva, Nauka, 81, 277 p. (AN SSSR. In-t slavjanovedenija i balkanistiki).

590. Sovremennye étnonacionalnye processy v stranakh Zapadnoj Evropy. (Present-day ethnonational processes in countries of Western Europe.) Sbornik. Redkol. : S. A. TOKAREV (otv. red.) i dr. Moskva, Nauka, 81, 184 p. (AN SSSR. In-t étnografii).

591. STANJUKOVIKH (M.V.). Épos i obrjad u gornykh narodov Filippin. (Epos and ritual among the mountain tribes of the Philippines.) Sovet. Étnogr., 81, n° 5, p. 72-83.

592. Strany i narody. (Countries and peoples). Nauč.-popul. geogr.-étnogr. izd. Gl. redkol.: Ju. V. BROMLEJ (predsedatel') i dr. V 20-ti t. Avstralija i Okeanija. Antarktida. (Australia a. Oceania. Antarctica.) Amerika. Obščij obzor Latinskoj Ameriki. Srednjaja Amerika. (America. General survey of Latin America. Central America.) Afrika. Vostočnaja i Južnaja Afrika. (Africa. Eastern a. Southern Africa.) Zarubežnaja Evropa. Obščij obzor. Severnaja Evropa. (Foreign Europe. General survey. Northern Europe.) Moskva, Mysl', 81, 4 vol., 303, 335,271, 270 p. (ill., maps).

593. SURGY (Albert de). La géomancie et le culte d'Afa chez les Evhé du littoral. Paris, Publ. des orientalistes de France, 80, in-8, 444 p. (ill., 16 p. de pl.).

594. SVERDLOV (M.B.). Sem'ja i obščina v Drevnej Rusi. (Family and commune in ancient Russia.) Ist. SSSR, 81, n° 3, p. 97-108.

595. Tipy tradicionnogo sel'skogo žilišča narodov Jugo-Zapadnoj i Južnoj Azii. (Patterns of traditional rural dwelling of the peoples of South-Western and Southern Asia.) N.N. ČEBOKSAROV (otv. red.) i dr. Moskva, Nauka, 81, 286 p. (ill.).

596. Tradicionnye i novye obrjady v bytu narodov SSSR. (Traditional and new rites in the life of the peoples of the USSR.). Sb. statej. Otv. red. I. A. KRYVELEV, D. M. KOGAN. Moskva, Nauka, 81, 183 p. (ill.). (AN SSSR. In-t étnografii).

597. Tradicionnye kul'tury Severnoj Sibiri i Severnoj Ameriki. (Traditional cultures of Northern Siberia and Northern America.) Tr. sovet.-amer. gruppy po sotrudničestvu v obl. izuč. vzaimodejstvija aborig. narodov i kul'tur Sev. Sibiri i Sev. Ameriki. Redkol. : I. S. GURVIČ (otv. red.) i dr. Moskva, Nauka, 81, 287 p. (ill.). (AN SSSR. In-t étnografii).

598. VAN DER WEIJDEN (Gera). Indonesische Reisrituale. Basel, Ethnol. Seminar d. Univ. u. Museum f. Völkerkunde, 81, in-8, 249 p. (Basler Beiträge z. Ethnol., 20).

599. YAMAZAKI (Kazuhiro), STEVENS (Ruth P.). Japanese folk tales of Kaga and Noto. Kanazawa, Hokkoku, 81, in-8, 146 p. (ill.).

Cf. n°s 196, 4932, 6253.

§ 6. Historia general.
a. Generalidades.

* 600. Bibliographie chronologique de l'historiographie slovaque. Activité des années 1960-1977. Studia hist. slov., 80, vol. 11, 324 p.

* 601. Bibliographie internationale de l'humanisme et de la Renaissance. [T. 11. Cf.Bibl. 80, n° 598.] T. 12 : Travaux parus en 1976. Genève, Droz, 81, in-8, CXXVII-887 p.

* 602. Historical periodicals directory. Vol. 1 : USA and Canada. Ed. by Erich H. BOEHM a. others. Santa Barbara, Calif., ABC-Clio, 81, XII-180 p. (Clio Periodicals Directories).

* 603. KOLODZIEJCZYK (Edmund). Bibliografia słowianoznawstwa polskiego. (Bibliographie polonaise concernant les Slaves.) Warszawa, Wydawn. Artyst. i Filmowe, 81, in-8, XX-303 p. [Reprod. photo-offset de l'éd. orig. Kraków 1911]

* 604. Pacific history bibliography and comment. 1981. Canberra/Austr.., The Journal of Pacific Hist., Australian Nat. Univ., 81, in-8, 46 p.

* Cf. n° XIII.

------

605. Alexandrien. Kulturbegegnungen dreier Jahrtausende im Schmelztiegel einer mediterranen Grossstadt. Hrsg. v. Günter GRIMM, Heinz HEINEN, Erich WINTER, unter Mitarbeit v. Norbert HINSKE. Mainz, v. Zabern, 81, in-4, VII-77 p. (4 fig., 22 Taf.). (Aegyptiaca Treverensia, 1).

606. ARBORIO MELLA (Federico A.). GLi arabi e l'Islam. Storia, civiltà, cultura. Milano, Mursia, 81, in-8, 303 p. (ill., tav.). (Stor. e Doc., 40).

607. Balkany v meždunarodnoj žizni Evropy (XV-načalo XX veka). (The Balkans in the international life of Europe, XVth-beginning of the XXth cent.) Avt. : ARŠ (G.L.), VINOGRADOV (V. N.), DOSTJAN (I.S.), NAUMOV (E.P.). Vopr. Ist., 81, n° 4, p. 30-42.

608. BERMAN (Morris). The reenchantment of the world. Ithaca, N.Y., Cornell U.P., 81, in-8, 357 p.

609. Biographisches Lexikon zur Geschichte Südosteuropas. Hrsg. v. Mathias BERNATH u. Karl NEHRING. Red. Gerda BARTL. [3. Cf. Bibl. 78-79, n° 731.] Bd 4 : R - Z. München, Oldenbourg, 81, in-8, 596 p. (Südosteurop. Arbeiten, 75).

610. CAMPOREALE (Salvatore I.). Bisanzio e Occidente latino. Interazione e acculturazione dal IV al XVII secolo. M. domenic., 81, a. 98, n.s., n° 12, p. 287-293.

611. Dějiny československo-bulharských vztahů. (Geschichte der tschechoslowakisch-bulgarischen Beziehungen). Von : Čestmír AMORT, Valerián BYSTRICKKÝ, Růžena HAVRÁNKOVÁ,

Jozef HROZIENČÍK, Josef KOLÁŘ, Milan KUDĚLKA. Praha, Academia, 80, in-8, 400 p.

612. III. [Drittes] Greifswalder Kolloquium zur Geschichte des Ostseeraumes. Wiss. Z. d. Univ. Greifswald, Ges. R., 81, Jg. 30, H. 1-2, p. 1-100.

613. GEISS (Imanuel). Geschichte griffbereit. [1, 2, 6. Cf. Bibl. 78-79, n° 739.] 3 : Schauplätze. Die geograph. Dimension d. Weltgesch. Reinbek b. Hamburg, Rowohlt, 81, in-8, 451 p. (rororo, 6237. rororo-Handbuch).

614. Geschichte in Gestalten. Ein biograph. Lexikon, hrsg. v. Hans HERZFELD. [Cf. Bibl. 63, n° 825.] Durchges. Neuausg. Bd. 1-4. Frankfurt (Main), Fischer-Taschenbuch-Verl., 81, 4 vol. in-8, 375, 364, 349, 373 p. (Fischer-Taschenbücher, 4524-4527. Fischer-Handbücher).

615. ISSAWI (Charles). The Arab world's legacy. Princeton, N.J., Darwin Press, 81, in-8, 378 p.

616. JONES (E.L.). The European miracle : environment, economies, and geopolitics in the history of Europe and Asia. New York, Cambridge U.P., 81, in-8, ix-276 p.

617. Judenfeindschaft in Altertum, Mittelalter und Neuzeit. Anneliese MANNZMANN (Hrsg.). Mit Beitr. v. Ossip K. FLECHTHEIM [u.a.]. Königstein, Scriptor, 81, in-8, 208 p. (1 ill.). (Historie heute, 2).

618. Obščestvo i priroda. (Society and Nature.) Ist. ètapy i formy vzaimodejstvija. (History of the stages a. the forms of interaction.) Otv. red. M. P. KIM. Moskva, Nauka, 81, 344 p. (AN SSSR. In-t istorii SSSR).

619. Polacy w historii i kulturze krajów Europy zachodniej. Słownik biograficzny. (Les polonais dans l'histoire et la culture des pays d'Europe occidentale. Dictionnaire biographique.) Réd. par Krzysztof KWAŚNIEWSKI et Lech TRZECIAKOWSKI. Auteurs : Adam KONIECZNY et autres. Poznań, Inst. Zach., 81, in-8, 504 p. (Zakł. Badań nad Polonia Zagraniczna Pol. Akad. Nauk w Poznaniu).

620. PUIG I SCOTONI (Pau). Att förstå revolutionen : en kritisk undersökning om historisk stabilitet och förändring. (Understanding the revolution : a critical study of historical stability and change.) Lund, Zenit, 80, in-8, 158 p. [Eng. summary].

621. RICHTER (Karel). Minulost, přítomnost a tradice. (Vergangenheit, Gegenwart und Tradition.) Hist. Vojen., 81, vol. 30, n° 6, p. 140-157.

622. RÓMER (Flóris), IPOLYI (Arnold), FRAKNÓI (Vilmos). Egyház, müveltség, történetirás. Vál., sajtó alá rend. és bev. ROTTLER (Ferenc). (Eglise, culture, historiographie. Mis sous press et intr. par -.) Budapest, Gondolat Kiadó, 81, in-8, 390 p. (Történetirók Tára).

623. SABAH (Salem al-Jabir al-). Les émirats du Golfe : histoire d'un peuple. Paris, Fayard, 80, in-8, 261 p. (cartes).

624. Sol (Le), la parole et l'écrit. 2000 ans d'histoire africaine. Mélanges en hommage à Ray-mond Mauny. T. 1, 2. Paris, Soc. franç. d'hist. d'Outre-mer, diff. L'Harmattan, 81, 2 vol. in-8,

525 p., p. 535-1016 (ill., cartes) [Cf. n° 369.]

625. Studi in memoria di Ernesto Pontieri. Arch. stor. Prov. napoletane, 80, s. 3, p. 7-642. [Contiene : AJELLO (Raffaele). Dal giurisdizionalismo all'illuminismo nelle Sicilie : Pietro Contegna, p. 384-412. - AMBRASI (Domenico). L'arcivescovo di Colonia Filippo di Heinsberg-Valkenburg e l'assedio di Napoli del 1191, p. 89-98. - CHERUBINI (Paolo). Nuovi documenti dei principi di Salerno in parafrasi, p. 45-60. - COLAPIETRA (Raffele). L'organismo municipale dell'Aquila in età spagnola, p. 185-213. - CUOZZO (Errico). Prosopografia di una famiglia feudale normanna : I Balvano, p. 61-87. - FERRONE (Vincenzo). Celestino Galiani : un inquieto cattolico illuminato nella crisi della coscienza europea, p. 276-381. - GALASSO (Giuseppe). Profilo di Ernesto Pontieri, p. 7-28. - MASCILLI MIGLIORINI (Luigi). Povertà e criminalità a Napoli dopo l'unificazione : il questionario sulla camorra del 1875, p. 566-616. - MUSTO (Dora). Alle origini dell'intesa Napoli-Milano sotto Alfonso d'Aragona : i capitoli nuziali di Alfonso, principe di Capua, e d'Ippolita Sforza, p. 177-184. - NUZZO (Giuseppe). L'ascesa di Giovanni Acton al governo dello Stato (Note di amicizia e di politica nelle lettere del re al ministro, p. 437-546. - PONTIERI (Ernesto). San Bernardino da Siena e la città dell'Aquila a metà del secolo XV,j p. 29-42. - RUSSO (Giuseppe). La Camera Consultiva di Commercio di Napoli, p. 617-642. - SALVATI (Catello). Le fonti archivistiche per il viceregno austriaco, p. 215-276. - SCIROCCO (Alfonso). Girolamo Ulloa, l'unità d'Italia e l'autonomismo napoletano, p. 547-566. - STRAZZULLO (Franco). Giuseppe Bianchini e il Cod. Lat. 3 (ex Vind 1325) della Biblioteca Nazionale di Napoli, p. 413-436.]

626. SZÜCS (Jenő). Nation und Geschichte. Studien. Budapest, Corvina, 81, in-8, 378 p. - IDEM. Vázlat Európa három történeti régiójáról. (An outline of three historical regions of Europe.) Tört. Szle, 81, vol. 24, n° 3, p. 313-359.

627. Tanulmányok a bolgár-magyar kapcsolatok köréből. A bolgár állam megalapitásának 1300. évfordulójára. Főszerk. DOBREV Csavdar [Čavdar], JUHÁSZ Péter, MIJATEV Petar. (Etudes sur les relations bulgaro-hongroises. A l'occasion du 1300e anniversaire de la fondation de l'Etat bulgare. Réd. en chef -.) Budapest, Akad. Kiadó, 81, in-8, 551 p.

628. UNESCO. General history of Africa. Vol. 1 : Methodology and African pre-history. Ed. by J. KI-ZERBO. Vol. 2 : Ancient civilizations of Africa. Ed. by G. MOKHTAR. London, Heinemann Educ., 81, 2 vol. in-8, 819, 804 p. [Ed. franç. Cf. Bibl. 80, n° 614]

629. ZOLBERG (Aristide R.). Interactions stratégiques et formation des états modernes en France et en Angleterre. R. int. Sci. soc., 80, vol. 32, p. 737-767.

b. Historia por Estados[1].

Albania.

630. POLLO (Stefanaq), PUTO (Arben). History of Albania, from its origins to the present

------

1. Clasificación por Estados segun el orden alfabético de su forma francesa.

day. London, Routledge, 81, in-8, 336 p.

Alemania.

* 631. Bayerische Bibliographie 1974-1976. [Bearb. v. Renate WIESE.] München, Beck, 81, in-8, 855 p.

* 632. HELLFAIER (Detlev). Bibliographien zur Geschichte und Landeskunde der Rheinlande. Ein annotiertes Verz. Köln, Greven, 81, in-8, IV-94 p. (Kölner Arbeiten zum Bibliotheks- u. Dokumentationswesen, 1).

* 633. Mecklenburgische Bibliographie. Regionalbibliographie f. d. Bezirke Rostock, Schwerin u. Neubrandenburg. Berichtsjahre 1945-1964. [Bd 2. Cf. Bibl. 80, nr 628.] Bd 3 : Register.- Berichtsjahr 1979. Nachträge aus d. Jahren 1965-1978. Zusammengest. v. Gerhard BAARCK. Schwerin, Wiss. Allgemeinbibliothek, 81, 2 vol. in-8, 135, 112 p.

* 634. Quellenkunde der deutschen Geschichte. Bibliographie d. Quellen u. d. Lit. z. deutsch. Gesch. Dahlmann-Waitz. Unter Mitw. zahlr. Gelehrter hrsg. im Max-Planck-Inst. für Gesch. v. Hermann HEIMPEL u. Herbert GEUSS. 10. Aufl.[Bd 5, Abschlussaufnahme. Cf. Bibl. 80, n° 629.] 4. Buch : Deutschland im späteren Mittelater. Lfg. 36 : Abschn. 237-Abschn. 238 (Anfang). Lfg. 37 : Abschn. 238 (Schluss) - Abschn. 239 (Anfang). Lfg. 38 : Abschn. 239 (Schluss) - Abschn. 256 (Anfang). Lfg. 39 : Abschn. 256 (Schluss) - Abschn. 260 (Anfang). Stuttgart, Hiersemann, 80-81, 4 vol. in-4, 160 Bl.

* 635. Sachsen-Anhalt. Regionalbibliographie f. d. Bezirke Halle u. Magdeburg. Bearb. v. Ruth JODL u. Peter HENNING. [Berichtsjahre 1975 u. 1976. Cf. Bibl. 80, n° 630.] Berichtsjahre 1977 u. 1978. Nachtr. 1965-1976. Halle (Saale), Univ.- u. Landesbibliothek, 81, in-8, XI-487 p. (Arbeiten aus d. Univ.- u. Landesbibliothek Sachsen-Anhalt in Halle Saale, 27).

* 636. Sächsische Bibliographie. Regionalbibliographie f. d. Bezirke Dresden, Karl-Marx-Stadt u. Leipzig. Hrsg. v. d. Sächs. Landesbibliothek Dresden. [Berichtsjahr 1979. Cf. Bibl. 80, n° 631.] Berichtsjahr 1980. Nachträge 1977 ff. Zusammengest. v. Johannes JANDT, Hans-Joachim MÜLLER u. Rosemarie WÜNSCHE. Dresden, Sächs. Landesbibliothek, 81, in-8, V-184 p.

* Cf. n° I.

------

637. BOSL (Karl). Bayern. Modelle u. Strukturen seiner Geschichte. Hrsg. v. Joachim JAHN. München, tuduv, 81, in-8, 328 p.

638. CZAPLIŃSKI (Władysław), GALOS (Adam), KORTA (Wacław). Historia Niemiec. (Histoire de l'Allemagne.) Wrocław, Zakł. Narod. im. Ossslińskich, 81, in-8, 862 p.

639. Deutsche Geschichte. Hrsg. v. Heinrich PLETICHA. Bd 1 : Vom Frankenreich zum Deutschen Reich, 500-1024. Gütersloh, Lexikothek, 81, in-8, 384 p. (III., graph. Darst., Kt.).

640. Eżegodnik germanskoj istorii. (Yearbook of German history.) [1977-1978. Cf. Bibl. 78-79, n° 779.] 1979. Redkol. : D.S. DAVIDOVIČ (i. o. gl. red.) i dr. Moskva, Nauka, 81, 358 p. (AN SSSR. In-t veseobšč. istorii. Komis. istorikov SSSR i GDR).

641. STRIBRNY (Wolfgang). Der Weg der Hohenzollern. Lebensbilder aller Kurfürsten, Könige u. Kaiser aus d. Hause Brandenburg-Preussen u. d. wichtigen übrigen Hohenzollern. Limburg (Lahn), Starke, 81, in-8, 243 p. (III.). (Aus d. Deutsch. Adelsarch., 7).

Cf. n° 131.

Austria.

* Cf. n° IV.

------

642. CSENDES (Peter). Geschichte Wiens. Wien, Geschichte u. Politik, 81, in-8, 210 p. (Abb.).

643. Studien zur Wiener Geschichte. Red. v. Peter CSENDES. Wien, Rathaus, Wiener Stadt- u. Landesarchiv., 81, in-8, 257 p. (ill.). (Jb. d. Ver. f. Gesch. d. Stadt Wien, 37).

Bélgica.

* 644. Bulletin d'histoire de Belgique [1976-1977. Cf. Bibl. 78-79, n° 783.] (1978-1980). Ed. par Jean-Marie DUVOSQUEL. R. Nord, 81, t. 63, p. 1025-1094.

* Cf. n° V.

Bulgaria.

* 645. GEČEVA (Krăstina), VĂLČEV (Veselin). Publications parues à l'étranger sur l'histoire de la Bulgarie. Bulg. hist. R., a. 9, n° 3, 135-144 ; n° 4, p. 111-117.

* Cf. n° VI.

------

646. AMORT (Čestmír). Dějiny Bulharska. (Geschichte Bulgariens.) Praha, Svoboda, 80, in-8, 764 p.

647. ANGELOV (D.). Die Entstehung des bulgarischen Volkes und seine Entwicklung zur bulgarischen Nation. Österr. Osthefte, 81, Bd 23, p. 356-372.

648. Istorija i kul'tura Bolgarii. (History and culture of Bulgaria.) Redkol. : A.A. ULUNJAN (Otv. red.) i dr. Moskva, Nauka, 81, 351 p. (AN SSSR. In-t slavjanovedenija i balkanistiki).

649. SŁAWSKI (Franciszek). Na 1300-lecie państwa bułgarskiego. (Pour le 1300e anniversaire de l'Etat bulgare.) Nauka polska, 81, a. 29, n° 5-6, p. 41-48. [Recherches polonaises sur l'hist. et la langue bulgares].

España.

650. MERCER (John). The Canary Islands : their prehistory, conquest and survival. Totowa, N.J., Barnes a. Noble, 81, in-8, XVII-285 p. (fig., pl., tables, maps).

Etiopía.

651. Efiopskie issledovanija. Istorija. Kul'tura. (Ethiopian research. History. Culture.) Sb.

Redkol. : An. A. GROMYKO (otv. red.) i dr. Moskva, Nauka, 81, 168 p. (AN SSSR. In-t Afriki).

Francia.

* 652. Bibliographie bourguignonne. 15e série (1975-1978). [Suite de Bibl. 78-79, n° 793.] A. Bourgogne, 79, t. 51, p. 17-64 ; 80, t. 52, p. 65-128.

* 653. Bibliographie de la France méridionale. Publications de l'année [1979. Cf. Bibl. 80, n° 645.] 1980. A. Midi, 81, t. 93, n° 155, p. 473-621.

* 654. Bibliographie normande [1979. Cf. Bibl. 80, n° 646.] 1980. Etablie par M. NORTIER, avec le concours de J.-J. BERTAUX. A. Normandie, 81, a. 31, p. 395-479.

* 655. BUFFEVENT (Béatrix de). Paris et Ile-de-France, Mémoires. Tables trentenaires, 1949-1979. Paris et Ile-de-France, 80, t. 31, p. 9-33.

* 656. CUENOT (René). Bibliographie lorraine. [T. XLV. Cf. Bibl. 80, n° 648.] T. XLVI : 1979. A. Est, 80, sér., 5, a. 32, p. 319-391.

* 657. ZIMMERMANN (Marie). Eglise et Etat en France. Répertoire d'ouvrages, 1801-1979. Strasbourg, C.E.R.D.I.C., 80, in-8, 94 p.

* Cf. n° IX.

------

658. Dictionnaire de biographie française. Publ. sous la dir. d'Henri TRIBOUT DE MOREMBERT. [T. 14, T. 15, fasc. 85-87. Cf. Bibl. 80, n° 652.] T. 15, fasc. 88-89 : Gaultier - Gerde. Paris, Letouzey et Ané, 81, 2 fasc. in-4, col. 769-1024, 1025-1280.

659. Diocèse (Le) d'Angers. Sous la dir. de François LEBRUN. Paris, Beauchesne, 81, in-8, 307 p. (cartes). (Hist. des diocèses de France, 13).

660. EMMANUELLI (François Xavier). Histoire de la Provence. Paris, Hachette-Littérature, 81, in-8, 338 p.

661. Francuzskij ežegodnik, [1978. Cf. Bibl. 80, n° 654.] 1979. (French yearbook.) Stat'i i materialy po istorii Francii. Redkol. : Z. S. BELOUSOVA i dr. Moskva, Nauka, 81, in-4, 280 p. (AN SSSR. In-t vseobšč. istorii).

662. HAMON (Paul). Nouvelle biographie du Dauphiné. T. 1 : A-Bab. Grenoble, Services communs des Bibliothèques municipales, 80, in-8, 154 p.

663. Histoire de Caen. Sous la dir. de Gabriel DESERT. Toulouse, Privat, 81, in-8, 345 p. (ill., pl.). (Pays et villes de France).

664. Histoire de Dijon. Sous la dir. de Pierre GRAS. Toulouse, Privat, 81, in-8, 430 p. (Univers de la France et des pays francophones).

665. Histoire de la France urbaine. Sous la dir. de Georges DUBY. [Vol. 1, 2. Cf. Bibl. 80, n° 659.] Vol. 3 : La ville classique, de la Renaissance aux révolutions. Paris, Ed. du Seuil, 81, in-, 651 p. (ill., cartes).

666. Histoire de Lille. Sous la dir. de Louis TRENARD. [1. Cf. Bibl. 70-71, n° 1004.] 2 : De Charles-Quint à la conquête française. Toulouse, Privat, 81, in-8, 534 p. (24 f. de pl.).

667. Histoire de Narbonne. Sous la dir. de Jacques MICHAUD et André CABANIS. Toulouse, Privat, 81, in-8, 330 p. (ill., 16 p. de pl.). (Pays et villes de France).

668. Histoire de Rodez. Sous la dir. de Henri ENJALBERT. Toulouse, Privat, 81, in-8, 383 p. (16 p. de pl.). (Pays et villes de France).

669. Histoire de Saint-Omer. [Par A. DERVILLE, M. LE MANER, Y. LE MANER, P. BRUYELLE, etc.] Sous la dir. d'Alain DERVILLE. Lille, Presses univ. Lille, 81, in-8, 288 p. (ill.). (Hist. des villes du Nord-Pas-de-Calais).

670. Histoire de Strasbourg des origines à nos jours. Sous la dir. de Georges LIVET et Francis RAPP. T. 1 : Strasbourg des origines à l'invasion des Huns. T. 2 : Strasbourg des grandes invasions au XVIe siècle. T. 3 : Strasbourg de la guerre de Trente ans à Napoléon, 1618-1815. Strasbourg, Ed. des "Dernières Nouvelles de Strasbourg", 80-81, 3 vol. in-8, LVI-302, XV-661, XX-713 p. (pl.). (Coll. Histoire des villes d'Alsace).

671. Juifs (Les) dans l'histoire de France. 1er colloque internat. de Haïfa, 1975, Ed. par Myriam YARDENI. Leiden, Brill, 80, in-8, VIII-234 p.

672. Nouvelle histoire de Paris. Solennités, fêtes et réjouissances parisiennes, par René HERON DE VILLEFOSSE. Paris, Ville de Paris, 81, in-4, 530 p.

673. OLLAND (Hélène). La baronnie de Choiseul à la fin du Moyen Age (1485-1525). Nancy, Univ. Nancy II, 80, in-8, XXII-587 p. (ill.).

674. ORDIONI (P.). Le pouvoir militaire en France de Charles VII à Charles de Gaulle : T. 1 : De Jeanne d'Arc à Bazaine. Paris, Albatros, 81, in-8, 516 p.

Gran Bretaña.

* 675. BRUCE (Anthony). A bibliography of British military history : from the Roman invasions to the Restauration, 1660. München, New York, London a. Paris, K.G. Saur, 81, in-8, X-349 p.

* 676. CORDEAUX (Edward Harold), MERRY (D.H.). Bibliography of printed works relating to Oxfordshire (excluding the University and the City of Oxford). Oxford, Oxf. Hist. Soc., 81, in-8, 320 p.

* Cf. n° X.

------

677. KENYON (John Philipps). Dictionary of British history. London, Secker a. Warburg, 81, in-8, 416 p.

678. RIDLEY (Jasper). History of England. London, Routledge, 81, in-8, 346 p.

679. SEAMAN (Lewis Charles B.). A new history of England, 410-1975. Brighton, Harvester

Press, 81, in-8, 800 p.

680. SQUIBB (G.D.). Precedence in England and Wales. Oxford, Clarendon Press, 81, in-8, XVIII-139 p.

681. WORMALD (Jenny). Court, kirk and community : Scotland, 1470-1625. London, E. Arnold, 81, in-8, 224 p.

Hungría.

* Cf. n° XII.

------

682. Adatok Szolnok megye történetéből. 1. köt. Szerk. TÓTH Tibor. (Contributions à l'histoire du comitat de Szolnok. Vol. 1. Réd. par -.) Szolnok, Szolnok megyei Levéltár, 80, in-8, 654 p. (ill.).

683. GRANASZTÓI (Pál). Budapest arculatai. (Les visages de Budapest.) Budapest, Gondolat Kiadó, 80, in-8, 188 p.

684. KRISTÓ (Gyula). Békés megye a honfoglalástól a törökvilág végéig. Nyolcszáz esztendő a forrás tükrében. (Le comitat de Békés depuis l'époque de la conquête du pays jusqu'à la fin de l'occupation turque. 800 ans par les sources.) Békéscsaba, Békés megyei Tanács, 81, in-8, 264 p. (ill.). (Foráskiadványok a Békés megyei Levéltárból, 9).

685. KULCSÁR (Péter). A Jagello-kor. (L'époque des Jagellons.) Budapest, Gondolat Kiadó, 81, in-8, 241 p. (ill.). (Magyar História).

686. KUNSZABÓ (Ferenc). Jászföld. (Le pays iazyge.) Budapest, Szépirodalmi Kiadó, 81, in-8, 348 p. (32 pl.). (Magyarország felfedezése).

687. Magyar történelmi fogalomgyüjtemény. Szerk. BÁN Peter. (Recueil de concepts de l'histoire de Hongrie. Réd. par -.) Vol. 1 : A - Levirátus. Vol. 2 : Lex - Zs. Eger, Heves megyei Levéltár, 80, 2 vol. in-8, 1064 p.

688. Magyarország történeti kronológiája. Főszerk. BENDA Kálmán. 1. köt : A kezdetektol 1526-ig. Szerk. SOLYMOSI László. (Chronologie historique de la Hongrie. Réd. en chef. -. Vol. 1 : Des commencements à 1526. Réd. par -.) Budapest, Akad. Kiadó, 81, in-8, 350 p.

689. Szabolcs-Szatmár megyei helytörténetirás. I-II. köt. Szerk. GYARMATHY Zsigmond. (Historiographie locale dans le comitat Szabolcs-Szatmár. Vol. 1, 2. Réd. par -.) Nyiregyháza, 79 [81], 2 vol. in-8, 424 p. (ill.).

Irán.

* 690. EHLERS (Eckart). Iran. Ein bibligraph. Forschungsbericht. Mit Kommentaren u. Annotationen. A bibliographic research survey. With comments a. annotations. München, New York, London u. Paris, K.G. Saur, 80, in-8, XIII-441 p. (Bibliographien z. regionalen Geogr. u. Landeskunde, 2).

Irlanda.

* Cf. n° X.

------

691. JOHNSON (Paul). Ireland, a history from the 12th century. The present day. New ed. of "Ireland : land of troubles". London, Panther, 81, in-8, 272 p.

Italia.

692. Atti del Convegno Venezia e la terraferma attraverso le relazioni dei rettori, Trieste, 23-24 ottobre 1980. Milano, Giuffrè, 81, in-8, VII-557 p. (Istit. di Stor. econ. dell'Univ. di Trieste. Centro di Ric. de Docum. stor.-econ. reg.).

693. CARON (Pier Giovanni). Corso di storia dei rappporti fra Stato e Chiesa. 1 : Chiesa e Stato dall'avvento del cristianesimo agli inizi della monarchia assoluta. Milano, Giuffrè, 81, in-8, IX-275 p.

694. Citta (Le) nella storia d'Italia. Prima Ser. Dirett. Cesare DE SETA. [1:] Firenze. [Di] Giovanni FANELLI. [6 :] Genova. [Di] Ennio POLEGGI, Paolo CEVINI. [7 :] Perugia. [Di] Alberto GROHMANN. Roma e Bari, Laterza, 80-81, 3 vol. in-8, VIII-296, 292, 204 p. (ill.). (Grandi opere).

695. Dizionario biografico degli Italiani. [Vol. 24. Cf. Bibl. 80, n° 689.] Vol. 25 : Cinzer-Cirni. Roma, Istit. dell'Enciclopedia ital., 81, in-8, XV-816 p.

696. PARIS (Tonino). L'area dei Castelli Romani. Gli insediamenti storici dei Colli Albani. Contributi di Pier Paolo BALBO e Antonino TERRANOVA. Roma, Officina, 81, in-4, 374 p. (ill.). (Quad. di Docum. per una Stor. urbanistica edilizia e artistica della Reg. Lazio).

697. PONZO (Giovanni). I parlamenti e la nascita degli eserciti permanenti. L'esempio del Piemonte (1451-1560). Nuova R. stor., 81, a. 65, p. 368-379.

698. Puglia (La) tra Medioevo ed età moderna. Città e campagna. Saggi di Domenico BLASI [e altri]. Milano, Electa, 81, in-4, 388 p. (ill.). (Civ. e Cult. di Puglia, 4).

699. ROMEO (Rosario). Italia, mille anni. Dall'età feudale all'età moderna ed europea. Firenze, Le Monnier, 81, in-8, IX-254 p. (Quad. di Stor., 54).

700. Storia della Sicilia. Dir. Rosario ROMEO. [6. Cf. Bibl. 78-79, n° 836.] 5 : Pittura, architettura e scultura : Antonello. Napoli, Soc. editr. Stor. di Napoli e della Sicilia, 81, in-4, 462 p. (tav.).

Lujemburgo.

* Cf. n° XIV.

Noruega.

* Cf. n° XV.

Países Bajos.

* Cf. n° XVI.

Polonia.

* 701. MALISZEWSKI (Edward). Bibljografia. pamiętników polskich i Polski dotyczących (druki i rękopisy). (Bibliographie des mémoires polonais

et concernant la Pologne, imprimés et manuscrits.) Warszawa, Wydawn. Artyst. i Filmowe, 81, in-8, XX-447 p. [Reprod. photo-offset de l'éd. orig. Warszawa 1928].

* Cf. n° XVII.

------

702. BORKOWSKA (Urszula). An outline of history of Poland. Lublin, Univ. Press. of the Cath. Univ. of Lublin, 81, in-8, 65 p.

703. Historia Słupska. (Histoire de Słupsk.) Ouvrage collectif réd. par Stanisław GIERSZEWSKI. Auteurs : Henryk BARANOWSKI et autres. Poznań, Wydawn. Pozn., 81, in-8, 607 p. (Pol. Tow. Hist. Oddz. i Stacja Nauk. w Słupsku. Słupskie Tow. Społ.-Kult. Bibl. Słupska).

704. Polski Słownik Biograficzny. (Dictionnaire biographique polonais.) Réd. : Emanuel ROSTWOROWSKI. [Vol. 23, 24. Cf. Bibl. 78-79, n° 863.] Vol. 25, C. 1-2. Wrocław, Zakł. Narod. im Ossolińskich, 81, in-4, 416 p. (Inst. Hist. Pol. Akad. Nauk) [Cf. Bibl. 80, n° 708.]

705. POPIOŁEK (Kazimierz). Śląskie dzieje. (Histoire de la Silésie.) 2e éd., complétée. Warszawa, Państw. Wydawn. Nauk., 81, in-8, 583 p.

706. Świadomość historyczna Polaków. Problemy i metody badawcze. (La conscience historique des Polonais. Problèmes et méthodes de recherche scientifiques.) Réd. par Jerzy TOPOLSKI. Łódź, Wydawn. Łódzkie, 81, in-8, 510 p.

707. Wielkopolski słownik biograficzny. (Dictionnaire biographique de la Grande Pologne.) Com. de réd. : Antoni GĄSIOROWSKI et autres. Aut. : Wiesława ALBRECHT-SZYMANOWSKI et autres. Warszawa, Państw. Wydawn. Nauk., 81, in-8, 890 p.

Rumania.

* Cf. n° XVIII.

** 708. Documenta Romaniae historica. B : Țara Românească. Vol. [3, 11. Cf. Bibl. 74-75, n° 4467.] 4 : 1536-1550. Sous la dir. de Damaschin MIOC. București, Ed. Acad., 81, in-8, 411 p.

** 709. Documenta Romaniae historica. C : Transilvania. Vol. [10. Cf. Bibl. 76-77, n° 932.] 15 : 1356-1360. Sous la dir. de Ștefan PASCU. Burureşti, Ed. Acad., 81, in-8, 660 p.

** 710. FENEȘAN (Costin). Documente medievale bănățene (1440-1653). (Documents médiévaux du Banat, 1440-1653.) Timișoara, Facla, 81, in-8, 220 p. (12 pl.).

711. GIURESCU (Dinu C.). Istoria ilustrată a românilor. (Histoire illustrée des Roumains.) București, Sport-Turism, 81, 640 p.

712. NUSSBÄCHER (Gernot). Aus Urkunden und Chroniken. Beiträge zur siebenbürgischen Heimatkunde. Bukarest, Kriterion, 81, in-8, 213 p. - IDEM. Posesiunile orașului Brașov în Țara Făgărașului în secolele XV-XVII. (Les possessions de la ville de Brașov [Roumanie] dans le "Pays de Făgăraș" aux XVe-XVIIe s.) Anu. Inst. Ist. Archeol. Cluj-Napoca, 81, t. 24, p. 325-336.

Suecia.

713. Kalmar stads historia. Huvudred. Ingrid Hammarström. Vol. 1 : Kalmaromrädets forntid och stadens äldsta utveckling : tiden intill 1300-talets mitt. (History of the town of Kalmar. Chief ed. Ingrid HAMMARSTRÖM. Vol. 1 : Prehistory of the Kalmar region and early development of the town : the period until the middle of the 14th cent.) Kalmar, Kulturnämnden, 79, in-4, 415 p. (ill.).

714. PATZELT (Erna), PATZELT (Herbert). Schiffe machen Geschichte. Beitr. z. Kulturentwicklung im vorchristl. Schweden. Wien, Köln u. Graz, Böhlau, 81, in-8, III-571 p.

Suiza.

* Cf. n° XIX.

Checoslovaquia.

* Cf. n° XX.

------

715. Dejiny Slovenska slovom i obrazom. (Geschichte der Slowakei in Wort und Bild.) Teil 1. Hrsg. Ján TIBENSKÝ. Teil 2. Von Jozef BUTVIN, Bohumír KOSTICKÝ, Marta VARTÍKOVÁ. Martin, Osveta, 73-81, 2 vol. in-8, 256, 384 p.

716. HOSÁK (Ladislav), ŠRÁMEK (Rudolf). Místní jména na Moravě a ve Slezsku. (Die Ortsnamen in Mähren und Schlesien.) [Vol. 1, Cf. Bibl. 70-71, n° 1080.] Vol. 2 : M - Z. Nachträge, Ergänzungen, Übersichten. Praha, Academia, 80, in-8, 964 p.

717. Hrady a zámky v Čechách a na Moravě. Proměny slohů a životního stylu. (Burgen und Schlösser in Böhmen und Mähren. Die Wandlungen des Bau- und Lebensstils.) Hrsg. von Dalibor KUSÁK, Jiří BURIAN, Ivan MUCHKA. Praha, Panorama, 80, in-4, 208 p.

718. KLIMKO (Jozef). Vývoj územia Slovenska a utváranie jeho hraníc. (Die Entwicklung des Territoriums der Slowakei und die Gestaltung seiner Grenzen.) Kartenbeilagen u. Text v. Juraj ŽUDEL. Bratislava, Obzor, 80, in-8, 168 p.

719. Přehled dějin | Čekoslovenska. (Gechichte der Tschechoslowakei. Gesamtübersicht.) Hauptredaktion : Jaroslav PURŠ und Miroslav KROPILÁK. Teil 1, Bd 1 : Do roku 1526. (Bis zum J. 1526.) Praha, Academia, 80, in-8, 645 p. (100 fig., 8 cartes).

Turquía.

* 720. Turkologischer Anzeiger (TA6, TA7). Wiener Z. f. d. Kde d. Morgenlandes, 80, Bd 72, p. 1^x-295^x ; 81, Bd 73, p. 1^x-254^x. [TA4. Cf. Bibl. 78-79, n° 876.]

* 721. Turkey. Comp. by Meral GÜÇLÜ. Oxford, Eng., a. Santa Barbara, Calif., Clio, 81, in-8, XLI-331 p. (World bibliographical ser., 27).

------

722. HEGYI (Klára). A törökök berendezkedése meghóditott országaikban. (The arrangement

of the Turcs in the occupied countries.) Tört. Szle, 81, vol. 24, n° 3, p. 392-404.

U.R.S.S.

** 723. Letopisi i khroniki. 1980. (Annals and chronicles. 1980). Sb. Redkol. : B. A. RYBAKOB (otv. red.) i dr. Moskva, Nauka, 81, 256 p. (AN SSSR. In-t istorii SSSR).

724. Arkheografičeskij ežegodnik. (Archaeographical yearbook.) [1977, 1978. Cf. Bibl. 78-79, n° 881.] 1979, 1980. Redkol. : S. O. ŠMIDT (otv. red.) i dr. Moskva, Nauka, 81, 2 vol., 367, 367 p. (ill.). (AN SSSR. Otd-nie istorii).

725. Handbuch der Geschichte Russlands. Hrsg. v. Manfred HELLMAN [u.a.]. Bd 1 : Bis 1613. Von d. Kiever Reichsbildung bis zum Moskauer Zartum. Unter Mitarb. v. Oswald P. BACKUS [u.a.]. Halbbd 1. Stuttgart, Hiersemann, 81, in-8, XII-715 p.

726. Istorija Ukrainskoj SSR. (Geschichte der Ukrainischen SSR.) Gl. redkol. : Ju. Ju. KONDUFOR (otv. red.) i dr. V 10-ti t. T. 1 : Pervobytno-obščinnyj stroj i zaroždenie klassovogo obščestva. Kievskaja Rus' (do vtoroj poloviny XIII v.). (Die primitive Gesellschaftsordnung u. die Entstehung d. Klassengesellschaft. Die Kiever Rus' bis z. zweiten Hälfte d. 13. Jh.) Redkol. : I. I. ARTEMENKO (otv. red.) i dr. Kiev, Nauk. dumka, 81, 495 p. (ill.). (AN USSR. In-t istorii. In-t arkheolgii).

727. Itogi i zadači izučenija vnešnej politiki Rossii. (Results and problems of the study of Russia's foreign policy.) Sov. istoriografija. Redkol. : A. L. NAROČNICKIJ (otv. red.) i dr. Moskva, Nauka, 81, 389 p. (AN SSSR. In-t istorii SSSR).

728. KHROMOV (S.S.). Aktyal'nye zadači izučenija otečestvennoj istorii v svete rešenij XXVI c-ezda KPSS. (Actual problems in research of the history of the USSR in the light of resolutions of the XXVIth Congress of the CPSU.) Ist. SSSR, 81, n° 3, p. 3-24.

729. PREOBRAŽENSKIJ (A.A.). Izučenie v desjatoj pjatiletke social'no-ěkonomičeskoj i političeskoj istorii SSSR perioda feodalizma. (Research on the socio-economic and political history of the USSR in the feudal epoch during the tenth Five Year Plan period.) Ist. SSSR, 81, n° 6, p. 74-91.

730. STÖKL (Günther). Der russische Staat im Mittelalter und früher Neuzeit. Ausgew. Aufsätze aus Anlass seines 65. Geburtstages. Hrsg. v. Manfred ALEXANDER [u.a.]. Wiesbaden, Steiner, 81, in-8, VIII-378 p. (Quellen u. Stud. z. Gesch. d. östl. Europa, 13).

731. Vspomogatel'nye istoričeskie discipliny. (Auxiliary sciences of history.) Sbornik statej. [T. 9-11. Cf. Bibl. 78-79, n° 642.] T. 12. Redkol. : N.E. NOSOV (otv. red.) i dr. Leningrad, Nauka, 81, 351 p. (ill.). (AN SSSR. Otd-nie istorii. Arkheogr. komiss. Leningr. otd-nie).

Yugoslavia.

732. EMMERT (Thomas A.). Kosovo : development and impact of a national ethic. In : Nation and ideology [Cf. n° 437], p. 61-86.

733. GOZZI (Giorgio). La libera e sovrana Repubblica di Ragusa, 634-1814. Roma, Volpe, 81, in-8, 115 p. (tav.).

§ 7. Teoría del Estado y de la sociedad.

** 734. Registres de la correspondance de Joseph de Maistre [1796-1816]. Textes établis, présentés et annotés par Jean-Louis DARCEL. R. Et. maistriennes, 81, n° 7, p. 7-267.

735. ANTOINE (Gérald). Liberté, égalité, fraternité ou les fluctuations d'une devise. Paris, UNESCO, 81, in-8, 186 p.

736. CHATELET (François), PISIER-KOUCHNER (Evelyne). Les conceptions politiques du XXe siècle : histoire de la pensée politique. Paris, Presses univ. France, 81, in-8, 1088 p.

737. Concept (le) d'empire. [Univ. de Paris I, Centre d'analyse comparative des systèmes politiques, Colloque, Paris, 9-10 déc. 1977.] Sous la dir. de Maurice DUVERGER, [avec la collab. de] Hélène AHRWEILER, Luiz Felipe de ALENCASTRO, Georges BALANDIER, Jean BERENGER, etc. Paris, Presses univ. France, 80, in-8, 488 p.

738. DLUBEK (Rolf), MERKEL (Renate). Marx und Engels über die sozialistische und kommunistische Gesellschaft. Die Entwicklung d. marxist. Lehre v. d. kommunist. Umgestaltung. Inst. f. Marxismus-Leninismus beim ZK d. SED. Berlin, Dietz, 81, 541 p.

739. GARSON (Robert), MAIDMENT (Richard). Social Darwinism and the liberal tradition : the case of William Graham Sumner. South Atlantic Quar., 81, vol. 80, n° 1, p. 61-76.

740. LEGOŠIN (L.I.). Razvitie V.I. Leninym učenija o gegemonii proletariata v gody pervoj russkoj revoljucii. (V.I. Lenin's elaboration of the theory of hegemony of the proletariat in the years of the first Russian revolution.) Ist. SSSR., 81, n° 2, p. 26-39.

741. Marx und Engels über die sozialistische und kommunistische Gesellschaft. Die Entwicklung d. marxist. Lehre v. d. kommunist. Umgestaltung. Hrsg. v. Inst. f. Marxismus-Leninismus beim ZK d. SED. Bearb. v. Rolf DLUBEK, Renate MERKEL u.a. Berlin, Dietz, 81, in-8, 541 p.

742. MÜLLER (Corinne). L'édition subreptice des Six livres de la République de Jean Bodin [Genève, 1697]. Sa genèse et son influence. Quaerendo, 80, vol. 10, p. 211-236.

743. ROSE (Günther). Modernisierungstheorien und bürgerliche Sozialwissenschaften. Eine Studie z. bürgerl. Gesellschaftstheorie u. Geschichtsideologie d. Gegenwart. Berlin, Akad.-Verl., 81, in-8, 179 p.

744. ROUTHIER (Gilles). L'ordre du monde : capitalisme et communisme dans la doctrine de l'Ecole sociale populaire, 1930-1936. Rech. sociogr., 81, vol. 22, p. 7-47.

745. SCHULZ (Klaus Dieter). Rousseaus Eigentumskonzeption. Eine Studie z. Entwicklung d. bürgerl. Staatstheorie. Frankfurt a. M. u. New York, Campus, 80, in-8, 234 p.

746. SEGRE (Sandro). Storia del pensiero politico e sociale contemporaneo. Milano, Cisalpino-Goliardica, 81, in-8, 187 p.

747. STEGMANN (André). Jean Bodin critique de Claude Seyssel. In : Lyon et l'Europe [Cf. n° 417], vol.2, p. 245-265.

748. UGOLINI (Romano). Dagli stati nazionali all'Europa comunitaria. Clio [Roma], 81, a. 17, p. 27-46.

Cf. n° 3893.

§ 8. Historia del derecho y constitucional.

* 749. BOULET-SAUTEL (Marguerite), SAUTEL (Gérard), VANDENBOSSCHE (André). Bibliographie en langue française d'histoire du droit [Ve s.-1875] concernant l'année [1977. Cf. Bibl. 80, n° 744.] 1978, T. 20. Ouvrage éd. avec le concours du C.N.R.S. Saint-Maur, Fac. de Droit et de Sci. pol., 81, in-8, IX-261 p.

** 750. Volumina legum. Leges, statuta, constitutiones et privilegia Regni Poloniae, Magni Ducatus Lithuaniae omniumque provinciarum annexarum, a Commitiis Visliciae anno 1347 celebrati usque ad ultima regni comitia. T. 5 : Ab anno 1669 ad annum 1697. T. 6 : Ab anno 1697 ad annum 1763. T. 7 : Ab anno 1764 ad annum 1768. T. 8 : Ab anno 1775 ad annum 1780. T. 9 : Ab anno 1782 ad annum 1792. Warszawa, Wydawn. Artyst. i Filmowe, 8O, 5 vol. in-4, 463-XV, 208-VII, 403-XI, 590-XXXIV, 503 p. [Reprod. photo-offset de l'éd. orig. Kraków 1889] - Inwentarz Voluminów legum. Cz. 1 : Do tomów I -VI. Cz. 2 : Do tomów VII-VIII. (Inventaire des Volumina legum. P. 1 : Des volumes I-IV. P. 2 : Des volumes VII-VIII.) Warszawa, Wydawn. Artyst. i Filmowez, 80, 2 vol. in-4, 624-IX, 166-V p. [Reprod. photo-offset. de l'éd. orig. Petersburg 1860].

------

751. GEORGESCU (Valentin Al.). Les survivances du droit romano-byzantin dans la coutume roumaine (XIVe-XIXe siècles). R. roumaine Hist., t. 19, p. 277-300.

752. ILARI (Virgilio). L'interpretazione storica del diritto di guerra romano fra tradizione romanistica e giusnaturalismo. Milano, Giuffrè, 81, in-8, XIII-247 p. (Pubbl. dell'Istit. di Dir. romano e dei Dir. dell'Oriente mediterraneo. Univ. di Roma, 57).

753. NADAL (André). Les procès d'animaux au Moyen Age et sous l'Ancien Régime. M. Acad. Nîmes, 77-79 [80], sér. 7, t. 60, p. 230-259.

754. OSIEK (Carolyn). The ransom of captives : evolution of a tradition. Harvard theol. R., 81, vol. 74, n° 4, p. 365-386.

755. SOTROPA (Valeriu). Coutumes préromaines dans l'ancien droit roumain. R. roumaine Hist., 80, t. 19, p. 3-20.

Cf. n° 418.

§ 9. Historia económica y social.

* 756. Bibliographia historiae rerum rusticarum internationalis. T. X : 1975-1976. Ed. : István N. KISS, Judit FEJÉR, László MARKÓ [Socius ed. : Péter GUNST]. T. XI : 1977-1978. Redegit István N. KISS [Socii redactionis : Judit FEJÉR, László MARKÓ, Judit F. VIRÁNY, Anna SZABÓ]. Budapest, Ed. Musei rerum rusticarum Hungariae, 80-81, 2 vol. in-8, 324, 424 p.

* 757. Dějiny výrobních sil v české historické práci 1973. (Geschichte der Produktionskräfte in der tschechischen Historiographie 1973. Bibliographie.) Zusammengestellt von František JÍLEK, Jaroslava JÍLKOVÁ, Jaroslava HOFFMANNOVÁ. Praha, Národní technické muzeum, 80, in-8, 387 p.

* 758. HELIN (Etienne), LEBRUN (Marc), GREGOIRE-REITERS (Madeleine). Bibliographie internationale de démographie historique. A. Démogr. hist., 80, p. V-LXI. [Cf. Bibl. 78-79, n° 927].

* 759. Index décennal, 1970-1979. Population, 81, a. 36, n° spécial, 222 p.

* 760. ROMAN (Louis). Démographie historique de la Roumanie, 1972-1978. Bibliographie analytique. R. roumaine Hist., 80, t. 19, p. 84-127.

** 761. GEREMEK (Bronislaw). Truands et misérables dans l'Europe moderne (1350-1600). Paris, Gallimard-Julliard, 80, 254 p. (ill.). (Coll. Archives, 84).

------

762. ATTMAN (Arthur). The bullion flow between Europe and the East, 1000-1750. Göteborg, Kungl. Vetenskaps- och Vitterhets-Samhället 81, in-8, 149 p. (Acta Regiae Soc. Sci. et Litt. Gothoburgensis, Humaniora, 20).

763. BARBIER (Jean-Marie). Le quotidien et son économie. Essai sur les origines historiques et sociales de l'économie familiale, Paris, Ed. du C.N.R.S., 81, in-8, 180 p.

764. BRUNELLO (Franco). Arti e mestieri a Venezia nel Medioevo e nel Rinascimento. Vicenza, Possa, 81, in-8, 223 p. (tav.). (Studi e testi veneziani, 8).

765. Contadini e proprietari nella Toscana moderna. Atti del Convegno di studio in onore di Giorgio Giorgetti. Tenuto a Firenze nel 1977. 1 : Dal Medioevo all'età moderna. 2 : Dall'età moderna all'età contemporanea. Firenze, Olschki, 79-81, 2 vol. in-8, 576, 410 p. (ill., tav.). (Bibl. di Stor. toscana mod. e contemp. Studi e Doc., 19, 24).

766. Dějiny ekonomických teorií. Stručný. nástin. (Geschichte der ökonomischen Theorien. Kurzgefasster Abriss.) Von Zdenka SITÁROVÁ, Antoniń KLIMENT u.a. Praha, Svoboda, 81, in-8, 529 p.

767. DELLA PINA (Marco). Alcune riflessioni sull'evoluzione demografica della Toscana tra Medioevo ed età moderna. Soc. e Stor., 81, a. 4, p. 423-433.

768. Encyklopedia historii gospodarczej Polski do roku 1945. (Encyclopédie d'histoire économique de la Pologne jusqu'à l'an 1945.) Vol. 1 : A-N. Vol. 2 : O-Z. Réd. : Antoni MĄCZAK. Auteurs : Andrzej AJNENKIEL et autres. Warszawa, Wiedza Powszechna, 81, 2 vol. in-8, 583, 629 p.

9. HISTORIA ECONOMICA Y SOCIAL

769. FERNÁNDEZ POMAR (José Mª). Catálogo de 152 documentos de la Mesta del Archivo Historico Nacional. Arch. leoneses, 81, t. 34, p. 329-384.

770. FEYÉR (Piroska). A szőlő- és bortermelés Magyarországon 1848-ig. (La viticulture en Hongrie jusqu'à 1848.) Budapest, Akad. Kiadó, 81, in-8, 385 p.

771. FIELD (Alexander James). What is wrong with neoclassical institutional economics : a critique with special reference to the North/ Thomas model of pre-1500 Europe. Explor. in econ. Hist., 81, vol. 18, n° 2, p. 174-193.

772. GUNNARSSON (Gisli). A study of causal relations in climate and history : with the emphasis on the Icelandic experience. Lund, Ekon.-hist. inst., 80, in-2, 32 leaves. (Meddel. från Ekon.-hist. inst., Lunds univ., 17).

773. Handbuch Wirtschaftsgeschichte. Hrsg. vom Inst. f. Wi.-Gesch. d. Akad. d. Wiss. d. DDR. Hrsg.-Kollegium : Hans RADANDT. Bd 1, 2. Berlin, Deutsch. Verl. d. Wiss., 81, 2 vol. in-8, 600 p., p. 605-1115.

774. HERBORN (Wolfgang). Zunftwesen und Handwerk im Schatten einer Grossstadt : Das Beispiel Deutz. Rhein. Vjsbl., 81, Jg. 45, p. 135-182.

775. Bibl. 78-79, n° 949. HOCQUET (Jean Claude). Le sel et la fortune de Venise. - CR : P. Mainoni, Nuova R. stor., 81, a. 65, p. 430-436.

776. JAMES (N.D.G.). History of English forestry. Oxford, Blackwell, 81, in-4, 352 p. (ill., maps).

777. JEANSON (Denis). La maison seigneuriale du val de Loire : sa vie, son économie, ses habitants, son architecture. Paris, Garnier, 81, in-8, 359 p. (ill.).

778. Juden (Die) als Minderheit in der Geschichte. Hrsg. v. Bernd MARTIN u. Ernst SCHULIN. München, Deutsch. Taschenbuch-Verl., 81, in-8, 372 p. (1Kt.). (dtv, 1745. Gesch.).

779. KATONA (Imre). Fragen der ungarischen Geschichte aus sozial-anthropologischer Sicht. Acta ethnogr. Acad. Sci. hungaricae, 81, vol. 30, n° 1-2, p. 1-31.

780. KELLENBENZ (Hermann). Deutsche Wirtschaftsgeschichte. [Bd 1. Cf. Bibl. 76-77, n° 1046.] Bd 2 : Vom Ausgang des 18. Jahrhunderts bis zum Ende des Zweiten Weltkriegs. München, Beck, 81, in-8, 544 p. (7 graph. Darst., 3 Kt.).

781. LYNCH (Ann). Man and environment in South-West Ireland, 4000 B.C. - A.D. 800. London, Brit. Archaeol. Rep., 81, in-4, 175 p. (fig.).

782. MAKKAI (László). Ars historica. Megjegyzések Fernand Braudel : Civilisation matérielle, économie et capitalisme, XVe-XVIIIe siècle c. müvéhez. (Remarques sur l'ouvrage de Fernand Braudel intitulé Civilisation matérielle, économie et capitalisme, XVe-XVIIIe siècle [Cf. Bibl. 78-79, n° 935.]) Századok, 81, vol. 115, n° 1, p. 206-215.

783. Marriage and remarriage in populations of the past. Proceedings of the Intern. Colloquium on Hist. Demography, nuptiality a. fertility : Plural marriage a. illegitimate fertility, Kristiansand, Norway, 7-9 Sept. 1977. Organized by the Intern. Committee of Hist.Sciences a. the Intern. Union for the Scientific Study of Population. Ed. by J. DUPAQUIER a. others. London, Academic Press, 81, in-8, XIX-663 p.

784. Marriage and society. Studies in the social history of marriage. Ed. by R. B. OUTHWAITE. London, Europa Publ., 81, in-8, VIII-284 p. (The European Social Hist. of human experience).

785. MENZIONE (Andrea). Schemi di matrimonio e mortalità dei sessi : una transizione fra Medioevo ed età moderna ? Soc. e Stor., 81, a. 4, p. 435-447.

786. MIEGE (J.-L.). Malte, île entrepôt. In : Iles de Méditerranée [Cf. n° 216], p. 39-48.

787. MINCHINTON (Walter Edward). Agricultural improvement, medieval and modern. Exeter, Univ., 81, in-8, VIII-137 p. (ill.).

787. MORINEAU (Michel). Un grand dessein : Civilisation matérielle, économie et capitalisme (XVe-XVIIIe siècles) de Fernand Braudel. [Cf. Bibl. 78-79, n° 935.] R. Hist. mod., 81, t. 28, p. 624-668.

789. MULLER (Hans). Die Kunst des Sklavenkaufs nach arabischen, persischen und türkischen Ratgebern vom 10. bis zum 18. Jahrhundert. Freiburg i. Br., Schwarz, 80, in-8, XIII-246 p. (Islamkundl. Unters., 57).

790. Navigation et gens de mer en Méditerranée de la préhistoire à nos jours. Actes de la Table ronde du groupement d'intérêt scientif. Sciences humaines sur l'aire médit., Collioure, sept. 1979. Paris, Ed. du C.N.R.S., 81, in-4, 139 p. (34 fig.). (Cah. Maison de la Médit.., 3).

791. NORTH (Douglass C.). Structure and change in economic history. New York, W.W. Norton, 81, in-8, XI-228 p.

792. OLTEANU (Ştefan). Valorificarea bogăţiilor miniere de către poporul român în epoca veche şi medie. (La mise en valeur des richesses minières par le peuple roumain pendant l'antiquité et le moyen âge.) R. Ist., 81, t. 34, n° 3, p. 464-485. [Rés. franç.].

793. Peasants in history. Essays in honour of Daniel Thorner. Ed. by Eric John HOBSBAWM. Delhi, Oxford U.P., 80, in-8, XIII-319 p.

794. ROBERT (Jean-Baptiste). Un problème de mutation économique : l'olivier entre Nice et Menton du Moyen Age aux Temps modernes. A. monégasques, 81, n° 5, p. 149-165.

795. Rossija i Finljandija : torgovlja, promysly, krupnaja promyšlennost'. (Russia and Finland : trade, business, large-scale industry.) Materialy V sov.-finljand. simpos. po social-ėkon. istorii 9-11 okt. 1978 g. Otv. red. : N.E. NOSOV, I.P. ŠASKOL'SKIJ. Leningrad, Nauka, 81, 158 p. (AN SSSR. In-t istorii SSSSR. Leningr. otd-nie).

796. Sel (Le) et son histoire. Actes du colloque de l'Assoc. interuniversitaire de l'Est, Nancy, 1er-3 oct. 1979. Strasbourg, Assoc. interuniv. Est, 81, in-8, 542 p. (ill.). (Publ. de l'Univ. de Nancy II).

797. Techniques (Les) de conservation des

grains à long terme : leur rôle dans la dynamique des systèmes de culture et des sociétés. [1. Cf. Bibl. 78-79, n° 960.] 2. Sous la dir. de Marceau GAST et François SIGAUT, avec la collab. d'Ariane BRUNETON-GOVERNATORI. Paris, Ed. du C.N.R.S., 81, in-4, 242 p. (110 fig.). (laboratoire d'anthropol. et de préhist. des pays de la Méditerranée occid., Aix-en-Provence ; Maison des sciences de l'homme, groupe écologie et sciences humaines, Paris).

798. UDOVITCH (A.L.) a. others. The Islamic Middle East, 700-1900 : studies in economic and social history. Princeton, N.J., Darwin Press, 81, in-8, 838 p.

799. WICKENS (P.L.). The economic history of Africa from the earliest times to partition. Nairobi, Oxford U.P., 81, in-8, 323 p. (maps).

800. 2500 [Zweitausendfünfhundert] Jahre Eisen aus Hüttenberg. Eine montanhist. Monografie. Klagenfurt, Verl. d. Landesmuseums f. Kärnten, 81, in-8, 170 p. (ill.). (Kärntner Museumsschr., 68).

§ 10. Historia de la civilización, de las ciencias y de la enseñanza.

* 801. Bibliographie de l'histoire des universités françaises, des origines à la Révolution. [T. 2. Cf. Bibl. 78-79, n° 977.] T. 1 : Généralités, Université de Paris. Etablie par Simone GUENEE. Paris, Picard, 81, in-4, XI-567 p.

* 802. Critical bibliography (106th) of the history of science and its cultural influences (to January 1981). Isis, 81, vol. 72, n° 265, p. 5-248 [Cf. Bibl. 80, n° 793.]

* 803. FRIJHOFF (Willem). Bibliographie d'histoire de l'éducation française : titres parus au cours de l'année [1977. Cf. Bibl. 80, n° 794.] 1978 et suppléments des années antérieures. Hist. Education, 81, n° 11-12, 192 p.

* 804. GOODWIN (Jack). Current bibliography in the history of technology [1978. Cf. Bibl. 80, n° 795.] (1978). Technol. a. Culture, 81, vol. 22, p. 374-484.

* 805. Istorija estestvoznanija. (History of natural sciences.) Lit., opubl. v. SSSR. 1967-1970. Sost. L. V. KAMINER, O. A. LEŽNEVA, L. Ja. PAVLOVA i dr. Moskva, Nauka, 81, 768 p. (AN SSSR. In-t istorii estestvoznanija i tekhniki. In-t nauč. inform. po obščestv. naukam).

* 806. Istorija tekhniki. Bibliogr. ukazatel'. (History of technique. A bibliogr. index.) Pod red. S. V. SUKHARDINA. 1967-1968. Sost. : I. I. AVTUKHOVA, B.S. KOGAN, M. A. RAEVSKAJA, L. P. ČIRKOVA. Moskva, Nauka, 81, 156 p. (AN SSSR. In-t istorii estestvoznanija i tekhniki. Vsesojuz. o-vo "Znanie", Centr. politekhn. b-ka).

* 807. KÖNIG (Helmut). Forschungen zur Geschichte der Erziehung. Eine Übersicht. Jb. f. Erziehungs- u. Schulgesch., 81, Jg. 21, p. 22-44.

------

808. AGÁRDI (Péter). A magyar irodalomtörténetirás 1945 és 1965 közötti fejlődésének története. (Histoire du développement de l'histoire littéraire hongroise entre 1945 et 1965.) Magy. tudom. Akad. Nyelv Irodtudom. Oszt. Közl., 81, vol. 32, n° 1-2, p. 57-108.

809. BARBALUCCA (Giuseppe). Breve storia dell'anatomia. Poggibonsi, Lalli, 81, in-8, 89 p. (Bibl. scient.).

810. BULFERETTI (Luigi). Proposte per giudicare una storia della scienza e della tecnica in Italia. Soc. e Stor., 81, a. 4, p. 714-724.

811. CHIODI (Valentino). Storia della veterinaria. Bologna, Edagricole, 81, in-8, XIII-535 p. (ill.).

812. DÁNYI (Dezső). Thirring Gusztáv, a társadalomstatisztikus. (Gusztáv Thirring [1861-1941], statisticien des fajts sociaux.) Statiszt. Szle, 81, vol. 59, n° 8-9, p. 898-902.

813. Dejiny školstva a pedagogiky. (Geschichte des Schulwesens und der Pädagogik.) Von Tomáš SROGOŇ, Josef CACH, Jozef MÁTEJ, Jozef SCHUBERT. Bratislava, Slov. pedag. naklad., 81, in-8, 392 p.

814. FITCHEN (John F.) III. The problem of ventilation through the ages. Technol. a. Cult., 81, vol. 22, n° 3, p. 485-511.

815. Gesellschaftlichen (Zur) Bedingtheit der Medizin in der Geschichte. Von e. Autorenkoll. unter Leitung v. Dietrich TUTZKE. Jena, Fischer, 81, in-8, 223 p. (Medizin u. Gesellschaft, 10).

816. GRANT (Edward). Much ado about nothing : theories of space and vacuum from the middle ages to the scientific revolution. New York, Cambridge U.P., 81, in-8, XIII-456 p.

817. GROTTANELLI (Cristiano). L'ideologia del banchetto e l'ospite· ambiguo. Dialoghi Archeol., 81, n.s., a. 3, fasc. 3, p. 122-154.

818. HAAS (Hans). Ursprung, Geschichte und Idee der Arzneimittelkunde. Mannheim, Wien, u. Zürich, Bibliogr. Institut, B.I. Wissenschaftsverl., 81, in-8, 178 p. (Pharmakologie u. Toxikologie, 1)

819. HAAS (Helmut). Hygiene und Prophylaxe in Bayreuth und Oberfranken in Mittelalter und Neuzeit. Arch. f. Gesch. v. Oberfranken, 81, Bd 61, p. 59-81.

820. HAMMERSTEIN (Reinhold). Tanz und Musik des Todes. Die mittelalterl. Totentänze u. ihr Nachleben. Bern u. München, Francke, 80, in-8, 240 p. (ill.).

821. Histoire mondiale de l'éducation. Sous la dir. de Gaston MIALARET et Jean VIAL. T. 1-4. Paris, Presses univ. France, 81, 4 vol. in-8, 1701 p.

822. Historisch-kulturelle (Das) Erbe vorkapitalistischer Gesellschaftsformationen und seine zeitgenössische Bedeutung. Berlin, Akad.-Verl., 81, in-8, 174 p. (Abb.). (Abh. d. Akad. d. Wiss. d. DDR, Abt. Veröff. d. Wissenschaftl. Räte 1981, W 2).

823. HOLZBACHOVÁ (Ivana). Člověk a dějiny. Dynamika dějin a lidská aktivita v buržoazním myšlení. (Mensch und Geschichte. Dynamik der Geschichte und menschliche Aktivität im bürgerlichen Denken). Brno, Univ. J.E. Purkyně, 81, in-8, 104 p. (Spisy Univ. J.E. Purkyně v Brne. Filozof. fakulta, 235).

824. Issledovanija po istorii mekhaniki. (Re-

search on the history of mechanics.) Sb. statej. Otv. red. A.T. GRIGOR'JAN. Moskva, Nauka, 81, 312 p..(ill.). (AN SSSR. In-t istorii estestvoznanija i tekhniki).

825. KÁLMÁN (Béla). Munkácsi Bernát (1860 -1937). (Bernát Munkácsi.) Budapest, Akad. Kiadó, 81, in-16, 179 p. (ill.). (A mult magyar tudósai, X. sor.) [Linguiste, ethnologue].

826. KRUPENIKOV (I.A.). Istorija počvovedenija. Ot vremeni ego zaroždenija do našikh dnej. (History of soil science. From the origins to our time.) Moskva, Nauka, 327 p. (ill.). (AN SSSR. In-t agrokhimii. Vsesojuz. o-vo počvovedov i počvovedenija).

827. Kultur des Islam. Referate einer Vortragsreihe an d. Österr. Nationalbibliothek, 16-18. Juni 1980. Hrsg. v. Otto MAZAL. Wien, Österr. Nationalbibliothek, 81, in-8, 214 p. (Byblos-Schr., 113).

828. Kul'tura épokhi Vozroždenija i Reformacija. (The civilization of the Renaissance and Reformation.) Sb. Redkol. : V.I. RUTENBURG (otv. red.) i dr. Leningrad, Nauka, 81, 267 p. (ill.). (AN SSSR. Nauč. sovet po istorii mirojov kul'tury. Komis. po probl. kul'tury épokhi Vozroždenija).

829. Lübecker Schriften zur Archäologie und Kulturgeschichte. Vorgeschichte, Mittelalter, Neuzeit. Amt f. Vor- u. Frühgesch. d. Hansestadt Lübeck [Bd 2. Cf. Bibl. 80, n° 816.] Bd 5. Bonn, Habelt, 81, in-4, 127-51-61 p. (Ill., graph. Darst., Beil.)

830. Magister und Scholaren, Professoren und Studenten. Geschichte deutscher Univ. u. Hochsch. im Überblick. Leipzig, Jena u. Berlin, Urania, 81, in-4, 304 p. (Abb.).

831. Mediaeval and Renanssance studies on Spain and Portugal in honour of P.E. RUSSEL. Ed. by Frederick W. HODCROFT. Oxford, Magdalen College, 81, in-8, VIII-226 p. (Soc. for the Study of med. Lang. a. Lit.).

832. MÉSZÁROS (István). Az iskolaügy története Magyarországon, 996-1777. (Histoire de la question scolaire en Hongrie.) Budapest, Akad. Kiadó, 81, in-8, 671 p.

833. MÜLLER (Heinrich), KÖLLING (Hartmut). Europäische Hieb- und Stichwaffen aus der Sammlung des Museums für Deutsche Geschichte. Berlin, Militärverl. d. DDR, 81, in-4, 448 p. (Abb.).

834. Pologne (La) au XVe Congrès International des Sciences Historiques à Bucarest. Etudes sur l'histoire de la culture de l'Europe Centrale-Orientale. Réunis et prés. par Stanisław BYLINA. Wrocław, Zakł. Narod. im. Ossolińskich, 80, in-8, 313 p. (Acad. Pol. des Sciences. Comité des Sciences Hist., Inst. d'Histoire).

835. Polska i Polacy. (La Pologne et les Polonais.) Choix et avant-propos par Bogdan SUCHODOLSKI. Warszawa, Państw. Nauk., 81, in-8, 729 p.

836. RIDDER-SYMOENS (Hilde de), ILLMER (Detlef), RIDDERIKHOFF (Cornelia M.). Premier livre des procurateurs de la nation germanique de l'ancienne université d'Orléans, 1444-1546. 2e partie : Biographies des étudiants. [Vol. 1. Cf. Bibl. 78-79, n° 995.] Vol. 2 : Biographies, 1516-1546. Leiden, Brill, 80, 504 p.

837. ROTBERG (Robert I.), RABB (Theodore K.) a. others. Climate and history : studies in interdisciplinary history. Princeton, N.J., Princeton U.P., ¡81, in-8, 280 p.

838. SELMECZI KOVÁCS (Attila). Györffy István (1884-1939). (István Györffy.) Budapest, Akad. Kiadó, 81, in-16, 198 p. (ill.). (A mult magyar tudósai, X. sor.) [Ethnographe.]

839. Sources (Les) en musicologie. Actes des Journées d'études de la Société française de Musicologie à l'Institut de Recherche et d'Histoire des Textes d'Orléans La Source (9-11 sept. 79.) Paris, Ed. du C.N.R.S., 81, in-8, 212 p.

840. ŞTEFAN (I.M.), NICOLAU (Edmond). Scurtă istorie a creaţiei ştiinţifice şi tehnice româneşti. (Brève histoire de la création scientifique et technique roumaine.) Bucureşti, Albatros, 81, in-8, 288 p.

841. STRUBE (Wilhelm). Der historische Weg der Chemie. Bd 1 : Von der Urzeit bis zur industriellen Revolution. Bd 2 : Von der industriellen Revolution bis zum Beginn des 20. Jahrhunderts. Leipzig, Deutsch. Verl. d. Grundstoffindustrie, 76-81, 2 vol. in-8, 195, 215 p. (Abb.).

842. Studien zur Entwicklung der ökonomischen Theorie. 1. Hrsg. v. Fritz NEUMARK. Berlin, Duncker u. Humblot, 81, in-8, 161 p. (Schr. d. Ver. f. Sozialpolitik, N.F., 115/1).

843. VOISÉ (Waldemar). Europolonica. La circulation de quelques thèmes polonais à travers l'Europe du XIVe au XVIIIe siècle. Wrocław, Zakł. Narod. im. Ossolińskich, 81, in-8, 141 p. (Pol. Akad. Nauk, Inst. Hist. Nauki, Oświaty i Techn., Monografie z Dziejów Nauki i Techn., 124).

Cf. n° 619.

§ 11. Historia del arte.

* 844. Bibliographie [zur Kunstgeschichte] des Jahres [1977-1979. Cf. Bibl. 80, n° 838.] 1980. Mit Nachträgen. Abgeschlossen am 1. Mai 1981. Bearb. v. Hilde LIETZMANN. München u. Berlin, Deutscher Kunstverl., 81, in-8, 145 p. (Z. f. Kunstgesch., Bibliogr. Teil, Bd 44).

* 845. KAMEN (Ruth H.). British and Irish architectural history : bibliography and guide to sources of information. London, Architect. Press, 81, in-4, 160 p.

* Cf. n° III.

------

846. ANDRÉN (Arvid). Capri, from the stone age to the tourist age. Göteborg, Paul Aström, 81, in-8, 250 p. (30 fig.). (Stud. in Mediterr. Archaeol., Pocket-Book, 13).

847. BARKER (Graeme), HODGES (Richard). Archaeology and italian society : prehistoric, Roman and Mediaeval studies. London, Brit. Archaeol. Rep., 81, in-4, 342 p. (ill.).

848. BAZIN (Germain). A concise history of world sculpture. Newton Abbot, David a. Charles, 81, in-4, 320 p. (pl.).

849. BERIDZE (Vachtang), NEUBAUER (Edith). Die Baukunst des Mittelalters in Georgien vom 4. bis zum 18. Jahrhundert. Mit Aufn. v. Klaus G. BEYER. Wien u. München, Schroll, 81, in-4, 251 p. (ill.).

850. BERTHIER (François). Genèse de la sculpture bouddhique japonaise. Paris, Publications orientalistes de France, 79, in-8, 589 p. (ill.). (POF-études, 26).

851. Biographical dictionary of Japanese art. Ed. by Yutaka TAZAWA. Tokyo, Internat. Soc. for Educational Information, 81, in-8, 825 p.

852. BURROW (Ian). Hill Fort and Hill Top settlement in Somerset in the 1st to the 8th centuries A.D. London, Brit. Archaeol. Rep., 81, in-4, 328 p. (ill., fig.).

853. Dictionnaire des châteaux de France. Sous la dir. d'Yvan CHRIST. [T. 3, 9, 10. Cf. Bibl. 80, n° 848.] T. 5 : Guyenne, Gascogne, Béarn, Pays basque : Aveyron, Dordogne, Gers, Gironde, Landes, Lot, Lot-et-Garonne, Pyrénées-Atlantiques, Tarn-et-Garonne, par Jacques GARDELLES. Paris, Berger-Levrault, 81, in-4, 395 p.

854. Drevnerusskoe iskusstvo XV-XVII vekov. (Old Russian art of the 15th-17th cent.) Sb. statej. Otv. red. V.N. SERGEEV. Moska, Iskusstvo, 81, 159 p. (19 p. ill.). (Muzej drevnerus. iskusstva im. A. Rubléva).

855. FAULL (M.I.), MOORHOUSE (S.A.). West Yorkshire, an archaeological survey to A.D. 1500. Wakefield, W. Yorks Metropolitan Co. Cncl., 81, 4 vol. in-4, 1010 p. (ill., fig., maps).

856. FLORESCU (Radu), DAICOVICIU (Hadrian), ROȘU (Lucian). Dicționar enciclopedic de artă veche a României. (Dictionnaire encyclopédique de l'art ancien de la Roumanie.) București Ed. Științifică și enciclop., 80, in-8, 368 p. (ill., pl.).

857. HINZ (Paulus). Deus homo. Das Christusbild v. seinen Ursprüngen bis z. Gegenwart. Bd [1. Cf. Bibl. 73, n° 787.] 2 : Von der Romanik bis zum Ausgang der Renaissance. Berlin, Evang. Verl.-Anstalt, 81, in-8, 410 p. (Abb.).

858. Histoire de l'art. 3 : Renaissance, baroque, romantisme. Publ. sous la dir. de Jean BABELON. Paris, Gallimard, 79, in-8, XII-1684 p. (ill.). (Encyclopédie de la Pléiade, 17).

859. HOWARD (Deborah). The architectural history of Venice. London, Batasford, 81, in-4, 264 p. (ill.).

860. Inventaire général des monuments et des richesses artistiques de la France. Commission régionale d'Alsace. Haut-Rhin : canton de Thann. - Commission régionale de Lorraine. Meuse : canton Gondrecourt-le-Château. - Commission régionale de Provence. Alpes-Côtes d'Azur. Vaucluse : cantons Cadenet et Pertuis. Pays d'Aigues. Paris, Imprimerie nationale, 80-81, 3 vol. in-4, 466, 375, 761 p. (ill.).

861. Istorija iskusstva narodov SSSR. (History of art of the peoples of the USSR.) Redkol. : B. V. VEIMARN (gl. red.) i dr. [T. 5. Cf. Bibl. 78-79, n° 1030.] T. 6 : Iskusstvo 2-j poloviny XIX - načala XX v. (The art of the second half of the 19th a. the beginnings of the 20th cent.) Moskva, Izobraz. iskusstvo, 81, in-fol., 455 p. (ill.).

862. LIVANOVA (T.N.). Iz istorii muzyki i muzykoznanija za rubežom. (From the history of music and musical science abroad.) Sost. Ju. K. EVDOKIMOVA. Moskva, Muzyka, 81, 238 p.

863. MURIAN (I.F.). Iskusstvo Indonezii. S drevnejšikh vremeën do konca XV veka. (Art of Indonesia : from ancient times to the end of the 15th cent.) Moskva, Iskusstvo, 81, 239 p. (ill.). (M-vo kul'tury SSSR. VNII iskusstvoznanija).

864. Musikgeschichte in Bildern. Begr. v. Heinrich BESSELER u. Max SCHNEIDER. Hrsg. v. Werner BACHMANN. Bd. 2 : Musik d. Altertums. Lfg. [7. Cf. Bibl. 78-79, n° 1035.] 8 : KAUFMANN (Walter). Altindien. Unter Mitarb. v. Joep BOR, Wim VAN TER MEER u. Emmie te NIJENHUIS. Leipzig, Deutsch. Verl. f. Musik, 81, in-4, 207 p. (Abb.).

865. NEKUDA (Vladimír), UNGER (Josef). Hrádky a tvrze na Moravě. (Hausberge und Festen in Mähren.) Brno, Blok, 81, in-8, 368 p. (2 cartes).

866. NIPPERDEY (Thomas). Der Kölner Dom als Nationaldenkmal. Hermann HEIMPEL zum 19. Sept. 1981. Hist. Z., 81, Bd 233, p. 595-613.

867. PEARCE (Susan M.). The archaeology of South West Britain. London, Collins, 81, in-8, 288 p. (ill., fig.).

868. RAKHMANOV (M.). Uzbekskij teatr s drevnejšikh vremën do 1917 goda. (Uzbek theatre from ancient times to 1917.) Taškent, Izd-vo khudož. lit. i iskusstva, 81, 312 p. (ill.).

869. RASPI SERRA (Joselita). L'architettura degli ordini mendicanti nel principato salermitano. Mél. Ec. franç. Rome, Moyen Age, Temps mod., 81, t. 93, p. 605-681.

870. Reallexikon zur deutschen Kunstgeschichte. Hrsg. v. Zentralinst. f. Kunstgesch. München. Begonnen v. Otto SCHMITT. Red. Karl-August WIRTH. [Bd 5. Cf. Bibl. 67, n° 1225. Bd 6. 1973 ersch.] Bd 7 : Farbe, Farbmittel - Fensterladen. München, Beck, 81, in-4, 1524 Sp. (Ill., graph. Darst.).

871. SARTRE (Josiane). Châteaux brique et pierre en France : essai d'architecture. Paris, Nouv. Ed. latines, 81, 206 p. (pl.).

872. SISA (Béla). Békés megye műemlékei. (Les monuments d'art dans le comitat Békés [Hongrie].) Vol. 1, 2. Békéscsaba, Békés megyei Tanács, 81, 2 vol. in-8, 340, 331 p. (ill., cartes).

873. Umělecké památky Čech. (Die Kunstdenkmäler Böhmens.) [Vol. 1. Cf. Bibl. 76-77, n° 5986.] Vol. 2 : K-O. Vol. 3 : P-Š. Edit. Emanuel POCHE et coll. Praha, Academia, 78-80, 2 vol. in-4, 580, 540 p.

§ 12. Historia religiosa.
a. Generalidades.

* 874. Bulletin signalétique. Histoire et sciences religieuses. Revue trimestrielle. Vol. 35, n°s 1-4 et tables annuelles. Paris, C.N.R.S., Centre de documentation sciences humaines, 81, 5 vol. in-4, 230, 206, 173, 218, 264 p.

* 875. Guide to Buddhist religion. By Frank E. REYNOLDS, with John HOLT a. John STRONG.

12. HISTORIA RELIGIOSA

Arts section, by Bardwell SMITH, with Holly WALDO a. Jonathan Clyde GLASS. Boston, Mass., G.K. Hall, 81, in-4, XXV-415 p. (The Asian Philosophies a. Religions resource guides).

876. VAN BELLE (A.). Bibliographie. [Cf. Bibl. 80, n° 874.] R. Hist. ecclés., 81, t. 76, p. 178^x-546^x.

** 877. Kirchen- und Theologiegeschichte in Quellen. Ein Arbeitsbuch. Hrsg. v. Heiko A. OBERMAN [u.a.] Bd 1 : Alte Kirche. Bearb. v. Adolf M. RITTER. Bd 2 : Mittelalter. Ausgew. u. komm. v. Reinhold MOKROSCH, Herbert WALZ. Bd 3 : Die Kirche im Zeitalter der Reformation. Heikjo Augustinus OBERMAN. Bd 4 : Neuzeit. Ausgew., übers. u. komm. v. Hans-Walter KRUMWIEDE. T. 1, 2. Neukirchen-Vluyn, Neukirchener Verl., 77-81, 5 vol. in-8, 248, XVI-250, XIV-297, XII-255, XI-232 p.

------

878. BARRACLOUGH (Geoffrey). The Christian world, a social and cultural history of Christianity. London, Thames a. Hudson, 81, in-4, 328 p. (ill., pl.).

879. Dictionnaire d'histoire et de géographie ecclésiastique. T. 19, fasc. [110. Cf. Bibl. 80, n° 861.] 111 : Gagnier-Gallwey. Fasc. 112 : Galtelli-Carcia. Fasc. 113 : Garcia-Gatianensis. Sous la dir. de Roger AUBERT, assisté de J.-P. HENDRICKX et J.-P. SOSSON. Paris, Letouzey et Ané, 80-81, 3 fasc. in-4, col. 657-906, 907-1168, 1169-1408.

880. Dictionnaire de spiritualité ascétique et mystique : doctrine et histoire. [T. 7. Cf. Bibl. 70-71, n° 1 1332.] T. 8 : Jacob-Kyspenning. T. 9 : Labadie-Lyonnet. T. 10 : Mabille-Mythe. Paris, Beauchesne, 74-76-80, 3 vol. in-4, 1806, 1291, 2014 col.

881. EDWARDS (David L.). Christian England, its story to the Reformation. London, Collins, 81, in-8, 320 p.

882. Handbuch der Dogmengeschichte. Hrsg. v. Michael SCHMAUS [u.a.] Bd 4 : Sakramente, Eschatologie. [Fasc. 1a. Cf. Bibl. 80, n° 862.] Fas. 7c, T. 1 : KUNZ (Eduard). Protestantische Eschatologie von der Reformation bis zur Aufklärung. Freiburg i. Br., Basel u. Wien, Herder, 80, in-4, VI-113 p.

883. HARTMANN (Karl). Geschichte der Kirche von Karl dem Grossen bis zum Vorabend der Reformation. Teilbd 1, 2. Stuttgart, Quell-Verl., 81, 2 vol. in-4, VI-102 p., p. 103-224. (Kt.). (Atlas-Tafel-Werk zu Bibel u. Kirchengesch. Karl Hartmann, 3).

884. Histoire du droit et des institutions de l'Eglise d'Occident. Publ. sous la dir. de Gabriel LE BRAS et Jean GAUDEMET. 8 : Le gouvernement de l'Eglise à l'époque classique. 2 : Le gouvernement local. Par Jean GAUDEMET. Paris, Cujas, 79, in-4, 347 p. [15/2. Cf. Bibl. 76-77, n° 1157.]

885. LEVY (Leonard W.). Treason against God : a history of the offense of blasphemy. New York, Schocken, 81, XVIII-414 p.

886. LINCOLN (Bruce). Priest, warriors, and cattle. A study in the ecology of religions. Berkeley, Univ. of Calif. Press, 81, in-8, 242 p.

(Hermeneutics, 10).

887. Reallexikon für Antike und Christentum. Sachwörterbuch zur Auseinandersetzung d. Christentums mit d. antiken Welt. Hrsg. v. Theodor Klauser [u.a.]. [Lfg. 58-61. Cf. Bibl. 70-71, n° 2475.] Bd 9 : Gebet II - Generatianismus. Bd 10 : Genesis - Gigant. Bd 11 : Girlande - Gottesnamen. Stuttgart, Hiersemann, 73-81, 3 vol. in-4, VIII p., 1278 Sp. ; VIII p., 1286 Sp. ; 1290 Sp.

888. Theologische Realenzyklopädie. In Gemeinschaft mit Horst Robert BALZ [u.a.] hrsg. v. Gerhard KRAUSE u. Gerhard MÜLLER. Bd 1 : Aaron-Agende. Bd 2 : Agende-Anselm von Canterbury. Bd 3 : Anselm von Laon-Aristoteles/Aristotelismus. Bd 4 : Arkandisziplin-Autobiographie. Bd 5 : Autokephalie-Biandrata. Bd 6 : Bibel-Böhmen und Mähren. Bd 7 : Böhmische Brüder-Chinesische Religionen. Bd 8 : Chlodwig-Dionysius Areopagita. Berlin u. New York, de Gruyter, 77-81, 8 vol. in-4, IX-803, 798, 826, 813, 805, 786, 802, 799 p. (Kt., Taf.).

b. Estudios particulares.

* 889. ALTERMATT (Albrich). Die Cistercienser in Geschichte und Gegenwart : ein Literaturbericht 1970-1980. Cistersienser-Chron., 81, Bd 88, p. 77-120.

* 890. ARATÓ (Paolo). Bibliographia historiae pontificiae. [Cf. Bibl. 80, n° 871.] Arch. Hist. pontif., 81, t. 19, p. 401-684.

* 891. Bibliografia missionaria. [Anno 42, 43. Cf. Bibl. 80, n° 873.] Anno 44 : 1980. Fondata dal P. Giovanni ROMMERSKIRCHEN, continuata dal P. Willi HENKEL e dal P. Giuseppe METZLER. Roma, Ponticifia Univ. Urbaniana, 81, in-8, 325 p.

* 892. Bibliographia carmelitana annualis [1978. Cf. Bibl. 80, n° 872.] 1979, 1980. Carmelus, 80, vol. 27, p. 329-484 ; 81, vol. 28, p. 279-449.

* 893. Bibliographie générale de l'ordre cistercien; section 3 : Arts. Fasc. 5 [index des fasc. 1-4 ; bibliographie, notices 649-1735]. Par Eugène MANNING. Section 4 : Personnes. Fasc. 4 : Références P-Z ; fiches A-Z. Par Henri ROCHAIS, Eugène MANNING. Section 5 : Abbayes. Fasc. 3 : Notices 2302-3326. Par Eugène MANNING. Rochefort, Abbaye Notre-Dame de Saint-Rémy, 79-80, 3 vol. in-4, p. 51-122, 58-121, 106-170. (La Documentation cistercienne, 21) [Cf. Bibl. 76-77, n° 1165].

* 894. CONGAR (Yves). Bulletin de théologie. Publications de théologie historique. R. Sci. philos. théol., 81, t. 65, p. 617-632.

* 895. DELCORNO (Carlo). Rassegna di studi sulla predicazione medievale e umanistica (1970-1980). Lettere ital., 81, a. 33, p. 235-276.

* 896. LEDOYEN (Dom Henri). Bulletin d'histoire bénédictine. T. X [suite de Bibl. 80, n° 875.] R. bénédictine, 80, t. 90, n°^{s} 3-4, p. 297-416 ; 81, t. 91, n°^{s} 1-2, p. 417-504.

* 897. MEIJER (Athèric de), SCHRAMMA (Martijn). Bibliographie historique de l'ordre de Saint-Augustin. Augustiniana, 81, t. 31, p. 3-159.

* 898. Publicaties over de Minderbroeders in

de Nederlanden 1980. (Publications concernant les frères mineurs aux Pays-Bas.) Franciscana, 81, t. 36, p. 161-185.

* 899. SCHUR (N.). Jerusalem in pilgrims' and travellers' accounts. A thematic bibliography of western Christian itineraries, 1300-1917. Jerusalem, Ariel, 80, in-4, 151 p.

* Cf. n° 195.

** 900. SUBERA (Ignacy). Synody prowincjonalne arcybiskupów gnieźnieńkich. Wybór tekstów ze zbioru Jana Wężyka z r. 1761. (Les synodes provinciaux des archevêques de Gniezno [XIIIe-XVIIe s.]. Textes choisis du recueil de Jan Wężyk de 1761.) Warszawa, Akad. Teologii Katol., 81, in-8, 338 p.

------

901. BOSSY (John). Essai de sociographie de la messe, 1200-1700 A. Ec. Soc. Civ., 81, t. 36, p. 44-70.

902. Buddizm i tradicionnye verovanija narodov Central'noj Azii. (Buddhism and traditional beliefs of the peoples of Central Asia.) Sb. Redkol. : K. M. GERASIMOVA (otv. red.) i dr. Novosibirsk, Nauka, 81, 185 p. (ill.). (AN SSSR. Sib. otd-nie. Burjat. fil. Burjat. int obščestv. nauk).

903. CERUTTI (Maria Vittoria). Dualismo e ambiguità. Creatori e creazione nella dottrina mandea sul cosmo. Roma, Ateneo, 81, in-8, 181 p. (Nuovi Saggi, 80).

904. CHRISTIAN (William A.) Jr. Apparitions in late medieval and Renaissance Spain. Princeton, N.J., Princeton U.P., 81, in-8, VI-349 p. [Cf. n° 3974.]

905. DE ROSA (Gabriele). La religione popolare. Storia, teologia, pastorale. Roma, Ediz. paoline, 81, in-8, 114 p.

906. FINGER (Heinz). Untersuchungen zur Geschichte des Deutschen Ordens in Mergentheim. Teil 1, 2. Gutenberg-Jb., 80, Jg. 55, p. 325-354 ; 81, Jg. 56, p. 245-260. (fig.).

907. FOKCIŃSKI (Hieronim). Conferimento dei benefici ecclesiastici maggiori nella Curia romana fino alla fondazione della Congregazione concistoriale. R. Stor. Chiesa Italia, 81, a. 35, p. 334-354.

908. GUTTON (François). Sous l'emblème de la croix de Saint-Jean-de-Jérusalem : la chevalerie hospitalière et militaire de l'ordre de Malte. Paris, Lethielleux, 80, in-8, 248 p. (pl.).

909. Islam v istorii narodov Vostoka. (Islam in the history of the peoples of the East.) Sb. statej. Otv. red. I. M. SMILJANSKAJA, S. Kh. KJAMILEV. Moskva, Nauka, 81, 197 p. (AN SSSR. In-t vostokovedenija).

910. JIMÉNEZ MONTESERIN (Miguel). Introducción a la Inquisición española. Madrid, Ed. Nacional, 81, in-8, 845 p.

911. JUDANT (Denise). Du christianisme au judaïsme. Les conversions au cours de l'histoire. Paris, Ed. du Cerf, 81, in-8, 218 p.

912. KALESNÝ (František). Habáni na Slovensku. (Die Habaner in der Slowakei.) Bratislava, Tatran, 81, in-8, 376 p.

913. KOSMAN (Marceli). Zmierzch Perkuna czyli Ostatni poganie nad Bałtykiem. (Le déclin de Perkounas ou les derniers païens sur les bords de la Baltique.) Warszawa, Książka i Wiedza, 81, in-8, 388 p. [les Baltes jusqu'au XIXe s.].

914. KÜNSTLER(Mieczysław Jerzy). Mitologa chińska. (La mythologie chinoise.). Warszawa, Wydawn. Artyst. i Filmowe, 81, in-16, 302 p. (Mitologie Świata).

915. MANDZIUK (Józef). Kult św. Elżbiety Węgierskiej gia Śląsku. (Le culte de St. Elisabeth de Hongrie en Silésie.) Nasza Przeszł., 81, vol. 55, p. 25-44. [jusqu'à la fin du XIXe s.].

916. MARGERIE (Bertrand de). Introduction à l'histoire de l'exégèse. 1 : Les pères grecs et orientaux. Préf. de Ignace de LA POTTERIE. Paris, Ed. du Cerf, 80, in-8, VII-328 p. (Initiations).

917. ORLANDIS (José), RAMOS-LISSÓN (Domingo). Die Synoden auf der iberischen Halbinsel bis zum Einbruch des Islam (711). Paderborn, Schöningh, 81, in-8, XVII-377 p.

918. PETROWIČ (Grigor). Haj Ekelecin Lehastani mědž 1350-1624. (Die armenische Kirche in Polen.) Wien, Mhitharean Tparan, 80, in-8, 303 p. (Azgajin Matenadaran, 222) [Armen.].

919. RICHARD (Yann). Le shi'isme en Iran : iman [i.e. imam] et révolution. Paris, Maisonneuve, 80, in-8, 135 p. (Initiation à l'Islam, 10).

920. ROŻEK (Michał), MARKOWSKI (Stanisław). La Cathédrale Royale du Wawel [Cracovie]. Phot. de Stanisław MARKOWSKI. Trad. du pol. par Andrzej JANIK. Varsovie, Interpress, 81, in-4, 177 p.

921. SELB (Walter). Orientalisches Kirchenrecht. Bd 1 : Die Geschichte des Kirchenrechts der Nestorianer (von den Anfängen bis zur Mongolenzeit). Wien, Verl. d. Österr. Akad. d. Wiss., 81, in-8, 233 p. (Kt.). (Österr. Akad. d. Wiss., Philos.-Hist. Kl., S.-B., 388. - Veröff. d. Kommission f. antike Rechtsgesch., 3).

922. SIMAKIN (S.A.). K voprosy o sinkretizme v religioznoj sisteme birmanskogo buddizma. (The problem of syncretism in the religious system of Burmese Buddhism.) Sovet. Étnogr., 81, n° 1, p. 38-50.

923. Słownik polskich teologów katolickich. Lexicon theologorum catholicorum Poloniae. Réd. par Hieronim Eugeniusz WYCZAWSKI. Auteurs : Marian BANASZAK et autres. T. 1 : A-G. Warszawa, Akad. Teologii Kat., 81, in-8, 614 p.

924. SMITH (David M.). Guide to Bishops' Registers of England and Wales, a survey from the Middle Ages to the abolition of episcopacy in 1646. London, Roy. Hist. Soc., 81, in-8, 448 p.

925. SZTAFROWSKI (Edward). Kuria Rzymska. Studium historyczno-kanoniczne. (La Curie Romaine. Etude historico-canonique.) Warszawa, Akad. Teologii Kat., 81, in-8, 280 p.

926. WELCH (Holmes), SEIDEL (Anna). Facets of taoism. Essays in Chinese religion. New Haven, Conn., a. London, Yale U.P., 81, in-8, 301 p.

927. Zakony benedyktyńskie w Polsce. Krótka historia. (Les ordres des bénédictins en Pologne. Précis d'histoire.) Tyniec; Opactwo Benedyktynów, 81, in-8, 322 p.

Cf. n°s 657, 693, 934.

§ 13. Historia de la filosofía.

* 928. Bibliography of the international congresses of philosophy. Proceedings 1900-1978. Bibliographie d. internat. Philosophie-Kongresse. Beiträge 1900-1978. Hrsg. v. Lutz GELDSETZER. München, New York, London u. Paris, Saur, 81, in-8, 207 p. (Kleine philos. Bibliographien aus d. Philos. Inst. d. Univ. Düsseldorf, 5).

------

929. BALMER (Hans Peter). Philosophie der menschlichen Dinge. Die europäische Moralistik. Bern, Francke, 81, in-8, 308 p.

930. KOYRÉ (Alexandre). Etudes d'histoire de la pensée philosophique. Paris, Gallimard, 81, in-8, 364 p. (Tel, 57). [Textyes extraits de diverses revues et publications, 1922-1955].

931. Kratkij očerk istorii filosofii. (Short survey of the history of philosophy.) Pod red. M. T. IOVČUKA i dr. 4-e izd. Moskva, Mysl', 81, 927 p.

932. Métaphysique. Histoire de la philosophie. Recueil d'études offert à Fernand Brunner. Neuchâtel, Baconnière, 81, in-8, 318 p. (Coll. Langages).

933. MILTON (John R.). The origin and development of the concept of the "laws of nature". Arch. europ. Sociol., 81, t. 22, p. 173-198.

934. VERDU (Alfonso). The philosophy of buddhism : a "totalistic" synthesis. The Hague, Nijhoff, 81, in-8, XI-207 p. (Stud. in philos. a. religion, 3).

935. Z historii polskiej logiki. (De l'histoire de la logique polonaise.) Ouvrage collectif réd. par Waldemar VOISÉ et Zofia SKUBAŁA-TOKARSKA. Wrocław, Zakł. Narod. im. Ossolińskich, 81, in-8, 333 p. (Pol. Akad. Nauk. Inst. Hist. Nauki, Oświaty i Techn.).

936. ŽELNOV (M.V.). Predmet filosofii v istorii filosofii. Predystorija. The object of philosophy in the history of philosophy. Prehistory.) Moskva, Izd-vo MGU, 81, 720 p.

§ 14. Historia de la literatura.

* 937. Bibliografia literatury polskiej Nowy Korbut. (Bibliographie de la littérature polonaise "Nowy Korbut" [Nouveau Korbut].) Réd. en chef : Kazimierz BUDZYK [de l'année 1963]. Literatura pozytywizmu i Młodej Polski. (La littérature du positivisme et de la "Jeune Pologne") Ouvrage collectif, éd. par Zygmunt SZWEYKOWSKI etJarosław MACIEJEWSKI. [T. 15. Cf. Bibl. 76-77, n° 1202.] T. 17, vol. 1 : Boleslaw Prus (Aleksander Glowacki). Ed. Par Teresa TYSZKIEWICZ. Warszawa, Pánst. Inst. Wydawn., 81, in-8, 201 p. (Inst. Badań Liter. Pol. Akad. Nauk).

* 938. Bibliographie der deutschen Sprach- und Literaturwissenschaft. [Bd 19. Cf. Bibl. 80, n° 920.] Bd 20 : 1980. Bearb. v. Irene SCHNEIDER. Frankfurt (Main), Klostermann, 81, in-8, XLIV-484 p.

* 939. Bibliographie der französischen Literaturwissenschaft. - Bibliographie d'histoire littéraire fançaise. Bearb. u. hrsg. v. Otto KLAPP. Bd 17 : 1979. Bd 18 : 1980. Fünfundzwanzigstes Jahr. Frankfurt a. M., Klostermann, 80-81, 2 vol. in-8, 727, 766 p.

* 940. Internationale germanistische Bibliographie. IGB. 1980. [Hrsg. v.] Hans-Albrecht KOCH, Uta KOCH. München, New York, London u. Paris, Saur, 81, in-8, XIV-854 p.

* 941. MOUDOUÈS (Rose-Marie). Bibliographie [d'histoire du théâtre]. [Cf. Bibl. 80, n° 921.] R. Hist. Théâtre, 80, a. 32, n° 4, p. 293-508.

------

942. Ares und Dionysos. Das Furchtbare und das Lächerliche in d. europ. Literatur. Hrsg. v. H. J. HORN u. H. LAUFHUETTE. Heidelberg, Winter, 81, in-8, 278 p. (ill.). (Mannheimer Beitr. z. Sprach- u. Literaturwiss.).

943. BĂLAN (Ion Dodu). A concise history of Romanian literature. Bucharest, Acad. of Social a. Political Sci., 81, in-8, 119 p.

944. BERKOV (P.N.). Problemy istoričeskogo razvitija literatur. (Problems of the historical development of literature.) Stat'i. Sost. N. KOČETKOVA, G. FRIDLENDER. Leningrad, Khudoz. lit., 81, 495 p. (portr.).

945. BRAGINSKIJ (I.S.). Ot Avesty do Ajni, the Issled. po istorii tadž. lit. (From the Avesta to Aini. A treatise on Tadzhik litterature.) Dušanbe, Irfon, 81, 256 p.

946. FEDORENKO (N.). Kitajskoe literaturnoe nasledie i sovremennost'. (The Chinese literary heritage and the present.) Moskva, Chudož. lit., 81, 398 p.

947. Geschichte der deutschen Volksdichtung. Hrsg. v. Hermann STROHBACH. Berlin, Akad.-Verl., 81, in-8, 263 p.

948. Istorija russkoj literatury. (History of Russian literature.) Redkol. : N. I. PRUCKOV (gl. red.) i dr. V 4-kh t. T. 2 : Ot sentimentalizma k romantizmu i realizmu. (From sentimentalism to romanticism and realism.) Leningrad, Nauka, 81, 659 p. (AN SSSR. In-t rus. lit. Pušk. dom.)

949. Klassičeskoe nasledie i sovremennost'. (Classical heritage and present time.) Sbornik. Redkol. : D. S. LIKHAČEV (otv. red.) i dr. Leningrad, Nauka, 81, 414 p. (AN SSSR. In-t rus. lit. Pušk. dom).

950. Kurze Geschichte der deutschen Literatur. Von e. Autorenkoll. Leitung u. Gesamtbearb. : Kurt BÖTTCHER u. Hans Jürgen GEERDTS. Mitarb. : Rudolf HEUKENKAMP. Berlin, Volk u. Wissen, 81, in-8, 831 p. (Abb.).

951. MAZOUER (Charles). Le personnage du naïf dans le théâtre comique, du moyen âge à Marivaux. Paris, Klincksieck, 79, in-8, 357 p. (Bibl. franç. et romane, sér. C : Et. littéraires, 76).

952. Neues Handbuch der Literaturwissenschaft. 2 : Griechische Literatur. Hrsg. v. E. VOGT. Wiesbaden, Akad. Verl.-Ges. Athenaion, 81, 428 p. (ill.).

953. PIRU (Al.). Istoria literaturii române de la început pînă azi. (Histoire de la littérature roumaine, depuis les origines jusqu'aujourd'hui.) Bucureşti, Univers, 81, in-8, 582 p.

954. Propyläen-Geschichte der Literatur. Hrsg. v. E. WISCHER. Literatur und Gesellschaft der westlichen Welt. 1 :Die Welt der Antike, 1200 v. Chr.-600 n. Chr. Synchronopt. Übers. v. K. SIEBENHAAR, Register v. C. v. PAPEN. Berlin, Propyläen-Verl., 81, 583 p. (ill.).

955. WICKHAM (Glynne). Early English stages, 1300 to 1660. [Vol. 2. Cf. Bibl. 72, n° 4640.] Vol. 3 : Plays and their makers to 1576. London, Routledge, 81, in-8, 376 p.

956. ŽELOKHOVCEV (A.N.). Sovremennaja kitajskaja kul'tura i klassičeskoe nasledie Kitaja. (Modern Chinese literature and the classical heritage.). Nar. Asii Afr., 81, n° 2, p. 26-37.

Cf. n° 208.

C

PREHISTORIA Y PROTOHISTORIA

§ 1. Generalidades. 957-1010. - § 2. Paleolítico y mesolítico. 1011-1033. - § 3. Neolítoco. 1034-1061. - § 4. Edad del bronce. 1062-1096. - § 5. Edad del hierro. 1097-1120. - § 6. Pueblos protohistóricos de Europa, excepto los de Grecia e Italia antiguas. 1121-1155.

§ 1. Generalidades.

* 957. APPLEBOOM (Th. G.), BOURGEOIS (J.), DE LAET (S. J.), GOB (A.), LESENNE (M.), VERHAEGUE (F.). Bibliographie 1980 (et compléments d'années antérieures). Helinium, 81, t. 21, p. 176-198, 282-305.

* 958. Közép-Dunamedence (A) régészeti bibliográfiája [1960-1966. Cf. Bibl. 68-69, n° 1661.] 1967-1977. (Bibliographie archéologique du Bassin Central du Danube, 1967-1977.) Réd. par JAKABFFY Imre. Budapest, Akad. Kiadó, 81, in-8, 375 p.

* Cf. n° III.

959. Agrarian (The) history of England and Wales. Ed. by Joan THIRSK. [Vol. 8. Cf. Bibl. 78-79, n° 6157.] Vol. 1, Pt. 1 : Prehistory. Ed. by Stuart PIGOTT. London a. New York, Cambridge U.P., 81, in-8, XXI-451 p.

960. Antiquity and man. Essays in honour of Glyn Daniel. Ed. by John D. EVANS, Barry CUNLIFFE a. Colin RENFREW. London, Thames a. Hudson, 81, in-8, 256 p. (128 ill. a. maps).

961. Archäologische Forschungen [in Ungarn] im Jahre [1979. Cf. Bibl. 80, n° 935.] 1980. Réd. von Alice Sz. BURGER. Archaeol. Ért., 81, vol. 108, n° 2, p. 260-284.

962. Arkheologičeskie otkrytija 1980 goda. (Archaeological discoveries in 1980.) Otv. red. B. A. RYBAKOV. Moskva, Nauka, 81, 508 p. (ill.). (AN SSSR. in-t arkheologii).

963. Arkheologija SSSR. (Archaeology of the USSR.) Redkol. : B. A. RYBAKOV (otv. red.) i dr. V 20-ti t. Stepi Evrazii v ėpokhu srednevekov'ja. (The steppes of Eurasia in the middle ages.) Otv. red. S. A. PLETNEVA. Moskva, Nauka 81, 303 p. (ill.). (AN SSSR. In-t arkhologii).

964. BARKER (Graeme). Landscape and society. Prehistoric central Italy. London a. New York, Academic Press, 81, in-8, 297 p. (55 fig.). (Studies in Archaeol.).

965. Beiträge zur Ur- und Frühgeschichte. T. 1. Berlin, Deutsch. Verl. d. Wiss., 81, in-8, 718 p. (Abb.). (Arbeits- u. Forschungsberichte z. Sächs. Bodendenkmalpflege, Beih. 16).

966. CAMPS (Gabriel). Le peuplement préhistorique des îles de la Méditerranée occidentale. In : Iles de Méditerranée [Cf. n° 216], p. 1-7.

967. CARACCIOLO (Paola). La chiave dei miti. Viaggio nella protostoria. A cura di Roberto CIAPPONI e Vittoria SIMONCELLI. Roma, Trevi editore, 81, in-8, 190 p. (le opinioni, 22).

968. CLUTTON-BROCK (Juliet). Domesticated animals from early times. Austin, Univ. of Texas Press, 81, 208 p. (92 fig., 71 phot., 12 maps).

969. Conchiglie. Il commercio e la lavorazione delle conchiglie marine nel Medio Oriente dal IV al II millennio a. C. Roma, Palazzo Brancaccio, 14 maggio-19 luglio 1981. Catalogo della mostra. Roma, De Luca, 81, in-8, 80 p. (ill., tav.). (Min. per i beni cult. e ambientali. Mus. naz. d'Ar. orient.).

970. DELFINO (Enrico). Liguria preistorica. Sepolture dal paleolitico superiore all'età del ferro in Liguria e nell'area ligure. Alessandro CALABRIA ha collaborato alla realizzazione del testo. Savona, Sabatelli, 81, in-8, 216 p. (tav.).

971. Drevnosti Srednego Podneprov'ja. (Antiquities of the Middle Dnieper.) Sb. nauč. tr. Otv. red. I. I. ARTEMENKO. Kiev, Nauk. dumka, 81, 160 p. (ill.). (AN USSR. Int arkheologii).

972. EDGREN (Torsten). Three prehistoric bows. A contribution to the history or archery in Finland. Acta archaeologica, 80 [81], vol. 51, p. 69-84 (12 fig.).

973. FRANKEL (David). Uniformity and variation in a Cypriot ceramic tradition : two approaches. Levant, 81, vol. 13, p. 88-106.

974. GALLAY (Alain). The western Alps from 2500 to 1500 b. c. (3400-2500 B.C.) : traditions and cultural changes. J. indo-europ. Stud., 81, vol. 9, p. 33-55 (3 fig.).

975. Grotte (La) préhistorique de Kitsos (Attique). Missions 1968-1978 : L'occupation néolithique, les vestiges des temps paléolithiques, de l'antiquité et de l'histoire récente. [Publ. par l'Ecole franç. d'Athènes, sous la dir. de Nicole LAMBERT. Paris, A.D.P.F. ; Athènes, Ecole franç., 81, in-4, 746 p. (fig., tabl., pl.). (Recherche sur les Civilisations, Synthèse, 7).

976. HÄUSLER (Alexander). Zur ältesten

Geschichte von Rad und Wagen im nordpontischen Raum. Ethnogr.-archäol. Z., 81, Jg. 22, p. 581-647.

977. Kultury i ludy dawnej Europy. (Civilisations et peuples de l'ancienne Europe [jusqu'au Xe s.].) Réd. de Stefan Karol KOZŁOWSKI. Warszawa, Państw. Wydawn. Nauk., 81, in-8, 295 p. (42 cartes).

978. KURT (G.), RÖHRER-ERTL (O.). Beiträge zur Anthropologie und Populationsbiologie des Nahen Ostens aus der Zeit vom Mesolithikum bis zum Chalkolithikum. Ein exemplar. Versuch anhand d. Serien vom Tell es Sultan in Jericho, Khirokitia/Cypern, Byblos/Libanon, Eridu/Irak u. Sialk/Iran. Bonn. H. z. Vorgesch., 80, n° 21, p. 31-203 (45 fig.).

979. LINDBLOM (Inge). Markering av status i Nordens forhistorie. (Status marking in Nordic prehistory.) Viking, 81, vol. 44, p. 53-68 (ill.). [Eng. summary].

980. MACPHERSON-GRANT (Nigel). Archaeological work along the A2, 1966-1974. Archaeol. cantiana, 80 [81], vol. 96, p. 133-183.

981. MALINOWSKI (Tadeusz). Les tombes des animaux de la civilisation lusacienne et poméranienne en Pologne. Archaeol. polona, 80, t. 19, p. 207-228 (8 fig.).

982. MALLORY (J.P.). The ritual treatment of the horse in the early Kurgan tradition. J. indo-europ. Stud., 81, vol. 9, p. 205-226.

983. MARINESCU-BÎLCU (Silvia). Tîrpeşti, from prehistory to history in Eastern Romania. Tr. from the Romanian by G. BOLOMEY. London, Brit. Archaeol. Rep., 81, in-4, 443 p. (ill., fig.). - Cf. EADEM, CÂRCIUMARU (Marin), MURARU (Adrian). Contributions to the ecology of pre- and protohistoric habitations at Tîrpeşti [commune of Petricani, country Neamt, Romania]. Dacia, 81, n.s., t. 25, p. 7-31 (17 fig.).

984. MARINGER (Johannes). The horse in art and ideology of Indo-European peoples [from Proto-Indo-European times to the Iron Age]. J. indo-europ. Stud., 81, vol. 9, p. 177-204 (23 fig.).

985. MERCER (Roger). Farming practice in prehistoric Britain. Edinburgh, U.P., 81, in-8, 160 p.

986. MGOMEZULU (Gadi G.Y.). Recent archaeological research and radiocarbon dates from eastern Africa. J. african Hist., 81, vol. 22, p. 435-456.

987. MORRIS (R.W.B.). Prehistoric rock art of Southern Scotland (except Galloway). London, Brit. Archaeol. Rep., 81, in-4, 187 p. (ill., fig.).

988. Novoe v arkheologii Kieva. (New discoveries in the archaeology of Kiev.) Monografija. Redkol. : P. P. TOLOČKO (otv. red.) i dr. Kiev, Nauk. dumka, 81, 455 p. (ill.). (AN USSR. In-t arkheologii).

989. OKLADNIKOV (A.P.). Petroglify Mongolii. (Petroglyphs of Mongolia.) Leningrad, Nauka, 81, 228 p. (ill.). (AN SSSR. Sib. otd-nie. In-t istorii, filologii i filosofii). - IDEM. Petroglify Culutyn-gola (Mongolija). (Petroglyphs of Chulutyn-gola, Mongolia.) Novosibirsk, Nauka, 81, 183 p. (ill.). (AN SSSR. Sib. otd-nie. In-t istorii, filologii i filosofii).

990. Pattern of the past. Essays in honour of David Clarke. Ed. by Ian HODDER, Glynn ISAAC a. Norman HAMMOND. New York, Cambridge U.P., 81, in-4, IX-443 p. (113 fig., 11 phot., 36 tables).

991. Petroglify Čankyr-Kělja : Altaj, Elangas. (Petroglyphs of Chancyr-Culya : Altaj, Elangash.) Avt. A. P. OKLADNIKOV, E. A. OKLADNIKOVA, V. D. ZAPOROŽSKAJA, E. A. SKORYNINA. Otv. red. V. I. MOLODIN. Novosibirsk, Nauka, 81, 145 p. (ill.). (AN SSSR. In-t ètnografii. Sib. otd-nie. In-t istorii, filologii i filosofii).

992. Prahistoria ziem polskich. (Préhistoire des terres polonaises.) Ouvrage collectif réd. par Witold HENSEL. [T. 2-4. Cf. Bibl. 78-79, n° 1136.] T. 5 : Późny okres lateński i okres rzymski. (L'époque de La Tène tardive et l'époque romaine.) Réd. par Jerzy WIELOWIEJSKI. Wrocław, Zakł. Narod. im. Ossolińskich, 81, in-4, 493 p.

993. Preemstvennost' i innovacii v razvitii drevnikh cul'tur. (Succession and innovations in the development of ancient cultures.) Materialy metodol. seminara. Otv. red. V. M. MASSON, V. N. BORJAZ. Leningrad, Nauka, 81, 116 p. (AN SSSR. In-t arkheologii. Leningr. otd-nie...).

994. Préhistoire africaine. Mélanges offerts au doyen L. Balout, réunis par Colette ROUBET, Henri-Jean HUGOT et Georges SOUVILLE. Paris, A.D.P.F., 81, in-4, 376 p. (ill.). (Recherche sur les Civilisations, Synthèse, 6).

995. Préhistoire du Levant. Chronologie et organisation de l'espace depuis les origines jusqu'au VIe millénaire. [Colloque international du C.N.R.S.,] Lyon, Maison de l'Orient méditerranéen, 10-14 juin 1980. Paris, Ed. du C.N.R.S., 81, in-4, 608 p. (Colloques internat. du C.N.R.S., 598).

996. Prehistory (The) of Egyptian oasis. A report of the combined prehistoric expedition to Bir Sahara, Western Desert, Egypt, by Romuald SCHILD and Fred WENDORF, with chapters by Achilles GAUTIER and Bahay ISSAWI and the contrib. of C. Vance HAYNES and others. Wrocław, Zakł. Narod. im. Ossolińskich, 81, in-8, 155 -XXIX p. (Pol. Akad. Nauk, Inst. Hist. Kult. Mater.).

997. Preistoria nell'Udinese. Testimonianze di cultura materiale. Udine, Sala Aiace, 16 marzo-3 maggio 1981. Testi di Francesca BRESSAN, Alfredo RIEDEL, Aldo CANDUSSIO. [Catalogo della Mostra.] Udine, Istit. per l'Encicl. del Friuli-Venezia Giulia, 81, in-8, 86 p. (ill.). (Comune di Udine, Mus. friulano di Stor. naturale. Civici Mus. e gallerie di Stor. e Ar.).

998. Protohistoire du Sénégal : recherches archéologiques. 1 : Les sites mégalithiques. Par G. THILMANS, C. DESCAMPS, B. KHAYAT. Dakar, IFAN, 80, in-4, 158 p. (ill.). (Mém. de l'Inst. fondamental d'Afrique noire, 91).

999. Radiocarbon dating. Ed. by Rainer BERGER a. Hans E. SUESS. Berkeley, Univ. of Calif. Press, 81, in-8, 788 p. (21 pl.).

1000. RHOTERT (Hans), KUPER (Rudolph). Felsbilder aus Wadi Ertan und Wadi Tarhoscht [Südwest-Fezzan, Libyen]. Strichzeichnungen u.

Kt.-Skizzen v. Beatrice KUPER. Graz, Akad. Druck- u. Verl.-Anst., 81, in-fol., 102 p. (Abb., Taf.). (Die afrikan. Felsbilder) (Monogr. u. Dokumentationen).

1001. RUMJANCEV (A.M.). Vozniknovenie i razvitie pervobytnogo sposoba proizvodstva. (Emergence and development of the primitive mode of production.) Prisvaivajuščee khoz. Polit.-èkon. očerki. Moskva, Nauka, 81, 262 p. (AN SSSR. Otd-nie èkonomiki).

1002. SAFFIRO (Luigi). Popoli dell'antica età della pietra in Egitto e Nubia. Aegyptus, 81, a. 61, p. 3-64.

1003. SCHMIDT (Roland). Grundzüge der spät- und postglazialen Vegetations- und Klimageschichte des Salzkammergutes (Österreich) aufgrund palynologischer Untersuchungen von See- und Moorprofilen. Schriftl. : Julius FINK. Wien, Verl. d. Österr. Akad. d. Wiss., 81, in-4, 96 p. (Ill., Taf.). (Mitt. d. Komm. f. Quartärforschung d. Österr. Akad. d. Wiss., 3) [Eng. summary].

1004. SELIRAND (Jüri). Die archäologischen Forschungen in der Estnischen SSR in den Jahren 1967-1978. Z. f. Archäol., 80, Jg. 14, p. 67-97 (12 Abb.).

1005. SIMMONS (Ian), TOOLEY (Michael). The environment in British prehistory. London, Duckworth, 81, in-8, 334 p.

1006. SPINDLER (Konrad). Cova da Moura. Die Besiedlung des atlantischen Küstengebiets Mittelportugals vom Neolithikum bis an das Ende der Bronzezeit. Mainz, v. Zabern, 81, in-4, 300 p. (55 Fig., 69 Taf.). (Deutsch. Archäolog. Inst., Madrider Beitr., 7).

1007. TATTON-BROWN (Tim). Excavations at the "Old Palace", Bekesbourne, near Canterbury. Archaeol. cantiana, 80 [81], vol. 96, p. 27-57 (diagr.).

1008. TODD (Ian A.). The prehistory of central Anatolia. Vol. 1 : The neolithic period. Göteborg, Aström, 80, 177 p. (44 fig., 23 pl.).

1009. TROST (Franz). Die Felsbilder des zentralen Ahaggar [Algerische Sahara]. Mit e. Vorw. v. Hans BIEDERMANN u. Beitr. v. D. ERNST u.a. Graz, Akad. Druk- u. Verl.-Anst., 81, in -fol., 251 p. (Abb.). (Die afrikan. Felsbilder). (Monogr. u. Dokumentationen).

1010. WILDUNG (Dietrich). Ägypten vor den Pyramiden : Münchener Ausgrabungen in Ägypten. Mainz, v. Zabern, 81, in-4, 48 p. (46 pl.).

Cf. n°s 541, 714, 829, 1473, 1483, 6960, 7033, 7053.

§ 2. Paleolítico y mesolítico.

1011. APARICIO PÉREZ (J.). Primeros dataciones de C-14 para el Musteriense valenciano. Arch. Prehist. levantina, 81, vol. 16, p. 9-36.

1012. ASHMORE (A.M.). The typology and age of the Fordwich handaxes. Archaeol. cantiana, 80 [81], vol. 96, p. 83-117.

1013. BITIRI (Maria). Aşezarea paleolitică de la Udeşti şi specificul ei cultural. (Le site de Udeşti [Roumanie] et son caractère culturel.) Studii Cerc. Ist. veche, 82, t. 32, p. 331-345 (6 fig.). [Rés. franç.].

1014. BITIRI (Maria), CÂRCIUMARU (Marin). Consideraţii asupra unor probleme privind dezvoltarea paleoliticului superior şi mediul său natural pe teritoriul României. (Quelques problèmes du développement du paléolithique supérieur et son milieu naturel sur le territoire de la Roumanie.) Stud. Cercet. Ist. veche, 81, t. 32, p. 3-19 (8 fig.). [Rés. franç.].

1015. EL-AMIN (Y.M.). Later Pleistocene cultural adaptations in Sudanese Nubia. London, Brit. Archaeol. Rep., 81, in-4, 233 p. (fig.).

1016. GÁBORINÉ CSÁNK (Vera). Az ősember Magyarországon. (L'homme primitif en Hongrie.) Budapest, Gondolat Kiadó, 80, in-8, 264 p.

1017. GOB (A.). Le mésolithique dans le bassin de l'Ourthe. Liège, Soc. wallonne de palethnologie, 81, in-4, 358 p. (fig., pl.). (Soc. wallonne de palethnol., Mém., 3).

1018. GUSENCOVA (T.M.). Novye mezolitičeskie poselenija v meždurečje Kamy i Vjatki. (Newly discovered Mesolithic settlements in the area between the Kama and the Vyatka Rivers.) Sovet. Arkheol., 81, n° 3, p. 130-147.

1019. KHOLJUŠKIN (Ju.P.). Problemy korreljacii pozdnepaleolitičeskikh industrij Sibiri i Srednej Azii. (Problems of correlation of late Paleolithic industries of Siberia and Middle Asia.) Novosibirsk, Nauka, 81, 120 p. (ill.). (AN SSSR. Sib. otd-nie. Komis. po vostokovedeniju. In-t istorii, filologii i filosofii) (Istorija i kul'tura Vostoka Azii).

1020. LAMPERT (R.J.). Variation in Australia's Pleistocene stone industry. J. Soc. Océanistes, 80 [81], t. 36, n° 68, p. 190-206 (10 fig.).

1021. Mesolithikum in Europa. 2. internat. Symposium, Potsdam, 3. bis 8. April 1978, Bericht. Museum f. Ur- u. Frühgesch., Potsdam ; Comm. "Le Role des Structures Culturelles du Mésolith. dans la Néolithisation" de l'U.I.S.P.P. Hrsg. v. Bernhard GRAMSCH. Berlin, Deutsch. Verl. d. Wiss., 81, in-4, 472 p. (Abb.). (Veröff. d. Museums f. Ur- u. Frühgesch. Potsdam, 14-15)

1022. NOWAK (Krystian). Versuch einer räumlich-zeitlichen Einteilung der mesolithischen Pfeilspitzen im Gebiet Polens. Archaeol. polona, 80, t. 19, p. 153-176 (kt.).

1023. OKLADNIKOV (A.P.). Paleolit Central'-noj Azii. Mojltyn am (Mongolija). (The Paleolithic of Central Asia : Moyltyn am, Mongolia.) Novosibirsk, Nauka, 81, 459 p. (ill.). (AN SSSR. Sib. otd-nie. In-t istorii, filologii i filosofii).

1024. OTTE (M.). Le Gravettien en Europe centrale. T. 1, 2. Brugge, De Tempel, 81, 2 vol. in-4, 505 p. (251 fig.). (Diss. archaeol. Gandenses, 20).

1025. PĂUNESCU (Alexandru). Mezoliticul de la Erbiceni şi Ripiceni-Izvor, expresia a tardenoasianului nord-vest pontic. (Le mésolithique d'Erbiceni et de Ripiceni-Izvor [Roumanie], expression du Tardenoisien nord-ouest pontique.) Stud. Cercet. Ist. veche, 81, t.32, p. 479-509 (13 fig.).

1026. PRAT (François). Les équidés villafranchiens en France : genre Equus. Paris, Ed. du

C.N.R.S., 80, in-4, 290 p. (ill.). (Cah. du Quaternaire, 2).

1027. Priroda i drevny čelovek. Osnovnye ětapy razvitija prirody paleolit. čeloveka i ego kul'tury na territorii SSSR v plejstocene. (Nature and ancient man. Main stages in the evolution of the natural environment of early man and of its civilization in the Pleistocene on the territory of the URSS.) Avt. : G. I. LAZUKOV, M. D. ÉVOZDOVER, Ja. Ja. ROGINSKIJ i dr. Sost. G. I. LAZUKOV. Moskva, Mysl', 81, 223 p. (ill.)

1028. ROE (Derek A.). The lower and middle palaeolithic periods in Britain. Boston, Mass., a. London, Routledge a. Kegan Paul, 81, in-4, XVI-324 p. (115 fig., 38 pl., 20 tables).

1029. SEMANS (Cheryl A.). Analysis of an acheulian collection from Peera Nullah, Narmada Valley, India. Man a. Environment, 81, vol. 5, p. 13-31 (22 fig.).

1030. UTRILLA MIRANDA (Pilar) El magdaleniense inferior y medio en la costa cantábrica. Santander, Ministerio de Cultura, Dir. general de Bellas Artes, Archivos y Bibliotecas, 81, in-4, 335 p. (ill.). (Monografías, Centro de investigación y Museo de Altamira, 4).

1031. VANDERMEERSCH (Bernard). Les hommes fossiles de Qafzeh (Israël). Paris, Ed. du C.N.R.S., 81, in-4, 319 p. (ill., 12 p. de pl.). (Cah. de paléontologie).

1032. WYMER (J.J.). The palaeolithic period, a world survey. London, Croom Helm, 81, in-8, 320 p. (ill.).

1033. ZAJBERT (V.F.), POTEMKINA (T.M.). K voprosu o mezolite lesostepnoi časti Tobolo-Irtyšskogo meždurekhja. (On the problem of the Mesolithic of the steppe-forest zone between the Tobol and the Irtysh Rivers.) Sovet. Arkheol., 81, n° 3, p. 107-129.

§ 3. Neolítico.

1034. BAGOLINI (Bernardo). I processi neolitizzatori nell'Italia settentrionale nel quadro di una problematica generale. Dialoghi Archeol., 81, n.s., a. 3, fasc. 1, p. 1-12.

1035. BRAIDWOOD (Robert J.), ÇAMBEL (Halet), SCHIRMER (Wulf), et al. Beginnings of village-farming communities in southeastern Turkey : Çayönu Tepesi, 1978 and 1979. J. Field Archaeol., 81, vol. 8, p. 249-258.

1036. DODD-OPRITESCU (Ann). Ceramica ornamentată cu şnurul din aria culturilor Cucuteni şi Cernavoda I. (la céramique décorée à la corde dans l'aire des civilisations de Cucuteni et de Cernavoda I.) Studii Cerc. Ist. veche, 81, t. 32, p. 511-528 (9 fig.). [Rés. franç.]

1037. ENGELHARDT (Bernd). Das Neolithikum in Mittelfranken. Bd 1 :Alt- und Mittelneolithikum. Kallmünz/Opf., Lassleben, 81, in-4, 129 p. (25 Abb., 71 Taf., 5 Kt.).(Materialhefte z. bayer. Vorgesch., A 42).

1038. GOLSON (Jack), HUGHES (P.J.). The appearence of plant and animal domestication in New Guinea. J. Soc. Océanistes, 80 [81], t. 36, n° 69, p. 294-303 (3 fig.).

1039. GRYGIEL (Ryszard), BOGUCKI (Peter I.). Early neolithic sites at Brześć Kujawski, Poland. Preliminary report on the 1976-1979 excavations. J. Field Archaeol., 81, vol. 8, p. 9-27 (18 fig.).

1040. HEGGIE (Douglas C.). Megalithic science : ancient mathematics and astronomy in North-West Europe. London, Thames a. Hudson, 81, in-8, 256 p. (ill.).

1041. HERITY (Michael). Irish decorated neolithic pottery and its context. J. indo-europ. Stud., 81, vol. 9, p. 69-93 (12 fig.).

1042. KNÖLL (H.). Kragenflaschen. Ihre Verbreitung und ihre Zeitstellung im europäischen Neolithikum. Neumünster, Wachholtz, 81, in-4, 109 p. (11 Fig., 21 Taf., 19 Kt.). (OFFA-Bücher, 41).

1043. KRUK (Janusz). Neolithic settlement of Southern Poland. Ed. by J. M. HOWELL a. N. J. STARLING ; tr. from the Polish by M. HEJWOWSKA. London, Brit. Archaeol. Rep., 81, in-4, 126 p. (fig.). - Cf. KRUK (Janusz), MILISAUSKAS (Sarunas). Chronology of Funnel Baker, Baden-like and Lublin-Volhynian settlements at Bronocice, Poland. Germania, 81, Jg. 59, p. 1-19 (14 fig.).

1044. KRZAK (Zygmunt). Der ursprung der schnurkeramischen Kultur. Germania, 81, Jg. 59, p. 21-29.

1045. KUNZE (Walter). Keramik der Pfahlbauern. Berichte über Untersuchungen d. jungsteinzeitl. Töpferei am Mondsee. Mit Beitr. v. Alfred VOGELSBERGER u. Heinz SVEJDA. Linz, OÖ Musealverein [Oberösterr. Landesverl. in Komm.], 81, in-8, 77 p. (16 p. fig.). (Schriftenr. d. OÖ Musealvereines, Ges. f. Landeskunde, 11).

1046. LAZAROVICI (Gh.), LAKÓ (Éva). Săpăturile de la Zăuan - campania din 1980 şi importanţa acestor descoperiri pentru neoliticul din nord-vestul României. (Die Ausgrabungen von Zăuan - die Kampagne von 1980 u. die Bedeutung d. Entdeckungen für das Neolithikum Nord-West-Rumäniens.) Acta Musei napocensis, 81,t. 18, p. 13-44 (18 fig.). [Mit dt. Zsfassung]

1047. LE BRUN (Alain). Cap Andreas-Kastros, un site néolithique précéramique en Chypre. Paris, A.D.P.F., 81, in-4, 226 p. (ill.). (Recherche sur les Civilisations, Mém., 5).

1048. LISICYNA (Gorislava), FILIPOVIČ (Ljuba). Kulturpflanzenfunde des 7.-2. Jahrtausends v.u.Z. auf dem Balkan. Z. f. Archäol., 81, Bd 15, p. 77-86.

1049. LIVERSAGE (David). Neolithic monuments at Lindebjerg, northwest Zealand. Acta archaeologica, 80 [81], vol. 51, p. 85-152 (40 fig.).

1050. MADSEN (T.). Earthen long barrows and timber structures : aspects of the early Neolithic mortuary practice in Denmark. Proc. prehist. Soc., 79 [80], vol. 45, p. 301-320.

1051. MALMER (Mats P.). A chorological study of North European rock art. Stockholm, Almqvist a. Wiksell international, 81, in-4, 143 p. (ill.). (K. Vitterhets-, historie- o.antikvitetsakad. handl., Antikvariska ser., 32).

1052. MARKEVIČ (V.I.). Pozdnetripol'skie

plemena Severnoj Moldavii. (Late Tripolye tribes of Northern Moldavia.) Kišinev, Štiinca, 81, 194 p. (ill.).

1053. MUNČAEV (R.M.), MERPERT (N.Ja.). Rannezemledel'českie poselenija Severnoj Mesopotamii. (Early agricultural settlements of northern Mesopotamia.) Issled. sov. ėkspedicii v Irake. Moskva, Nauka, 81, 320 p. (ill.). (AN SSSR. In-t arkheologii).

1054. ROMAN (Petre). Forme de manifestare culturală din eneoliticul tîrziu și perioda de tranziție spre epoca bronzului. (Formes de manifestation culturelle de l'énéolithique tardif et de la période de transition vers l'Age du Bronze.) Studii Cerc. Ist. veche, 81, t. 32, p. 21-42. [Rés. franç.].

1055. ROUDIL (Odile), BERARD (Georges). Les sépultures mégalithiques du Var. Paris, Ed. du C.N.R.S., 81, in-4, 222 p. (172 fig.).

1056. Schnurkeramik-Symposium, Halle 1979. Leitung : Hermann BEHRENS. Jschr. f. mitteldeutsche Vorgesch., 81, Bd 64, p. 7-239 (Abb.).

1057. SOLECKI (Rose L.). An early village site at Zawi Chemi Shanidar. Malibu, Calif., Undena, 81, in-8, VI-85 p. (16 fig., 13 pl.). (Bibl. mesopotamica, 13).

1058. SOLER GARCÍA (José María). El eneolítico en Villena (Alicante). Valencia, Univ., Dep. de Hist. antigua, Fac. de Geogr. e Hist., 81, in-4, 137 p. (ill., pl.). (Ser. arqueológ., 7).

1059. Tagung über die Walternienburg-Bernburger Kultur und gleichzeitige Kulturerscheinungen der Trichterbecherkultur bzw. Tiefstichkeramik. Leitung : Hermann BEHRENS Jschr. f. mitteldeutsche Vorgesch., 81, Bd 63, p. 9-193 (Abb.).

1060. TRET'JAKOV (V.P.). Orudija truda verkhnedneprovskoj neolitičeskoj kul'tury. (Labour instruments of the upper reaches of the Dnieper Neolithic culture.) Sovet. Arkheol., 81, n° 3, p. 5-15.

1061. TWOHIG (Elizabeth Shee). The megalithic art of Western Europe. Oxford, Clarendon Press, 81, in-4, 260 p. (290 fig., 41 pl., 13 tables).

Cf. n° 1021.

§ 4. Edad del bronce.

1062. BARRETT (J.), BRADLEY (Richard). Settlement and society in the later British Bronze Age. London, Brit. Archaeol. Rep., 81, in-4, 500 p. (fig.).

1063. BRUN (P.). L'habitat à l'âge du Bronze dans la moitié nord de la France (Contribution à l'élaboration d'une problématique). B. Soc. archéol. champenoise, 81, t. 74, p. 9-62 (17 fig.).

1064. BUKOWSKI (Zbigniew). The "Pre-Lusatian and Trzciniec" phase spreading over the area north of the Carpathians and the Sudeten mountains. Archaeol. polona, 81, t. 20, p. 65-79.

1065. COFFYN (A.), GOMEZ (J.). MOHEN (J.-P.). L'apogée du Bronze atlantique : le dépôt de Vénat. Paris, Picar, 81, in-4, 240 p. (ill., pl.,

cartes). (L'Age du Bronze en France, 1).

1066. DINU (Marin). Clay models of wheels discovered in Copper Age cultures of old Europe, mid-fifth millenium B.C. [calibrated dating]. J. indo-europ. Stud., 81, vol. 9, p. 1-14 (9 fig.).

1067. DONDER (H.). Zaumzeug aus Griechenland und Cypern. München, Beck, 80, in-4, IX-153 p. (43 Taf.). (Prähist. Bronzefunde, Abt. XVI, 3).

1068. Ėtničeskie problemy istorii Central'noj Azii v drevnosti. II tysjačeletie do n.ė. (Ethnic problems of the history of Central Asia in the early period : (second millenium B.C.) Tr. Meždunar. simpoz. Dušanbe, 17-22.10.77) Redkol.: M. S. ASIMOV i dr. Moskva, Nauka, 81, 374 p. (ill.).

1069. GAUCHER (Gilles). Sites et cultures de l'âge du bronze dans le Bassin Parisien. Paris, Ed. du C.N.R.S., 81, in-4, 462 p. (165 fig., 12 p. de pl., 16 cartes). (Gallia Préhist., suppl. 15).

1070. GEDIGA (Bogusław). Forschungsprobleme der frühen Bronzeperioden in Westpolen. Archaeol. polona, 80, t. 19, p. 177-191 (7 Abb.).

1071. GEDL (Marek). La civilisation prélusacienne. Archaeol. polona, 80, t. 19, p. 193-205.

1072. HOCHSTETTER (A.). Eine Nadel der Noua-Kultur aus Nord-griechenland. Ein Beitr. z. absoluten Chronologie d. späten Bronzezeit im Karpatenbecken. Germania, 81, Jg. 59, p. 239-259 (Abb.).

1073. HOLLOWAY (R. Ross.). Italy and the Aegean 3000-700 B.C. Louvain, Institut supérieur d'archéol. et d'hist. de l'art-U.C.L., 81, in-4, 158 p. (Publ. d'Hist. de l'art et d'archéol. de l'Univ. Cathol. de Louvain, 28).

1074. HÜTTEL (H.-G.). Bronzezeitliche Trensen in Mittel- und Osteuropa. Grundzüge ihrer Entwicklung. München, Beck, 81, in-4, IX-209 p. (51 Taf.). (Prähist. Bronzefunde, Abt. XVI, 2).

1075. IRIMIA (M.). Observații privind epoca bronzului în Dobrogea în lumina unor cercetări recente. (Bermerkungen betreffend die Bronzezeit in der Dobrudscha im Lichte d. neueren Forschungen.) Stud. Cercet. Ist. veche, 81, t. 32, p. 347-369 (6 fig.). [Dt. Zsfassung].

1076. JAANUSSON (H.). Hallunda. A study of pottery from a late Bronze Age settlement in central Sweden. Stockholm, Statens hist. Museum, 81, in-8, 140 p. (59 fig.). (The Museum of National Antiquities, Stockholm, Studies, 1).

1077. JOHANSEN (Øystein). Metallfunnene i østnorsk bronsealder : kulturtilknytning og forutsetninger for en marginalekspansjon. (The metal finds from East Norwegian Bronze Age : Cultural ties and assumptions for a marginal expansion.) Oslo, Univ. i Oslo, Oldsaksamlingen, 81, 202 p. (ill.). (univ. oldsaksaml. skr., Ny rekke, 4).

1078. KALB (P.). Zur atlantischen Bronzezeit in Portugal. Germania, 80, Jg. 58, p. 25-59 (23 fig.).

1079. KOHL (Philip L.). The bronze age civilization of Central Asia : recent Soviet discoveries. Armonk, N.Y., M. E. Sharp, 81, XXXX-399 p. (172 fig., 5 tables).

1080. KOSAREV (M.F.). Bronzovyi vek Zapadnoj Sibiri. (The Bronze Age of Western Siberia.) Moskva, Nauka, 81, 278 p. (ill.). (AN SSSR. In-t arkheologii).

1081. KOSCHIK (Harald). Die Bronzezeit im südwestlichen Oberbayern. T. 1 : Text. T. 2 : Tafeln. Kallmünz/Opf., Lassleben, 81, 2 vol. in-4, 280 p. (ill.) ; 180 p. Taf. u. Kt.

1082. MARSTRANDER (Sverre). Zur Holzschnittkunst im bronzezeitlichen Norwegen. Acta archaeologica, 79 [80], vol. 50, p. 61-88 (22 fig.).

1083. MASIMOV (I.S.). Novye nakhodki pečatej epochi bronzy s nizovij Murgaba. (New finds of Bronze Age seals from the lower Murgab.) Sov. Arkheol., 81, n° 2, p. 132-150.

1084. OANCEA (Alexandru). Considérations sur l'étape finale de la culture de Monteoru. Dacia, 81, n.s., t. 25, p. 131-191 (fig.).

1085. O'CONNOR (Brendan). Cross-channel relations in the Later Bronze Age. London, Brit. Archaeol. Rep., 81, in-4, 858 p. (fig., maps).

1086. PRIMAS (Margarita), RUOFF (Ulrich). Die urnenfelderzeitliche Inselsiedlung "Grosser Hafner" im Zürichsee (Schweiz). Germania, 81, Jg. 59, p. 31-50 (11 Abb.).

1087. RYSIEWSKA (Teresa). La structure patriarcale des clans comme type hypothétique de la structure sociale des groupes humains dans la culture lusacienne. Essai de vérification de l'hypothèse d'après la nécropole de Przeczyce [district de Zawiercie, Pologne]. Archaeol. polona, 80, t. 19, p. 7-48.

1088. SCHALK (Emily). Die frühbronzezeitliche Tellsiedlung bei Tószeg, Ostungarn, mit Fundmaterial aus der Sammlung Groningen (Niederlande) und Cambridge (Grossbritannien). Dacia, 81, n.s., t. 25, p. 63-129 (Abb., Taf.).

1089. SERANGELI (Flavia). Insediamento e urbanizzazione nella Palestina del Bronzo antico. Roma, Istit. di Studi del Vicino Oriente, 80, in-8, 340 p. (20 fig., 9 tav.). (Quad. di Geogr. stor., 2)

1090. SOCHACKI (Zdsisław). The Baden culture. Archaeol. polona, 81, t. 20, p. 27-63 (diagr., pl., maps). - IDEM. Z zagadnień ekonomiczno-społecznych kultury ceramiki promienistej w Europie. (Les problèmes économico-sociaux de la civilisation à céramique rayonnante [de Baden] en Europe.) Archeol. Polski, 81, vol. 26, fasc. 1, p. 115.

1091. Stanovlenie proizvodstva v eneolita i bronzy. Po materialam Juž. Turkmenistana. (The beginnings of production in the Aeneolithic and the Bronze Ages. On the evidence of materials from southern Turkmenistan.) Otv. red. : B. KOLČIN, E. V. SAJKO. Moskva, Nauka, 81, 123 p. (ill.).

1092. SWINY (S.). Bronze age settlement patterns in south west Cyprus. Levant, 81, vol. 13, p. 51-87 (8 fig.).

1093. TAYLOR (Joan J.). Bronze Age goldwork of the British Isles. London, Cambridge U. P., 81, in-4, 199 p. (dr., tab., maps). (Gulbenkian Archaeol. Ser.).

1094. TONČEVA (Goranka). Un habitat lacustre de l'âge du Bronze ancien dans les environs de la ville de Varna (Ézérovo II). Dacia, n. s., t. 25, p. 41-62 (26 fig.).

1095. YAKAR (Jak). The Indo-Europeans and their impact on Anatolian cultural development. J. indo-europ. Stud., 81, vol. 9, p.94-112 (3 pl.).

1096. ZANOTTI (David G.). The effect of Kurgan wave two on the eastern Mediterranean (3200-3000 B.C.). J. indo-europ. Stud., 81, vol. 9, p. 275-302 (18 fig.).

Cf. n°s 1303, 6957.

§ 5. Edad del hierro.

1097. AIGNER-FORESTI (Luciana). Der Ostalpenraum und Italien : ihre kulturellen Beziehungen im Spiegel der anthropomorphen Kleinplastik aus Bronze des 7. Jh. v. Chr. Firenze, Olschki, 81, in-4, XII-125 p. (tav.). (Dissert. di etruscologia e Ant. ital. pubbl. a cura dell'Istit. di Studi etruschi ed ital. Univ. ital. per stranieri, Perugia).

1098. BARCEVA (T.B.). Cvetnaja metalloobrabotka skifskogo vremeni. Lesostepnoe Dnepr. Levoberež'e. (Non-ferrous metal treatment in the Scythian period. The forest-steppe left-bank of the Dnieper.) Moskva, Nauka, 81, 126 p. (ill.). (AN SSSR. In-t arkheologii).

1099. Beiträge zur vorrömischen Eisenzeit in Ostwestfalen. Hrsg. v. K. GÜNTHER. Münster, Aschendorff, 81, in-4, VIII-148 p. (ill.). (Bodenaltertümer in Westf., 18).

1100. BENDER JØRGENSEN (Lise). Cloth of Roman Iron Age in Denmark. Acta archaeologica, 79 [80], vol. 50, p. 1-60 (35 fig. a. maps).

1101. Coming (The) of the age or iron. Ed. by T. A. WERTIME a. J. D. MUHLY. New Haven, Conn., a. London, Yale U.P., 81, in-8, XIX-555 p. (ill.).

1102. Eisengewinnung und -verarbeitung in der Frühzeit. Vorträge, gehalten anlässlich d. Tagung d. Fachausschusses d. Bergmänn. Verbandes Österreichs in Reichenau a. d. Rax, N.-Ö. 22. bis 24. Sept. 1977. Wien, Montan-Verl., 81, in-8, 112 p. (Leobener grüne Hefte, N.F., 2).

1103. GÅRDLÖSA. An Iron Age community in its natural and social setting. 1. Interdisciplinary studies by B. STJERNQUIST, S. SKANSJÖ, P. SANDGREN et al. Lund, Gleerup, 81, in-4, 134 p. (45 fig., 28 tabl.). (Acta Regio Soc. Humaniorum Litterarum Lundensis, 75)

1104. GUMĂ (Marian). Cîteva observații asupra grupului Bosut. (Some remarks on the Bosut group.) Studii Cerc. Ist. veche, 81, t. 32, p. 43-66 (16 fig.). [Eng. summary].

1105. JONES (M.), DIMBLEBY (G.). The environment of man : the Iron Age to the Anglo-Saxon period. London, Brit. Archaeol. Rep., 81, in-4, 336 p. (ill., fig.).

1106. KOBYLIŃSKA (Urszula). Sambian style in the early Roman period : the problem of origin and development of aesthetic norms. Archaeol. polona, 81, t. 20, p. 123-158.

1107. LUKACS (John R.). Dental pathology and nutritional patterns of south Asian megalithbuilders : the evidence from iron age Mahurjhari. Proc. am. philos. Soc.; 81, vol. 125, n° 3, p. 220-237.

1108. Necropoli e usi funerari nell'età del ferro. Studi a cura di Renato PERONI. Contributi di Giovanna BERGONZI [e altri]. Bari, De Donato, 81, in-8, 306 p. (ill., tab.). (Archeol. Mater. e Probl., 5).

1109. NICKELS (A.), PELLECUER (C), RAYNAUD (C.), ROUX (J.C.), ADGÉ (M.). La nécropole du premier âge de fer d'Adge : les tombes à importations grecques. Mél. Ec. franç. Rome, Antiquité, 81, t. 93, p. 89-125.

1110. NIEWĘGŁOWSKI (Andrzej). Zur Erforschung des Bestattungsbrauchtums der Bevölkerung der Przeworsk-Kultur in der jüngeren vorrömischen Eisenzeit. Archaeol. polona, 81, t. 20, p. 81-122.

1111. POPHAM (M.R.) a. others. Lefkandi I. Text : Iron Age. London, Thames a. Hudson, 81, in-8, 464 p. (ill., ch.). (Brit. School of Archaeol. at Athens).

1112. Prima Italia. L'arte italica del I millennio a. C. Museo Luigi Pigorini. Roma, 18 marzo-30 aprile 1981. [Catalogo della Mostra.] Roma, De Luca, [81], 232 p. (ill.) (Min. per i beni cult. e ambientali, Soprint. speciale al Mus. preistor. ed etnogr.).

1113. Problemy zapadnosibirskoj arkheologii. Èpokha železa. (Problems of Western Siberian archaeology : the Iron Age.) Sb. Otv. red. T. N. TROICKAJA. Novosibirsk, Nauka, 81, 152 p. (ill.). (AN SSSR. Sib. otd-nie. In-t istorii, filologii i filosofii).

1114. RADDATZ (K.). Sörup I. Ein Gräberfeld der Eisenzeit in Angeln. Neumünster, Wachholtz, 81, in-4, 201 p. (Fig., Taf., Kt.). (OFFA-Bücher, 46).

1115. SKJØLSVOLD (Arne). En tidlig romertids grav i Rendalsfjellene og noen tanker omkring den aldste jernaldersbosetning i sydnorske innlandsstrøk. (An early Roman time grave in the Rendal Mountains and some reflections about the oldest Iron Age inhabitants in upland regions of Southern Norway.) Viking, 81, vol. 44, p. 5-33. [Eng. summary].

1116. SOLBERG (Bergljot). Spearheads in the transition period between the early and late iron age in Norway. Acta archaeologica, 80 [81], vol. 51, p. 153-172 (22 fig.).

1117. STARY (Peter F.). Zur Bedeutung und Funktion zweirädriger Wagen während der Eisenzeit in Mittelitalien. Hamburger Beitr. z. Archäol., 80 [81], Bd 7, p. 7-21 (fig., pl.). - IDEM. Ursprung und Verbreitung der eisenzeitlichen Ovalschilde mit spindelförmigem Schildbuckel. Germania, 81, Jg. 59, p. 287-306 (Abb.).

1118. STECH-WHEELER (T.), MUHLY (J.D.), MAXWELL-HYSLOP (K.R.), MADDIN (R.). Iron at Taanach and early iron metallurgy in the eastern Mediterranean. Am. J. Archaeol., 81, vol. 85, n° 3, p. 245-268.

1119. WELLS (Peter). Culture contact and culture change : early Iron Age central Europe and the Mediterranean world. New York, Cambridge U.P., 81, in-8, XI-177 p. (37 fig.).

1120. WHIMSTER (Rowan). Burial practice in Iron Age Britain, a discussion and gazetteer of the evidence, 700 B.C.-A.D. 457. London, Brit. Archaeol. Rep., 81, in-4, 457 p. (fig.).

Cf. n°s 1105, 2607.

§ 6. Pueblos protohistóricos de Europa, excepto los de Grecia e Italia antiguas.

** 1121. SZÁDECZKY-KARDOSS (Samu), OLAJOS (Teréz). Az avar történelem forrásai. V. A 6-7. század fordulója táján kelt hiradás a avarok hadmüvészetéről. VI/1. Az 594 előttre datálható események. (Sources of the Avar history. [IV/1-2. Cf. Bibl. 80, n° 1055.] V : News dating to the sixth a. seventh cent. A.D. Concerning the art of war of the Avars. VI/1 : Events dated before 594 A.D.) Archaeol. Ert., 81, vol. 108, n° 1, p. 81-88.

1122. BÁLINT (Csanád). Der landnahmezeitliche Grabfund von Pestlőrinc. Acta archaeol. Acad. Sci. hungaricae, 80, vol. 32, n°s 1-4, p. 241-250.

1123. BENAC (Alojz). Some problems of the western Balkans : the beginning of Indo-Europeanization in the coastal zone of Yugoslavia and Albania. J. indo-europ. Stud., 81, vol. 9, p. 15-31 (5 maps).

1124. BERCIU (Dumitru). Buridava dacică. (La ville dace de Buridava.) Bucureşti, Ed. Acad., 81, in-8, 176 p. (120 pl.).

1125. BITTEL (K.), KIMMIG (W.), SCHIEK (S.). Die Kelten in Baden-Württemberg. Stuttgart, Theiss, 81, 533 p.

1126. BÓNA (István). Studien zum frühawarischen Reitergrab von Szegvár. Acta archaeol. Acad. Sci. hungaricae, 80, vol. 32, n°s 1-4, p. 31-96.

1127. COMAN (Ioan G.). L'immortalité chez les Thraco-Géto-Daces. R. Hist. Relig., 81, t. 198, p. 243-278.

1128. DAICOVICIU (Hadrian). Burébista, roi des Daces. R. roumaine Hist., 80, t. 19, p. 149-159.

1129. DENISOVA (V.I.). Koroplastika Bospora. (The choroplastic of the Bospor an Empire.) Po materialam Tiritaki, Marmekija, Ilurata i sel. usad'by. (Based upon the material from Tiritaka, Marmekij, Ilurat a. rural settlements.) Leinigrad, Nauka, 81, 171 p. (ill.). (AN SSSR).

1130. GAJDUKEVIČ (V.F.). Bosporskie goroda. Ustupčatye sklepy. Éllinist. usad'ba. Ilurat. (Bosporian towns. Stepped crypts. Hellenistic farmstead. Ilurat.) Pod red. A. L. JAKOBSONA. Leningrad, Nauka, 81, 173 p. (ill.). (AN SSSR. In-t arkheologii).

1131. GROJUNOV (E.A.). Rannie ètapy istorii slavjan Dneprovskogo Levoberež'ja. (Early stages of Slav history of the left-bank Dnieper.) Leningrad, Nauka, 81, 135 p. (ill.). (AN SSSR. In-t arkheologii).

1132. GUMĂ (Marian). O nouă contribuţie archeologică la studiul manifestărilor religioase ale geto-dacilor. (Une nouvelle contribution archéologique à l'étude des manifestations religieuses chez les Géto-Daces.) Acta Musei napocensis, 81, t. 18, p. 45-58. [Rés. franç.].

1133. HENSEL (Witold). Les aspects sociologiques de l'art mineur slave du haut moyen âge. Archaeol. polona, 81, t. 20, p. 7-25.

1134. HERRMANN (Joachim). Problemy badawcze historii i kultury Słowian północnozachodnich. (Les problèmes de l'histoire et de la culture des Slaves du Nord-Ouest [VIe-IXe s.].) Kwart. hist., 81, a. 88, n° 1, p. 21-34.

1135. HODDINOTT (R.F.). The Thracians. London, Thames a. Hudson, 81, in-8, 192 p. (168 ill.). (Ancient peoples a. places, 98).

1136. ILIESCU (Vladimir). Pînă cînd a domnit Burebista ? (Bis wann hat König Burebista eigentlich geherrscht ?) Studii Cerc. Ist. veche, 81, t. 32, p. 67-75. [Dt. Zsfassung].

1137. KŐHEGYI (Mihály). Das landnahmezeitliche Gräberfeld von Madaras (Komitat Bács-Kiskun). Acta archaeol. Acad. Sci. hungaricae, 80, vol. 32, n° 1-4, p. 205-239.

1138. KOKOWSKI (Andrzej). Pochówki kowali w Europie od IV w p.n.e. do VI w. n.e. (Les sépultures des forgerons en Europe du IVe s. av. n.è. au VIe s. de n.è.) Archeol. Polski, 81, vol. 26, fasc. 1, p. 191-218.

1139. KRÜGER (Bruno). Dzieje i kultura plemion germańskich w Europie środkowej. Problemy i zadania badawcze. (L'histoire et la culture des tribus germaniques en Europe Centrale. Problèmes de recherche. [VIII/VII s. av. J.-C. - V/VI s. après J.-C.]. Kwart. hist., 81, a. 88, n° 1, p. 7-19.

1140. LÁSZLÓ (Gyula). Őstörténetünk. Egy régész gondolatai néppé válásunkról. (Notre préhistoire. Les pensées d'un archéologue sur la formation de la nation hongroise.) Budapest, Tankönyvkiadó, 81, in-8, 173 p.

1141. MAŃCZAK (Witold). Praojczyzna Słowian. (La protopatrie des Slaves.) Wrocław, Zakł. Narod, im. Ossolińskich, 81, in-8, 154. (Pol. Akad. Nauk Komitet Słowianoznawstwa. Monografie Slawistyczne, 44).

1142. MANSFELD (Günter). Untersuchungen an spätkeltischen Viereckschanzen. Fundber. aus Baden-Württ., 81, Bd 6, p. 351-368.

1143. NANDRIS (J.G.). Aspects of Dacian economy and highland zone exploitation. Dacia, 81, n.s., t. 25, p. 231-254.

1144. NOWAKOWSKI (Wojciech). Zum Problem der Siedlungsfortdauer in der masurischen Seenplatte im 1. Jahrtausend u. Z. im Lichte von Forschungsergebnissen hinsichtlich der Mikroregion der Salt [i.e. Sałęt] Seeufer. Archaeol. polona, 80, t. 19, p. 49-69 (Abb., Kt.).

1145. PAJĄKOWSKI (Włodzimierz). Ilirowie = Illurioi = Illyrii proprie dicti. Siedziby i historia, próba rekonstrukcji. (Les Illyriens = Illurioi = Illyri proprie dicti. Territoires et histoire, essai de reconstruction.) Poznań, 81, in-8, 289 p. (Uniw. im. Adama Mickiewicza w Poznaniu. Historia, 87)

1146. PERIN (Patrick). La datation des tombes mérovingiennes : historiques, méthodes, applications. Genève, Droz ; Paris, Champion, 80, in-8, XVIII-433 p.

1147. PERSON (Yves). Sur les origines celtiques de l'Irlande. A. Ec. Soc. Civ., 81, a. 36, p. 263-277.

1148. PY (Michel). Recherches sur Nîmes préromaine. Habitats et sépultures. Paris, Ed. du C.N.R.S., 81, in-4, 239 p. (ill.). (Suppl. à Gallia, 41).

1149. RITCHIE (Graham), RITCHIE (Anna). Scotland : archaeology and early history. London, Thames a. Hudson, 81, in-8, 192 p. (ill., maps). (Ancient Peoples a. Places).

1150. RUSU (Mircea). Aspects des relations entre les autochtones et les migrateurs (IIIe-IXe siècles). R. roumaine Hist., 80, t. 19, p. 247-266.

1151. STRZELCZYK (Jerzy). Stan badań nad dziejami i kulturą Gotów do chwili osiedlenia się na terytorium rzymskim. (Etat des recherches sur l'histoire et la culture des Goths jusqu'à leur établissement sur le territoire romain [IIIe-VIIIe s.]) Roczn. hist., 81, a. 47, p. 115-168.

1152. SZATMÁRI (Sarolta). Das Gräberfeld von Oroszlány und seine Stelle in der frühawarenzeitlichen Metallkunst. Acta archaeol. Acad. hungaricae, 80, vol. 21, n° 1-4, p. 97-116.

1153. SZŐKE (Béla Miklós). Zur awarenzeitlichen Siedlungsgeschichte des Körös-Gebietes in Südost-Ungarn. Acta archaeol. Acad. Sci. hungaricae, 80, vol. 32, n° 1-4, p. 181-203.

1154. TOMKA (Péter). Das germanische Gräberfeld aus dem 6. Jahrhundert in Fertőszentmiklós. Acta archaeol. Acad. Sci. hungaricae, 80, vol. 32, n° 1-4, p. 5-30.

1155. TROHANI (George), NEMOIANU (Larisa). Istoria politică a geto-dacilor în secolele VI-II î. e. n. (L'histoire politique des Géto-Daces aux VI-IIe s. av. n. è.) R. Ist., 81, t. 34, n° 2, p. 271-283. [Rés. franç.]

Cf. n°s 186, 977, 2349.

D

HISTORIA DEL ANTIGUO ORIENTE
(incluídas la monarquías helénicas)

§ 1. Antigüedad en general. 1156-1163. - § 2. Asia anterior (generalidades). 1164-1173. - § 3. Egipto. 1174-1227. - § 4. Cirene. 1228-1229. - § 5. Mesopotamia. 1230-1241. - § 6. Hititas. 1242-1245. - § 7. Judíos y pueblos semíticos hasta el fin de la edad antigua. 1246-1279. - § 8. Iran. 1280-1285.

§ 1. Antigüedad en general.

* 1156. MODRZEJEWSKI (Joseph). Chronique. Droits de l'antiquité. Egypte gréco-romaine et monde hellénistique. [Cf. Bibl. 80, n° 1111.] R. hist. Droit franç. étr., a. 59, p. 97-121, 493-521.

* 1157. MODRZEJEWSKI (Joseph). Papyrologie juridique. [19e rapport. Cf. Bibl. 78-79, n° 1243.] 20e rapport (textes et travaux publ. de sept. 1976 à sept. 1979). Studia Doc. Hist. et Juris, 81, t. 47, p. 425-590.

* 1158. ROBERT (Jeanne), ROBERT (Louis). Bulletin épigraphique. [Cf. Bibl. 80, n° 1112.] R. Et. grecques, 80, vol. 93, p. 368-485.

1159. Altorientalische Forschungen. Red. : Helmut FREYDANK, Friedmar GEISSLER u.a. [Bd 7. Cf. Bibl. 80, n° 1115.] Bd 8. Berlin, Akad.-Verl., 81, in-8, 352 p. (Abb.). [Cf. n°^{s} 1194, 1245, 1254, 6935, 6995.]

1160. HELTZER (Michael). The Suteans. With a contribution by Shoshana ARBELI. Naples, s. ed., 81, in-8, IX-139 p. (Istit. univ. orient. Semin. di Stud. asiatici. Series minor, 13).

1161. MIERZEJEWSKI (Antoni). Sztuka starożytnego Wschodu. T. 1-2. (L'art de l'ancien Orient.) Warszawa, Wydawm. Artyst. i Filmowe, 81, 2 vol. in-16, 294, 319 p. (Kultury Starożytne i Cywilizacje Pozaeuropejskie).

1162. OCHSHORN (Judith). The female experience and the nature of the divine. Bloomington, Indiana U.P., 81, in-8, XVII-269 p.

1163. Studien zu Wirtschaft und Gesellschaft in Orient und Antike. Heinz Kreissig zum 60. Geburtstag am 21. Juli 1981 v. Kollegen, Schülern u. Freunden überreicht. T. 1, 2. Berlin, Akad.-Verl., 81, 2 vol. in-8, IV-303 p., p. 310-692. (Klio, Bd 63, H. 1, 2).

§ 2. Asia anterior (generalidades).

* 1164. CAPLICE (R.), KLENGEL (H.), SAPORETTI (C.). Keilschriftbibliographie. 42 : 1980 (Mit Nachträgen aus früheren Jahren). Orientalia, 81, n.s., vol. 50, p. 1 -123 .

1165. D'JAKONOV (I.M.). Malaja Azija i Armenija okolo 600 g. do n. è. i severnye pokhody vavilonskikh carej. (Armenia and Asia Minor about 600 B.C. and the Babylonian military campaigns of 609-606 B.C.) Vestn. drevn. Ist., 81, n° 2, p. 34-64.

1166. Drevnij Vostok i mirovaja kul'tura. (The ancient East and world culture.) Sb. statej. Otv. red. I.M. D'JAKONOV. Moskva, Nauka, 81, 181 p. (ill.). (AN SSSR. Nauč. sovet po istorii mirovoj kul'tury).

1167. GRAEVE (Marie-Christine de). The ships of the ancient Near East (c. 2000-500 B. C.). Leuven, Dept. Orientalistiek, 81, in-8, XIV-225 p. (59 pl., map). (Orientalia lovanensia analecta, 7).

1168. HAAS (Volkert). Nordsyrische und kleinasiatishce Doppelgottheiten im 2. Jahrtausend. Wiener Z. f. d. Kde d. Morgenlandes, 81, Bd 73, p. 5-21.

1169. KLENGEL (Horst). Formen sozialer Auseinandersetzungen im alten Vorderasien. Klio, 79, Bd 61, p. 277-284.

1170. MELLAART (James). Anatolia and the Indo-Europeans. J. indo-europ. Stud., 81, vol. 9, p. 135-149.

1171. MOOREY (P.R.S.). Cemeteries of the first millenium B.C. at Deve Hüyük near Carchemish, salvaged by T.E. Lawrence a. C.L. Wooley in 1913. London, Brit. Archaeol. Rep., 81, in-4, IX-183 p. (ill.). (Brit. Archaeol. Rep., Intern. ser., 87).

1172. SPYCKET (Agnès). Le statuaire du Proche-Orient ancien. Leiden u. Köln, Brill, 81, in-4, XXIX-424 p. (282 pl., carte). (Hdb. d. Orientalistik, Abt. 7 : Kunst u. Archäol., Bd 1 : Der alte Vordere Orient, Abschn. 2 : Denkmäler, B - Vorderasien, Lfg 2).

1173. XELLA (Paolo). I testi rituali di Ugarit. 1 : Testi. Roma, Cons. naz. delle Ric., 81, in-8, 414 p. (Pubbl. del Centro di Studi per la Civ. fenecia e punica, 21).

§ 3. Egipto.

* 1174. Annual egyptological bibliography. Bibliographie égyptologique annuelle [1976. Cf. Bibl. 80, n° 1145.] 1977. Compiled by /composée par Jacob J. JANSSEN with the collab./ avec la collab. de Inge HOFMANN and/et L. M. J. ZONHOVEN. Warminster, Wilts., Aris a. Phillips, 81, in-8, X-268 p.

* 1175. Bibliografia metodica degli studi di egittologia e di papiroligia. [Cf. Bibl. 80, n° 1146.] Aegyptus, 81, a. 61, p. 291-363.

* 1176. MENU (Bernadette). Chronique. Droits de l'antiquité. Egypte pharaonique. [Cf. Bibl. 78-79, n° 1277.] R. hist. Droit franç. étr., 81, a. 59, p. 481-493.

* 1177. Testi recentemente pubblicati. Aegyptus, 80, a. 60, p. 233-265 ; 81, a. 61, p. 212-265.

* Cf. n°s 1156, 1157.

** 1178. Archivio (L') di Amenothes figlio di Horos. P. Tor. Amenothes. Testi demotici e greci relativi ad una famiglia di imbalsamatori del secondo sec. a. C. Editi da P. W. PESTMAN. Con il contributo del Cons. naz. delle ricerche e dell'Istit. bancario S. Paolo di Torino. Milano, Cisalpino-La goliardica, 81, in-4, X-197 p. (tav.) (Catal. del Mus. egizio di Torino. S. 1 : Monum. e testi, 5).

** 1179. BERNAND (Etienne). Recueil des inscriptions grecques du Fayoum. [T. A. Cf. Bibl. 76-77, n° 1714.] T. 2 : La "méris" de Thémistos. T. 3 : La "méris" de Polémôn. Le Caire, Inst. franç. d'archéol. orientale, 81, 2 vol. in-8, X-176 p. (43 pl.) ; X-203 (42 pl.). (Bibl. d'Etude, 79-80).

** 1180. BRASHEAR (William M.). Ptolemäische Urkunden aus Mumienkartonage. Berlin, Staatl. Museen Preuss. Kulturbesitz, 80, in-8, XVI-298 p. (Berliner griech. Urkunden, 14).

** 1181. KARKOWSKI (Janusz). The pharaonic inscriptions from Faras. Warszawa, Ed. Scientif. de Pologne, 81, in-4, XI-372 p. (Centre d'Archéol. Méditerr. de l'Acad. Pol. des Sci. et Centre Pol. d'Archéol. Méditerr. dans la République Arabe d'Egypte au Caire. Faras, 5).

** 1182. Bibl. 78-79, n° 1284. OMAR (Sayed). Das Archiv des Soterichos. - CR : G. Casanova, Aegyptus, 81, t. 61, p. 281-288. B.E. Klakowicz, Studia papyrol., 80, t. 19, p. 127-129.

** 1183. Sammelbuch griechischer Urkunden aus Ägypten. [Bd 13. Cf. Bibl. 78-79, n° 1286.] Bd 14, H. 1 : Nr. 11.264-11.594. Hrsg. v. Hans-Albert RUPPRECHT, unter Mitarbeit v. Joachim HEGSTL. Wieswaden, Harrassowitz, 81, in-4, VIII-191 p.

** 1184. SIJPESTEIJN (P. J.). Neue Heroneinospapyri. Mit Bemerkungen zum Archiv. Chron. d'Egypte, 80, t. 55, p. 175-210 (2 pl.).

** 1185. YOUTIE (Louise C.), HAGEDORN (Dieter), YOUTIE (Herbert C.). Urkunden aus Panopolis. Bonn, Habelt, 80, in-4, V-138 p.

** Cf. n° 1333.

1186. ADAMS (William Y.). Ecology and economy in the Empire of Kush. Z. f. ägypt. Sprache, 81, Bd 108, p. 1-11.

1187. ALLAM (S.). Quelques aspects du mariage dans l'Egypte ancienne. J. egypt. Archaeol., 81, vol. 67, p. 116-135.

1188. ATZLER (Michael). Untersuchungen zur Herausbildung von Herrschaftsformen in Ägypten. Hildesheim, Gerstenberg, 81, in-8, XXXIV-263 p. (Hildesheimer ägyptolog. Beitr., 16)

1189. BARTA (Winfried). Die Bedeutung der Pyramidentexte für den verstorbenen König. München u. Berlin, Deutsch. Kunstverl., 81, in-8, XI-180 p. (8 graph. Darst.). (Münchener Universitätsschriften, Philos. Fak.) (Münchner ägyptolog. Stud., 39).

1190. BARTA (Winfried). Die Chronologie der 1. bis 5. Dynastie nach den Angaben des rekonstruierten Annalensteins. - Bemerkungen zur Chronologie der 6. bis 11. Dynastie. Z. f. ägypt. Sprache, 81, Bd 108, p. 11-32.

1191. BEGELSBACHER-FISCHER (Barbara L.). Untersuchungen zur Götterwelt des Alten Reiches im Spiegel der Privatgräber der IV. und V. Dynastie. Freiburg/Schweiz, Univ.-Verl. ; Göttingen, Vandenhoeck u. Ruprecht, 81, in-8, 336 p. (Orbis biblicus et orientalis, 37).

1192. BIETAK (Manfred). Avaris and Piramesse, archaeological exploration in the Eastern Nile Delta. London, Brit. Acad., 81, in-8, 66 p. (ill., fig.). (Mortimer Whealer Archaeol. Lect.).

1193. BOGAERT (Raymond). Le statut des banques en Egypte ptolémaïque. Antiquité class., 81, t. 50, p. 86-99.

1194. BOGOSLOVSKIJ (Evgeni). Gosudarstvennoe regulirovanie social'noj struktury drevnego Egipta. (State regulation of the social structure in ancient Egypt.) Vestn. drevn. Ist., 81, n° 1, p. 18-34. - IDEM. On the system of the ancient Egyptian society of the epoch of the New Kingdom. In : Altoriental. Forschungen [Cf. n° 1159.] p. 5-21.

1195. BOURRIAU (Janine). Umm el-Ga'ab, pottery from the Nile Valley before the Arab conquest. London, Cambridge U.P., 81, in-4, 142 p. (ill.).

1196. BOYAVAL (Bernard). Notes sur quelques étiquettes de momies. B. am. Soc. Papyrologists, 80, vol. 17, p. 119-128.

1197. CASARICO (Loisa). Note su alcune feste nell'Egitto tolemaico e romano. Aegyptus, 81, a. 61, p. 121-142.

1198. CLARYSSE (Willy). Prosopographia ptolemaica. 9 : Addenda et corrigenda au volume 3 (1956 [Cf. Bibl. 56, n° 1553.]). Lovanii, Studia hellenistica, 81, in-8, XIX-285 p. (Studia hellenistia, 25).

1199. CURTO (Silvio). L'antico Egitto. Torino, Unione tipogr.-editr. torinese, 81, in-8, XI-705 p. (ill.). (Soc. e costume, 9).

1200. DERCHAIN-URTEL (Maria-Theresia). Thot à travers ses épithètes dans les scènes d'offrandes des temples d'époque gréco-romaine. Bruxelles, Fondation égyptol. Reine Elisabeth, 81, in-8, XII-274 p. (1 pl.). (Rites égyptiens, 3).

1201. EBERT (Joachim). Zu Fackelläufen und anderen Problemen in einer griechischen agonistischen Inschrift aus Ägypten. Stadion, 79, Bd 5, p. 1-17.

1202. Elephantine II : GROSSMANN (Peter). Kirche und spätantike Hausanlagen im Chnumtempelhof. Beschreibung u. typolog. Untersuchung. - Elepantine III : JARITZ (Horst). Die Terrassen vor den Tempeln des Chnum und der Satet. Architektur und Deutung. Mit e. Bearbeitung d. griech. u. demot. Inschriften v. d. Brüstung d. Chnumtempel-Terasse v. Herwig MAEHLER u. Karl-Theodor ZAUZICH. Mainz, v. Zabern, 80, 2 vol. in-4, 118 p. (30 fig., 29 pl.) ; 106 p. (51 pl.). (Grabung d. Deutschen Archäolog. Inst. Kairo in Zusammenarbeit mit d. Schweiz. Inst. f. ägypt. Bauforschung u. Altertumskunde Kairo. Archäol. Veröff., 25, 32).

1203. Etudes sur la propagande royale égyptienne. 1 : La stèle triomphale de Pi(ânkh)y au Musée du Caire, JE 48862 et 47086-47089. [Publ.] par N.-C. GRIMAL. 2 : Quatre stèles napatéennes au Musée du Caire, 48863-48866. Textes et indices, [publ.] par N.-C. GRIMAL. Le Caire, Inst. franç. d'archéol. orientale ; Paris, Ministère des Univ., 81, 2 vol. in-fol., XXVII-364, XIV-115 p. (ill., pl.). (Mém. publ. par les membres de l'Inst. franç. d'archéol. orientale, 105, 106).

1204. FRORIER (Siegfried). Das Fayum im alten Ägypten-landesplanerisch betrachtet. Ant. Welt, 81, Bd 12, H. 2, p. 27-38 (19 fig.).

1205. GOEDICKE (Hans). Harkhuf's travels. J. near eastern Stud., 81, vol. 40, p. 1-20.

1206. GOUDSMIT (S.A.). The backview of human figures in ancient Egyptian art. J. near east. Stud., 81, vol. 40, n° 1, p. 43-46.

1207. HINKEL (Friedrich W.). Pyramide oder Pyramidenstumpf ? Ein Beitrag z. Fragen d. Planung, konstruktiven Baudurchführung u. Architektur d. Pyramiden v. Meroe. Teil A. Z. f. ägypt. Sprache, 81, Bd 108, p. 105-124.

1208. JOURDAN (Lucien). Sacrifices de moutons dans les tombes kerma de l'île de Saï (vallée du Nil, début du IIe millénaire av. J.-C.) et leur signification rituelle. ERROUX (Jean). Examen de quelques graines d'orge provenant d'une tombe de l'île de Saï. Valbonne, Assoc. pour la promotion et la diffusion des connaissances archéol., 80, in-4, 90 p. (ill.). (Mém. archéol., Centre de recherches archéol., C.N.R.S., 1).

1209. KOVEL'MAN (A.B.). Koncepcija prothymia v oficial'noj ideologii greko-rimskogo Egipta. (The concept prothymia in the official ideology of Graeco-Roman Egypt.) Vestn. drevn. Ist., 81, n° 155, p. 78-185. [Eng. summary].

1210. LECLANT (Jean). Fouilles et travaux en Egypte et au Soudan, 1979-1980. Orientalia, 82, n.s., vol. 51, p. 49-122 (18 p.).

1211. LE ROY (Christian). Les oiseaux d'Alexandrie. B. Corr. hellénique, 81, t. 105, p. 393-406 [Concerne la légende de la fondation d'Alexandrie].

1212. MALAISE (Michel). Contenu et effets de l'initiation isiaque. Antiquité class., 81, vol. 50, p. 483-498.

1213. MARTIN (Geoffrey Thorndike). The Sacred Animal Necropolis of north Saqqâra : the southern dependencies of the main temple complex. London, Egypt Explor. Soc., 81,in-4, XVIII-204 p. (45 fig., 46 pl., 9 tables). (50th Excavation Mem.).

1214. MILLET (N.B.). Social and political organisation in Meroe. Z. f. ägypt. Sprache, 81, Bd 108, p. 124-141.

1215. NACHTERGAEL (Georges). La chevelure d'Isis. Antiquité class., 81, vol. 50, p. 584 - 606. - IDEM. Bérénice II, Arsinoé III et l'offrande de la boucle. Chron. d'Egypte, 80 [81], t. 55, p. 240-253.

1216. NIBBI (Alessandra). Ancient Egypt and some eastern neighbours. Park Ridge, N. J., Noyes Press, 81, in-8, XVIII-221 p.

1217. ORRIEUX (Claude). Les archives d'Euclès et la fin de la dôréa du diocète Apollonios. Chron. d'Egypte, 80, t. 55, p. 213-239 (2 tableaux).

1218. PEREMANS (Willy). Sur la domestica seditio de Justin (XXVII, I, 9) [début du règne de Ptolemée III]. Antiquité class., 81 vol. 50, p. 628-636.

1219. PESTMAN (P.W.). A guide to the Zenon archive (P. L. Bat. 21). With contrib. by W. CLARYSSE, M. KORVER, M. MUSZYNSKI, A. SCHUTGENS, W. J. TAIT, J. K. WINNICKI. Vol. 1 : Lists and surveys. Vol. 2 : Indexes and maps. Leyden, Brill, 81, in-4, XX-466 p., p. 467-749 (4 cartes). (Papyrologica lugduno-batava, 21, A-B).

1220. PRUNETI (Paola). I centri abitati dell'Ossirinchite. Repertorio toponomastico. Firense, Gonnelli, 81, in-4, 256 p. (1 carte). (Papyrologica florentina, 9).

1221. SEYFRIED (Karl-Joachim). Beiträge zu den Expeditionen des Mittleren Reiches in die Ost-Wüste. Hildesheim, Gerstenberg, 81, in-8, XIV-313 p. (35 fig.). (Hildesheimer ägypt. Beitr., 15).

1222. SHINNIE (Peter L.), BRADLEY (Rebecca J.). The capital of Kush. 1 : Meroe excavations 1965-1972. Berlin, Akad.-Verl., 80, in-8, XVII-317 p. XLV p. (Abb.). (Meroitica, 4).

1223. THIERFELDER (Helmut). Graeco-ägyptische Verhaltensweisen zu altägyptischen Traditionen. Teil 1 : Altägyptische Traditionen. Teil 2 : Verhaltensweisen in der griechisch-römischen Zeit. Αναγεννησις, 81, vol. 1, p. 129-136, 295-312.

1224. TRAUNECKER (Claude), LE SAOUT (Françoise), MASSON (Olivier). La chapelle d'Achôris à Karnak. T. 1 : Texte. T. 2 : Planches. Paris, A.D.P.F., 81, in-4, 300 p., 247 fig. (Recherche sur les Civilisations, Synthèse, 5) (Mém. du Centre franco-égyptien d'étude des temples de Karnak, 2).

1225. WHITCOMB (Donald), JOHNSON (Janet H.). Egypt and the spice trade. Archaeology, 81, vol. 34, p. 16-23 (10 fig.). [Excavations of Quseir al-Qadim].

1226. WILD (Robert A.). Water in the cultic worship of Isis and Sarapis. Leiden, Brill, 81, in-8, XXX-307 p. (32 fig., 30 pl., carte). (Et.

prélim. aux religions orient. dans l'Empire romain, 87).

1227. WILLIAMS (R. J.). The sages of ancient Egypt in the light of recent scholarship. J. am. orient. Soc., 81, vol. 101, n° 1, p. 1-20.

cf. n°s 215, 220, 265, 1010, 1247, 1379.

§ 4. Cirene.

1228. Agorà (L') di Cirene. II, 1 : L'area settentrionale del lato ovest della platea inferiore. [Di] Lidiano BACCHIELLI. Con contributi di F. MARTELLI. Roma, L'Erma di Bretschneider, 81, in-4, 223 p. (ill., tav.). (Monogr. di Archeol. libica, 15).

1229. WHITE (Donald). Cyrene's sanctuary of Demeter and Persephone :a summary of a decade of excavation. Am. J. Archaeol., 81, vol. 85, n° 1, p. 13-30.

§ 5. Mesopotamia.

* Cf. n° 1164.

** 1230. COGAN (Mordechai), TADMOR (Achim). Ashurbanipal's conquest of Babylon : the first official report : prism K. Orientalia, 81, n. s., vol. 50, p. 229-240.

1231. ADAMS (Robert McC). Heartland of cities : surveys of ancient settlement and land use on the central floodplain of the Euphrates. Chicago, Univ. of Chicago Press, 81, in-8, XX-362 p.

1232. BLEIBTREU (Erika). Die Flora der neuassyrischen Reliefs. Eine Untersuchung zu d. Orthostatenreliefs d. 9.-7. Jh. v. Chr. Wien, Verl. d. Inst. f. Orientalistik d. Univ. Wien, 80, in-8, 279 p. (8 Taf.). (Wiener Z. f. d. Kde d. Morgenlandes, Sonderbd 1).

1233. BOTTERO (J.). L'ordalie en Mésopotamie ancienne. A. Sc. norm. sup. Pisa, 81, s. 3, vol. 11, p. 1005-1067.

1234. BUCCELLATI (Giorgio). Wisdom and not : the case of Mesopotamia. J. am. orient. Soc., 81, vol. 101, n° 1, p. 35-48.

1235. ICHISAR (Metin). Les archives cappadociennes du marchand Imdilum. Paris, Ed. A.D.P.F., 81, in-4, 453 p. (3 fig.). (Recherche sur les grandes civilisations, 3).

1236. JAKOBSON (V.A.). Vozniknovenie pisanogo prava v drevnej Mesopotamii. (The Emergence of written law in ancient Mesopotamia.) Vestn. drevn. Ist., 81, n° 4, p. 9-20.

1237. ŁYCZKOWSKA (Krystyna), SZARZYŃSKA (Krystyna). Mitologia Mezopotamii. (La mythologie de la Mésopotamie.) Warszawa, Wydawn. Artyst. i Filmowe, 81, in-16, 326 p. (Mitologie Świata).

1238. McEWAN (Gilbert J.P.). Priest and temple in Hellenistic Babylonia. Wiesbaden, Franz Steiner, 81, in-8, XI-211 p. (Freiburger altoriental. Stud., 4).

1239. MENZEL (Brigitte). Assyrische Tempel. Bd 1 : Untersuchungen zu Kult, Administration und Personal. Bd 2 : Anmerkungen, Textbuch, Tabellen und Indices. Rome, Biblical Inst. Press, 81, 2 vol. in-4, XV-322, VIII-243-218-118 p.

1240. SZLECHTER (Emile). Les lois sumériennes. II : Le code de Lipit-Ištar [c. 1934-1924 av. J.-C.]. Studia Doc. Hist. et Iuris, 81, t. 47, p. 263-335.

1241. ZAWADZKI (Stefan). Podstawy gospodarcze nowoasyryjskiej świątyni. (La base économique du temple néoassyrien.) Poznań, 81, in-8, 132 p. (Uniw. im. Adama Mickiewicza w Poznaniu. Historia, 94).

§ 6. Hititas.

** 1242. Keilschriftenurkunden aus Boghazköi. Akad. d. Wiss. d. DDR, Zentralinst. f. Alte Gesch. u. Archäol. [H. 49, 50. Cf. Bibl. 78-79, n° 1361.] H. 51 : FREYDANK (Helmut). Hethitische Rituale und Festbeschreibungen. Berlin, Akad.-Verl., 81, in-4, X-50 p. (Abb.).

1243. SINGER (Itamar). Hittites and Hattians in Anatolia at the beginning of the second millenium B. C. J. indo-europ. Stud., 81, vol. 9, p. 119-134.

1244. STEINER (Gerd). The role of the Hittites in ancient Anatolia. J. indo-europ. Stud., 81, vol. 9, p. 150-173.

1245. SURENHAGEN (Dietrich). Zwei Gebete Ḫattušilis und der Puduḫepa. Textliche u. literaturhist. Untersuchungen. In : Altoriental. Forschungen [Cf. n° 1159], p. 83-168.

§ 7. Judíos y pueblos semíticos hasta el fin de la edad antigua.

* 1246. PHILO OF BYBLOS. The Phoenician history. Intr., critical text, trans., notes by Harold W. ATTRIDGE, Rober A. ODEN, Jr. Washington, D. C., Catholic Biblical Assoc. of America, 81, in-8, X-110 p. (The Cath. Biblical Quart., Monogr. Ser., 9).

1247. AUFFRET (Pierre). Hymnes d'Egypte et d'Israël : études de structures littéraires. Fribourg/Suisse, Ed. univ. ; Göttingen, Vandenhoeck u. Ruprecht, 81, in-8, 316 p. (Orbis biblicus et orient., 34).

1248. BROADIE (Alexander). A Samaritan philosophy : a study of Hellenistic cultural ethos of the Memar Marqah. Leiden, Brill, 81, VIII-246 p. (Studia post-biblica, 31).

1249. CARDELLINI (Innocenzo). Die biblischen "Sklaven"-Gesetze im Lichte des keilschriftlichen Sklavenrechts. Ein Beitr. z. Tradition, Überlieferung u. Redaktion d. alttestamentl. Rechtstexte. Königstein (Ts.) u. Bonn, Hanstein, (Bonner biblische Beitr., 55).

1250. CARLINI (Antonio), CITI (Annamaria). Susanna e la prima visione di Daniele in due papiri inediti della Bibliotheca Bodmeriana : P. Bodm. XLV e P. Bodm. XLVI. Mus. helveticum, 81, Bd 38, p. 81-120 (14 pl.).

1251. COHEN (Jeffrey M.). A Samaritan

chronicle : a source-critical analysis of the life and times of the great Samaritan reformer Baba Rabbah. Leiden, Brill, 81, in-8, XIV-250 p. (Studia post-biblica, 30).

1252. CRENSHAW (James L.). Old Testament wisdom : an introduction. Atlanta, Ga., John Knox Press, 81, in-8, 285 p.

1253. DEL OLMO LETE (G.). Mitos y leyendas de Canaan según la tradición de Ugarit. Madrid, Ed. Cristianadad, 81, in-8, 699 p. (Inst. S. Jerónimo para la investigación bíblica : Fuentes de la ciencia bíblica, 1).

1254. DIAKONOFF (Igor M.). Earliest Semites in Asia. In : Altoriental. Forschungen [Cf. n° 1159], p. 23-74.

1255. FISCHER (T.). Seleukiden und Makkabäer. Bochum, Brockmeyer, 81, in-8, XIII-252 p. (13 Abb.).

1256. FOKKELMAN (J.P.). Narrative art and poetry in the Books of Samuel : a full interpretation based on stylistic a. structural analyses. Vol. 1 : King David (II Sam. 9-20 a. I Kings 1-2). Assen, Van Gorcum, 81, in-8, 517 p.

1257. GITAY (Yehoshua). Prophecy and persuasion : a study of Isaiah 40-48. Bonn, Linguistica Biblica, 81, in-8, XII-242 p. (Forum theologiae linguisticae, 14).

1258. HALPERN (Baruch). The constitution of the monarchy in Israel. Chico, Calif., Scholars Press, 81, in-8, XXVIII-410 p. (Harvard Semitic Monogr., 25).

1259. HELMS (Svend W.). Jawa, lost city of the Black Desert [Jordan]. Ithaca, N.Y., Cornell U.P., 81, in-8, XVIII-270 p. (121 fig., 12 tables, 46 pl.).

1260. HOLLANDER (Harm W.). Joseph as an ethical model in the Testament of the Twelve Patriarchs. Leiden, Brill, 81, in-8, X-175 p. (Studia in Veteri Testamenti pseudepigraphica, 6).

1261. JACKSON (B.S.). Jésus et Moïse : le statut du prophète à l'égard de la Loi. R. hist. Droit franç. étr., 81, a. 59, p. 341-360.

1262. KAPERA (Zdzisław J.). Biblical reflections on the struggle for Philistia at the end of the eight century B.C. Zesz. nauk. Uniw. Jagiell., 81, n° 613 [Prace hist., 70], p. 11-28. [The Rebellion of Yamani in Ashdod c. 713-709 B.C.].

1263. KORABLEV (I.Š.). Gannibal. (Hannibal.) 2-e izd. Moskva, Nauka, 81, 359 p. (maps).

1264. LANG (Bernhard). Ezechiel. Der Prophet u. das Buch. Darmstadt, Wiss. Buchges., 81, in-8, IX-184 p. (Erträge d. Forschung, 153).

1265. LEMAIRE (André). Les écoles et la formation de la Bible dans l'ancien Israël. Fribourg/Suisse, Ed. univ. ; Göttingen, Vandenhoeck u. Ruprecht, 80, in-8, 140 p. (14 fig.). (Orbis biblicus et orient., 39).

1266. MURPHY (Roland E.). O. Carm. Hebrew wisdom. J. am. orient. Soc., 81, vol. 101, n° 1, p. 21-34.

1267. NICKELSBURG (G.W.E.). Jewish literature between the Bible and the Mishnah. London,
S.C.M. Press, 81, in-8, 352 p.

1268. PASSONI DELL'ACQUA (Anna). Ricerche sulla versione dei LXX e i papiri. 1 : Pastophorion. Aegyptus, 81, a. 61, p. 171-211.

1269. PONS (Jacques). L'oppression dans l'Ancien Testament. Paris, Letouzey et Ané, 81, in-8, 250 p.

1270. Religione (La) fenicia. Matrici orientali e sviluppi occidentali. Atti del Colloquio in Roma 6 marzo 1979. Roma, Cons. naz. delle Ric., 81, in-8, 147 p. (Pubbl. del Centro di Studi per la Civ. fenicia e punica, 20) (Studi semitici, 53).

1271. ROYSE (James R.). The Oxyrhynchus papyrus of Philo. B. am. Soc. Papyrologists, 80, vol. 17, p. 155-165.

1272. SALLES (Jean-François). La Nécropole K de Byblos. [publié par la] Maison de l'Orient. Paris, Ed. A.D.P.F., 80, in-4, 136 p. (ill.). (Recherche sur les grandes civilisations, 2).

1273. SCHAEFER (P.). Der Bar-Kochba Aufstand. Studien z. 2. jüdischen Krieg gegen Rom. Tübingen, Mohr, 81, in-8, XVII-271 p. (Texte u. Stud. z. ant. Judentum).

1274. SCOTT GREEN (William). The traditions of Joshua ben Ḥananiah. Pt. 1 : The early legal traditions. Leiden, Brill, 81, in-8, XVII-333 p. (Stud. in Judaism in late antiquity, 29).

1275. STADELMANN (Helge). Ben Sira als Schriftgelehrter : eine Untersuchung z. Berufsbild d. vor-makkabäischun Sōfēr unter Berücks. seine Verhältnisses zu Priester-, Propheten- u. Weisheitslehrertum. Tübingen, Mohr, 80, in-8, XIV-346 p. (Wiss. Unters. z. Neuen Testament, R. 2, 6).

1276. TESTA (Emmanuele). La morale dell' Antico Testamento. Brescia, Morcelliana, 81, in-8, 378 p.

1277. THIERING (Barbara Elizabeth). The gospels of Qumran. A new hypothesis. Sydney, Theological Explorations, 81, in-8, 326 p. (ill.). (Australian a. New Zealand Stud. in Theol. a. Religion).

1278. TYLOCH (Witold Józef). Dzieje ksiąg Starego Testamentu. (Histoire des livres de l'Ancien Testament.) Warszawa, Książka i Wiedza, 81, in-16, 467 p.

1279. VAN SETERS (John). Histories and historians of the Ancient Near East : the Israelites. Orientalia, 81, n.s., vol. 50, p. 139-185.

Cf. n°s 1366, 1561, 1784, 1801.

§ 8. Irán.

* Cf. n°s 690, 6909.

** 1280. SCHMITT (Rüdiger). Altpersische Siegel-Inschriften. Wien, Verl. d. Österr. Akad. d. Wiss., 81, in-8, 49 p. (4 pl.). (Veröff. d. Iran Kommission, 10).

1281. Cahiers de la délégation archéologique française en Iran. [9. Cf. Bibl. 80, n° 1264.] 10,

11. Paris, Assoc. Paléorient, 79 [80] - 80 [81], 2 vol. in-4, 240, 142 p. [Contient : Vol. 10 : BOUCHARLAT (Rémy), LABROUSSE (Andran). Le palais d'Artaxerxès II sur la rive droite du Chaour à Suse, p. 19-136 (36 fig., 11 pl.). - HESSE (Albert). Reconnaissance d'ensemble du palais du Chaour par la méthode des résistivités électriques. Avec la collab. de Rémy BOUCHARLAT et Serge RENIMEL, p. 137-144 (fig.). - VALLAT (François). Les inscriptions du palais d'Artaxercès II sur la rive droite du Chaour, p. 145-154 (fig. 43-44). - Une sucrerie d'époque islamique. [Cf. n° 2301]. - Vol. 11 : CARTER (Elizabeth). Excavations in Ville Royale I at Suse : the third millenium, p. 11-134 (56 fig., 10 pl.). - VALLAT (François). Documents épigraphiques de la Ville royale I (1972 et 1975), p. 135-139 (fig.).]

1282. HARMATTA (János). Royal power and immortality. The myth of the eagles in Iranian royal ideology. Acta ant. Acad. Sci. hungaricae, 79, vol. 27, n° 4, p. 305-319.

1283. WENKE (Robert J.). Elymeans, Parthians, and the evolution of empires in southwestern Iran. J. am. orient. Soc., 81, vol. 101, n° 3, p. 303-316.

1284. Bibl. 78-79, n° 1413. WIESHOFER (Josef). Der Aufstand Gaumātas und die Anfänge Dareios' I. - CR : H. Koch, Orientalia, 81, n.s., vol. 50, p. 215-220.

1285. WOLSKI (Józef). Genza ruchów separatystycznych w Iranie w III w p.n.e. (La genèse des mouvements séparatistes en Iran au IIIe s. avant n.è.) Kwart. hist., 81, a. 88, n° 2, p. 417-429.

Cf. n° 1770.

E

HISTORIA DE GRECIA

§ 1. Antigüedad clásica en general. 1286-1302. - § 2. Edad prehelénica. 1303-1307. - § 3. Fuentes y crítica de las mismas. 1308-1337. - § 4. Historia general y política. 1338-1361. - § 5. Historia del derecho y de las instituciones. 1362-1364. - § 6. Historia económica y social. 1365-1372. - § 7. Historia de la literatura, de la filosofía y de las ciencias. 1373-1450. - § 8. Religión y mitología. 1451-1457. - § 9. Arqueología e historia del arte. 1458-1484.

§ 1. Antigüedad clásica en general.

* 1286. Bibliographie de l'Afrique du Nord antique : périodiques et séries. Equipe de recherche 207 du C.N.R.S., Groupe de recherches sur l'armée romaine et les provinces. Rédigé par René REBUFFAT, Isabelle GABARD, Yann LE BOHEC. Paris, Presses de l'E.N.S., 80, in-4, 94 p. (Guides et inventaires bibliogr., Bibl. de l'Ecole normale supérieure, 1).

* 1287. KARRAS (Margaret), WIESHÖFER (Josef). Kindheit und Jugend in der Antike. Eine Bibliographie. Bonn, Habelt, 81, in-8, XI-123 p.

* 1288. ŞTEFAN (Alexandra), FISCHER (I.). Bibliografia clasică românească [1976-1977. Cf. Bibl. 80, n° 1277.] (1978-1979). Studii clas., 81, t. 20, p. 87-111.

* Cf. n° II.

1289. BRAUNERT (Horst). Politik, Recht und Gesellschaft in der griechisch-römischen Antike. Gesammelte Aufsätze u. Reden. Hrsg. v. Kurt TELSCHOW u. Michael ZAHRNT. Stuttgart, Klett-Cotta, 80, in-8, 345 p. (Kieler hist. Studien, 26).

1290. BUCHHEIT (V.). Gesittung durch Belehrung und Eroberung. Würzburg. Jb. f. d. Altertumswiss., 81, N.F., Bd 7, p. 183-208.

1291. CAZENAVE (Michel), AUGUET (Roland). Les empereurs fous : essai de mythanalyse historique. Préf. de Claude METTRA. Paris, Imago, 81, in-8, 256 p.

1292. CIBUKIDIS (D.I.). Drevnjaja Grecija i Vostok. (Ancient Greece and the East.) Ellinist. problematika greč. istoriografii, 1850-1974. Moskva, Nauka, 81, 253 p. (ill.). (AN SSSR. In-t vostokovedenija).

1293. CONNOLLY (Peter). Greece and Rome at war. London, Macdonald, 81, in-4, 320 p.

1294. Délit (Le) religieux dans la cité antique. Table ronde. Rome, 6-7, avril 1978. Textes de M. MORELLI [e altri]. Roma, Ecole franç. de Rome, 81, in-8, VI-183 p. (Coll. de l'Ecole franç. de Rome, 48).

1295. DE SAINTE CROIX (G.E.M.). The class struggle in the ancient Greek world : from the archaic age to the Arab conquests. Ithaca, N.Y., Cornell U.P., 81, in-8, XI-732 p.

1296. DUYSINY (F.). Accents mélodie et modalité dans la musique antique. Antiquité class., 81, t. 50, p. 306-317.

1297. Faith, hope, and worship : aspects of religious mentality in the ancient world. Ed. by H. S. VERSNELL. Leiden, Brill, 81, in-8, XIII-284 p. (27 pl.). (Stud. in Greek a. Roman religion, 2).

1298. HEUSS (Alfred). Weltreichsbildung im Altertum. Hist. Z., 81, Bd 232, p. 255-326.

1299. KIENITZ (F.-K.). Völker im Schatten : die Gegenspieler der Griechen und Römer v. 1200 v. Chr. - 200 v. Chr. München, Beck, 81, in-8, 364 p. (20 Taf., Kt.).

1300. LAFFINEUR (R.). Le symbolisme funéraire de la chouette. Antiquité class., 81, t. 50, p. 432-444.

1301. Mondo (Il) degli antichi. Direzione di Guido Clemente e Andrea Giardina. I, 1 : L'economia in Grecia. [Di] Domenico MUSTI. 5 : Il diritto in Grecia e a Roma. [Di] Mario BRETONE, Mario TALAMANCA. Roma e Bari, Laterza, 2 vol. in-16, VI-181, VI-181 p. (Univer. Laterza, 592-593).

1302. WIEDEMANN (T.E.J.). Greek and Roman slavery, a sourcebook. London, Croom Helm, 81, in-8, 288 p.

§ 2. Edad prehelénica.

1303. ALDEN (Maureen Joan). Bronze Age population. Fluctuation in the Argolid from the evidence of Mycenean tombs. Göteborg, Paul Åström, 81, in-8, 436 p. (fig.). (Stud. in Mediterr. Archaeol., Pocket-Book, 15).

1304. Festòs e la civiltà minoica. II, 1 : Introduzione : La civiltà minoico-micenea a un secolo dalla sua scoperta. [Di] Doro LEVI. Roma, Ateneo, 81, in-4, 102 p. (tab.). (Incunabula Graeca, 77).

1305. HARMATTA (János). Kréta görögök előtti lakossága nyelvének kérdéséhez. (Le problème de la langue des habitants de la Crète avant les Grecs.) Ant. Tanulm., 79, vol. 26, n° 2, p. 133-145.

1306. MARAZZI (Massimillano), TUSA (Sebastiano). Die mykenische Penetration im westlichen Mittelmeer. Probleme u. Voraussetzungen bei d. Gestaltung einer Forschung über d. italienischen u. sizilianischen Handelszentren. Klio, 79, Bd 61, p. 309-351.

1307. SAKELLARIOU (Michel B.). Les Proto-Grecs. Athènes, Ekdotikè Athenon, 81, in-8, 287 p. (7 cartes).

§ 3. Fuentes y crítica de las mismas.

* Cf. n°s 1158, 1898.

1308. Alchimistes (Les) grecs. T. 1 : Papyrus de Leyde. Papyrus de Stockholm. Fragments de recettes. Texte établi et trad. par Robert HALLEUX. Paris, Belles lettres, 81, in-8, XV-237 p. [en partie doubles] (Coll. des Univ. de France).

1309. ANDORLINI (Isabella). P. Grenf. I 52 : note farmacologiche. B. am. Soc. Papyrologists, 81, vol. 18, p. 1-25 (pl.).

1310. APOLLONIOS DE RHODES. Argonautiques. Tome 2, Chant 3. Texte établi et trad. par Francis VIAN et Emile DELAGE. Paris, Belles Lettres, 80, in-8, XV-151 p. (Coll. Budé).

1311. BAGNALL (Roger S.). Theadelphian archives : a review article [Cf. OMAR (Sayed). Das Archiv des Soterichos. Bibl. 78-79, n° 1284, a. PARASSOGLOU (George M.). The archive of Aurelius Sakaon. Bibl. 78-79, n° 1279]. B. am. Soc. Papyrologist, 80, vol. 17, p. 97-104.

1312. BAGNALL(Roger S.), DEROW (Peter S.). Greek historical documents : the Hellenistic period. Chico, Calif., Scholars Press, 81, in-8, XVIII-270 p. (Sources for biblical study, 16).

1313. BLANCHARD (Alain). Progrès récents dans l'édition de Ménandre. R. Et. grecques, 81, t. 94, p. 496-501.

1314. BORZSÁK (István). A Nagy Sándor-hagyomány terminológiájához. (Contribution à la terminologie de la tradition d'Alexandre le Grand.) Ant. Tanulm., 80, vol. 27, n° 2, p. 193-198.

1315. BOUQUAUX-SIMON (O.), MERTENS (P.). Papyrus homériques du Musée du Caire. Antiquité class., 81, t. 50, p. 100-111.

1316. CHARITON. Le roman de Chairéas et Callirhoé. Texte établi et trad. par Georges MOLINIÉ. Paris, Belles lettres, 79, in-8, 255 p. [en partie doubles] (carte). (Coll. des Univ. de France).

1317. COGAN (Marc). The human thing : the speeches and principles of Thucydides' history. Chicago, Univ. of Chicago Press, 81, in-8, XVII-309 p.

1318. DIHLE (A.). Der Prolog der "Bacchen" und die antike Überlieferungsphase des Euripides-Textes. Heidelberg, Winter, 81, in-8, 115 p. (S.-B. d. Heidelb. Akad. d. Wiss., phil.-hist. Kl., 1981, 2).

1319. DOYEN (A.M.). Les textes d'hippiatrie grecque. Bilans et perspectives. Antiquité class., 81, t. 50, p. 258-273.

1320. FALIVENE (M. Rosaria). Il codice di dike nella poesia alessandrina (alcuni epigrammi della Antologia Palatina, Callimaco, Teocrito, Filodemo, il Fragmentum Grenfellianum). Quad. urbinati Cult. class., 81, t. 37, n.s., t. 8, p. 87-104.

1321. FALUS (Róbert). La terminologie grecque du "rapport" et de la "proportion". Acta ant. Acad. Sci. hungaricae, 79, vol. 27, n° 4, p. 353-380.

1322. HARRAUER (Hermann), SIJPESTEIJN (Pieter J.). Medizinische Rezepte und Verwandtes. Wien, Hollinek, 81, in-4, XV-56 p. (1 fasc. de 18 pl.). (Mitt. aus d. Papyrusslg. d. Österr. Nationalbibliothek, Papyrus Erzherzog Rainer, N. S., 13).

1323. Hellenistic (The) world from Alexander to the Roman conquest, a selection of ancient sources in translation. Tr. from Greek a. Latin by M. M. AUSTIN. London, Cambridge U.P., 81, in-8, 488 p. (maps).

1324. HEMMERDINGER (Bertrand). Les manuscrits d'Hérodote et la critique verbale. Genova, Istit. di Filol. class. e medievale, 81, in-8, 203 p. (Pubbl. de l'Istit. di Filol. class. e med. dell'Univ. di Genova, 72).

1325. KANNICHT (Richard), SNELL (Bruno). Tragicorum Graecorum fragmenta (TrGF). [Vol. 1. Cf. Bibl. 72, n° 1339.] Vol. 2 : Fragmenta adespota. Testimonia volumini 1 addenda. Indices ad volumina 1 et 2. Göttingen, Vandenhoeck u. Ruprecht, 81, in-8, XIX-453 p.

1326. LE BOHEC (Sylvie). Phthia, mère de Philippe V : examen critique des sources. R. Et. grecques, 81, t. 94, p. 34-46.

1327. MADDOLI (Gianfranco). La registrazione del tempo nella storiografia attica arcaica. Il caso di Tucidide I 18. R. stor. ital., 81, a. 93, p. 31-35.

1328. MARGANNE (Marie-Hélène). Inventaire analytique des papyrus grecs de médecine. Genève, Droz, 81, in-8, X-409 p. (carte). (Publ. du Centre de Rech. d'Hist. et de Philol. de la IVe Section de l'Ecole pratique des Hautes Etudes, 3 : Hautes Et. du monde gréco-romain, 12).

1329. MARTIN (Thomas R.). Diodorus on Philip II and Thessaly in the 350s B.C. Class. Philol., 81, vol. 76, n° 3, p. 188-201.

1330. MENANDER. Samia. Griechisch-Deutsch. Übers. u. hrsg. v. Helmut OFFERMANN. Stuttgart, Reclam, 80, in-8, 112 p. (Universal-Bibl., 9993).

1331. O'MEARA (Dominic J.). New fragments from Iamblichus' collection of Pythagorean doctrines. Am. J. Philol., 81, vol. 102, n° 1, p. 26-40.

1332. Oxyrhynchus (The) Papyri. [Vol. 47. Cf. Bibl. 80, n° 1308.] Vol. 48 : n°s 3368-3430. Ed. with trans. a. notes by M. CHAMBERS, W. E.H. COCKLE, J.C. SHELTON, E.G. TURNER. London, Egypt Explor. Soc., 81, in-4, XVIII-166 p. (pl.). (Egypt Explor. Soc., Graeco-Roman Memoirs, 67) - CR : Vol. 43 [Cf. Bibl. 74-75, n° 1726], P. Mertens, Bibl. Orient., 81, vol. 38, p. 605-611. - Vol. 47, [Cf. Bibl. 80, n° 1308], J. Irigoin, R. Ét. grecques, 81, vol. 94, p. 238-240. W. Luppe, Class. R., 81, n.s., vol. 31, p. 267-269. G. Nachtergael, Chron. Egypte, 81, vol. 56, n° 111, p. 158-164.

1333. Papyri Greek and Egyptian edited by various hands in honour of Eric Gardner Turner. General editors : P. J. PARSONS a. J. R. REA. London, Publ. for the Brit. Acad. by the Egypt Explor. Soc., 81, in-8, XX-236 p. (20 pl.).

1334. Papyrus grecs de la Bibliothèque nationale et Universitaire de Strasbourg. Publ. par Jacques SCHWARTZ et ses élèves de l'Inst. Paul Collomp. [N°s 701-720. Cf. Bibl. 80, n° 1311.] N°s 721-740. Strasbourg, Bibl. Nat. et Univ., 81, in-8, p. 33-62.

1335. RAÏOS-CHOULIARA (Hélène). La chasse et les animaux sauvages d'après les papyrus grecs. Anagennesis, 81, vol. 1, p. 45-88, 267-293.

1336. TURNER (Eric G.). Greek papyri. An introduction. 2nd ed. London, Oxford U.P., 80, in-8, XIV-227 p. (8 pl., maps). [1st ed. Cf. Bibl. 68-69, n° 2348.]

1337. WEST (Martin L.). Delectus ex iambis et elegis graecis. Oxford, Clarendon Press, 80, in-8, IX-295 p. (Scriptorum Classicorum Bibl. Oxoniensis).

Cf. n° 1468.

§ 4. Historia general y política.

* 1338. NAVE (Dominique), PELON (Olivier). Bulletin bibliographique des études égéo-anatoliennes. R. Et. grecques, 81, t. 94, p. 76-159.

1339. ANDREEV (Juri V.). Die politischen Funktionen der Volksversammlung im homerischen Zeitalter. Zur Frage d. "militärischen Demokratie". Klio, 79, Bd 61, p. 385-405.

1340. BLIQUEZ (L.J.). Philip II and Abdera. Eranos, 81, vol. 79, p. 65-79.

1341. BOMMELAER (J.-F.). Lysandre de Sparte. Histoire et traditions. Athènes, Ecole franç. d'Athènes,81, in-8, 261 p. (carte). (Bibl. des Ecoles franç. d'Athènes et de Rome, 240).

1342. BUCKLER (John). The theban hegemony, 371-362 B.C. Cambridge, Mass., Harvard U. P., 80, in-8, X-339 p. (Harvard Hist. Stud., 98).

1343. CARGILL (J.). The second Athenian league : empire or free alliance ? Berkeley, Los Angeles a. London, Univ. of Calif. Press, 81, in-8, XVII-215 p.

1344. CHAMOUX (François). La civilisation hellénistique. Paris, Arthaud, 81, in-4, 635 p. (243 ill., 15 pl., 39 cartes et plans). (Les grandes civilisations).

1345. Etudes argiennes. Athènes, Ecole franç. ; diff. Paris, de Boccard, 80, in-4, 545 p. (ill., pl.). (B. Corr. hellénique, Suppl., 6).

1346. FIGUEIRA (Thomas J.). Aeginetan membership in the peloponnesian league. Class. Philol., 81, vol. 76, n° 1, p. 1-24.

1347. HAMMOND (Nicholas Geoffrey L.). Alexander the Great. London, Chatto, 81, in-8, 368 p.

1348. HEGYI (Dolores). Az ionok Kisázsiában. (Les Ioniens en Asie Mineure.) Budapest, Akad. Kiadó, 81, in-8, 257 p. (ill.). (Apolló Könyvtár, 12).

1349. JASCHINSKI (S.). Alexander und Griechenland unter dem Eindruck der Flucht des Harpalos. Bonn, Habelt, 81, in-8, VIII-208 p. (Habelts Diss.-Drucke,R. Alte Gesch., 14).

1350. KAGAN (Donald). The peace of Nicias and the Sicilian expedition. Ithaca, N.Y., Cornell U.P., 81, in-8, 393 p.

1351. LANE FOX (Robin). The search for Alexander. London, A. Lane, 81; in-4, 456 p. (ill., pl.).

1352. LEGON (Ronald P.). Megara : the political history of a Greek city-state to 336 B.C. Ithaca, N.Y., Cornell U.P., 81, in-8, 324 p.

1353. McKEON (Richard). The interpretation of political theory and practice in ancient Athens. J. Hist. Ideas, 81, vol. 42, n° 1, p. 3-12.

1354. MONTANARI (Enrico). Il mito dell' auctoctonia. Linee di una dinamica mitico-politica ateniese. Roma, Bulzoni, 81, in-8, 242 p.

1355. OLIVA (Pavel). The birth of Greek civilization. London, Orbis, 81, in-8, 208 p. (ill.).

1356. PAJĄKOWSKI (Włodzimierz). Geneza monarchii Ajakidów. Cz. 1 : Epir przedmonarchiczny i jego miejsce w historii od VII do polowy IV w. p.n.e. (La genèse de la monarchie des Eacides. P. 1 : L'Empire d'avant l'ère monarchique et sa place dans l'histoire du VIIe au début du IV s. av. n. è.). Roczn. hist., 81, a. 47, p. 1-27.

1357. THOMPSON (Wesley E.). The peace of Callias in the fourth century. Historia [Wiesbaden], 81, Bd 30, p. 164-177.

1358. URBAN (Ralf). Das Verbot innenpolitischer Umwälzungen durch den Korinthischen Bund (338/37) in antimakedonischer Argumentation. Histoira [Wiesbaden], 81, Bd 30, p.11-21.

1359. VINOGRADOV (Ju.G.). Sinopa i Ol'vija v V v. do n.è. (Sinope and Olbia in the 5th cent. B.C.). Probl. polit. ustrojstva. Vestn. drevn. Ist., 81, n° 2, p. 65-90.

1360. WALBANK (F.W.). The Hellenistic world. London, Fontana ; Brighton, Sussex, Harvester Press ; Atlantic Highlands, N.J., Humanities Press, 81, in-8, 287 p. (8 pl., 4 maps). (Fontana Hist. of the ancient world).

1361. WALSH (John). The authenticity and the dates of the peace of Callias and the Congress Decree. Chiron, 81, Bd 11, p. 31-63.

Cf. n°s 1255, 1289, 1293, 1377.

§ 5. Historia del derecho y de las instituciones.

* Cf. nos 1156, 1157.

1362. GAGARIN (Michael). Drakon and early Athenian homicide law. New Haven, Conn., Yale U.P., 81, in-8, XVII-175 p. (Yale Classical Monogr., 3).

1363. GAUTHIER (Philippe). De Lysias à Aristote (Ath. pol.,51, 4) : le commerce de grain à Athènes et les fonctions des sitophylaques. R. hist. Droit franç. étr., 81, a. 59, p. 5-28.

1364. THÜR (Gerhard), KOCH (Christian). Prozessrechtlicher Kommentar zum "Getreidegesetz" aus Samos. Anz. d. Österr. Akad. d. Wiss., Phil.-hist. Kl., 81, p. 62-88.

Cf. nos 1289, 1301.

§ 6. Historia económica y social.

* Cf. n° 1287.

1365. BOARDMAN (John). The Greeks overseas, their early colonies and trade. London, Thames a. Hudson, 81, 288 p. (313 fig.).

1366. BOUTROS (L.). Phoenician sport : its influence on the origin of the Olympic games. Amsterdam, Gieben, 81, in-8, 151 p. (63 pl.).

1367. FINLEY (Moses I.). Economy and society in ancient Greece. Ed. by Brend D. SHAW a. Richard P. SALLER. London, Chatto, 81, in-8, 352 p.

1368. HAHN (István). Tulajdon és birtoklás az archaikus Hellasban. (Propriété et possession dans l'Hellade archaïque.) Magy. tudom. Akad. Filoz. Törttudom. Oszt. Közl., 80, vol. 29, n° 1-2, p. 59-76.

1369. MacDONALD (Brian R.). The emigration of potters from Athens in the late fifth century B.C. and its effect on the Attic pottery industry. Am. J. Archaeol., 81, vol. 85, n° 2, p. 159-168.

1370. MACTOUX (Marie Madeleine). Douleia, esclavage et pratiques discursives dans l'Athènes classique. Paris, Belles Lettres, 81, in-8, 217 p. (A. litt. Univ. Besançon, 250).

1371. MASLENNIKOV (A.A.). Naselenie Bosporskogo gosudarstva v VI-II vv. do n.é. (The population of the Bosporan State, 6th-2nd cent. B.C.) Moskva, Nauka, 81, 125 p. (ill.). (AN SSSR. In-t arkheologii).

1372. PESCHLOW-BINDOKAT (Anneliese). Die Steinbrüche von Milet und Herakleia am Latmos. Mit e. Beitr. v. Klaus GERMANN. Jb. d. deutsch. archäol. Inst., 81, Bd 96, p. 157-235.

Cf. nos 98, 1109, 1289, 1301, 1363.

§ 7. Historia de la literatura, de la filosofía y de las ciencias.

* 1373. DESCHOUX (M.). Comprendre Platon : un siècle de bibliographie platonicienne de langue française, 1880-1980. Paris, Belles Lettres, 81, in-8, XIV-206 p.

* 1374. Strabone. Saggio di bibliografia 1469-1978. A cura di A.M. BIRASCHI [e altri]. Perugia, Univ. degli Studi, 81, in-8, 137 p.

* Cf. n° II.

1375. AGUILAR FERNÁNDEZ (R.M.). La noción del alma personal en Plutarco. Madrid, Ed. de la Univ. Complutense, 81, in-8, XI-382 p.

1376. Aischylos und Pindar. Studien zu Werk u. Nachwirkung. Hrsg. v. Ernst Günther SCHMIDT. Berlin, Akad.-Verl., 81, in-8, 379 p. (Schr. z. Gesch. u. Kultur d. Antike, 19).

1377. AMELING (W.). Komödie und Politik zwischen Kratinos und Aristophanes. Das Beispiel Perikles. Quad. catanesi, 81, a. 3, p. 383-424.

1378. ANNAS (J.). An introduction to Plato's "Republic". Oxford, Clarendon Press ; London, Oxford U.P., 81, in-8, VIII-362 p.

1379. ARMAYOR (O. Kimball). Sesostris and Herodotus' autopsy of Thrace, Colchis, inland Asia Minor and the Levant. Harvard Stud. class. Philol., 80, vol. 84, p. 51-74 (maps).

1380. ARNOTT (Geoffrey). Moral values in Menander. Philologus, 81, Bd 125, p. 215-227.

1381. ASMIS (Elizabeth). What is Anaximanders Apeiron ? J. Hist. Philos., 81, vol. 19, n° 3, p. 279-298.

1382. BABUT (Daniel). A propos des enfants et d'un ami de Plutarque : essai de solution pour deux énigmes. R. Et. grecques, 81, t. 94, p. 47-62.

1383. BAIER (Karl). Die Einwände des Aristoteles gegen die Ideenlehre Platons. Unter Berücks. des Methaphysik-Kommentars v. Thomas v. Aquin. Wien, Verb. d. Wissenschaftl. Gesellschaften Österreichs, 81, in-8, V-187 p. (Diss. d. Univ. Salzburg, 14).

1384. BARBERA (André). Republic 530C-531C : another look at Plato and the Pythagoreans. Am. J. Philol., 81, vol. 102, n° 4, p. 395-410.

1385. BARRON (John P.). Bacchylides, Theseus and a woolly cloak. B. Inst. class. Stud., 80, n° 27, p. 1-8.

1386. BAUMGARTEN (Albert I.). The Phoenician History of Philo of Byblos : a commentary. Leiden, Brill, 81, in-8, XXIX-284 p. (Et. prélimin. aux religions orient. dans l'Empire romain, 24).

1387. BILLAULT (Alain). Le mythe de Persée et les Ethiopiques d'Héliodore : légendes, représentation et fiction littéraire. R. Et. grecques, 81, t. 94, p. 63-75.

1388. BODSON (L.). Les Grecs et leurs serpents. Premiers résultats de l'étude taxonomique des sources anciennes. Antiquité class., 81, t. 50, p. 57-78.

1389. BÖL (Martin). Der Materialismus bei

den Griechen und allgemeine Vorstudien über Begriff und Systematik des Materialismus. Mit einem Nachwort v. Ernst BLOCH. Göppingen, Kümmerle, 81, in-8, XII-309 p. (Göppinger akad. Beitr., 39).

1390. BORZSÁK (István). A hellénisztikus történetirás mühelyéből. (De l'atelier de l'historiographie hellénistique.). Ant. Tanulm., 80, vol. 27, n° 2, p. 209-219.

1391. BOWIE (Angus M.). The poetic dialect of Sappho and Alcaeus. New York, Arno, 81, in-8, 203 p. (Monogr. in class. studies).

1392. BRILLANTE (C.). La leggenda eroica e la civiltà micenea. Roma, Ateneo, 81, in-8, 265 p.

1393. BURNS (Alfred). Athenian literacy in the fifth century B.C. J. Hist. Ideas, 81, vol. 42, n° 3, p. 371-388.

1394. CALAME (Claude). Le navire de Dionysos : un témoignage d'Alcman ? Et. Lettres, 81, s. 4, vol. 4, n° 2, p. 15-24 fig.).

1395. ČANYŠEV (A.N.). Aristotel'. (Aristotle.) Moskva, Mysl', 81, 200 p. (Mysliteli prošlogo).

1396. CAREY (C.). Bacchylides experiments: ode 11. Mnemosyne, 80, s. 4, t. 33, p. 225-243.

1397. CONACHER (D.J.). Rhetoric and relevance in Euripidean drama. Am. J. Philol., 81, vol. 102, n° 1, p. 3-25.

1398. CONCA (Fabrizio), DE CARLI (Edoardo), ZANETTO (Giuseppe). Lessico dei romanzieri greci. Saggio di lemmatizzazione. Quad. urbinati Cult. class., 81, t. 37, n.s., t. 8, p. 117-132.

1399. DANE (Joseph A.). Sappho Fr. 16 : an analysis. Eos, 81, vol. 69, p. 185-192.

1400. DIETERLE (A.). Die Strukturelemente der Intrige in der griechisch-römischen Komödie. Amsterdam, Grüner, 80, in-8, VI-358 p.

1401. DUMOULIN (B.). Recherches sur le premir Aristote (Eudème, De la philosophie, Protreptique). Paris, Vrin, 81, in-8, 181 p. (Bibl. d'Hist. de la Philos.).

1402. FAUTH (Wolfgang). Eidos poikilon : zur Thematik der Metamorphose u. zum Prinzip d. Wandlung aus d. Gegensatz in den Dionysiaka des Nonnos von Panopolis. Göttingen, Vandenhoeck u. Ruprecht, 81, in-8, 205 p. (Hypomnemata, 66).

1403. FERBER (Rafael). Zenons Paradoxien der Bewegung und die Struktur von Raum und Zeit. München, Beck, 81, in-8, VII-100 p. (Zetemata, 76).

1404. FLASHAR (Helmut). Aristoteles - sein Bild in Forschung und Deutung der Gegenwart. Studii clas., 81, t. 20, p. 55-67.

1405. FRERE (Jean). Les Grecs et le désir de l'être. Des préplatoniciens à Aristote. Paris, Belles Lettres, 81, in-4, 462 p. (Coll. d'Et. anc.).

1406. FRITZ (Kurt v.). Aristotle's anthropological ethics and its relevance to modern problems. J. Hist. Ideas, 81, vol. 42, n° 2, p. 187-208.

1407. FROLOV (É.D.). Fakel Prometeja. (Prometheus' torch.) Očerki antič. obščestv. mysli. Leningrad, Izd-vo Leningr. un-ta, 81, 160 p.

1408. FURLEY (David J.). The Greek theory of the infinite universe. J. Hist. Ideas, 81, vol. 42, n° 4, p. 571-586.

1409. GALL (D.). Die Bilder der horazischen Lyrik. Königstein/Ts., Hain, 81, in-8, 244 p. (Beitr. z. klass. Philol., 138).

1410. GALLO (Italo). Teatro ellenistico minore. Roma, Ateneo, 81, in-8, 200 p. (Filol. e critica, 38).

1411. GANTZ (Timothy). The Aeschylean tetralogy : attested and conjectured groups. Am. J. Philol., 80, vol. 101, p. 133-164.

1412. GARCÍA BAZAN (F.). Plotino y la Gnosis. Un nuevo capítulo en la historia de las relaciones entre el helenismo y el judeocristianismo. Buenos Aires, FECYC, 81, in-8, 368 p.

1413. GARCÍA NOVO (E.). Le entrada de los personajes y su anuncio en la tragedia griega : un estudio de técnica teatral. Madrid, Univ. Complutense, 81, in-8, 784 p.

1414. GIALLONGO (Angela). L'immagine della donna nella cultura greca. Rimini, Maggioli, 81, in-8, 163 p.

1415. GIGANTE (M.). Scetticismo e epicureismo. Napoli, Bibliopolis, 81, in-8, 244 p. (Elenchos, 4).

1416. Gnomosyne. Menschliches Denken und Handeln in der frühgriechischen Literatur. Festschrift f. W. Marg z. 70, Geburtstag, hrsg. v. G. KURZ, D. MÜLLER, W. NICOLAI. München, Beck, 81, in-8, 325 p.

1417. GRISWOLD (Charles). The ideas and the criticism of poetry in Plato's Republic, book 10. J. Hist. Philos., 81, vol. 19, n° 2, p. 135-150.

1418. GUARIGLIA (Osvaldo N.). El carácter original de las categorías en los Tópicos de Aristóteles. J. Hist. Philos., 81, vol. 19, n° 1, p. 1-20.

1419. GUTHRIE (William Keith C.). History fo Greek philosophy. [Vol. 5. Cf. Bibl. 78-79, n° 1545.] Vol. 6 : Aristotle, an encounter. London, Cambridge U.P., 81, in-8, 456 p.

1420. HARMATTA (János). Társadalmi terminológia és szövegtörténet. Hérodotos szöveghagyományozásához. (Terminologie sociale et histoire des textes. Sur l'héritage du texte d'Hérodote.) Ant. Tanulm., 80, vol. 27, n° 1, p. 1-7.

1421. HELLWIG (Dorothee). Adikia in Platons "Politeia". Interpretationen zu den Büchern VIII und IX. Amsterdam, Grüner, 80, in-8, 180 p. -(Studien z. antiken Philos., 11).

1422. HOEKSTRA (A.). Epic verse before Homer. Three studies. Amsterdam, Oxford a. New York, North-Holland Publ. Co., 81, in-8, 112 p.

(Verh. d. Kgl. Nederlandse Akad. d. Wetenschappen, Afd. Letterkunde, N.S., 108).

1423. IOPPOLO (A.M.). Aristone di Chio e lo stoicismo antico. Napoli, Bibliopolis, 80, in-8, 374 p. (Elenchos).

1424. IRELAND (Stanley). Prologues structure and sentences in Menander. Hermes, 81, Bd 109, p. 178-188.

1425. KARADAGLI (T.). Fabel und Ainos. Studien z. griech. Fabel. Königstein, Hain, 81, in-8, V-198 p. (Beitr. z. klass. Philol., 135).

1426. LAFRANCE (Yvon). La théorie platocinienne de la Doxa. Montréal, Bellarmin ; Paris, Belles Lettres, 81, in-8, 475 p. (Coll. d'ét. anc.).

1427. LE CORSU (France). Plutarque et les femmes dans les Vies parallèles. Paris, Belles Lettres, 81, in-8, 188 p.

1428. LLOYD (A.C.). Form and universal in Aristotle. Liverpool, Francis Cairns, 81, in-8, VI-89 p. (Class. a. medieval Texts, Papers a. Monogr.).

1429. LONGO (Oddone). Tecniche della comunicazione nella Grecia antica. Napoli, Liguori, 81, in-8, 144 p. (Forme, Mater. e Ideol. del mondo antico, 12).

1430. LORAUX (Nicole). Les enfants d'Athéna. Idées athéniennes sur la citoyenneté et la division des sexes. Paris, Maspero, 81, in-8, 288 p. (Textes à l'appui). — EADEM. L'invention d'Athènes : histoire de l'oraison funèbre dans la "cité classique". Paris, La Haye et New York, Mouton, 81, in-8, XIII-509 p. (Civil. et Soc., 65).

1431. LUPAŞ (Liana), PETER (Zoe). Commentaire aux Sept contre Thèbes d'Eschyle. Bucureşti Ed. Acad. ; Paris, Belles Lettres, 81, in-8, X-301 p.

1432. MELE (Alfred R.). Choice and virtue in the Nichomachean Ethics. J. Hist. Philos., 81, vol. 19, n° 4, p. 405-424.

1433. MILLER (Ed L.). The Logos of Heraclitus : updating the report. Harvard theol. R., 81, vol. 74, n° 2, p. 161-176.

1434. MOTTE (A.). Persuasion et violence chez Platon. Antiquité class., 81, t. 50, p. 562-577.

1435. NAKHOV (I.M.). Kiničeskaja literatura. (The cynical literature.). Moskva, Nauka, 81, 303 p.

1436. O'BRIEN (D.). Theories of weight in the ancient world. Vol. 1 : Democritus weight and size. An exercise in the reconstruction of early Greek philosophy. Paris, Belles Lettres ; Leiden, Brill, 81, in-8, XXI-419 p.

1437. PIATKOWSKI (A.). La description de la figure humaine dans le drame grec du IVe siècle av. n. ère. Philologus, 81, Bd 125, p. 201-210.

1438. PIGEAUD (Jackie). La maladie de l'âme. Etude sur la relation de l'âme et du corps dans la tradition médico-philosphique antique. Paris, Belles Lettres, 81, in-4, 588 p. (Coll. d'Et. anc.).

1439. Poētika drevnegrečeskoj literatury. (Poetics of ancient Greek literature.) Otv. red. S. S. AVERINCEV. Moskva, Nauka, 81, 366 p. (AN SSSR. In-t mirovoj lit. im. A. M. Gor'kogo).

1440. PRETAGOSTINI (Roberto). Considerazioni sui cosidetti "metra ex iambis orta" in Simonide, Pindaro e Bacchilide. Quad. urbinati Cult. class., 80, t. 35, n. s., t. 6, p. 127-136.

1441. RAWLINGS (Hunter R.) III. The structure of Thucydides' history. Princeton, N.J., Princeton U.P., 81, XIV-278 p.

1442. RHODES (P.J.). A commentary of the Aristotelian Athenaion Politeia. Oxford, Clarendon Press, 81, in-8, 796 p.

1443. RODRÍGUEZ ADRADOS (Francisco). El mundo de la lírica griega antica. Madrid, Alianza, 81, in-8, 331 p.

1444. SCHNAPP-GOURBEILLON (Annie). Lions, héros, masques. Les représentations de l'animal chez Homère. Paris, Maspéro, 81, in-8, 221 p.

1445. Sophists (The) and their legacy. Proceedings of the Fourth Intern. Colloquium on ancient philosophy held at Bad Homburg, 29th August-1st Sept. 1979, in coop. with Projektgruppe Altertumswissenschaften der Thyssen Stiftung. Ed. by G. B. KERFERD. Wiesbaden, Steiner, 81, in-8, VII-141 p. (Hermes, Einzelschr., 44).

1446. STECHER (Anton). Inschriftliche Grabgedichte auf Krieger und Athleten. Eine Studie zu griech. Wertprädikationen. Unter Mitarb. v. Gerhard PFOHL. Innsbruck, Univ.-Verl. Wagner, 81, in-8, 96 p. (Philol. u. Epigraphik, 5) (Commentationes Aenipontanae, 27).

1447. USSHER (Robert G.). The Mimiamboi of Herodas. Hermathena, 80, vol. 129, p. 65-76.

1448. VIDAL-NAQUET (Pierre). Le chasseur noir. Formes de pensée et formes de société dans le monde grec. Paris, Maspero, 81, in-8, 487 p. (Textes à l'appui).

1449. WATHELET (P.). La langue homérique et le rayonnement littéraire de l'Eubée. Antiquité class., 81, t. 50, p. 819-834.

1450. WÜLFING (P.). Hymnus und Gebet. Zur Formengeschichte der älteren griechischen Hymnendichtung. Studii clas., 81, t. 20, p. 21-31.

Cf. n°s 142, 952, 1676.

§ 8. Religión y mitología.

1451. DETIENNE (M.). L'invention de la mythologie. Paris, Gallimard, 81, in-8, 258 p. (Bibliothèque des Sci. humaines).

1452. KADLETZ (Edward). The tongues of Greek sacrificial victims. Harvard theol. R., 81, vol. 74, n° 1, p. 21-30.

1453. MEES (L.F.C.). Helena und Penelope. Der Weg des Menschen im Bild d. griech. Mythologie. Stuttgart, Brockhaus, 81, in-8, 159 p. (ill.).

1454. PALMER (Leonard Robert). Some new Minoan-Mycenaean gods. Innsbruck, Inst. f.

Sprachwiss. d. Univ., 81, in-8, 24 p. (ill.). (Innsbrucker Beitr. z. Sprachwiss., Vorträge u. Kleinere Schr., 26).

1455. RIBICHINI (Sergio). Adonis. Aspetti "orientali" di un mito greco. Roma, Consiglio naz. delle Ricerche, 81, in-8, 212 p. (Centro di studio per la civiltà fenica e punica).

1456. Studies in Gnosticism and Hellenistic religions presented to Gilles Quispel on the occasion of his 65th birthday. Ed. by R. VAN DEN BROEK a. M. J. VERMASEREN. Leiden, Brill, 81, in-8, XIV-622 p. (Et. prélim. aux religions orient. dans l'Empire romain, 91).

1457. VEYNE (P.). Entre le mythe et l'histoire ou les impuissances de la raison grecque. Diogène, 81, n° 113, p. 3-33.

Cf. n°s 1294, 1297.

§ 9. Arqueología e historia del arte.

* Cf. n° III.

1458. Altertümer von Pergamon. 13 : BOHTZ (C.H.). Das Demeter-Heiligtum. Berlin, de Gruyter, 81, in-fol. IV-62 p. (13 Fig., 6 Taf.).

1459. AMANDRY (Pierre). Chronique delphique (1970-1981). B. Corr. hellénique, 81, t. 105, p. 673-769 (85 fig.).

1460. Antre (L') corycien. T. 1 [réd. par Pierre-Yves PECHOUX, Pierre AMANDRY, Gilles TONCHAIS, etc.]. Athènes, Ecole franç. ; diff. Paris, de Boccard, 81, in-4, 282 p. (ill., pl.). (B. Corr. hellénique, Suppl. 7).

1461. BAKIR (Güven). Sophilos. Ein Beitr. zu seinem Stil. Mainz, v. Zabern, 81, in-4, IX-84 p. (42 Abb., 90 Taf.). (Heidelb. Akad. d. Wiss., Keramikforschungen, 4).

1462. BERNABÒ BREA (Luigi). Menandro e il teatro greco nelle terracotte liparesi. Genova, Sagap, 81, in-4, 326 p. (465 fig., 43 pl.).

1463. BERNHARD (Ludwika Maria). Sztuka grecka. (L'art grec.) Warszawa, Wydawn. Artyst. i Filmowe, 81, in-16, 383, VIII p. (Kultury Starożytne i Cywilizacje Pozaeuropejskie).

1464. BRUNEAU (Philippe), FRAISSE (Philippe). Un pressoir à vin à Délos. B. Corr. hellénique, 81, t. 105, p. 127-153.

1465. BRUNO (Vincent J.). The painted metopes at Lefkadia and the problem of color in Doric sculptured metopes. Am. J. Archaeol., 81, vol. 85, n° 1, p. 3-11.

1466. Etudes crétoises. 25 : Le palais de Mallia, 5. Par Olivier PELON, avec la collab. de Elga ANDERSEN et de Jean-Pierre OLIVIER. 26 : Fouilles exécutées à Mallia : le quartier Ma. 2. Vases de pierre et de métal, vannerie, figurines et reliefs d'applique, éléments de parure et de décoration, armes, sceaux et empreintes. T. 1, 2. Par Béatrice DETOURNEY, Jean-Claude POURSAT et Frida VANDENABEELE. Paris, Geuthner, 80, 3 vol. in-4, XII-259, 238, 258 p. (ill., pl.). [Cf. Bibl. 80, n° 1427.]

1467. Exploration archéologique de Délos, faite par l'Ecole française d'Athènes. [32. Cf. Bibl. 80, n° 1429.] 33 : L'Oikos des Naxiens. Par Paul COURBIN. Paris, de Boccard, 80, in-fol., 152 p. (ill., 82 p. de pl.).

1468. Fouilles de Xanthos. [6. Cf. Bibl. 80, n° 1430.] 7 : BALLAND (A.). Inscriptions d'époque impériale du Létôon. Paris, Klincksiek, 81, in-4, XXI-312 p. (34 pl., 1 plan).

1469. HAMPE (R.), SIMON (E.). The birth of Greek art, from the Mycenaean to the Archaic period. London, Thames a. Hudson, 81, in-4, 268 p. (ill., pl.).

1470. HARRISON (Evelyn B.). Motifs of the city-siege on the shield of Athena Parthenos. Am. J. Archaeol., 81, vol. 85, n° 3, p.281-317.

1471. HOLTZMANN (Bernard), SALVIAT (François). Les portraits sculptés de Marc-Antoine. B. Corr. hellénique, 81, t. 105, p. 265-288 (14 fig.).

1472. HOOD (Sinclair), SMYTH (David). Archaeological survey of the Knossos area. London, Thames a. Hudson, 81, in-8, 80 p. (Brit. School of Archaeol. at Athens).

1473. KARAGHEORGHIS (Vassos). Chronique des fouilles et découvertes en Chypre en 1980. B. Corr. hellénique, 81, t. 105, p. 967-1024 (132 fig.). [Cf. Bibl. 80, n° 1434.].

1474. KOLB (Frank). Agora und Theater - Volks- und Festversammlung. Berlin, Mann, 81, in-4, 130 p. (Dt. Archäol. Inst., Archäolog. Forschungen, 9).

1475. MASTROCINQUE (Attilio). Storio e monetazione di Mileto all'epoca dei Diadochi. A. Istit. ital. Numism., 80-81, vol. 27-28, p. 61-78.

1476. NEEFT (Cornelis W.). Observations on the Thapsos class. Mél. Ec. franç. Rome, Antiquité, 81, t. 93, p. 7-88 (fig., pl., maps).

1477. ROLLER (Lynn E.). Funeral games in Greek art. Am. J. Archaeol., 81, vol. 85, n° 2, p. 107-199.

1478. ROUX (Georges). A propos des gymnases de Delphes et de Délos. Le site du Damatrion de Delphes et le sens du mot sphairistèrion. B. Corr. hellénique, 80, t. 104, p. 127-149.

1479. ROUX (Georges). Problèmes déliens. B. Corr. hellénique, 81, t. 105, p. 41-78.

1480. Salamine de Chypre. Fouilles dirigées par Jean POUILLOUX et Georges ROUX. Publ. par l'Univ. Lyon II, Maison de l'Orient méditerr. ancien, Inst. F. Courby. [10. Cf. Bibl. 78-79, n° 1598.] 9 : Céramiques hellénistiques, romaines et byzantines. Par Catherine DIEDERICHS, dessins de Jean CHEVALIER, Patrick DESFARGES, Joud SAAD. Paris, de Boccard, 80, in-fol., VIII-102 p. (ill., pl.). [Cf. Bibl. 80, n° 1442.]

1481. STEWART (Andrew). Attika, studies in the Athenian sculpture of the Hellenistic age. London, Soc. for the Promotion of Hellenic Stud., 80, in-4, XV-192 p. (ill., 29 p. of pl.). (Suppl. papers, 14).

1482. TOBIN (Richard). The Doric groundplan. Am. J. Archaeol., 81, vol. 85, n° 4, p. 379-427.

1483. TOUCHAIS (Gilles). Chronique des fouilles et découvertes archéologiques en Grèce en 1980. B. Corr. hellénique, 81, t. 105, p. 771-889 (220 fig.). [Cf. Bibl. 76-77, n° 1879.]

1484. WEITZMANN (Kurt), TURNER (Eric G.). An enamelled glass beaker with a scene from New Comedy. Antike Kunst, 81, Bd 24, p. 39-65 (6 fig., pl.).

Cf. n°s 975, 1229.

F

HISTORIA DE ROMA, DE ITALIA ANTIGUA Y DEL IMPERIO ROMANO

§ 1. Los pueblos de Italia antigua. 1485-1489. - § 2. Etruscología. 1490-1505. - § 3. Fuentes y crítica de las mismas. 1506-1529. - § 4. Historia general y política. 1530-1583. - § 5. Historia del derecho y de las instituciones. 1584-1613. - § 6. Historia económica y social. 1614-1646. - § 7. Historia de la literatura, de la fiosofía y de las ciencias. 1647-1693. - § 8. Religión y mitología. 1694-1705. - § 9. Arqueología e historia del arte. 1706-1754.

§ 1. Los pueblos de Italia antigua.

1485. DALL'AGLIO (Luigi), GUISBERTI (Gianni), GRUPPIONI (Giorgio), VITALI (Daniele). Monte Bibele : aspetti archeologici, antropologici e storici dell' insediamento preromano. Mél. Ec. franç. Rome, Antiquité, 81, t. 93, p. 155-182.

1486. GRAS (M.). La Sicile et l'Italie au VIIe et dans la première moitié du VIe siècle av. J.-C. Kókalos, 80-81, t. 26-27, p. 99-138.

1487. MARCHESETTI (Carlo). I castellieri preistorici di Trieste e della regione Giulia. Present. di Antonio Mario RADMILLI. Note di aggiornamento di Dante CANNARELLA. Ripr. anast. Trieste, Italo Svevo, 81, in-8, XIII-273 p. (tav., ritr., c. topogr.). (Soc. per la Preist. e Protost. della Reg. Friuli-Venezia Giulia, quad. 3). [Ripr. fac-sim. dell'ediz. Trieste, Mus. civ. di Stor. naturale, 1903.].

1488. PALLOTTINO (Massimo). Genti e cultura dell'Italia preromana. Roma, Jouvence, 81, in-8, 136 p. (ill.). (Guide, 8).

1489. Testimonia Siciliae antiqua. I, 1 : Geografia fisica e politica della Sicilia antica. [di] Eugenio MANNI. Roma, Bretschneider, 81, in-8, 330 p. (Suppl. a Kókalos, 4). (Istit. siciliano per la Stor. ant.).

Cf. n° 1097.

§ 2. Etruscología.

* 1490 AIGNER-FORESTI (Luciana). Geschichte und Kultur der Etrusker. Anz. f. d. Altertumswiss., 81, Bd 34, p. 1-22.

* 1491. CAMPOREALE (G.), CANOCCHI (D.), BASTIANINI (M.P.). Rassegna bibliografica. Studi etruschi, 80, a. 48, p. 469-519.

1492. Akten des Kolloquiums zum Thema Die Göttin von Pyrgi. Archäolog., linguist. und religionsgeschichtl. Aspekte (Tübingen, 16-17. Jan. 1979). Firenze, Olschki, 81, in-4, 166 p. (ill.). (Bibl. di Studi. e truschi, 12).

1493. Aufnahme (Die) fremder Kultureinflüsse in Etrurien und das Problem des Retardierens in der etruskischen Kunst. Referate vom Symposion d. Deutschen Archäologen-Verbandes, Mannheim, 8.-10.2.1980. Mannheim, Archäol. Seminar d. Univ., 81, in-8, X-197 p. (Abb., Taf., Kt.). (Schr. d. Dt. Archäologen-Verbandes, 5).

1494. BONFANTE (Larissa). Out of Etruria : Etruscan influence north and south. Oxford, Brit. Archaeol. Reports, 81, in-4, II-173 p. (122 p., 10 maps). (Brit. Archaeol. Rep., Intern. ser., 103).

1495. COLONNA (G.). Scavi e scoperte. Studi etruschi, 80, a. 48, p. 521-588 (24 pl.).

1496. Contributi alla storia degli studi etruschi ed italici. A cura di Gigliola BONUCCI CAPORALI. I, 1 : Annio da Viterbo. Documenti e ricerche. Roma, Cons. naz. delle Ricerche, 81, in-4, 342 p. (tav.). (Cons. naz. delle Ricerche. Centro di Studi per l'Archeol. etrusco-italica).

1497. Corpus Speculorum Etruscorum. Denmark. 1 : Copenhagen, The Danish National Museum, the Ny Carlsberg Glyptothek. Fasc. 1, by Helle SALSKOV ROBERTS. Odense, Univ. Press, 81, 132 p. (diagr., pl.).

1498. Corpus Speculorum Etruscorum. Italia. 1 : Bologna, Museo Civico. Fasc. 1, 2. A cura di Giuseppe SASSATELLI. Roma, Bretschneider, 81, 2 vol., 217, 106 p. (diagr., tav.).

1499. FALCHETTI (Franco). Invito alla civiltà etrusca. Present. di Mario MORETTI. Milano, Rusconi immagini, 81, in-8, 190 p. (ill.).

1500. GRANT (Michael). The Etruscans. New York, Scribner, 81, in-8, XV-317 p. (ill., maps). [Brit. ed. Cf. Bibl. 80, n° 1454.].

1501. PAIRAULT MASSA (F.H.). Deux questions religieuses sur Marzabotto. Mél. Ec. franç. Rome, Antiquité, 81, t. 93, p. 127-154.

1502. RIIS (P.J.). Etruscan types of heads. A revised chronology of the archaic and classical terracottas of Etruscan Campania and Central Italy. København, Det Kongelige Danske Videnskabernes Selskab, 81, in-4, 84 p. (54 fig.).

1503. Romagna (La) tra VI e IV secolo a. C. La necropoli di Montericco e la protostoria romagnola. [Catalogo] a cura di Patrizia von ELES

MASI. Imola, S university press Bologna, 81, in-4, 385 p. (tav.). (Realtà reg. Fonti e Studi, 5).

1504. SMALL (Jocelyn Penny). Studies related to the Theban cycle on late Etruscan urns. Roma, Bretschneider, 81, XV-202 p. (44 pl.).

1505. TORELLI (Mario). Storia degli etruschi. Roma e Bari, Laterza, 81, in-8, 302 p. (Grandi opere).

Cf. n°s 1097, 1486, 1488, 1521.

§ 3. Fuentes y crítica de las mismas.

* Cf. n°s 1158, 1898.

1506. BARCHIESI (Alessandro). Notizie sur "nuovo Gallo". Atene e Roma, 81, a. 26, p. 153-166.

1507. BERING-STASCHEWSKI (Rosemarie). Römische Zeitgeschichte bei Cassius Dio. Bochum, Studienverl. Brockmeyer, 81, in-8, III-186 p. (Bochumer hist. Stud. Alte Gesch., 5).

1508. BERNECKER (Annemarie). Zur Tiberius -Überlieferung des Jahres 26-37 n. Chr. Bonn, Habelt, 81, in-8, 188 p.

1509. BORZSÁK (István). Graecia capta ferum victorem cepit. Az Augustus levél problematikájához. (Le problème de la lettre d'Auguste.) Ant. Tanulm., 79, vol. 26, n° 1, p. 49-56.

1510. BRACCESI (Lorenzo). Epigrafia e storiografia (Interpertazioni augustee). Napoli, Liguori, 80, in-8, 122 p. (Forme, Mater e ideol. del mondo antico, 18).

1511. CAVENAILE (R.). Papyrus littéraires latins et philologie. Antiquité class., 81, t. 50, p. 125-136.

1512. CHASTAGNOL (André). L'inscription constantinienne d'Orcistus. Mél. Ec. franç. Rome, Antiquité, 81, t. 93, p. 381-416.

1513. COCKLE (Helen). Pottery manufacture in Roman Egypt. A new papyrus. J. roman Stud., 81, vol. 71, p. 87-97.

1514. Corpus cultus equitis thracii (CCET). [1. Cf. Bibl. 78-79, n° 1629.] 2 : Monumenta inter Danubium et Haemum reperta : Durostorum et vicinia, regio oppidi Tolbuhin, Marcianopolis et vicinia, regio oppidi Šumen. Zlatozara GOČEVA et Manfred OPPERMANN. Leiden, Brill, 81, in-8, XVIII-176 p. (84 p. de pl.). (Et. prélim. aux religions orient. dans l'Empire romain, 74).

1515. COTTON (Hannah M.). Documentary letters of recommendation in Latin from the Roman Empire. Königstein/Taunus, Hain, 81, in-8, VII-54 p. (Beitr. z. klass. Philol., 132).

1516. COURTNEY (E.). The formation of the text of Vergil. B. Inst. class. Stud., 81, n° 28, p. 13-29.

1517. DAHLMANN (Helfried). Über Aemilius Macer. Wiesbaden, Steiner, 81, in-8, 33 p. (Akad. d. Wiss. u. d. Lit. Mainz, Abh. d. geistes- u. sozialwiss. Kl., 1981, 6).

1518. GONZÁLEZ (Julián). Inscripciones inéditas de Córdoba y su provincia. Mél. Casa de Velázquez, 81, t. 17, p. 39-54.

1519. HOLTZ (Louis). Donat et la tradition de l'enseignement grammatical. Etude sur l'Ars Donati et sa diffusion (IVe-IXe siècle) et édition critique. Paris, Ed. du C.N.R.S., 81, in-4, XIX-750 p. (8 pl.). (Doc., études et répertoires, publ. par l'Inst. de recherche et d'hist. des textes).

1520. Insula sacra : la loi Gabinia-Calpurnia de Délos, 58 av. J.-C. Edition et commentaire par Jean-Christian DUMONT, Jean-Louis FERRARY, Philippe MOREAU et Claude NICOLET. Sous la dir. de Claude NICOLET. Rome, Ecole franç. de Rome, 80, in-4, 164 p. (pl.). (Coll. de l'Ecole franç. de Rome, 45).

1521. MANINO (Luciano). Antologia di testi epigrafici etrusci e italici. Torino, Giappichelli, 81, in-8, 134 p. (ill., tav.).

1522. MENNELLA (Giovanni). Veterani legionari nel Piemonte meridionale. B. stor. bibliogr. subalpino, 81, a. 79, p. 637-648.

1523. Papiri della Università degli studi di Milano. 7 : (P. Mil. Vogliano 301-308). La contabilità di un'azienda agricola nel II sec. d. C. Edito da Daniele FORABOSCHI. Milano, Istit. edit. cisalpino- La goliardica, 81, in-4, 112 p. (Istit. di Papir. dell'Univ. degli Studi di Milano).

1524. Papyri Graecae Haunienses. Fasc. 2 (P. Haun II, 13-44) : Letters and mummy labels from Roman Egypt, ed. with trans. a. commentary by Adam BÜLOW-JACOBSEN. Bonn, Habelt, 81, in-4, XIV-88 p. (16 pl.). (Papyrol. Texte u. Abh., 29).

1525. PODOSINOV (A.V.). Ovidij kak istočnik po istorii Zapadnogo Ponta. (Ovid as a source for the history of the West Pontus.) Istoriogr. obzor. Vestn. drevn. Ist., 81, n° 2, p. 174-194.

1526. SAGE (P.). La Table claudienne et le style de l'empereur Claude : essai de réhabilitation. R. Et. latines, 80 [81], a. 58, p. 274-312.

1527. SCARDIGLI (Barbara), BERARDI (Anna Rita). Alcuni problemi attorno a Granio Liciniano. Critica stor., 81, a. 18, p. 533-558.

1528. SOLIN (Heikki). Zu lukanischen Inschriften. Helsinki, Societas Scientiarum Fennica, 81, in-8, 60 p. (ill.). (Comment. hum. litt., 69).

1529. SOTGIU (Giovanna). Le iscrizioni dell' ipogeo di Tanca di Borgona (Portotorres, Turris Libisonis). Roma, Herder, 81, in-8, 70 p. (ill.).

Cf. n° 1713.

§ 4. Historia general y política.

1530. ARICESCU (Andrei). The army in Roman Dobrudja. Tr. from the Roumanian by N. HAMPARTUMIAN. London, Brit. Archaeol. Rep., 81, in-4, 225 p. (maps).

1531. ATHANASSIDAI-FOWDEN (Polymnia). Julian and Hellenism, an intellectual biography. London, Oxford U.P., 81, in-8, 248 p.

1532. Atti del Congresso internazionale di studi vespasianei. Rieti, settembre 1979. Rieti, Centro studi varroniani, 81, 2 vol. in-8, 598 p. compless.

4. HISTORIA GENERAL Y POLÍTICA

1533. Aufstieg und Niedergang der römischen Welt. Gesch. u. Kultur Roms im Spiegel d. neueren. Forsch. Hrsg. v. Hildegard TEMPORINI u. Wolfgang HAASE. 2. Principat. [Bd 13, 23/2, 31/1. Cf. Bibl. 80, n° 1474.] Bd 7 : Politische Geschichte. Hrsg. v. Hildegard Temporini. Halbbd 2 : Provinzen und Randvölker. Griechischer Balkanraum, Kleinasien [Forts.] Bd 13 : Normen, Verbreitung, Materien. Hrsg. v. Hildegard Temporini. Bd 17 : Religion. Hrsg. v. Wolfgang Haase. Teilbd 1, 2 : Heidentum, römische Götterkulte, orientalische Kulte in der römischen Welt. Bd 31 : Sprache und Literatur. Hrsg. v. Wolfgang Haase. Teilbd 2-4 : Literatur der augusteischen Zeit : einzelne Autoren, [Forts.], Vergil, Horaz, Ovid. Berlin u. New York, de Gruyter, 80-81, 8 vol. in-8, VII p., p. 596-1384 ; X-844, XII-558, VIII p., p. 562-1255 ; VIII p., p. 710-1399 ; VIII p., p. 1404-2158 ; VIII p., p. 2162-2783.

1534. BANDELLI (G.). La guerra istriaca del 221 a. C. e la spedizione alpina del 220 a. C. Athenaeum, 81, a. 59, p. 3-28.

1535. BARCELÓ (P.A.). Roms auswärtige Beziehungen unter der Constantinischen Dynastie (306-363). Regensburg, Pustet, 81, in-8, 226 p. (Eichstätter Beitr., 3. Abt.: Gesch.).

1536. BARNES (Timothy D.). Constantine and Eusebius. Cambridge, Mass., Harvard U.P., 81, in-8, VI-458 p.

1537. BELLEN (Heinz). Die germanische Leibwache der römischen Kaiser des julisch-claudischen Hauses. Mainz, Akad. d. Wiss. u. d. Lit.; Wiesbaden, Steiner, 81, in-8, 133 p. (22 ill.). (Abh. d. Geistes- u. Sozialwiss. Kl., Akad. d. Wiss. u. d. Lit., Jg. 81, 1).

1538. BENGTSON (Hermann). Kaiser Augustus. Sein Leben u. seine Zeit. München, Beck, 81, in-8, 335 p. (13 ill.).

1539. BERTHIER (André). La Numidie. Rome et le Maghreb. Préf. d'André WARTELLE. Paris, Picard, 81, in-8, 224 p. (cartes).

1540. BIRLEY (Anthony R.). The Fasti of Roman Britain. London a. New York, Oxford U. P., 81, in-8, XII-476 p.

1541. BLEICKEN (Jochen). Das römische Volkstribunat. Versuch e. Analyse seiner polit. Funktion in republikan. Zeit. Chiron, 81, Bd 11, p. 87-108.

1542. BRIZZI (Giovanni). L'armamento legionario dall'età Giulio-Claudia e le guerre partiche. Critica stor., 81, a. 18, p. 177-201.

1543. CHEVALLIER (Raymond). La romanisation de la Celtique du Pô : géographie, archéologie et histoire en Cisalpine. 1 : Les données géographiques. Paris, Belles lettres, 80, in-8, 179 p. (19 pl.). (Le monde romain).

1544. CHISHOLM (Kitty), FERGUSON (John). Rome, the Augustan age. London, Oxford U.P., 81, in-8, 800 p.

1545. CHRISTIDES (V.). Ethnic movements in southern Egypt and northern Sudan : Blemmyes-Beja in late antique and early Arab Egypt until 707 A.D. Listy filol., 80, t. 103; p. 129-143.

1546. CLARKE (M.L.). The noblest Roman : Marcus Brutus and his reputation. London, Thames a. Hudson, 81, in-8, 160 p.

1547. COTTON (Hannah M.). Military tribunates and the exercise of patronage. Chiron, 81, Bd 11, p. 229-238.

1548. DIDU (Ignazio). I rapporti tra Roma e la Siria alla morte di Seleuco IV (175 a.C.) e di Antioco IV (164 a.C.). Critica stor., 81, a. 18, p. 3-47.

1549. DIETZ (Karlheinz). Ein neues Zeugnis zur Laufbahn des Avidius Cassius ? Chiron, 81, Bd 11, p. 277-301.

1550. GATTI (Enzo). Gli Illiri. 1 : Illiri prope dicti. 2 : I popoli ilirici. Chiaravalle Centrale, Frama Sud, 81, 2 vol. in-8. (ill.).

1551. GOFFART (Walter). Rome, Constantinople, and the barbarians. Am. hist. R., 81, vol. 86, n° 2, p. 275-306.

1552. GOTTLIEB (G.). Das römische Augsburg : historische und methodische Probleme einer Stadtgeschichte. München, E. Vögel, 81, in-8, 69 p. (Schr. d. philos. Fak. d. Univ. Augsburg, 21).

1553. GREENHALGH (Peter). Pompey, [Vol. 1. Cf. Bibl. 80, n° 1494.] Vol. 2 : The Republican Prince. Columbia, Univ. of Missouri Press ; London, Weidenfeld a. Nicolson, 81, in-8, XV-320 p. (maps).

1554. GSCHNITZER (F.). Das System der römischen Heeresbildung im zweiten Punischen Krieg : Polybius, die Annalisten und die geschichtliche Wirklichkeit. Hermes, 81, Bd 109, p. 59-85.

1555. HOFMANN (Inge). Die Helfer des Kaisers Decius gegen die Blemmyer. Götting. Misz., 81, Bd 50, p. 29-37.

1556. KEAVENEY (Arthur). Roman treaties whith Parthia circa 95-circa 64 B.C. Am. J. Philol., 81, vol. 102, n° 2, p. 195-212.

1557. KENNEDY (D.L.). Legio VI Ferrata : the annexation and early garrison of Arabia. Harvard Stud. class. Philol., 80, vol. 84, p. 283-309 (3 fig.).

1558. KENWORTHY (J.). Agricola's campaigns in Scotland. Edinburgh, U.P., 81, in-8, 100 p.

1559. KERESZTES (Paul). Constantine, a great Christian monarch and apostle. Amsterdam, J.C. Gieben, 81, in-8, 218 p.

1560. KÖNIG (Ingomar). Die gallischen Usurpatoren von Postumus bis Tetricus. München, Beck, 81, in-8, 237 p. (Vestigia, 31).

1561. LADOUCEUR (David J.). The death of Herod the Great. Class. Philol., 81, vol. 76, n° 1, p. 25-34.

1562. LANGMANN (Gerhard). Die Markomannenkriege 166/167 bis 180. Wien, Österr. Bundesverl., 81, in-8, 38 p. (ill.). (Militärhist. Schriftenreihe, 43).

1563. LEMONON (Jean-Pierre). Pilate et le gouvernement de Judée. Textes et monuments. Paris, Gabalda, 81, in-8, 313 p. (Et. bibliques).

1564. LEPELLEY (Claude). Les cités de l'Afrique romaine au Bas-Empire. [T. 1. Cf. Bibl. 80, n° 1590.] T. 2 : Notices d'histoire municipale. Pari, Etudes augustiniennes, 81, in-4, 609 p. - IDEM. La crise de l'Afrique romaine au début du Ve siècle, d'après les lettres nouvellement découvertes de Saint Augustin. C. R. Acad. Inscript., 81, p. 445-463.

1565. MAXFIELD (Valerie A.). Roman military decorations. London, Batsford, 81, in-8, 350 p. (ill.).

1566. MILLAR (Fergus). The Roman Empire and its neighbours. London, Duckworth, 81, in-8, 370 p. (ill.).

1567. MONTEVECCHI (Orsolina). Vespasiano acclamato dagli Alessandrini. Ancora su P. Fouad 8. Aegyptus, 81, a. 61, p. 155-170.

1568. NEUMANN (Alfred). Vindobona. Die römische Vergangenheit Wiens. Geschichte, Erforschung, Funde. 2., verb. u. erw. Aufl. Wien, Köln u. Graz, Böhlau, 80, in-8, 188 p. (128 fig.).

1569. PERELLI (Luciano). Il terrorismo e lo stato nel I secolo a. C. Palermo, Palumbo, 81, in-8, 132 p. (Sc. e Cult. Sez. di Testi latini per Probl., 2).

1570. ROLDÁN HERVÁS (José Manuel). La república romana. Madrid, Catedra, 81, in-8, 781 p. (maps). (Hist. de Roma, 1).

1571. ROUGÉ (Jean). Septime Sévère et Lyon. In : Lyon et l'Europe [Cf. n° 417], vol. 2, p. 223-234.

1572. SALWAY (Peter). Roman Britain. London a. New York, Oxford U.P., 81, in-8, XX-824 p. (maps). (Oxford Hist. of England, 1).

1573. SANIE (Silviu). Civilizaţia romană la est de Carpaţi şi romanitatea pe teritoriul Moldovei : secolele II î.e.n.-III e.n. (The Roman civilization east of the Carpathian Mountains a. the romanity on the territory of Moldavia : 2nd cent. B.C.-3th cent. A.D.) Iaşi, Junimea, 81, in-4, 264 p. [Eng. summary].

1574. ŠELOV (D.B.). Rimljane v Severnom Pričernomor'e vo II v.n.è. (The Romans in the North Black Sea area, 2nd cent. A.D.) Vestn. drevn. Ist., 81, n° 4, p. 52-64.

1575. STORONI MAZZOLANI (Lidia). Tiberio, o la spirale del potere. Milano, Rizzoli, 81, in-8, 302 p. (tav.). (Coll. stor. Rizzoli).

1576. SYME (Ronald). The early Tiberian consuls. Historia [Wiesbaden], 81, Bd 30, p. 189-202.

1577. TODD (Malcom). Roman Britain, 55 B. C.-A.D. 400 : the province beyond the Ocean. Atlantic Highlands, N.J., Humanities Press ; London, Fontana, 81, in-8, 285 p. (Fontana Hist. of England).

1578. TÓTH (Endre). Megjegyzések Pannonia provincia kialakulásának kérdéséhez. (Comments on the development of the province of Pannonia). Archaeol. Ért., 81, vol. 108, n° 1; p. 13-33.

1579. TRANOY (Alain). La Galice romaine. Recherches sur le nord-ouest de la péninsule ibérique dans l'antiquité. Paris, de Boccard, 81, in-4, 602 p. (16 p. de pl., 36 p. de cartes). (Publ. du Centre Pierre Paris, 7. - Coll. de la Maison des Pays ibériques).

1580. VEDALDI ASBEZ (Vanna). I figli dei proscritti sillani. Labeo, 81, a. 27, p. 163-213.

1581. WEBSTER (Graham). Rome against Caratacus, the Roman campaigns in Britain, A.D. 48-58. London, Batsford, 81, in-8, 224 p. (ill.).

1582. WISTRAND (Erik). The policy of Brutus the Tyrannicide. Göteborg, Kungl. Vetenskapsoch Vitterhets-Samhället, 81, in-8, 40 p. (Acta Regiae Soc. Sci. et Litt. Gothoburgensis, Humaniora, 18).

1583. WOZNIAK (Frank E.). Count Marcellinus and Dalmatian autonomy : a study in the continuity of the Roman tradition. In : Nation and ideology [Cf. n° 437], p. 7-33.

Cf. n°s 1273, 1289, 1291, 1293.

§ 5. Historia del derecho y de las instituciones.

* 1584. HUMBERT (M.). Chronique. Droits de l'antiquité. Monde romain. R. hist. Droit franç. étr., 81, a. 59, p. 123-141, 521-542. [Cf. Bibl. 80, n° 1525].

* Cf. n°s 1156, 1157.

1585. BACKHAUS (R.). Casus perplexus. Die Lösung in sich widersprüchlicher Rechtsfälle durch die klassische römische Jurisprudenz. München, Beck, 81, in-8, 230 p.

1586. BOGAERT (Raymond). Les reçus d'impôts thébains en argent des IIe et IIIe siècles. Chron. d'Egypte, 80, vol. 55, p. 284-305.

1587. CIMMA (M.R.). Ricerche sulle società di publicani. Milano, Giuffrè, 81, in-8, 275 p. (Univ. Roma, Pubbl. Istit. Dir. romano, 59).

1588. DE BONFILS (Giovanni). Il comes et quaestor nell'età della dinastia costantiniana. Napoli, Jovene, 81, in-8, XX-227 p. (Pubbl. della Fac. giur. dell'Univ. di Bari, 62) - CR : M. Sargenti, Studia Doc. Hist. et Iuris, 81, t. 47, p. 399-406.

1589. DIDIER (Philippe). Les diverses conceptions du droit naturel à l'oeuvre dans la jurisprudence romaine des IIe et IIIe siècles. Studia Doc. Hist. et Iuris, 81, t. 47, p. 195-262.

1590. DIÓSDI (G.). Contract in Roman law : from the Twelve Tables to the glossators. Budapest, Akad. Kiadó, 81, in-8, 230 p.

1591. FANIZZA (Luciana). Senato e principe in età tiberiana. I profili costituzionali. Labeo, 81, a. 27, p. 36-53.

1592. FUSCO (Sandro-Angelo). Rechtspolitik in der Spätantike : Unterschiede zwischen dem Westen und dem Osten und ihre Bedingungen. Saeculum, 81, Bd 32, p. 255-272.

1593. GUARINO (Antonio). La coerenza di Publio Mucio. Napoli, Jovene, 81, in-8, 197 p.

1594. HAUSMANINGER (Herbert), SELB (Walter). Römisches Privatrecht. Wien u. Köln, Böhlau, 81, in-8, 511 p. (Böhlau-Studien-Bücher).

1595. JOHANN (H.-T.). Gerechtigkeit und Nutzen. Studien z. ciceronischen u. hellenist. Naturrechts- u. Staatslehre. Heidelberg, Winter, 81, in-8, 663 p.

1596. KLEIN (Richard). Kaiser Julians Rhetoren- und Unterrichtsgesetz. Röm. Qschr. f. christl. Altertumskde, 81, Bd 76, p. 73-94.

1597. KUSSMAUL (Peter). Pragmaticum und Lex. Formen spätrömischer Gesetzgebung 408-457. Göttingen, Vandenhoeck u. Ruprecht, 81, in-8, 102 p. (Hypomnemata, 67).

1598. Legge e società nella repubblica romana. A cura di Feliciano SERRAO. 1. Napoli, Jovene, 81, in-8, XXVIII-505 p. [Scritti di vari. Quad. realizzato e pubbl. col contributo del CNR].

1599. Bibl. 80, n° 1553. NEESEN (Lutz). Untersuchungen zu den direkten Staatsabgaben der römischen Kaiserzeit. - CR : P.A. BRUNT. The revenues of Rome. J. roman Stud., 81, vol. 71, p. 161-172. - NEESEN (Lutz). Die Entwicklung der Leistungen und Ämter (munera et honores) im römischen Kaiserreich des zweiten bis vierten Jahrhunderts. Historia [Wiesbaden], 81, Bd 30, p. 203-235.

1600. NELSON (H.L.W.). Überlieferung, Aufbau und Stil von Gai Institutiones. Unter Mitwirkung v. M. DAVID. Leiden, Brill, 81, in-8, X-481 p. (ill.). (Studia Gaiana, 6).

1601. NICOLETTI (Adele). Sulla politica legislativa di Gordiano III. Studi. Napoli, Jovene, 81, in-8, 159 p. (Pubbl. della Fac. giur. dell' Univ. di Napoli, 121).

1602. NÖRR (Dieter). Zur Reskriptenpraxis in der hohen Prinzipatszeit. Z. d. Savigny-Stiftung f. Rechtsgesch., Roman. Abt., 81, Bd 98, p. 1-46.

1603. PEPPE (Leo). Studi sull'esecuzione personale. I : Debiti e debitori nei primi due secoli della repubblica romana. Milano, Giuffrè, 81, in-8, IV-292 p. (Univ. di Roma. Pubbl. dell' Ist. di dir. rom., 60).

1604. PIATTELLI (D.). Concezioni giuridiche e metodi costruttivi dei giuristi orientali. Roma, Giuffrè, 81, in-8, 194 p. (Univ. Roma, Pubbl. Istit. Dir. romano, 58).

1605. Römische Geschichte, römisches Recht und aktuelles Recht. Kolloquium. Klio, 79, Bd 61, p. 5-187.

1606. SALERNO (Francesco). Aqua pluvia ed opus manu factum. Labeo, 81, a. 276, p. 218-241.

1607. SALOMONS (R.P.). Staatsinstellingen in Romeins Egypte. De prefect. (Institutions de l'Etat dans l'Egypte romaine. Le préfet.) Lampas, 80, t. 13, p. 180-197. [Eng. summary].

1608. SMYŠLJAEV (A.L.). Vsadniki vo glave vedomstv imperatorskoj kanceljarii vo II - načale III v.n.è. (Knights in charge of offices in the imperial chancellery of the second to mid-third centuries). Vestn. drevn. Ist., 81, n° 2, p. 91-108.

1609. THOMAS (Yan). Parricidium. I : Le père, la famille et la cité (la Lex Pompeia et le système des poursuites publiques). Mél. Ec. franç. Rome, Antiquité, 81, t. 93, p. 643-715.

1610. TONDO (Salvatore). Profilo di storia costituzionale romana. 1. Milano, Giuffrè, 81, in-8, XXVIII-315 p. (Per la Stor. del Pens. giur. antico e mediev., 1).

1611. TUDOR (D.). Comandamentele militare de la Praetorium în Dacia. (Les commandements de Praetorium en Dacie.) Studii Cerc. Ist. veche, 81, t. 32, p. 77-88.

1612. VEYNE (Paul). Clientèle et corruption au service de l'Etat : la venalité des offices dans le Bas-Empire romain. A. Ec. Soc. Civ., 81, a. 36, p. 339-360.

1613. WOLFF (Hartmut). Bemerkungen zum Verwaltungsgang und zur Verwaltungsdauer der Bürgerrechtsschenkungen an Auxiliare. Z. f. Papyrol. u. Epigr., 81, Bd 43, p. 403-425.

Cf. n°s 1289, 1301, 1554, 1846, 2201.

§ 6. Historia económica y social.

* Cf. n° 1287.

1614. ALFÖLDY (Geza). Die Rolle des Einzelnen in der Gesellschaft des römischen Kaiserreiches : Erwartungen u. Wertmassstäbe. Heidelberg, Winter, 80, in-8, 49 p. (S.-B. d. Heidelb. Akad. d. Wiss., phil.-hist. Kl., 1980, 8) - IDEM. Die Stellung der Ritter in der Führungsschicht des Imperium Romanum. Chiron, 81, Bd 11, p. 169-215.

1615. BLEICKEN (Jochen). Die Nobilität der römischen Republik. Gymnasium, 81, Bd 88, p. 236-253.

1616. CHAMPLIN (Edward). Owners and neighbours at Ligures Baebiani. Chiron, 81, Bd 11, p. 239-264.

1617. CHOUQUER (G.). Les centuriations de Romagne orientale. Etude morphologique. Mél.Ec. franç. Rome, Antiquité, 81, t. 93, p. 823-868.

1618. COMELLA (Annamaria). Tipologia e diffusione dei complessi votivi in Italia in epoca media e tarda repubblicana. Contributo alla storia dell'artigianato antico. Mél. Ec. franç. Rome, Antiquité, 81, t. 93, p. 717-803.

1619. CORBIER (Mireille). La "tavola marmorea" de Bolsena et la famille sénatoriale des Pompei. Mél. Ec. franç. Rome, Antiquité, 81, t. 93, p. 1063-1112.

1620. D'ARMS (John D.). Commerce and social standing in ancient Rome. Cambridge, Mass., Harvard U.P., 81, in-8, XI-201 p. (25 phot., 2 maps).

1621. EICHNER (Kaus). Die Produktionsmethoden der spätrömischen Sarkophagfabrik in der Blütezeit unter Konstantin. Jb. f. Antike u. Christentum, 81, Jg. 24, p. 85-113.

1622. EYBEN (E.). Was the Roman youth an adult socially ? Antiquité class., 81, t. 50, p. 328-350.

1623. FABRE (Georges). Libertus. Recherches sur les rapports patron-affranchi à la fin de la république romaine. Rome, Ecole franç. de Rome, 81, in-4, XVI-426 p. (tav.). (Coll. de l'Ecole franç. de Rome, 50).

1624. FIKHMAN (I.F.). Ekonomičeskie aspekty individual'noj zavisimosti v rimskom i pozdnerimskom Egipte. (Economic aspects of individual dependence in Roman and late Roman Egypt.) Vest. drevn. Ist., 81, n° 155, p. 77-98. [Eng. summar].

1625. GABBA (Emilio). Ricchezza e classe dirigente romana fra III e I sec. a.C. R. stor. ital., 81, a. 93, p. 541-558.

1626. GIANFROTTA (Piero Alfredo). Commerci e pirateria : prime testimonianze archeologiche sottomarine. Mél. Ec. franç. Rome, Antiquité, 81, t. 93, p. 227-242. [Cf. n° 1730].

1627. GIARDINA (Andrea). Aristocrazie terriere e piccola mercatura tra potere politico e formazione dei prezzi nel tardo Impero romano. Studi urbinati, 81, n.s., vol. 36, p. 123-146.

1628. GILIBERTI (Giuseppe). Servus quasi colonus. Forme non tradizionali di organizzazione del lavoro nella società romana. Napoli, Jovene, 81, in-8, XV-179 p. (Pubbl. della Fac. giur. dell' Univ. di Napoli, 190).

1629. JACQUES (François), PIERRE (Jean-Luc). Les cadastrations romaines aux confins des Rènes et des Trévires. Recherches sur l'aménagement de l'espace rural dans la province de Belgique. R. Nord, 81, t. 63, p. 901-928.

1630. KORŽEVA (Klavdija P.). Der Aufstand des Spartakus in der sowjetischen Geschichtsschreibung. Klio, 79, Bd 61, p. 477-496.

1631. KOTULA (Tadeusz). Afrykańscy principales curiae. Z badań nad elitą municypalną poznego Cesarstwa. (Les principales curia d'Afrique. Etude sur l'élite municipale du Bas-Empire romain.). Zesz. nauk. Uniw. Jagiell., 81, n° 613 [Prace hist., 70], p. 93-105.

1632. LO CASCIO (Elio). Finanza pubblica ed emissione monetaria nell'età neroniana. A. Istit. Ital. Numism., 80-81, vol. 27-28, p. 359-373.

1633. MARCONE (Arnaldo). L'allestimento dei giochi annuali a Roma nel IV sec. d. C. : aspetti economici e ideologici. A. Sc. norm. sup. Pisa, 81, s. 3, vol. 11, p. 105-122.

1634. MARÓTI (Egon). Az itáliai mezőgazdasági árutermelés kibontakozása. A pun háboruk kora. (L'épanouissement de la production de marchandises agricoles en Italie. L'époque des guerres puniques.) Budapest, Akad. Kiadó, 81, in-8, 296 p. (Apolló Könyvtár, 13).

1635. PALADE (Vasile). Importuri romane rare în două morminte din necropola de la Bîrlad-Valea Seacă. (Importations romaines rares découvertes dans deux sépultures de la nécropole de Bîrlad-Valea Seacă [Roumanie].) Stud. Cercet. Ist. veche, 81, t. 32, p. 205-216. [Rés. franç.]

1636. PALMER (Robert E.A.). The topography and social history of Rome's Trastevere (southern sector). Proc. am. philos. Soc., 81, vol. 125, n° 5, p. 368-397.

1637. PERELLI (Luciano). I populares dai Gracchi alla fine della repubblica. Torino, Giappichelli, 81, in-8, 230 p.

1638. PERELLI (Luciano). Sulla localizzazione delle miniere d'oro dei Salassi. B. stor. bibliogr. subalpino, 81, a. 79, p. 341-354.

1639. PICARD (Gilbert Charles). Ostie et la Gaule de l'Ouest. Mél. Ec. franç. Rome, Antiquité, 81, t. 93, p. 883-915.

1640. PRACHNER (Gottfried). Die Sklaven und Freigelassenen im arretinischen Sigillatagewerbe. Epigraph., nomenklator. sowie sozial- u. wirtschaftsgesch. Unters. d. arretinischen Firmen- u. Töpferstempel. Wiesbaden, Steiner, 81, in-, XIII-254 p. (1 graph. Darst.). (Forsch. z. antiken Sklaverei, 12).

1641. RAMÍRES SÁDABA (José Luis). Gastos suntuarios y recursos económicos de los grupos sociales del Africa romana. Oviedo, Asoc. Trajano, Departamento de Historia Antigua, Univ. de Oviedo, 81, in-8, 256 p. (Estudios de historia antigua).

1642. SCIVOLETTO (Nino). Città e campagna. Palermo, 81, in-8, 90 p. (Scuola e Cult. Sez. testi latini per Probl., 3).

1643. Sozial- und Wirtschaftsgeschichte der römischen Kaiserzeit. Hrsg. v. Helmuth SCHNEIDER. Darmstadt, Wiss. Buchges., 81, in-8, VI-460 p. (Wege d. Forsch., 552).

1644. STRAUS (Jean A.). Remarques sur l'esclavage dans l'Egypte romaine (à propos d'un livre d'Iza Bieżuńska-Małowist [Cf. Bibl. 76-77, n° 1502]). Anagennesis, 8, vol. 1, p. 111-128.

1645. VILLE (Georges). La gladiature en Occident des origines à la mort de Domitien. Rome, Ecole franç. de Rome, 81, in-8, XI-519 p. (Bibl. des Ecoles franç. d'Athènes et de Rome, 245).

1646. ZACCARIA (Claudio). Il ceto senatorio nell'età degli Antonini. Athenaeum [Pavia], 81, a. 69, n.s., vol. 59, p. 492-497.

Cf. n°s 100, 1197, 1289, 1662, 1781.

§ 7. Historia de la literatura, de la filosofía y de las ciencias.

* 1647. COCCIA (M.). Lingua e litteratura latina [rassegna critica]. Studi romani, 81, a. 29, p. 399-409.

1648. ACHARD (Guy). Pratique rhétorique et idéologie politique dans les discours "optimates" de Cicéron. Leiden, Brill, 81, in-8, XI-546 p. (Mnemosyne, suppl., 68).

1649. ALBRECHT (M. v.). Der Mensch in der Krise. Aspekte augusteischer Dichtung. Freiburg i. Br., Plötz, 81, in-8, 69 p. (Heidelberger Texte, Didakt. R., 12).

1650. ANDREONI FONTECEDRO (E.). Il dibattito su vita e cultura nel "De re publica" di Cicerone. Roma, Abete, 81, in-8, 153 p.

1651. BADIAN (E.). Notes on the Laudatio of Agrippa. Class. J., 81, vol. 76, p. 97-107.

7. HISTORIA DE LA LITERATURA, DE LA FILOSOFÍA Y DE LAS CIENCIAS

1652. BROCKLEY (R.C.). Fragmentary classicising historians of the later Roman Empire : Eunapius, Olympiodorus, Priscus and Malchus. Liverpool, F. Cairns, 81, in-8, XII-196 p.

1653. BUCHHEIT (Vinzens). Alexanderideologie beim frühen Horaz. Chiron, 81, Bd 11, p. 131-137.

1654. BURCK (Erich). Dichtung, Staat und Gesellschaft im augusteischen Rom. Gesch. in Wiss. u. Unterr., 81, Jg. 32, p. 664-679.

1655. BYČKOV (V.V.). Èstetika pozdnej antičnosti. II-III vv. (Aesthetics of late antiquity. 2nd-3th centuries.) Moskva, Nauka, 81, 325 p. (AN SSSR. In-t filosofii).

1656. DAUGE (Y.A.). Le barbare : recherches sur la conception romaine de la barbarie et de la civilisation. Bruxelles, Latomus, 81, in-8, IX-853 p. (Coll. Latomus, 176).

1657. DINGEL (J.). Herren und Sklaven bei Plautus. Gympasium, 81, Bd 88, p. 489-504.

1658. Elegie (L') romaine. Enracinement - thèmes - diffusion. Actes du Colloque intern. organisé par la Fac. des Lettres et Sci. humaines de Mulhouse. Paris, Ophrys, 80, in-8, 301 p. (B. de la Fac. des Lettres de Mulhouse, 10).

1659. FAIRWEATHER (Janet). Seneca the Elder. Cambridge, Univ. Press, 81, in-8, XII-418 p. (Cambridge class. Stud.).

1660. FAUTH (W.). Venera Amoris. Die Motive des Liebeszaubers u. d. erotischen Verzauberung in d. augusteischen Dichtung. Maia, 80, a. 32, p. 265-282.

1661. FONTAINE (Jacques). Etudes sur la poésie tardive, d'Ausone à Prudence. Recueil de travaux. Paris, Belles lettres, 80, in-8, VIII-519 p. (Coll. d'études anc.) [Textes extraits de diverses revues et publications, 1964-1980] [Cf. n° 1785.]

1662. GARRIDO-HORY (M). Martial et l'esclavage. Paris, Belles Lettres, 81, in-8, 241 p. (A. litt. Univ. Besançon, 255).

1663. GIBSON (Margaret). Boethius, his life, thought and influence. Oxford, Blackwell, 81, in-8, 192 p. (pl., ill.).

1664. GRIMAL (Pierre). Sénèque. Paris, Presses Univ. France, 81, in-8, 128 p. (Que sais-je ? 1950).

1665. GRONDONA (Marco). La religione e la superstizione nella Cena Trimalchionis [di Petronio]. Bruxelles, Latomus, 80, in-8, 104 p. (pl.). (Coll. Latomus, 171).

1666. GRUBER (J.). Einflüsse verschiedener Literaturgattungen auf die prosimetrischen Werke der Spätantike. Würzburg. Jb. f. d. Altertumswiss., 81, N.F., Bd 7, p. 209-221.

1667. HUNTER (R.L.). The "Aulularia" of Plautus and its Greek original. Proc. Cambridge philol. Soc., 81, vol. 207, n.s., vol. 27, p. 37-49.

1668. KIERDÓRF (Wilhelm). Laudatio funebris. Interpretationen und Untersuchungen zur Entwicklung der römischen Leichenrede. Meisenheim an Glan, Hain, 80, in-8, X-176 p. (Beitr. z. klass. Philol., 106).

1669. KNABE (G.S.). Kornelij Tacit. (Cornelius Tacitus.) Vremja. Žizn'. Knigi. Moskva, Nauka, 81, 206 p. (Ser. "Nauč. biograf." AN SSSR).

1670. LEVY (C.). Un problème doxographique chez Cicéron : les indifférentistes. R. Et. latines, 80 [81], a. 58, p. 238-251.

1671. LOSEV (A.F.). Diogen Laërcij - istorik antičnoj filosofii. (Diogenes Laërtius - historian of ancient philosophy.) Moskva, Nauka, 81, 192 p.

1672. MANUWALD (B.). Der Aufbau der lukrezischen Kulturentstehungslehre (De rerum natura 5, 925-1457). Wiesbaden, Steiner, 80, in-8, 66 p. (Akad. d. Wiss. u. d. Lit. Mainz, Abh. d. geistes- u. sozialwiss. Kl., 1980, 3).

1673. MARTIN (René), GAILLARD (J.). Les genres littéraires à Rome. Préf. de J. PERRET. Paris, Scodel, 81, 2 vol. in-8, 254, 236 p.

1674. MARTIN (Ronald). Tacitus. Berkeley a. Los Angeles, Univ. of California Press ; London, Batsford, 81, in-8, 288 p.

1675. MOREAU (P.). Cicéron, Clodius et la publication du Pro Murena. R. Et. latines, 80 [81], a. 58, p. 220-237.

1676. MURGATROYD (P.). Seruitium amoris and the Roman elegists. Latomus, 81, vol. 40, p. 589-606.

1677. OLIVER (James H.). Marcus Aurelius and the philosophical schools of Athens. Am. J. Philol., 81, vol. 102, n° 2, p. 213-225. - IDEM. Roman emperors and Athens. Historia [Wiesbaden] 81, Bd 30, p. 412-423.

1678. PAPALAS (Anthony J.). Herodes Atticus : education in the Antonine age. Hist. Educat. Quar., 81, vol. 21, n° 2, p. 171-188.

1679. PASQUALI (Giorgio). Preistoria della poesia romana. Con un saggio introduttivo di Sebastiano TIMPANARO. Firenze, Sansoni, 81, in-8, 199 p.

1680. PIGEAUD (J.M.). La physiologie de Lucrèce. R. Et. latines, 80 [81], a. 58, p. 176-200.

1681. PIKHAUS (D.). Les origines sociales de la poésie épigraphique latine. Antiquité class., 81, t. 50, p. 637-654.

1682. POUCET (J.). Préoccupations érudites dans la tradition du règne de Romulus. Antiquité class., 81, t. 50, p. 664-676.

1683. RAMBAUX (C.). La logique de l'argumentation dans le De Natura Rerum [de Lucrèce] R. Et. latines, 80 [81], a. 58, p. 201-219.

1684. RÖMER (J.). Naturästhetik in der frühen römischen Kaiserzeit. Frankfurt a. M. u. Bern, Lang, 81, in-8, VIII-145 p. (Europ. Hochschulschr., XV, 22).

1685. Römische (Die) Literatur. Ein Überblick über Autoren, Werke u. Epochen von den Anfängen bis zum Ende der Antike. Hrsg. v. R. SENONER. München, Beck, 81, in-8, 224 p. (Beck'sche Elementarbücher).

1686. SACKS (Kenneth). Polybius on the

writing of history. Berkeley a. Los Angeles, Univ. of California Press, 81, in-8, VIII-233 p. (Univ. of Calif. Pub. in Classical Stud., 24).

1687. SANDERS (G.). Le dossier quantitatif de l'épigraphie latine versifiée. Antiquité class., 81, t. 50, p. 707-720.

1688. SEGAL (Erich). Scholarship on Plautus 1965-1976. Class. World, 81, vol. 74, [spec.] n° 7, p. 353-433.

1689. THOMAS (J.). Structures de l'imaginaire dans l'Enéide [de Virgile]. Paris, Belles Lettres, 81, in-8, 424 p. (Coll. d'Et. anciennes).

1690. VAN SICKLE (John). Style and imitation in the new Gallus. Quad. urbinati Cult. class., 81, t. 38, n.s., t. 9, p. 115-124.

1691. VEREMANS (J.). L'anaphore dans l'oeuvre de Tibulle. Antiquité class., 81, t. 50, p. 774-800.

1692. WIESTRAND SCHIEBE (Marianne). Das ideale Dasein bei Tibull und die Goldzeitkonzeption Vergils. Uppsala, Almqvist o. Wiksell, 81, in-8, 163 p. (Acta Univ. Upsaliensis, Studia latina upsaliensia, 13).

1693. ZECCHINI (Giuseppe). Il primo frammento di Cornelio Gallo e la problematica pratica nella poesia augustea. Aegyptus, 80, a. 60, p. 138-148.

Cf. n°^{s} 1209, 1400, 1430, 1438, 1799.

§ 8. Religión y mitología.

1694. DAICOVICIU (Hadrian), ALICU (Dorin). Edificii de cult la Ulpia Traiana Sarmizegetusa. I. (Edifices de culte à Ulpia Traiana Sarmizegetusa. I.) Acta Musei napocensis, 81, t. 18, p. 59-84.

1695. GERARD (J.). Légende et politique autour de la Mère des Dieux. R. Et. latines, 80 [81], t. 58, p. 153-175.

1696. HERZ (Peter). Diva Drusilla. Ägyptisches und Römisches im Herrscherkult zur Zeit Caligulas. Historia [Wiesbaden], 81, Bd 30, p. 324-336.

1697. LEHMANN (Yves). La religion romaine. Paris, Presses univ. France, 81, in-8, 126 p. (Que sais-je ? 1890).

1698. MACMULLEN (Ramsay). Paganism in the Roman empire. New Haven, Conn., Yales U. P., 81, in-8, XIII-241 p.

1699. Orientalischen (Die) Religionen im Römerreich. Hrsg. von M.J. VERMASEREN. Leiden, Brill, 81, in-8, VIII-576 p. (Ill., Kt.). (Et. prélim. aux religions orient. dans l'Empire romain, 93).

1700. POUTHIER (Pierre). Ops et la conception divine de l'abondance dans la religion romaine jusqu'à la mort d'Auguste. Rome, Ecole franç., 81, in-8, 366 p. (Bibl. des Ec. franç. d'Athènes et de Rome, 242).

1701. SCHILLING (R.). La déification à Rome. Tradition latine et interférence grecque. R. Et. latines, 80 [81], a. 58, p. 137-152.

1702. SCULLARD (H.H.). Festivals and ceremonies of the Roman Republic. London, Thames a. Hudson, 81, in-8, 288 p. (ill.). (Aspects of Greek a. Roman Life).

1703. SELEM (Petar). Les religions orientales dans la Pannonie romaine : partie en Yougoslavie. Leiden, Brill, 80, in-8, XV-293 p. (ill., 44 p. phot.). (Et. prélim. aux religions orient. dans l'Empire romain, 85).

1704. SIMPSON (C.J.). The cult of the emperor Gaius. Latomus, 81, vol. 40, p. 489-511.

1705. SYME (Ronald). Some Arval brethren. Oxford, Clarendon, 80, in-8, VIII-132 p.

Cf. n°^{s} 1294, 1297.

§ 9. Arqueología e historia del arte.

1706. Acta ad archaeologiam et artium historiam pertinentia. [Publ. by] Institutum Romanum Norvegiae. Vol. 1. Roma, Brettschneider, 81, in-8, 380 p. (ill.). (Série altera in 8°).

1707. Art (L') décoratif à Rome, à la fin de la République et au début du Principat. Table ronde organisée par l'Ecole franç. de Rome, Rome, 10-11 mai 1979. Rome Ecole franç. ; diff. Paris, de Boccard, 81, in-8, 371 p. (ill.). (Coll. de l'Ecole franç. de Rome, 55).

1708. BARATTE (François). Le trésor d'argenterie gallo-romaine de Notre-Dame-d'Allençon (Maine-et-Loire). Paris, Ed. du C.N.R.S., 81, in-4, 92 p. (6 fig., 39 pl.). (Suppl. à Gallia, 40).

1709. BARBET (Alix). Les bordures ajourées dans le IVe style de Pompéi. Essai de typologie. Mél. Ec. franç. Rome, Antiquité, 81, t. 93, p. 917-998.

1710. BAUCHHENSZ (G.), NOELKE (P.). Die Jupitersäulen in den germanischen Provinzen. Köln, Rheinland ; Bonn, Habelt, 81, in-4, 515 p. (103 Taf., 10 Kt.). (Beih. d. Bonner Jb., 41).

1711. BOGDAN CĂTĂNICIU (I.). The evolution of the system of defence works in Roman Dacia. Tr. from the Roumanian by E. DUMITRESCU. Oxford, Brit. Archaeol. Rep., 81, in-4, 121 p. (pl.). (Brit. Archaeol. Rep., Intern. Ser., 116).

1712. BONNEVILLE (Jean-Noël). Les cupae de Barcelone : les origines du type monumental. Mél. casa de Velázquez, 81, t. 17, p. 5-38 (10 fig.).

1713. BOON (George C.), HASSALL (M.). Report on the excavations at Usk, 1965-1976. Coins, inscriptions and graffiti. Cardiff, Univ. Wales Press, 81, in-4, 72 p. (ill., fig.).

1714. BRACCO (Vittorio). Campania. Roma, Newton Compton, 81, in-8, 283 p. (ill., tav.). (Itinerari archeol., 6).

1715. COARELLI (Filippo). Dintorni di Roma. Roma e Bari, Laterza, 81, in-8, 244 p. (ill.). (Guide archeol. Laterza, 7).

1716. Corpus de mosaicos de España. Fasc. 3 : BLÁZQUEZ (J.M.). Mosaicos romanos de Córdoba, Jaén y Málaga. Madrid, Inst. español de Arqueol., 81, in-4, 134 p. (32 fig., 95 pl.).

1717. CROSETTO (A.), DONZELLI (C.),

WATAGHIN (G.). Per una carta archeologica della Valle di Susa. B. stor. bibliogr. subalpino, 81, a. 79, p. 355-412.

1718. DARIS (Sergio). I quartieri di Arsinoe in età romana. Aegyptus, 81, a. 61, p. 143-154.

1719. DE CARO (Stefano), GRECO (Angela). Campania. Roma e Bari, Laterza, 81, in-8, 269 p. (ill.). (Guide archeol. Laterza, 10).

1720. DURY-MOYAERS (Geneviève). Enée et Lavinium. A propos des découvertes archéologiques récentes. Avec une préf. de F. CASTAGNOLI. Bruxelles, Latomus, 81, in-8, 252 p. (37 pl.). (Coll. Latomus, 174).

1721. ECK (Werner), PACK (Edgar). Das römische Heba. Materialien aus d. Vorarbeit zu CIL Suppl. alterum. Chiron, 81, Bd 11, p. 139-168.

1722. ESPERANDIEU (Emile), LANTIER (Raymond). Recueil général des bas-reliefs, statues et bustes de la Gaule romaine. [T. 15. Cf. Bibl. 66, n° 2200.] T. 16 : Tables des notices et des noms géographiques de la Gaule romaine et de la Germanie romaine. Ed. par Paul-Marie DUVAL. Paris, Presses univ. France, 81, in-4, 120 p. (Coll. de doc. inédits sur l'hist. de France).

1723. FITTSCHEN (Klaus). Die Bildnistypen der Faustina Minor und die Fecunditas Augusta. Göttingen, Vandenhoeck u. Rupprecht, 81, in-8, 96 p. (56 Taf.). (Abh. d. Akad. d. Wiss. in Göttingen, philol.-hist. Kl., 3. Folge, 126).

1724. FORGIONE (Mario). Campania archeologica. Disegni di Pasquale FORGIONE. Napoli, Gallina, 81, in-8, 149 p. (ill.).

1725. Forma Italiae. Ser. II : Documenti. 2 : Carta archeologica d'Italia (1881-1897). Materiali per l'agro falisco. [Di] A. COZZA, A. PASQUI. Lavoro pubbl. con il contributo del Cons. naz. delle Ric. Firenze, Olschki, 81, in-4, XV-335 p. (ill.). (unione accad. naz. ; Istit. di Topogr. antica dell'Univ. di Roma).

1726. Fouilles de Conimbriga. Mission archéol. franç. au Portugal. Musée monographique de Conimbriga. Publ. sous la dir. de J. ALARCÃO et R. ETIENNE. 7 : Trouvailles diverses, conclusions générales. Par Jorge ALARCÃO, Robert ETIENNE, Adilia Moutinho ALARCÃO, Salete da PONTE. Paris, diff. de Boccard, 79, in-4, 331 p. (66 p. de pl.). [Cf. Bibl. 76-77, n° 2153.]

1727. FRENCH (David). Roman roads and milestones of Asia Minor. Fasc. 1 : The pilgrim's road. London, Brit. Archaeol. Rep., 81, in-4, 212 p.

1728. GAUER (Werner). Die Triumphsäulen als Wahrzeichen Roms und der Roma secunda und als Denkmäler der Herrschaft im Donauraum. Antike u. Abendland, 81, Bd 27, p.179-192.

1729. GAYRAUD (M.). Narbonne antique, des origines à la fin du IIIe siècle. Préf. de Michel LABROUSSE. Paris, de Boccard, 81, in-4, V-591 p. (67 fig.). (R. archéol. Narbonnaise, suppl. 8).

1730. GIANFROTTA (Piero Alfredo), POMEY (Patrice). Archeologia subacquea. Storia, tecniche, scoperte e relitti. Con la collab. di Filippo COARELLI. Milano, Mondadori, 81, in-8, 375 p.

(Libri ill. Mondadori) [Cf. n° 1626.]

1731. GRÜNEWALD (M.). Die Kleinfunde des Legionslagers von Carnuntum mit Ausnahme der Gefässkeramik (Grabungen 1968-1974). Wien, Verl. d. österr. Akad. d. Wiss., 81, in-4, 38 p. (26 pl.). (Der röm. Limes in Österreich, 31).

1732. HESNARD (Antoinette), LEMOINE (Charlotte). Les amphores du Cécube et du Falerne. Prospections, typologie, analyses. Mél. Ec. franç. Rome, Antiquité, 81, t. 93, p. 243-295.

1733. JUCKER (Hans). Julisch-Claudische Kaiser- und Prinzenporträts als "Palimpseste". Jb. d. deutsch. archäol. Inst., 81, Bd 96, p. 236-316.

1734. KAMPEN (Natalie Boymel). Biographical narration and Roman funerary art. Am. J. Archaeol., 81, vol. 85, n° 1, p. 47-48.

1735. KING (Anthony), HENIG (Martin). Roman West in the 3rd century, contributions from archaeology and history. London, Brit. Archaeol. Rep., 81, in-4, 538 p. (ill., fig.).

1736. LACHAUX (Jean-Claude). Théâtres et amphitéâtres d'Afrique proconsulaire. Aix-en-Provence, diff. Edisud, 79, in-8, 160 p. (ill., pl.).

1737. LAFON (Xavier). A propos des villas de la zone de Sperlonga. Les origines et le développement de la "villa maritima" sur le littoral tyrrhénien à l'époque républicaine. Mél. Ec. franç. Rome, Antiquité, 81, t. 93, p. 297-353.

1738. MacCORMACK (Sabine G.). Art and ceremony in late antiquity. Berkeley a. Los Angeles, Univ. of California Press, 81, in-8, XVI-417 p. (Transformation of the Classical Heritage, 1).

1739. MANDERSCHEID (Hubertus). Die Skulpturenausstattung der kaiserzeitlichen Thermenanlagen. Berlin, Mann, 81, in-4, 144 p. (15 Fig., 52 Taf.). (Monumenta Artis romana, 15).

1740. MARIEN (M.E.). L'empreinte de Rome : Belgica antiqua. Anvers, Fonds Mercator, 80, in-4, 531 p. (ill.).

1741. Medma e il suo territorio. Materiali per una carta archeologica. A cura di Maurizio PAOLETTI e Salvatore SETTIS. Contributi di Giuseppe FOTI [e altri]. Bari, De Donato, 81, in-8, 157 p. (ill.). (Archeol. Mater. e. Probl., 4).

1742. NEAL (David S.). Roman mosaics in Britain. Catalogue. Gloucester, A.J. Sutton, 81, in-4, 127 p. (26 fig., 88 pl.).

1743. Peinture murale en Gaule. Actes des Séminaires 1979 organisés par l'Assoc. franç. pour la peinture murale antique et le Centre d'études des peintures murales romaines, C.N. R.S., Lyon, 20-21 février, Narbonne, 30 avril-1er mai, Paris-Soissons, 1-2 nov. Dijon, Centre de recherchs sur les techniques gréco-romaines, 80, in-4, 164 p. (72 p. de pl.). (Publ. du Centre de recherches sur les techniques gréco-romaines, 9).

1744. PICCIRILLO (Michele). I mosaici di Giordania dal I all' VIII secolo d. C. Veltro, 81, a. 25, p. 723-750.

1745. QUILICI GIGLI (Stefania). Annotazioni

topografiche sul tempio della Fortuna Muliebris. Mél. Ec. franç. Rome, Antiquité, 81, t. 93, p. 547-563.

1746. Recueil général des mosaïques de la Gaule. III : Province de Narbonnaise. [1. Cf. Bibl. 80, n° 1676.] 2 : Vienne. Par Janine LANCHA. IV : Province d'Aquitaine. 1 : Partie méridionale (piémont pyrénéen). Par Catherine BALMELLE. Paris, Ed. du C.N.R.S., 80-81, 2 vol. in-4, 320 (23 fig., 182 pl.) ; 206 p. (28 fig., 112 pl.). (Suppl. à Gallia, 10).

1747. Roma, continuità dell'antico. I Fori imperiali nel progetto della città. Milano, Electa, 81, in-8, 103 p. (ill.). [Scritti di vari].

1748. RUPRECHTSBERGER (Erwin M.). Ein Beitrag zu den römischen Kastellen von Lentia : Die Terra Sigillata. Mit einem Beitr. v. David MITTELKALKGRUBER. Linz, Stadtmuseum, 80, in-8, 168 p. (ill.). (Linzer archäol. Forsch., 10).

1749. SÁGI (Károly). Das römische Gräberfeld von Keszthely-Dobogó. Budapest, Akad.-Verl., 81, in-4, 140 p. (ill.).

1750. SITWELL (N.H.H.). The Roman roads of Europe. London Cassell ; New York, St. Martin's Press, 81, in-4, 240 p. (pl., il., maps).

1751. Skulpturen (Die) des Stadtgebietes von Ovilava. Bearb. v. Lothar ECKHART. Wien, Verl., d. Österr. Akad. d. Wiss. 81, in-4, 84 p. (51 p. ill.). (Österr. Akad. d. Wiss. Corpus signorum Imperii Romani. Österreich, Bd 3, Fasz. 3).

1752. TORTORELLA (Stefano). Ceramica di produzione africana e rinvenimenti archeologici sottomarini della media e tarda età imperiale : analisi dei dati e dei contributi reciproci. Mél. Ec. franç. Rome, Antiquité, 81, t. 93, p. 355-380.

1753. WARD-PERKINS (John B.). Roman imperial architecture. Harmondsworth, Penguin, 81, in-8, 536 p. (ill.). (Pelican Hist. of Art).

1754. WOOD (Susan). Subject and artist : studies in Roman portraiture of the third century. Am. J. Archaeol., 81, vol. 85, n° 1, p. 59-68.

Cf. n°s 292, 1112, 1480, 1568, 1783, 2598.

G

HISTORIA ANTIGUA DE LA IGLESIA HASTA GREGORIO EL MAGNO

§ 1. Fuentes. 1755-1771. - § 2. Generalidades. 1772-1776. - § 3. Estudios particulares. 1777-1810. - § 4. Hagiografía. 1811-1815.

§ 1. Fuentes.

* Cf. n° 1898.

1755. CATTANEO (E.). Trois homélies Pseudo-Chrysostomiennes sur la Pâque comme oeuvre d'Apollinaire de Laodicée. Paris, Beauchesne, 81, in-8, 269 p. (Théologie hist., 58).

1756. Codices Chrysostomici graeci. IV : Codices Austriae, descripsit Wolfgang LACKNER. Paris, Ed. du C.N.R.S., 81, in-4, XXXIV-113 p. (Doc., Et. et Répertoires, publ. par l'Inst. de Recherche et d'Hist. des Textes).

1757. DESCAMPS (A.-L.) et al. Genèse et structure d'un texte du Nouveau Testament. Etude interdisciplinaire du chapître II de l'évangile de Jean. Louvain-la-Neuve, Cabay ; Paris, Cerf, 81, in-8, 293 p. (Bibl. des Cah. de l'Inst. de linguistique de Louvain, 20 - Lectio divina, 104).

1758. GIJSEL (J.). Het Protevangelium Jacobi in het Latijn. (Le protoévangile de Jacques en latin.) Antiquité class., 81, t. 50, p. 351-366.

1759. HENSELLEK (Werner). Sprachstudien an Augustins "De Vera Religione". Wien, Verl. d. Österr. Akad. d. Wiss., 81, in-8, 84 p. (Österr. Akad. d. Wiss., philos.-hist. Kl., S.-B., 376).

1760. IRMSCHER (Johannes). Wolfiana im Goethe- und Schiller-Archiv. In : Überlieferungsgeschichtliche Untersuchungen. Hrsg. v. Franz PASCHKE. Berlin, Akad.-Verl., 81, in-8, p. 331-349. (Texte u. Untersuchungen z. Gesch. d. altchristl. Literatur, 125).

1761. ISAAC LE SYRIEN. Oeuvres spirituelles. Les 86 discours ascétiques. Les lettres. Préf. d'Olivier CLEMENT, introd. du P. BASILE, avant-propos, trad. et notes de Jacques TOURAILLE. Genève, Desclée de Brouwer, 81, in-8, 505 p.

1762. LEGRAND (Lucien). L'Annonce à Marie (Lc 1, 26-38). Une apocalypse aux origines de l'Evangile. Paris, Ed. du Cerf, 81, in-8, 403 p. (Lectio divina, 106).

1763. Matthäus-Evangelium (Das) im mittelägyptischen Dialekt des Koptischen (Codex Scheide). Hrsg. v. Hans-Martin SCHENKE. Berlin, Akad.-Verl., 81, in-8, XII-202 p. (Abb.). (Texte u. Untersuchungen z. Gesch. d. altchristl. Literatur, 127).

1764. MORANI (Moreno). La tradizione manoscritta del "De natura hominis" di Nemesio. Milano, Univ. cattolica, 81, in-8, XXI-224 p.

1765. MOSSAY (J.). Quelques manuscrits de Paris relatifs à l'édition de saint Grégoire de Nazianze par les Mauristes. Antiquité class., 81, t. 50, p. 545-561.

1766. ORIGENES ALEXANDRINUS. Sur la Pâque. Traité inédit publ. d'après un papyrus de Toura par Octave GUERAUD et Pierre NAUTIN. Paris, Beauchesne, 79, in-8, 272 p. (pl.). (Christianisme antique, 2) - IDEM. Traité des principes. 3 : Livres III et IV. 1 : Introd., texte critique de la "Philocalie" et de la version de Rufin, trad. par Henri CROUZEL et Manlio SIMONETTI. 4 : Livres III et IV. 2 : Commentaire et fragments, par Henri CROUZEL et Manlio SIMONETTI. Paris, Ed. du Cerf, 80, 2 vol. in-8, 429, 276 p. (Sources chrétiennes, 268, 269).

1767. PALLADIUS. Les moines dans le désert. Histoire lausiaque. Introd. par Louis LELOIR, trad. par les Soeurs Carmelites de Mazille. Paris, Desclée de Brouwer, 81, in-8, 165 p. (Les Pères dans la foi).

1768. PASSONI DELL'ACQUA (Anna). Frammenti inediti del Vangelo secondo Matteo. Aegyptus, 80, a. 60, p. 96-119 (6 pl.).

1769. SANDY (D. Brent). Transformed into His image : a Christian papyrus. Grace theol. J., 81, vol. 2, p. 227-237 (2 pl.).

1770. SUNDERMANN (Werner). Mitteliranische manichäische Texte kirchengeschichtlichen Inhalts. Mit e. Appendix v. Nicholas SIMS-WILLIAMS. Berlin, Akad.-Verl., 81, in-8, 198, 81 p. (Schr. z. Gesch. u. Kultur d. alten Orients, Berliner Turfantexte, 11).

1771. [TERTULLIANUS (Quintus Septimius Florens).] TERTULLIEN. A son épouse. Introd., texte critique, trad. et notes de Charles MUNIER. Paris, Ed. du Cerf, 80, in-8, 210 p. (Sources chrétiennes, 273). - IDEM. Contre les Valentiniens. Publ. par Jean-Claude FREDOUILLE. 1 : Introd., texte critique, traduction. 2 : Commentaire et index. Paris, Ed. du Cerf, 80-81, 2 vol. in-8, 391 p. (Sources chrétiennes, 280-281).

Cf. n° 1250.

§ 2. Generalidades.

* 1772. Bibliographia patristica. Internationale patristische Bibliographie. In Verbindung mit vielen Fachgenossen hrsg. v. Wilhelm SCHNEE-

MELCHER. [Bd 16/17, 18/19. Cf. Bibl. 80, n° 1713.] Bd 20/21 : Die Erscheinungen der Jahre 1975 u. 1976. Berlin u. New York, de Gruyter, 81, in-8, XLVIII-327 p.

1773. BAGATTI (Bellarmino). Alle origini della Chiesa. 1 : Le comunità giudeo-cristiane. Città del Vaticano, Libr. editr. vaticana, 81, in-8, 287 p. (ill.). (Stor. e attualità, 5).

1774. MEYERS (Edward M.), STRANGE (J. F.). Archaeology, the Rabbis and early Christianity. London, S.C.M. Press, 81, in-8, 208 p.

1775. SIMON (Marcel). Le christianisme antique et son contexte religieux : scripta varia. Vol. 1, 2. Tübingen, Mohr, 81, 2 vol. in-8, XX-370 p., p. 371-852 (ill.). (Wiss. Unters. z. Neuen Testament, 23).

1776. TESTARD (Maurice). Chrétiens latins des premiers siècles. La littérature et la vie. Paris, Belles Lettres, 81, in-8, 244 p. (Coll. d'ét. anc.).

§ 3. Estudios particulares.

1777. ALLEN (Pauline). Evagrius Scholasticus, the Church historian. Louvain, Spicilegium sacrum Lovaniense, 81, in-8, 290 p. (Etudes et doc., 41).

1778. BAUMEISTER (Theofried). Die Anfänge der Theologie des Martyriums. Münster/Westf., Aschendorf, 80, in-8, 356 p. (Münstersche Beitr. z. Theol., 45).

1779. COUNTRYMAN (L. William). The rich Christian in the Church of the early Empire. Contradictions a. accomodations. New York, Edwin Mellen, 80, in-8, VIII-239 p. (Textes a. stud. in religion, 7).

1780. DE BENEDICTIS (Elaine). The senatorium and matroneum in the early Roman church. R. Archeol. crist., 81, a. 57, p. 69-85.

1781. DREXHAGE (Hans-Joachim). Wirtschaft und Handel in den frühchristlichen Gemeinden (1.-3. Jh. n. Chr.). Röm. Qschr. f. christl. Altertumskde, 81, Bd 76, p. 1-72.

1782. FANNING (Steven C.). Lombard Arianism reconsidered. Speculum, 81, vol. 56, n° 2, p. 241-258.

1783. FERRUA (Antonio). Cimitero di S. Callisto. Cimitero ad X della via Latina. R. Archeol. crist., 81, a. 57, p. 7-31.

1784. FLUSSER (David). Die rabbinischen Gleichnisse und der Gleichniserzähler Jesus. 1. Teil : Das Wesen der Gleichnisse. Bern, Frankfurt a. M. u. Las Vegas, Lang, 81, in-8, 336 p. (Judaica et Christiana, 4).

1785. FONTAINE (Jacques). Naissance de la poésie dans l'Occident chrétien. Esquisse d'une histoire de la poésie chrétienne latine du IIIe au VIe s. Avec une préf. de Jacques PERRET. Paris, Et. augustiniennes, 81, in-8, 304 p. [Cf. n° 1661.]

1786. FUNK (Aloys). Status und Rollen in den Paulusbriefen. Eine inhaltsanalyt. Untersuchung zur Religionssoziologie. Innsbruck, Wien u. München, Tyrolia, 81, in-8, 224 p. (Innsbrucker theolog. Studien, 7).

1787. GEERLINGS (Wilhelm). Hiob und Paulus. Theodizee und Paulinismus in der lateinischen Theologie am Ausgang des vierten Jahrhunderts. Jb. f. Antike u. Christentum, 81, Jg. 24, p. 56-66.

1788. GREGG (R.C.), GROH (D.E.). Early Arianism. A view of salvation. Philadelphia, Fortress Press, 81, in-8, 224 p.

1789. GUYON (Jean), STRÜBER (Lothar), MANACORDA (Daniele). Recherches autour de la basilique constantinienne des Saints Pierre et Marcellin sur la via Labicana à Rome : le mausolée et l'enclos au nord de la basilique. Mél. Ec. franç. Rome, Antiquité, 81, t. 93, p. 999-1061.

1790. HALPERIN (David J.). Origen, Ezekiel's Merkabah, and the ascension of Moses. Church Hist., 81, vol. 50, n° 3, p. 261-275.

1791. HERRENBRÜCK (Fritz). Wer waren die Zöllner ? Z. f. d. neutest. Wiss., 81, Bd 72, p. 178-194.

1792. MAIER (Gerhard). Die Johannesoffenbarung und die Kirche. Tübingen, Mohr, 81, in-8, IX-676 p. (Wiss. Unters. z. Neuen Testament, 25)

1793. MATHISEN (Ralph W.). Petronius, Hilarius and Valerianus : Prosopographical notes on the conversion of the Roman aristocracy. Historia [Wiesbaden], 81, Bd 30, p. 106-112.

1794. MONTAN (A.). Alle origini della disciplina matrimoniale canonica. Apollinaris, 81, t. 54, p. 151-182.

1795. NALDINI (Mario). In margine alle "Lettere cristiane" nei papiri. Civiltà class. e crist., 81, t. 2, p. 167-176.

1796. OSBORN (Eric Francis). The beginning of Christian philosophy. London, New York a. Melbourne, Cambridge U.P., 81, in-8, XIV-321 p.

1797. PIJUAN (José). La liturgia bautismal en la España romano-visigoda. Toledo, Inst. de Estudios Visigóticos-Moz arabes, 81, in-8, 157 p.

1798. Rediscovery (The) of gnosticism. Proceedings of the International Conférence on gnosticism at Yale, New Haven, Conn., March 28-31, 1978. Vol. 1 : The school of Valentinus. Vol. 2 : Sethian gnosticism. Ed. by Bentley LAYTON. Leiden, Brill, 80-81, 2 vol. in-8, XXIV-454 p. ; XVI p., p. 455-882. (Stud. in the hist. of religions, 44).

1799. REYDELLET (M.). La Royauté dans la littérature latine de Sidoine Apollinaire à Isidore de Séville. Rome, Ecole franç., 81, in-8, 644 p. (Bibl. des Ecoles franç. d'Athènes et de Rome, 243).

1800. ROCHAIS (Gérard). Les récits de résurrection des morts dans le Nouveau Testament. Cambridge, Cambridge U.P., 81, in-8, XVI-252 p. (Soc. for New Test. Stud., Monograph ser., 40).

1801. RUDOLPH (Kurt). Antike Baptisten. Zu den Überlieferungen über frühjüdische und -christliche Taufsekten. Berlin, Akad.-Verl., 81, in-8, 37 p. (S.-B. d. sächs. Akad. d. Wiss. zu Leipzig, Philol.-hist. Kl., 121/4).

1802. RUSSELL (Jeffrey Burton). Satan : the early Christian tradition. Ithaca, N.Y., Cornell U.P., 81, in-8, 258 p.

1803. STRECKER (Georg). Das Judenchristentum in den Pseudoklementinen. 2. bearb. u. erw. Aufl. Berlin, Akad.-Verl., 81, in-8, XIII-326 p. (Texte u. Untersuchungen z. Gesch. d. altchristl. Literatur, 70).

1804. SVENCICKAJA (I.S.). Tajnye pisanija pervykh khristian. (Secret wirtings of the first Christians.). 2-e izd. Moskva, Politizda, 81, 288 p.

1805. THELAMON (Françoise). Païens et chrétiens au IVe siècle. L'apport de l'"Histoire ecclésiastique" de Rufin d'Aquilée. Paris, Etudes augustiniennes, 81, in-8, 531 p.

1806. THOMAS (Charles). Christianity in Roman Britain to A.D. 500. London, Batsford, 81, in-8, 408 p. (60 fig., 8 pl.).

1807. TRIGG (Joseph W.). The charismatic intellectual : Origen's understanding of religious leadership. Church Hist., 81, vol. 50, n° 1, p. 3-19.

1808. ULLMANN (Walter). Gelasius I. (492-496). Das Papsttum an d. Wende d. Spätantike zum Mittelalter. Stuttgart, Hiersemann, 81, in-8, XII-317 p. (Päpste u. Papsttum, 18).

1809. VERGOUTSTRATE (Etienne). Les sources de la Trinité. De fils de Dieu à Dieu le fils. Les trois siècles qui ont fait le dogme. Bruxelles, Ed. universitaires, 81, in-8, 112 p.

1810. WOJTOWYTSCH (Myron). Papsttum und Konzile von der Anfängen bis zu Leo I. (440-461). Studien z. Entstehung d. Überordnung d. Papstes über Konzile. Stuttgart, Hiersemann, 81, in-8, XII-468 p. (Päpste u. Papsttum, 17).

Cf. n° 916.

1815. KIM (Seyoon). The origin of Paul's gospel. Tübingen, Mohr, 81, in-8, XII-391 (Wiss. Untersuchungen z. N.T., R. 2, 4).

Cf. n° 1808.

§ 4. Hagiografía[1].

1811. SAVON (H.). La première oraison funèbre de Saint Ambroise (De excessu fratris, I) et les deux sources de la consolation chrétienne. R. Et. latine, 80 [81], a. 58, p. 370-402.

1812. BEIERWALTES (Werner). Regio beatitudinis. Zu Augustin Begriff der glücklichen Lebens. Heidelberg, Winter, 81, 44 p. (S.-B. d. Heidelb. Akad. d. Wiss., phil.-hist. Kl., 1981, 6).

1813. VAN OMMESLAEGHE (F.). Jean Chrysostome et le peuple de Constantinople. Analecta bollandiana, 81, t. 99, p. 329-349.

1814. FERREIRO (Alberto). The missionary labors of St. Martin of Braga in 6th century Galicia. Studia monastica, 81, t. 23, p. 11-26.

---

1. Clasificación por orden alfabético de la forma latina de los nombres de los santos.

H

HISTORIA BIZANTINA DESDE JUSTINIANO

§ 1. Fuentes. 1816-1829. - § 2. Generalidades. 1830-1837. - § 3. Estudios particulares. 1838-1897.

§ 1. Fuentes.

* Cf. n° 1898.

1816. BAGNALL (Roger S.), WORP (K.A.). Chronological notes on Byzantine documents. B. amer. Soc. Papyrologists, 80, vol. 17, p. 105-117 ; 81, vol. 18, p. 33-54. [Cf. Bibl. 78-79, n° 1955].

1817. BIRO (Margit). Georgian sources on the Caucasian campaign of Heracleios. Acta orient. Acad. Sci. hungaricae, 81, vol. 35, n°1, p. 121-132.

1818. DECLERCK (J.H.). Un manuscrit peu connu : le Londinensis, Brit. Libr. Add. 17472 [XIVe s.]. Byzantion, 81, t. 51, p. 484-501.

1819. DETORAKIS (Theocharis). Vie inédite de Cosmas le Mélode, BHG 394 b. Analecta bollandiana, 81, t. 99, p. 101-116.W

1820. DURLIAT (Jean). Les dédicaces d'ouvrages de défense dans l'Afrique byzantine. Préface d'Azedine BESCHAOUCH. Rome, Ecole franç. de Rome, 81, in-8, XVII-123 P. (Coll. de l'Ecole franç. de Rome, 49).

1821. Eroberung (Die) Konstantinopels im Jahre 1453 aus armenischer Sicht. 3 Elegien v. Abraham v. Ankyra, Arak'el v. Bitlis u. Eremia Dpir Kömürcian. Ein Kolophon d. Bischofs Dawit' v. Xarbert. Übers., eingel. u. erkl. v. Mesrob K. KRIKORIAN u. Werner SEIBT. Graz, Wien u. Köln, Styria, 81, in-8, 117 p. (Byzantin. Geschichtsschreiber, 13).

1822. FAILLER (A.). Chronologie et composition dans l'Histoire de Georges Pachymère [suite de Bibl. 80, n° 1756.]. R. Et. byzant., 81, t. 39, p. 145-250.

1823. KONSTANTINOS VII PORPHYROGEUNETOS. Vom Bauernhof auf den Kaiserthron (Vita Basilii). Leben des Kaisers Basileios I., des Begründers d. Makedon. Dynastie, beschrieben v. seinem Enkel, dem Kaiser Konstantinos VII. Porphyrogeunetos. Übers., eingel. u. erkl. v. Leopold BREYER. Graz, Wien u. Köln, Styria, 81, in-8, 191 p. (Byzantin, Geschichtsschreiber, 14).

1824. KYDONES (Demetrios). Briefe. Übers. u. erl. v. Franz TINNEFELD. T. 1, Halbbd 1 : Einl. u. 47 Briefe. Stuttgart, Hiersemann, 81, in-8, X-299 p. (Bibl. d. griech. Lit., 12. Abt. Byzantinistik).

1825. LEMERLE (Paul). Les plus anciens recueils des miracles saint Démétrius et la pénétration des Slaves dans les Balkans. [Vol. 1. Cf. Bibl. 78-79, n° 1967.] Vol. 2 : Commentaire. Paris, Ed. du C.N.R.S., 81, in-8, 262 p. (carte). (Le Monde byzantin).

1826. MAURICIUS [Imperator]. Das Strategikon des Maurikios (Ars militaris [griech. u. deutsch].). Einführung, Ed. u. Indices v. George T. DENNIS. Übers. v. Ernst GAMILLSCHEG. Wien, Verl. d. Österr. Akad. d. Wiss., 81, in-8, 557 p. (Corpus fontium historiae Byzantinae, 17 = Series Vindobonensis).

1827. Notitiae episcopatuum ecclesiae constantinopolitanae. Texte critique, introd. et notes par Jean DARROUZES. Paris, Inst. franç. d'études byzantines, 81, in-8, XVI-521 p. (Géogr. ecclésiast. de l'Empire byzantin).

1828. Register (Das) Patriarchats von Konstantinopel (Registrum patriarchatus Constantinopolitani [griech. u. deutsch]). Hrsg. v. Herbert HUNGER u. Otto KRESTEN unter Mitarb. v. Carolina CUPANE u. a. T. 1 : Ed. u. Übers. d. Urkunden aus d. Jahren 1315-1331. [Nebst] Indices, T. 1 : Indices zu d. Urkunden aus d. Jahren 1315-1331. Wien, Verl. d. Österr. Akad. d. Wiss., 81, 2 vol. in-8, 624, 205 p. (Corpus fontium historiae Byzantinae, 19 = Series Vindobonensis) [Cf. n° 1889.]

1829. TREADGOLD (Warren T.). The nature of the Bibliotheca of Photius. Washington, D.C., Center for Byzantine Stud., Dumbarton Oaks, 80, in-8, XV-206 p. (Dumbarton Oaks Stud., 18).

§ 2. Generalidades.

* 1830. Bibliographische Notizen und Mitteilungen. Gesamtredaktion : A. HOHLWEG u. Stanislaus HÖRMANN- v. STEPSKI. [Cf. Bibl. 80, n° 1767.] Byzant. Z., 81, Bd 74, p. 117-307, 369-589.

1831. BECK (Hans-Georg). Nomos, Kanon und Staatsraison in Byzanz. Wien, Verl. d. Österr. Akad. d. Wiss., 81, in-8, 60 p. (Österr. Akad. d. Wiss., Phil-hist. Kl., S.-B., 384).

1832. CAMERON (Averil). Continuity and change in 6th century Byzantium. London, Variorum Repr., 81, in-8, 338 p. (ill.).

1833. Internationaler (16.) Byzantinistenkongress, Wien, 4.-9. Okt. 1981. Akten. T. 1 : Hauptreferate. Halbbd 1, 2 [nebst] Beih. Wien, Verl. d. Österr. Akad. d. Wiss., 81, 3 vol. in-8, XIII-375 p., p. 380-874, 138 Bl.

1834. KARLIN-HAYTER (Patricia). Studies in Byzantine political history : sources and controversies. London, Variorum Repr., 81, in-8, 336 p.

1835. MATSCHKE (Klaus-Peter). Die Schlacht bei Ankara und das Schicksal von Byzanz. Studien z. spätbyzantin. Gesch. zw. 1402 u. 1422. Weimar, Böhlau, 81, in-8, 296 p. (Forsch. z. mittelalterl. Gesch., 29).

1836. Nuova storia universale dei popoli e delle civiltà. VI, 1 : L'Impero bizantino e l'islamico. [Di] André GUILLOU, Filippo BURGARELLA, Alessandro BAUSANI. Torino, Unione tip.-editr. torinese, 81, in-8, XV-588 p. (tav.).

1837. Vizantijskij vremennik. (Byzantine review.) T. 42. Red. kol. : Z. V. UDAL'COVA (otv. red.) i dr. Moskva, Nauka, 81, (AN SSSR. In-t vseobšč. istorii).

Cf. n°s 218, 610, 1902.

§ 3. Estudios particulares.

* 1838. KARABELIAS (Evanghelos). Chronique. Droits de l'antiquité. Monde byzantin. R. hist. droit franç. étr., 81, a. 59, p. 542-569. [Cf. Bibl. 78-79, n° 1981.]

1839. ARCHI (Gian Gualberti). Il diritto nell'azione politica di Giustiniano. Studia Doc. Hist. et Iuris, 81, t. 47, p. 31-46.

1840. AREVŠATYAN (S.). David l'Invincible. R. Et. arméniennes, 81, t. 15, p. 33-43. [philosophe].

1841. ARUTJUNOVA-FIDANJAN (V.). Sur le problème des provinces byzantines orientales. R. Et. arméniennes, 80, vol. 14, p. 157-169 (cartes).

1842. BALDWIN (B.). Physical descriptions of Byzantine emperors. Byzantion, 81, t. 51, p. 8-21.

1843. BARTUSIS (Mark C.). Brigandage in the late Byzantine empire. Byzantion, 81, t. 81, p. 386-409.

1844. BEYER (H.V.). Der "heilige Berg" [Athos] in der byzantinischen Literatur. I. Jb. d. österr. Byzantinistik, 81, Bd 30, p. 171-205.

1845. BORKOWSKI (Zbigniew). Inscriptions des factions à Alexandrie [VIe-VIIe s.]. Trad. du pol. par Zsolt KISS. Varsovie, Ed. Scient. de Pologne, 81, in-4, 146 p. (Centre d'Archéol. Méditerr. de l'Acad. Pol. des Sci. et Centre Pol. d'Archéol. Méditerr. dans la République Arabe d'Egypte au Caire. Alexandrie, 2).

1846. BUCCI (Onorato). Diritto romano, patristica latina e attività legislavita giustinianea : alle origini del diritto bizantino. Apollinaris, 81, a. 54, p. 268-304.

1847. Byzantium and the classicla tradition. Univ. of Birmingham thirteenth Spring Symposium of Byzantine Studies 1979. - The Byzantine saints. Univ. of Birmingham fourteenth Spring Symposium of Byzantine Studies 1980. Birmingham, Centre for Byzant. Stud., Univ., 81, 2 vol. in-8, X-250, X-245 p.

1848. CIGGAAR (K.). Flemish mercenaries in Byzantium : their later history in an old Norse miracle. Byzantion, 81, t. 51, p. 44-73.

1849. CROKE (B.). Two early Byzantine earthquakes and their liturgical commemoration. Byzantion, 81, t. 51, p. 122-147.

1850. DEDEYAN (Gérard). Mleh le Grand; stratège de Lykandos. R. Et. arméniennes, 81, t. 15,p. 73-102 (cartes).

1851. DORIVAL (G.). Le commentaire sur les Psaumes de Nicétas David (début du Xe siècle). R. Et. byzant., 81, t. 39, p. 251-300.

1852. Dumbarton Oaks papers. [N° 33. Cf. Bibl. 78-79, n° 1989.] N° 34-35. Washington, D. C., Dumbarton Oaks Center for Byzantine Stud., 81, XII-274 p. [Cf. n°s 1870, 1882, 1888, 1890].

1853. EPSTEIN (Ann Wharton). Formulae for salvation : a comparison of two Byzantine monasteries and their founders. Church Hist., 81, vol. 50, n° 4, p. 385-400. [Neophytos - Enkleistra monastery ; John II Komnenos - Pantocrator monastery].

1854. FELIX (Wolfgang). Byzanz und die islamische Welt im frühen 11. Jahrhundert. Gesch. d. polit. Beziehungen v. 1001-1055. Wien, Verl. d. Österr. Akad. d. Wiss., 81, in-8, 236 p. (Kt.). (Byzantina Vindobonensia, 14).

1855. FOTIOU (A.S.). Dicaearchus and the mixed constitution in sixth century Byzantium. New evidence from a treatise on "political science". Byzantion, 81, vol. 51, p. 533-547.

1856. FRAZEE (Charles). St. Theodore of Stoudios and ninth century monasticism in Constantinople. Studia monastica, 81, vol. 23, p. 27-58.

1857. FRIENDLY (Alfred). The dreadful day, the battle of Manzikert, 1071. London, Hutchinson, 81, in-8, 256 p. (maps).

1858. GAUTIER (Paul). La diataxis de Michel Attaliate. R. Et. byzant., 81, t. 39, p. 5-144.

1859. GUTWEIN (Kenneth C.). Third Palestine : a regional study in Byzantine urbanization. Washington, D.C., Univ. Press of America, 81, in-8, XIV-416 p.

1860. HALKIN (François). Panégyrique de Marie l'Egyptienne par Euthyme le Protasecretis. Analecta bollandiana, 81, t. 99, p. 17-44. - IDEM. L'éloge de saint Théodore le Stratélate par Euthyme le Protasecretis. Ibid., p. 221-237. - IDEM. La Passion ancienne de saint Théodote, évêque de Cyrénie en Chypre. Ibid., p. 238-246.

1861. HALLENBECK (J.T.). The Roman-Byzantine reconciliation of 728 : genesis and significance. Byzant. Z., 81, Bd 74, p. 29-41 (map).

1862. HANNICK (Christian). Maximos Holobolos in der Kirchenslawischen homiletischen Literatur. Wien, Verl. d. Osterr. Akad. d. Wiss., 81, in-8, 439 p. (Wiener byzantinistische Studien, 14).

1863. HENSEL (Witold), RAUHUTOWA (Jadwiga). Archaeological research at Debreste (Macedonia [Yugoslavia]), 1974-1978. Archaeol.

polona, 81, t. 20, p. 191-225 (27 fig.).

1864. HÖRANDNER (Wolfram). Der Prosarhythmus in der rhetorischen Literatur der Byzantiner. Wien, Verl. d. Österr. Akad. d. Wiss., 81, in-8, 181 p. (Wiener byzantinistische Studien, 16).

1865. HUNGER (Herbert). Antiker und byzantinischer Roman. Heidelberg, Winter, 80, in-8, 34 p. (S.-B. d. Heidelb. Akad. d. Wiss., phil.-hist. Kl., Jg. 1980, 3).

1866. HUSMANN (H.). Chromatik und Enharmonik in der byzantinischen Musik. Byzantion, 81, t. 51, p. 169-200.

1867. KARAYANNOPULOS (J.). Ein Problem der spätbyzantinischen Agrargeschichte. Jb. d. österr. Byzantinistik, 81, Bd 30, p. 207-237.

1868. KEENAN (James G.). Aurelius Phoibammon, son of Triadelphus : a Byzantine Egyptian land entrepreneur. B. am. Soc. Papyrologists, 80, vol. 17, p. 145-154.

1869. KUNDEREWICZ (Teresa). Disposizioni testamentarie e donazioni a scopo di beneficenza nel diritto giustiniano. Studia Doc. Hist. et Iuris, 81, t. 47, p. 47-92.

1870. LAIOU-THOMADAKIS (Angeliki E.). The Byzantine economy in the Mediterranean trade system : thirteenth-fifteenth centuries. In : Dumbarton Oaks papers, n° 34-35 [Cf. n° 1852]. p. 177-224. - EADEM. The role of women in Byzantine society. Jb. d. österr. Byzantinistik, 81, Bd 31, p. 233-260.

1871. LASSUS (Jean). La forteresse byzantine de Thamugadi. Fouilles de Timgad 1938-1956. 1. Paris, Ed. du C.N.R.S., 81, in-4, 256 p. (187 fig.). (Etudes d'antiquités africaines).

1872. LEONE (P.). L'encomio di Niceforo Gregora per il re di Cipro (Ugo IV di Lusignano). Byzantion, 81, t. 51, p. 211-224.

1873. LIKHAČEVA (V.D.). Iskusstvo Vizantii IV-XV vekov. (Byzantine art of the 4th-15th cent.) Leningrad, Iskusstvo, 81, 311 p. (ill.). (Očerki istorii i teorii izobraz. iskusstv).

1874. LILIE (Ralph-Johannes). Byzanz und die Kreuzfahrerstaaten. Stud. z. Politik d. Byzantinischen Reiches gegenüber d. Staaten d. Kreuzfahrer in Syrien u. Palästina bis z. 4. Kreuzzug (1096-1204). München, Fink, 81, in-8, XIII-549 p. (Poikila Byzantina, 1).

1875. LIPŠIC (E.Ė.). Zakonodatel'stvo i jurisprudencija v Vizantii v IX-XI vv. (Legislation and jurisprudence in Byzantium in the 9th-11th. cent.) Leningrad, Nauka, 81, 246 p. (AN SSSR. In-t istorii SSSR. Leningr. otd-nie).

1876. MAGUIRE (Henry). Art and eloquence in Byzantium. Princeton, N.J., Princeton U.P., 81, in-8, XXII-148 p.

1877. MAKSIMOVIC (Lj.). Charakter der sozial-wirtschaftlichen Struktur der spätbyzantinischen Stadt (13.-15. Jh.). Jb. d. österr. Byzantinistik, 81, Bd 31, p. 149-188.

1878. MARTIN-HISARD (Bernadette). Trébizonde et le culte de saint Eugène (VIe-XIe s.). R. Et. arméniennes, 80, t. 14, p. 307-343. [Eng. summary] - EADEM. La pérégrination du moine géorgien Hilarion au IXe siècle. Bedi Kartlisa, 81, t. 39, p. 101-138.

1879. MILELLA LOVECCHIO (Marisa). La scultura bizantina dell' XI secolo nel Museo di San Nicola di Bari. Mél. Ec. franç. Rome, Moyen Age, Temps mod., 81, t. 93, p. 7-87.

1880. MOORHEAD (J.). The monophysite response to the Arab invasions. Byzantion, 81, t. 51, p. 579-591.

1881. MORABITO (M.). Les réalités de l'esclavage d'après le Digeste. Paris, Belles Lettres, 81, in-8, 362 p. (A. litt. Univ. Besançon, 254).

1882. MOURIKI (Doula). Stylistic trends in monumental painting of Greece during the eleventh and twelfth centuries. In : Dumbarton Oaks papers, n° 34-35 [Cf. n° 1852], p. 77-124.

1883. OIKONOMIDES (Nicolas). Hommes d'affaires grecs et latins à Constantinople, XIII-XVe siècles. Montréal, Inst. d'études médiévales Albert-le-Grand ; Paris, Vrin, 79, in-8, 149 p. (cartes). (Conférence Albert-le-Grand, 1977).

1884. OVADIAH (Asher), GÓMEZ DE SILVA (Carla). Supplementum to the corpus of Byzantine churches in the Holy Land (Part I). Levant, 81, vol. 13, p. 200-261.

1885. PERENTIDIS (Stavros). L'ordination de l'esclave à Byzance : droit officiel et conceptions populaires. R. hist. Droit franç. étr., 81, a. 59, p. 231-248.

1886. PRATO (Giancarlo). La produzione libraria in area greco-orientale nel periodo del regno latino di Costantinopoli. Scrittura e Civ., 81, [a.] 5, p. 105-147 (ill.).

1887. PRINGLE (Denys). The defence of Byzantine Africa from Justinian to the Arab Conquest. London, Brit. Archaeol. Rep., 81, in-4, 700 p. (ill., fig., maps).

1888. SHAHID (Irfan). Heraclius pistos en Christo basileus. In : Dumbarton Oaks papers, n° 34-35]Cf. n° 1852], p. 225-238. - IDEM. On the titulare of the emperor Heraclius. Byzantion, 81, t. 51, p. 288-296.

1889. Studien zumm Patriarchatsregister von Konstantinopel. Hrsg. v. Herbert HUNGER. 1. Wien, Verl. d. Österr. Akad. d. Wiss., 81, in-8, 178 p. (Abb.). [Cf. n° 1828.]

1890. TAFT (Robert) S.J. The liturgy of the great church : an initial synthesis of structure and interpretation on the eve of iconoclasm. In : Dumbarton Oaks papers, n° 34-35 [Cf. n° 1852], p. 45-76.

1891. TIHON (Anne). L'astronomie byzantine (-du Ve au XVe siècle). Byzantion, 81, vol. 51, p. 603-624.

1892. VRYONIS (Speros) Jr. The evolution of Slavic society and the Slavic invasion in Greece : the first major Slavic attack on Thessaloniki, A. D. 597. Hesperia, 81, vol. 50, p. 378-390.

1893. WEITZMANN (Kurt). Classical heritage in Byzantine and Near Eastern art. London, Variorum Repr., 81, in-4, 326 p. (ill.).

1894. RUSU (Mircea). Aspects des relations entre la romanité orientale et les Slaves. R. roumaine Hist., 81, t. 20, p. 455-467.

1895. RUZSA (György). Ikonok könyve. A nemzeti és a helyi iskolák a bizánci és a posztbizánci ikonfestészetben. (Le livre des icônes. Les écoles nationales et locales dans la peinture byzantine et potsbyzantine d'icônes.) Budapest, Képzőmüvészeti Alap, 81, in-8, 266 p. (ill.).

1896. ŠEVČENKO (Ihor). Society and intellectual life in late Byzantium. London, Variorum Repr., 81, in-8, 374 p. (ill.).

1897. WILKINSON (John). Architectural procedures in Byzantine Palestine. Levant, 81, vol. 13, p. 156-172 (11 fig., 5 tables).

Cf. n°s 15, 97, 171, 186, 1480, 1604, 1777, 2030, 2041, 2049, 2200, 2495.

I

HISTORIA DE LA EDAD MEDIA

§ 1. Fuentes y crítica de las mismas. 1898-1985. - § 2. Obras generales. 1986-2022. - § 3. Historia política (a. Generalidades ; b. 476-900 ; c. 900-1300 ; d. 1300-1500). 2023-2135. - § 4. Judíos. 2136-2143. - § 5. Islam. 2144-2153. - § 6. Vikingos. 2154-2163. - § 7. Historia del derecho y de las instituciones. 2164-2201. - § 8. Historia económica y social. 2202-2316. - § 9. Historia de la civilización. Historia literaria. Historia de las ciencias. Historia de la enseñanza. 2317-2385. - § 10. Historia del arte (a. Generalidades ; b. Estudios particulares). 2386-2453. - § 11. Historia de la música. 2454-2462. - § 12. Historia de la filosofía. 2463-2487. - § 13. Historia de la Iglesia (a. Generalidades ; b. Historia del Papado ; c. Historia monástica ; d. Hagiografía ; e. Estudios particulares). 2488-2580. - § 14. Historia de la población. Toponimia. Urbanismo. 2581-2621.

§ 1. Fuentes y crítica de las mismas.

* 1898. Bulletin codicologique. Scriptorium, 80, vol. 34, p. 123-224 ; 81, vol. 35, p. 1-101. [Cf. Bibl. 80, n° 1802].

* 1899. NOLL (Rudolf). Literatur zur Vita sancti Severini aus den Jahren 1975-1980. Anz. d. österr. Akad. d. Wiss., phil.-hist. Kl., 81, p. 197-221.

1900. Acta summorum pontificum res gestas Bohemicas aevi praehussitici et hussitici illustrantia. Acta Innocentii VI., Gregorii XII., Alexandri V., Johannis XXIII. nec non acta concilii Constantiensis 1404-1417. Acta Clementis VII. et Benedicti XIII. 1378-1417. Edidit Jaroslav ERŠIL. Pars 1, 2. Pragae, Academia, 80, in-4, XX-915 p. (2 cartes). (Monumenta Vaticana res gestas Bohemicae illustrantia, 6).

1901. Ältesten Urbare (Die) der Deutschordenskommende Nürnberg. Bearb. v. Gerhard PFEIFFER. Neustadt (Aisch), Degener, 81, in-8, 250 p. (Veröff. d. Ges. f. Fränkische Gesch. Reihe 10 : Quellen z. Rechts- u. Wirtschaftsgesch. Frankens, 10).

1902. ANDREA (Alfred J.). The Historia constantinopolitana [of Gunther de Pairis] : an early thirteenth-century Cistercian looks at Byzantium. Analecta cisterc., 80, a. 36, p. 269-302. - IDEM. Walter, archdeacon of London, and the Historia Occidentalis of Jacques de Vitry. Church Hist., 81, vol. 50, n° 2, p. 141-151.

1903. BENKŐ (Loránd). Az Árpád-kor magyar nyelvü szövegemlékei. (Les textes en langue hongroise de l'époque arpadienne.) Budapest, Akad. Kiadó, 81, in-8, 392 p.

1904. BIBIKOV (M.V.). Vizantijskie istočniki po istorii Rusi, narodov Severnogo Pričernomor'ja i Severnogo Kavkaza (XII-XIII vv.). (Byzantine sources on the history of Russia, the peoples of the Northern Black Sea area and Northern Caucasus, (12th-13th cent.). V kn. : Drevnejšie gosudarstva na territorii SSSR. (Ancient states on the USSR territory.) Materialy i issledovanija. 1980 god. Moskva, 81, p. 5-151.

1905. Biblia palaebohema codicis Dresdensis ac Olomucensis. Editio critica bibliae Bohemae versionis antiquissimae XIV. seaculi. I : Evangelia. Edidit Vladimír KYAS. Pragae, Academia, 81, in-8, 384 p. (12 fig.)

1906. BISCHOFF (Bernhard). Eine Karolingische "Vita pastoralis" : "Sedulius, Carmen alpha". Deutsch. Arch. f. Erforsch. d. M.-A., 81, Jg. 37, p. 559-575.

1907. BREZEANU (Stelian). "Romani" şi "Blachi" la Anonymus. Istorie şi ideologie politică. ("Romani" et "Blachi" chez Anonymus. Histoire et idéologie politique.) R. Ist., 81, t. 34, n° 7, p. 1313-1339. [Rés. franç. p. 1339-1340].

1908. BRIDOT (Jean). Chartes de l'abbaye de Remiremont des origines à 1231. Nancy, Univ. de Nancy II, 80, in-8, 378 p.

1909. BRINCKEN (Anna-Dorothee von den). Die Herkunft und Gestalt der Martius-Chroniken. Deutsch. Arch. f. Erforsch. d. M.-A., 81, Jg. 37, p. 694-735.

1910. CERVIDE (Ricardo). Inventario de bienes de Olite (1496). B. Acad. Hist. [Madrid], 81, t. 178, p. 157-190, 326-360, 519-578.

1911. Codex diplomaticus et epistolaris regni Bohemiae. Condidit Gustavus FRIEDRICH. Tom. V, [Fasc. 1. Cf. Bibl. 74-75, n° 2247.] Fasc. 2 : Inde ab a. MCCLXVII usque ad a. MCCLXXVIII. Ediderunt Jindřich ŠEBÁNEK et Sáša DUŠKOVÁ. Pragae, Academia, 81, in-4, 621 p.

1912. Constitutiones et acta publica imperatorum et regum. Hrsg. v. d. Akad. d. Wiss. d. DDR, Zentralinst. f. Gesch. Bd 10 : Dokumente zur Geschichte des Deutschen Reiches und seiner Verfassung 1350-1353. Bearb. v. Margarete KÜHN. Lfg. 1, 2. Bd 11 : Dokumente zur Geschichte des Deutschen Reiches und seiner Verfassung 1353-1356. Bearb. v. Wolfgang D. FRITZ. Lfg. 2, 3. Weimar, Böhlau, 78-81, 4 vol. in-4, VI-112 p., p. 113-224 ; p. 65-144, 145-264. (Monumenta Germaniae historica 2, sectio 4, t. 10, 11).

1913. Corpus des inscriptions de la France médiévale. [5. Cf. Bibl. 80, n° 1826.] 6 : Gers, Landes, Lot-et-Garonne, Pyrénées atlantiques. Textes établis et prés. par Robert FAVREAU, Bernadette LEPLANT, Jean MICHAUD, Sous la dir. de Edmont-René LABANDE. Paris, Ed. du C.N.R.S., 81, in-4, 193 p. (51 pl.).

1914. Councils and synods, with other documents relating to the English church. Vol. 1 : A. D. 871-1204. Pt. 1, 2. Ed. by D. WHITELOCK, M. BRETT a. C.N.L. BROOKE. New York, Oxford U.P., 81, 2 vol. LXXIX-562, XII-563-1151 p.

1915. DAHIBI (Muḥammad ibn Aḥmad Šams al-Dīn al-). Kitāb duwal al'Islām mimmā yu῾karu min al-tawārīh = Les dynasties de l'Islam. Trad. annotée des années 447-1055 à 656-1258, introd., lexique et index par Arlette NEGRE. Damas, Institut français, 79, in-4, 441 p.

1916. DEUG-SU (I.). L'opera agiografica di Alcuino : la "Vita Martini". Studi mediev., 81, ser. 3, t. 22, p. 57-83.

1917. DILLER (George T.). Robert d'Artois et l'historicité des Chroniques de Froissart. Moyen Age, 80, t. 86, sér. 4, t. 35, p. 217-231.

1918. Dispatches with related documents of milanese ambassadors in France and Burgundy, 1450-1483. [Vol. 1, 2. Cf. Bibl. 70-71, n° 2630.] Vol. 3 : 1466 : 11 March-29 June. Ed. by Vincent ILARDI. Transl. by Frank J. FATA. DeKalb, Northern Illinois U.P., 81, in-8, LXVII-445 p.

1919. DŁUGOSZ (Jan). Długosza Roczniki czyli Kroniki sławnego Królestwa Polskiego. (Annales de Długosz ou Chronique du célèbre Royaume Polonais.) [Livre 7/8, 9. Cf. Bibl. 74-75, n° 2259.] Livre 10 : 1370-1405. Comm. de réd. Stanisław GAWĘDA et autres. Rés. et comm. du livre : Zbigniew PERZANOWSKI. Ed. du texte latin : Danuta TURKOWSKA, Maria Kowalczyk. Trad. du texte latin : Julia MRUKÓWNA. Warszawa, Państw. Wydawn. Nauk., 81, in-4, 383 p.

1920. DOLBEAU (François). Nouvelles recherches sur le "Legendarium Flandrense". Rech. augustiniennes, 81, t. 16, p. 399-455.

1921. DRIMBA (Vladimir). Sur la datation de la première partie du Codex Cumanicus. Oriens, 81, vol. 27, p. 388-404.

1922. DUVAL-ARNOULD (Louis). Les registres de la Cour temporelle d'Avignon à la bibliothèque vaticane. Mél. Ec. franç. Rome. Moyen Age, Temps mod., 80, t. 92, p. 289-324.

1923. ETTORI (Fernand). Status de la seigneurie de San Colombano [Corse]. Et. corses, 80, a. 8, p. 125-171.

1924. EVANS (Gillian R.). Peter the Chanter's De tropis loquendi : the problem of the text. New Scholasticism, 81, vol. 55, p. 95-103.

1925. Fonti agiografiche antoniane. 1 : Vita prima di S. Antonio, o Assidua (c. 1232). Introd., testo critico, versione ital. e note a cura di Virgilio GAMBOSO. Padova, Messaggero, 81, in-8, 555 p. (tav.).

1926. GAZALI (Iḥyā' ῾Ulūm ad-Dīn al-). Livre XIV. Kitāb al-ḥalāl wa-l-ḥarām. Le livre du licite et de l'illicite. Introd., trad. et notes par Régis MORELON. Paris, Vrin, 81, in-8, XVIII-339 p. (Et. musulmanes, 25).

1927. GERICS (József). A Hartvik-legenda mintáiról és forrásairól. (Sur les modèles et les sources de la légende Hartvik.) Magy. Könyvszle, 81, vol. 97, n° 3, p. 175-189.

1928. GILCHRIST (John). Die Epistola Widonis oder Pseudo-Paschalis. Der erweiterte Text. Deutsch. Arch. f. Erforsch. d. M.-A., 81, Jg. 37, p. 576-604.

1929. GODDING (Robert). Une oeuvre inédite de Thomas de Cantimpré : la "Vita Ioannis Cantipratensis". R. Hist. ecclés., 81, t. 76, p. 241-316.

1930. GÓRSKI (Karol). Descriptiones terrarum (nowo odkryte źródło do dziejów Prus w XIII wieku). (Descriptiones terrarum, eine neugefundene Quelle z. Gesch. Altpreussens im 13. Jh.) Zap. hist., 81, vol. 46, n° 1, p. 7-16 [Dt. Zsfassung].

1931. GUIBERT DE NOGENT. Autobiographie. Intr., éd. et trad. par Edmond-René LABANDE. Paris, Belles Lettres, 81, in-8, XXXVII-496 p. (Les Classiques de l'hist. de France au moyen âge, 34).

1932. HÄGERMANN (Dieter). Eine Grundherrschaft des 13. Jahrhunderts im Spiegel des Frühmittelalters. Caesarius von Prüm u. seine kommentierte Abschrift d. Urbars von 893. Rhein. Vjsbl., 81, Jg. 45, p. 1-34.

1933. HÁJEK z Libočan (Václav). Kronika česká. Výbor historického čtení. (Böhmische Chronik. Auswahl historischer Lektüren.) Edit. Jaroslav KOLÁR. Praha, Odeon, 81, in-8, 736 p.

1934. HALL (Catherine P.). Three charters of Bury St. Edmunds abbey in Corpus Christi College, Cambridge. Archives, 81, vol. 15, p. 11-25 (pl.).

1935. HILPERT (Hans-Eberhard). Kaiser- und Papstbriefe in den Chronica majora des Matthaeus Paris. Stuttgart, Klett-Cotta, 81, in-8, 241 p. (Veröff. d. Deutsch. Hist. Inst. London, 9).

1936. Hunyadiak (A) kora. Szerk. és vál. KULCSÁR Péter. (L'époque des Hunyadi. Réd. et choix par -.) Budapest, Szépirodalmi Kiadó, 81, in-8, 339 p. (Olcsó könyvtár).

1937. JOHN of GAUNT. Register, 1371-1375. Ed. by Sydney ARMITAGE-SMITH. Pt. 1, 2. London, R. Hist. Soc. 81, 2 vol. in-4, 375, 418 p. (Camden Soc.).

1938. Jókai-kódex. XIV-XV. század. A nyelvemlék betűhü olvasata és latin megfelelője. Bev. és jegyz. P. BALÁZS János. (Le Codex "Jókai". XIVe-XVe siècles. La lecture littérale du monument linguistique et sa traduction en latin. Intr. et annotée par -.) Budapest, Akad. Kiadó, 81, in-8, 355 p. (Codices Hungarici, 8).

1939. JONES (Michael). Sir Thomas Dagworth et la guerre civile en Bretagne au XIVe siècle : quelques documents inédits. A. Bretagne, 80, t. 87, p. 621-639.

1940. Karl der Grosse und die schottischen Heiligen. Nach d. Hs. Harley 3971 d. Brit. Bibliothek zum 1. Mal krit. ed. v. Frank SHAW.

Berlin, Akad.-Verl., 81, in-8, XCVIII-335 p. (Deutsch. Texte d. Mittelalters, 71).

1941. KINGSFORD (Charles Lethbridge). Stonor letters and papers, 1290-1483. London, R. Hist. Soc., 81, 2 vol. in-4, 221, 229 p. (Camden Soc.)

1942. KÖLZER (Theo). Neues zum Fälschungskomplex S. Maria de Valle Josaphat. Deutsch. Arch. f. Erforsch. d. M.-A., 81, Jg. 37, p. 140-161.

1943. KRÜGER (Karl Heinrich). Zur "beneventanischen" Konzeption der Langobardenge - schichte des Paulus Diaconus. Frühmittelat. Stud., 81, Bd. 15, p. 18-35.

1944. Lettres communes d'Urbain V, analysées d'après les registres dits d'Avignon et du Vatican [par les membres de l'Ecole française de Rome]. T. [5. Cf. Bibl. 80, n° 1880.] 6 : 18436-20700, par Michel et Anne-Marie HAYEZ. Rome, Ecole franç. de Rome ; diff. Paris, E. de Boccard, 80, in-8, 406 p.

1945. Liber sacramentorum Gellonensis. Cura A. DUMAS editus ; introd., tabulae et indices cura J. DESHUSSES. T. 1 : Textus. T. 2 : Introductio, tabulae et indices. Tournhout (Belgique), Brepols, 81, 2 vol. in-8, X-526, XXVI-212 p. (32 p. de fac-sim.). (Corpus christianorum, ser. latina, 159).

1946. LIGETI (Lajos). Prolegomena to the codex Cumanicus. Acta orient. Acad. Sci. hungaricae, 81, vol. 35, n° 1, p. 1-54.

1947. LÖWE (Heinz). Columbanus und Fidolius. Deutsch. Arch. f. Erforsch. d. M.-A., 81, Jg. 37, p. 1-19.

1948. MAHÉ (J.-P.), MERCIER (Ch.). Les canons des conciles oecuméniques et locaux en version arménienne. R. Et. arméniennes, 81, t. 15, p. 187-262.

1949. MAILLART-LUYPAERT (Monique). Pouvoir et territoire dans la langue des actes royaux et princiers pour la Flandre et la Lotharingie (IXe-XIe siècles). R. belge Philos. Hist., 81, t. 59, p. 810-827.

1950. MARKOWSKI (Mieczysław). Buridanica quae in codicibus manu scriptis bibliothecarum Monacensium asservantur ex descriptionibus a se confectis composuit. Wrocław, Zakł. Narod. im. Ossolińskich, 81, in-8, 214 p. (Pol. akad. Nauk. Inst. Filozofii i Socjologii).

1951. Medieval woman's guide to health : the first English gynecological handbook. Ed. a. transl. by Beryl ROWLAND. Kent, Ohio, Kent State U.P., 81, XVII-192 p.

1952. MEYVAERT (Paul). An unknown letter of Hulagu, il Khan of Persia, to king Louis IX of France. Viator, 80, vol. 11, p. 245-254.

1953. MICHALCZYK (le Fr. Marian), O.F.M. Une compilation parisienne des sources primitives franciscaines, Paris, Bibliothèque nationale, ms. lat. 12707. Arch. francisc. hist., 81, a. 74, n°s 1-2, p. 3-32.

1954. MILLET (Hélène). Les pères du concile de Pise (1409) : édition d'une nouvelle liste. Mél. Ec. franç. Rome, Moyen Age, Temps mod., 81, t. 93, p. 713-790.

1955. MÜLLER (Iso). Balther von Säckingen und seine Fridolins-Vita. Freiburg. Diöz.-Arch., 81, bd 101, p. 20-65.

1956. NORI (Gabriele). La Qubbat al Sakhrā di Gerusalemme. Una testimonianza inedita del 1486. R. stor. ital., 81, a. 93, p. 55-70.

1957. OLLAND (Hélène). Le polyptyque de l'évêché de Toul (fin du XIIIe siècle). B. philol., 79 [81], p. 153-233.

1958. ORDERIC VITALIS. Ecclesiastical history. Vol. 1, Bks. 1-2. Tr. from Latin. Ed. by Marjorie CHIBNALL. London, Oxford U.P. 81, in-8, 402 p. (Oxford Medieval Texts)

1959. Pélagie la Pénitente. Métamorphoses d'une légende. T. 1 : Les textes et leur histoire. Dossier rassemblé par P. PETITMENGIN et collab. Paris, Etudes augustiniennes, 81, in-8, 361 p.

1960. PEYRONNET (Georges). Les sources documentaires anglaises de l'histoire médiévale de la Bretagne [suite de Bibl. 80, n° 1906.]. A. Bretagne, 81, t. 88, n° 1, p. 17-24.

1961. PRINZ (Otto). Untersuchungen zur Überlieferung und zur Orthographie der Kosmographie des Aethicus. Deutsch. Arch. f. Erforsch. d. M.-A., 81, Jg. 37, p. 474-510.

1962. Questions (Les) de Craton et leurs commentaires. Ed. critique par Olga WEIJERS. Leiden et Köln, Brill, 81, in-8, XVI-251 p. (Stud. u. Texte z. Geistesgesch. d. M.-A., 14).

1963. Recueil des actes de Jean IV, duc de Bretagne. T. 1 : n°s 1-430 (1357-1382). Publ. avec notes et introd. par Michael JONES. Paris, Klincksieck, 80, in-8, 339 p.

1964. Regesta Bohemiae et Moraviae aetatis Venceslai IV. (1378 dec. - 1419 aug. 16.) Tom. I : Fontes archivi capituli metropol. eccl. Pragensis. [Fasc. 4. Cf. Bibl. 76-77 n° 2427.] Fasc. 5 : 1395-1396. Fasc. 7 : 1399-1400. Edidit Věra JENŠOVSKÁ. Pragae, Academia, 78-81, 2 vol. in-4, p. 1085-1380, 1701-1918.

1965. Regesta diplomatica nec non epistolaria Slovaciae. Tomus 1 : Inde ab a. MCCCI usque ad a. MCCCXIV. Ad edendum praeparavit Vincent SEDLÁK. Bratislavae, Academia Scientiarum Slovaca, 80, in-4, 651 p. (XLIV tab.).

1966. Regesta pontificum Romanorum. Ivbente Acad. Gottingensi congerenda cur. Theodorvs SCHIEFFER. [4. Cf. Bibl. 78-79, n° 2098.] Vol. 6 : Provincia Hammabvrgo-Bremensis. Congesservnt Wolfgangvs SEEGRÜN et Theodorvs SCHIEFFER. Gottingae, Vandenhoeck u. Ruprecht, 81, in-4, XXI-187 p.

1967. Saga (Die) von Grettir Asmundarson. Grettis saga Asmundarsonar. Aus d. Altisländ. übers. v. Rudolf SIMEK. Eingel. u. mit einem Anhang versehen v. Hermann PÁLSSON u. Rudolf SIMEK. Wien, Halosar, 81, in-8, XXI-204 p. (Wiener Arbeiten z. german. Altertumskunde u. Philologie, 15).

1968. SALUTATI (Coluccio). Die Staatsbriefe Coluccio Salutatis. Unters. zum Frühhumanismus in d. Florentiner Staatskanzlei u. Auswahled. Von Hermann LANGKABEL. Köln u. Wien, Böhlau, 81, in-8, XI-384 p. (Arch. f. Diplomatik, Schriftgesch., Siegel- u. Wappenkunde, Beih. 3).

1969. SCHIEFFER (Rudolf). Eine übersehene Schrift Hinkmars von Reims über Priestertum und Königtum. Deutsch. Arch. f. Erforsch. d. M.-A., 81, Jg. 37, p. 511-528.

1970. SCHMETTERER (Viktor). Drei altenglische religiöse Texte aus der Handschrift Cotton Vespasianus D XIV. Wien, Verb. d. Wissenschaftl. Gesellschaften Österreichs, 81, in-8, 159 p. (Diss. d. Univ. Wien, 150).

1971. SCHMID (Karl). Die Erschliessung neuer Quellen zur mittelalterlichen Geschichte. Frühmittelalt. Stud., 81, Bd 15, p. 9-17.

1972. SCHMITZ (Gerhard). Wucher in Laon. Eine neue Quelle zu Karl dem Kahlen und Hinkmar von Reims. Deutsch. Arch. f. Erforsch. d. M.-A., 81, Jg. 37, p. 529-558.

1973. ŠEBÁNEK (Jindřich), DUŠKOVÁ (Sáša). Výbor studií k českému diplomatáři. (Auswahl von Aufsätzen zum böhmischen Diplomatar.) Red. Vladimír VAŠKU. Brno, Univ. J.E. Purkyně, 81, in-8, 173 p. (16 fig.). (Spisy Univ. J.E. Purkyně v Brně. Filoz. fak., 236).

1974. SOPKO (Július). Stredoveké latinské kódexy v slovenských knižniciach. (Codices latini medii aevi bibliothecarum Slovaciae). Martin, Matica slovenská, 81, in-8, 308 p.

1975. Soupis česky psaných listin a listů do roku 1526. (Verzeichnis der tschechisch geschriebenen Akten und Urkunden bis z. J. 1526.) Teil 1 : Die Originale der Urkunden. [Bd. 2/1, 2/2 Cf. Bibl. 74-75, n° 2342.] Bd 3/1, 3/2. Hrsg. vom Archivaren-Kollektiv unter Redaktion v. František BENEŠ u. Karel BERÁNEK. Praha, Archívní správa minist. vnitra ČSR, 80, 2 vol. in-8, p. 1091-1392, 1393-1668.

1976. STOCLET (Alain J.). Le sacre de Pépin le Bref dans la Chronique universelle de Sigebert de Gembloux et dans le Tractatus de investitura episcoporum : le problème des sources. Latomus, 81, t. 40, p. 618-623.

1977. Urbar (Das) des Kollegiatstiftes Ardagger aus der zweiten Hälfte des 15. Jahrhunderts. Bearb. v. Franz STEINKELLNER. Wien, Selbstverl. d. NÖ. Inst. f. Landeskunde, 81, in-8, II-289 p. (2 Kt.). (Studien u. Forsch. a. d. NÖ. Inst. f. Landeskde, 2).

1978. Urkundenbuch zur Geschichte der Deutschen in Siebenbürgen. Bd 6 : 1458-1473. Hrsg. v. Gustav GÜNDISCH. Bucureşti, Ed. acad., 81, in-8, 628 p.

1979. VENNEBUSCH (Joachim). Unbekannte Miracula des Caesarius von Heisterbach. A. d. hist. Ver. f. d. Niederrhein, 81, H. 184, p. 7-19.

1980. VERBÍK (Antonín). Rychtářské knihy města Znojma z první poloviny 15. století. (Schulzenbücher der Stadt Znojmo aus der ersten Hälfte des 15. Jh.). Sborn. arch. Prací, 81, vol. 31, p. 53-74.

1981. Visite pastorali in diocesi di Ivrea negli anni 1329-e 1346. A cura di Ilo VIGNONO. Present. di Amato Pietro FRUTAZ. Postilla edit. di Eugenio MASSA. Roma, Ediz. di Stor. e Letter., 81, in-8, XXXVI-207 p. (tav.). (Thesaurus ecclesiarum Italiae, 1, 3).

1982. Vita (La) Caroli di Donato Acciaiuoli. La leggenda di Carlo Magno in funzione di una historia di gesta. [A cura di] Daniela GATTI. Bologna, Patròn, 81, in-8, 123 p. (Il mondo mediev. Sez. di Stor. delle Istit., della Spirit. e delle dee, 7).

1983. WHITELOCK (Dorothy) a. others. Councils and synods with other documents relating to the English church. Vol. 1, Pt. 1-2 : A.D. 871-1204. London, Oxford U.P., 81, in-8, 1200 p.

1984. WOŚ (Jan Władysław). La Cronaca di Gallo Anonimo. A. Sc. norm. sup. Pisa, 81, s. 3, vol. 11, p. 165-179.

1985. ZINSMAIER (Paul). Miszellen zu den Stauferurkunden des 12. und 13. Jahrhunderts. I : Nachträge zu den Regesten Heinrichs VI. II : Verlorene Herrscherurkunden des 12. u. 13. Jh. Deutsch. Arch. f. Erforsch. d. M.-A., 80, Jg. 36, p. 202-206 ; 81, Jg. 37, 287-309.

Cf. n°^{s} 23, 239, 410, 710, 1519, 2347.

§ 2. Obras generales.
* 1986. BOOCKMANN (Hartmut). Literaturbericht : Späteres Mittelalter. Gesch. i. Wiss. u. Unterr., 81, Bd 32, p. 561-584, 632-648, 687-708.

* 1987. FOLZ (Robert). Histoire de l'Allemagne au moyen âge. Publications des années 1977-1980. R. hist., 81, t. 265, p. 131-167.

* 1988. International medieval bibliography. Publications of [1979, 1980. Cf. Bibl. 80, n° 1951.] Jan.-June, July-Dec. 1981. Directed by P. H. SAWYER. Ed. by Richard J. WALSH. Leeds, Univ., 81, 2 vol. in-4, LV-270, LI-252 p.

* 1989. Literature of medieval history, 1930-1975 : a supplement to Louis John Paetow's A guide to the study of medieval history. Vol. 1-5. Comp. a. ed. by Gray Cowan BOYCE. Foreword by Paul MEYVAEERT. Millwood, N.Y., Kraus International, 81, 5 vol., CIV-556, 558-1152, 1154-1726, 1728-2330, 2332-2630 p.

* 1990. Medioevo latino. Bollettino bibliografico della cultura europea dal secolo VI al XIV. 1 (1978), 2 (1979). A cura di Claudio LEONARDI e di Rino AVESANI, Ferruccio BERTINI, Giuseppe CREMASCOLI, Giovanni ORLANDI. Spoleto, Centro ital. di studi sull'alto medioevo, 80-81, 2 vol. in-8, XLVV-591, XXXVI-659 p.

* Cf. n° 601.

1991. ABRAMOVIČ (G.V.). K voprosu o kriterijakh rannego feodalizma i stadial' nosti ego perekhoda v razvitoj feodalizm. (On the problem of criteria of early feudalism in Russia and the stages of its transition to developed feudalism.) Ist. SSSR, 81, n° 2, p. 60-77.

1992. Actes du 104e Congrès national des sociétés savantes, Bordaux, 1979. Section de philologie et d'histoire jusqu'à 1610. T. 1 : La reconstruction après la guerre de Cent Ans. T. 2 : Etudes sur la Gascogne. Paris, Bibliothèque nationale, 81, 2 vol. in-8, 347, 147 p.

1993. ARNOLD (Klaus). Das "finstere" Mittelalter. Zur Genese u. Phänomenologie e. Fehlurteils. Saeculum, 81, Bd 32, p. 287-300.

1994. BECKER (Marvin B.). Medieval Italy : constraints and creativity. Bloomington, Indiana U.P., 81, IX-242 p.

1995. CHEETHAM (Nicolas). Medieval Greece. New Haven, Conn., a. London, Yale Univ. Press, 81, in-8, X-342 p.

1996. CRACCO (Giorgio), CASTAGNETTI (Andrea), COLLODO (Silvana). Studi sul Medioevo veneto. Torino, Giappichelli, 81, in-8, 110 p. (Passatopresente, 1).

1997. FICKER (Julius). Ausgewählte Abhandlungen zur Geschichte und Rechtsgeschichte des Mittelalters. Zsgest. u. eingel. v. Carl-Richard BRÜHL. Bd 1-3. Aalen, Scientia, 791, 395, 752 p.

1998. FÜGEDI (Erik). Koldulό barátok, polgárok, nemesek. Tanulmányok a magyar középkorról. (Frères mendiants, bourgeois, nobles. Etudes sur le moyen-âge hongrois.) Budapest, Magvető Kiadό, 81, in-8, 565 p.

1999. GRASSOTTI (Hilda). Estudios medievales españoles. Madrid, Fundación univ. española, 81, in-8, 460 p. (Publ. de la Fund. univ. española, Tesis, 10).

2000. GUIDONI (Enrico). La città dal Medioevo al Rinascimento. Roma e Bari, Laterza, 81, in-8, XV-259 p. (Bibl. di Cult. mod., 848).

2001. GULBENKIAN (R.). Les relations entre l'Arménie et le Portugal du moyen âge au XVIe siècle. R. Et. arméniennes, 80, t. 14, p. 171-215 (ill.).

2002. Mittelalterforschung. Berlin, Colloquium-Verl., 81, in-8, 162 p. (Forsch. u. Information, 29).

2003. NOBILI (Mario), SERGI (Giuseppe). Le Marche del Regno italico : un programma di ricerca. Nuova R. stor., 81, a. 65, p. 399-405.

2004. OLSEN (Jens E.). Norden og Livland i det 15. århundrede (The Nordic countries a. Livonia in the 15th cent.) Nordisk T., 81, t. 57, p. 314-325.

2005. OWEN (Gale R.). Rites and religions of the Anglo-Saxons. Newton Abbot, David a. Charles ; Totowa, N.J., Barnes a. Noble, 81, in-8, 216 p. (ill.).

2006. PERRIA (Antonio). Passioni di palazzo. Tre grandi casate e la storia : Angiò, Malatesta, Visconti. Milano, SugarCo, 81, in-8, 335 p. (tav.). (Nuova Bibl. stor., 29).

2007. PETERS (Jan). Die alten Schweden. Über Wikingerkrieger, Bauernrebellen u. Heldenkönige. Berlin, Dt. Verl. d. Wiss., 81, in-8, 199 p. (Abb., Kt.).

2008. PLETNEVA (S.A.). Zakonomernosti razvitija kočevničeskikh obščestv v ėpokhu srednevekov'ja, (Regularity of the development of mediaeval nomad societies.) Vopr. Ist., 81, n° 6, p. 50-63.

2009. '400 [Quattrocento] (Il) a Roma e nel Lazio. 1 : Umanesimo e Rinascimento in S. Maria del Popolo. Roma, Chiesa di S. Maria del Popolo, 12 giugno-30 settembre 1981. Catalogo a cura di Roberto CANNATA', Anna CAVALLARO, Claudio STRINATI con un intervento di Pico CELLINI. 2 : Fondi e la signoria dei Caetani. Fondi, Palazzo del Comune, 13 giugne-13 settembre 1981. Catalogo a cura di Francesco NEGRI ARNOLDI, Amalia PACIA, Sandra VASCO ROCCA. Roma, De Luca, 81, 2 vol. in-8, 112, 110 p. (ill., tav.).

2010. RECHTER (Gerhard). Das Land zwischen Aisch und Rezat. Die Kommende Virnsberg Deutsch. Ordens u. d. Rittergüter im oberen Zenngrund. Neustadt (Aisch), Degener, 81, in-8, XIV-384-16 p. (Ill., graph. Darst., Kt.). (Schr. d. Zentralinst. f. Fränk. Landeskunde u. Allgemeine Regionalforsch. an d. Univ. Erlangen-Nürnberg, 20).

2011. REICHERT (Folker). Zur Geschichte und inneren Struktur der Kuenringerstädte [13.-14. Jh.]. Jb. f. Landeskde v. Niederösterr., 81, N.S., Bd 46-47, p. 142-187.

2012. REINDEL (Kurt). Die Bajuwaren. Quellen, Hypothesen, Tatsachen. Deutsch. Arch. f. Erforsch. d. M.-A., 81, Jg. 37, p. 451-473.

2013. RICHTER (Michael). Die inselkeltischen Völker im europäischen Rahmen des Mittelalters. Saeculum, 81, Bd 32, p. 273-286.

2014. RYBAKOV (B.A.). Novaja koncepcija predystorii Kievskoj Rusi (Tezisy). (A new concept of Kievan Rus' pre-history : theses.) Ist. SSSR, 81, n° 1, p. 55-75 ; n° 2, p. 40-59.

2015. Settimane di studio del Centro italiano di studi sull'alto Medioevo, XXVII. Nascita dell' Europa ed Europa carolingia : un'equazione da verificare, 19-25 aprile 1979. Spoleto, presso la sede del Centro, 81, 2 vol. in-8, 1015 p. compless. (tav.). (Centro ital. di Studi sull'alto Medioevo).

2016. SKAZKIN (S.D.). Iz istorii social'no-političeskoj i dukhovnoj žizni Zapadnoj Evropy v srednie veka. (From the history of socio-political and spiritual life of western Europe in the middle ages.) Materialy nauč. nasledija. Moskva, Nauka, 81, 295 p., (portr.). (AN SSSR. Otd-nie istorii).

2017. Słowiańszczyzna połabska między Niemcami a Polską. Materiały z konferencji naukowej zorganizawanej przez Instytut Historii Uniwersytetu im. Adama Mickiewicza w dniach 18-19 IV 1980 r. (Les Slaves polabes entre l'Allemagne et la Pologne. [VIe-XIVe s.]. Matériaux de la conférence scientifique org. par l'Inst. d'Hist. à l'Univ. Adam Mickiewicz les 28 et 29 avril 1980). Réd. par Jerzy STRZELCZYK. Poznań, Wydawn. Uniw. im. Adama Mickiewicza, 81, in-8, 302 p. (Historia, 95).

2018. Srednie veka. Sbornik. (Le moyen âge. Recueil d'articles.) Redkol. : A. I. DANILOV (otv. red.) i dr. [42. Cf. Bibl. 78-79, n° 2160.] Vyp. 44. Moskva, Nauka, 81, in-4, 415 p. (AN SSSR. In-t vseobšč. istorii).

2019. TĂPKOVA-ZAIMOVA (Vasilka). Der bulgarische Staat im Beziehungsgefüge der Völker auf dem Balkan vom 7. bis zum 10. Jahrhundert. Jb. f. Gesch. d. Feudalismus, 81, Bd 5, p. 49-56.

2020. VINOGRADOV (V.B.). Genezis feodalizma na Central'nom Kavkaze. (The genesis of feudalism in the Central Caucasus.) Vopr. Ist., 81, n° 1, p. 35-40.

2021. WERNER (Ernst). Überlegungen zum Problem der Stagnation im türkischen Feudalismus. Das 15. u. 16. Jahrh. Jb. f. Gesch. d. Feudalismus, 81, Bd 5, p. 125-147.

2022. ZIENTARA (Benedykt). Nationale Strukturen des Mittelalters. Ein Versuch z. Kritik d. Terminologie d. Nationalbewusstseins unter bes. Berücks. osteurop. Literatur. Saeculum, 81, Bd 32, p. 301-316.

§ 3. Historia política.

a. Generalidades.

2023. BIRNBAUM (Henrik). Lord Novgorod the Great : essays in the history and culture of a medieval city-state. Vol. 1 : The historical background. Columbus, Ohio, Slavica, 81, in-8, 170 p. (UCLA Slavic Stud., 2).

2024. BOWSKY (William M.). A medieval Italian commune : Siena under the nine, 1287-1355. Berkeley a. Los Angeles, Univ. of California Press, 81, in-8, XXII-327 p.

2025. CHAPLAIS (Pierre). Essays in mediaeval diplomacy and administration [1200-1500]. London, Hambledon Press, 81, in-8, 428 p. (ill.).

2026. GRANT (Michael). The dawn of the Middle Ages. London, Weidenfeld a. Nicolson, 81, in-4, 224 p. (ill., pl.).

2027. KUČERA (Matúš). Pater patriae. Zo starých českých a slovenských dejín. (Aus alter tschechischer und slowakischer Geschichte.) Bratislava, Tatran, 81, in-8, 275 p. (25 fig.).

2028. LEWIS (Andrew W.). Royal succession in Capetian France : studies on familial order and the state. Cambridge, Mass., Harvard U.P., 81, in-8, X-356 p. (Harvard Hist. Stud., 100).

2029. OBERLÄNDER-TÂRNOVEANU (Ernest) OBERLÄNDER-TÂRNOVEANU (Irina). Contribuții la studiul emisiunelor monetare și al formațiunilor politice din zona Gurilor Dunării în secolele XIII-XIV. (Contributions à l'étude des émissions monétaires et des formations politiques de la zone des bouches du Danube aux XIIIe-XIVe s.) Stud. Cercet. Ist. veche, 81, t. 32, p. 89-109. [Rés. franç.]

2030. PASCU (Ștefan). Interférences romano-byzantines dans l'aire carpatho-danubienne aux IXe-XIIe siècles. Anu. Inst. Ist. Archeol. Cluj-Napoca, 81, t. 135-144.

2031. PATZE (Hans). Die Wittelsbacher in der mittelalterlichen Politik Europas. Z. f. bayer. Landesgesch., 81, Bd 44, p. 33-79.

2032. RICHARDSON (H.G.), SAYLES (G.O.). The English Parliament in the Middle Ages. London, Hambledon Press, 81, in-8, 534 p.

2033. ŠOLLE (Miloš). Kouřim v průběhu věků. (Kourim im Wandel der Zeiten.) Praha, Academia, 81, in-8, 156 p. (18 fig.). (Památníky naší minulosti, 11).

2034. STANG (Håkon). Rysslands uppkomst - en tredje ståndpunkt (Rise of ancient Russia.) Scandia, 81, vol. 47, p. 153-198, 303, 306 [Eng. summary]

2035. TŘEŠTÍK (Dušan). Počátky Přemyslovců. (Die Anfänge der Přemysliden.) Praha, Academia, 81, in-8, 112 p.

2036. URBAN (William). The Livonian crusade. Washington, D.C., U.P. of America, 81, in-8, X-562 p. - IDEM. The Prussian crusade. Washington, D.C., U.P. of America, 80, in-8, IX-459 p.

2037. WOLFF (Philippe). Les Français du moyen âge étaient-ils patriotes ? Histoire, 81, n° 37, p. 52-60.

Cf. n° 93.

b. 476-900.

2038. Anglo-Saxon England. Vol. 9. Ed. by Peter CLEMOES. London, Cambridge U.P., 81, in-8, 327 p. [Vol. 5, 6. Cf. Bibl. 76-77, n° 2514.]

2039. Anglo-Saxon studies in archaeology and history. [Vol. 1. Cf. Bibl. 80, n° 2002.] Vol. 2. Oxford, Brit. Archaeol. Rep., 81, in-4, 242 p. (ill.). (Brit. Archaeol. Rep., Brit. ser.).

2040. ARY (Mikel V.). The politics of the Frankish-Lombard marriage alliance [Charlemagne a. Desiderata]. Arch. Hist. pontif., 81, a. 19, p. 7-26.

2041. CHRYSOS (Evangelos K.). Die Amalerherrschaft in Italien und das Imperium Romanum. Der Vertragsentwurf d. Jahres 535. Byzantion, 81, t. 51, p. 430-474.

2042. DRALLE (Lothar). Slaven an Havel und Spree. Stud. z. Gesch. d. hevell.-wilz. Fürstentums (6.-10. Jh.). Berlin, Duncker u. Humblot, 81, in-8, 336 p. (Osteuropastud. d. Hochschulen d. Landes Hessen. Reihe 1. Giessener Abh. z. Agrar- u. Wirtschaftsforsch. d. europ. Ostens, 108).

2043. FLECKENSTEIN (Josef). Das Grossfränkische Reich : Möglichkeiten u. Grenzen d. Grossreichsbildung im Mittelalter. Hist. Z., 81, Bd 233, p. 265-294.

2044. GISBON (Margaret), NELSON (Janet). Charles the Bald : court and kingdom. London, Brit. Archaeol. Rep., 81, in-4, 410 p. (ill.).

2045. GREEN (J.A.). The last century of danegeld. Eng. hist. R., 81, vol. 96, p. 241-258.

2046. HENNEBICQUE (Regine). Structures familiales et politiques au IXe siècle : un groupe familial de l'aristocratie franque. R. hist., 81, a. 105, t. 265, p. 289-333.

2047. HERRMANN (Joachim). Staatsbildung in Südosteuropa und in Mitteleuropa. Zum Problem v. Kontinuität u. Diskontinuität bei d. Überwindung d. antiken Sklavengesellsch. u. d. Herausbildung d. Feudalgesellsch. Jb. f. Gesch. d. Feudalismus, 81, Bd 5, p. 9-48.

2048. KELLER (Hagen). Archäologie und Geschichte der Alamannen in merowingischer Zeit. Z. f. d. Gesch. d. Oberrheins, 81, Bd 129, p. 1-51.

2049. MARKUS (R.A.). Ravenna and Rome, 554-604. Byzantion, 81, t. 51, p. 566-578.

2050. PLATELLE (Henri). L'Aquitaine du Ve

siècle à la fin du VIII, d'après un ouvrage récent [ROUCHE (Michel). L'Aquitaine, des Wisigoths aux Arabes. Cf. Bibl. 80, n° 2008.]. Mél. Sci. relig., 81, a. 38, p. 3-16.

2051. STRZELCZYK (Jerzy). Hiszpańskie państwo Swewów. (L'Etat espagnol des Suèves.) Przegl. hist., 81, vol. 72, p. 1-23.

c. 900-1300.

2052. ALEXANDER (James W.). The alleged palatinates of Norman England. Speculum, 81, vol. 56, n° 1, p. 17-27.

2053. AUBE (Pierre). Baudouin IV de Jérusalem, le roi lépreux. Préf. de Régine PERNOUD. Paris, Tallandier, 81, in-8, 505 p.

2054. BALDWIN (John W.). La décennie décisive : les années 1190-1203 dans le règne de Philippe Auguste. R. hist., 81, t. 266, p. 311-337.

2055. BANASZKIEWICZ (Jacek). Czarna i biała legenda Bolesława Śmiałego. (La légende blanche et noire de Boleslas le Vaillant [roi de Pologne]. Kwart. hist., 81, a. 88, n° 2, p. 353-390.

2056. BARROW (G.W.S.). Kingship and unity : Scotland, 1000-1306. London, E. Arnold, 81, in-8, 192 p.

2057. BAUTIER (Robert-Henri). Le jubilé romain de 1300 et l'alliance franco-pontificale au temps de Philippe le Bel et de Boniface VIII. Moyen Age, 80, t. 86, sér. 4, t. 35, p. 189-216.

2058. BORAWSKA (Danuta). Mieszko I. und Oda im Kreis consanguineorum Ludolfingorum. Jb. f. Gesch., 81, Bd 23, p. 79-102.

2059. BORST (Arno). Reden über die Staufer. Frankfurt (Main), Berlin u. Wien, Ullstein, 81, in-8, 239 p. (Ullstein-Buch, 34052).

2060. CZEGLÉDY (Károly). Még egyszer a magyarok 942. évi spanyolországi kalandozásáról. (Encore une fois sur les incursions des Hongrois en Espagne en 942.) Magy. Nyelv, 81, vol. 77, n° 4, p. 419-423.

2061. DIMNIK (M.). Mikhail, prince of Chernigov and grand prince of Kiev, 1224-1246. Toronto, Pontifical Inst. of Mediaeval Studies, 81, in-8, 200 p. (ill., maps).

2062. DOLMÁNYOS (István). A kulikovói ütközet - a jubileum mérlegén. (Die Schlacht von Kulikowo.) Hadtört. Közl., 81, vol. 28, n° 3, p. 335-353.

2063. ELTER (István). Néhány megjegyrés Ibn Hayyānnak a magyarok 942. évi kalandozásáról szóló tudósitásához. (Quelques remarques sur les informations concernant les incursions des Hongrois en 942 d'Ibn Hayyān.) Magy. Nyelv, 81, vol. 77, n° 4, p. 413-419.

2064. FAUSSNER (Hans Constantin). Kuno von Öhningen und seine Sippe in ottonischsalischer Zeit. Deutsch. Arch. f. Erforsch. d. M.-A., 81, Jg. 37, p. 20-139.

2065. FEY (Hans-Joachim). Reise und Herrschaft der Markgrafen von Brandenburg (1134-1319). Köln u. Wien, Böhlau, 81, in-8, IX-282 p. (Kt.-Beil.). (Mitteldeutsche Forsch., 84).

2066. GRITSCH (Helmut). Die Pataria von Mailand (1057-1075). Innsbrucker hist. Stud., 80, Bd 3, p. 7-42.

2067. III. [Harmadik] Béla emlékezete. Vál., jegyz. és bev. KRISTÓ Gyula, MAKK Ferenc. (A la mémoire du roi Béla III. Choix, notes et intr. par -.) Budapest, Magyar Helikon, 81, in-8, 215 p. (Bibl. historica).

2068. JOHNSON (Arne Odd). Håkon jarl Eiriksson (998-1030). Nytt kildemateriale og nye synspunkter. (Håkon earl Eiriksson. New source material a. new view points.) Oslo, Universitsforlaget, 81, in-8, 26 p. (Det Norske Vid.-Akad., II. Hist.-filos. Kl., Avh., ny ser., 17).

2069. KAISER (Reinhold). Bischofsherrschaft zwischen Königtum und Fürstenmacht. Stud. z. bischöflichen Stadtherrschaft im westfränkischfranzösischen Reich im frühen u. hohen Mittelalter. Bonn, Röhrscheid, 81, in-8, 710 p. (Ill.). (Pariser hist. Stud., 17).

2070. LE GOFF (Jacques). Saint Louis a-t-il existé ? Histoire, 81, n° 40, p. 90-99.

2071. LE PATOUREL (John). Henri II Plantagenêt et la Bretagne. M. Soc. Hist. Archéol. Bretagne, 81, t. 58, p. 99-116.

2072. LIGETI (Lajos). Joannes Ungarus és az 1262. évi mongol követjárás. (Ioannes Ungarus et l'ambassade en Mongolie de 1262.) Magy. tudom. Akad. Nyelv Irodtudom. Oszt. Közl., 81, vol. 32, n°s 1-2, p. 116-137.

2073. POWERS (James F.). Frontier military service and exemption in the municipalities of Aragon and Castille [11.-12. c.]. Milit. Affairs, 81, vol. 45, n° 2, p. 75-78.

2074. PRESTWICH (J.O.). The military household of the Norman kings. Eng. hist. R., 81, vol. 96, p. 1-35.

2075. Proceedings of the Battle conference on Anglo-Norman studies [II, 1979. Cf. Bibl. 80, n° 2018.] III : 1980. Ed. by Reginald Allen BROWN. Ipswich, Boydell Press, 81, in-8, XIII-241 p. (ill., maps).

2076. RESMINI (B.). Das Arelat im Kräftefeld der französischen, englischen und angiovinischen Politik nach 1250 und das Einwirken Rudolfs von Habsburg. Köln, Böhlau, 81, in-8, 378 p. (Kt.).

2077. RICHARD (Jean). Une ambassade mongole à Paris en 1262. J. Savants, 79 [81], p. 295-303.

2078. RILEY-SMITH (Louise), RILEY-SMITH (Jonathan S.C.). The Crusades : the idea and the reality, 1095-1274. London, E. Arnold, 81, in-8, 208 p. (Docs. of Med. Hist.)

2079. SANTAMARIA (Álvaro). En torno a la institucionalización del reino de Mallorca en el siglo XIII. Medievalia, 81, t. 2, p. 111-144.

2080. STANG (Håkon). Norges første flyktninger - asiatisk perspektiv på Troms 1242. (The first refugees in Norway - Asiatic perspective on Troms [Northern Norway] in 1242.) [Norsk] Hist. T., 81, vol. 60, p. 337-361.

2081. Tartárjárás (A) emlékezete. Szerk. KATONA Tamás. (En souvenir de l'invasion des

Mongols. Réd. par -.) Budapest, Magyar Helikon, 81, in-8, 357 p. (Bibl. historica).

2082. THEODORESCU (Răzvan). Marginalia to 11th century Anglo-Saxons in the Pontic area. R. roumaine Hist., 81, t. 20, p. 637-645.

2083. VAUGHN (Sally N.). The Abbey of Bec and the Anglo-Norman State, 1034-1136. Ipswich, Boydell Press, 81, in-8, 176 p.

Cf. n° 1874.

d. 1300-1500.

2084. ALLDAY (D. Helen). Insurrection in Wales, the rebellion of the Welsh led by Owen Glyn Dwr against the English Crown in 1400. Lavenham, Suffolk, T. Dalton, 81, in-8, 220 p.

2085. ANGERMEIER (Heinz). Die Sforza und das Reich. Hist. Jb., 81, Jg. 101, p. 362-383.

2086. BLOM (Grethe Authén). Ingebjørg med Guds miskunn Kong Håkons datter, Hertuginne i Sviarike. Bruddstykker av et politisk kvinneportrett. (Ingebjørg, daughter of King Håkon [V], Duchess of Sweden. Fragments of a political portrait.) [Norsk] Hist. T., 81, vol. 60, p. 422-454. [Eng. summary].

2087. BOGUCKA (Maria). Kazimierz Jagiellończyk i jego czasy. (Casimir Jagellon et son époque.) Warszawa, Państw. Inst. Wydawn., 81, in-8, 288 p.

2088. BORDONOVE (Georges). Jean le Bon et son temps, 1319-1364. Paris, Ramsay, 80, in-8, 348 p.

2089. BOURASSIN (Emmanuel). La France anglaise : 1415-1453. Chronique d'une occupation. Paris, Tallandier, 81, in-8, 320 p. (ill., pl.).

2090. COSTA (Maria-Mercedes). Los reyes de Portugal en la frontera castellano-aragonesa (1304). Medievalia, 81, t. 2, p. 27-50.

2091. COUTAZ (Gilbert). Die Reichsarchivalien in Turin und die Beziehungen des Hauses Savoyen zu Heinrich VII. (1310-1313). Mitt. d. Inst. f. österr. Gesch.-Forsch., 81, Bd 89, p. 241-267.

2092. CVETKOVA (Bistra A.). Die Feldzüge Wladislaw III Jagiello und Iancu de Hunedoara (1443-1444), der Südosten Europas und die Bulgaren. R. Et. sud-est europ., 81, t. 19, p. 17-29.

2093. DEBAT (abbé Antoine). Gilbert de Cantobre, évêque de Rodez, 1339-1349 et le pouvoir royal. R. Rouergue, 80, a. 34, p. 281-303 ; 81, a. 35, p. 11-22.

2094. DOPSCH (Heinz). Friedrich III., das Wiener Konkordat und die Salzburger Hoheitsrechte über Gurk. Mitt. d. österr. Staatsarch., 81, Bd 34, p. 45-88.

2095. ESKENASY (Victor). Din istoria litoralului vest-pontic : Dobrotici şi relaţiile sale cu Genova. (De l'histoire du littoral ouest de la mer Noire : Dobrotitch et ses rapports avec Gênes.) R. Ist., 81, t. 34, n° 11, p. 2047-2063. [Rés. franç.]

2096. GHIAŢĂ (Anca). Aspecte ale organizării politice în Dobrogea medievală (secolele XIII-XV). (Aspects de l'organisation politique de Dobroudja au moyen âge, XIIIe-XVe s.) R. Ist.,
81, t. 34, n° 10, p. 1863-1897. [Rés. franç.]

2097. GICQUEL (Yvonig). Olivier de Clisson, 1336-1407, connétable de France ou chef de parti breton ? Paris, Picollec, 81, in-8, 328 p. (ill.).

2098. GIES (Frances). Joan of Arc. London, Harper a. Row, 81, in-8, 306 p.

2099. GILLINGHAM (John Bennett). The Wars of the Roses. London, Weidenfeld a. Nicolson, 81, in-8, 274 p.

2100. GIVEN-WILSON (C.). The ranson of Olivier Du Gesclin. B. Inst. hist. Research, 81, vol. 54, n° 129, p. 17-28.

2101. GOODMAN (Anthony). The Wars of the Roses : military activity and English society, 145-1497. Boston a. London, Routledge a. Kegan Paul, 81, in-8, 294 p. (maps).

2102. GRIFFITHS (Ralph A.). Patronage, the Crown and the provinces in later mediaeval England. Gloucester, A.J. Sutton, 81, in-4, 192 p. (maps). - IDEM. The reign of King Henry VI : the exercise of royal authority, 1422-1461. Berkeley a. Los Angeles, Univ. of California Press ; 81, in-8, XXIV-968 p. (ill., maps).

2103. HALSTED (Caroline). Richard III as Duke of Gloucester and King of England. Facs. of. 1844 ed. Gloucester, A.J. Sutton, 81, 2 vol. in-8, XII-458, XII-602 p.

2104. HERUBEL (Michel). Charles VII. Paris, Orban, 81, in-8, 389 p.

2105. HIGHFIELD (John Roger L.), JEFFS (Robin). The Crown and local communities in England and France in the 15th century. Gloucester, A.J. Sutton, 81, in-4, 192 p. (maps).

2106. HOLBAN (Maria). Din cronica relaţiilor româno-ungare în secolele XIII-XIV. (De la chronique des relations roumano-hongroises aux XIIIe-XIVe siècles.) Bucureşti, Ed. Acad., 81, in-8, 312 p. (Bibl. istorică, 57).

2107. JANOTTA (Christine Edith). Ulrich Säckler, Abt von Ursberg und Rat Kaiser Friedrichs III. Z. f. bayer. Landesgesch., 81, Bd 44, p. 461-490.

2108. JOHNSON (Marion). The Borgias. London, Macdonald, 81, in-4, 240 p. (ill., pl.).

2109. Kaiser Karl IV. Sektionsvorträge geh. auf d. 32. Versammlung deutsch. Historiker am 7. Okt. 1978 in Hamburg. Z. f. hist. Forsch., 81, Bd 8, p. 1-36. [Contient : ARNOLD (Udo). Karls Ostpolitik in neuer Sicht : Hausmacht u. Kaiserpolitik, p. 5-13. - EBERHARD (Winfried). Ost und West : Schwerpunkte der Königsherrschaft bei Karl IV., p. 13-24. - TURCZYNSKI (Emanuel). Südosteuropa in Planung und Politik Karls IV., p. 25-36.]

2110. KARPOV (S.P.). Trapezundskja imperija i zapadnoevropejskie gosudarstva v XIII-XV vv. (The Empire of Trebizond and Western European states in the 13th-15th cent.) Moskva, Izd-vo MGU, 81, 213 p. (maps).

2111. KENT (D.V.), KENT (F.W.). A self-disciplining pact made by the Peruzzi family of Florence (June 1433). Renaissance Quar., 81, vol. 34, n° 3, p. 337-355.

2112. KROMNOW (Åke). Christoph, König von Dänemark, Norwegen und Schweden. Z. f. bayer. Landesgesch., 81, Bd 44, p. 201-210.

2113. LUCARELLI (Giuliano). Castruccio Castracani degli Antelminelli. Present. di Mario TOBINO. Lucca, Pacini Fazzi, 81, in-8, 228 p. (ill.).

2114. LYDON (James). England and Ireland in the later Middle Ages. London, Academic Press, 81, in-8, 300 p.

2115. MAAS (Clifford W.). The German community in Renaissance Rome, 1378-1523. Ed. Peter HERDE. Rom, Freiburg (Breisgau) u. Wien, Herder, 81, in-8, XVI-208 p. (Römische Quartalsschr. f. christl. Altertumskunde u. Kirchengesch. Supplementh. 39).

2116. MARKALE (Jean). Anne de Bretagne. Paris, Hachette, 80, in-8, 264 p.

2117. MÖTSCH (Johannes). Trierische Territorialpolitik im 14. Jahrhundert. Die Erwerbung d. Schmidtburg durch Erzbischof Balduin 1324-1342. Jb. f. westdeutsche Landesgesch., 81, Jg. 7, p. 45-74.

2118. NADOLSKI (Andrzej). Rozważania o Grunwaldzie. (Réflexions au sujet [de la bataille] de Grunwald.) Kwart. hist., 80 [81], a. 87, n° 2, p. 447-457.

2119. PERRIA (Antonio). I terribili Sforza. Trionfo e fine di una grande dinastia. Milano, SugarCo, 81, in-8, 339 p. (tav.). (Nuova Bibl. stor., 28).

2120. PERRIA (Antonio). Le segrete del castello. Eccidio, congiura, beffa e rivolta. La caduta degli Ezzallini. Milano, SugarCo, 81, in-8, 287 p. (Nuova Bibl. stor., 30).

2121. RALL (Hans). Ludwig der Bayer und die europäischen Dynastien. Z. f. bayer. Landesgesch., 81, Bd 44, p. 81-91.

2122. RECHTER (Gerhard). Das Verhältnis der Reichsstädte Windsheim und Rothenburg ob der Tauber zum niederen Adel ihrer Umgebung im Spätmittelalter. Jb. f. fränk. Landesforsch., 81, [Bd] 41, p. 45-87.

2123. RIDOLFI (Roberto). Il Savonarola e il Magnifico. Bibliofilia [Firenze], 81, a. 83, p. 71-78.

2124. ROSS (Charles). Richard III. London, Eyre Methuen, 81, in-8, 416 p. (Engl. Monarchs)

2125. ROWAN (Steven). Imperial taxes and German politics in the fifteenth century : an outline. Central european Hist., 80, vol. 13, n° 3, p. 203-217.

2126. SEIBT (Ferdinand). Zum Reichsvikariat für den Dauphin 1378. Z. f. hist. Forsch., 81, Bd 8, p. 129-158.

2127. SIGNORINI (Rodolfo). Cristiano I in Italia. Veltro, 81, a. 25, p. 23-58.

2128. SJÖDELL (Ulf). Historiker infor Kalmarunionen. (Historians and the Union of Kalmar [1389].) Lund, Liber Läromedel/Gleerup, 81, in-4, 125 p. (Skr. utg. av Vetenskapssoc. i Lund, 75) [Eng. summary].

2129. SPĚVÁČEK (Jiří). Karl IV. Darstellungen und Wirklichkeit. Historica [Praha], 80, vol. 20, p. 5-58.

2130. SUŁKOWSKA-KURASIOWA (Irena). Les conseillers de Ladislas Jagellon (1386-1434). Acta Poloniae hist., 80 [81], vol. 42, p. 27-40.

2131. TALBOT (Hugh). The English Achilles, an account of the life and campaigns of John Talbot, 1st Earl of Shrewsbury. London, Chatto, 81, in-8, 224 p.

2132. Tumulto (Il) dei Ciompi. Un momento di storia fiorentina ed europea. Atti del Congresso tenuto a Firenze nel 1979. Firenze, Olschki, 81, in-8, XXII-280 p. (Istit. naz. di Studi sul Rinasc.).

2133. VERDON (Jean). Isabeau de Bavière. Paris, Tallandier, 81, in-8, 318 p.

2134. WARNER (Marina). Joan of Arc : the image of female heroism. London, Weidenfeld a. Nicolson ; New York, A.A. Knopf, 81, in-8, XXVI-349 p. (ill., pl.).

2135. WOLFFE (Bertram). Henry VI. London, Eyre Methuen, 81, in-8, 416 p. (ill.). (Engl. Monarchs).

Cf. n°s 2057, 3399.

§ 4. Judíos.

2136. CANTERA MONTENEGRO (Enrique). Judíos de Torrelaguna : retorno de algunos expulsados entre 1493 y 1495. Sefarad, 79, t. 39, p. 333-346.

2137. FERRANTE (Biagio). Gli statuti di Federico d'Aragona per gli ebrei del regno. Arch. stor. Prov. napol., 79 [81], t. 97, p. 131-184.

2138. IANCU-AGOU (Danièle). Les Juifs en Provence (1475-1501), de l'insertion à l'expulsion. Marseille, Inst. hist. de Provence, 81, in-8, 342 p.

2139. LACAVE (José Luis). Los juderías aragonesas al terminar el reinado de Fernando I. Sefarad, 79, t. 39, p. 209-224.

2140. MARCUS (Ivan G.). Piety and society. The jewish pietists of medieval Germany. Leiden, Brill, 81, in-8, XIV-204 p. (Etudes sur le judaïsme médiéval, 10).

2141. TOAFF (Ariel). Gli ebrei a Gubbio nel Trecento. B. Deput. Stor. pa. Umbria, 81, vol. 78, p. 153-192.

2142. WADL (Wilhelm). Geschichte der Juden in Kärnten im Mittelalter. Mit einem Ausblick bis z. Jahre 1867. Klagenfurt, Verl. d. Kärtner Landesarchivs, 81, in-8, 249 p. (Das Kärntner Landesarchiv, 9).

2143. WENNINGER (Markus Johannes). Man bedarf keiner Juden mehr. Ursachen u. Hintergründe ihrer Vertreibung aus den deutschen Reichsstädten im 15. Jh. Wien, Köln u. Graz, Böhlau, 81, in-8, 293 p. (Beih. z. Archiv f. Kulturgesch., 14).

§ 5. Islam.

2144. COOK (Michael). Early Muslim dogma : a source-critical study. Cambridge, Univ. Press, 81, in-8, XI-242 p.

2145. DONNER (Fred McGraw). The early Islamic conquests. Princeton, N.J., Princeton U. P., 81, in-8, XVIII-489 p. (Princeton Stud. on the Near East).

2146. KENNEDY (Hugh). The early Abbasid caliphate : a political history. London, Croom Helm ; Totowa, N.J., Barnes a. Noble, 81, in-8, 238 p.

2147. KHALIDI (Tarīf). The idea of progress in classical Islam. J. near east. Stud., 81, vol. 40, n° 4, p. 277-290.

2148. LAMBTON (Ann S.K.). State and government in mediaeval Islam, an introduction to the study of Islamic political theory - the jurists. London a. New York, Oxford U.P., 81, in-8, 364 p. (London Or. Ser. 36).

2149. MORONY (Michael G.). Bayn al-Fitnatayn : problems in the periodization of early Islamic history. J. near east. Stud., 81, vol. 40, n° 3, p. 247-252.

2150. PIPES (Daniel). Slave soldiers and Islam. The genesis of a military system. New Haven, Conn., a. London, Yale U.P., 81, in-8, XXVII-246 p.

2151. SALEH (Amid Abdel). Le rôle des Bédouins d'Egypte à l'époque fatimide. R. Studi orient., 80, vol. 54, p. 51-65.

2152. SENAC (Philippe). Musulmans et Sarrasins dans le sud de la Gaule, VIIIe-XIe siècle. Paris, Sycomore, 80, in-8, 146 p. (ill.).

2153. VIGUERA (María Jesús). Aragón musulman. Zaragoza, Libreria General, 81, in-8, 203 p.

Cf. n°s 798, 827, 1545, 1836, 1854, 1915, 1926, 1956, 2204, 2275, 2319, 2353, 2386, 2552, 6919.

§ 6. Vikingos.

2154. AMBROSIANI (Kristina). Viking Age combs, comb making and comb makers : in the light of finds from Birka and Ribe. Stockholm, Inst. f. arkeol., Stockholms univ., 81, in-4, 175 p. (ill., maps). (Stockholm studies in archaeol., 2) [Eng. a. German text].

2155. GINTERS (Valdemars). Tracht und Schmuck in Birka und im ostbaltischen Raum : eine vergleichende Studie. Stockholm, Almqvist a. Wiksell international, 81, in-4, 49 p. (ill.). (Antikvariskt arkiv, 70).

2156. GRÄSLUND (Anne-Sofie). The burial customs : a study of the graves on Björkö. Stockholm, Almqvist a. Wiksell international, 80, in-2, 94 p. (ill.). (Birkö : Untersuch. u. Studien, 4).

2157. HYENSTRAND (Åke). The Mälaren area. Ed. Agneta LUNDSTRÖM, Helen CLARKE. Stockholm, Almqvist a. Wiksell international, 81, in-2, 50 p. (maps.). (Excavations at Helgö, 6).

2158. KYHLBERG (Olga). Helgö och Birka : kronologisk-topografisk analys av grav- och boplatser. (Helgö and Birka : chronological-topographical analysis of burial and dwelling places.) Stockholm, Akademilitt., 80, in-8, 105 p. (maps).

2159. NATI (Mario). I vichinghi in Italia. Veltro, 81, a. 25, p. 7-21.

2160. ODELBERG (Maj), THÅLIN-BERGMAN (Lena), ZACHRISSON (Inger). Viking ways : on the Viking Age in Sweden. Stockholm, Swedish inst. a. The Museum of National Antiquities, 80, in-8, 24 p. (ill.).

2161. Proceedings of the eight Viking congress, Arhus, 24-31 August 1977. Ed. by Hans BEKKER-NIELSEN, Peter FOOTE a. Olaf OLSEN. Odense, Univ. Press, 81, in-8, XIV-294 p. (ill.). (Medieval Scandinavia, suppl., 2).

2162. SAKS (Edgar-Valter). Estonian kings, a treatise on the Finno-Ugric Viking activities in the first millennium A.D. Cardiff, Boreas Publ. House, 81, in-4, 238 p. (ill., maps).

2163. STILLING (Niels Peter). Trelleborghypoteser : om de danske vikingeborges funktion og historiske betydning. (Trelleborg-hypothesis : on the fonction and historical significance of the Danish Viking fortresses) Scandia, 81, vol. 47, p. 29-65, 143-144. [Eng. summary].

Cf. n°s 714, 2007, 2620.

§ 7. Historia del derecho y de las instituciones.

* Cf. n° 749.

2164. AURELL I CARDONA (Martí). Le personnel politique catalan et aragonais d'Alphonse Ier en Provence (1166-1196). A. Midi, 81, t. 93, p. 121-139.

2165. AUTRAND (Françoise). Naissance d'un grand corps de l'Etat : les gens du Parlement de Paris, 1345-1454. Paris, Publications de la Sorbonne, 81, in-8, 460 p.

2166. BAGGE (Sverre). Kirkens jurisdiksjon i kristenrettssaker før 1277. (The jurisdiction of the church in church law cases before 1277.) [Norsk] Hist. T., 81, vol. 60, p. 133-159 [Eng. summary].

2167. BARTLETT (Robert). The impact of royal government in the French Ardennes : the evidence of the 1247 enquête. J. medieval Hist., 81, vol. 7, p. 83-97.

2168. BECKERMAN (John S.). Adding insult to iniuria : affronts to honor and the origins of trespass. In : On the laws and customs of England [Cf. n° 434], p. 159-181.

2169. BETTO (Bianca). I collegi dei notai, dei giudici, dei medici e dei nobili in Treviso, secc. XIII-XVI. Storia e documenti. Venezia, 81, in-8, 442 p. (tav.). (Misc. di Studi e Mem., 19).

2170. CARDINI (Franco). Alle radici della cavalleria medievale. Firenze, La nuova Italia, 81, in-8, X-388 p. (Il Pens. stor., 76).

2171. DAVIES (R.G.), DENTON (J.H.) a. others. The English parliament in the middle ages. Manchester, Univ. Press ; Philadelphia, Univ. of Pennsylvania Press, 81, in-8, X-214 p. (The Middle Ages).

2172. DEMANDT (Karl E.). Der Personenstaat der Landgrafschaft Hessen im Mittelalter. Ein Staatshandbuch Hessens vom Ende d. 12. bis z. Anfang d. 16. Jh. T. 1. Marburg, Elwert, 81, in-8, XXXVIII-719 p. (Veröff. d. Hist. Komm. f. Hessen, 42).

2173. DESPORTES (Françoise). Droit économique et police des métiers en France du Nord (milieu du XIIIe-début du XVe siècle). R. Nord, 81, t. 63, n° 249, p. 321-336.

2174. DONAHUE (Charles) Jr. Proof by witnesses in the church courts of medieval England : an imperfect reception of the learned law. In : On the laws and customs of England [Cf. n° 434], p. 127-158.

2175. GAUSSIN (Pierre-Roger). Représentativité des Etats-Généraux de 1484. In : Lyon et l'Europe [Cf. n° 417], vol. 1, p. 295-326.

2176. GAWLIK (Alfred). Das Diplom Kaiser Heinrichs V. Stumpf Reg. 3150 für das Kloster St. Arnulf bei Metz. Deutsch. Arch. f. Erforsch. d. M.-A., 81, Jg. 37, p. 605-638 (2 Taf.).

2177. GIORDANENGO (Gérard). Documents sur l'hommage en Dauphiné et en Provence (1157-1270). Mél. Ec. franç. Rome, Moyen Age, Temps mode., 80, t. 92, p. 183-204.

2178. GÓMEZ MAMPASO (Ma Valentina). Un caso de conflicto entre la jurisdicción real y la juristicción eclesiástica, en tiempos de los Reyes Católicos B. Acad. Hist. [Madrid], 81, t. 178, p. 301-319.

2179. GRAY (Charles M.). Plucknett's "Lancastrian constitution". In : On the laws and customs of England [Cf. n° 434], p. 195-230. [T.F.T. Plucknett, "The Lancastrian Constitution" (1924)]

2180. GUIDI (Guidubaldo). Il governo della città-repubblica di Firenze del primo Quattrocento. 1 : Politica e diritto pubblico. 2 : Gli istituti di dentro che componevano il governo di Firenze nel 1415. 3 : Il contado e distretto. Firenze, Olschki, 81, 3 vol. in-8. (Bibl. stor. toscana, 20)

2181. HERKENRATH (Rainer Maria). Die Diplome Kaiser Friedrichs I. Für das Fuldaer Hospital. Hess. Jb. f. Landesgesch., 81, Bd 31, p. 48-62.

2182. HYAMS (Paul R.). Trial by ordeal : the key to proof in the early common law. In : On the laws and customs of England [Cf. n° 434], p. 90-126.

2183. JACKSON (R.A.). De l'influence du cérémonial byzantin sur le sacre des rois de France. Byzantion, 81, t. 51, p. 201-210.

2184. JORDAN (William Chester). Communal administration in France, 1257-1270 : problems discovered and solutions imposed. R. belge Philol. Hist., 81, t. 59, p. 292-313.

2185. LABUDA (Gerard). Geneza miasta na "prawie lubeckim" w Gdańsku. (Les origines de la ville selon la loi de Lübeck à Gdańsk [1261-1263].) Kwart. Hist. Kult. mater., 81, a. 29, n° 1, p. 59-78.

2186. MALÝ (Karel). Trestní právo v Čechách v 15.-16. století. (Das Strafrecht im böhmischen Staate d. 15.-16. Jh.) Praha, Univ. Karlova, 79, in-8, 262 p. (5 fig.).

2187. MILSOM (S.F.C.). Inheritance by women in the twelfth and early thirteenth centuries. In : On the laws and customs of England [Cf. n° 434], p. 60-89 .

2188. O'CALLAGHAN (Joseph F.). The ecclesiastical estate in the cortes of León-Castile, 1252-1350. Cath. hist. R., 81, vol. 67, n° 2, p. 185-213.

2189. PLATELLE (Henri). Crime et châtiment à Marchiennes. Etude sur la conception et le fonctionnement de la justice d'après les Miracles de sainte Rictrude (XIIe s.). Sacris erudiri, 80, t. 24, p. 155-201.

2190. PRICE (Arnold H.). Early places ending in -heim as warrior club settlements and the role of soc in the Germanic administration of justice. Central european Hist., 81, vol. 14, n° 3, p. 187-199.

2191. ROTTHOFF (Claudia). Die politische Rolle der Landfrieden zwischen Maas und Rhein von der Mitte des 13. Jahrhunderts bis zum Auslaufen des Bacharacher Landfriedens Ludwigs des Bayern. Rhein. Vjsbl., 81, Jg. 45, p. 75-111.

2192. SAMSONOWICZ (Henryk). Stände und zwischenständische Beziehungen in Polen im 15. Jahrhundert. Jb. f. Gesch., 81, Bd 23, p. 103-121.

2193. SASSIER (Yves). Recherches sur le pouvoir comtal en Auxerrois, du Xe au début du XIIIe siècle. Auxerre, Soc. des Fouilles archéol. et des Monuments hist. de l'Yonne, 80, in-8, XIX-259 p.

2194. SCHNURRER (Ludwig). Feuchtwangen als Reichsstadt (ca. 1230-1376). Jb. f. fränk. Landesforsch., 81, [Bd] 41, p. 23-43.

2195. SIMPSON (A.W.B.). The laws of Ethelbert. In : On the laws and customs of England [Cf. n° 434], p. 3-17.

2196. SULITKOVÁ (Ludmila). Kanceláŕ posledního Arpádovce Ondŕeje III., její činnost a personální obsazení. (Die Kanzlei des letzten Arpaders Andreas III., ihre Tätigkeit und personelle Besetzung.) Hist. Stúd., 81, vol. 25, p. 175-216.

2197. SUTHERLAND (Donald W.). Legal reasoning in the fourteenth century : the invention of "color" in pleading. In : On the laws and customs of England [Cf. n° 434], p. 182-193.

2198. TABUTEAU (Emily Zack). Definition of feudal military obligations in eleventh-century Normandy. In : On the laws and customs of England [Cf. n° 434], p. 18-59.

2199. TOUT (T.F.), JOHNSTONE (Hilda). State trials of the reign of Edward I, 1289-1293. London, R. Hist. Soc. 81, in-4, 308 p. (Camden Soc.).

2200. TUILIER (André). La chancellerie impériale à Byzance et le titre et les fonctions de chanelier (laïc, ecclésiastique ou universitaire) dans l'occident médiéval. B. philol. hist. Com. Trav. hist. sci., 78 [80], p. 283-299.

2201. VISMARA (Giulio). Le fonti del diritto romano nell'alto medioevo secondo la più recente storiografia (1955-1980). Studia Doc. Hist. et Iuris, 81, t. 47, p. 1-30.

Cf. n°ˢ 1901, 1997, 2206.

§ 8. Historia económica y social.

2202. ALBERTS (Wybe Jappe). Der Rheinzoll Lobith im späten Mittelalter. Bonn, Röhrscheid, 81, in-8, 107 p. (Rhein. Arch., 112)

2203. Aspetti della vita economica e culturale a Roma nel quattrocento. Roma, Instituto di Studi romani, 81, in-8, 276 p.

2204. BACHARACH (Jere L.). African military slaves in the medieval Middle East : the cases of Iraq (869-955) and Egypt (868-1171). Int. J. middle East Stud., 81, vol. 13, p. 471-495.

2205. BECHTOLD (Klaus D.). Zunftbürgerschaft und Patriziat. Studien z. Sozialgesch. d. Stadt Konstanz im 14. u. 15. Jh. Sigmaringen, Thorbecke, 81, in-8, 263 p. (Konstanzer Gesch.- u. Rechtsquellen, 26).

2206. BEDOS (Brigitte). La châtellenie de Montmorency [Val-d'Oise] des origines à 1368 : aspects féodaux, sociaux et économiques. Pontoise, Soc. hist. et archéol. de Pontoise, 81, in-8, 405 p. ill.

2207. BEHRE (Karl-Ernst). Zur Nahrungswirtschaft der Wikingerzeit im nördlichen Mitteleuropa. Z. f. Archäol., 81, Jg. 15, p. 25-40.

2208. BERANOVÁ (Magdalena). Zemědělství starých Slovanů. (Die Landwirtschaft der alten Slawen.) Praha, Academia, 80, in-8, 396 p. (56 fig.)

2209. BERGIER (Jean-François). La politique commerciale de Genève devant la crise des foires de Lyon (1484-1494). In : Lyon et l'Europe [Cf. n° 417], vol. 1, p. 33-46.

2210. BESSMERTNYI (Ju. L.). K demografičeskomy izučeniju francuzskoj derevni IX v. (Ljudi i imena). (The demographic study of the French village in the IXth cent. People and names.) Sovet. Ètnogr., 81, n° 2, p. 51-67.

2211. BIALEKOVÁ (Darina). Dávne slovanské kováčstvo. (Das frühe slawische Schmiedehandwerk.) Bratislava, Tatran, 81, in-8, 128 p.

2212. BLEIBER (Waltraut). Naturalwirtschaft und Ware-Geld-Beziehungen zwischen Somme und Loire während des 7. Jahrhunderts. Berlin, Akad.-Verl., 81, in-8, 232 p. (Kt.). (Forsch. z. mittelalterl. Gesch., 27).

2213. BOCZAR (Kazimierz). Koncepcja społeczeństwa Jana z Salisbury. (Les réflexions de Jean de Salisbury sur la société.) Czas. prawno- hist., 80 [81], vol. 32, fasc. 2, p. 29-45.

2214. BORST (Arno). Das Erdbeben von 1348. Ein hist. Beitr. z. Katastrophenforschung. Hist. Z., 81, Bd 233, p. 529-569.

2215. BOUCHARD (Constance B.). Consanguinity and noble marriages in the tenth and eleventh centuries. Speculum, 81, vol. 56, n° 2, p. 268-287. - EADEM. The origins of the French nobility : a reassessment. Am. hist. R., 81, vol. 86, n° 3, p. 501-532.

2216. BOURIN (M.), CHEVALIER (B.). Le comportement criminel dans les pays de la Loire moyenne d'après les lettres de rémission (vers 1380 - vers 1450). A. Bretagne, 81, t. 88, p. 245 263.

2217. BRANDENBORG JENSEN (Ole). Magnus Erikssons finanser : den svenske kongemagts finansielle situation i perioden 1331-1336 belyst udfra Magnus Erikssons finanspolitiske status af 29. december 1336. (King Magnus Eriksson's finances : the financial state of affairs of the Swedish regency, 1331-1336.) [Svensk] Hist. T., 81, vol. 101, p. 2-18. [Eng. summary] - Cf. LÖNNROTH (Erik). Magnus Eriksson barndom och tidiga finanser : replik till Ole Brandenborg Jensen. (King Magnus Eriksson's childhood and Sweden's national finances : a reply to Ole Brandenborg Jensen.) Ibid., p. 428-434. [Eng. summary]

2218. CANCELLIERI (J.-A.). Aux origines médiévales des visées de colonisation agraire dans la Corse génoise. In : Iles de Méditerranée [Cf. n° 216], p. 8-30.

2219. CASANOVA (Antoine). Révolution féodale, pensée paysanne et caractères originaux de l'histoire sociale de la Corse. Et. corses, 80, a. 8, p. 19-19.

2220. CASO (Anna). Per la storia della società milanese : i corredi nuziali nell'ultima età viscontea e nel periodo della Repubblica Ambrosiana (1433-1450), dagli atti del notaio Protaso Sansoni. Nuova R. stor., 81, a. 65, p. 521-551.

2221. CHIFFOLEAU (Jacques). La violence au quotidien : Avignon au XIVe siècle, d'après les registres de la Cour temporelle. Mél. Ec. franç. Rome, Moyen Age, Temps mod., 80, t. 92, p. 325-371.

2222. CLAUZEL (Denis). Comptabilités urbaines et histoire monétaire [à Lille], 1384-1482. R. Nord, 81, t. 63, n° 249, p. 357-376.

2223. COLONI (Marie-Jeanne). Hommes et chrétiens dans la société médiévale. Paris, Fleurus, 81, in-8, 122 p. (pl.).

2224. Communications (Les) dans la péninsule ibérique au moyen-âge. Actes du Colloque de Pau, 28-29 mars 1980 [organisé par le Département de recherches "Pyrénaïca", Univ. de Pau et des pays de l'Adour]. Paris, Ed. du C.N.R.S., 81, in-4, 208 p. (Coll. de la Maison des pays ibériques, 4).

2225. CRAMER (Johannes). Gerberhaus und Gerberviertel in der mittelalterlichen Stadt. Bonn, Habelt, 81, in-8, 288 p. (Ill., graph, Darst., Kt.). (Stud. z. Bauforsch., 12.)

2226. CROSSLEY (D.W.). Mediaeval industry. London, Council for Brit. Archaeol., 81, in-4, 164 p. (ill.).

2227. DELANY (Sheila). Flore et Jehanne : a case study of the bourgeois woman in medieval life and letters. Sci. a. Soc., 81, vol. 44, p. 274-287.

2228. Drevnerusskie goroda. (Old Russian towns.) Otv. red. V.V. SEDOV. Moskva, Nauka, 81, 136 p. (ill., cartes). (AN SSSR. Int arkheologii).

2229. DUBY (Georges). Le chevalier, la femme et le prêtre. Le mariage dans la société féodale. Paris, Hachette, 81, in-8, 312 p. CR : M. David, A. Ec. Soc. Civ., 81, a. 36, p. 1050-1055.

2230. DUPAQUIER (Jacques). Prénoms, parrains, parenté : recherche sur les familles du Vexin français de 1540 à 1900. M. Soc. hist. archéol. Pontoise, 80, t. 69, p. 55-87. - IDEM. Naming practices, godparenthood and kinship in the Vexin, 1540-1900. J. Family hist., 81, vol. 6, n° 2, p. 135-155.

2231. DZIEDUSZYCKI (Wojciech). Zum Studium weitreichender Kontakte frühstädtischer Zentren am Beispiel der Diffusion keramischer Importe nach Polen im X-XIII. Jahrhundert. Archaeol. polona, 80, t. 19, p. 71-96 (Abb.).

2232. EKBOM (Carl-Axel). Attungstal och mantal : studier i svensk jordtaxering. ([Land units] attungs and mantals : studies in Swedish land taxation.) Stockholm, Nordiska bokhandeln, 81, in-8, 131 p. (Skr. utg. av Inst. för rättshist. forskning, Ser. 1. Rättshist. bibl., 34) [Eng. summary]

2233. ENGEL (Pál). A honor. A magyarországi feudális birtokformák kérdéséhez. (Le "honor". Contribution au problème des formes de la propriété féodale en Hongrie.) Tört. Szle, 81, vol. 24, n° 1, p. 1-19.

2234. ESTEPA (Carles). Algunes consideracions sobre la crisi econòmica catalana a la baxa edat mitjana : Barcelona i les ciutats comercials mediterrànies. Acta mediaevalia, 81, t. 2, p. 143-153.

2235. FRITZ (Birgitta). Det tidiga 1300 - talets svenska statsfinanser. (Swedish national finances of the early 14th century.) [Svensk] Hist. T., 81, vol. 101, p. 402-425. [Eng. summary]

2236. GAUCHE (Catherine). Tournois et joutes en France au XIIIe siècle. A. Est, 81, sér. 5, a. 33, p. 187-213.

2237. GELSINGER (Bruce E.). Icelandic enterprise : commerce and economy in the middle ages. Columbia, Univ. of South Carolina Press, 81, in-8, XIX-299 p.

2238. GRAMAGLIA (Bernardino). Signori e comunità tra Asti, Chieri e Monferrato in età comunale. B. stor. bibliogr. subalpino, 81, a. 79, p. 413-488.

2239. GRAUS (František). Randgruppen der städtischen Gesellschaft im Spätmittelalter. Z. f. hist. Forsch., 81, Bd 8, p. 385-437.

2240. HALLAM (H.E.). Rural England, 1066-1348. Atlantic Highlands, N.J., Humanities Press ; London, Fontana, 81, in-8, 309 p. (Fontana Hist. of England).

2241. HAMMEL (Rolf). Vermögensverhältnisse und Absatzmöglichkeiten der Bäcker in Hansischen Seestädten am Beispiel Lübeck. Ein Beitr. z. Hansischen Gewerbegesch. d. späten 14. Jh. Hans. Gesch.-Bl., 81, Jg. 99, p. 33-60.

2242. Hansische Studien. [4. Cf. Bibl. 78-79, n° 2537.] 5: Zins-Profit, ursprüngliche Akkumulation. Hrsg. v. Konrad FRITZE, Eckhard MÜLLER-MERTENS u. Johannes SCHILDHAUER. Weimar, Böhlau, 81, in-8, 223 p. (Abh. z. Handels- u. Sozialgesch., 21).

2243. HARNISCH (Hartmut). Gemeindeeigentum und Gemeindefinanzen im Spätfeudalismus. Problemstellungen u. Untersuch. z. Stellung d. Landgemeinde. Jb. f. Regionalgesch., 81, Bd 8, p. 126-174.

2244. HEERS (Jacques). Esclavage et domestiques au moyen âge dans le monde méditerranéen. Paris, Fayard, 81, in-8, 296 p.

2245. HERRMANN (Joachim). Probleme der Fruchtwechselwirtschaft im Ackerbau des 8. bis 9. Jh. am Beispiel ausgewählter schriftlicher und archäologischer Quellen. Z. f. Archäol., 81, Bd 15, p. 1-9.

2246. HICKS (M.A.). The Beauchamp Trust, 1439-1487. B. Inst. hist. Research, 81, vol. 54, p. 135-149.

2247. HIEGEL (Charles). Le sel en Lorraine, du VIIIe au XIIIe siècle. A. Est, 81, sér. 5, a. 33, p. 3-48.

2248. HODGES (Richard). The Hamwih pottery : the local and imported wares from 30 years' excavations at Middle Saxon Southampton and their European context. London, Council for Brit. Archaeol., 81, in-4, VII-108 p. (ill.). (C.B.A. Research Rep., 37).

2249. HOFFMANN (Hartmut). Das Braunschweiger Umland in der Agrarkrise des 14. Jahrhunderts. Deutsch. Arch. f. Erforsch. d. M.-A., 81, Jg. 37, p. 162-286.

2250. HOFFMANN (Tamás). Was sind Bauern ? Eine Untersuchung über d. Widersprüche v. Produktion u. Konsumtion im vorkapitalist. Europa. Jb. d. Museums f. Völkerkde Leipzig, 81, Bd 33, p. 12-35.

2251. IZQUIERDO BENITO (Ricardo). Aspectos de la vida agraria en Toledo durante el siglo XIV. Cuad. Invest. hist., 81, t. 5, p. 37-72.

2252. JANIN (V.L.). Novgorodskja feodal'naja votčina. (The Novgorod feudal estate.). Ist.-geneal. issled. Moskva, Nauka, 81, 296 p. (ill.). (AN SSSR. Otd-nie istorii).

2253. KEALEY (Edward J.). Medieval medicus : a social history of Anglo-Norman medicine. Baltimore, Md., Johns Hopkins U.P., 81, in-8, X-211 p.

2254. KILMURRY (Kathy). The pottery industry of Stamford, Lincolnshire, A.D. 850-1250. London, Brit. Archaeol. Rep., 81, in-4, 348 p. (fig.).

2255. KRIEDTE (Peter). Spätmittelalterliche Agrarkrise oder Krise des Feudalismus ? Gesch. u. Ges., 81, Jg. 7, p. 42-68.

2256. KUPPERS (Willem), VAN SCHAIK (Remi). Levensstandaard en stedelijke economie te Zutphen in de 15e en 16e eeuw. (The standard of living and town economy at Zutphen in the 15th a. 16th cent.) Bijdr. Meded. Vereniging Gelre, 81, vol. 72, p. 1-45 (ill.).

2257. LADERO QUESADA (Miguel Angel). Dos cosechas del viñedo sevillano : 1491 y 1494. Arch. hispalense, 81, t. 63, p. 41-57.

2258. LEGUAY (Jean-Pierre). Un réseau urbain au Moyen Age, les villes du duché de Bretagne aux XIVe et XVe siècles. Paris, Maloine, 81, in-8, 406 p. (ill.).

2259. LERNER (Robert E.). The black death and western European eschatological mentalities.

Am. hist. R., 81, vol. 86, n° 3, p. 533-552.

2260. LÓPEZ de COCA CASTAÑER (José-Enrique), LÓPEZ BELTRAN (Ma Teresa). Mercaderes genoveses en Málaga (1487-1516). Los hermanos Centurión y Ytalián. Hist. Instit. Documentos, 80, t. 7, p. 95-123.

2261. LORCIN (Marie-Thérèse). Vivre et mourir en Lyonnais à la fin du moyen âge. Paris, Ed. du C.N.R.S., 81, in-8, 208 p.

2262. LUTTAZZI GREGORI (Elsa). Paesaggio agrario toscano agli inizi del '400. Soc. e Stor., 81, a. 4, p. 449-458.

2263. MARCHESANI (Carlo), SPERATI (Giorgio). Ospedali genovesi nel Medioevo. At. Soc. ligure Stor. pa., 81, vol. 95, n.s., vol. 19, p. 5-371.

2264. MARÓTI (Egon). Zu Columellas Weiterleben im Frühmittelalter. Acta ant. Acad. Sci. hungarice, 79, vol. 27, n° 4, p. 437-447.

2265. MATTOSO (José). A nobreza medieval portuguesa. A familia e o poder. (La noblesse portugaise médiévale. La famille et le pouvoir.) Lisboa, Estampa, 81, in-8, 415 p. (Impensa universitaria, 19).

2266. MAZZAOUI (Maureen Fennell). The Italian cotton industry in the later Middle Ages, 1100-1600. London. Cambridge U.P., 81, in-8, 250 p.

2267. MEYER (Gisela). Geld und Amt in der ersten Hälfte des 14. Jahrhunderts. Der Aachener Bürger Arnoldus Parvus. Rhein. Vjsbl., 81, Jg. 45, p. 112-134.

2268. MILEWSKA (Milena). A method of recording late medieval footwear finds. Archaeol. polona, 80, t. 19, p. 115-136.

2269. MOLLE (Paul). Patronymes et environnement socio-économique à Chartres au début du XVe siècle. Inf. généal., 80, n° 21, p. 524-535.

2270. MONTANOS FERRIN (Emma). La familia en la alta edad media española. Pamplona, Ed. Univ. de Navarra, 80, in-8, 368 p.

2271. MOXO (Salvador de). El auge de la nobleza urbana de Castilla y su proyección en el ámbito administrativo y rural a comienzos de la Baja Edad Media (1270-1370). B. Acad. Hist. [Madrid], 81, t. 178, p. 407-509.

2272. MÜLLER (Hanns-Hermann). Zur Kenntnis der Haustiere der Völkerwanderungszeit im Mitelelbe-Saale-Gebiet. Z. f. Archäol., 80, Jg. 14, p. 99-119, 145-172 (Abb.).

2273. NADA PATRONE (Anna Maria). Il cibo del ricco ed il cibo del povero. Contributo alla storia qualitativa dell'alimentazione. L'area pedemontana negli ultimi secoli del Medio Evo. Torino, Centro Studi piemontesi, 81, in-8, XX-562 p. (Bibl. di Studi piemontesi).

2274. NALDINI (Maurizio). Vita fiorentina. Un ritorno nel Dugento. Prato, Ediz. del Palazzo, 81, in-8, 231 p. (ill.).

2275. NEGRJA (L.V.). Obščestvennyi stroj Severnoj i Central'noj Aravii v V-VII vv. (The social system of northern and central Arabia in the 5th-7th cent.) Moskva, Nauka, 81, 156 p.

2276. NEHLSEN-VON STRYK (Karin). Die boni homines des frühen Mittelalters. Unter bes. Berücks. d. fränkischen Quellen. Berlin, Duncker u. Humblot, 81, in-8, 390 p. (Freiburger rechtsgesch. Abh., N.F., 2)

2277. NICKEL (Ernst). Zur materiellen Kultur des späten Mittelalters der Stadt Magdeburg. Mit Beiträgen v. Herbert SÜSS u. Friedrich HAPPACH. Z. f. Archäol., 80, Jg. 14, p. 1-60 (26 Abb.).

2278. NIKOL'SKAJA (T.N.). Zemlja vjatičej : K istorii naselenija bassejna verkhnej i srednej Oki v IX-XIII vv. (Vyatichis' land. On the history of Population in the upper and middle Oka River area in the 9th-13th cent.) Moskva, Nauka, 81, 296 p. (ill.). (AN SSSR. In-t arkheologii).

2279. O'MALLEY (John W.). The feast ot Thomas Aquinas in Renaissance Rome : a neglected ocument and its import. R. Stor. Chiesa Italia, 81, a. 35, p. 1-27.

2280. PETTI BALBI (Giovanna). I maonesi e la maona di Corsica (1378-1407) : un esempio di aggregazione economica e sociale. Mél. Ec. franç. Rome, Moyen Age, Temps mod., 81, t. 93, p. 147-170.

2281. PEYVEL (Pierre). Le budget d'une famille noble à l'aube du XVe siècle : l'exemple des Rochefort en Forez. Cah. Hist., 80, t. 25, p. 19-72.

2282. PIEROTTI (Romano). La circolazione monetaria nel territorio perugino nei secoli XII-XIV. B. Deput. Stor. pa. Umbria, 81, vol. 78, p. 81-151.

2283. PIETRI (Charles). Aristocratie et société cléricale dans l'Italie chrétienne au temps d'Odoacre et de Théodoric. Mél. Ec. franç. Rome, Antiquité, 81, t. 93, p. 417-467.

2284. PINTO (Giuliano). Mezzadria poderale, contadini e proprietari nel catasto fiorentino del 1427. Soc. e Stor., 81, a. 4, p. 459-468.

2285. PLÜMER (Erich). Einbecks mittelalterlicher Bierhandel. Hans. Gesch.-Bl., 81, Jg. 99, p. 10-32.

2286. POGNON (Edmond). La vie quotidienne en l'an mille. Paris, Hachette-Littérature, 81, in-8, 351 p.

2287. PORTEAU-BITKER (A.). Un crime passionnel au milieu du XIVe siècle. R. hist. Droit franç. étr., 81, vol. 59, p. 635-651.

2288. REININGHAUS (Wilfried). Die Migration der Handwerksgesellen in der Zeit der Entstehung ihrer Gilden (14./15. Jahrhundert). Vjschr. f. Soz.- u. Wirtschaftsgesch., 81, Bd 68, p. 1-21.

2289. RICHMOND (Colin). John Hopton : a fifteenth century Suffolk gentleman. New York, Cambridge U.P., 81, in-8, XVII-267 p.

2290. ROPARS (J.-M.). La ville de Brest au moyen âge. Archéol. en Bretagne, 81, n° 30, p. 85-101.

2291. RUIZ DOMENEC (J.E.). L'idea della cavalleria medievale come una teoria ideologica della società. Nuova R. stor., 81, a. 65, p. 341-367.

2292. SAUL (Nigel). Knights and esquires : the Gloucestershire gentry in the fourteenth century. New York, Oxford U.P., 81, in-8, XIII-316 p. (Oxford Hist. Monographs).

2293. SCHLOSSER (Hans). Braurechte, Brauer und Braustätten in München. Zur Rechts- u. Sozialgeschichte d. spätmittelalterl. Brauwesens. Ebelsbach/Main, Gremer, 81, in-8, XVII-104 p. (6 Taf.).

2294. SCHREINER (Klaus). Adel oder Oberschicht ? Bemerkungen zur sozialen Schichtung der fränkischen Gesellschaft im 6. Jahrhundert. Vjschr. f. Soz.- u. Wirtschaftsgesch., 81, Bd 68, p. 225-231.

2295. SIVERY (Gérard). Le bassin scaldien et la géographie de la circulation au XIIIe siècle. R. belge Philol. Hist., 80, t. 58, p. 797-832.

2296. ŠMELHAUS (Vratislav). Vývoj zemědělské výroby v českých zemích v době předhusitské. (Die Entwicklung d. landwirtschaftl. Produktion in d. böhmischen Ländern in d. vorhussitischen Zeit.) Praha, Zemědělské muzeum, 80, in-8, 189 p. (Prameny a studie, 21)

2297. SPĚVÁČEK (Jiří). K některým problémům hospodářského a sociálního vývoje v českých zemích v předhusitském období. (Zu einigen Problemen der wirtschaftlichen und sozialen Entwicklung in den böhmischen Ländern in vorhussitischer Zeit.) Folia hist. bohem., 81, vol. 3, p. 7-76.

2298. STENZEL (Rüdiger). Die Cuntzmann von Ettlingen. Vermögensbildung und politische Macht in der Markgrafschaft Baden um 1400. Z. f. d. Gesch. d. Oberrheins, 81, Bd 129, p. 52-81.

2299. STRUICK (J. Eduard). Utrechts Beziehungen zum flachen Land im Mittelalter. Hans. Gesch.-Bl., 81, Jg. 99, p. 1-9.

2300. STUARD (Susan Mosher). Dowry inflation and increments in wealth in medieval Ragusa (Dubrovnik). J. econ. Hist., 81, vol. 41, n° 4, p. 795-812.

2301. Sucrerie (Une) d'époque islamique sur la rive droite du Chaour à Suse [fin XIIe-début XIIIe s.]. I : Description et essai d'interprétation des structures. [Par] Rémy BOUCHARLAT, en collab. avec Audran LABROUSSE. II : Le matériel archéologique. [Par] Monique KERVAN. In : Cahiers de la délégation archéol. franç. en Iran [Cf. n° 1281], t. 10, p. 155-176 (fig. 45-47), p. 177-237 (fig. 48-75, pl. 12-19).

2302. SZÜCS (Jenő). Megosztott parasztság - egységesülő jobbágyság. A paraszti társadalom átalakulása a 13. században. (Paysannerie divisée - intégration de la classe des serfs. La mutation de la collectivité paysanne au XIIIe s.) Századok, 81, vol. 115, p. 3-65, 263-319.

2303. TITS-DIEUAIDE (Marie-Jeanne). L'évolution des techniques agraires en Flandre et en Brabant du XIVe au XVIe siècle. A. Ec. Soc. Civ., 81, a. 36, p. 362-381.

2304. TOPOLSKI (Jerzy). Continuity and discontinuity in the development of the feudal system in Eastern Europe (10th - XVIth cent.). J. europ. econ. Hist., 81, vol. 10, p. 373-400.

2305. TRAVAINI (Lucia). La riforma monetaria di Ruggero II e la circolazione minuta in Italia meridionale tra X e XII secolo. R. ital. Num. Sci. aff., 81, vol. 83, p. 133-154.

2306. TREXLER (Richard C.). La prostitution florentine au XVe siècle : patronages et clientèles. A. Ec. Soc. Civ., 81, a. 36, p. 983-1015.

2307. UITZ (Erika). Zu einigen Aspekten der gesellschaftlichen Stellung der Frau in der mittelalterlichen Stadt. Jb. f. Gesch. d. Feudalismus, 81, Bd 5, p. 57-88.

2308. UNGER (Richard W.). Warships and cargo ships in medieval Europe. Technol. a. Cult., 81, vol. 22, n° 2, p. 233-252.

2309. VANIŠ (Jaroslav). Ceny v Lounech v druhé polovině 15. století. (The prices in Louny in the 2nd half of the 15th cent.) Hosp. Děj., 81, vol. 8, p. 5-93.

2310. VOLLRATH (Hanna). Das Mittelalter in der Typik oraler Gesellschaften. Hist. Z., 81, Bd 233, p. 571-594.

2311. VROOM (W.H.). De financiering van de kathedraalbouw in de middeleeuwen in het byzonder van de dom van Utrecht. (Le financement de la construction de cathédrales au moyen âge, en particulier de celle d'Utrecht.) Maarsen, Schwartz, 81, in-8, 648 p.

2312. WEMPLE (Suzanne Fonay). Women in Frankish society : marriage and the cloister, 500 to 900. Philadelphia, Univ. of Pennsylvania Press, 81, in-8, XVIII-348 p.

2313. WIESIOŁOWSKI (Jacek). Le réseau urbain en Grande-Pologne aux XIIIe-XVIe siècles. L'espace et la société. Acte Poloniae hist., 81, vol. 43, p. 5-29.

2314. ZERNER - CHARDAVOINE (Monique). Enfants et jeunes au IXe siècle : la démographie du polyptyque de Marseille, 813-814. Provence hist., 81, t. 31, p. 355-384.

2315. ZIEGLER (Walter). Studien zum Staatshaushalt Bayerns in der zweiten Hälfte des 15. Jahrhunderts. Die regulären Kammereinkünfte d. Herzogtums Niederbayern 1450-1500. München, Beck, 81, in-4, XV-547 p.

2316. ZIENTARA (Benedykt). Działalność lokacyjna jako droga awansu społecznego w Europie środkowej XII-XIV w. (L'activité de "locatio" comme moyen de promotion sociale en Europe Cenrale aux XIIe-XIVe s.). Śląski Kwart. hist. Sobótka, 81, a. 36, n° 1, p. 43-57.

Cf. n°s 2173, 2510, 2516, 2521, 2554, 2585, 3638, 5161, 5294, 7065.

§ 9. Historia de la civilización.
Historia literaria.
Historia de las ciencias.
Historia de la enseñanza.

*2317. Bibliographie [de civilisation médiévale]. [Cf. Bibl. 80, n° 2374.] Cah. Civ. méd., 79, a. 22, n° [spéc.] 88 B, 160 p.

*2318. LEWICKA (Halina). Bibliographie du théâtre profane français des XVe et XVIe

9. HISTORIA DE LA CIVILIZACIÓN. HISTORIA LITERARIA. HISTORIA DE LAS CIENCIAS. HISTORIA DE LE ENSENANZA.

siècles. [Ed. par] Komitet neofilologiczny, Polska Akad. Nauk [et l'] Institut de recherche et d'hist. des textes. 2e ed. revue et augmentée. Paris, Ed. du C.N.R.S. ; Wrocław, Zakład narod. im. Ossolińskich, 80, in-8, 181 p. [1e éd. Cf. Bibl. 73, n° 1879]

2319. Abu Ali ibn Sina i estestvennye nauki. (Abu Ali ibn Sina and natural sciences.) Materialy jubil. nauč. sessii, posvjašč. 1000-letiju so dnja roždenija Abu Ali ibn Sina (Avicenny). Bukhara, 24-26 sent. 1980 g. ; Redkol. : A.A. SADYKOV (predsedatel') i dr. Taškent, Fan, 81, 250 p.

2320. ANSELMI (G.M.). Città e civiltà in Flavio Biondo. M. Accad. Sci. Istit. Bologna, 79-80, a. 74, vol. 76, p. 5-28.

2321. Aspetti culturali della società italiana nel periodo del papato avignonese. [Atti del Congresso tenuto a Todi] 15-18 ottobre 1978. Todi, Accad. tudertina, 81, in-8, 414 p. (Convegni del Centro di Stud. sulla spiritualità mediev., Univ. di Perugia, 19)

2322. AURELL I CARDONA (Martí). Les troubadours et le pouvoir royal : l'exemple d'Alphonse 1er (1162-1196). R. Langues romanes, 81, t. 85, p. 53-67.

2323. BADEL (Pierre-Yves). Le "Roman de la Rose" au XIVe siècle : étude de la réception de l'oeuvre. Genève, Droz, 80, in-8, XII-534 p. (Publ. romanes et franç., 153).

2324. BERGER (Roger). Littérature et société arrageoise au XIIIe siècle : les chansons et dits artésiens. Arras, Commission départementale des Mouments hist. du Pas-de-Calais, 81, in-4, 445 p. (ill.). (Mém. de la Commiss. dépt. des Mon. hist. du Pas-de-Calais, 21)

2325. BISCHOFF (Bernhard). Mittelalterliche Studien. Ausgew. Aufsätze zur Schriftkunde u. Literaturgesch. [Bd 2. Cf. Bibl. 67, n° 3057] Bd 3. Stuttgart, Hiersemann, 81, in-8, 346-28 p. (29 ill.).

2326. BOLENS (L.). Agronomes andalous du moyen âge. Genève et Paris, Droz, 81, in-8, 306 p. (ill.).

2327. BOOCKMANN (Hartmut). Zur Mentalität spätmittelalterlicher gelehrter Räte. Hist. Z., 81, Bd 233, p. 295-316.

2328. BRIZZOLARA (Anna Maria). La Roma Instaurata di Flavio Biondo : alle origini del metodo archeologico. M. Accad. Sci. Istit. Bologna, 79-80, a. 74, vol. 76, p. 29-68.

2329. BRUCKER (Gene). A civic debate on Florentine higher education (1460). Renaissance Quar., 81, vol. 34, n° 4, p. 517-533.

2330. Buch und Text im 15. Jahrhundert. Arbeitsgespräch in d. Herzog-August-Bibliothek Wolfenbüttel v. 1.-3. März 1978. Vorträge. Hrsg. v. Lotte HELLINGA u. Helmar HÄRTEL. Hamburg, Hauswedell, 81, in-8, 251 p. (Wolfenbütteler Abh. z. Renaissanceforsch., 2)

2331. BYRNE (Donal). Rex imago Dei : Charles V of France and the Livre des propriétés des choses. J. medieval Hist., 81, vol. 7, p. 97-113.

2332. CLASSEN (Peter). Zur Geschichte der "Akademischen Freiheit", vornehmlich im Mittelalter. Hist. Z., 81, Bd 232, p. 529-553.

2333. COLEMAN (Janet). Medieval readers and writers, 1350-1400. London, Hutchison ; New York, Columbia U.P., 81, in-8, 337 p.

2334. CORBETT (John H.). The saint as patron in the work of Gregory of Tours. J. medieval Hist., 81, vol. 7, p. 1-13.

2335. CROPP (Glymnis M.). Boèce et Christine de Pizan. Moyen Age, 81, t. 87, p. 387-417.

2336. CRUMMY (Philip). Aspects of Anglo-Saxon and Norman Colchester. London, Council for Brit. Archaeol., 81, in-4, 100 p. (ill.).

2337. Culture et travail intellectuel dans l'Occident médiéval. Bilan des "Colloques d'humanisme médiéval" (1960-1980) fondés par le R.P. HUBERT, O.P., publ. par Geneviève HASENOHR et Jean LONGERE. Paris, Ed. du C.N.R.S., 81, in-8, 232 p.

2338. DARBORD (Bernard). Les objets et leurs fonctions dans le Cantar de Mio Cid. Iberica, 81, t. 3, p. 99-111.

2339. DEROUET-BESSON (Marie-Claude). "Inter duos scapulos". Hypothèse sur la place de la sexualité dans les modèles de la représentation du monde au XIe siècle. A., Ec., Soc., Civ., 81, a. 36, p. 922-945.

2340. DINZELBACHER (Peter). Vision und Visionsliteratur im Mittelalter. Stuttgart, Hiersemann, 81, in-8, 287 p. (Monogr. z. Gesch. d. Mittelalters, 23). - IDEM. Über die Entdeckung der Liebe im Hochmittelalter. Saeculum, 81, Bd 32, p. 185-208.

2341. Europäisches Hochmittelalter. Von Henning KRAUSS. Wiesbaden, Athenaion, 81, in-8, 592 p. (160 ill.). (Neues Handbuch d. Literaturwiss., 7)

2342. GAUCHE (Catherine). Tournois et joutes en France au XIIIe siècle. A. Est, 81, sér. 5, a. 33, p. 187-213.

2343. GJUZELEV (Vasil). Bulgarien und die Bulgaren in der mittelalterlichen Dichtung (7.-15. Jh.). Bulg. hist. R., 81, a. 9, n° 3, p. 42-72.

2344. GRANT (Edward). Studies in mediaeval science and natural history. London, Variorum Repr., 81, in-8, 378 p.

2345. GUERREAU - JALABERT (Anita). La "renaissance carolingienne" : modèles culturels, usages linguistiques et structures sociales. Bibl. Ec. Chartes, 81, t. 139, p. 5-35.

2346. GUREVIČ (A. Ja). Problemy srednevekovoj narodnoj kul'tury. (Problems of medieval people's culture.) Moskva, Iskusstvo, 81, 359 p. (ill.).

2347. HAEUSLER (Martin). Das Ende der Geschichte in der mittelalterlichen Weltchronistik. Köln u. Wien, Böhlau, 80, in-8, X-330 p. (Beih. z. Arch. f. Kulturgesch., 13).

2348. Histoire littéraire de la France. Ouvrage commencé par des religieux bénédictins de la congrégation de Saint-Maur et continué par des membres de l'Institut. T. 41 (suite du XIVe s.). Paris, Imprimerie nat., 81, in-4, 386 p.

2349. HÜBENER (Wolfgang). Eine Studie zu den Beilwaffen der Merowingerzeit. Z. f. Archäol. d. Mittelalters, 80, Jg. 8, p. 65-127.

2350. IANZITI (Gary). A humanist historian and his documents : Giovanni Simonetta, secretary to the Sforzas. Renaissance Quar., 81, vol. 34, n° 4, p. 491-516.

2351. KERHERVE (Jean). Aux origines d'un sentiment national : les chroniqueurs bretons de la fin du Moyen Age. B. Soc. archéol. Finistère, 80, t. 108, p. 165-206.

2352. KRAUS (Henning). Europäisches Hochmittelalter. In Verbindung mit Thomas CRAMER, Reinhard DÜCHTING u. a. Wiesbaden, Athenaion, 81, in-8, 582 p. (Neues Hdb. d. Literaturwiss., 7).

2353. KRYMSKIJ (A.E.). Nizami i ego sovremenniki. (Nizami and his contemporaries.) K 840-letiju. Baku, Ėlm, 81, 487 p. (portr.). (AN AzSSR. In-t lit.)

2354. Lateinische Dichtungen des X. und XI. Jahrhunderts. Festgabe f. Walther BULST zum 80. Geburtstag. Hrsg. v. Walter BERSCHIN u. Reinhard DÜCHTING. Heidelberg, Schneider, 81, in-8, 309 p. (8 ill.).

2355. Littérature (La) angevine médiévale. Actes du Colloque du 22 mars 1980, Univ. d'Angers, Centre de recherche de littérature et de linguistique de l'Anjou et des Bocages. Maulévrier, Hérault, 81, in-8, 222 p.

2356. MARSHALL (Peter). Nicole Oresme on the nature, reflection, and speed of light. Isis, 81, vol. 72, n° 263, p. 357-374.

2357. MEDCALF (Stephen) a. others. The later Middle Ages. London, Methuen, 81, in-8, 320 p. (Context of Engl. Lit.)

2358. Mediaeval studies for J.A.W. Bennett aetatis suae LXX. Ed. by Peter L. HEYWORTH. London, Oxford U.P., 81, in-8, XI-425 p. (ill., pl.).

2359. MICHA (Alexandre). Etude sur le "Merlin" de Robert de Boron, roman du XIIIe siècle. Genève, Droz, 80, in-8, 239 p. (Publ. romanes et franç., 151).

2360. MISCHLER (Beat). Gliederung und Produktion des "Narrenschiffes" (1494) von Sebastian Brant. Bonn, Bouvier, 81, in-8, 11-365 p. (Ill., graph. Darst.). (Stud. z. Germanistik, Anglistik u. Komparatistik, 103).

2361. Mittelalterliche (Die) Literatur in Kärnten. Vorträge d. Symposiums in St. Georgen/Längsee v. 8. bis 13.9.1980. Unter Mitarb. v. Alexander CELLA hrsg. v. Peter KRÄMER. Wien, Halosar, 81, in-8, X-316 p. (Abb.). (Wiener Arbeiten z. german. Altertumskunde u. Philologie, 16).

2362. MÜLLER (Winfried). Die Anfänge der Humanistenrezeption in Kloster Tegernsee [15. Jh.]. Stud. u. Mitt. z. Gesch. d. Benediktinerordens, 81, Bd 92, p. 28-90.

2363. NURALIEV (Ju.). Medicina ėpokhi Avicenny. Kn. 1. (Medicine in the epoch of Avicenna.) Dušanbe, Irfon, 81, 191 p.

2364. OLKIEWICZ (Joanna). Kallimach doświadczony. Callimaque experimenté. Warszawa, Lud. Spółdź. Wydawn., 81, in-8, 277 p. [Callimachus Phillippus, nom d'écrivain de Buonaccorsi Filippo (1437-1496)]

2365. PALMER (J.J.N.). a. others. Froissart : historian. Ipswich, Boydell ; Totowa, N.J., Rowman a. Littlefield, 81, in-8, XI-203 p.

2366. PARAVICINI (Werner). Die Preussenreisen des europäischen Adels. Hist. Z., 81, Bd 232, p. 25-38.

2367. PAULMIER-FOUCART (Monique). Ecrire l'histoire au XIIIe siècle : Vincent de Beauvais et Hélinand de Froidmont. A. Est, 81, sér. 5, a. 33, p. 49-70.

2368. PAVAN (Elisabeth). Imaginaire et politique : Venise et la mort à la fin du moyen âge. Mél. Ec. franç. Rome, Moyen Age, Temps mod., 81, t. 93, p. 476-593.

2369. PILTZ (Anders). The world of mediaeval learning. Tr. from the Swedish by D. JONES. Oxford, Blackwell, 81, in-8, 200 p.

2370. REISS (Edmund). Medieval irony. J. His. Ideas, 81, vol. 42, n° 2, p. 209-226.

2371. Renaissance (Die) der Wissenschaften im 12. Jahrhundert. Interdisziplinäre Vortragsreihe d. Univ. Zürich u. d. Eidgenöss. Technischen Hochschule, Zürich, Winter 1979/80. Hrsg. v. Peter WEIMAR. Zürich u. München, Artemis, 81, in-8, 300 p. (Zürcher Hochschulforum, 2)

2372. RENTSCHLER (Michael). Liudprand von Cremona. Eine Studie zum ost-westlichen Kulturgefälle im Mittelalter. Frankfurt (Main), Klostermann, 81, in-8, VII-100 p. (Frankfurter wiss. Beitr. Kulturwiss. Reihe, 14).

2373. REY-FLAUD (Henri). Pour une dramaturgie du moyen âge. Paris, Presses univ. France, 80, in-8, 184 p. (ill.). (Littératures modernes, 22)

2374. ROBREAU (Yonne). L'honneur et la honte. Leur expression dans les romans en prose du Lancelot-Graal (XIIe-XIIIe s.). Genève, Droz, 81, in-8, 207 p. (Publ. romanes et franç., 157).

2375. ROZOV (N.N.). Kniga v Rossii v XV veke. (The book in Russia in the 15th cent.) Leningrad, Nauka, 81, 153 p. (ill.). (BAN SSSR. Gos. publ. b-ka im. M.E. Saltykova-Ščedrina)

2376. RUNNALS (Graham A.). René d'Anjou et le théâtre. A. Bretagne, 81, t. 88, p. 157-180.

2377. RUTKOWSKA-PŁACHCINSKA (Anna). Z dziejów kultury późnośredniowiecznej. Imiona mieszczańskie w południowej Francji w XIII i XIV wieku. (Contribution à l'étude de la civilisation du bas Moyen Age. Les prénoms bourgeois du Midi de la France aux XIIIe et XIVe s.) Przegl. hist., 81, vol. 72, p. 239-267.

2378. SAUNIER (Annie). Les connaissances médicales d'un barbier et chirurgien français en 1455. A. Univ. Abidjan, Hist., 80, t. 8, p. 27-46.

2379. SCHWAB (Ute). Zum Verständnis des Isaak-Opfers in literarischer und bildlicher Darstellung des Mittelalters. Für René DEROLEZ zum 7. Sept. 1981. Frühmittelalt. Stud., 81, Bd 15, p. 435-494.

2380. SCHWINGES (Rainer Christoph). Pauperes an deutschen Universitäten des 15. Jahrhunderts. Z. f. hist. Forsch., 81, Bd 8, p. 285-309.

2381. SIRAISI (Nancy G.). Taddeo Alderotti and his pupils : two generations of Italian medical learning. Princeton, N.J., Princeton U.P., 81, in-8, XXIII-461 p.

2382. SUOMELA-HÄRMÄ (Elina). Les structures narratives dans le Roman de Renart. Helsinki, Suomalainen tiedeakatemia, 81, in-8, 265 p. (Diss. hum. litt., 26).

2383. Walther von der Vogelweide 1170-1230. Festakt u. wiss. Tagung zu Ehren Walthers von der Vogelweide, Greifswald 15.-16. April 1980. Wiss. Z. d. Univ. Greifswald, Ges. R., 81, Jg. 30, H. 3-4, p. 3-90.

2384. WOLF (Alois). Die Verschriftlichung der Nibelungensage und die französisch-deutschen Literaturbeziehungen im Mittelalter. Montfort, 80, Bd 32, p. 227-245.

2385. Writing (The) of history in the Middle Ages. Essays presented to Robert William Southern, ed. by Ralph Henry C. DAVIS a. J.M. WALLACE-HADRILL, with the assistance of R.J. A.I. CATTO a. M. H. KEEN. London, Oxford U. P., 81, in-8, XIII-517 p.

Cf. n°s 1134, 2203, 2227, 2489.

§ 10. Historia del arte.

a. Generalidades.

2386. ATIL (Esin). Renaissance of Islam : art of the Mamluks. Washington, D.C., Smithsonian Inst. Press, 81, in-4, 286 p. (20 fig., 128 pl.).

2387. Bauwerk und Bildwerk im Hochmittelalter. Anschaul. Beitr. z. Kultur- u. Sozialgesch. Hrsg. v. Karl CLAUSBERG [u.a.]. Giessen, Anabas, 81, in-8, 303 p. (Ill., graph. Darst.). (Kunstwiss. Unters. d. Ulmer Vereins, Verb. f. Kunst- u. Kulturwiss., 11)

2388. BRAUNFELS (Wolfgang). Die Kunst im Heiligen Römischen Reich Deutscher Nation. [1. Cf. Bibl. 78-79, n° 2711.] Bd 2 : Die geistlichen Fürstentümer. Unter Mitarb. v. Eckart BERGMANN [u.a.]. Bd 3 : Die Räume. Reichsstädte, Grafschaften, Reichsklöster. München, Beck, 80-81, 2 vol. in-4, 451, 477 p. (Ill., graph. Darst., Kt.).

2389. DRAPER (Peter), COLDSTREAM (Nicola). Mediaeval art and architecture at Wells and Glastonbury. Leeds, W.S. Maney, 81, in-4, 168 p. (ill.). (Brit. Archaeol. Assoc.)

2390. Federico II e l'arte del duecento italiano. Atti della III settimana di storia dell'arte medievale dell'Univ. di Roma [15-20 maggio 1978]. A cura di A. M. ROMANINI. Galatina, Congedo, 80-81, 2 vol., 598, 422 p.

2391. GRENDLER (Paul). Culture and censorship in late Renaissance Italy and France. London, Variorum Repr., 81, in-8, 318 p. (ill.).

2392. HALE (John R.). A concise encyclopaedia of the Italian Renaissance. London, Thames a. Hudson, 81, in-8, 320 p. (ill., ch., maps).

2393. Relations (Les) artistiques entre la Pologne, la France, la Flandre et la Basse Rhénanie, du XIIIe au XVe siècle. Ouvrage coll. réd par Alicja KARŁOWSKA-KAMZOWA. Trad. du pol. par Alberta LABUDOWA. Poznań, 81, in-8, 93 p. (Uniw. im. Adama Mickiewicza w Poznaniu Hist. Sztuki, 13)

2394. SKUBISZEWSKI (Piotr). Polnische mittelalterliche Kunst oder mittelalterliche Kunst in Polen ? Jb. f. Gesch., 81, Bd 23, p. 9-56.

2395. TJAŽELOV (V.N.). Iskusstvo srednikh vekov v Zapadnoj i Central'noj Evrope. (Art of the middle ages in western and Central Europe.) Moskva, Iskusstvo ; Dresden, Die Kunst, 81, 382 p. (ill.). (Malaja istorija iskusstv).

Cf. n° 700.

b. Estudios particulares.

2396. ACHEN (Henrik von). Sengotiske alterskabe i Hordaland. Studier i Senmiddelalderens kunstmiljø. (Spätgotische Altarschreine in Hordaland. Studien im Kunstmilieu des Spätmittelalters. Årb. Foren. norske Fortidsminsmerkers Bevaring, 81, vol. 135, p. 13-58 (ill., Kt.).

2397. AHL (Diane Cole). Fra Angelico : a new chronology for the 1420's. Z. f. Kunstgesch., 80, Bd 43, p. 360-381 ; 81, Bd 44, p. 133-158 (ill.).

2398. ARMSTRONG (Lilian). Renaissance miniature painters and classical imagery ; the Master of Putti and his Venetian workshop. London, Harvey, Miller, 81, in-4, 208 p. (ill., pl.).

2399. BARRAL I ALTET (Xavier). L'art preromànic a Catalunya. Segles IX-X. Fotografias de Jordi GUMI. Barcelona, Edicions 62, 81, 304 p

2400. BECKETT (L.), HORNAK (Angelo). York Minster. London, Sotheby Parke Bernet, 81, in-4, 320 p. (pl., ill.).

2401. BEER (Ellen J.). Pariser Buchmalerei in der Zeit Ludwigs des Heiligen und im letzten Viertel des 13. Jahrhunderts. Z. f. Kunstgesch., 81, Bd 44, p. 62-91.

2402. BORG (A.), MARTINDALE (Andrew). The vanishing past, studies in mediaeval art, liturgy and metrology. London, Brit. Archaeol. Rep., 81, in-4, 411 p. (ill.).

2403. BRUZELIUS (Caroline A.). The twelfth -century church at Ourscamp. Speculum, 81, vol. 56, n° 1, 28-40. [architectural study].

2404. CHADWICK HAWKES (Sonja), POLLARD (Mark). The gold bracteates from sixth-century Anglo-Saxon graves in Kent, in the light of a new find from Finglesham. Frühmittelalt. Stud., 81, Bd 15, p. 316-370.

2405. Châteaux et guerriers de la France au moyen âge. T. 1 : Reconstitutions de l'époque romantique à nos jours. Par Jacques TEALDI. T. 2 : Evolution architecturale et essai de typologie.Par André CHATELAIN. Strasbourg, Publitotal, 80-81, 2 vol., 317, 318 p. (ill.).

2406. Corpus vitrearum medii aevi : France. [1. Cf. Bibl. 78-79, n° 2730.] 2 : Les vitraux du Centre et des pays de la Loire. Introd. par Louis GRODECKI et Françoise PERROT. Paris, Ed. du C.N.R.S., 81, in-4, 335 p. (16 p. de pl.).

2407. CROZET (René). L'art roman. Paris, Presses univ. France, 81, 186 p.

2408. CSAPODINÉ GÁRDONYI (Klára). Európai kódexfestő müvészet, (L'art de la peinture des livres manuscrits en Europe.) Budapest, Corvina, 81, in-4, 46 p. (ill.).

2409. EVANS (Wyn), WORSLEY (Roger). St. David's cathedral, 1181-1981. [In Welsh, English, French and German.] Haverfordwest, Oriel Fach Pres, 81, in-4, 164 p. (pl., ill.).

2410. FREISE (Eckhard). Roger von Helmarshausen in seiner monastischen Umwelt. Prof. Dr. Karl Hauck zum 21. Dezember 1981 gewidmet. Frühmittelalt. Stud., 81, Bd 15, p. 180-293.

2411. GLATZ (Joachim). Mittelalterliche Wandmalerei in der Pfalz und in Rheinhessen. Mainz, Selbstverl. d. Ges. f. Mittelrhein. Kirchengesch., 81, in-8, XXIV-360 p. (ill.). (Quellen u. Abh. z. mittelrhein. Kirchengesch., 38).

2412. GYÜRKY (Katalin H.). Das mittelalterliche Dominikanerkloster in Buda. Budapest, Akad. Kiadó, 81, in-4, 254 p. (ill.). (Fontes archaeologici Hungariae).

2413. HAUCK (Karl). Germanische Bildtradition im christlichen Mittelalter. (Zur Ikonologie der Goldbrakteaten, XXII). Hermann Heimpel zu seinem 80. Geburtstag am 19.9.1981 gewidmet Frühmittelalt. Stud., 81, Bd 15, p. 1-8.

2414. HENSEL (Witold), TABACZYŃSKI (Stanisław). Archeologia medioevale polacca in Italia. Wrocław, Zakł. Narod. im Ossolińskich, 81, in-8, 39 p. (Accad. pol. delle Scienze. Bibl. e Centro di Studi a Roma. Conferenze, 84).

2415. HERUBEL (Michel). La peinture gothique. T. 1 : Le monde nouveau. T. 2 : Entre deux mondes. Genève, Edito-Service ; Evreux, Guilde du Disque, 81, 2 vol., 207, 207 p. (ill.).

2416. HEYDENREICH (Ludwig H.) a. others. Leonardo the inventor. London, Hutchinson, 81, in-8, 192 p. (ill., pl.).

2417. ISMAÏLOVA (T. A.). Portraits des évangélistes et d'Ammonios d'Alexandrie dans le manuscrit du Maténadaran n° 3756. R. Et. arméniennes, 81, t. 15, p. 319-339 (ill.).

2418. JAKOBIELSKI (Stefan). Nubian Christian architecture. Z. f. ägypt. Sprache, 81, Bd 108, p. 33-48.

2419. KARLSSON (Lennart). Die Hindin mit dem goldenen Geweih. Darstellung von einem antiken Mythos in schwedischen Schmiedeeisen aus dem Mittelalter. Acta archaeologica, 80 [81], vol. 51, p. 1-68 (Fig.).

2420. KATERMAA-OTTELA (Aino). Le casetorri in Roma. Helsinki, Societas Scientiarum Fennica, 81, in-8, 156 p. (ill.). (Comment. hum. litt., 67).

2421. KEMP (Martin). Leonardo Da Vinci, the marvellous works of nature and man. London, Dent, 81, in-4, 384 p. (ill.).

2422. KĘPINSKI (Zdzisław). Wit Stwosz. Warszawa, Auriga, 81, in-4, 135 p.

2423. KOLČIN (B.A.), KHOROŠEV (A.S.), JANIN (V.L.). Usad'ba novgorodskogo khudožnika XII v. (The estate of the Novgorodian painter in the 12th cent.) Moskva, Nauka, 81, 168 p. (ill.). (AN SSSR. In-t arkheologii).

2424. KOUYMJIAN (D.). The classical tradition in Armenian art. R. Et. arméniennes, 81, t. 15, p. 263-288 (ill.).

2425. LAPORTE (Renée). Le château en Provence "romane". Cah. Hist., 81, t. 26, p. 41-64.

2426. LAZAREV (V. N.). Novgorodskaja ikonopis'. (Novgorodian icon-painting.) Moskva, Iskusstvo, 81, 199 p. (ill.).

2427. LEGOY (Louis). L'architecture militaire au Moyen Age : les donjons. Cah. Pèlerins Hurepoix, 80, n° 1, p. 63-73.

2428. LISNER (Margit). Leonardos Anbetung der Könige. Zum Sinngehalt und zur Komposition. Z. f. Kunstgesch., 81, Bd 44, p. 201-242 (ill.).

2429. Longobardi. Di Mario BROZZI [e altri]. Milano, Jaca book, 81, in-4, 273 p. (Le grandi stagioni).

2430. Mittelalterlichen (Die) Grabmäler in Rom und Latium vom 13. bis zum 15. Jahrhundert. Bd 1 : Die Grabplatten u. Tafeln. Bearb. v. Tassilo BITTERSDORFF u. a. Unter Mitarb. v. Hanns JÄGER-SUNSTENAU u. Walter KOCH. Red. v. Jörg GARMS, Roswitha JUFFINGER u. Bryan WARD-PERKINS. Rom u. Wien, Verl. d. Österr. Akad. d. Wiss., 81, in-4, IX-406 p. (Abb.). (Publ. d. Österr. Kulturinst. in Rom, Abt. 2, R. 5).

2431. NIKULIN (N.N.). Zolotoj vek niderlandskoj živopisi. XV vek. (The golden age of Dutch painting ; the 14th cent.) Moskva, Izobraz. iskusztvo, 81, 398 p. (ill.).

2432. OCCHIATO (Giuseppe). Rapporti culturali e rispondenze architettoniche tra Calabria e Francia in età romanica : l'abbaziale normanna di Sant' Eufemia. Mél. Ec. franç. Rome, Moyen Age, Temps mod., 81, t. 81, p. 565-603.

2433. OSBORNE (J.). The painting of the anastasis in the lower church of San Clemente, Rome. Byzantion, 81, t. 51, p. 255-287.

2434. OTTAWAY (John). Traditions architecturales dans le Nord de la France pendant le premier millénaire. Cah. Civ. méd., 80, a. 23, p. 141-172, 221-239.

2435. OURSEL (Raymond). Révélation de la peinture romane. Saint-Léger-Vauban, Abbaye de la Pierre qui Vire, 80, 467 p. (pl., ill.).

2436. PANAYOTOVA-PIGUET (Dora). Les peintures de Bačkovo oeuvre d'Ivan le Géorgien. Bedi Kartlisa, 81, t. 39, p. 182-215 (ill.).

2437. PERNOUD (Régine). Sources de l'art roman. Lexique thématique par Madeleine PERNOUD. Paris, Berg, 80, 219 p. (pl.).

2438. PORTER (Venetia). Mediaeval Syrian pottery : Raqqa ware. Oxford, Ashmolean Museum, 81, in-8, 64 p. (ill.).

2439. PORUMB (Marius). Arta românească din Transilvania şi legăturile sale eu Moldova din timpul lui Ştefan cel Mare. (L'art roumain de Transylvanie et ses liens avec la Moldavie d'Etienne le Grand [1457-1504].) Anu. Inst. Ist. Arheol. Cluj-Napoca, 81, t. 24, p. 171-195 (19 fig.). [Rés. franç.]

2440. Recueil général des monuments sculptés en France pendant le haut moyen âge (IVe-Xe siècles). T. 1 : Paris et son département, par Denise FOSSARD, May VIEILLARD-TROÏEKOUROFF et Elisabeth CHATEL. T. 2 : Isère, Savoie, Haute-Savoie, par Elisabeth CHATEL. Paris, Bibliothèque nationale, 78-81, 2 vol. 220, XIX-136 p. (pl.).

2441. RAUTY (Natale). L'antico Palazzo dei Vescovi a Pistoia. 1 : Storia e restauro. Firenze, Olschki, 81, in-4, VIII-388 p. (ill.). (Ar. e Archeol., 19).

2442. RIESS (Jonathan B.). Political ideals in medieval Italian art ; the frescoes in the Palazzo dei Priori, Perugia (1297). Ann Arbor, Michigan, UMI Research Press, 81, in-8, XII-187 p. (Stud. in the Fine Arts : Iconography, 1).

2443. SAPIN (Christian). Flavigny [Côte-d'Or] gothique : éléments nouveaux pour l'étude de l'architecture et de la sculpture gothique en Bourgogne. B. monum. 80, t. 138, p. 417-437.

2444. SEDOVA (M.V.). Juvelirnye izdelija Drevnego Novgoroda. X-XV vv. (Jewelry of old Novgorod. 10th-15th cent.) Moskva, Nauka, 81, 195 p. (ill.). (AN SSSR. In-t arkheologii).

2445. SEIDEL (Linda). Songs of glory ; the Romanesque façades of Aquitaine. Chicago, Univ. of Chicago Press, 81, in-8, X-220 p.

2446. SZÉKELY (György). A hónapok munkái és a középkori müvészet. (The works of the months and the medieval art.) Agrártört. Szle, 81, vol. 23, n°^{s} 1-2, p. 1-30.

2447. TIMÁR (László). Villard de Honnecourt, a XIII. századi francia épitész és Magyarország. (Villard de Honnecourt, architecte français du XIIIe s. en Hongrie.) Technikatört. Szle, 80-81, vol. 12, p. 167-182.

2448. TÓTH (Melinda). Árpád-kori falfestészet. (La peinture murale à l'époque des Arpads.) Budapest, Akad. Kiadó, 80, in-8, 191 p. (28 pl.). (Muvészettörténeti füzetek, 9).

2449. TUREK (Rudolf). Libice. Hroby na libickém vnitřním hradisku. (Libide/Cidlina. Gräber im inneren Burgwallareal.) Sborn. nár. Mus. v Praze, Rad. A - Hist., 78 [80], p. 1-152 (23 tab., 5 p. fig.). - IDEM. Libice nad Cidlinou -monumentální stavby vnitřního hradiska. (Libice - Die monumentalen Bauten im inneren Burgwallareal.) Ibid., 81, vol. 35, p. 1-72 (12 fig.).

2450. VAIVRE (Jean-Bernard de). Sur trois primitifs français du XIVe siècle et le portrait de Jean le Bon. Gaz. Beaux-Arts, 81, a. 123, livraison 1347, p. 131-156.

2451. VAN DER MEER (Frédéric). Images du Christ dans la sculpture au Nord des Alpes et des Pyrénées. Paris, A. Michel, 81, 102 p. (194 pl.).

2452. VELMANS (Tania). Maniérisme et innovations stylistiques dans la miniature cilicienne à la fin du XIIIe siècle. R. Et. arméniennes, 80, t. 14, p. 415-433 (ill.).

2453. YAPP (Brunsdon). Birds in mediaeval manuscripts. London, Brit. Libr., Ref. Div., 81, in-4, 192 p. (ill., pl.)

Cf. n°^{s} 198, 2311, 2489.

§ 11. Historia de la música.

2454. BERNARD (Madeleine). Les offices versifiés attribués à Léon IX (1002-1054). Et. grégoriennes, 80, vol. 19, p. 89-164.

2455. BRUNNER (Lance W.). A perspective on the southern Italian sequence : the second tonary of the manuscript Monte Cassino 318. Early Music Hist., 81, vol. 1, p. 117-164 (ill.).

2456. FENLON (Iain). Music in mediaeval and early modern Europe : patronage, sources and texts. London, Cambridge U.P., 81, in-8, 409 p. (ill., tab., mus. exs.).

2457. HUCKE (Helmut). Toward a new historical view of Gregorian chant [6th-11th cent.] J. amer. musicolog. Soc., 80, vol. 33, p. 437-467.

2458. IRWIN (Joyce L.). The mystical music of Jean Gerson. Early Music Hist., 81, vol. 1, p. 187-201.

2459. PAGE (Christopher). The 15th-century lute : new and neglected sources. Early Music, 81, vol. 9, p. 11-21.

2460. SMOLDON (William L.). The music of the mediaeval church dramas. London, Oxford U. P., 81, in-8, 464 p.

2461. STROHM (Reinhard). European politics and the distribution of music in the early fifteenth century. Early Music Hist., 81, vol. 1, p. 305-323.

2462. TREITLER (Leo). Oral, written, and literate process in the transmission of medieval music. Speculum, 81, vol. 56, n° 3, p. 471-491.

§ 12. Historia de la filosofía.

* 2463. BATAILLON (Louis-Jacques). Bulletin d'histoire des doctrines médiévales. La fin du moyen âge. R. Sci. philos. théol., 81, vol. 65, p. 455-481.

2464. Abélard, le "Dialogue", la philosophie de la logique. Actes du colloque de Neuchâtel, 16-17 nov. 1979. Neuchâtel, Secrétariat de l'Univ., 81, in-8, 131 p.

2465. BAZAN (Bernardo Carlos). Intellectum speculativum : Averroes, Thomas Aquinas, and Siger of Brabant on the intelligible object. J. Hist. Philos., 81, vol. 19, n° 4, p. 425-446.

2466. BEIERWALTES (Werner). Marsilio Ficinos Theorie des Schönen im Kontext des Platonismus. Heidelberg, Winter, 80, in-8, 56 p. (S.-B. d. Heidelb. Akad. d. Wiss., phil.-hist. Kl., Jg. 1980, 11).

2467. CHYDENIUS (Johan). The friendship of

God and the two ends of man. A study in Christian humanism 1100-1321. Helsinki, Societas Scientiarum Fennica, 81, in-8, 55 p. (Comment. hum. litt., 68).

2468. DŽOKHADZE (D.V.), STJAŽKIN (N.I.). Vvedenie v istoriju zapadnoevropejskoj srednevekovoj filosofii. (Introduction to the history of western European medieval philosophy.) Tbilisi, Ganatleba, 81, 315 p.

2469. FIORAVANTI (Gianfranco). Servi, rustici, barbari : interpretazioni medievali della Politica aristotelica. A. Sc. norm. sup. Pisa, 81, s. 3, vol. 11, p. 399-429.

2470. FORTIN (E.L.). Dissidence et philosophie au moyen âge. Dante et antécédents. Montréal, Bellarmin ; Paris, Vrin, 81, in-8, 201 p. (Cah. d'études méd., 4).

2471. LAURIOLA (Giovanni). Introduzione al concetto di scienza in generale nelle "Questioni sulla metafisica" di Duns Scoto. Studi francescani, 80, a. 77, p. 51-86. - IDEM. Introduzione al concetto di scienza in generale nelle "Lecture" e nel' "Ordinatio" di Duns Scoto. Ibid., 81, a. 78, p. 47-121.

2472. LETORT-TREGARO (Jean-Pierre). Pierre Abélard, 1079-1142. Paris, Payot, 81, in-8, 214 p.

2473. MACCAGNOLO (Enzo). Il platonismo nel XII secolo : Teodorico di Chartres. R. Filos. neoscol., 81, a. 73, p. 283-299.

2474. MARENBON (John). From the Circle of Alcuin to the School of Auxerre : logic, theology and philosophy in the early Middle Ages. London, Cambridge U.P., 81, in-8, 219 p. (Stud. in Medieval Life a. Thought).

2475. OAKLEY (Francis). Natural law, the Corpus Mysticum, and consent in conciliar thought from John of Paris to Matthias Ugonius. Speculum, 81, vol. 56, n° 4, p. 786-810.

2476. ONOFRIO (Giulio d'). Giovanni Scoto e Remigio di Auxerre : a proposito di alcuni commenti altomedievali a Boezio. Studi mediev., 81, ser. 3, t. 22, p. 587-693.

2477. RIBES MONTANÉ (Pedro). San Alberto Magno, maestro y fuente del apologeta medieval Ramon Martí. Anthologica annua, 77-78 [80], t. 24-25, p. 593-617.

2478. ROSCANO (Antonio). Dante, il discorso aristotelico nella Monarchia. Forum italicum, 81, a. 15, p. 139-152.

2479. SCHMITT (Charles B.). Studies in Renaissance philosophy and science. London, Variorum Repr., 81, in-8, 342 p.

2480. Sprache und Erkenntnis im Mittelalter. Akten d. VI. Internat. Kongresses für mittelalt. Philosophie der Soc. Internat. pour l'Etude de la Philosophie Médiévale, 29. August - 3. September 1977 in Bonn. Hrsg. v. Jan P. BECKMANN [u.a.] Unter Leitung v. Wolfgang KLUXEN. Halbbd 2. Berlin u. New York, de Gruyter, 81, in-8, XII p., p. 548-1113. (Misc. mediaevalia, 13).

2481. STRUVE (Tilman). Vita civilis naturam imitetur ... Der Gedanke d. Nachahmung d. Natur als Grundlage d. organologischen Staatskonzeption Johanns von Salisbury. Hist. Jb., 81, Jg. 101, p. 341-361.

2482. TRONCARELLI (Fabio). Tradizioni perdute. La Consolatio philosophiae nell'alto Medioevo. Padova, Antenore, 81, in-8, XII-204 p. (tav.). (Medioevo e umanesimo, 42) [In appendice : Framm. di un testo perduto].

2483. UKOLOVA (V.I.). Mirovozzrenie Boěcija i antičnaja tradicija. (The philosophy of Boethius and the ancient tradition.) Vestn. drevn. Ist., 81, n° 3, p. 76-86.

2484. VICENTE-BURGOA (Lorenzo). Los problemas de la "quinta via" para demonstrar la existencia de Dios. Divus Thomas, 81, t. 84, p. 3-37.

2485. WINANCE (Eleuthère). Le défi du positivisme logique [XIIIe s.]. R. thomiste, 81, t. 81, p. 533-556.

2486. WIPPEL (John F.). Did Thomas Acquinas defend the possibility of an eternally created world ? (The De aeternitate mundi revisited). J. Hist. Philos., 81, vol. 19, n° 1, p. 21-38.

2487. WOOD (Charles T.). The doctors' dilemma : sin, salvation, and the menstrual cycle in medieval thought. Speculum, 81, vol. 56, n° 4, p. 710-727.

Cf. n° 2533.

§ 13. Historia de la Iglesia.

a. Generalidades.

2488. ALBERIGO (Giuseppe). Chiesa conciliare. Identità e significato del conciliarismo. Brescia, Paideia, 81, in-8, 368 p. (Testi e Ric. di Sci. relig., 19).

2489. EMMERSON (Richard Kenneth). Antichrist in the middle ages. A study of medieval apocalypticism, art and literature. Manchester, U. P. ; Seattle, Univ. of Wash. Press, 81, in-8, X-366 p.

2490. Faire croire. Modalités de la diffusion et de la réception des messages religieux du XIIe au XVe siècle. Table ronde organisée par l'Ecole franç. de Rome, en collab. avec l'Institut d'Hist. médiévale de l'Univ. de Padoue (Rome, 22-23 juin 1979). Rome, Ec. franç. de Rome, 81, 406 p. (Coll. de l'Ec. franç. de Rome, 51).

2491. MIETHKE (Jürgen). Die Konzilien als Forum der öffentlichen Meinung im 15. Jahrhundert. Deutsch. Arch. f. Erforsch. d. M.-A., 81, Jg. 37, p. 736-773.

2492. SHATZMILLER (Joseph). Convert and judaizers in the early fourteenth century. Harvard theol. R., 81, vol. 74, n° 1, p. 63-78.

b. Historia del Papado.

2493. DRABINA (Jan). Kontakty Wrocławia z Rzymem w latach 1409-1517. (Les contacts de Wrocław avec Rome dans les années 1409-1517.) Wrocław, Zakł. Narod. im. Ossolińskich, 81, in-8, 199 p. (Travaux de la Soc. des Sci. et des Lettres de Wrocław. Sér. A, 219).

2494. FINK (Karl August). Papsttum und Kirche im abendländischen Mittelalter. München, Beck, 81, in-8, 212 p.

2495. FRANCHI (A.). La svolta politico-ecclesiastica tra Roma e Bisanzio (1249-1254). La legazione di Giovanni di Parma. Il ruolo di Federico II. Roma, Antonianum, 81, in-8, 307 p. (Spicilegium Pontificii Athenaei Antoniani, 21)

2496. HERDE (Peter). Cölestin V. (1294) : (Peter vom Morrone), d. Engelpapst. Mit e. Urkundenanhang u. Ed. zweier Viten. Stuttgart, Hiersemann, 81, in-8, XII-447 p. (Päpste u. Papsttum, 16).

2497. LUPRIAN (Karl-Ernst). Die Beziehungen der Päpste zu islamischen und mongolischen Herrschern im 13. Jahrhundert anhand ihres Briefwechsels. Città del Vaticano, Biblioteca Apostolica Vaticana, 81, in-4, 328 p. (Studi e testi, 291).

2498. MACCARONE (Michele). Die Cathedra Sancti Petri im Hochmittelalter. Vom Symbol d. päpstl. Amtes zum Kulturobjekt. [I. Cf. Bibl. 80, n° 2543.] II. Röm. Qschr. f. christl. Altertumskde, 81, Bd 76, p. 137-172.

2499. MALECZEK (Werner). Das Kardinalskollegium unter Innozenz II. und Anaklet II. Arch. Hist. pontif., 81, t. 19, p. 27-78.

2500. MOORE (John C.). Innocent III's De Miseria Humanae Conditionis : A Speculum Curiae ? Cath. hist. R., 81, vol. 67, n° 4, p. 553-564.

2501. SCHIEFFER (Rudolf). Die Entstehung des päpstlichen Investiturverbots für den deutschen König. Stuttgart, Hiersemann, 81, in-8, XXIII-237 p. (Schr. d. Monumenta Germaniae Historica, 28).

2502. SUŁKOWSKA-KURAS (Irena), KURAS (Stanisław). Bulles expédiées et bulles enregistrées : l'exemple de la Pologne (1198-1304). Mél. Ec. franç. Rome, Moyen Age, Temps mod., 81, t. 93, p. 171-177.

2503. VAGEDES (Arnulf). Das Konzil über dem Papst ? Die Stellungnahmen d. Nikolaus v. Kues u. d. Panormitanus zum Streit zw. d. Konzil v. Basel u. Eugen IV. T. 1, 2. Paderborn, München, Wien u. Zürich, Schöningh, 81, 2 vol. in-8, XLV-451, XXVI-423 p.

2504. ZIMMERMANN (Harald). Das Papsttum im Mittelalter. Eine Papstgesch. im Spiegel d. Historiographie. Mit e. Verz. d. Päpste vom 4. bis zum 15. Jh. Stuttgart, Ulmer, 81, in-8, 254 p. (uni-Taschenbücher, 1151).

2505. ZUCKERMAN (Charles). The ending of French interference in the papal financial system in 1297 : a neglected episode. Viator, 80, vol. 11, p. 261-288.

Cf. n° 2057.

c. Historia monástica.

2506. BECK (Bernard). Les origines de l'ordre de Tiron et la place de Hambye [Manche] dans le mouvement des fondations monastiques normandes (XIe-XIIe siècles). R. Avranchin, 80, a. 98, t. 57, n° 305, p. 241-254.

2507. Bonifica (La) benedettina. [Scritti di vari.] Roma, Istit. dell'Encicl. ital., 81, in-4, 199 p. (ill., tav.).

2508. BOOCKMANN (Hartmut). Der Deutsche Orden. 12 Kapitel aus seiner Gesch. München, Beck, 81, in-8, 319 p. (41 Ill., 2 Kt.).

2509. BORNERT (René). Grundriss einer "Alsatia monastica [10.-15. Jh.]. Stud. u. Mitt. z. Gesch. d. Benediktiner-ordens, 81, Bd 92, p. 289-307.

2510. BOUCHARD (Constance B.). Changing abbatial tenure patterns in Burgundian monasteries during the twelfth century. R. bénédictine, 80, t; 90, n°^{s} 3-4, p. 249-262.

2511. BREDERO (Adriaan H.). Le "Dialogus duorum monachorum". Un rebondissement de la polémique entre cisterciens et clunisiens [XIIe s.]. Studi med., 81, ser. 3, t. 22, p. 501-585.

2512. CAMPOREALE (Salvatore I.). Giovanni Caroli e le Vitae Fratrum S.M. Novellae. Umanesimo e crisi religiosa (1460-1480). M. domenic., 81, a. 98, n.s., n° 12, p. 141-268.

2513. CANTARELLA (Glauco Maria). Cluny, Lione, Roma (1119-1142). R. bénédictine, 80, t. 90, p. 263-287.

2514. CIPOLLONE (Giulio). La casa della Santa Trinità di Marsiglia (1202-1547). Prima fondazione sul mare dell' ordine trinitario. Città del Vaticano, Ordinis Trinitatis Institutum Historicum, 81, in-4, 439 p. (Series prior, 2).

2515. GUERREAU (Alain). Analyse factorielle et analyses statistiques classiques : le cas des ordres mendiants dans la France médiévale. A., Ec., Soc., Civ., 81, a. 36, p. 869-912.

2516. HECKER (Norbert). Bettelorden und Bürgertum. Konflikt u. Kooperation in deutsch. Städten d. Spätmittelalters. Frankfurt (Main), Bern u. Cirencester, Lang, 81, in-8, 293 p. (Europ. Hochschulschr. Reihe 23 : Theologie, 146)

2517. JOHNSON (Penelope D.). Prayer, patronage, and power : the abbey of la Trinité, Vendôme, 1032-1187. New York U.P., 81, in-8, XII-213 p.

2518. LOCATELLI (René). Luxeuil aux XIIe et XIIIe siècles : heurs et malheurs d'une abbaye bénédictine. R. Mabillon, 81, t. 60, n° 286, p. 77-96.

2519. MUSSOT-GOULARD (Renée). Le monastère Saint-Géni de Lectoure [Gers] aux environs de l'an 1000. A. Midi, 81, t. 93, n° 153, p. 237-253.

2520. ODOARDI (Giovanni). S. Bernardino da Siena e la comunità dell'Ordine o Frati Minori Conventuali. Misc. francesc., 81, t. 81, p. 117-174, 439-515.

2521. PADILLA LAPUENTE (José I.). Aportación al estudio de la estructura económica de un monasterio altomedieval. Un prototipo : Sant Pere de Gran d'Escales. Acta hist. et archaeol. mediaevalia, 80, t. 1, p. 197-224.

2522. PEINADO SANTAELLA (Rafael G.). La encomienda Santiaguista de Estepa a finales de la Edad Media (1495-1511). Arch. hispalense, 81, t. 63, p. 107-158.

2523. PORTELA SILVA (Ermelindo). La colonización cisterciense en Galicia (1142-1250). Santiago de Compostela, Univ., 81; in-8, 192 p.

2524. Stellung und Wirksamkeit der Bettelorden in der städtischen Gesellschaft. Hrsg. v. Kaspar ELM. Berlin, Duncker u. Humblot, 81, in-8, 158 p. (graph. Darst., 1 Kt.). (Berliner hist. Stud., 3. Ordensstud., 2).

2525. TOMMASI (Francesco). L'Ordine dei Templari a Perugia. B. Deput. Stor. pa. Umbria, 81, a. 78, p. 5-79.

2526. WEBSTER (Jill R.). Dos siglos de franciscanismo en Cataluña : el convento de San Francisco de Barcelona durante los siglos XIII y XIV. Arch. ibero-am., 81, t. 41, p. 223-255.

Cf. n^s 869, 2539, 4054.

d. Hagiografía.

2527. BROWN (Peter). The cult of the saints : its rise and function in Latin Christianity. Chicago, Univ. of Chicago Press, 81, in-8, XV-187 p. (Haskell Lectures on Hist. of Rel., new ser., 2).

2528. GOODICH (Michael). The contours of female piety in later medieval hagiography. Church Hist., 81, vol. 50, n° 1, p. 20-32.

2529. Hagiographie, cultures et sociétés, IV-XIIe siècles (Actes du colloque organisé à Nanterre et à Paris, 2-5 mai 1979). Paris, Etudes augustiniennes, 81, in-8, 605 p.

2530. KLANICZAY (Gábor). A középkori magyarországi szentkultusz-kutatás problémái. (Problems of research of the cult of saints in Hungary in the middle ages.) Tört. Szle, 81, vol. 24, n° 2, p. 273-286.

2531. Hagiography and medieval literature. A symposium. Proceedings of the 5th Intern. Symposium organized by the Centre for the Study of vernacular literature in the middle ages held at Odense Univ. on 17-18 Nov. 1980. Ed. by Hans BEKKER-NIELSEN, Peter FOOTE, Jørgen HØJGAARD JØRGENSEN a. Tore NYBERG. Odense, Univ. Press, 81, in-8, 169 p. (ill.).

2532. VAUCHEZ (André). La sainteté du moyen âge, d'après les procès de canonisation et les documents hagiographiques. Rome, Ecole franç. de Rome ; diff. Paris, de Boccard, 81, in-8, X-865 p.

2533. Albert der Grosse. Seine Zeit, sein Werk, seine Wirkung. Hrsg. v. Albert ZIMMERMANN. Für d. Druck besorgt v. Gudrun VUILLEMIN-DIEM. Berlin u. New York, de Gruyter, 81, in-8, VIII-293 p. (14 ill.). (Misc. mediaevalia,14).

2534. Népek nagy nevelője ... Szent Benedek, Európa védőszentjének emlékezete. Közzéteszi SZENNAY András. (Le grand éducateur des peuples. In memoriam saint Benoît, protecteur de l'Europe. Présenté par -.) Budapest, Szent István Társulat, 81, in-8, 523 p. (ill.).

------

1. Clasificación por orden alfabético de la forma latina de los nombres de los santos.

2535. CLARKE (H. B.), BRENNAN (Mary). Columbanus and Merovingian monasticism. London, Brit. Archaeol. Rep., 81, in-4, 221 p. (ill., fig.).

2536. VIDA (Mária). Szent Kozma és Damján magyarországi tiszteletének eredete és értelmezése, 11-14. század. (L'origine et l'interprétation du culte des saints Côme et Damien en Hongrie, XIe-XIVe s.) Századok, 81, vol. 115, n° 2, p. 340-367.

2537. TÓTH (Imre), H. Konstantin-Cirill és Metód élete és működése, (La vie et l'activité de Constantin-Cyrille et de Méthode.) Budapest, Magvető Kiadó, 81, in-8, 218 p. (Gyorsuló idő).

2538. BARLOW (Frank). The canonization and the early lives of Hugh I, abbot of Cluny. Analecta bollandiana, 80, t. 98, p. 297-334.

2539. PETIT (François). Norbert et l'origine des Prémontrés. Paris, Ed. du Cerf, 81, in-8, 325 p. (ill.).

Cf. n° 915, 1925, 2098, 2134, 2334.

e. Estudios particulares.

* 2540. BERKHOUT (Carl T.), RUSSEL (Jeffrey B.). Medieval heresies. A bibliography, 1960-1979. Toronto, Pontifical Inst. of Medieval Studies, 81, in-8, 202 p. (Subsidia medievalia).

2541. ALTHOFF (Gerd). Gebetsgedenken für Teilnehmer an Italienzügen. Ein bisher unbeachtetes Trienter Diptychon. Frühmittelalt. Stud., 81, Bd 15, p. 36-67.

2542. AVRIL (abbé Joseph). Le IIIe concile de Latran et les lépreux. R. Mabillon, 81, t. 60, p. 21-76.

2543. BARBER (Malcolm). The Pastoureaux of 1320. J. eccles. Hist., 81, vol. 32, p. 148-166.

2544. BIGET (Jean-Louis). Hincmar de Reims, un archevêque dans son siècle [à propos de DEVISSE (Jean). Hincmar, archevêque de Reims. Cf. Bibl. 76-77, n° 3169]. Moyen Age, 81, t. 87, sér. 4, t. 36, p. 263-278.

2545. BYLINA (Stanisław). Les sociétés libérées. Les programmes du millénarisme hérétique au bas Moyen-Age. Acta Poloniae hist., 80 [81], vol. 42, p. 5-26.

2546. CHATILLON (François). Liste chronologique des archevêques de Reims, dont la vie correspond aux évènements rapportés par Floodard et par Richer. R. Moyen Age latin, 81, t. 37, p. XXI-XXXIV.

2547. CHENEY (Mary G.). Roger, Bishop of Worcester, 1164-1179, an English bishop of the age of Becket. London, Oxford U.P., 81, in-8, 320 p. (Oxford Hist. Monogr).

2548. CRONE (Marie-Luise). Der Ducatus Orientalis Franciae. Ein Beitr. z. Kirchengesch. Lothars III. Jb. f. fränk. Landesforsch., 81, [Bd] 41, p. 1-21.

2549. DAHMUS (John W.). Henry IV of England : an example of royal control of the church in the fifteenth century. J. Church a.

13. HISTORIA DE LA IGLESIA

State, 81, vol. 23, n° 1, p. 35-46.

2550. DIENST (Heide). Niederösterreichische Pfarren im Spannungsfeld zwischen Bischof und Markgraf nach dem Ende des Investiturstreites. Mitt. d. österr. Staatsarch., 81, Bd 34, p. 1-44.

2551. DOMAŃSKI (Juliusz). Życie kontemplacyjne i życie aktywne a praca intelektualna w pismach trzech mistrzów krakowskich. (La vie contemplative, la vie active et le travail intellectuel dans les écrits des trois maîtres cracoviens [XVe-XVIe s.].) Odrodzen. Reform. Polsce, 81, vol. 26, p. 25-51. [Paweł de Wołczyn, Jan de Ludzisko, Adam de Bochyń]

2552. EPALZA (Miekl de). Improbables origines islamiques de l'inquisition espagnole et opinions de musulmans sur elle. R. Langues romanes, 81, t. 81, p. 101-114.

2553. FERENT (Ioan). A kunok és püspökségük. (Les Cumans et leur évêque.) Budapest, Szent István Társulat, 81, in-8, 154 p.

2554. FOUQUET (Gerhart). Reichskirche und Adel. Ursachen u. Mechanismen des Aufstiegs d. Kraichgauer Niederadelsfamilie v. Helmstatt im Speyerer Domkapitel zu Beginn d. 15. Jh. Z. f. d. Gesch. d. Oberrheins, 81, Bd 129, p. 189-233.

2555. GANZER (Klaus). Zur monastischen Theologie des Johannes Trithemius. Hist. Jb., 81, Jg. 101, p. 384-421.

2556. GRABOIS (Aryeh). Le schisme de 1130 et la France. R. Hist. ecclés., 81, t. 76, p. 593-612.

2557. HAMILTON (Bernard). The mediaeval inquisition. London, E. Arnold, 81, in-8, 112 p. (Foundations of Med. Hist.)

2558. HISSETTE (Roland). Note sur la réaction "moderniste" d'Etienne Tempier [1277]. B. Philos. méd., 80, n° 22, p. 88-97.

2559. KABAJ (Józef). Ideologia Eriugeny. Czynniki kształtowania ideologii chrześcijańskiej we wczesnym średniowieczu francuskim. Ideowe wartości filozoficzno-teologicznego systemu Jana Szkota. (L'idéologie d'Erigène. Les éléments de formation de l'idéologie chrétienne du bas Moyen Age en France. Les valeurs idéelles du système philosophico-théologique de John Scot.) Kraków, 81, in-8, 157 p. (Uniw. Jagiell. Prace Habilitacyjne, 52).

2560. KEJŘ (Jiří). Mistři pražské univerzity a kněží táborští. (Gelehrte der Prager Universität und Taboriten - Priester.) Praha, Univ. Karlova, 81, in-8, 99 p.

2561. KJÖLLERSTRÖM (Sven). Växjö stifts biskopslängd. (The episcopal chronicle of Växjö Diocese [Sweden].) Kyrkohist. Årsskr., 81, vol. 81, p. 39-51. [Eng. summary]

2562. KÖHN (Rolf). Die Teilnehmer an den Kreuzzügen gegen die Stedinger. Niedersächs. Jb. f. Landesgesch., 81, Bd 53, p. 139-206.

2563. LE GOFF (Jacques). La naissance du purgatoire. Paris, Gallimard, 81, in-8, 509 p. (pl.) (Bibl. des histoires).

2564. LINEHAM (P.A.). Segovia ; a "frontier" diocese in the 13th century. Eng. hist. R., 81, vol. 96, p. 481-508.

2565. MILLET (Hélène). La composition du chapitre cathédral de Laon au XIVe siècle : résultats d'une analyse factorielle. A., Ec. Soc. Civ., 81, a. 36, p. 117-137.

2566. ODD JOHNSEN (Arne). "Sivardus episcopus ubsallensis" : on den første biskop i Uppsala. ("Sivardus Episcopus Ubsallensis" : on the first bishop of Uppsala.) Kyrkohist. Årsskr., 81, vol. 81, p. 29-38. [Eng. summary]

2567. PATSCHOVSKY (Alexander). Ketzer und Ketzerverfolgung in Böhmen im Jahrhundert vor Hus. Gesch. in Wiss.. u. Unterr., 81, Jg. 32, p. 261-272. - IDEM. Zur Ketzerverfolgung Konrads von Marburg. Deutsch. Arch. f. Erforsch. d. M.-A., 81, Jg. 37, p. 641-693.

2568. POECK (Dietrich). Laienbegräbnisse in Cluny. Frühmittelalt. Stud., 81, Bd 15, p. 68-179.

2569. REINHARDT (Klaus). Hebräische und spanische Bibeln auf dem Scheiterhaufen der Inquisition. Texte z. Gesch. d. Bibelzensur in Valencia um 1450. Hist. Jb., 81, Jg. 101, p. 1-37.

2570. ROQUEBERT (Michel). Montségur, les cendres de la liberté. Toulouse, Privat, 81, in-8, 208 p. (ill., cartes).

2571. RYBAKOV (B.A.). Jazyčestvo drevnikh slavjan. (The paganism of the ancient Slavs.) Moskva, Nauka, 81, 607 p. (ill.). (AN SSSR. Otdnie istorii. In-t arkheologii)

2572. SCHNEIDER (Martin). Europäisches Waldensertum im 13. und 14. Jahrhundert : Gemeinschaftsform, Frömmigkeit, sozialer Hintergrund. Berlin u. New York, de Gruyter, 81, in-8, 157 p. (Arbeiten z. Kirchengesch., 51).

2573. SCHWARZ (Reinhard). Die spätmittelalterliche Vorstellung vom richtenden Christus - ein Ausdruck religiöser Mentalität. Gesch. in Wiss. u. Unterr., 81, Jg. 32, p. 526-553.

2574. ŠMAHEL (František). Jan Hus a viklefské pojetí univerzálií. (Jan Hus und die Universalienfrage.) Acta Univ. Carolinae, Historia Univ. Carol. Pragensis, 81, vol. 21, fasc. 2, p. 49-68.

2575. TARANTO (Diego). La diocesi di Mazara nel 1430 : il rivelo dei benefici. Mél. Ec. franç. Rome, Moyen Age, Temps mod., 81, t. 93, p. 189-214.

2576. TÖPFER (Bernhard). John Wyclif - mittelalterlicher Ketzer oder Vertreter einer frühreformatorischen Ideologie ? Jb. f. Gesch. d. Feudalismus, 81, Bd 5, p. 89-124.

2577. WALSH (Katherine). A fourteenth century scholar and primate : Richard Fitz Ralph in Oxford, Avignon, and Armagh. London a. New York, Oxford U.P., 81, in-8, XVIII-518 p.

2578. VREGILLE (Bernard de). Hugues de Salins, archevêque de Besançon, 1031-1066. Besançon, Cître, 81, in-8, 484 p. (pl.).

2579. WERNER (Ernst). Antropocentryczna teologia Piotra Abelarda - czy ideologia wczesnego renesansu ? (La théologie anthropocentrique de Pierre Abélard - une idéologie de la haute Renaissance ?). Kwart. hist., 81, a. 88, n° 1, p. 59-81.

2580. ZGUTA (Russell). The one-day votive

church : a religious response to the black death in early Russia. Slavic R., 81, vol. 40, n° 3, p. 423-432.

Cf. n°s 1797, 2093, 2166, 2402, 2601, 4108, 4141.

§ 14. Historia de la población.
Toponimía. Urbanismo.

2581. AUJOURD'HUI (R. d'), HELMIG (G.), MARTIN (M.), MEYER (W.). Archäologische Untersuchungen im Kleinbasel. Ein Beitr. z. Gesch. d. Stadt Kleinbasel. Basler Z. f. Gesch. u. Altertumskde, 81, Bd 81, p. 220-319.

2582. BARASCHI (Silvia). Izvoare scrise privind aşezările dobrogene de pe malul Dunării în secolele XI-XIV. (Sources écrites concernant les habitats sur le bord du Danube de la Dobroudja aux XIe-XIVe s.) R. Ist., 81, t. 34, n° 2, p. 311-345.

2583. CANCELLIERI (Jean). Formes rurales de la colonisation génoise en Corse au XIIIe siècle : un essai de typologie. Mél. Ec. franç. Rome, Moyen Age, Temps mod., 81, t. 93, p. 89-146.

2584. CANTACUZINO (Gheorghe I.). Cetăți medievale în Țara Românească (secolele XIII-XVI). (Fortifications médiévales en Valachie aux XIIIe-XVIe siècles.) Bucureşti, Ed. ştiinţ. şi enciclopedică, 81, in-8, 215 p. [Rés. franç.]

2585. CHAPELOT (Jean), FOSSIER (Robert). Le village et la maison au moyen âge. Paris, Hachette, 80, in-4, 357 p. (ill.). (Bibl. d'archéol.)

2586. Chronique des fouilles médiévales en France. Archéol. méd., 80, t. 10, p. 365-451 ; 81, t. 11, p. 259-330.

2587. Città (La) in Italia e in Germania nel Medioevo. Cultura, istituzione, vita religiosa. A cura di Reinhard ELZE e Gina FASOLI. Atti della Settimana di studio tenuta a Trento nel 1979. Bologna, Il mulino, 81, in-8, 333 p. (A. dell' Istit. stor. italo-germanico, 8) (Istit. trentino di Cult. Pubbl. dell' Istit. stor. italo-germanico in Trento).

2588. DAIM (Falka). Archäologische Zeugnisse zur Geschichte des Wiener Raumes im Frühmittelalter. Wiener Gesch.-Bl., 81, Bd 36, p. 175-197.

2589. DEMIANS D'ARCHIMBAUD (Gabrielle). Les fouilles de Rougiers (Var). Contribution à l'archéologie de l'habitat rural médiéval en pays méditerranéen. Paris, C.N.R.S. ; Valbonne, Centre régionl de Publications de Sophia Antipolis, 80 [81], in-4, 724 p. (620 fig.). (Publ. de l'U.R.A., 6 : Archéol. médiévale méditerr., mémoires, 2)

2590. DE ROSSI (Giovanni Maria). Torri medievali della campagna romana. Alla riscoperta di castelli e fortificazioni in un paesaggio ricco di millenari valori culturali. Roma, Newton Compton, 81, in-8, 360 p. (ill., tav.). (Quest' Italia, 18).

2591. DIRLMEIER (Ulf). Umweltprobleme in deutschen Städten des Mittelalters. Technikgesch. 81, Bd 48, p. 191-205.

2592. DOLINESCU-FERCHE (Suzana), CONSTANTINIU (Margareta). Un établissement du VIe siècle à Bucarest (découvertes de la rue Soldat Ghivan). Dacia, 81, n.s., t. 25, p. 289-329 (20 fig.).

2593. FEDOU (René). Personnalité de la "Presqu'île" dans le Lyon médiéval. In : Lyon et l'Europe [Cf. n° 417], vol. 1, p. 237-249.

2594. FEHRING (Günter P.). Zur archäologischen Erforschung topographischer, wirtschaftlicher und sozialer Strukturen der Hansestadt Lübeck. Ber. z. deutsch. Landeskde, 80 [81], Bd 54, p. 133-163.

2595. Flaran. Vol. 1 : Châteaux et peuplements en Europe occidentale du Xe au XIIIe siècle. Auch, Comité départemental de tourisme du Gers, 80, in-8, 202 p. (pl., cartes).

2596. GRANASZTÓI (György). A középkori magyar város. (La ville hongroise au moyen-âge) Budapest, Gondolat Kiadó, 80, in-8, 275 p. (ill.)

2597. GRECEANU (Eugenia). Ansamblul urban medieval Botoşani. (Botoşani [Roumanie], ensemble urbain médiéval.) Bururești, Muzeul naţional de istorie, 81, in-4, 150 p.

2598. HUDSON (Peter). Archeologia urbana e programmazione della ricerca. L'esempio di Pavia. Firenze, All'insegna del giglio, 81, in-4, 77 p. (ill.). (Bibl. di Archeol. mediev., 1).

2599. MARTINO (Carmela). Messina in età angioina. Struttura urbana e territorio. Clio [Roma], 81, a. 17, p. 315-329.

2600. MOISAN (André). Les sépultures des Français morts à Roncevaux. Cah. Civ. méd., 81, t. 24, p. 129-145.

2601. Montségur. 13 ans de recherche archéologique, 1964-1976. B. Groupe Recherches archéol. Montségur, 80 [81], n° spéc., 256 p. (fig., cartes et plans).

2602. OCHMAŃSKI (Jerzy). Litewska granica etniczna na wschodzie od epoki plemiennej do XVI wieku. (La frontière ethnique orientale des Lituaniens de l'époque de tribus au XVIe siècle.) Poznań, 81, in-8, 82 p. (Uniw. im. Adama Mickiewicza w Poznaniu. Historia, 96).

2603. PAGES (Jean). Réflexions sur la toponymie gasconne. B. Soc. Borda, 81, a. 106, p. 521-547.

2604. Paysage (Le) urbain au moyen âge. Actes du XIe Congrès [de la Société] des historiens médiévistes de l'Enseignement supérieur. Lyon, Presses univ. Lyon, 81, in-8, 280 p.

2605. PETRY (Manfred). Die niederrheinische Stadt als Festung im Mittelalter. Rhein. Vjsbl., 81, Jg. 45, p. 44-74.

2606. POPOV (Atanas). Târnovgrad selon les études archéologiques. Bulg. hist. R., 81, a. 9, n° 4, p. 42-57.

2607. REICHMANN (Christoph). Siedlungsreste der vorrömischen Eisenzeit, jüngeren römischen Kaiserzeit und Merowingerzeit in Soest-Ardey. Germania, 81, Jg. 59, p. 51-77 (12 Abb., 2 Beilagen).

2608. RICHTER (Miroslav), DRDA (Miloš). Sezimovo Ústi (Alttabor) und Tabor. Ergebnisse archäolog. Forschungsgrabungen in Südböhmen.

Mitt. d. Inst. f. österr. Gesch.-Forsch., 81, Bd 89, p. 1-21 (Abb.).

2609. ROUSSET (Paul-Louis). Toponymie burgonde dans les Alpes, en Suisse normande, Bourgogne et Franche-Comté. B. Acad. delphinale, 81, sér. 9, a. 2, n° 6, p. 100-115.

2610. RUSU (Mircea). Les populations du groupe turc, les Slaves et les autochtones du bassin carpato-danubien aux VIe-IXe siècles. R. roumaine Hist., 81, t. 20, p. 19-30.

2611. SÁNCHEZ HERRERO (José). Cádiz, la ciudad medieval y cristiana (1260-1525). Córdoba, Monte de Piedad y Caja de Ahorros, 81, in-8, 288 p.

2612. SCHIETZEL (K.). Stand der siedlungsarchäologischen Forschung in Haithabu. Ergebnisse und Probleme. Neumünster, Wachholtz, 81, in-8, 123 p. (41 Fig., 29 Kt.). (Berichte über d. Ausgrabungen in Haithabu, 16).

2613. SETTIA (Aldo A.). L'esportazione di un modello urbano : torri e case forti nelle campagne del nord Italia. Soc. e Stor., 81, a. 4, p. 273-297.

2614. SOGNNES (Kalle). The relationship between coastal and inland area in the Viking period of west Norway. Acta archaeologica, 79 [80], vol. 50, p. 223-233 (maps).

2615. THIERY (Árpád). Királynék városa. (La ville des reines [Veszprém].) Budapest, Szépirodalmi Kiadó, 81, in-8, 278 p. (ill.). (Magyarország felfedezése).

2616. Toponomastica (La) come fonte di conoscenza storica e linguistica. Atti del Convegno della Società italiana di glottologia. Testi raccolti a cura di Edoardo VINEIS. Belluno, 31 marzo, 1 et 2 aprile 1980. Pisa, Giardini, 81, in-8, 144 p. (Bibl. della Soc. ital. di Glott.)

2617. TROGMAYER (Ottó), ZOMBORI (István). Szer monostorától Ópusztaszerig. (Du monastère de Szer à Ópusztaszer.) Budapest, Magvető Kiadó, 80, in-8, 159 p. (ill.). (Gyorsuló idő)

2618. TYSZKIEWICZ (Jan). Człowiek w środowisku geograficznym Polski średniowiecznej. Związki i uwarunkowania przyrodniczo-kulturowe. (L'homme dans le milieu géographique de la Pologne médiévale. Relations et dépendances naturelles et culturelles.) Warszawa, 81, in-8, 315 p. (Rozpr. Uniw. Warsz., 169)

2619. UDOLPH (Jürgen). Die Landnahme der Ostslaven im Lichte der Namenforschung. Jb. f. Gesch. Osteuropas, 81, N.S., Bd 29, p. 321-336.

2620. Viking-age settlements in western and central Jutland. Recent excavations. Acta archaeologica, 79 [80], vol. 50, p. 89-208 (fig., maps). [Contents : BECKER (C.J.). Introductory remarks, p. 89-94. - BENDER JØRGENSEN (Lise), SKOV (Torben). Trabjerg. A Viking-age settlement in north-west Jutland, p. 119-136. - HVASS (Steen). Vorbasse. The Viking-age settlement at Vorbasse, central Jutland, p. 137-172. - NIELSEN (Leif Chr.). Omgård. A settlement from the late Iron Age and the Viking period in west Jutland, p. 172-208. - STOUMANN (Ingrid). Saedding. A Viking-age village near Esbjerg, p. 95-118.]

2621. ŽEMLIČKA (Josef). Vývoj osídlení dolního Poohří a Českého středohoří do 14. století. (Die Entwicklung der Besiedlung des unteren Tales des Flusses Ohře und des Böhmischen Mittelgebirges bis zum 14. Jahrhundert. Beitrag zur Geschichte der mittelalterlichen Kolonisation in Böhmen.) Praha, Academia, 80, in-8, 200 p. (12 fig.).

Cf. n°s 159, 1105, 2039, 2225.

K

EDAD MODERNA, OBRAS GENERALES

§ 1. Generalidades. 2622-2688. - § 2. Historia por Estados. 2689-3897. - § 3. Descubrimientos geográficos. 3898-3906.

§ 1. Generalidades.

* 2622. Novodobé dějiny v československé historiografii. Marxisticko-leninská teorie. Bibliografie 1979. (L'histoire moderne dans l'historiographie tchécoslovaque. La théorie marxiste-leniniste. Bibliographie [1977, 1978. Cf. Bibl. 80, n° 2712.] 1979.) [Par] Alexandr JEŽEK et Krista GAVALIEROVÁ. Praha, Ústav marxismu-leninismu ÚV KSČ, 81, in-8, 412 p.

* Cf. n^s XI-XIII, XX, 601.

** 2623. Dokumenty komunistických stran a národně revolučních hnutí zemí Asie a Afriky. (Dokumente der kommunistischen Parteien und national-revolutionären Bewegungen der Länder Asiens und Afrikas.) Hrsg. von Pavel AUERSPERG. Bd 1, 2. Praha, Stát. pedag. naklad., 81, in-8, 742 p.

** 2624. Europäischer Liberalismus im 19. Jahrhundert. Texte zu seiner Entwicklung. Lothar GALL, Rainer KOCH (Hrsg.). Bd 1-4. Frankfurt (Main), Berlin u. Wien, Ullstein, 81, 4 vol. in-8, 333, 350, 348, 370 p. (Ullstein-Buch, 35113-35116. Ullstein-Materialien).

2625. Am Wendepunkt der europäischen Geschichte. Beitr. v. Otmar FRANZ [u.a.]. Hrsg. v. Otmar Franz. Göttingen u. Zürich, Musterschmidt, 81, in-8, VI-243 p.

2626. Amerikanische und Französische Revolution. Bearb. v. Wolfgang LAUTEMANN. München, Bayer. Schulbuch-Verl., 81, in-8, 735 p. (graph. Darst., Kt.).

2627. Arabskie strany : istorija i sovremennost'. (Arabic countries : history and present.) Social., ékon. i polit. probl. (Social, economic a. political problems.) Redkol. : E.A. LEBEDEV (otv. red.) i dr. Moskva, Nauka, 81, 248 p.

2628. BARUDIO (Günter). Das Zeitalter des Absolutismus und der Aufklärung, 1648-1779. Frankfurt (Main), Fischer-Taschenbuch-Verl., 81, in-8, 487 p. (11 Ill. u. Kt.). (Fischer-Weltgesch., 25).

2629. BASZKIEWICZ (Jan). Wolność, równość, własność. Rewolucje burżuazyjne. (Liberté, égalité, propriété. Les révolutions bourgeoises [XVIe-XXe s.]. Warszawa, Czytelnik, 81, in-8, 282 p. (Wielkie Problemy Dziejów Człowieka).

2630. BAZYLOW (Ludwik). Historia powszechna 1789-1918. (Histoire universelle 1789-1918.) Warszawa, Książka i Wiedza, 81, in-8, 1034 p.

2631. BECKER (Winfried). Der Kulturkampf als europäisches und als deutsches Phänomen. Hist. Jb., 81, Jg. 101, p. 422-446.

2632. BILLINGTON (James H.). Fire in the minds of men : origins of the revolutionary faith [1789-1919]. New York, Basic Books, 80, VIII-677 p.

2633. BOREJSZA (Jerzy Wojciech). Rzym a wspólnota faszystowska. O penetracji faszyzmu włoskiego w Europie Środkowej, Południowej i Wschodniej. (Rome et la communauté fasciste. La pénétration du fascisme italien en Europe Centrale, Méridionale et Orientale.) Warszawa, Książka i Wiedza, 81, in-8, 355 p. - IDEM. Die Rivalität zwischen Faschismus und Nationalsozialismus in Ostmitteleuropa. Vjhefte f. Zeitgesch., 81, Jg. 29, p. 579-614.

2634. CHŁEBOWCZYK (Józef). Über einige Probleme der Nationbildungsprozesse in Ostmitteleuropa vom 18. bis 20. Jahrhundert. Jb. f. Gesch., 81, Bd 23, p. 189-211.

2635. COOK (Chris), PAXTON (John). European political facts, 1789-1848. London, Macmillan, 81, in-8, 208 p.

2636. CORNWELL (R.D.). World history in the 20th century. London, Longman, 81, in-8, 580 p.

2637. ČUBARJAN (A.O.). Évoljucija "evropejskoi idei" (do konca XIX v.). (Evolution of the "European idea" up to the 19th cent.) Vopr. Ist., 81, n° 5, p. 62-78.

2638. CUOMO (Ettore). Profilo del liberalismo europeo. Dalla repubblica dei dotti allo Stato. Napoli, Ediz. scient. ital., 81, in-8, VIII-205 p. (Bibl. stor., 1)

2639. DAVIDSON (Basil). The people's cause, the history of guerrillas in Africa. London, Longman, 81, in-8, 228 p. (ill.).

2640. DAY (Richard Bruce). The crisis and the crash : Soviet studies of the West, 1917-1939. London, New Left Books, 81, in-8, 308 p.

2641. DJORDJEVIC (Dimitrije), FISCHER-GALATI (Stephen). The Balkan revolutionary tradition. New York, Columbia U.P., 81, in-8, XV-271 p.

2642. Fašizm i antidemokratičeskie režimy v Evrope. Načalo 20-kh gg.-1945 g. (Fascism and anti-democratic regimes in Europe, from the beginning of the 20's to 1945.) Redkol. : Ja. ŽARNOVSKIJ i dr. Moskva, Nauka, 81, 189 p. (AN SSSR. In-t slavjanovedenija i balkanistiki).

2643. FENYVESI (Charles). Royalty in exile, the inside stories of ex-majesties of Europe. London, Robson Books, 81, in-8, 294 p.

2644. FREDRICKSON (George M.). White supremacy : a comparative study in American and South African history. London a. New York, Oxford U.P., in-8, 81, XXV-356 p. (maps).

2645. GERHARDIE (William). God's Fifth Column : a biography of the age, 1890-1940, ed. by Michael HOLROYD a. Robert SKIDELSKY. London, Hodder, 81, in-8, 352 p.

2646. Geschichte der Araber. Von d. Anfängen bis z. Gegenwart. Bd [3, 4. Cf. Bibl. 74-75 n° 3213.] 5 : Der Zusammenbruch des imperialistischen Kolonialsystems und die Bildung souveräner arabischer Nationalstaaten. Von e. Autorenkollektiv d. Lehr- u. Forschungsbereiches Nordafrika, Nahost d. Sekt. Afrika- u. Nahostwiss. d. Karl-Marx-Univ. Leipzig unter Leitung v. Lothar RATHMANN. Berlin, Akad.-Verl., 81, in-8, IX-269 p. (Abb., Kt.).

2647. GORDON (A.V.). Sovetskie vostokovedy i afrikanisty o processakh formirovanija nacional'nogo i klassovogo soznanija v osvobodivšikhsja stranakh (1976-1980). (Soviet Oriental and African scholars on the processes of national and class consciousness formation in developing countries, 1976-1980) Nar. Azii Afr., 81, n° 1, p. 174-193.

2648. GRIGULEVIČ (I.R.), UDAL'COVA (Z. V.), CUBAR'JAN (A.O.). Problemy novoj i novejšej istorii na XV Meždunarodnom kongresse istoričeskikh nauk. (Problems of modern and contemporary history at the XVth International Congress of Historical Sciences.) Nov. novejš. Ist., 81, n° 4, p. 23-40.

2649. HROCH (Miroslav). Buržoazní revoluce v Evropě. (Bourgeoise revolution in Europe.) Praha, Svoboda, 81, in-8, 473 p.

2650. Istorija antivoennogo dviženija v kapitalističeskikh stranakh Evropy (1945-1976). (History of the anti-war movement in European capitalist countries, 1945-1976.) Redkol. : I.I. ŽIGALOV (otv. red.) i dr. Moskva, Nauka, 81, 406 p. (AN SSSR. In-t vseobšč. istorii).

2651. KATZ (Jacob). From prejudice to destruction : anti-semitism, 1700-1933. Cambridge, Mass., Harvard U.P., 80, in-8, VIII-392 p.

2652. KOVÁCS (Endre). Korszakváltás. Emlékiratok. (Changement d'époque. Mémoires.) Budapest, Magvető Kiadó, 81, in-8, 395 p. (Tények és tanuk) [1918-1944]

2653. KOVAL' (B.I.). Latinskaja Amerika : revolucija i sovremennost'. (Latin America : revolution and present time.) Moskva, Nauka, 81, 198 p. (AN SSSR. Istorija i sovremennost')

2654. KRAUS (Andreas). Das Haus Wittelsbach und Europa : Ergebnisse u. Ausblick. Z. f. bayer. Landesgesch., 81, Bd 44, p. 425-452.

2655. LAMAR (Howard), THOMPSON (Leonard) a. others. The frontier in history : North America and southern Africa compared. New Haven, Conn., Yale U.P., 81, in-8, XII-360 p.

2656. Lexikon zur Geschichte der Parteien in Europa. Unter Mitarb. zahlr. Fachgelehrter hrsg. v. Frank WENDE. Stuttgart, Kröner, 81, in-8, XI-890 p.

2657. LITVÁN (György). Jászi Oszkár : A nemzeti államok kialakulása és a nemzetiségi kérdés c. könyvéről. (On Oszkár Jászi's "The formation of national states and the question of nationalities.) Tört. Szle, 81, vol. 24, n° 4, p. 636-649.

2658. MAIER (Charles S.). The two postwar eras and the conditions for stability in twentieth-century western Europe. Am. hist. R., 81, vol. 86, n° 2, p. 327-352.

2659. MAYER (Arno J.). The persistence of the Old Regime : Europe to the great war [1848-1914]. London, Croom Helm ; New York, Pantheon, 81, in-8, XI-367 p.

2660. MONROE (Elizabeth). Britain's moment in the Middle East, 1914-1971. Rev. ed. London, Chatto, 81, in-8, 256 p. [1st ed. Cf. Bibl. 63, n° 6754.]

2661. Nazione ed Europa. Ottavo Incontro romano, 1980. [Della] Fondaz. Gioacchino Volpe. Roma, Volpe, 81, in-8, 150 p. (Fondaz. Gioacchino Volpe).

2662. ORMOS (Mária), INCZE (Miklós). A fasiszta ideológiák alapjairól. (Sur les fondements des idéologies fascistes.) Századok, 81, vol. 115, n° 6, p. 1136-1191.

2663. PELENSKI (Jaroslaw) a. others. The American and European revolutions, 1776-1848 : sociopolitical and ideological aspects. Iowa City, Univ. of Iowa Press, 80, in-8, XVIII-412 p.

2664. PIKE (Frederick B.). The psychology of regeneration : Spain and America at the turn of the century. R. Politics, 81, vol. 43, n° 2, p. 218-241.

2665. Przewroty i zamachy stanu - Europa 1918-1939. (Les révolutions et coups d'Etat - Europe 1918-1939.) Warszawa, Czytelnik, 81, in-8, 243 p.

2666. PURŠ (Jaroslav). Revoluce ve výrobních silách a revoluce ve vojenství - od konce 18. století. (Die Revolution in den Produktivkräften und die Revolution im Militärwesen - seit Ende des 18. Jahrhunderts.) Sborn. k Problem. Děj. Imper., 81, vol. 11, p. 11-38. - IDEM. Scientific and technical progress and the peace movement. In : Problems of continuity and discontinuity in history. Prague, Inst. of Czechoslovak a. World Hist. of the Czech. Acad. of Sciences, 80, in-8, p. 329-457. - IDEM. Technology, humanism, peace. Historical Aspects. Acta Hist. Rerum natur., 81, special issue 16, p. 345-397.

2667. Pyrénées (Les) et les Carpates, XVIe-XXe siècles. Recherches franco-polonaises comparées. Histoire et anthropologie des régions montagneuses et submontagneuses. Sous la dir. de

Celina BOBIŃSKA et Joseph GOY. Auteurs : Georges AUGUSTINS et autres. Zesz. nauk. Uniw. Jagiell., 81, n° 594 [Prace hist., 69], p. 7-162.

2668. RAKHŠMIR (P.Ju.). Proiskhoždenie fašizma. (The origin of fascims.) Moskva, Nauka, 81, 180 p. (AN SSSR. Istorija i sovremennost')

2669. Reform, Reformation, Revolution. Ausgewählte Beitr. e. wiss. Konferenz in Leipzig am 10. u. 11. Okt. 1977. Hrsg. im Auftr. d. Rektors d. Karl-Marx-Univ. Leipzig v. Siegfried HOYER. Leipzig, Karl-Marx-Univ., 80, in-8, 287 p.

2670. REID (Donald M.). Lawyers and politics in the Arab world, 1880-1960. Minneapolis, Minn., Bibliotheca Islamica, 81, in-8, XIX-435 p. (Stud. in Middle Eastern Hist., 5)

2671. SCHIEDER (Theodor). Die mittleren Staaten im System der grossen Mächte. Hist. Z., 81, Bd 232, p. 583-604.

2672. SCHILLING (Hartmut). Zu einigen Grundtendenzen und Aspekten der wirtschaftlichen Entwicklung der Länder Asiens, Afrikas und Lateinamerikas. Jb. Asien, Afrika, Lateinamerika, 81, Jg. 1980, p. 19-56.

2673. SCHMAL (Henk). Patterns of European urbanization since 1500. London, Croom Helm, 81, in-8, 288 p.

2674. SCHWAB (George). State and nation : toward a further clarification. In : Nationalism [Cf. n° 431], p. 53-59.

2675. Sinistra (La) europea nel secondo dopoguerra (1943-1949). Atti del Convegno internazionale (11-13 aprile 1980). A cura di Maria PETRICIOLI. Firenze, Sansoni, 81, in-8, XXIII-317 p. (Bibl. dell'Istit. socialista di Studi stor.)

2676. SLAGSTAD (Rune). Liberalisme og demokrati. (Liberalism and democracy.) [Norsk] Hist. T., 81, vol. 60, p. 283-305. [Eng. summary]

2677. SPIRA (Thomas). Nationalism : recent research and new opportunities. In : Nationalism [Cf. n° 431], p. 33-52.

2678. State and society in Europe from the fifteenth to the eighteenth century. Proceedings of the First Conference of Polish and American Historians, Nieborów - Poland, May 17-19 1974. Ed. by Jaroslaw PELENSKI. Warsaw, Warsaw U. P., 81, in-8, 264 p.

2679. SUGAR (Peter). From ethnicity to nationalism and back again. In : Nationalism [Cf. n° 431], p. 67-84.

2680. URBAŃSKI (Edmund Stephen). Hispanoameryka i jej cywilizacje. Hispanoamerykanie i Angloamerykanie. (L'Amérique espagnole et ses civilisations. Les Hispano-Américains et les Anglo-Américains.) Trad. autorisée de l'angl. par Bronisław ZIELIŃSKI. Warszawa, Państw. Wydawn. Nauk., 81, in-8, 308 p.

2681. VIVARELLI (Roberto). 1870 in European history and historiography. J. mod. Hist., 81, vol. 53, n° 2, p. 167-188.

2682. VOGLER (Bernard). Le monde germanique et helvétique à l'époque des réformes, 1517-1618. Paris, SEDES, 81, 2 vol. in-8, 253,

626 p. (Regards sur l'hist., époque mod., 40, 41)

2683. WEBER (Hermann). Die Bedeutung der Dynastien für die europäische Geschichte in der frühen Neuzeit. Z. f. bayer. Landesgesch., 81, Bd 44, p. 5-32.

2684. WEIS (Eberhard). Das Haus Wittelsbach in der europäischen Politik der Neuzeit. Z. f. bayer. Landesgesch., 81, Bd 44, p. 211-231.

2685. WOFFORD (Harris). Of Kennedys and Kings : making sense of the sixties. London, Faber, 81, in-8, 512 p.

2686. WOOLF (Stuart J.). Fascism in Europe. London, Methuen, 81, in-8, 416 p.

2687. ZEEDEN (Ernst Walter). Europa im Zeitalter des Absolutismus und der Aufklärung. Stuttgart, Klett-Cotta, 81, in-8, 212 p. (Studienbuch Gesch., 6)

2688. ZIMMERMANN (Marie). Structure sociale et Eglise. Doctrines et praxis des rapports Eglise-Etat du XVIIIe siècle à Jean-Paul II. Strasbourg, C.E.R.D.I.C., 81, in-8, 183 p.

§ 2. Historia por Estados[1].

Afganistán.

2689. BARLETTI (Antonio). Afghanistan prima e dopo. Pref. : Fosco MARAINI. Collaborazione ai testi Enrico ROMOLI. Firenze, Nuovediz. Vallecchi, 81, in-8, 285 p. (ill.).

2690. MURADOV (G.A.). Novyi ètap aprel'skoj revoljucci v Afganistane. (The April Revolution in Afghanistan : a new stage.) Nar. Azii Afr., 81, n° 2, p. 14-25.

África del Sur.

2691. FITZPATRICK (Sir Percy). South African memories. Cape Town, A. Donker ; London, Wildwood House, 81, in-8, 308 p. (ill.).

2692. MARK (S.), ATMORE (Anthony). Economy and society in pre-industrial South Africa. London, Longman, 81, in-8, 404 p.

Albania.

2693. GUIDA (Francesco). Ricciotti Garibaldi e il movimento nazionale albanese. Arch. stor. ital., 81, a. 139, p. 97-138.

Alemania.

* Cf. n° I.

** 2694. Akten zur Vorgeschichte der Bundesrepublik Deutschland 1945-1949. Hrsg. v. Bundesarchiv u. Inst. f. Zeitgeschichte. Bd 5 : Jan. - Sept. 1949. Bearb. v. Hans-Dieter KREIKAMP. München u. Wien, Oldenbourg, 81, in-8, 1151 p. [Bd 3. Cf. Bibl. 78-79, n° 3023.]

** 2695. Dokumente zur Geschichte des deutschen Zionismus, 1882-1933. Hrsg. u. eingel. v. Jehuda REINHARZ. Tübingen, Mohr, 81, in-8,

------

1. Clasificación por Estados según el orden alfabético de su forma francesa.

2. HISTORIA POR ESTADOS

IL-580 p. (Schriftenr. wiss. Abh. d. Leo-Baeck-Inst., 37).

** 2696. Grossherzog Friedrich I. von Baden und die Reichspolitik 1871-1907. Hrsg. v. Walther Peter FUCHS. [Bd 2. Cf. Bibl. 74-75. n° 3356.] Bd 3 : 1890-1897. Bd 4 : 1898-1907. Stuttgart, Kohlhammer, 80-81, 2 vol. in-8, XVIII-784, 768 p. (Veröff. d. Komm. f. Gesch. Landeskde in Baden-Württemberg. Reihe A : Quellen, 31-32).

** 2697. Mainzer (Die) Republik. Hrsg., eingel., kommentiert u. bearb. v. Heinrich SCHEEL. Bd [1. Cf. Bibl. 74-75, n° 3280.] 2 : Protokolle des Rheinisch-deutschen Nationalkonvents mit Quellen zu seiner Vorgeschichte. Berlin, Akad.-Verl., 81, in-8, 738 p. (Schr. d. Zentralinst. f. Gesch., 43).

** 2698. Opposition in der Paulskirche. Reden, Briefe, u. Berichte kleinbürgerl.-demokrat. Parlamentarier 1848-49. Hrsg. u. eingel. v. Gunther HILDEBRANDT. Berlin, Akad.-Verl., 81, in-8, V-400 p. (Schr. d. Zentralinst. f. Gesch., 70)

** 2699. Politische Testamente der Hohenzollern. Hrsg. v. Richard DIETRICH. München, Deutsch. Taschenbuch-Verl., 81, in-8, 421 p. (dtv, 2929. dtv-Dokumente)

** 2700. Protokolle (Die) der Reichstagsfraktion der Deutschen Zentrumspartei, 1920-1925. Bearb. v. Rudolf MORSEY u. Karsten RUPPERT. Mainz, Matthias-Grünewald-Verl., 81, in-8, XLI-714 p. (Veröff. d. Komm. f. Zeitgesch. Reihe A : Quellen, 33).

** 2701. SPEER (Albert). Der Sklavenstaat. Meine Auseinandersetzungen mit d. SS. Stuttgart, Deutsche Verl.-Anst., 81, in-8, 510 p. (ill.)

2702. ABRAHAM (David). The collapse of the Weimar Republic : political economy and crisis. Princeton, N.J., Princeton U.P., 81, in-8, 366 p.

2703. AJZIN (B.A.). Ob osobennostjakh nazrevanija revoljucii v Germanii v načale XX v. (Imperialism and the German working-class movement in the early 19th cent.) Nov. novejš. Ist., 81, n° 2, p. 55-72.

2704. Andere Hamburg (Das). Freiheitliche Bestrebungen in d. Hansestadt seit d. Spätmittelalter. Jörg BERLIN (Hrsg.). Köln, Pahl-Rugenstein, 81, in-8, 370 p. (1 Kt.). (Kleine Bibl., 237)

2705. ANDERSON (Margaret Lavinia). Windthorst : a political biography. New York, Oxford U.P., 81, in-8, XI-522 p.

2706. ARENDT (Hans-Jürgen). Grundzüge der Frauenpolitik des faschistischen deutschen Imperialismus 1933-1939. Jb. f. Gesch., 81, Bd 24, p. 313-349.

2707. BAKER (Kendall L.) a. others. Germany transformed : political culture and the new politics. Cambridge, Mass., Harvard U.P., 81, in-8, XVII-381 p.

2708. BALD (Detlef). Vom Kaiserheer zur Bundeswehr. Sozialstruktur des Militärs : Politik der Rekrutierung von Offizieren u. Unteroffizieren. Frankfurt a. M., Lang, 81, in-8, 103 p. (Europ. Hochschulschriften). - IDEM. The impact of tradition on the education of the military in Germany. Milit. Affairs, 81, vol. 45, n° 3, p. 109-112.

2709. BATSCHA (Zwi). Studien zur politischen Theorie des deutschen Frühliberalismus. Frankfurt (Main), Suhrkamp, 81, in-8, 336 p.

2710. BAUM (Rainer C.). The holocaust and the German elite, 1871-1945. London, Croom Helm, 81, in-8, 450 p.

2711. Bayern in der NS-Zeit. Hrsg. v. Martin BROSZAT [u.a.]. [2. Cf. Bibl. 78-79, n° 3054.] 3 : Herrschaft u. Gesellschaft im Konflikt. T.B. 4 : Herrschaft u. Gesellschaft im Konflikt. T.C. München u. Wien, Oldenbourg, 81, 2 vol. in-8, XXV-671, XXIV-730 p. (Ill., Kt.).

2712. BECKER (Winfried). Georg von Hertling, 1843-1919. Bd 1 : Jugend u. Selbstfindung zwischen Romantik u. Kulturkampf. Mainz, Matthias-Grünewald-Verl., 81, in-8, XXXVIII-361 p. (graph. Darst.). (Veröff. d. Komm. f. Zeitgesch. Reihe B : Forsch., 31)

2713. BERGHAHN (V.), KITCHEN (Martin). Germany in the age of total war. London, Croom Helm, 81, in-8, 272 p.

2714. BESSIL (R.J.), FEUCHTWANGER (E. J.). Social change and political development in Weimar Germany. London, Croom Helm, 81, in-8, 304 p.

2715. BLANKE (Richard). Prussian Poland in the German empire, 1871-1900. Boulder, Colo., East European Monographs, 81, in-8, XII-268 p. (East European Monogr., 86).

2716. BLANKENBERG (Heinz). Politischer Katholizismus in Frankfurt am Main, 1918-1933. Mainz, Matthias-Grünewald-Verl., 81, in-8, XIX-317 p. (Veröff. d. Komm. f. Zeitgesch. Reihe B : Forsch., 34)

2717. BLICKLE (Peter). Deutsche Untertanen. Ein Widerspruch. München, Beck, 81, in-8, 160 p. (8 ill., 7 graph. Darst.)

2718. BLICKLE (Peter). Die Revolution von 1525. [1. Aufl. Cf. Bibl. 76-77, n° 3404.] 2., neu bearb. u. erw. Aufl. München u. Wien, Oldenbourg, 81, in-8, 326 p. (11 ill. u. graph. Darst., 4 Kt.).

2719. BRANIG (Hans). Fürst Wittgenstein. Ein preussischer Staatsmann d. Restaurationszeit. Köln u. Wien, Böhlau, 81, in-8, IX-260 p. (Veröff. aus d. Archiven Preussischer Kulturbesitz, 17).

2720. BREITMAN (Richard). German socialism and Weimar democracy. Chapel Hill, Univ. of North Carolina Press, 81, in-8, XII-283 p.

2721. BROSZAT (Martin). Siegerjustiz oder strafrechtliche "Selbstreinigung". Aspekte d. Vergangenheitsbewältigung d. deutsch. Justiz während d. Besatzungszeit 1945-1949. Vjhefte f. Zeitgesch., 81, Jg. 29, p. 477-544.

2722. BRUCH (Rüdiger vom). "Deutschland und England. Heeres- oder FLottenverstärkung ?" Polit. Publizistik deutscher Hochschullehrer 1911/12. Militärgesch. Mitt., 81, H. 29, p. 7-35.

2723. BURMEISTER (Hans Wilhelm). Prince Philipp Eulenburg-Hertefeld, 1847-1921. His influence on Kaiser Wilhelm II and his role in the German Government, 1888-1902. Wiesbaden, Steiner, 81, in-8, IX-189 p.

2724. Deutsche Demokraten. Die nichtproletar. demokrat. Kräfte in d. deutsch. Gesch. 1830 bis 1945. Von e. Autorenkoll. unter Leitung v. Dieter FRICKE. Berlin, Akad.-Verl., 81, in-8, XXIV-416 p.

2725. Deutschland zwischen Revolution und Restauration. Helmut BERDING, Hans-Peter ULLMANN (Hrsg.). Königstein (Ts.), Athenäum; Düsseldorf, Droste, 81, in-8, 423 p. (Athenäum-Droste-Taschenbücher Gesch., 7240).

2726. DITTMANN (Knud). Adenauer und die deutsche Wiedervereinigung. Die polit. Diskussion d. Jahres 1952. Düsseldorf, Droste, 81, in-8, 349 p.

2727. Entwicklungsprobleme einer Region. Das Beispiel Rheinland u. Westfalen im 19. Jh. Von Peter BORSCHEID [u.a.]. Hrsg. v. Fritz BLAICH. Berlin, Duncker u. Humblot, 81, in-8, 276 p. (graph. Darst., Kt.). (Schr. d. Ver. f. Socialpolitik, Ges. f. Wirtschafts- u. Sozialwiss., N.F., 119).

2728. ERDMANN (Karl Dietrich). Vom Scheitern einer Demokratie. Forschungsprobleme zum Untergang d. Weimarer Republic. Gesch. in Wiss. u. Unterr., 81, Jg. 32, p. 65-78.

2729. EVANS (Ellen Lovell). The German center party, 1870-1933 : a study in political catholicism. Carbondale, Southern Illinois U.P., 81, in-8, XI-433 p.

2730. FASSBENDER-ILGE (Monika Hildegard). Liberalismus, Wissenschaft, Realpolitik. Unters. d. "Deutschen Staats-Wörterbuchs" v. Johann Caspar Bluntschli u. Karl Brater als Beitr. z. Liberalismusgesch. zw. 48er Revolution u. Reichsgründung. Frankfurt (Main), R. G. Fischer, 81, in-8, 488 p.

2731. FENSKE (Hans). Der liberale Südwesten. Freiheitl. u. demokrat. Traditionen in Baden u. Württemberg 1790-1933. Stuttgart, Berlin, Köln u. Mainz, Kohlhammer, 81, in-8, 272 p. (graph. Darst.). (Schr. z. polit. Landeskde Baden-Württembergs, 5).

2732. FIELD (Geoffrey G.). Evangelist of race : the Germanic vision of Houston Stewart Chamberlain. New York, Columbia U.P., 81, in-8, X-565 p.

2733. FORSTREUTER (Kurt). Wirkungen des Preussenlandes. 40 Beitr. Köln u. Berlin, Grote, 81, in-8, 446 p. (Ill.). (Stud. z. Gesch. Preussens, 33).

2734. Führerstaat (Der). Mythos und Realität. Studien zur Struktur u. Politik d. Dritten Reiches. Hrsg. v. Gerhard HIRSCHFELD u. Lothar KETTENACKER. Mit e. Einl. v. Wolfgang J. MOMMSEN. Stuttgart, Klett-Cotta, 81, in-8, 465 p. (Veröff. d. Deutsch. Hist. Inst. London, 8)

2735. Geschichte als Schauspiel. Deutsche Geschichtsdramen, Interpretationen. Hrsg. v. Walter HINCK. Frankfurt (Main), Suhrkamp, 81, in-8, 421 p. (Suhrkamp-Taschenbuch, 2006. Materialien).

2736. Geschichte der Deutschen Demokratischen Republik. Hrsg. vom Wissenschaftl. Beirat f. Geschwiss. beim Ministerium f. Hoch- u. Fachschulwesen unter Leitung v. Manfred KOSSOK. Von e. Autorenkollektiv unter Leitung v. Rolf BADSTÜBNER. Berlin, Deutsch. Verl. d. Wiss., 81, in-8, 402 p. (Abb.).

2737. GOLDMANN (Karlheinz). Nürnberger und Altdorfer Stammbücher aus vier Jahrhunderten. Ein Katalog. Zur Erinnerung an d. Errichtung d. Akad. Altdorf im Jahre 1580. Reg. v. Regina EUSEMANN. Nürnberg, Stadtbibl. ; Nürnberg, Edelmann, 81, in-8, XXVI-377 p. (Beitr. z. Gesch. u. Kultur d. Stadt Nürnberg, 22).

2738. GRAFTON (Anthony). Wilhelm von Humbold. Am. Scholar, 81, vol. 50, n° 3, p. 371-381.

2739. GREVEN-ASCHOFF (Barbara). Die bürgerliche Frauenbewegung in Deutschland 1894-1933. Göttingen, Vandenhoeck u. Ruprecht, 81, in-8, 313 p. (Krit. Stud. z. Geschichtswiss., 46)

2740. GUTTSMAN (W.L.). The German Social Democratic Party, 1875-1933. Boston a. London, Allen a. Unwin, 81, in-8, XII-362 p.

2741. HABEDANK (Heinz). Die Reichsbank in der Weimarer Republik. Zur Rolle d. Zentralbank in d. Politik d. deutsch. Imperialismus 1919-1933. Berlin, Akad.-Verl., 81, in-8, 257 p. (Forsch. z. Wirtschaftsgesch., 12)

2742. HATFIELD (Douglas W.). Kulturkampf : the relationship of church and state and the failure of German political reform. J. Church a. State, 81, vol. 23, n° 3, p. 463-484.

2743. HATTENHAUER (Hans). Beamtentum und Literatur im Barockzeitalter. Aus d. Leben Georg Neumarks. Staat, 81, Bd 20, p. 31-53.

2744. HAUPTS (Leo). Wilhelm II., die deutschen Katholiken und die Anfänge der Wilhelminischen Sozialpolitik. Hist. Jb., 81, Jg. 101, p. 130-140.

2745. HENKE (Klaus-Dietmar). Politische Säuberung unter französischer Besatzung. Die Entnazifizierung in Württemberg-Hohenzollern. Stuttgart, Deutsche Verl.-Anst., 81, in-8, 205 p. (Schriftenr. d. Vjhefte f. Zeitgesch., 42).

2746. HERZSTEIN (Robert Edwin). Le parti national-socialiste face à la France : appréciation et propagande dans les institutions du parti, 1939-1945. R. Hist. 2e Guerre mond., 81, a. 31, n° 124, p. 69-96.

2747. HEYL (John D.). The construction of the Westwall, 1938 : an exemplar for national socialist policymaking. Central european Hist., 81, vol. 14, n° 1, p. 63-78.

2748. HOFFMANN (Jochen). Jakob Mauvillon. Ein Offizier u. Schriftsteller im Zeitalter. d. bürgerlichen Emanzipationsbewegung. Berlin, Duncker u. Humblot, 81, in-8, 345 p. (Hist. Forsch., 20).

2749. HOFMANN (Jürgen). Das Ministerium Camphausen-Hansemann. Zur Politik d. preuss. Bourgeoisie in d. Revolution 1848-49. Berlin, Akad.-Verl., 81, in-8, 248 p. (Schr. d. Zentralinst. f. Gesch., 66)

2. HISTORIA POR ESTADOS

2750. HOLZBACH (Heidrun). Das "System Hugenberg". Die Organisation bürgerl. Sammlungspolitik vor d. Aufstieg d. NSDAP. Stuttgart, Deutsche Verl.-Anst., 81, in-8, 350 p. (Stud. z. Zeitgesch., 18).

2751. HÜTTL (Ludwig). Friedrich Wilhelm von Brandenburg. Der Grosse Kurfürst 1620-1688. Eine polit. Biographie. München, Süddeutsch. Verl., 81, in-8, 571 p.

2752. JOHN (Hartmut). Das Reserveoffizierskorps im Deutschen Kaiserreich 1890-1914. Ein sozialgesch. Beitr. z. Unters. d. gesellschaftl. Militarisierung im Wilhelminischen Deutschland. Frankfurt (Main) u. New York, Campus, 81, in-8, 602 p. (Campus Forsch., 224).

2753. JOHN (Jürgen). Verbandspolitik und Rechtsentwicklung 1922-1926. Zur polit. Rolle d. Spitzenverbände d. deutsch. Monopolkapitals in d. Weimarer Republik. Jb. f. Gesch., 81, Bd 24, p. 127-173.

2754. KAGENECK (Alfred Graf von). Das Ende der vorderösterreichischen Herrschaft im Breisgau. Der Breisgau v. 1740 bis 1815. Freiburg (Breisgau), Rombach, 81, in-8, 235 p. (Ill., Kt.).

2755. KATER (Michael H.). Hitler in a social context. Central european Hist., 81, vol. 14, n° 3, p. 243-272.

2756. KISTE (John Van Der). Frederick III. Gloucester, A.J. Sutton, 81, in-8, 240 p. (ill.).

2757. KÖNNEMANN (Erwin), KRUSCH (Hans-Joachim). März 1920. Arbeiterklasse vereitelt Kapp-Putsch. Berlin, Dietz, 81, in-8, 246 p. (Abb.).

2758. KÖVICS (Emma). A Páneurópa-mozgalom fogadtatása Németországban 1924-1932. (Die Rezeption der Paneuropa-Bewegung in Deutschland.) Tört. Szle, 81, vol. 24, n° 3, p. 360-384.

2759. KOSTHORST (Erich). Zeitgeschichte und Zeitperspektive. Nationalsozialismus, Widerstand, Einheit d. Nation im Geschichtsbewusstsein d. Bundesrepublik Deutschland. Mit e. Einl. hrsg. v. Karl-Ernst JEISMANN. Paderborn, Schöningh, 81, in-8, 197 p.

2760. KRASUSKI (Jerzy). Historia R[epubliki] F[ederalnej] N [iemiec]. (Histoire de la République Fédérale d'Allemagne.) Warszawa, Książka i Wiedza, 81, in-8, 593 p.

2761. KRÜGER (Peter). Das Reparationsproblem der Weimarer Republik in fragwürdiger Sicht. Krit. Überlegungen z. neuesten Forsch. Vjhefte f. Zeitgesch., 81, Jg. 29, p. 21-47.

2762. LEUSCHEN-SEPPEL (Rosemarie). Zwischen Staatsverantwortung und Klasseninteresse. Die Wirtschafts- u. Finanzpolitik d. SPD z. Zeit d. Weimarer Republik unter bes. Berücks. d. Mittelphase 1924-1928/29. Bonn, Neue Ges., 81, in-8, XX-312 p. (Reihe Politik- u. Gesellschaftsgesch., 9).

2763. LORENZ (Ina Susanne). Eugen Richter. Der entschiedene Liberalismus in Wilhelminischer Zeit 1871-1906. Husum, Matthiesen, 81, in-8, 264 p. (Hist. Stud., 433).

2764. MEL'NIKOV (D.E.), ČERNAJA (L.B.). Prestupnik nomer I. Nacistskij režim i ego fjurer. (Criminal number 1. The Nazi regime and its Führer.) Moskva, Izd-vo APN, 81, 432 p. (4 p. ill.).

2765. MEYER (Manfred). Die Haltung der Vertreter der Freien und Reichsstädte auf den Reichstagen von 1521 und 1526. Jb. f. Gesch. d. Feudalismus, 81, Bd 5, p. 181-235.

2766. MIKULSKI (Jan). Medycyna hitlerowska w służbie III Rzeszy. (La médecine nazie au service du IIIe Reich.) Warszawa, Państw. Wydawn. Nauk., 81, in-8, 217 p.

2767. MIROW (Jürgen). Das alte Preussen im deutschen Geschichtsbild seit der Reichsgründung. Berlin, Duncker u. Humblot, 81, in-8, 401 p. (Hist. Forsch., 18).

2768. Moderne preussische Geschichte, 1648-1947. Eine Anthologie. Bearb. u. hrsg. v. Otto BÜSCH u. Wolfgang NEUGEBAUER. 1-3. Berlin u. New York, de Gruyter, 81, 3 vol. in-8, XXXII-506 P. ; XII p., p. 510-1213 ; XII p., p. 1218-1764. (Veröff. d. Hist. Komm. zu Berlin, 52).

2769. MOHRMANN (Wolf-Dieter). Braunschweigische Kabinetts-Orders. Archival. Z., 80, Bd 76, p. 57-68.

2770. MURRAY (Williamson). The German response to victory in Poland : a case study in professionalism. Armed Forces a. Soc., 80, vol. 7, n° 2, p. 285-298.

2771. NEEBE (Reinhard). Grossindustrie, Staat und NSDAP 1930-1933. Paul Silverberg u. d. Reichsverb. d. Deutsch. Industrie in d. Krise d. Weimarer Republik. Göttingen, Vandenhoeck u. Ruprecht, 81, in-8, 314 p. (Krit. Stud. z. Geschichtswiss., 45).

2772. NÉMETH (István). Az 1932-es poroszországi államcsíny. (Le coup d'Etat en Prusse, juin 1932.) Párttört. Közl., 81, vol. 27, n° 1, p. 148-182.

2773. NIEWYK (Donald L.P.). Jews in Weimar Germany. Manchester, U.P., 81, in-8, 237 p. [Am. ed. Cf. Bibl. 80, n° 2889.]

2774. ORLOVA (M.I.). Nojabr'skaja revolucija v Germanii v osveščenii buržuaznoj i social-reformistskoj istoriografii FRG. (The November Revolution in Germany as presented by the bourgeois and social-reformist historiography of the FRG.) Nov. novejš. Ist., 81, n° 6, p. 33-53.

2775. ORR (William J.). Jr. East Prussia and the revolution of 1848. Central european Hist., 80, vol. 13, n° 4, p. 303-331.

2776. PÄTZOLD (Kurt), WEISSBECKER (Manfred). Hakenkreuz und Totenkopf. Die Partei d. Verbrechens. Berlin, Deutsch. Verl. d. Wiss., 81, in-8, 429 p. (Abb., Kt.).

2777. PETRI (Franz). Herzog Heinrich der Jüngere von Braunschweig-Wolfenbüttel. Ein niederdeutsch. Territorialfürst im Zeitalter Luthers und Karls V. Arch. f. Reformationsgesch. 81, Jg. 72, p. 122-158.

2778. Politische Strömungen in Niedersachsen im ausgehenden 19. Jahrhundert. Vorträge auf d. Tagung d. Hist. Komm. f. Niedersachsen u. Bremen in Bückeburg am 24./25. Mai 1979. 1 :

HAMANN (Manfred). Politische Kräfte und Spannungen in der Provinz Hannover um 1880, p. 1-39. - 2 : ASCHOFF (Hans-Georg). Die welfische Bewegung und die Deutsch-hannoversche Partei zwischen 1866 und 1914, p. 41-64. - 3 : BARMEYER (Heide). Die hannoverschen Nationalliberalen 1859-1885, p. 65-85. - 4 : GREBING (Helga). Zur Geschichte der Arbeiterbewegung in Niedersachsen 1866-1885, p. 65-85. 5 : POSCHMANN (Brigitte). Politische Strömungen in Schaumburg-Lippe von der 48er Revolution bis zum Ende der Monarchie, p. 107-138. Niedersächs. Jb. f. Landesgesch., 81, Bd 53, p. 1-138.

2779. Preussenbild (Das) in der Geschichte. Protokoll e. Symposions. Bearb. u. hrsg. v. Otto BÜSCH. Mit Beitr. v. Udo ARNOLD [u.a.]. Berlin u. New York, de Gruyter, 81, in-8, XXIV-292 p. (Veröff. d. Hist. Komm. zu Berlin, 50. Forsch. z. preuss. Gesch.).

2780. PRIGNITZ (Christoph). Vaterlandsliebe und Freiheit. Deutscher Patriotismus von 1750-1850. Wiesbaden, Steiner, 81, in-8, 221 p.

2781. RESMINI (Bertram). Juden am Mittelrhein im 16. Jahrhundert. Jb. f. westdeutsche Landesgesch., 81, Jg. 7, p. 75-104.

2782. REUSS (Martin). The disgrace and fall of Carl Peters : morality, politics, and Staatsräson in the time of Wilhelm II. Central european Hist., 81, vol. 14, n° 2, p. 110-141.

2783. Revolution and evolution 1848 in German-Jewish history. Ed. by Werner E. MOSSE. Tübingen, Mohr, 81, in-8, XII-431 p. (Schriftenreihe wiss. Abh. d. Leo-Baeck-Inst., 39).

2784. ROGALLA VON BIEBERSTEIN (Johannes). Preussen als Deutschlands Schicksal. Ein dokumentarischer Essay über Preussen, Preussentum, Militarismus, Junkertum u. Preussenfeindschaft. München, Minerva, 81, in-8, 194 p.

2785. RÜDEL (Holger). Briefe und Tagebücher aus Kriegen des 19. Jahrhunderts. Notizen zu e. Sammlung in d. Universitätsbibl. Kiel. Z. d. Ges. f. schleswig-holstein. Gesch., 81, Bd 106, p. 295-298.

2786. RÜGER (Adolf). Die kolonialen Bestrebungen der imperialistischen deutschen Bourgeoisie und ihre Reaktion auf Forderungen nach Freiheit für Afrika 1917-1933. Jb. f. Gesch., 81, Bd 24, p. 241-282.

2787. RUPPERT (Wolfgang). Bürgerlicher Wandel. Stud. z. Herausbildung e. nationalen deutsch. Kultur im 18. Jh. Frankfurt (Main) u. New York, Campus, 81, in-8, 214 p. (Campus-Forsch., 194).

2788. SAGARRA (Eda). Introduction to 19th century Germany. London, Longman, 81, in-8, 324 p.

2789. SALMONOWICZ (Stanisław). Fryderyk II. (Frédéric II.) Wrocław, Zakł. Narod. im. Ossolińskich, 81, in-8, 243 p.

2790. SCHEER (Friedrich-Karl). Die Deutsche Friedensgesellschaft, 1892-1933. Organisation, Ideologie, politische Ziele. Ein Beitr. z. Gesch. d. Pazifismus in Deutschland. Frankfurt (Main), Haag u. Herchen, 81, in-8, X-665 p.

2791. SCHILLING (Heinz). Konfessionskonflikt und Staatsbildung. Eine Fallstudie über d. Verhältnis v. religiösem u. sozialem Wandel in d. Frühneuzeit am Beisp. d. Grafschaft Lippe. Gütersloh, Gütersloher Verl.-Haus Mohn, 81, in-8, 443 p. (Quellen u. Forsch. z. Reformationsgesch., 48).

2792. SCHMIDT (Dorothea). Die preussische Landwehr. Ein Beitr. z. Gesch. d. allgemeinen Wehrpflicht in Preussen zwischen 1813 u. 1830. Berlin, Militärverl. d. DDR, 81, in-8, 251 p. (Militärhist. Studien, 21).

2793. SCHRÖCKER (Alfred). Die Patronage des Lothar Franz von Schönborn (1655-1729). Sozialgesch. Studie zum Beziehungsnetz in d. Germania Sacra. Wiesbaden, Steiner, 81, in-8, 215 p. (Beitr. z. Gesch. d. Reichskirche in der Neuzeit, 10).

2794. SCHULTE (Dieter). Die Monopolpolitik des Reichskolonialamts in der "Ära Dernburg" 1906-1910. Zu frühen Formen d. Funktionsmechanismus zwischen Monopolkapital u. Staat. Jb. f. Gesch., 81, Bd 24, p. 7-39.

2795. SCHULZE (Gerhard). Schwerindustrie und Arbeiterbewegung am Vorabend des Sozialistengesetzes. Zur Rolle d. Grosskapitals bei d. Durchsetzung d. Politik d. Ausnahmegesetzgebung. Jb. f. Gesch., 81, Bd 22, p. 51-110.

2796. SCHULZE (Hagen). Preussen - Bilanz eines Versuchs. Gesch. in Wiss. u. Unterr., 81., Jg. 32, p. 649-663.

2797. ŠEDOVÁ (Věra). Deset let bojů pokrokových sil v NSR. (Zehn Jahn Jahre Kämpfe der progressiven Kräfte in Bundesrepublik Deutschland.) Essen 1969 - Mannheim 1978. Praha, Horizont, 80, in-8, 176 p.

2798. SEEBER (Gustav), WOLTER (Heinz). Mit Eisen und Blut. Die preuss.-dt. Reichsgründung von 1870/71. Berlin, Dietz, 81, 243 p. (Abb., Kt.). (Schriftenreihe Geschichte).

2799. SHANAHAN (William O.). A neglected source of German nationalism : the Confederation of the Rhine, 1806-1813. In : Nationalism [Cf. n° 431], p. 103-130.

2800. SHEEHAN (James J.). What is German history ? Reflections on the role of the nation in German history and historiography. J. mod. Hist., 81, vol. 53, n° 1, p. 1-23.

2801. SHOWALTER (Dennis E.). The eastern front and German military planning, 1871-1914 : some observations. East european Quar., 81, vol. 15, n° 2, p. 163-180.

2802. SMITH (Woodruff), TURNER (Sharon A.). Legislative behavior in the German Reichstag, 1898-1906. Central european Hist., 81, vol. 14, n° 1, p. 3-29.

2803. STACHE (Christa). Bürgerlicher Liberalismus und katholischer Konservativismus in Bayern 1867-1871. Kulturkämpferische Auseinandersetzungen vor d. Hintergrund v. nationaler Einigung u. wirtschaftlich-sozialem Wandel. Frankfurt (Main) u. Bern, Lang, 81, in-8, 197 p. (Europ. Hochschulschr., Reihe 3 : Gesch. u. ihre Hilfswiss., 148)

2804. STACHURA (Peter D.). The German youth movement, 1900-1945 : an interpretative and documentary history. New York, St. Martin's Press, 81, in-8, X-246 p.

2805. STACKELBERG (Roderick). Idealism debased : from völkisch ideology to National Socialism. Kent, Ohio, Kent State U.P., 81, in-8, XIII-202 p.

2806. STARK (Gary D.). Entrepreneurs of ideology : neo-conservative publishers in Germany, 1890-1933. Chapel Hill, Univ. of North Carolina Press, 81, in-8, XII-327 p.

2807. STEPHENSON (Jill). The nazi organization of women. Totowa, N.J., Barnes a. Noble, 81, in-8, 246 p.

2808. STRIESOW (Jan). Die Deutschnationale Volkspartei und die Völkisch-Radikalen 1918-1922. Bd 1, 2. Frankfurt (Main), Haag u. Herchen, 81, 2 vol. in-8, VI-476 p., p. 479-775.

2809. SYDOW (Jürgen). Przejawy sympatii i poparcia dla Polaków w Tybindze w 1831/1832 roku. (Les manifestations de sympathie et de soutien envers les Polonais à Tübingen en 1831/1832.) Zap. hist., 81, vol. 46, n° 3, p. 101-118.

2810. TALLGREN (Vappu). Hitler und die Helden. Heroismus und Weltanschauung. Helsinki, Suomalainen Tiedeakatemia, 81, in-8, 278 p. (Diss. hum. litt., 29)

2811. TENNSTEDT (Florian). Sozialgeschichte der Sozialpolitik in Deutschland. Von 18. Jh. bis z. Ersten Weltkrieg. Göttingen, Vandenhoeck u. Ruprecht, 81, in-8, 240 p. (Kleine Vandenhoeck-R., 1472).

2812. THADDEN (Rudolf von). Fragen an Preussen. Zur Gesch. e. aufgehobenen Staates. München, Beck, 81, in-8, 191 p. (Kt.).

2813. VINOGRADOV (V.N.). Politiçeskaja "seredina" v Vejmarskoj respublike i obrazovanie Nemeckoj gosudarstvennoj partii. (Political centrism in the Weimar Republic and the formation of the Reichspartei.) Vopr. Ist., 81, n° 12, p. 81-97.

2814. WALKER (Mack). Johann Jacob Moser and the Holy Roman Empire of the German Nation. Chapel Hill, Univ. of North Carolina Press, 81, in-8, XI-364 p.

2815. WALTER (Jürgen). Wilhelmine von Bayreuth. Die Lieblingsschwester Friedrichs d. Grossen. Biographie. München, Nymphenburger Verl.-Anst., 81, in-8, 359 p. (44 Ill.).

2816. WARD (James J.). "Smash the fascists ..." German communist efforts to counter the nazis, 1930-1931. Central european Hist., 81, vol. 14, n° 1, p. 30-62.

2817. WEGERT (Karl H.). Patrimonial rule, popular self-interest, and jacobinism in Germany, 1763-1800. J. mod. Hist., 81, vol. 53, n° 3, p. 440-467.

2818. WINTERHAGER (Friedrich). Bauernkriegsforschung. Darmstadt, Wiss. Buchges., 81, in-8, XV-224 p. (Erträge d. Forsch., 157).

2819. WURTZBACHER-RUNDHOLZ (Ingrid). Verfassungsgeschichte und Kulturpolitik bei Dr. Theodor Heuss bis zur Gründung der Bundesrepublik Deutschland durch den Parlamentarischen Rat 1948/49. Mit Dokumentanh. Frankfurt (Main) u. Bern, Lang, 81, in-8, 246 p. (Europ. Hochschulschr., Reihe 3 : Gesch. u. ihre Hilfswiss., 152).

2820. ZUCKER (Stanley). German women and the revolution of 1848 : Kathinka Zitz-Halein and the Humania association. Central european Hist., 80, vol. 13, n° 3, p. 237-254.

Cf. n°s 3252, 5913, 5921.

Argentina.

2821. BADURA (Bohumil). K historii prvních spolku ceských a slovenských vystehovalcu v Argentine. (Zur Geschichte d. ersten Bünde d. tschechischen u. slowakischen Auswanderer in Argentinien.) Sborn. k Problem. Děj. Imper. 81, vol. 11, p. 279-332.

2822. GRAHAM-YOOLL (Andrew). The forgotten colony, history of the English speaking communities in Argentina. London, Hutschinson, 81, in-8, 322 p.

2823. LYNCH (John). Argentine dictator : Juan Manuel de Rosas, 1829-1852. London a. New York, Oxford U.P., 81, in-8, 414 p. [Cf. n° 4823.]

2824. POTTER (Anne L.). The failure of democracy in Argentina 1916-1930 : an institutional perspective. J. latin am. Stud., 81, vol. 13, p. 83-109.

Australia.

2825. CLARK (C.M.H.). History of Australia. Vol. 5 : The people make laws, 1888-1915. Melbourne, U.P., 81, in-8, 464 p. [Vol. 2. Cf. Bibl. 68-69, n° 9427.]

2826. NAIRN (Bede), SERLE (Geoffrey). The Australian dictionary of biography. Vol. 8 : 1891-1939, CL-GIB. Melbourne, U.P.; London, Europa Publ., 81, in-8, XXIV-660 p.

Austria (Austria-Hungría).

* 2827. HOLMES (Blair R.). The Habsburg empire and historical sources in the genealogical library of the Church of Jesus Christ of Latter-Day Saints [Salt Lake City, Utah]. Austrian Hist. Y.B., 79-80, vol. 15-16, p. 169-180.

* Cf. n° IV.

** 2828. Dokumentation zur österreichischen Zeitgeschichte 1955-1980. Hrsg. v. Peter EPPEL u. Heinrich LOTTER. Wien u. München, Jugend u. Volk, 81, in-8, 622 p.

** 2829. HAMMERSTEIN (Hans v.). Im Anfang war der Mord. Erlebnisse als Bezirkshauptmann v. Braunau am Inn u. als Sicherheitsdirektor v. Oberösterreich in d. Jahren 1933 u. 1934. Hrsg. v. Harry SLAPNICKA. Wien, Verl. f. Gesch. u. Politik, 81, in-8, 144 p. (Studien u. Quellen zur österr. Zeitgesch., 3).

** 2830. Protokolle (Die) des österreichischen Ministerrates 1848-1867. 5. Abt. : Die Ministerien Erzherzog Rainer und Mensdorf. Bd 2 : 1. Mai 1861 bis 2. Nov. 1861. Bearb. von Stefan MALFER. Mit e. Vorwort v. Gerald STOURZH. Wien, Österr. Bundesverlag, 81, in-8, XLVI-536 p.

2831. AICHELBURG (Wladimir). Die Unterseebote Österreich-Ungarns. Bd 1, 2. Graz, Akad. Druck- u. Verl.-Anst., 81, 2 vol. in-4, 246 p., p. 247-517 (ill.).

2832. ALTFAHRT (Margit). Die politische Propaganda für Maximilian II. [1. Teil. Cf. Bibl. 80, n° 2949.] 2. Teil. Mitt. d. Inst. f. österr. Gesch.-Forsch., 81, Bd 89, p. 53-92.

2833. BOYER (John W.). Political radicalism in late imperial Vienna : origins of the christian social movement, 1848-1897. Chicago, Univ. of Chicago Press, 81, in-8, XVI-577 p.

2834. BRUSCHEK-KLEIN (Brigitte). Ernst von Pleners Weg in die Politik. Mitt. d. Inst. f. österr. Gesch.-Forsch., 81, Bd 89, p. 287-334.

2835. Kärntens Volksabstimmung 1920. Wissenschaftl. Kontroversen u. hist.-polit. Diskussionen anlässlich d. internat. Symposions Klagenfurt 1980. Klagenfurt, Kärntner Druck- u. Verl.-Anst., 81, in-8, 434 p.

2836. KOCH (Rudolf). Das Kriegsgefangenenlager Sigmundsherberg 1915-1919. Wien, Verband d. wiss. Ges. Österreichs, 81, in-8, 469 p. (Diss. d. Univ. Wien, 151).

2837. KRIECHBAUMER (Robert). Österreichs Innenpolitik 1970-1975. München, Oldenbourg ; Wien Verl. f. Gesch. u. Politik, 81, in-8, XII-453 p. (Österr. Jb. f. Politik, Sonderbd 1).

2838. MERÉNYI (László). Pisztolylövés Bécsben. Friedrich Adler merénylete a kormányfő ellen. (Coup de pistolet à Vienne. L'attentat de Friedrich Adler contre le chef du gouvernement.) Budapest, Kossuth Kiadó, 81, in-8, 203 p. (ill.). (Népszerü történelem).

2839. NEUMANN (Hans-Bernhard). The impact of the counter-reformation on the Styrian estates, 1578-1628. Austrian Hist. Y.B., 79-80, vol. 15-16, p. 47-59.

2840. ORTON (Lawrence Dawid). Amerykańscy historycy wobec zagadnień wielonarodowściowej monarchii habsburskiej (1526-1918). (Les historiens américains face aux questions de la monarchie multinationale des Habsbourg 1526-1918.) Studia hist., 81, a. 24, n° 3, p. 471-494. [Publications des années 1908-1978].

2841. Osvoboditel'noe dviženie narodov Avstrijskoj imperii. Period utverždenija kapitalizma. (The liberation movement of the peoples of the Austrian Empire in the period of strengthening capitalism.) Redkol. : V.I. FREJDZON (otv. red.) i dr. Moskva, Nauka, 81, 464 p. (maps). (AN SSSR. In-t slavjanovedenija i balkanistiki. Nauč. sovet po kompleks. probl. slavjanovedenija i balkanistiki).

2842. PAULEY (Bruce F.). Hitler and the forgotten nazis : a history of Austrian national socialism. Chapel Hill, Univ. of North Carolina Press, 81, in-8, XXI-292 p.

2843. Politik und Gesellschaft im alten und neuen Österreich. Festschrift f. Rudolf Neck zum 60. Geburtstag. Hrsg. v. Isabella ACKERL, Walter HUMMELBERGER u. Hans MOMMSEN. Bd 1, 2. Wien, Verl. f. Gesch. u. Politik, 81, 2 vol. in-8, 448, 400 p.

2844. RAINER (Johann). Storia e vita culturale in Austria. Roma, Bulzoni, 81, in-8, 250 p.

(tav.). (Bibl. di Cult., 204).

2845. ROMANO (Salvatore Francesco). La monarchia degli Absburgo d'Austria dalla riforma protestante all'austromarxismo. Momenti e problemi di un profilo storico. Udine, Del Bianco, 81, in-8, 325 p. (tav.). (Civ. del Risorg., 10).

2846. SKED (Alain). Historians, the nationality question and the downfall of the Habsburg empire. Trans. Roy. hist. Soc., 81, vol. 31, p. 175-193.

2847. SOKOL (Hans Hugo). Des Kaisers Seemacht. Die k. k. österr. Kriegsmarine 1848 bis 1914. Wien u. München, Amalthea, 80, in-8, 333 p. (Gesch. d. k. u. k. Kriegsmarine, Bd 2 [T. 2. Cf. Bibl. 66, n° 3652.] T. 3).

2848. STIEFEL (Dieter). Entnazifizierung in Österreich. Wien, München u. Zürich, Europaverl., 81, in-8, 339 p.

2849. Von der Glückseligkeit des Staates. Staat, Wirtschaft u. Gesellschaft in Österreich im Zeitalter d. aufgeklärten Absolutismus. Hrsg. v. Herbert MATIS. Berlin, Duncker u. Humblot, 81, in-8, 558 p.

2850. WILLIAMS (Maurice). Aid, assistance, and advice : German nazis and the Austrian Hilfswerk. Central european Hist., 81, vol. 14, n° 3, p. 230-242.

2851. ZACHAR (József). Az osztrák-német liberális Alkotmánypárt és a politikai hatalom, 1861-1881. (Le parti constitutionnel libéral austro-allemand et le pouvoir politique.) Budapest, Akad. Kiadó, 81, in-8, 350 p.

Cf. n°s 3737, 3889, 6892.

Bélgica.

* Cf. n° V.

2852. HASQUIN (Hervé). Historiographie et politique. Essai sur l'histoire politique de Belgique et la Wallonie. Charleroi, Inst. Jules Destrée, 81, in-8, 138 p.

2853. NICHOLAS (Alison). Elisabeth, Queen of the Belgians, her life and times. London, New Horizon, 81, in-8, 274 p.

Bolivia.

2854. KELLEY (Jonathan), KLEIN (Herbert S.). Revolution and the rebirth of inequality : a theory applied to the national revolution in Bolivia. Berkeley a. Los Angeles, Univ. of California Press, 81, in-8, XVI-279 p.

Brasil.

2855. BARMAN (Roderick J.). Business and government in imperial Brazil : the experience of Viscount Mauá. J. latin am. Stud., 81, vol. 13, p. 239-264.

2856. CONNIFF (Michael L.). Urban politics in Brazil : the rise of populism, 1925-1945. Pittsburgh, Penn., Univ. of Pittsburgh Press, 81, in-8, XIX-227 p. (Pitt Latin Am. Ser.).

2857. DULLES (John W.F.). President Castello Branco : Brazilian reformer. College Station, Texas A. a. M. U.P., 80, in-8, IX-557 p.

2858. FLORY (Thomas). Judge and jury in imperial Brazil, 1808-1871 : social control and political stability in the new state. Austin, Univ. of Texas Press, 81, in-8, XIII-268 p. (Latin Am. Monographs, 53).

2859. HENDRICKS (Craig), LEVINE (Robert M.). Pernambuco's political elite and the Recife law school. Americas, 81, vol. 37, n° 3, p. 291-314.

2860. KALMYKOV (N.P.). Diktatura Vargasa i brazil'skij rabočij klass. Rabočaja politika brazil. pravitel'stava v 1930-1945 gg. (Vargas' dictatorship and the Brazilian working class. Brazilian government's labour policy in 1930-1945.) Moskva, Nauka, 81, 230 p. (AN SSSR. In-t vesobšč. istorii).

2861. KULA (Marcin). Polonia brazylijska. (L'émigration polonaise au Brésil.) Warszawa, Lud. Spółdz. Wydawn., 81, in-8, 230 p.

2862. MORAN (Emilio F.). Developing the Amazon. Bloomington, Indiana U.P., 81, in-8, XVII-292 p.

2863. PASTUKHOV (D.A.), SOSNOVSKIJ (A.A.). Političeskie partii Brazilii v period "liberalizacii". (Political parties of Brazil during the "libealization".) Lat. Am., 81, n° 3, p. 48-60.

2864. URICOECHEA (Fernando). The patrimonial foundation of the Brazilian bureaucratic state. Berkeley a. Los Angeles, Univ. of California Press, 80, in-8, XVII-233 p.

Bulgaria.

* Cf. n° VI.

2865. GROZDANOVA (Elena). Contemporary Bulgarian historiography (1971-1980) on the impact of Ottoman rule on the development of the Bulgarian people during the period from the 15th through the 18th century. Bulg. hist. R., 81, a. 9, n° 4, p. 68-85.

2866. PANDEV (Konstantin). Prémisses et formation de l'Organisation révolutionnaire intérieure de la Macédoine et de la région d'Andrinople. Bulg. hist. R., 81, a. 9, n°ˢ 1-2, p. 66-83.

Cf. n° 4081.

Canadá.

* 2867. AUBIN (Paul). Bibliographie de l'histoire du Québec et du Canada, 1966-1975. Avec la collab. de Paul André LINTEAU. Québec, Inst. québécois de recherche sur la culture, 81, 2 vol. in-8, XXIII-1430 p.

* Cf. n° VII.

** 2868. Debates of the Legislative Assembly of United Canada, 1841-1867. [Vol. 10. Cf. Bibl. 78-79, n° 3377.] Vol. 11 : 1852-1853. Publ. under the direction of the Centre d'étude du Québec and the Centre de recherche en histoire économique du Canada français. General ed. : Elizabeth GIBBS. Montréal, Centre de recherche en hist. écon. du Canada français, 80-82, 4 vol.

in-8, 3756 p.

2869. ARCHER (John H.). Saskatchewan, a history, for the Saskatchewan Archives Board. Saskatoon, Western Producer Prairie Books, 80, in-8, 422 p. - CR : W. J. C. Cherwinski, Canad. hist. R., 81, vol. 62, p. 549-551. D.E. Smith, Sask. Hist., 81, vol. 34, p. 115-117.

2870. BOTHWELL (Robert), DRUMMOND (Ian), ENGLISH (John). Canada since 1945 : power, politics and provincialism. Toronto, Univ. Pres, 81, in-8, XIII-489 p. - CR : R. Cook, Canad. hist. R., 81, vol. 62, p. 336-337. J. Woods, Canad. J. pol. Sci., 81, vol. 14, p. 837-838. W. Young, Int. J., 81-82, vol. 37, p. 176-178.

2871. Bibl. 80, n° 3018. HORN (Michiel). The League for Social Reconstruction. - CR : D.R. Owram, Canad. hist. R., 81, vol. 62, p. 334-335.

2872. Problemy istoriografii Kanady. (Problems of the historiography of Canada.) Sb. Pod red. V.A. TIŠKOVA. Moskva, Nauka, 81, 311 p. (AN SSSR. In-t všeobšč. istorii).

2873. ROY (Michel). L'Acadie, des origines à nos jours : essai de synthèse historique. Montréal, Québec/Amérique, 81, in-8, 340 p.

Chile.

* 2874. Fichero bibliográfico (1979-1980). Historia [Santiago de Chile], 81, n° 16, p. 383-440.

* 2875. RAMÍREZ RIVERA (Hugo Rodolfo). Indice general de la revista Historia (1961-1980). Historia [Santiago de Chile], 81, n° 16, p. 269-333.

2876. BARNARD (Andrew). Chilean communists, radical presidents and Chilean relations with the United States. J. latin am. Stud., 81, vol. 13, p. 347-374.

Cf. n° 320.

Colombia.

2877. OQUIST (Paul). Violence, conflict, and politics in Colombia. New York, Academic Press, 80, in-8, XIV-263 p. (Stud. in Soc. Discontinuity.)

Costa Rica.

2878. ROSENBERG (Mark B.). Social reform in Costa Rica : social security and the presidency of Rafael Angel Calderón. Hisp. am. hist. R., 81, vol. 61, n° 2, p. 278-296.

Cuba.

2879. HALPERIN (Maurice). The taming of Fidel Castro. Berkeley a. Los Angeles, Univ. of California Press, 81, in-8, X-345 p.

2880. MACEWAN (Arthur). Revolution and economic development in Cuba. New York, St. Martin's Press, 81, in-8, XVI-265 p.

2881. Studia Latino-americana. - Latin-amerikai tanulmányok. Vol. XI. Red. (Sándor) GYIMESI. Szeged, 80, in-8, 66 p. (acta Univ. szegediensis. Acta hist., 68) [Contient : TÓTH (Ágnes). El veguero en la historia de Cuba, p. 3-16. - ANDERLE (Ádám). Los comienzos del movimiento obrero cubano, p. 17-32. - KUKOVECZ (György). Democracia, antiimperialismo y antifascismo en la política de los comunistas cubanos, 1935-1944, p. 33-46. - TORO (Carlos del). Les problemas fundamentales del pueblo cubano en "la historia me absolverá", p. 47-52. -KOLLÁR (Zoltán). Sobre las bases económicas de la revolución cubana. Contradicciones en la economía cubana en los años 1950. p. 53-65.]

Egipto.

2882. BELJAEV (I.P.), PRIMAKOV (E.M.). Egipet vremja prezidenta Nasera. (Egypt : the presidency of Nasser.) '2-e izd., ispr. i dop. Moskva, Mysl', 81, 368 p. (portr., 4 p. ill.).

2883. CRECELIUS (Daniel). The roots of modern Egypt : a study of the regimes of 'Ali Bey al-Kabir and Muhammad Bey al-Dhahab, 1760-1775. Chicago, Bibliotheca Islamica, 81, in-8, XII-201 p. (Stud. in Middle Eastern Hist., 6).

Ecuador.

2884. DELER (Jean-Paul). La genèse de l'espace équatorien. Essai sur le territoire et la formation de l'Etat national. Lima, Institut franç. d'études andines ; Paris, A.D.P.F., 81, in-4, 279 p. (ill., pl.). (Recherche sur les Civilisations, Synthèse, 4).

2885. VAN AKEN (Mark). The lingering death of Indian tribute in Ecuador. Hisp. am. hist. R., 81, vol. 61, n° 3, p. 429-460.

España.

2886. CAMARERO GONZÁLEZ (Arturo). Características generales, objectivos y adversarios del movimiento estudiantil madrileño bajo el franquismo. R. int. Sociol., 81, t. 39, p. 415-466.

2887. CARR (Raymond). Modern Spain, 1875-1980. London, Oxford U.P., 81, in-8, 220 p. (Opus Bks.).

2888. CROWLEY (Christopher J.). Luces and hispanidad : nationalism and modernization in eighteenth-century Spain. In : Nationalism [Cf. n° 431], p. 87-102.

2889. FERNÁNDEZ VARGAS (Valentina). La resistencia interior en la España de Franco. Madrid, Istmo, 81, in-8, 320 p. - EADEM. La resistencia democrática a Franco : un intento de cuantificar los hechos. R. int. Sociol., 81, t. 39, p. 467-485.

2890. GEISLER (Eberhard). Geld bei Quevedo. Zur Identitätskrise d. spanischen Feudalges. im frühen 17. Jh. Frankfurt (Main), Bern u. Cirencester, Lang, 81, in-8, 216 p. (Europ. Hochschulschr. Reihe 24 : Ibero-roman. Sprachen u. Literaturen, 11).

2891. HALICZER (Stephen). The comuneros of Castile : the forging of a revolution, 1475-1521. Madison, Univ. of Wisconsin Press, 81, in-8, IX-305 p.

2892. HARSÁNYI (Iván). A Spanyol Kommunista Párt helyzetértékelése a köztársaság leverése utáni hónapokban, 1939. március - augusztus. (L'évaluation de la situation du Parti Communiste Espagnol dans les mois suivant la défaite de la République, mars-août 1939.) Párttört. Közl., 81, vol. 27, n° 1, p. 81-109.

2893. HEADRICK (Daniel R.). Ejército y política en España (1866-1898). Madrid, Tecnos, 81, in-8, 293 p.

2894. HERMET (Guy). Les catholiques dans l'Espagne franquiste. [1. Cf. Bibl. 80, n° 3038.] 2 : Chronique d'une dictature. Paris, Presses de la Fondation nat. des Sci. pol., 81, in-8, 452 p.

2895. JAGO (Charles). Habsburg absolutism and the Cortes of Castile. Am. hist. R., 81, vol. 86, n° 2, p. 307-327.

2896. MERINO-NAVARRO (José Patricio). La armada española en el siglo XVIII. Madrid, Fundación Univ. Española, 81, in-8, 438 p.

2897. MILHOU (Alain). Sufficientia. Les notions d'autosuffisance et de dépendance dans la pensée politique espagnole au XVIe siècle : de la Castille des "comuneros" au Pérou colonial. Mél. Casa de Velázquez, 81, t. 17, p. 105-145.

2898. NECKÁŘOVÁ (Libuše). Úkoly buržoazně demokratické revoluce a předpoklady vzniku lidové fronty ve Španělsku. (Tasks of the bourgeois-democratic revolution and prerequisites of the creation of the people's front in Spain.) Sborn. k Problem. Děj. Imper. 81, vol. 10, p. 107-272.

2899. PLAZA SANTIAGO (Ascensión de la). Cartas del duque de Alba a Carlos V. Cuad. Invest. hist., 81, t. 5, p. 135-179.

2900. QUATREFAGES (René). Etat et armée en Espagne au début des temps modernes. Mél. Casa de Velázquez, 81, t. 17, p. 85-103.

2901. ROS (Antonio). Los gobiernos españoles desde la pérdida de las colonias hasta la caída de Alfonso III. Barcelona, Grijalba, 81, in-8, 268 p.

2902. SAURÍN DE LA IGLESIA (María Rosa). Poder económico y represión ideológica en Galicia (1827-1841). Nota sobre un clima social. Hispania [Madrid], 81, t. 41, p. 5-15.

2903. STRADLING (R.A.). Europe and the decline of Spain. London, Allen a. Unwin, 81, in-8, 224 p.

2904. SUERO ROCA (M. Teresa). Militares republicanos de la guerra de España. Barcelona, Ed. Península, 81, in-8, 364 p. (Temas de hist. y política contemp., 11).

2905. TEMIME (Emile), BRODER (Albert), CHASTAGNARET (Gérard). Histoire de l'Espagne contemporaine, de 1808 à nos jours. Paris, Aubier Montaigne, 79, in-8, 317 p. (carte). (Coll. historique).

2906. URQUIJO Y GOITIA (José Ramón de). La milicia como instrumento de represión política en el bienio progresista [1854-1856]. Hispania [Madrid], 81, t. 41, p. 17-46.

Cf. n° 5897.

2. HISTORIA POR ESTADOS

Estados Unidos de América.

* 2907. Bibliography (A) of American naval history. Comp. by Paolo E. COLETTA. Annapolis, Md., Naval Institute Press, 81, in-8, XVIII-453 p.

* 2908. Dwight D. Eisenhower : a selected bibliography of periodical and dissertation literature. Compiled by Robert D. BOHANAN. Abilene, Kans., Dwight D. Eisenhower Libr., 81, in-8, IV-162 p.

* 2909. Jewish immigrants of the Nazi period in the U.S.A. Sponsored by the Research Foundation for Jewish Immigration, New York. Ed. by Herbert A. STRAUSS. Vol. 1 : Archival resources. Comp. by Steven W. SIEGEL. Vol. 2 : Classified and annotated bibliography of books and articles on the immigration and acculturation of Jews from Europe to the U.S.A. since 1933. Comp. by Henry FRIEDLAENDER, A. GARDNER, K. SCHWERIN, Herbert A. STRAUSS. New York, München, London a. Paris, Saur, 79-81, 2 vol. in-8, XXVIII-279, XXXIII-286 p.

* 2910. Members of Congress : a checklist of their papers in the Manuscript Division, Library of Congress. Ed. by John J. McDONOUGH. Washington, D.C., Libr. of Cong., 80, in-8, XIII-217 p.

* 2911. Southern history in periodicals, 1980 : a selected bibliography. J. south. Hist., 81, vol. 47, n° 2, p. 227-257.

* 2912. Writings on american history. A subject bibliography of articles. [1978-1979. Cf. Bibl. 80, n° 3043.] 1979-1980. Ed. by Cecelia DADIAN, James J. DOUGHERTY, Arnold H. PRICE. Millwood, N.Y., Kraus International Pub., 81, XI-183 p.

** 2913. ADAMS (John Quincy). Diary of John Quincy Adams. Vol. 1 : November 1779-March 1786. Vol. 2 : March 1786-December 1788, Index. Ed. by Robert J. TAYLOR a. others. Cambridge, Mass., Belknap Press of Harvard U. P., 81, 2 vol. in-8, LXII-415, XIV-521 p. (Adams Papers, ser. 1, Diaries 1, 2).

** 2914. CALHOUN (John C.). The papers. [Vol. 13. Cf. Bibl. 80, n° 3045.] Vol. 14 : 1837-1839. Ed. by Clyde N. WILSON. Columbia, Univ. of South Carolina Press, 81, in-8, XXXIII-680 p.

** 2915. CHESNUT (Mary). Mary Chesnut's civil war. Ed. by C. Vann WOODWARD. New Haven, Conn., Yale U.P., 81, in-8, LVIII-886 p. [civil war diary]

** 2916. CLAY (Henry). The papers, of Heny Clay. [Vol. 4, 5. Cf. Bibl. 73, n° 2476.] Vol. 6 : Secretary of state, 1827. Ed. by Mary W. M. HARGREAVES, James F. HOPKINS. Lexington, Univ. Press of Kentucky, 81, in-8, VIII-1448 p.

** 2917. Complete (The) antifederalist. Vol. 1 : What the antifederalists were for. Vol. 2 : Objections of non-signers of the constitution and major series of essays at the outset. Vol. 3 : Pennsylvania. Vol. 4 : Massachusetts and New England. Vol. 5 : Maryland and Virginia and the South. Vol. 6 : New York and conclusion. Vol. 7 : Index. Ed. by Herbert J. STORING, Murray DRY. Chicago, Univ. of Chicago Press, 81, 7 vol. in-8, XX-123, XII-452, XIV-213, XIV-287, XII-308, XIV-249, VIII-109 p.

** 2918. DAVIS (Jefferson). The papers. [Vol. 2. Cf. Bibl. 74-75, n° 3692.] Vol. 3 : July 1846-December 1848. Ed. by James T. McINTOSH a. others. Baton Rouge, Louisiane State U.P., 81, in-8, XXXVI-509 p.

** 2919. Documentary (The) history of the ratification of the constitution. [Vol. 3. Cf. Bibl. 78-79, n° 3464.] Vol. 13 : Commentaries on the constitution : public and private. Pt. 1 : 27 February to 7 November 1787. Ed. by John P. KAMINSKY, Gaspare J. SALADINO a. others. Madison, State Hist. Soc. of Wisconsin, 81, in-8, XLVII-632 p.

** 2920. Eisenhower (The) diaries. Ed. by Robert H. FERRELL. New York, W. W. Norton, 81, in-8, XVII-445 p.

** 2921. GALBRAITH (John Kenneth). A life in our times : memoirs. Boston, Houghton, Mifflin, 81, in-8, X-563 p.

** 2922. GARFIELD (James A.). The diary. [Vol. 3. Cf. Bibl. 73, n° 2480.] Vol. 4 : 1878-1881. Ed. by Harry James BROWN, Frederick D. WILLIAMS, East Lansing, Michigan State U.P., 81, in-8, 689 p.

** 2923. GARRISON (William Lloyd). The letters. [Vol. 5. Cf. Bibl. 78-79, n° 3469.] Vol. 6 : To rouse the slumbering land, 1868-1879. Ed. by Walter M. MERRILL, Louis RUCHAMES. Cambridge, Mass., Belknap Press of Harvard U. P., 81, in-8, XX-637 p.

** 2924. Journals (The) of the proceedings of the president, 1793-1797. Ed. by Dorothy TWOHIG. Charlottesville, Univ. Press of Virginia, 81, in-8, XVII-393 p. (The Papers of George Washington).

** 2925. LATROBE (Benjamin Henry). The journals of Benjamin Henry Latrobe, 1799-1820 : from Philadelphia to New Orleans. Ed. by Edward C. CARTER II a. others. New Haven, Conn., Yale U.P., 80, in-8, XXXIV-351 p. (The Papers of Benjamin Henry Latrobe, ser. 1, journals, n° 3).

** 2926. MADISON (James). The papers [Vol. 12. Cf. Bibl. 78-79, n° 3474.] Vol. 13 : 20 January 1790-31 March 1791. Ed. by Charles F. HOBSON, Robert K. RUTLAND a. others, Charlottesville, Univ. Press of Virginia, 81, in-8, XXVIII-423 p.

** 2927. MARSHALL (George Catlett). The papers of George Catlett Marshall. Vol. 1 : "The soldierly spirit", December 1880-June 1939. Ed. by Larry I. BLAND, Sharon B. RITENOUR. Baltimore, Md., John Hopkins U.P., 81, in-8, XXX-742 p.

** 2928. OLMSTEAD (Frederick Law). The papers of Frederick Law Olmstead. [Vol. 1. Cf. Bibl. 76-77, n° 3794.] Vol. 2 : Slavery and the south, 1852-1857. Ed. by Charles E. BEVERIDGE, Charles Capen McLAUGHLIN. Baltimore, Md., Johns Hopkins U.P., 81, in-8, XXI-503 p.

** 2929. Public papers of the presidents of the United States. Jimmy Carter, 1980-1981. Vol. 1 : January 1 to May 23, 1980. Washington, D. C., Government Printing Office, 81, in-8, IX-968-A65 p.

** 2930. REAGAN (Ronald). My early life. London, Sidgwick a. Jackson, 81, in-8, 316 p. (ill.).

** 2931. Résistance (La) indienne aux Etats-Unis, XVIe-XXe siècle. [Choix de doc.] présenté par Elise MARIENSTRAS. Paris, Gallimard-Julliard, 80, in-8, 221 p. (16 p. de pl.). (Coll. Archives, 81).

** 2932. [TRUMAN (Harry S.).] Off the record : the private papers of Harry S. Truman. Ed. by Robert H. FERRELL. New York, Harper a. Row, 80, in-8, XIV-448 p.

** 2933. WASHINGTON (Booker T.). The papers. [Vol. 9. Cf. Bibl. 80, n° 3054.] Vol. 10 : 1909-1911. Vol. 11 : 1911-1912. Ed. by Louis R. HARLAN, Raymond W. SMOCK. Urbana, Univ. of Illinois Press, 81, 2 vol, in-8, XXVI-660, XXIV-621 p.

** 2934. WILSON (Woodrow). The papers. [Vol. 26, 32 - 35. Cf. Bibl. 80, n° 3055.] Vol. 36 : January 27-May 8, 1916. Vol. 37 : May 9-August 7, 1916. Ed. by Arthur S. LINK a. others. Princeton, N.J., Princeton U.P., 81, 2 vol., XXIV-684, XXIV-566 p.

2935. ABRAHAMSON (James L.). America arms for a new century : the making of a great military power. New York, Free Press, 81, in-8, XV-253 p.

2936. ALEXANDER (Thomas B.). The civil war as an institutional fulfillment. J. south. Hist., 81, vol. 47, n° 1, p. 3-32.

2937. ALLEN (Howard W.). Poindexter of Washington : a study in progressive politics. Carbondale, Southern Illinois U.P., 81, in-8, XIV-334 p. [Miles Poindexter, republican politician, active 1909-1928].

2938. Amerikanskij ežegodnik. (American yearbook.) Redkol. : G. N. SEVOST'JANOV (otv. red.) i dr. [1979. Cf. Bibl. 78-79, n° 3486.] 1980, 1981. Moskva, Nauka, 81, 2 vol., 375, 317 p. (AN SSSR. In-t vseobšč. istorii).

2939. AMMON (Harry). The Monroe doctrine : domestic politics or national decision ? Dipl. Hist., 81, vol. 5, n° 1, p. 53-70.

2940. ANDERSON (Eric). Race and politics in North Carolina, 1872-1901 : the black second. Baton Rouge, Louisiana State U.P., 81, in-8, XIV-372 p.

2941. ANDERSON (George M.) S.J. A delegate to the 1850-1851 constitutional convention : James W. Anderson of Montgomery county. Maryland hist. Mag., 81, vol. 76, n° 3, p. 250-271.

2942. ANDERSON (Judith Icke). William Howard Taft : an intimate history. New York, W. W. Norton, 81, in-8, 277 p.

2943. ARGERSINGER (Peter H.). To disfranchise the people : the Iowa ballot law and the election of 1897. Mid-Am., 81, vol. 63, n° 1, p. 18-35.

2944. ARON (Cindy S.). "To barter their souls for gold" : female clerks in federal government offices. J. am. Hist., 81, vol. 67, n° 4, p. 835-853.

2945. BAILEY (Thomas A.). The pugnacious presidents : White House warriors on parade. New York, Free Press, 80, in-8, IX-504 p.

2946. BAMMI (Vivek). Nutrition, the historian, and public policy : a case study of U.S. national nutrition policy in the 20th century. J. soc. Hist., 81, vol. 14, n° 4, p. 627-648.

2947. BARTLETT (Irving H.). Daniel Webster. London, W. W. Norton, 81, in-8, 346 p.

2948. BEE (Robert L.). Cross-currents along the Colorado : the impact of government policy on the Quechan Indians. Tucson, Univ. of Arizona Press, 81, in-8, XIX-184 p.

2949. BERGER (Jason). A new deal for the world : Eleanor Roosevelt and American foreign policy. New York, Columbia U.P., 81, in-8, XII-177 p. (Brooklyn College Stud. on Soc. in Change).

2950. BERLIN (Ira). Slaves without masters, the free negro in the antebellum South. London a. New York, Oxford U.P., 81, in-8, 446 p.

2951. BERWANGER (Eugene H.). The west and reconstruction. Urbana, Univ. of Illinois Press, 81, in-8, XIV-294 p.

2952. BISHOP (M. Guy). Voices for moderation : the anti-slavery thought of the Lyman Beecher family. Mid-Am., 81, vol. 63, n° 3, p. 131-142.

2953. BOGUE (Allan G.). The earnest men : republicans of the civil war senate. Ithaca, N.Y., Cornell U.P., 81, in-8, 369 p.

2954. BORN (Richard). The influence of House primary election divisiveness on general election margins, 1962-1976. J. Politics, 81, vol. 43, n° 3, p. 640-661.

2955. BROCK (Euline W.). Thomas W. Cardozo : fallible black reconstruction leader. J. south. Hist., 81, vol. 47, n° 2, p. 183-206.

2956. BRODIE (Fawn M.). Richard Nixon : the shaping of his character. New York, W. W. Norton, 81, in-8, 574 p.

2957. BURCKEL (Nicholas C.). Governor Austin Lane Crothers and progressive reform in Maryland, 1908-1912. Maryland hist. Mag., 81, vol. 76, n° 2, p. 184-201.

2958. CARLSON (Jody). George C. Wallace and the politics of powerlessness : the Wallace campaigns for the presidency, 1964-1976. New Brunswick, N.J., Transaction Books, 81, in-8, XV-331 p.

2959. CARSON (Clayborne). In struggle : SNCC and the black awakening of the 1960's. Cambridge, Mass., Harvard U.P., 81, in-8, VIII-359 p. [SNCC : Student Nonviolent Coordinating Committee]

2960. CASDORPH (Paul D.). Republicans, negroes, and progressives in the South, 1912-1916. University, Univ. of Alabama Press, 81, in-8, IX-262 p.

2961. CAVANAGH (Thomas E.). Changes in American voter turnout, 1964-1976. Pol. Sci.

Quar., 81, vol. 96, n° 1, p. 53-66.

2962. CHAFE (William H.). Civilities and civil rights : Greensboro, North Carolina, and the black struggle for freedom. New York, Oxford U.P., 80, in-8, XII-436 p.

2963. CHERNY (Robert W.). Populism, progressivism, and the transformation of Nebraska politics, 1885-1915. Lincoln, Univ. of Nebraska Press, 81, in-8 XVIII-227 p.

2964. CHESSON (Michael B.). Richmond after the war, 1865-1890. Richmond, Virginia State Libra., 81, in-8, XXI-255 p.

2965. CLAWSON (Marion). New Deal planning : the national resources planning board. Baltimore, Md., Johns Hopkins U.P., 81, in-8, XXII-356 p.

2966. CLUBB (Jerome M.) a. others. Partisan realignment : voters, parties, and government in American history. Beverly Hills, Calif., Sage Pub., 80, in-8, 311 p. (Sage Lib. of Social Research, 108).

2967. COEL (Margaret). Chief Left Hand : southern Arapaho. Norman, Univ. of Oklahoma Press, 81, in-8, XIV-338 p. (Civ. of the Am. Indian Ser., 159).

2968. COLETTA (Paolo E.). French Ensor Chadwick ; scholarly warrior. Lanham, Md., Univ. Press of America, 80, in-8, VII-256 p.

2969. COLETTA (Paolo E.). The United States Navy and defense unification, 1947-1953. Newark, Univ. of Delaware Press, 81, in-8, 367 p.

2970. COLLIE (Melissa P.). Incumbency, electoral safety, and turnover in the House of Representatives, 1952-1976. Am. pol. Sci. R., 81, vol. 75, n° 1, p. 119-131.

2971. COLLINS (Bruce). The origins of America's Civil War. London, E. Arnold, 81, in-8, 176 P. (Foundations of Mod. Hist.)

2972. COOPER (John Milton) Jr. "The warrior and the priest" : toward a comparative perspective on Theodore Roosevelt and Woodrow Wilson. South Atlantic Quar., 81, vol. 80, n° 4, p. 419-428.

2973. COOPER (Joseph), BRADY (David W.). Institutional context Cannon to Rayburn. Am. pol. Sci. R., 81, vol. 75, n° 2, p. 411-425. [House of Representatives speakers, 1895-1951 : Joe Cannon, Sam Rayburn]

2974. COX (Lawanda). Lincoln and black freedom : a study in presidential leadership. Columbia, Univ. of South Carolina Press, 81, in-8, XIII-254 p.

2975. CRACKEL (Theodore Joseph). The founding of West Point : Jefferson and the politics of security. Armed Forces a. Soc., 81, vol. 7, n° 4, p. 529-544.

2976. CRESAP (Bernard). Appomattox commander : the story of General E.O.C. Ord. New York, A.S. Barnes, 81, in-8, XII-418 p.

2977. CRESS (Lawrence Delbert). Republican liberty and national security : American military policy as an ideological problem, 1783 to 1789. William a. Mary Quar., 81, vol. 38, n° 1, p. 73-96.

2978. CRITCHLOW (Donald T.). Lewis Meriam, expertise and Indian reform. Historian, 81, vol. 43, n° 3, p. 325-344.

2979. CROSSKEY (William Winslow), JEFFREY (William) Jr. Politics and the constitution in the history of the United States. [Vol. 1, 2. Cf. Bibl. 53, n° 3374.] Vol. 3 : The political background of the federal convention. Chicago, Univ. of Chicago Press, 80, in-8, XII-592 p.

2980. DANNENBAUM (Jed). The origins of temperance activism and militancy among American women. J. soc. Hist., 81, vol. 15, n° 2, p. 235-252.

2981. DAWSON (Nelson Lloyd). Louis D. Brandeis, Felix Frankfurter, and the New Deal. Hamden, Conn., Archon, 80, in-8, VIII-272 p.

2982. DEVINE (Michael J.). John W. Foster : politics and diplomacy in the imperial era, 1873-1917. Athens, Ohio U.P., 81, in-8, X-187 p.

2983. DIERENFELD (Bruce J.). Conservative outrage : the defeat in 1966 of representative Howard W. Smith of Virginia. Virginia Mag. Hist. a. Biogr., 81, vol. 89, n° 2, p. 181-218.

2984. DIVINE (Robert A.) a. others. Exploring the Johnson years. Austin, Univ. of Texas Press, 81, in-8, VII-280 p. [President Lyndon Johnson]

2985. DOENECKE (Justus D.). The presidencies of James A. Garfield and Chester A. Arthur. Lawrence, Regents Press of Kansas, 81, in-8, XIII-229 p. (Am. Presidency Ser.)

2986. DORWART (Jeffery M.). The office of naval intelligence : the birth of America's first intelligence agency, 1865-1918. Annapolis, Md., Naval Institute Press, 79, in-8, IX-173 p.

2987. DREW (Elizabeth). Portrait of election, the 1980 Presidential campaign. London, Routledge, 81, in-8, 400 p.

2988. DUNBAR (Anthony P.). Against the grain : southern radicals and prophets, 1929-1959. Charlottesville, U.P. of Virginia, 81, in-8, IX-306 p.

2989. ERIKSON (Robert S.), TEDIN (Kent L.). The 1928-1936 partisan realignment : the case for the conversion hypothesis. Am. pol. Sci. R., 81, vol. 75, n° 4, p. 951-962.

2990. FEHRENBACHER (Don E.). Slavery, law and politics : Dred Scott case in historical perspective. London a. New York, Oxford U.P., 81, in-8, 336 p. (Galaxy Books).

2991. FEINMAN (Ronald L.). Twilight of progressivism : the western republican senators and the New Deal. Baltimore, Md., Johns Hopkins U.P., 81, in-8, XIV-262 p. (Johns Hopkins Univ. Stud. in Hist. a. Pol. Sci., 99th ser., 1).

2992. FERLIN (John). The New England soldier : a study in changing perceptions. Am. Quar., 81, vol. 33, n° 1, p. 26-45.

2993. FICKEN (Robert E.). Lumber and politics : the career of Mark E. Reed. Santa Cruz, Calif., Univ. of Washington Press, Seattle,

79, in-8, XI-264 p.

2994. FINGER (John R.). The abortive second Cherokee removal, 1841-1844. J. south. Hist., 81, vol. 47, n° 2, p. 207-226.

2995. FINK (Gary M.). Prelude to the presidency : the political character and legislative leadership style of governor Jimmy Carter. Westport, Conn., Greenwood Press, 80, in-8, XXVI-225 p. (Contrib. in Pol. Sci. 40)

2996. FLAMMER (Philip M.). The vivid air : the Lafayette Escadrille. Athens, Univ. of Georgia Press, 81, in-8, XI-249 p.

2997. FONER (Eric). Politics and ideology in the age of the Civil War. London a. New York, Oxford U.P., 81, in-8, 258 p.

2998. FORBES (John Douglas). J.P. Morgan, Jr. : 1867-1943. Charlottesville, U.P. of Virginia, 81, in-8, XIV-262 p.

2999. FRASER (Walter J.) Jr., MOORE (Winfred B.) Jr. a. others. From the old south to the new : essays on the transitional south. Westport, Conn., Greenwood Press, 81, in-8, XIII-286 p. (Contrib. in Am. Hist., 93).

3000. GAINES (Anne-Rosewell J.). Political reward and recognition : Woodrow Wilson appoints Thomas Nelson Page ambassador to Italy. Virginia Mag. Hist. a. Biogr., 81, vol. 89, n° 3, p. 328-340.

3001. GAMBILL (Edward L.). Conservative ordeal : northern democrats and reconstruction, 1865-1868. Ames, Iowa State U.P., 81, in-8, VIII-188 p.

3002. GARCIA (Juan Ramon). Operation wetback : the mass deportation of Mexican undocumented workers in 1954. Westport, Conn., Greenwood Press, 80, in-8, XVIII-268 p. (Contrib. in Ethnic Stud., 2).

3003. GARROW (David J.). The FBI and Martin Luther King, Jr. : from "Solo" to Memphis. New York, W. W. Norton, 81, in-8, 320 p.

3004. GATES (Paul W.). Pressure groups and recent American land policies. Agric. Hist., 81, vol. 55, n° 2, p. 103-127.

3005. GEBERT (Stanisław). Kongres Stanów Zjednoczonych Ameryki. Zarys monografii. (Le Congrès des Etats-Unis d'Amérique. Monographie.) Wrocław, Zakł. Narod. im. Ossolińskich, 81, in-8, 579 p. (Pol. Akad. Nauk Inst. Państwa i Prawa).

3006. GLEASON (Philip). Americans all : world war II and the shaping of American identity. R. Politics, 81, vol. 43, n° 4, p. 483-518.

3007. GOLDBERG (Robert Alan). Hooded empire : the Ku Klux Klan in Colorado. Urbana, Univ. of Illinois Press, 81, in-8, XV-255 p.

3008. GOLDFIELD (David R.). The urban South : a regional framework. Am. hist. R., 81, vol. 86, n° 5, p. 1009-1034.

3009. GOLDICH (Robert L.). Historical continuity in the U.S. military reserve system. Armed Forces a. Soc., 80, vol. 7, n° 1, p.. 88-112.

3010. GOULD (Lewis L.). The presidency of William McKinley. Lawrence, Regents Press of Kansas, 80, in-8, XI-294 p. (Am. Presidency Ser.)

3011. GRANTHAM (Dewey W.). The contours of southern progressivism. Am. hist. R., 81, vol. 86, n° 5, p. 1035-1059.

3012. GRAYSON (Benson Lee). The unknown president : the administration of president Millard Fillmore. Washington, D.C., Univ. Press of America, 81, in-8, III-175 p.

3013. GROSS (James L.). The reshaping of the National Labor Relations Board : national labor policy in transition, 1937-1947. Albany, State Univ. of New York Press, 81, in-8, VI-381 p.

3014. HARRIS (William H.). Federal intervention in union discrimination : FEPC and west coast shipyards during world war II. Labor Hist., 81, vol. 22, n° 3, p. 325-347.

3015. HAUPTMAN (Laurence M.). The Iroquois and the New Deal. Syracuse, N.Y., Syracuse U.P., 81, in-8, XVI-256 p.

3016. HAWLEY (Ellis W.) a. others. Herbert Hoover as secretary of commerce : studies in new era thought and practice. Iowa City, Univ. of Iowa Press, 81, in-8, XII-263 p. (Herbert Hoover Centennial seminars, 2).

3017. HAW (James) a. others. Stormy patriot : the life of Samuel Chase. Baltimore, Maryland Hist. Soc., 80, in-8, VIII-305 p.

3018. HAYS (Samuel P.). The structure of environmental politics since world war II. J. soc. Hist., 81, vol. 14, n° 4, p. 719-738.

3019. HENDRICKSON (Robert A.). The rise and fall of Alexander Hamilton. London, Van Nostrand-Reinhold, 81, in-6, 658 p.

3020. HICKEY (Donald R.). Federalist defense policy in the age of Jefferson, 1801-1812. Milit. Affairs, 81, vol. 45, n° 2, p. 63-70.

3021. HIGHSAW (Robert B.). Edward Douglass White : defender of the conservative faith. Baton Rouge, Louisiana State U.P., 80, in-8, XIV-212 p. (Southern Biogr. Ser.). [White : U.S. Supreme Court justice, 1894-1921]

3022. HILDEBRAND (Robert C.). Power and the people : executive management of public opinion in foreign affairs, 1897-1921. Chapel Hill, Univ. of North Carolina Press, 81, in-8, 262 p. (Supplementary Volumes to The Papers of Woodrow Wilson).

3023. HIRSCH (H. N.). The enigma of Felix Frankfurter. New York, Basic Books, 81, in-8, X-253 p.

3024. History (The) of the Joint Chiefs of Staff : the Joint Chiefs of Staff and national policy. [Vol. 1-3. Cf. Bibl. 80, n° 3172.] Vol. 4 : 1950-1952. By Walter S. POOLE. Wilmington, Del., Glazier, 80, in-8, XXI-479 p.

3025. HITCHCOCK (William S.). The limits of southern unionism : Virginia conservatives and the gubernatorial election of 1859. J. south. Hist., 81, vol. 47, n° 1, p. 57-72.

3026. HOFFMAN (Abraham). Vision or villainy : origins of the Owens Valley-Los Angeles water controversy. College Station, Texas A a. M U.P., 81, in-8, XIX-308 p.

3027. HOFFMAN (Daniel N.). Governmental secrecy and the founding fathers : a study in constitutional controls. Westport, Conn., Greenwood Press, 81, in-8, IX-339 p. (Contrib. in Legal Stud., 17).

3028. HOMANS (George C.). John Adams and the constitution of Massachusetts. Proc. am. philos. Soc., 81, vol. 125, n° 4, p. 286-291.

3029. HONE (Thomas), FRIEDMAN (Norman). Innovation and administration in the Navy Department : the case of the Nevada design. Milit. Affairs, 81, vol. 45, n° 2, p. 57-62.

3030. HOSMER (Charles R.) Jr. Preservation comes of ages : from Williamsburg to the National Trust, 1926-1949. Vol. 1, 2. Charlottesville, U.P. of Virginia, 81, 2 vol., in-8, XIII-716 ; XIII p., p. 717-1291.

3031. HUNT (Thomas C.). The Bennett law of 1890 : focus of conflict between church and state. J. Church a. State, 81, vol. 23, n° 1, p. 69-94. [Wisconsin law concerning required public education]

3032. HUNTINGTON (Samuel P.). American politics : the promise of disharmony. Cambridge, Mass., Belknap Press of Harvard U.P., 81, in-8, VIII-303 p.

3033. HUTCHINSON (E.P.). Legislative history of American immigration policy, 1798-1965. Philadelphia, Univ. of Pennsylvania Press, 81, in-8, XV-685 p.

3034. HUTSON (James H.). County, court, and constitution : antifederalism and the historians. William a. Mary Quar., 81, vol. 38, n° 3, p. 337-368.

3035. INGALLS (Robert P.). Antiradical violence in Birmingham during the 1930s. J. south. Hist., 81, vol. 47, n° 4, p. 521-544.

3036. IVERSON (Peter). The Navajo nation. Westport, Conn., Greenwood Press, 81, in-8, XXXII-273 p. (Contrib. in Ethnic Stud., 3)

3037. JACKSON (Donald). Thomas Jefferson and the Storey Mountains : exploring the west from Monticello. Urbana, Univ. of Illinois Press, 81, in-8, XII-339 p.

3038. JAKOVLEV (N.N.). Franklin Ruzvel't : čelovek i politik. Novoe pročtenie. (Franklin Roosevelt : the man and the political figure. New reading.) Moskva, Meždunar. otnošenija, 81, 414 p. (ill.).

3039. JILLSON (Calvin C.). Constitutionmaking : alignment and realignment in the federal convention of 1787. Am. pol. Sci. R., 81, vol. 75, n° 3, p. 598-612.

3040. JOHNSON (Michael P.). Runaway slaves and the slave communities in South Carolina, 1799 to 1830. William a. Mary Quar., 81, vol. 38, n° 3, p. 418-441.

3041. JONES (Faustine C.). External crosscurrents and internal diversity : an assessment of black progress, 1960-1980. Daedalus, 81, vol. 110, n° 2, p. 71-102.

3042. JOSEPHSON (Harold). Ex-communist in crossfire : a cold war debate. Historian, 81, vol. 44, n° 1 p. 69-84.

3043. KEHL (James A.). Boss rule in the gilded age : Matt Quay of Pennsylvania. Pittsburgh, Pa., Univ. of Pittsburgh Press, 81, in-8, XX-295 p. [Republican politician, fl. 1877-1904]

3044. KENNEDY (David M.). Over here : the first world war and American society. New York, Oxford U.P., 80, in-8, VII-404 p.

3045. KENT (Richard J.) Jr. Safe, separated, and soaring : a history of federal civil aviation policy, 1961-1972. Washington, D.C., Government Printing Office, 80, in-8, VI-422 p.

3046. KINNARD (Douglas). The secretary of defense. Lexington, Univ. Press of Kentucky, 80, in-8, 252 p.

3047. KIRBY (John B.). Black Americans in the Roosevelt era : liberalism and race. Knoxville, Univ. of Tennessee Press, 80, in-8, XVII-254 p. (Twentieth Century Am. Ser.)

3048. KLEPPNER (Pau) a. others. The evolution of American electoral systems. Westport, Comm., Greenwood Press, 81, in-8, XIII-279 p. (Contrib. in Am. Hist., 95).

3049. KOENIGER (A. Cash). The politics of independence : Carter Glass and the elections of 1936. South Atlantic Quar., 81, vol. 80, n° 1, p. 95-106.

3050. KORNWEIBEL (Theodore) Jr. Apathy and dissent : black America's negative responses to world war I. South Atlantic Quar., 81, vol. 80, n° 3, p. 322-338.

3051. LATTIMER (John K.). Kennedy and Lincoln : medical and ballistic comparisons of their assassinations. London, Harcourt Brace, 81, in-4, 378 p.

3052. LEAR (Linda J.). Harold L. Ickes : the aggressive progressive, 1874-1933. New York, Garland, 81, in-8, VII-452 p. - EADEM. Harold L. Ickes and the oil crisis of the first hundred days. [1933], Mid-Am., 81, vol. 63, n° 1, p. 3-17.

3053. LEE (R. Alton). Dwight D. Eisenhower : soldier and statesman. Chicago, Nelson-Hall, 81, in-8, XII-379 p.

3054. LERNER (Elinor). Jewish involvement in New York city woman suffrage movment. Am. jewish Hist., 81, vol. 70, n° 4, p. 442-461.

3055. LEUTZE (James). A different kind of victory : a biography of Admiral Thomas C. Hart. Anapolis, Md., Naval Inst. Press, 81, in-8, XI-362 p.

3056. LEVINE (Peter). Draft evasion in the north during the civil war, 1863-1965. J. am. Hist., 81, vol. 67, n° 4, p. 816-834.

3057. LITTLEFIELD (Daniel F.) Jr. The Chickasaw freedmen : a people without a country. Westport, Comm., Greenwood Press, 80, in-8, XII-248 p. (Contrib. in Afro-Am. a. Afr. Stud., 54) [Chickasaw Indian tribe, 1868-1902]

3058. LONG (E. B.). The saints and the

union : Utah Territory during the civil war. Urbana, Univ. of Illinois Press, 81, in-8, XIII-310 p.

3059. LONGACRE (Edward G.). Black troops in the army of the James, 1863-1865. Milit. Affairs, 81, vol. 45, n° 1, p. 1-8.

3060. LYONS (Michael S.), TAYLOR (Marcia Whicker). Farm politics in transition : the House Agriculture Committee. Agric. Hist., 81, vol. 55, n° 2, p. 128-146.

3061. MCCORMICK (Richard L.). From realignment to reform : political change in New York State, 1893-1910. Ithaca, N.Y., Cornell U. P., 81, in-8, 352 p. - IDEM. The discovery that "business corrupts politics" : a reappraisal of the origins of progressivism. Am. hist. R., 81, vol. 86, n° 2, p. 247-274.

3062. MCCULLOUGH (David). Mornings on horseback. New York, Simon a. Schuster, 81, in-8, 445 p. [early life of Theodore Roosevelt]

3063. McDONOUGH (James Lee). Stones river - bloody winter in Tennessee. Knoxville, Univ. of Tennessee Press, 80, in-8, XIV-271 p. [Civil war battle : 31 Dec. 1862-3 Jan. 1863]

3064. MCFEELY (William S.). Grant : a biography. London a. New York, W. W. Norton, 81, in-8, XIII-592 p.

3065. MACGREGOR (Morris J.) Jr. Integration of the armed forces, 1940-1965. Washington, D.C., Government Printing Office, 81, in-8, XX-647 p. (Defense Stud. Ser.)

3066. McLAUGHLIN (William G.). Experiment in Cherokee citizenship, 1817-1829. Am. Quar., 81, vol. 33, n° 1, p. 3-25.

3067. MALONE (Dumas). The sage of Monticello [Thomas Jefferson]. Boston, Little, Brown, 81, in-8, XXIII-551 p. (Jefferson and His Time, 6)

3068. MANYKIN (A. S.), JAZIKOV (E. F.). Rol'tret'ikh partij v partijno-političeskoj sisteme SŠA. (The role of third parties in the party and political system of the USA.) Vopr. Ist., 81, n° 2, p. 50-66.

3069. MARBURY (William L.). The Hiss-Chambers libel suit. Maryland hist. Mag., 81, vol. 76, n° 1, p. 70-92.

3070. MAY (Dean L.). From New Deal to new economics : the American liberal response to the recession of 1937. New York, Garland, 81, in-8, XIV-204 p.

3071. MILLS (Gary B.). Miscegenation and the free Negro in antebellum "Anglo" Alabama : a reexamination of southern race relations. J. am. Hist., 81, vol. 68, n° 1, p. 16-34.

3072. MIROFF (Bruce). Presidential leverage over social movements : the Johnson White House and civil rights. J. Politics, 81, vol. 43, n°1, p. 2-23.

3073. MONTI (Mario). Passarono di qui. Duecento anni della vita e delle guerre degli indiani del Nord America con i capi Toro Seduto, Cavallo Pazzo, Capo Giuseppe e tutti gli altri. Milano, Bompiani, 81, in-8, 415 p. (ill., tav.).

3074. MORGAN (Robert J.). Madison's analysis of the sources of political authority. Am. pol. Sci. R., 81, vol. 75, n° 3, p. 613-625. [James Madison]

3075. NELSON (Larry E.). Bullets, ballots, and rhetoric : confederate policy for the United States presidential contest of 1864. University, Univ. of Alabama Press, 80, in-8, XII-235 p.

3076. NOONAN (John T.) Jr. The Catholic justices of the United States Supreme Court. Cath. hist. R., 81, vol. 67, n° 3, p. 369-385.

3077. O'BRIEN (John T.). Reconstruction in Richmond : white restoration and black protest, April-June 1865. Virginia Mag. Hist. a. Biogr., 81, vol. 89, n° 3, p. 259-281.

3078. O'BRIEN (Michael). McCarthy and McCarthyism in Wisconsin. Columbia, Univ. of Missouri Press, 80, in-8, IX-269 p.

3079. OLSEN (Otto H.) a. others. Reconstruction and redemption in the South. Baton Rouge, Louisiana State U.P., 80, in-8, V-250 p.

3080. ONUF (Peter S.). State-making in revolutionary crisis : independant Vermont as a case study. J. am. Hist., 81, vol. 67, n° 4, p. 797-816.

3081. OWSLEY (Frank Lawrence) Jr. Struggle for the Gulf borderlands : the Creek war and the battle of New Orleans, 1812-1815. Gainesville, Univ. Presses of Florida, 81, in-8, VII-255 p.

3082. PALUDAN (Phillip Shaw). Victims : a true story of the civil war. Knoxville, Univ. of Tennessee Press, 81, in-8, XVI-144 p.

3083. PASTOR (Robert A.). Congress and the politics of U.S. foreign economic policy, 1929-1976. Berkeley a. Los Angeles, Univ. of California Press, 80, in-8, XIII-366 p.

3084. PATTON (Gerald W.). War and race : the black officer in the American military, 1915-1941. Westport, Conn., Greenwood Press, 81, in-8, X-214 p. (Contrib. in Afro-Am. a. African Stud., 62).

3085. PEARCE (George F.). The U.S. Navy in Pensacola : from sailing ships to naval aviation (1825-1930). Pensacola, Univ. Presses of FLorida, 80, in-8, VII-207 p. (Univ. of West Florida Book).

3086. PEASE (Jane H.), PEASE (William H.). The economics and politics of Charleston's nullification crisis. J. south. Hist., 81, vol. 47, n° 3, p. 335-362.

3087. PENICK (James Lal) Jr. The great western land pirate : John A. Murell in legend and history. Columbia, Univ. of Missouri Press, 81, in-8, VIII-197 p.

3088. PERDUE (Theda). Nations remembered : an oral history of the Five Civilized Tribes, 1865-1907. Westport, Conn., Greenwood Press, 80, in-8, XXIV-221 p. (Contrib. in Ethnic Stud., 1)

3089. PERRY (Lewis) Childhood, marriage, and reform : Henry Clarke Wright, 1797-1870. Chicago, Univ. of Chicago Press, 80, in-8, XIV-359 p.

3090. PETILLO (Carol Morris). Douglas MacArthur : the Philippine years. Bloomington, Indiana U.P., 81, in-8, XVIII-301 p.

3091. PETROCIK (John R.). Party coalitions : realignment and the decline of the new deal party system. Chicago, Univ. of Chicago Press, 81, in-8, 215 p.

3092. PETROVSKAJA (M. M.). Obščestvennoe mnenie SŠA i vnešnjaja politika. (Public Opinion in the USA and foreign policy.) Vopr. Ist., 81, n° 1, p. 63-75.

3093. PIEKOSZEWSKI (Jan). Problemy polonii amerykańskiej. (Les problèmes de l'émigration polonaise en Amérique.) Warszawa, Pax, 81, in-8, 230 p.

3094. POLAKOFF (Keith Ian). Political parties in American history. London, Wiley, 81, in-8, 494 p.

3095. Političeskie partii SŠA v novoe vremja. (Political parties of the USA in modern times.) Redkol. : N.V. SIVAČEV (otv. red.) i dr. Moskva, Izd-vo MGU, 81, 264 p. (Probl. amerikanistiki).

3096. PRESTON (Dickson J.). Young Frederick Douglass : the Maryland years. Baltimore, Md., Johns Hopkins U.P., 80, in-8, XVII-242 p.

3097. REDFORD (Emmette S.), BLISSETT (Marlan). Organizing the executive branch : the Johnson presidency. Chicago, Univ. of Chicago Press, 81, in-8, X-277 p. (An Administrative Hist. of the Johnson Presidency).

3098. REICHLEY (A. James). Conservatives in an age of change : the Nixon and Ford administrations. Oxford, Blackwell, 81, in-8, 496 p. - IDEM. The conservative roots of the Nixon, Ford, and Reagan administrations. Pol. Sci. Quar., 81, vol. 96, n° 4, p. 537-550.

3099. REMINI (Robert V.). Andrew Jackson and the course of American freedom, 1822-1832. New York, Harper a. Row, 81, in-8, XVI-469 p.

3100. ROBBINS (William G.). Herbert Hoover's Indian reformers under attack : the failure of administrative reform. Mid-Am., 81, vol. 63, n° 3, p. 155-168.

3101. RORABAUGH (W. J.). Prohibition as progress : New York state's license elections, 1846. J. soc. Hist., 81, vol. 14, n° 3, p. 425-444.

3102. ROSENBAUM (Robert J.). Mexicano resistance in the south-west : "the sacred right of self-preservation". Austin, Univ. of Texas Press, 81, in-8, XII-241 p. (Dan Danciger Pub. Ser.)

3103. ROYSTER (Charles). Light-horse Harry Lee and the legacy of the American revolution. New York, Knopf, 81, in-8, XIII-301 p.

3104. RUBY (Robert H.), BROWN (John A.). Indians of the Pacific northwest : a history. Foreword by Alvin M. JOSEPHY, Jr. Norman, Uni. of Oklahoma Press, 81, in-8, IX-294 p. (Civ. of the Am. Indian Ser., 158).

3105. RYAN (Paul B.). First line of defense : the U.S. navy since 1945. Stanford, Calif., Hoover Inst. Press, 81, in-8, XVI-224 p. (Hoover Press Pub., 237).

3106. SALMOND (John). Vanguard of the civil rights movement : the post New Deal career of Aubrey Willis Williams. Historian, 81, vol. 44, n° 1, p. 51-68.

3107. SARGENT (James E.). Roosevelt and the hundred days : struggle for the early New Deal. New York, Garland, 81, in-8, XI-355 p. (Modern Am. Hist.)

3108. SCHEUERMAN (Richard D.), TRAFZER (Clifford E.). The Volga Germans : pioneers of the northwest. Moscow, Univ. Press of Idado, 80, in-8, 245 p.

3109. SCHNOOR (Rainer). Der Süden der Vereinigten Staaten vor dem Bürgerkrieg in der neueren Historiographie der USA. Z. f. Anglistik u. Amerikanistik, 81, Jg. 29, p. 231-242.

3110. SCHUBERT (Frank N.). Vanguard of expansion : army engineers in the trans-Mississippi west, 1819-1879. Washington, D.C., Government Printing Office, 81, in-8, XII-160 p.

3111. SCHWARZ (Jordan A.). The speculator : Bernard M. Baruch in Washington, 1917-1965. Chapel Hill, Univ. of North Carolina Press, 81, in-8, XVII-679 p.

3112. SHANKMAN (Arnold M.). The Pennsylvania anti-war movement, 1861-1865. Rutherford,N.J., Fairleigh Dickinson U.P., 80, in-8, 236 p.

3113. SHEPPERSON (George A.). Africa in American history and literature. London, British Academy, 81, in-8, 22 p.

3114. SHERRADEN (Michael W.). Military participation in a youth employment program : the Civilian Conservation Corps [1930s]. Armed Forces a. Soc., 80, vol. 7, n° 2, p. 227-245.

3115. SHERWOOD (Morgan). Big game in Alaska : a history of wildlife and people. New Haven, Conn., Yale U.P., 81, in-8, XII-200 p. (Yale Western Americana Ser., 33) [wildlife management]

3116. SHEWMAKER (Kenneth E.). The "war of words" : the Cass-Webster debate of 1842-1843. Dipl. Hist., 81, vol. 5, n° 2, p. 151-164.

3117. SHI (David E.). Matthew Josephson, bourgeois bohemian. New Haven, Conn., Yale U. P., 81, in-8, XIII-314 p.

3118. SHINER (John F.). The Air Corps, the Navy, and coast defense, 1919-1941. Milit. Affairs, 81, vol. 45, n° 3, p. 113-120.

3119. SHOFNER (Jerrell H.). The legacy of racial slavery : free enterprise and forced labor in Florida in the 1940s. J. south. Hist., 81, vol. 47, n° 3, p. 411-426.

3120. SILVER (Thomas B.). Coolidge and the historians. Am. Quar., 81, vol. 33, n° 4, p. 501-518.

3121. SIMMONS (Dennis E.). Conservation, cooperation, and controversy : the establishment of Shenandoah national park, 1924-1936. Virginia Mag. Hist. a. Biogr., 81, vol. 89, n° 4, p. 387-404.

3122. SIMON (John Y.). Grant at Belmont. Milit. Affairs, 81, vol. 45, n°4, p. 161-166.

3123. SIVAČEV (N. V.). "Novyj kurs" F. Ruzvel'ta. (Roosevelt's New Deal.) Vopr. Ist., 81, n°9, p. 45-63.

3124. SKEEN (C. Edward). John Armstrong, Jr., 1758-1843 : a biography. Syracuse, N.Y., Syracuse U.P., 81, in-8, XII-277 p.

3125. SOMKIN (Fred). How Vansetti said goodbye. J. am. Hist., 81, vol. 68, n° 2, p. 298-312.

3126. SOMMERS (Richard J.). Richmond redeemed : the siege at Petersburg. Garden City, N.Y., Doubleday, 81, in-8, XXII-670 p. [1864-U.S. civil war]

3127. SOWELL (Thomas). Ethnic America : a history. New York, Basic Books, 81, in-8, 353 p.

3128. SPENCER (Thomas T.). The ocean mail controversy of 1934. Am. Neptune, 81, vol. 41, n° 2, p. 110-121. [U.S. post office mail contracts]

3129. STARR (Stephen Z.). The union cavalry in the civil war. [Vol. 1. Cf. Bibl. 80, n° 3181.] Vol. 2 : The war in the east from Gettysburg to Appomattox, 1863-1865. Baton Rouge, Louisiana State U.P., 81, in-8, XV-526 p.

3130. STEEL (Ronald). Walter Lippman and the American century. London, Bodley Head, 81, in-8, 704 p.

3131. STITES (Francis N.). John Marshall, defender of the constitution. Boston, Little, Brown, 81, in-8, VI-181 p. (Libr. of Am. Biogr.)

3132. SUTHERLAND (Daniel E.). Former confederates in the post-civil war north : an unexplored aspect of reconstruction history. J. south. Hist., 81, vol. 47, n° 3, p. 393-410.

3133. SZASZ (Ferenc M.). The stress on "character and service in progressive America". Mid-Am., 81, vol. 63, n° 3, p. 143-154.

3134. TEAGUE (Michael). Mrs. L : conversations with Alice Roosevelt Longworth. London, Duckworth, 81, in-8, 203 p. (ill.).

3135. TEDLOW (Richard S.). From competitor to consumer : the changing focus of federal regulation of advertising, 1914-1938. Business Hist. R., 81, vol. 55, n° 1, p. 35-58.

3136. TINGLEY (Donald F.). The structuring of state : the history of Illinois, 1899 to 1928. Urbana, Univ. of Illinois Press, 80, in-8, VIII-431 p. (Sesquicentennial Hist. of Illinois, 5)

3137. TREFOUSSE (Hans L.). Carl Schurz and ethnicity in America. In : Nationalism [Cf. n° 431], p. 141-155.

3138. TRENNERT (Robert A.) Jr. Indian traders on the middle border : the house of Ewing, 1827-1854. Lincoln, Univ. of Nebraska Press, 81, in-8, XIII-271 p.

3139. TUCKER (David M.). Memphis since Crump : bossism, blacks, and civic reformers, 1948-1968. Knoxville, Univ. of Tennessee Press, 80, in-8, XVI-183 p.

3140. UROFSKY (Melvin I.). Louis D. Brandeis and the progressive tradition. Boston, Little, Brown a. Co., 81, in-8, VI-183 p. (Libr. of Am. Biogr.)

3141. VALTZ MANNUCCI (Loretta). Le radici ideologiche degli Stati Uniti. Lecce, Milella, 81, in-8, 437 p. (Bibl. di Stor. della Soc. contemp. Sez. di Stor. della Cult. americana, 2)

3142. VAN WEST (Carroll). Perpetuating the myth of America : Scottsboro and its interpreters. South Atlantic Quar., 81, vol. 80, n° 1, p. 36-48.

3143. WALSH (Margaret). The American frontier revisited. Atlantic Highlands, N.J., Humanities Press, 81, in-8, 88 p. (Stud. in Econ. a. Soc. Hist.)

3144. WALSH (Victor A.). "A fanatic heart" : the cause of Irish-American nationalism in Pittsburgh during the gilded age. J. soc. Hist., 81, vol. 15, n° 2, p. 187-204.

3145. WARE (Susan). Beyond suffrage : women in the New Deal. Cambridge, Mass., Harvard U.P., 81, in-8, 204 p.

3146. WATSON (Harry L.). Jacksonian politics and community conflict : the emergence of the second American party system in Cumberland County, North Carolina. Baton Rouge, Louisiana State U.P., 81, in-8, XII-354 p.

3147. WEINSTEIN (Edwin A.). Woodrow Wilson : a medical and psychological biography. Princeton, N.J., Princeton U.P., 81, in-8, XI-399 p. (Suppl. Vol. to the Papers of Woodrow Wilson)

3148. WILLIAMS (David). The Bureau of Investigation and its critics, 1919-1921 : the origins of federal political surveillance. J. am. Hist., 81, vol. 68, n° 3, p. 560-579.

3149. WILLIAMS (Jeffrey C.). Economics and politics : voting behavior in Kansas during the populist decade. Explor. in econ. Hist., 81, vol. 18, n° 3, p. 233-256.

3150. WILLIAMS (T. Harry). The history of American wars : from 1745 to 1918. New York, A. A. Knopf, 81, in-8, XVIII-435 p.

3151. WILLS (Garry). Explaining America : the federalist. Garden City, N.Y., Doubleday ; London, Athlone Press, 81, in-8, XXII-286 p. (America's Political Enlightenment)

3152. WILSON (Charles Reagan). Baptized in blood : the religion of the lost cause, 1865-1920. Athens, Univ. of Georgia Press, 80, in-8, 256 p. [Southern concept of cultural identity after civil war]

3153. WOLFE (Christopher). A theory of U.S. constitutional history. J. Politics, 81, vol. 43, n° 2, p. 292-316.

3154. WOLFENSTEIN (Eugene Victor). The victims of democracy : Malcolm X and the black revolution. Berkeley a. Los Angeles, Univ. of California Press, 81, in-8, XI-422 p.

3155. WOODS (Randall Bennett). A black odyssey : John Lewis Waller and the promise of American life. Lawrence, Regents Press of Kansas, 81, in-8, XVII-254 p.

3156. WRIGHT (J. Leitch) Jr. The only land they knew : the tragic story of the American Indians in the old south. New York, Free press, 81, in-8, XI-372 p.

3157. YARBROUGH (Tinsley E.). Judge Frank Johnson and human rights in Alabama. University, Univ. of Alabama Press, 81, in-8, IX-270 p.

Cf. n° 5729.

Etiopía.

** 3158. BARDEY (Alfred). Barr-Adjam. Souvenirs d'Afrique orientale, 1880-1887. Précédé de "Le patron de Rimbaud", par Joseph TUBIANA. Paris, Ed. du C.N.R.S., 81, in-8, 388 p.

3159. TRIULZI (Alessandro). Salt, gold and legitimacy. Prelude to the history of a no-man's land : Belā Shangul, Wallaggā, Ethiopia, ca. 1800-1898. Napoli, 81, in-8, XVI-212 p. (tav.) (Istit. univ. orient. Semin. di Studi africani).

Finlandia.

3160. KUJALA (Antti). Suomalaiset vallankumousjärjestöt ja poliittinen rikollisuus 1906-1908. (Les organisations révolutionnaires finlandaises et la délinquence politique 1906-1908.) Hist. Aikakausk. 81, t. 79, p. 106-124.

3161. NEVAKIVI (Jukka). Ilkopolitiikka ja Suomen presidentinvaalit 1919-1978. (La politique extérieure et les élections présidentielles en Finlande 1919-1978.) Ulkopolitiikka, 81, p. 37-41.

3162. PIOTROWSKI (Bernard). Odgłosy powstania listopadowego w Finlandii. (Les répercussions del'Insurrection [polonaise] de novembre [1830-1831] en Finlande.) Zap. hist., 81, vol. 46, n° 3, p. 7-32.

3163. UPTON (Anthony F.). The Finnish revolution, 1917-1918. Minneapolis, Univ. of Minnesota Press, 80, in-8, 608 p. (Nordic ser., 3).

3164. ŽERBIN (A.S.), ŠASKOL'SKIJ (I.P.). Krest'janskaja vojna v Finljandii v konce XVI v. (The peasant war in Finland at the end of the 16th cent.) Vopr. Ist., 81, n° 8, p. 76-90.

Francia.

* 3165. BAECHLER (Christian). L'Alsace contemporaine de 1870 à 1945 : un bilan de recherches depuis 1968. R. Alsace, 81, n° 107, p. 169-188.

* 3166. BOSHER (John F.). Current writing on administration and finance in eighteenth-century France. J. modern Hist., 81, vol. 53, p. 73-83.

* Cf. n° IX.

** 3167. Archives parlementaires de 1787 à 1860. Recueil complet des débats législatifs et politiques des Chambres françaises. Fondé par Jérôme MARIVAL et Emile LAURENT, continué par l'Inst. d'Histoire de la Révolution franç., Univ. Paris I. 1e série : 1787 à 1799. [T. 91. Cf. Bibl. 76-77, n° 3974.] T. 92 : Du 1er messidor au 20 messidor an II (19 juin au 8 juillet 1794). Paris, Ed. du C.N.R.S., 81, in-4, 564 p.

** 3168. BROWNING (Oscar). Despatches from Paris, 1784-1790. Vol. 1 : 1784-1787. Vol. 2 : 1788-1790. London, R. Hist. Soc., 81, 2 vol. in-4, 289, 347 p. (Camden Soc.)

** 3169. COIGNY (Aimée de). Journal ("la jeune captive"). Prés. par André-Marc GRANGE. Paris, Perrin, 81, in-8, 276 p. (pl.).

** 3170. DINET (Henri). Documents, craintes, brigandages et paniques, inédits des années 1789-1791. A. hist. Révol. franç., 81, a. 53, 304-316.

** 3171. GAULLE (Charles de). Lettres, notes et carnets. T. 1 : 1905-1918. T. 2 : 1919 - juin 1940. Paris, Plon, 80, 2 vol. in-8, 547, 512 p. (ill.)

** 3172. Journal de la cour et de Paris pour le mois de novembre 1732 jusqu'au mois de novembre 1733. Texte établi et annoté par Henri DURANTON. Saint-Etienne, l'université, 81, in-8, 200 p.

** 3173. Lafayette in the age of the American revolution : selected letters and papers, 1776-1790. [Vol. 3. Cf. Bibl. 80, n° 3223.] Vol. 4 : April 1, 1781-December 23, 1781. Ed. by Stanley J. IDZERDA a. others. Ithaca, N.Y., Cornell U.P., 81, in-8, XLVI-538 p.

** 3174. MARIE-AMELIE [reine]. Journal de Marie-Amélie, reine des Français, 1800-1866. Ed. par Suzanne d'HUART. Paris, Libr. acad. Perrin, 80, in-8, 601 p. (ill.).

** 3175. NAPOLEON 1er. Lettres d'amour à Joséphine. 1ère éd. intégrale, établie par Chantal de TOURTIER-BONAZZI. Paris, Fayard, 81, in-8, 464 p.

** 3176. Napoléon à Sainte-Hélène. Texte choisis, préfacés et commentés par Jean TULARD. Paris, R. Laffont, 81, in-8, 771 p.

** 3177. Papiers (Les) de Richelieu, section politique intérieure, correspondance et papiers d'Eat, réunis par Pierre GRILLON. [3 bis. Cf. Bibl. 80, n° 3227.] 4 : 1626. Paris, Pédone, 80, in-4, 780 p. (Monumenta Europae historica).

** 3178. ROLAND (Pauline), RANC (Arthur), ROUFFET (Gaspard-Léonce). Bagnes d'Afrique : trois transportés en Algérie après le coup d'Etat du 2 décembre 1851. Textes établis, annotés et prés. par Fernand RUDE. Paris, Maspero, 81, in-8, 224 p.

3179. Actes du 104e Congrès national des sociétés savantes, Bordeaux,1979. Section d'histoire moderne et contemporaine. [T. 1. Cf. Bibl. 80, n° 185.] T. 2 : La Gironde de 1610 à nos jours. Paris, Bibliothèque nationale, 81, in-8, 599 p. (ill.).

3180. AGULHON (Maurice). La révolution de 1830 dans l'histoire du XIXe siècle français. A. hist. Révol. franç., 80, a. 52, p. 483-498.

3181. AINVAL (Christiane d'). Gouvion Saint-Cyr, soldat de l'an II, maréchal d'Empire, réorganisateur de l'armée. Paris, Copernic, 81, 298 p. (pl.).

3182. ALBERTINI (Rosanna). Barnave e la Rivoluzione : un sogno dell'entusiasmo. Pisa, E.T.S., 80, in-8, 231 p.

3183. ALLINNE (J.-P.). A propos des bris de machines textiles à Rouen pendant l'été 1789 : émeutes anciennes ou émeutes nouvelles ? A. Normandie, 81, a. 31, p. 37-58.

3184. Année (L') 1768 à travers la presse traitée par ordinateur. Prés. par Jean VARLOOT et Paule JANSEN. Etudes tirées du dépouillement par Jean-Claude BONNET, Jeanne CARRIAT, Micheline COULAUD et al. Paris, Ed. du C.N.R.S., 81, in-8, 260 p.

3185. ARNOULD (Arthur). Histoire populaire et parlementaire de la Commune de Paris. Lyon, J.-M. Laffont, 81, in-8, 297 p.

3186. AUGUST (Thomas G.). Paris 1937 : the apotheosis of the Popular Front. Contemp. French Civilization, 80, vol. 5, p. 43-60.

3187. BAAL (Gérard). Un salon dreyfusard, des lendemains à la Grande Guerre : la marquise Arconati-Visconti et ses amis. R. Hist. mod., 81, t. 28, p. 433-463.

3188. BAKER (Keith Michael). A script for a French revolution : the political consciousness of the abbé Mably. Eighteenth-Cent. Stud., 81, vol. 14, n° 3, p. 235-263.

3189. BAMBA (Vamadou). Problèmes de tendances : S.F.I.O. et politique coloniale. A. Univ. Abidjan, Hist., 80, t. 8, p. 129-179.

3190. BARREAU (colonel Jean). Généraux et représentants du peuple en Vendée. R. hist. Armées, 80, n° 2, p. 63-93.

3191. BARROWS (Susanna). Distorting mirrors : visions of the crowd in late nineteenth century France. New Haven, Conn., Yale U.P., 81, in-8, IX-221 p. (Yale Hist. Pub., Misc., 27)

3192. BARTOLINI (Stefano). Riforma istituzionale e sistema politico. La Francia gollista. Bologna, Il mulino, 81, in-8, 337 p. (Stud. e Ric., 121)

3193. BAUDE (Michel). P.-H. Azaïs, témoin de son temps, d'après son journal inédit, 1811-1844. Lille, Atelier Reprod. des Thèses Univ. de Lille III ; Paris, H. Champion, 80, 2 vol. in-8, XXXVI-1218 p.

3194. BAUMANN (Heidrun). Der Geschichtsschreiber Philippe de Commynes und die Wirkung seiner politischen Vorstellungen in Frankreich um die Mitte des 16. Jahrhunderts. München, Minerva, 81, in-8, XII-279 p.

3195. BECK (Thomas). The French revolution and the nobility : a reconsideration. J. soc. Hist., 81, vol. 15, n° 2, p. 219-234.

3196. BECKER (Jean-Jacques). Le parti communiste veut-il prendre le pouvoir ? La stratégie du P.C.F. de 1930 à nos jours. Paris, Ed. du Seuil, 81, in-8, 332 p.

3197. BENDJEBBAR (André). Deux traits spécifiques de l'Anjou à la veille de la Révolution. Cah. Hist. Inst. Rech. marxistes, 81, a. 14, n. sér., n° 38, p. 49-64.

3198. BENEDICT (Philip). Rouen during the wars of religion. London a. New York, Cambridge U.P., 81, in-8, XX-297 p. (maps). (Cambridge Stud. in Early Mordern Hist.)

3199. BERSTEIN (Serge). Histoire du parti radical. [Publ. par la] Fondation nationale des sciences politiques. 1 : La recherche de l'âge d'or, 1919-1926. Paris, Presses de la Fondation nat. des sci. pol., 80, in-8, 486 p. (cartes).

3200. BICHET (Robert). La démocratie chrétienne en France, le Mouvement républicain populaire. Besançon, Jacques et Demontrond, 81, in-8, 392 p.

3201. BLANCHARD (Marc Eli). Saint-Just et Cie : la Révolution et les mots. Paris, A.-G. Nizet, 80, in-8, 290 p.

3202. BLATT (Joel). Relatives and rivals : the responses of the Action française to Italian fascism, 1919-1926. European Stud. R., 81, vol. 11, p. 263-292.

3203. BONNEY (Richard). The king's debts : finance and politics in France, 1589-1661. London, Oxford U.P., 81, in-8, 384 p. - IDEM. Cardinal Mazarin and the great nobility during the Fronde. Eng. hist. R., 81, vol. 96, p. 818-833.

3204. BORDONOVE (Georges). Les rois qui ont fait la France. T. 1 : Henri IV le Grand. Paris, Pygmalion, 81, in-8, 313 p. (pl.).

3205. BOURDERON (Roger). La politique du P.C.F. durant l'été 1940 : "Humanité" clandestine (juin-juillet 1940) et appel de juillet. Cah. Hist. Inst. Rech. marxistes, 81, a. 14, n. s. n° 39, p. 43-73.

3206. BOURDON (Léon). Trois Lusitaniens à Paris au début de la Révolution française (juillet 1790-avril 1791). B. Et. portugaises, 81, t. 41, p. 107-160.

3207. BOURGET (P.), LACRETELLE (Ch.). Sur les murs de Paris et de France, 1939-1945. Paris, Hachette, 80, 213 p. (ill.).

3208. BOYER (Pierre). Les milices bourgeoises et la guerre des Camisards. R. hist. Armées, 81, n° 4, p. 64-95.

3209. BOZON (Michel). Les conscrits. Paris, Berger-Levrault, 81, in-8, 155 p.

3210. BRECY (Robert). La chanson révolutionnaire de 1789 à 1799. A. hist. Révol. franç., 81, a. 53, p. 279-303.

3211. BROGLIE (Gabriel de). L'orléanisme : la ressource libérale de la France. Paris, Perrin, 80, in-8, 415 p.

3212. BROILLIARD (Jean-Louis). Aubusson sous la Terreur, 1793-1794. Guéret, Soc. des Sci. naturelles et archéol. de la Creuse, 81, in-8, 127 p.

3213. BRYE (Bernard de). Liberté de la presse et avatars d'un sermon. Recherches sur le sermon prononcé par Mgr de La Fare, évêque de Nancy, lors de la messe d'ouverture des Etats Généraux, le 4 mai 1789. A. Est, 80, sér. 5, a. 32, p. 279-317.

3214. CAILLET (Gérard). De Gaulle 1890-1970. Paris, Denoël, 80, in-8, 124 p. (ill.)

2. HISTORIA POR ESTADOS

3215. CAMERON (Iain A.). Crime and repression in the Auvergne and the Guyenne, 1720-1790. London, Cambridge U.P., 81, in-8, 283 p. (maps).

3216. CARMONA (Michel). Marie de Médicis. Paris, Fayard, 81, in-8, 636 p.

3217. CARRERE (Casimir). Les amours scandaleuses du maréchal-duc de Richelieu, 1696-1788, d'après des correspondances autographes, des mémoires contemporains et des documents inédits. Paris, Ed. France-Empire, 80, 323 p. (pl.).

3218. CARRINGTON (Dorothy). Les parents de Napoléon d'après des documents inédits (collection du Prince Napoléon). A. hist. Révol. franç., 80, a. 52, p. 585-607.

3219. CASTRIES (René de La Croix, duc de). La Terreur blanche : l'épuration de 1815. Paris, Perrin, 81, in-8, 282 p.

3220. CAZELLES (Raymond). Anne de Montmorency, seigneur de Compiègne, d'après les archives du musée Condé [de Chantilly, Oise]. B. Soc. hist. Compiègne, 80, t. 27, p. 107-124.

3221. CERATI (M.). Marguerite de Navarre. Paris, Sorbier, 81, in-8, 235 p.

3222. CHABAN-DELMAS (Jacques). Charles de Gaulle. Paris, Valmer, 80, in-8, 218 p. (ill.).

3223. CHAPPET (Alain), MARTIN (Roger), PIGEARD (Alain), ROBE (André). Le guide napoléonien. Paris, Ch. Lavauzelle, 81, in-8, 383 p.

3224. CHARTIER (Roger). Cultures, Lumières, doléances : les cahiers de 1789. R. Hist. mod., 81, t. 28, p. 68-93.

3225. CHAUNU (Pierre). La violence et la peur. H-Histoire, 81, n° 7, p. 117-134.

3226. CHOISEL (Francis). Du tirage au sort au service universel. R. hist. Armées, 81, n° 2, p. 43-60.

3227. CHRISTIENNE (Charles), LISSARAGUE (Pierre), DEGARDIN (Alain), FACON (Patrick), BUFFOTOT (Patrice), HODEIR (Marcelin). Histoire de l'aviation militaire française. Paris, Ch. Lavauzelle, 80, in-4, 557 p. (ill.).

3228. CHURCH (Clive H.). Revolution and red tape : French ministerial bureaucracy, 1770-1850. London, Oxford U.P., 81, in-8, 426 p.

3229. COCHIN (Augustin). L'esprit du jacobinisme : une interprétation sociologique de la Révolution française. Préf. de Jean BAECHLER. Paris, Presses univ. France, 79, in-8, 198 p. (Sociologies) - Cf. BENETON (Philippe). La dynamique révolutionnaire ou la logique du totalitarisme : à propos de l'interprétation de la Révolution française par Augustin Cochin. Arch. europ. Sociol., 81, t. 22, p. 119-140.

3230. COCULA-VAILLIERES (Anne-Marie). Un fleuve et des hommes : les gens de la Dordogne au XVIIIe siècle. Préf. de Pierre GOUBERT. Paris, Tallandier, 81, in-8, 523 p. (ill., pl.). (Bibl. Géographia).

3231. COMOR (André-Paul). L'image de la Légion étrangère à travers la littérature française. R. hist. Armées, 81, n° 3, p. 157-179.

3232. CORCIULO (Maria Sofia). La polemica politica fra Chateaubriand e Constant dopo lo scioglimento delle "Chambre introuvable" (settembre-dicembre 1816). Critica stor., 81, a. 18, p. 74-88.

3233. COSTA (André). L'appel du 17 juin [1940, du général de Gaulle]. Paris, J.-C. Lattès, 81, in-8, 332 p. (carte).

3234. COURSIER (Alain). De Gaulle. Gembloux et Paris, Duculot, 81, in-8, 141 p. (ill.).

3235. CREMER (Albert). Der Adel in der Verfassung des Ancien Régime. Die Châtellenie d'Epernay u. d. Souveraineté de Charleville im 17. Jh. Bonn, Röhrscheid, 81, in-8, 410 p. (Pariser hist. Stud., 16).

3236. DECKER (Michel de). La veuve Egalité : Marie-Adélaïde de Bourbon-Penthièvre, femme de régicide, mère de roi. Paris, Perrin, 81, in-8, 301 p. (pl.).

3237. DEYON (Solange), LOTTIN (Alain). Les Casseurs de l'été 1566 : l'iconoclasme dans le Nord. Paris, Hachette, 81, in-8, 255 p.

3238. DIPPER (Christof). Die Bauern in der französischen Revolution. Gesch. u. Ges., 81, Bd 7, p. 119-133.

3239. DOYLE (William). The origins of the French Revolution. London, Oxford U.P., 81, in-8, 248 p.

3240. DUHAMEL (Olivier). La gauche et la Ve République. Paris, Presses univ. de France, 80, in-8, 589 p.

3241. DUHAMEL (Pierre). Le Grand Condé ou l'orgueil. Paris, Librairie acad. Perrin, 81, in-8, 349 p. (ill.).

3242. DULONG (Claude). Anne d'Autriche, mère de Louis XIV. Paris, Hachette, 80, in-8, 427 p. (pl.).

3243. DUMAS (René). "Ravachol, l'homme rouge de l'anarchie". Saint-Etienne, Le Hénaff, 81, in-8, 204 p. (ill.).

3244. DUPONT (Jacques). Louis XIII, roi de France. Cah. saint Louis, 80, n° 15, p. 1242-1253.

3245. DUPONT (Marcel). La garde meurt, 1815. Paris, Ch. Lavauzelle, 81, in-8, 180 p. (ill.). - IDEM. Napoléon et ses grognards. Paris, Ch. Lavauzelle, 81, in-8, 190 p.

3246. DU VACHAT (Pierre). 1877 : la crise du Seize Mai... ou l'étrange république. Paris, Pensée universelle, 81, in-8, 380 p.

3247. EL GAMMAL (Jean). L'utilisation électorale du passé, 1885-1898. R. hist., 81, a. 105, t. 265, p. 103-130.

3248. EPOIS (J.). L'affaire Corday-Marat, prélude à la Terreur. Les Sables-d'Olonne, Cercle d'Or, 81, in-8, 272 p.

3249. ERDMANN (Karl Dietrich). Der Begriff der Freiheit in der Französischen Revolution. Von d. "Déclaration des droits de l'homme" zum "Despotisme de la liberté". Gesch. in Wiss. u. Unterr., 81, Jg. 32, p. 455-468.

3250. EUDE (Michel). Une interprétation "non-mathiezienne" de l'affaire de la Compagnie des Indes. A. hist. Révol. franç., 81, a. 53, p. 239-261.

3251. FAURY (Jean). Cléricalisme et anticléricalisme dans le Tarn, 1848-1900. Toulouse, Assoc. des publ. de l'Univ. de Toulouse-Le Mirail, 80, in-8, 532 p. (4 p. de pl., cartes). (Publ. de l'Univ. de Toulouse-Le Mirail, sér. A, 41).

3252. FAVROT (Brigitte). Le gouvernement allemand et le clergé catholique lorrain de 1890 à 1914. Metz, Centre de recherches Relations Internat. de l'Univ., 80 ; Wiesbaden, Steiner, 81, in-8, 284 p. (Ill). (Veröff. d. Inst. f. Europ. Gesch. Mainz. Abt. Universalgesch., Beih. 11)

3253. FERRIER-CAVERIVIERE (Nicole). L'image de Louis XIV dans la littérature française de 1660 à 1715. Paris, Presses univ. France 81, in-8, 439 p.

3254. FOISIL (Madeleine). Le sire de Gouberville : un gentilhomme normand au XVIe siècle. Paris, Aubier-Montaigne, 81, in-8, 288 p. (ill.).

3255. FORREST (Alan). The French Revolution and the poor. Oxford, Blackwell ; New York, St. Martin's Press, 81, in-8, X-198 p.

3256. FREARS (John R.). France in the Giscard Presidency. London, Allen a. Unwin, 81, in-8, 192 p.

3257. GODECHOT (Jacques). Deux cahiers de doléances des femmes de Toulouse, en 1789. B. Hist. écon. soc. Révol. franç., 79, p. 71-85.

3258. GOGUEL (François). Chroniques électorales : les scrutins politiques de 1945 à nos jours. T. 1 : La Quatrième République. Paris, Presses de la Fondation nat. des Sci. polit., 81, in-8, 171 p.

3259. GOULET (Jacques). Robespierre, la peine de mort et la Terreur. A. hist. Révol. franç., 81, a. 53, p. 219-238.

3260. Grands notables du Premier Empire. Notices de biographie sociale publ. sous la dir. de Louis BERGERON et Guy CHAUSSINAND-NOGARET. [T. 5, 6. Cf. Bibl. 80, n° 3277] T. 7 : Aube, Marne, par Georges CLAUSE. Haute-Marne, par Georges VIARD. Paris, Ed. du C.N.R.S., 81, in-8, 243 p.

3261. GREENGRASS (Mark). Martin Charretier : the career of a politique during the wars of religion in France. Proc. Huguenot Soc., 81, vol. 23, p. 330-340.

3262. GRUSZYŃSKI (Jan). Społeczność polska we Francji w latach 1918-1978. Problemy integracyjne trzech pokoleń. (La société polonaise en France dans les années 1918-1978. Problèmes d'intégration de trois générations.) Warszawa, Państw. Wydawn. Nauk., 81, in-8, 313 p.

3263. GUES (André). Les finances de la Révolution, 1792-1800. Itinéraires, 81, n° 250, p. 57-69 ; n° 257, p. 63-72 ; n° 258, p. 44-54.

3264. HAFT (Cynthia J.). L'Union générale des Israélites de France et la politique de "réduction". Contemp. french Civ., 81, vol. 5, p. 261-274.

3265. HALLS (Wilfred Douglas). The youth of Vichy France. London a. New York, Oxford U.P., 81, in-8, XI-492 p.

3266. HARDING (Robert). Revolution and reform in the Holy League : Angers, Rennes, Nantes. J. mod. Hist., 81, vol. 53, n° 3, p. 379-416.

3267. HARDMAN (John). The French Revolution, the fall of the Ancien Regime to the Thermidorian reaction, 1785-1795. London, E. Arnold, 81, in-8, 256 p. (Docs. of Mod. Hist.)

3268. HARVEY (Donald J.). Challenges to nationalism in twentieth-century France. In : Nationalism [Cf. n° 431], p. 178-192.

3269. HARTMANN (Peter Claus). Die politische und wirtschaftliche Entwicklung Frankreichs im Zweiten Weltkrieg : Grundlage u. Voraussetzung für d. frühe franz. Besatzungspolitik in Südwestdeutschland. Oberrhein. Stud., 80, Bd 5, p. 179-192.

3270. HASS (Ludwik). Le Paris franc-maçon face aux problèmes de l'Europe centrale et orientale. Acta Poloniae hist., 80 [81], vol. 42, p. 111-143.

3271. HAUSE (Steven C.), KENNEY (Anne R.). The limits of suffragist behavior : legalism and militancy in France, 1876-1922. Am. hist. R., 81, vol. 86, n° 4, p. 781-806.

3272. HEMERET (Georges), HEMERET (Janine). Les présidents, République française : chronologie et recherches iconographiques. Paris, Prodifu, 81, 191 p. (ill.).

3273. HERMON (Rita). Fêtes révolutionnaires, fêtes républicaines : une tradition retrouvée. Nouv. R. socialiste, 81, n° 53, p. 42-56.

3274. HIGONNET (Patrice). Class, ideology and the rights of nobles during the French Revolution. London, Oxford U.P., 81, in-8, 400 p.

3275. HINTERMEYER (Pascal). Politiques de la mort, tirées du concours de l'Institut, germinal an VIII-vendémiaire au IX. Payot, 81, in-8, 182 p. (Biblioth. hist.).

3276. Histoire de la France contemporaine. T. 1 : 1789-1799. T. 2 : 1799-1835. T. 3 : 1835-1871. T. 4 : 1871-1918. T. 5 : 1918-1940. T. 6 : 1940-1947. Coordination par Jean ELLEINSTEIN. Paris, Ed. sociales, 79-80, 6 vol. in-4, 447, 463, 445, 445, 409, 409 p. (ill.).

3277. Histoire du Languedoc, de 1900 à nos jours. Sous la dir. de Gérard CHOLVY. Toulouse, Privat, 80, in-8, 412 p. (ill.).

3278. HOLZAPFEL (Kurt). Die Julirevolution 1830 in Frankreich. Meinungen, Kontroversen, Forschungsdesiderata. Z. f. Geschichtswiss., 81, Jg. 29, p. 710-725.

3279. HUTTON (Patrick H.). The cult of the revolutionary tradition : the Blanquists in French politics, 1864-1893. Berkeley a. Los Angeles, Univ. of California Press, 81, in-8, XV-218 p.

3280 IKNI (Guy). La guerre des farines dans l'Oise, 1775. A. hist. compiégnoises, 81, a. 4, n° 15, p. 13-36.

3281. IZAC (René). Le corps électoral législatif de la circonscription de Villefranche-de-Rouergue et son évolution de 1830 à 1848. R. Rouergue, 81, a. 35, p. 101-127.

3282. JACQUART (Jean). François 1er. Paris, Fayard, 81, in-8, 440 p. (12 p. de pl.).

3283. JAUFFRET (Jean-Charles). La division de Légion étrangère du général Bernelle, 1835-1838. R. hist. Armées, 81, n° 1, p. 51-72.

3284. Jaurès et la classe ouvrière. Etudes coordonnées par Madeleine REBERIOUX. Paris, Ed. ouvrières, 81, in-8, 240 p.

3285. JOB (Françoise). Les anciens militaires de la République et de l'Empire dans le département de la Meurthe en 1857. A. hist. Révol. franç., 81, a. 53, p. 419-436.

3286. JONES (Colin). The organization of conspiracy and revolt in the Mémoires of the cardinal de Retz. European Stud. R., 81, vol. 11, p. 125-150.

3287. JONES (P. M.). Parish, seigneurie and the community of inhabitants in Southern central France during the eighteenth and nineteenth centuries. Past a. Present, 81, n° 91, p. 74-108.

3288. KATHE (Heinz). Der "Sonnenkönig". Ludwig XIV., König v. Frankreich, u. seine Zeit 1638-1715. Berlin, Akad.-Verl., 81, in-8, VI-234 p.

3289. KELLEY (George Armstrong). From lèse-majesté to lèse-nation : treason in eighteenth-century France. J. Hist. Ideas, 81, vol. 42, n° 2, p. 269-286.

3290. KETTERING (Sharon). A provincial Parlement during the Fronde. The reform proposals of the Aix magistrates. European Stud. R., 81, vol. 11, p. 151-169.

3291. KNECHT (R. J.). Francis I and Paris. History, 81, vol. 66, p. 18-33.

3292. KRYNEN (Jacques). Paul Déroulède, poète de la Revanche. A. Univ. Sci. soc. Toulouse, 80, t. 28, p. 441-474.

3293. LACOUTURE (Jean). Pierre Mendès France. Paris, Ed. du Seuil, 81, in-8, 547 P.

3294. LA FOURNIERE (Xavier de). Alexis de Tocqueville, un monarchiste indépendant. Paris, Perrin, 81, in-8, 380 p.

3295. LAMARQUE (Pierre). Les francs-maçons aux Etats généraux de 1789 et à l'Assemblée nationale. Paris, Edimaf, 81, in-8, 170 p.

3296. LATTA (Claude). Un républicain méconnu : Martin Bernard, 1808-1883. Saint-Etienne, Centre d'Etudes foréziennes, 80, in-8, 320 p.

3297. LAURAIN-PORTEMER (Madeleine). Etudes mazarines. T. 1. Paris, de Boccard, 81, in-8, XI-552 p.

3298. LEBIGRE (Arlette). La révolution des curés : Paris, 1588-1594. Paris, A. Michel, 80, in-8, 293 p.

3299. Légion (La) étrangère, 1831-1981. R. hist. Armées, 81, n° 1, 313 p.

3300. LE GOFF (T.J.A.). Vannes and its region : a study of town and country in eighteenth-century France. London a. New York, Oxford U. P., 81, in-8, VII-445 p.

3301. LEGRAND (Robert). Babeuf et ses compagnons de route. Paris, Soc. des Etudes robespierristes, 81, in-8, 455 p.

3302. LEMARCHAND (Guy). La féodalité et la Révolution française : seigneurie et communauté paysanne (1780-1799). A. hist. Révol. franç., 80, a. 52, p. 536-558. - IDEM. Troubles et révoltes populaires en France, XVIe-XVIIIe siècles : essai de mise au point. Cah. Hist. Inst. Rech. marxistes, 81, a. 14, n. sér., n° 39, p. 122-153.

3303. LEMAY (Edna). Une voix dissonante à l'Assemblée Constituante ; le prosélytisme de Robespierre. A. hist. Révol. franç., 81, a. 53, p. 390-404.

3304. LERNER (Henri). Le colonel Emile Mayer et son cercle d'amis. R. hist., 81, a. 105, t. 266, p. 75-94.

3305. LEROUX (Roger). Le Morbihan en guerre, 1939-1945. T. 1, 2. Mayenne. J. FLOCH, 81, 2 vol. in-8, 671 p. (pl., cartes).

3306. LEVY (R.P.). Babouvism and the Parisian sans-culottes. J. european Stud., 81, vol. 11, p. 169-183.

3307. LEWIS-BECK (Michael S.). The electoral politics of the French peasantry, 1946-1978. Polit. Studies, 81, vol. 29, p. 517-536.

3308. LOISEAU (Yvan). Les aristocrates complices de la Révolution. Vichy, Wallon, 80k, in-8, 224 p.

3309. LUIRARD (Monique). La région stéphanoise dans la guerre et dans la paix (1936-1951). Saint-Etienne, Univ. Centre d'Et. foréziennes, 80, in-8, 1024 p.

3310. LYONS (Martyn). Révolution et Terreur à Toulouse. Toulouse, Privat, 80, in-8, 281 p.

3311. McMILLAN (James F.). Clericals, anticlericals and the women's movement in France under the Third Republic. Hist. J., 81, vol. 24, p. 361-376.

3312. McPHEE (Peter). On rural politics in nineteenth-century France : the example of Rodès, 1789-1851. Comp. Stud. in Soc. a. Hist., 81, vol. 23, p. 248-277. - IDEM. Social change and political conflict in Mediterranean France : Canet in the XIXth century. French hist. Stud., 81, vol. 12, p. 68-97.

3313. MAGER (Wolfgang). Frankreich vom Ancien Regime zur Moderne, 1630-1830. Stuttgart, Kohlhammer, 81, in-8, 330 p.

3314. MAJOR (J. Russell). Representative government in early modern France. New Haven, Conn., Yale U.P., 80, in-8, XIV-731 p. (Stud. presented to Intern. Commission for the Hist. of Representative a. Parliamentary Institutions, 63).

3315. MANSEL (Philip). Louis XVIII. London, Blond a. Briggs, 81, in-8, 500 p.

3316. MARCET (Alice). La Cerdagne après le traité des Pyrénées. A. Midi, 81, t. 93, p.

141-155.

3317. MARES (Antoine). Un siècle à travers trois Républiques : Georges et Edouard Bonnefous, 1880-1980. Paris, Presses univ. France, 81, in-8, 320 p.

3318. MARRUS (Michael R.), PAXTON (Robert O.). Vichy France and the Jews. New York a. Neasden, Basic Books, 81, in-8, XVI-432 p.

3319. MARTIN (Michel L.). Warriors to managers : the French military establishment since 1945. Chapel Hill, Univ. of North Carolina Press, 81, in-8, XXII-424 p.

3320. MASANELLI (J.-C.). En Languedoc sous l'Ancien Regime : Gaujac à l'époque de Louis XIV. Paris, Clavreuil, 81, in-8, 106 p.

3321. MATEU (André). Les "émotions" populaires au temps d'Henri IV. Un exemple : Layrac, 1609. R. Agenais, 81, a. 108, p. 87-104, 255-268.

3322. MAUNY (Raymond). Le "Grand hiver" de 1708-1709 dans le Centre-Ouest de la France et son contexte européen. B. Soc. archéol. Touraine, 80, t. 39, p. 511-532.

3323. MENAGER (Bernard). Force et limites du bonapartisme populaire en milieu ouvrier sous le Second Empire. R. hist., 81, a. 105, t. 265, p. 371-388.

3324. MENES (Jean-Claude). Contre-Révolution et correspondance avant Quiberon. M. Soc. Hist. Archéol. Bretagne, 81, t. 58, p. 197-222.

3325. METHIVIER (Hubert). L'Ancien Régime en France, XVIe-XVIIe-XVIIIe siècles. Paris, Presses univ. France, 81, in-8, 506 p.

3326. MICHAUD (Claude). Finances et guerres de religion en France. R. Hist. mod., 81, t. 28, p. 572-596.

3327. MIOCHE (Philippe). Aux origines du plan Monnet : les discours et les contenus dans les premiers plans français (1941-1947). R. hist., 81, a. 105, t. 265, p. 405-438.

3328. MITCHELL (Allan). "A situation of inferiority" : French military reorganization after the defeat of 1870. Am. hist. R., 81, vol. 86, n° 1, p. 49-62.

3329. MONNIER (R.). Le faubourg Saint-Antoine [à Paris], 1789-1815. Paris, Soc. des Etudes robespierristes, 81, in-8, 368 p.

3330. MORVAN (Alain). John Moore, témoin de la Révolution française. Et. anglaises, 81, a. 34, p. 413-428.

3331. NERDEUX-LAULANNE (Daniel). La grogne des croquants à Parigné-le-Pôlin à la fin du XVIIIe siècle. Prov. Maine, 81, t. 83, p. 418-431.

3332. NORD (Philip). Le mouvement des petits commerçants et la politique en France de 1888 à 1914. Mouvement soc., 81, n° 114, p. 35-55.

3333. NOUSCHI (André). Léon Blum, les socialistes et la politique pétrolière française [1920-1931]. Cah. Léon Blum, 81, n° 9, p. 7-67.

3334. ODDONE (Patrick). Sociologie électorale et personnel politique de la région de Dunkerque, 1945-1979. Franse Nederlanden, 81, p. 29-49.

3335. O'NEILL (Francis). The French radical party and European integration. New York, St. Martin's Press, 81, in-8, IX-124 p.

3336. PAILLAT (Claude). Dossiers secrets de la France contemporaine. 1 : 1919, les illusions de la gloire. 2 : La victoire perdue, 1920-1929. 3 : La guerre à l'horizon, 1930-1938. Paris, Laffont, 79-81, 3 vol. in-8, 541, 515, 596 p.

3337. Parižskaja kommuna 1871 goda. Vremja - sobytija - ljudi. (The Commune of Paris, 1871. Time - events - people.) Pod obšč. red. I. A. BACH. 2-e izd., dop. Moskva, Politizdat, 81, 376 p. (ill.).

3338. PARKER (D.). La Rochelle and the French monarchy. London, Royal hist. Soc., 80, in-8, 234 p.

3339. Paroisses et communes de France. Dictionnaire d'histoire administrative et démographique [publ. par le Laboratoire de démographie historique de l'Ecole des hautes études en Sci. soc., sous la dir. de Jacques DUPAQUIER et Jean-Pierre BARDET]. [T. 11, 58, 74. Cf. Bibl. 80, n° 3310] T. 15 : Drôme, sous la dir. de J.-P. BARDET et D. ROCHE. T. 87 : Haute-Vienne, par Isabelle EMPEREUR-BISSONNET, sous la dir. de M. MOLLAT et J.-P. BARDET. Paris, Ed. du C.N.R.S., 81, 2 vol. in-8, 557, 336 p. (cartes).

3340. PASQUELET (M.). Les sous-marins de la France libre. Paris, Presses de la Cité, 81, in-8, 286 p.

3341. PERTUE (Michel). Remarques sur les listes de conventionnels. A. his. Révol. franç., 81, a. 53, p. 366-389.

3342. PONIATOWSKI (Michel). Louis-Philippe et Louis XVIII : autour du journal de Louis-Philippe en mars 1815. Paris, Perrin, 80, in-8, 540 p. (16 p. de pl.).

3343. PRYCE-JONES (David). Paris in the Third Reich. London, Collins, 81, in-4, 320 p. (ill., pl.).

3344. QUELLIEN (Jean). Un révélateur des mentalités : les "inventaires" de 1906 en Basse-Normandie. Et. normandes, 81, n° 4, p. 19-40.

3345. RAPHAEL-LEYGUES (Jacques), BARE (Jean-Luc). Les mutins de la mer Noire. Avril 1919 : des marins français se révoltent. Paris, Ed. ouvrières, 81, in-8, 237 p.

3346. RATCLIFFE (Bertram). Prelude to fame : an account of the early life of Napoleon up to the battle of Montenotte. London, F. Warne, 81, in-8, VIII-118 p.

3347. RAYTSES (Vladimir I.). Le programme de l'insurrection d'Agen en 1514. A. Midi, 81, t. 93, p. 255-277.

3348. REBERIOUX (Madeleine). Les socialistes français et le petit commerce au tournant du siècle. Mouvement soc., 81, n° 114, p. 57-70.

3349. REICHARDT (Rolf), SCHMITT (Eberhard). Die Französische Revolution : Umbruch

2. HISTORIA POR ESTADOS

oder Kontinuität. Z. f. hist. Forsch., 80, Bd 7, p. 259-320.

3350. RICHEZ (Jean-Claude). La révolution de novembre 1918 en Alsace dans les petites villes et les campagnes. R. Alsace, 81, n° 107, p. 153-168.

3351. RIOUX (Jean-Pierre). La France de la IVe République : T. 1 : L'ardeur et la nécessité, 1944-1952. Paris, Ed. du Seuil, 80, in-8, 309 p. (ill.).

3352. ROBRIEUX (Pierre). Histoire intérieure du parti communiste [français]. T. 1 : 1920-1945. T. 2 : 1945-1972. Paris, Fayard, 80-81, 2 vol. in-8, 583, 735 p.

3353. ROSENGARTEN (Adolph G.) Jr. The evolution of French military manpower policy from 1872 to 1914. Milit. Affairs, 81, vol. 45, n° 4, p. 180-186.

3354. ROSSIGNOL (D.). Vichy et les francs-maçons. Paris, Lattès, 81, in-8, 322 p.

3355. ROUCAUTE (Yves). Le P.C.F. et les sommets de l'Etat. De 1945 à nos jours. Paris, Presses univ. France, 81, in-8, 192 p.

3356. ROUSSET (Paul). L'idéologie de croisade dans les guerres de religion au XVIe siècle. Schweiz. Z. f. Gesch., 81, vol. 31, p. 174-184.

3357. ROWEN (Herbert H.). The king's state : proprietary dynasticism in early modern France. New Brunswick, N.J., Rutgers U.P., 80, in-8, VIII-232 p.

3358. SABIN (Guy). Les acquis de la Révolution française. R. Tarn, 81, sér. 3, n° 103, p. 407-418.

3359. SANZ TAPIA (Angel). Militaires royalistes émigrés, prisonniers français et esclaves de Saint-Domingue dans la capitainerie du Venezuela pendant la guerre contre la Révolution (1793-1795). A. Antilles, 80, n° 23, p. 68-86.

3360. SARTORIUS (Francis), PAEPE (Jean-Luc de). Belges ralliés à la Commune de Paris. R. belge Hist. milit., 80, t. 23, p. 713-742 ; 81, t. 24, p. 11-44, 149-172.

3361. SCHWAB (Roland). De la cellule rurale à la région : l'Alsace, 1825-1960. Paris, Ophrys ; Strasbourg, l'Auteur, 80, in-8, 518 p. (ill.).

3362. SCOTT (Samuel F.). Gentlemen soldiers at the time of the French revolution. Milit. Affairs, 81, vol. 45, n° 3, p. 105-108.

3363. SCOTT (Simone). Saint-Simon et ses premiers lecteurs. Stanford French R., 81, n° 5, p. 35-50.

3364. SEWARD (Desmond). Marie Antoinette. London, Constable, 81, in-8, 304 p.

3365. SINGER (Barnett). Clemenceau and the Jews. Jewish soc. Stud., 81, vol. 43, n° 1, p. 47-58.

3366. SOBOUL (Albert). Comprendre la Révolution. Problèmes politiques de la Révolution française. Paris, Maspero, 81, in-8, 380 p.

3367. SORREL (Christian). La Troisième République à la ville : Chambéry de 1870 à 1914. Chambéry, Soc. savoisienne d'Hist. et d'Archéol., 80, in-8, 251 p. (ill.).

3368. SOUCY (Robert). Centrist fascism : the Jeunesses Patriotes. J. contemp. Hist., 81, vol. 16, p. 350-368.

3369. SOURNIA (Jean-Charles). Blaise de Monluc, soldat et écrivain, 1500-1577. Paris, Fayard, 81, in-8, 447 p. (pl., ill.).

3370. Sozialgeschichte der Aufklärung in Frankreich. 12 Orig.-Beitr. Hrsg. v. Hans Ulrich GUMBRECHT [u.a.]. T. 1 : Synthese u. Theorie. Trägerschichten. München u. Wien, Oldenbourg, 81, in-8, 167 p. (graph. Darst.). (Ancien régime, Aufklärung u. Revolution, 4).

3371. SPRIGATH (Gabriele). Sur le vandalisme révolutionnaire (1792-1794). A. hist. Révol. franç., 80, a. 52, p. 510-535.

3372. STONE (Bailey). The parlement of Paris, 1774-1789. Chapel Hill, Univ. of North Carolina Press, 81, in-8, X-227 p.

3373. SUPPLE (James J.). The role of François de La Noue in the siege of La Rochelle and the protestant alliance with the Mécontents. Bibl. Humanisme Renaissance, 81, t. 43, p. 107-122.

3374. SUTHERLAND (N. M.). The assassination of François, duc de Guise, February 1563. Hist. J., 81, vol. 24, p. 279-295.

3375. TAPIE (Victor-Lucien). La France de Louis XIII et de Richelieu. Paris, Flammarion, 80, in-8, 461 p. (Champs, 82 : Champs historiques)

3376. TERRENOIRE (Louis). De Gaulle, 1947-1954. Paris, Plon, 81, in-8, 326 p.

3377. TOMBS (Robert). The Thiers government and the outbreak of civil war in France, February-April 1871. Hist. J., 80, vol. 23, p. 813-831.

3378. TRABANT (Jürgen). Die Sprache der Freiheit und ihre Feinde. Z. f. Lit.-Wiss. u. Linguistik, 81, Jg. 11, p. 70-89.

3379. TREASURE (G.R.R.). Seventeenth century France. 2nd rev. ed. London, J. Murray, 81, in-8, 608 p.

3380. WARTELLE (Jean-Claude). L'élection Barodet (avril 1873). R. Hist. mod., 80, t. 27, p. 601-630.

3381. WEBER (Eugen). The Second Republic, politics and the peasant. French hist. Stud., 80, vol. 11, p. 521-550.

3382. WEISENFELD (Ernst). Frankreichs Geschichte nach dem Krieg : Ereignisse, Gestalten, Hintergründe 1944-1980. München, Beck, 80, in-8, 307 p.

3383. WILSON (Stephen). Conflict and its causes in southern Corsica, 1800-1835. Social Hist., 81, vol. 6, p. 33-69.

3384. WOHLGEMUTHOVÁ (Renata). Pařížská komuna. (Die Pariser Kommune.) Praha, Stát. pedagog. naklad., 80, in-8, 207 p.

3385. YARDENI (Myriam). Utopie et révolte sous Louis XIV. Paris, Nizet, 80, in-8, 163 p.

3386. YOUNG (Robert J.). L'attaque brusquée and its use as myth in interwar France. Hist. Reflexions, 81, vol. 8, n° 81, p. 93-113.

3387. ZELDIN (Theodore). France, 1848-1945. Vol. 5 : Anxiety and hypocrisy. London, Oxford U.P., 81, in-8, 448 p. [Vol. 2. Cf. Bibl. 76-77, n° 4135.]

3388. ZIESENISS (Charles-Otto). Napoléon et la Cour impériale. Paris, Tallandier, 80, in-8, 246 p. (pl.).

Cf. n°s 2116, 3993, 4285, 5604, 6182.

Ghana.

3389. AMONOO (Ben). Ghana, 1957-1966. London, Allen a. Unwin, 81, in-8, 288 p.

Gran Bretaña.

* 3390. DOBSON (Caroline J.). Gladstoniana, a bibliography of material relating to W. E. Gladstone at St. Deiniol's Library. Hawarden, The Library, 81, in-4, 38 p.

* Cf. n° X.

** 3391. BURKE (Edmund). The writings and speeches of Edmund Burke. General ed. : Paul LANGFIELD. Vol. 2 : Party, Parliament and the American crisis, 1766-1774. Ed. by Paul LANGFIELD ; textual ed. for the writings : William B. TODD. Vol. 5 : Indian : Madras and Bengal, 1774-1785. Ed. by Peter James MARSHALL ; textual ed. for the writings : William B. TODD. London, Oxford U.P., 81, 2 vol. in-8, XVIII-508, XV-667 p.

** 3392. [CRANBROOK (Gathorne Gathorne-Hardy, 1st Earl of) :] The diary of Gathorne Hardy, later Lord Cranbrook, 1866-1892 : political selections. Ed. by Nancy E. JOHNSON. London a. New York, Oxford U.P., 81, in-8, XXXVIII-908 p.

** 3393. Vacat.

** 3394. Lisle (The) letters. Vol. 1-6. Ed. by Muriel St. Clare BYRNE. Chicago, Univ. of Chicago Press, 81, 6 vol. in-8, XXVIII-713, XVIII-705, XV-633, XV-546, XXI-770, IX-472 p. [Lisle : Lord Deputy of Calais, 1533-1540].

** 3395. LOCKHART (Sir Robert Hamilton Bruce). Diaries. Ed. by Kenneth YOUNG. [Vol. 1. Cf. Bibl. 74-75, n° 4057.] Vol. 2 : 1939-1965. London, Macmillan ; New York, St. Martin's Press, 81, in-8, 800 p.

** 3396. ROBINSON (John). Parliamentary papers, 1771-1784. Ed. by William Thomas LAPRADE. London, R. Hist. Soc., 81, in-4, 218 p. (Camden Soc.).

** 3397. RUGGE (Thomas). Diurnal, 1659-1661. Ed. by William L. SACHSE. London, R. Hist. Soc., 81, in-4, 224 p. (Camden Soc.).

** 3398. WILLIAMSON (Adam). Official diary of Lieutenant-General Adam Williamson, Deputy-Lieutenant of the Tower of London, 1722-1747. Ed. by John Charles FOX. London, R. Hist. Soc., 81, in-4, 284 p. (Camden Soc.).

3399. ALEXANDER (M. Van Cleave). The first of the Tudors : a study of Henry VII and his reign. London, Croom Helm, 81, in-8, 296 p.

3400. ASHDOWN (Dulcie M.). Victoria and the Coburgs. London, Hale, 81, in-8, 208 p.

3401. BARTLETT (Thomas). The augmentation of the army in Ireland, 1767-1769. Eng. hist. R., 81, vol. 96, p. 540-559.

3402. BECKETT (James Camlin). The making of modern Ireland, 1603-1923. London, Faber, 81, in-8, 521 p. (maps).

3403. BEDNARCZYK (Bogusława). Rozważania nad brytyjska myślą imperialną XIX wieku. (Réflexions sur la pensée impériale de la Grande Bretagne au XIXe s.) Studia hist., 81, a. 24, n° 1, p. 3-16.

3404. BELL (Gary M.). Elizatethan diplomatic compensation : its nature and variety. J. brit. Stud., 81, vol. 20, n° 2, p. 1-25.

3405. BERNARD (G. W.). The rise of Sir William Compton, early Tudor courtier. Eng. hist. R., 81, vol. 96, p. 754-777.

3406. BEWLEY (Christina). Muir of Huntershill. New York, Oxford U.P., 81, XI-212 p. [Thomas Muir, 1765-1799]

3407. BINGHAM (Caroline). James I of England. London, Weidenfeld a. Nicolson, 81, in-8, 236 p.

3408. Biographical dictionary of British radicals in the 17th century. Vol. 1. [Ed. by Richard I. GREAVES a. Robert ZALLER.] Brighton, Harvester Press, 81, in-8, 336 p.

3409. BOWLE (John). John Evelyn and his world : a biography. Boston, Routledge a. Kegan Paul, 81, in-8, XVII-277 p.

3410. BURNETT (J.A.J.). The rise and fall of a Regency dandy : the life and times of Scrope Berdmore Davies. London, J. Murray, 81, in-8, 264 p. (ill.).

3411. CALDER (Angus). Revolutionary Empire, the rise of the English-speaking Empire from the 15th century to the 1780's. London, Cape, 81, in-8, 944 p.

3412. CAREW (Anthony). The lower deck of the Royal Navy, 1900-1939 : Invergordon mutiny in perspective. Manchester, U.P., 81, in-8, 289 p.

3413. CASTEL (André). Le premier ministre britannique (1782-1832). Naissance d'une institution "conventionnelle". R. hist. Droit franç. étr., 81, a. 59, p. 199-230.

3414. COLLEY (Linda). Eighteenth-century English radicalism before Wilkes. Trans. Roy. hist. soc., 81, vol. 31, p. 1-19.

3415. COLVILLE (John). The Churchillians. London, Weidenfeld a. Nicolson, 81, in-8, 222 p.

3416. COLVILLE (John). The portrait of a general [Sir Charles Colville], a chronicle of the Napoleonic wars. Salisbury, M. Russell, 80, in-8, 256 p. (maps).

3417. COPE (Esther S.). The life of a public man : Edward, first baron Montagu of Boughton,

2. HISTORIA POR ESTADOS

1562-1644. Philadelphia, Am. Philos. Soc., 81, in-8, XV-224 p. (Mem. of the Am. Philos. Soc., 142).

3418. DINGLE (A. E.). The campaign for prohibition in Victorian England : the United Kingdom Alliance, 1872-1895. New Brunswick, N. J., Rutgers U.P., 80, in-8. 233 p.

3419. DITCHFIELD (G. M.). The house of Lords and parliamentary reform in the seventeen-eighties. B. Inst. hist. Research, 81, vol. 54, p. 207-225.

3420. DUNKLEY (Peter). Whigs and paupers : the reform of the English poor laws, 1830-1834. J. brit. Stud., 81, vol. 20, n° 2, p. 124-149.

3421. DWYER (J.) a. others. New perspectives on the politics and culture of early modern Scotland, 1560-1800. Edinburgh, J. Donald, 81, in-8, 190 p.

3422. EREIRA (Alan). The Invergordon mutiny, a narrative history of the last great mutiny in the Royal Navy and how it forced Britain off the Gold Standard in 1931. London, Routledge, 81, in-8, 190 p.

3423. FAIR (John D.). Walter Bagehot, royal mediation, and the modern British constitution, 1869-1931. Historian, 80, vol. 43, n° 1, p. 36-54.

3424. FLETCHER (Anthony). The outbreak of the English Civil War. London, E. Arnold ; New York, New York U.P., 81, in-8, XXX-446 p. (maps).

3425. FOSTER (R.F.). Lord Randolph Churchill, a political life. London, Oxford U.P., 81, in-8, 440 p.

3426. FULFORD (Roger). Beloved Mama, the private correspondence of Queen Victoria and the Crown Princess of Prussia, 1878-1885. London, Evans Bros., 81, in-8, 226 p.

3427. GENTLES (I.J.), SHELLS (W.J.). Confiscation and restoration : Archbishopric estates and the Civil War. York, St. Anthony's Press, 81, in-8, 53 p.

3428. GILBERT (Martin). Churchill : the wilderness years. London, Macmillan, 81, in-8, 224 p. - IDEM. Churchill's political philosophy. London, Oxford U.P., 81, in-8, 128 p.

3429. GOOCH (John). The prospect of war, studies in British defence policy, 1847-1942. London, F. Cass, 81, in-8, 163 p.

3430. GRAVES (Michael A.R.). The House of Lords in the parliaments of Edward VI and Mary I : an institutional study. London a. New York, Cambridge U.P., 81, in-8, VIII-321 p.

3431. GREGG (Pauline). King Charles I. London, Dent, 81, in-8, 512 p.

3432. GRESHAM (Stephen). William Baldwin : literary voice of the reign of Edward VI. Huntington Libr. Quar., 81, vol. 44, n° 2, p. 101-116.

3433. GRUENFELDER (John K.). Influence in early Stuart elections, 1604-1640. Columbus, Ohio State U.P., 81, in-8, XV-282 p.

3434. GUSKIN (Phyliss J.). The context of witchcraft : the case of Jane Wenham (1712). Eighteenth-Cent. Stud., 81, vol. 15, n° 1, p. 48-71.

3435. GUY (Alan J.). The regimental agency in the British standing army, 1715-1763, a study of Georgian military administration. Manchester, J. Rylands Univ. Libr., 81, in-8, 58 p.

3436. GUY (J.A.). The public career of Sir Thomas More. New Haven, Conn., Yale U.P., 80, in-8, XII-220 p.

3437. HARTLEY (T.E.). Proceedings in the parliaments of Elizabeth I. Vol. 1 : 1558-1581. Leicester, U.P., 81, in-4, 592 p.

3438. HINDE (Wendy). Castlereagh. London, Collins, 81, in-8, 320 p.

3439. HIRSHFIELD (Claire). The British left and the "Jewish conspiracy" : a case study of modern antisemitism. Jewish soc. Stud., 81, vol. 43, n° 2, p. 95-112.

3440. HOLMES (Richard). The little Field Marshal : Sir John French. London, Cape, 81, in-8, 440 p.

3441. HORSFIELD (John). The art of leadership in war : the Royal Navy from the age of Nelson to the end of world war II. Westport, Conn., Greenwood Press, 80, in-8, XIV-240 p. (Contrib. in Military Hist., 21)

3442. HOULDING (J.A.). Fit for service : the training of the British army, 1715-1795. London a. New York, Oxford U.P., 81, in-8, XXI-459 p. (fig., maps).

3443. HUNT (Edward H.). British Labour history, 1815-1914. London, Weidenfeld a. Nicolson, 81, in-8, 428 p.

3444. HUNTER (Michael). Science and society in Restoration England. London, Cambridge U. P., 81, in-8, 233 p.

3445. HUTTON (R.). The royalist war effort, 1642-1646. London, Longman, 81, in-8, 292 p.

3446. JALLARD (Patricia), STUBBS (John). The Irish question after the outbreak of war in 1914 : some unfinished party business. Eng. hist. R., 81, vol. 96, p. 778-807.

3447. JAY (Richard). Joseph Chamberlain : a political study. London a. New York, Oxford U.P., 81, in-8, IX-383 p.

3448. KELLY (Paul). British politics, 1783-1784 : the emergence and triumph of the younger Pitt's administration. B. Inst. hist. Research, 81, vol. 54, p. 62-78.

3449. KENNEDY (Thomas C.). The hound of conscience : a history of the no-conscription fellowship, 1914-1919. Fayetteville, Univ. of Arkansas Press, 81, in-8, IX-322 p.

3450. KRUGLER (John D.). The Calvert family, catholicism, and court politics in early seventeenth-century England. Historian, 81, vol. 43, n° 3, p. 378-392.

3451. LENMAN (Bruce). Integration, enlightenment and industrialization : Scotland, 1746-

1832. London, E. Arnold, 81, in-8, 192 p.

3452. LOCKYER (Roger). Buckingham : the life and political career of George Villiers, first duke of Buckingham, 1592-1628. London a. New York, Longman, 81, in-8, XIX-506 p.

3453. LONGFORD (Elizabeth). The Queen Mother, a biography. London, Weidenfeld a. Nicolson, 81, in-8, 184 p. (pl., ill.).

3454. LOTTES (Günther). Elisabeth I. Eine politische Biographie. Göttingen u. Zürich, Musterschmidt, 81, in-8, 153 p. (Persönlichkeit u. Gesch., 103/103a.)

3455. MACCAFFREY (Wallace T.). Queen Elizabeth and the making of policy, 1572-1588. Princeton, N.J., Princeton U.P., 81, in-8, 530 p.

3456. McKENZIE (Lionel A.). The French revolution and English parliamentary reform : James Mackintosh and the Vindiciae Gallicae. Eighteenth-Cent. Stud., 81, vol. 14, n° 3, p. 264-282.

3457. MASTERS (Anthony). Nancy Astor, a life. London, Weidenfeld a. Nicolson, 81, in-8, 237 p.

3458. MASTERS (Brian). Georgiana, Duchess of Devonshire. London, H. Hamilton, 81, in-8, 288 p.

3459. MILLER (William L.). The end of British politics ? Scots and English political behaviour in the seventies. London a. New York, Oxford U.P., 81, in-8, XI-281 p.

3460. MILLS (D.R.). Lord and peasant in 19th-century Britain. London, Croom Helm, 81, in-8, 240 p.

3461. MORGAN (Kenneth Owen). The rebirth of a nation : Wales, 1880-1980. London, Oxford U.P., 81, in-8, X-463 p. (Hist. of Wales, 6).

3462. MORRISS (R.A.). Samuel Bentham and the management of the Royal Dockyards, 1796-1807. B. Inst. hist. Research, 81, vol. 54, p. 226-240.

3463. MURRELL (Pat E.). Bury St. Edmunds and the campaign to pack Parliament, 1687-1688. B. Inst. hist. Research, 81, vol. 54, p. 188-206.

3464. OFFER (Avner). Property and politics, 1870-1914 : landownership, law, ideoligy, and urban development in England. London a. New York, Cambridge U.P., 81, in-8, XVIII-445 p.

3465. O TUATHAIGH (M.A.G.). The irish in 19th-century Britain, problems of integration. Trans. Roy. hist. Soc., 81, vol. 31, p. 149-173.

3466. PADFIELD (Peter). Rule Britannia : the Victorian and Edwardian Navy. London, Routledge, 81, in-8, 256 p. (ill.).

3467. PARKER (R.A.C.). British rearmament, 1936-1939 : Treasury, trade unions and skilled labour. Eng. hist. R., 81, vol. 96, p. 306-343.

3468. PHILLIPS (John A.S.). Prince Albert and the Victorian age, seminar proceedings. London, Cambridge U.P., 81, in-8, 152 p. (ill.).

3469. PLOWDEN (Alison). The young Victoria. London, Weidenfeld a. Nicolson, 81, in-8, 320 p.

3470. RICE (C. Duncan). The Scots abolitionists, 1833-1861. Baton Rouge, Louisiana State U.P., 81, in-8, XII-221 p.

3471. ROWSE (A. L.). The England of Elizabeth. London, Macmillan, 81, in-8, 568 p.

3472. SCHWOERER (Lois G.). The declaration of rights, 1689. Baltimore, Md., Johns Hopkins U.P., 81, in-8, XVI-391 p.

3473. SELDEN (Anthony). Churchill's Indian Summer. London, Hodder, 81, in-8, 667 p.

3474. SMITH (Harold). The problem of "equal pay for equal work" in Great Britain during world war II. J. mod. Hist., 81, vol. 53, n° 4, p. 652-672.

3475. SPECK (William Arthur). The Butcher, the Duke of Cumberland and the suppression of the Forty-five. Oxford, Blackwell, 81, in-8, 240 p. (ill., maps).

3476. STEVENSON (David). Scottish Covenanters and Irish Confederates. Belfast, Ulster Hist. Foundn., 81, in-8, 364 p. (ill., maps).

3477. TAYLOR (Philip M.). The projection of Britain : British overseas publicity and propaganda, 1919-1939. London a. New York, Cambridge U.P., 81, in-8, XV-363 p.

3478. THOMPSON (J.A.). The "peace ballot" and the "rainbow" controversy. J. brit. Stud., 81, vol. 20, n° 2, p. 150-170.

3479. TOUHILL (Blanche M.). William Smith O'Brien and his Irish revolutionary companions in penal exile. Columbia, Univ. of Missouri Press, 81, in-8, XII-269 p.

3480. UNDERDOWN (David). The problem of popular allegiance in the English Civil war. Trans. Roy. hist. Soc., 81, vol. 31, p. 69-94.

3481. VELLACOTT (Jo). Bertrand Russell and the pacifists in the first world war. New York, St. Martin's Press, 81, in-8, IX-326 p.

3482. VINCENT (John R.). The formation of the British Liberal Party, 1857-1868. 2nd rev. ed. Brighton, Harvester Press, 81, in-8, 300 p. [1st ed. Cf. Bibl. 66, n° 4255.]

3483. WALLER (Philip). Democracy and sectarianism, the political and social history of Liverpool, 1868-1939. Liverpool, U.P., 81, in-8, XX-540 p.

3484. WEST (Nigel). MI5, British security service operations, 1909-1945. London, Bodley Head, 81, in-8, 365 p. (ill., pl.).

3485. Whig (The) ascendancy : colloquies on Hanoverian England. Ed. by John CANNON. London, E. Arnold, 81, in-8, XII-226 p.

3486. WILLIAMS (Karel). From pauperism to poverty. Boston, Routledge a. Kegan Paul, 81, in-8, 383 p. [poor law legislation, 19. c.]

3487. WILSON (Derek). Sweet Robin, a biography of Robert Dudley, Earl of Leicester,

1533-1588. London, H. Hamilton, 81, in-8, 368 p.

Cf. n°ˢ 421, 4442.

Grecia.

* 3488. Greece in the 1940s : a bibliographic companion. Ed. by Hagen FLEISCHER, Steven BOWMAN. Hanover, N.H., U.P. of New England, 81, in-8, VIII-94 p.

3489. ALEXANDER (G.M.), LOULIS (J.C.). The strategy of the Greek communist party, 1934-1944 : an analysis of plenary decisions. East european Quar., 81, vol. 15, n° 3, p. 377-389.

3490. IATRIDES (John O.) a. others. Greece in the 1940s : a nation in crisis. Hanover, N.H., U.P. of New England, 81, in-8, XVI-444 p.

3491. TOYNBEE (Arnold). The Greeks and their heritages. New York, Oxford U.P., 81, in-8, X-334 p.

Hungría.

* Cf. n° XII.

** 3492. Adatok II. Rákóczi Ferenc házasságkötéséhez. Rákóczi Ferenc ismeretlen levele. Köln, 1694. szeptember 27. Bev. és közli ANTALL József. (Data to the marriage of Ferenc Rákóczi IInd. An unknown letter of Ferenc Rákóczi. Ed. by -.) Tört. Szle, 81, vol. 24, n° 2, p. 296-301.

** 3493. Bethlen Mihály utinaplója, 1691-1695. Sajtó alá rend. és utószó : JANKOVICS József. (Le journal de voyage de Mihály Bethlen, 1691-1695. Mis sous presse et épilogue par -.) Budapest, Magyar Helikon, 81, in-8, 257 p. (Bibl. historica).

** 3494. CSERES (Tibor). En, Kossuth Lajos. Levelek Turinból. (Moi, Lajos Kossuth. Lettres de Turin.) Budapest, Magvető Kiadó, 81, in-8, 576 p.

** 3495. Debrecen város magistrátusának jegyzőkönyvei 1548-49. Szerk. SZENDREY István, összeáll. BALOGH István. (Les procès-verbaux de la magistrature de la ville de Debrecen 1548-49. Réd. par -, prés. par -.) Debrecen, Hajdu-Bihar megyei Levéltár - Kossuth Lajos Todományegyetem, 81, in-8, 202 p.(A Hajdu-Bihar megyei Levéltár forráskiadványai, 2).

** 3496. 1504. [Ezerötszaznegy]-1566. Memoria Rurum. A Magyarországon legutóbbi László [Ulászló] király fiának, legutóbbi Lajos királynak születése óta esett dolgok emlékezete [Verancsic-évkönyv]. Sajtó alá rend., utószó és jegyz. BESSENYEI József. (Histoire de la Hongrie depuis la naissance du roi Louis, fils de notre roi Ladisla [Annales de Verantchitch].) Mis sous presse, épilogue et notes par -.) Budapest, Magyar Helikon, 81, in-8, 188 p. (Bibl. historica).

** 3497. KÁLLAI (Gyula). Életem törvénye, (La loi de ma vie.) Budapest, Kossuth Kiadó, 80, in-8, 688 p.

** 3498. Régi magyar levelestár. XVI-XVII. század. I-II. köt. Vál., sajtó, alá rend., bev. és jegyz. HARGITTAY Emil. (Ancien recueil de lettres hongroises. XVIe-XVIIe siècles. Vol. 1, 2. Choisies, mises sous presse, intr. et annotées par -.) Budapest, Magveto Kiadó, 81, 2 vol. in-8, 611, 593 p.

** 3499. SZAMOSKÖZY (István). Erdély története. 1598-1599, 1603. Vál., bev. és jegyz. SINKOVICS István. (Histoire de Transylvanie. 1598-1599, 1603. Choix, intr. et notes par -.) Budapest, Európa Kiadó, 81, in-8, 551 p. (Pro Memoria történelmi és müvelődéstörténeti zsebkönyvtár)

3500. BAK (János M.), GARA-BAK (Anna). The ideology of a "millennial constitution" in Hungary. East european Quar., 81, vol. 15, n° 3, p. 307-323.

3501. BÁNKUTI (Imre). A szatmári béke. (La paix de Szatmár [1711].) Budapest, Akad. Kiadó, 81, in-8, 161 p. (ill.). (Sorsdöntő történelmi napok, 6)

3502. BARTÓK (János). Kossuth beszéd - fonográf hengeren. (Un discours de Kossuth - sur un cylindre de phonographe.) Magy. Tudom., 81, vol. 26, n° 5, p. 393-402.

3503. BELLÉR (Béla). A magyarországi németek rövid története. (Brève histoire des Allemands de Hongrie.) Budapest, Magvető Kiadó, 81, in-8, 210 p. (Gyorsuló idő).

3504. BENDA (Kálmán). Diplomáciai szervezet és diplomaták Erdélyben Bethlen Gábor korában. (Organisation diplomatique et diplomates en Transylvanie à l'époque de Gábor Bethlen.) Századok, 81, vol. 115, n° 4, p. 725-730.

3505. BENDA (Kálmán). Mária Terézia királynő a magyar történetirásban. (Queen Mary Theresa in Hungarian historiography.) Tört. Szle, 81, vol. 24, n° 3, p. 485-492.

3506. BEREND (T. Iván). Hungary's road to the seventies. Acta oecon. Acad. Sci. hungaricae, 81, vol. 25, n°ˢ 1-2, p. 1-17.

3507. BONA (Gábor). Szerb katonák az 1848/49-es honvédseregben. (Serbische Soldaten in der Honvédarmee 1848/49.) Hadtört. Közl., 81, vol. 28, n° 1, p. 105-116.

3508. BRAHAM (Randolph L.). The politics of genocide : the holocaust in Hungary. Vol. 1, 2. New York, Columbia U.P., 81, 2 vol. in-8, XLII-594 p., p. 596-1269.

3509. CSÁKY (Moritz). Von der Aufklärung zum Liberalismus. Studien z. Frühliberalismus in Ungarn. Wien, Verl. d. Österr. Akad. d. Wiss., 81, in-8, 272 p. (Veröff. d. Kommission f. d. Gesch. Österr., 10)

3510. CZIGÁNY (István). A császáriak hadjárata 1705 őszén. (Der Herbstfeldzug des kaiserl. Heeres 1705.) Hadtört. Közl., 81, vol. 28, n° 1, p. 74-104. - Hadsereg és ellátás Bethlen Gábor korában. (Armee und Verpflegung zur Zeit Gábor Bethlens.) Hadtört. Közl;, 81, vol. 28, n° 4, p. 526-541.

3511. DEÁK (István). Guyon Richárd délvidéki hadjárata a szabadságharc utolsó heteiben egy kiadatlan hadtest-napló tükrében. 1849. junius 26. - julius 30. (La campagne de Richárd Guyon dans la région du Sud au cours des dernières semaines de la guerre d'indépendance, vue par un journal de corps d'armée inédit, 26.06.-30.07. 1849.) Századok, 81, vol. 115, n° 3, p. 557-586.

3512. DOOR (Rochus). Neueste Geschichte Ungarns. Von 1917 bis z. Gegenwart. Berlin, Deutsch. Verl. d. Wiss., 81, in-8, 270 p. (Abb.).

3513. 1970 [Ezerkilencszázhetven] -es (Az) évtized a magyar történelemben. A Magyar Tud. Akadémia Társadalomtudományi Osztályának Közgyülése. (La décennie de 1970 dans l'histoire de la Hongrie. L'assemblée générale de la Section des Sciences Sociales de l'Académie de Sciences Hongroise.) Budapest, Kossuth Kiadó, 80, in-8, 71 p.

3514. GLATZ (Ferenc). Történeti-politikai gondolkodás válaszai a felszabadulás után. (Historico-political thought after the Liberation.) Tört. Szle, 81, vol. 24, n° 2, p. 146-158.

3515. GUNST (Peter). Politisches System und Agrarstruktur in Ungarn 1900-1945. Vjhefte f. Zeitgesch., 81, Jg. 29, p. 397-419.

3516. GYARMATI (György). A pártok a közigazgatás reformjáról 1945-1947. (Les partis au sujet de la réforme de l'administration publique. Párttört. Közl., 81, vol. 27, n° 2, p. 154-190.

3517. HÁRSFALVI (Péter). Révai József : Marxizmus és népiesség, (József Révai : Marxism and popularism.) Tört. Szle, 81, vol. 24, n° 4, p. 650-662.

3518. HERCZEGH (Géza). Görgei. Vázlatok egy arcképhez. ([Artur] Görgei [1818-1916]. Sketches of a portrait.) Tört. Szle, 81, vol. 24, n° 3, p. 411-429.

3519. HERMANN (Zsuzsa). Egy pénzügyi tervezettől a Hármas-könyvig. Werbőczi és a parasztháboru. (Un projet financier avant le Tripartitum. [István] Werbőczi et le soulevement des paysans.) Századok, 81, vol. 115, n° 1, p. 108-151.

3520. HITCHINS (Keith). The nationality problem in Hungary : Istvan Tisza and the Rumanian national party, 1910-1914. J. mod. Hist., 81, vol. 53, n° 4, p. 619-651.

3521. HOLLÓS (Ervin), LAJTAI (Vera). A nemzetközi osztályharc és Magyarország 1956 őszén. (La lutte de classe internationale et la Hongrie en automne 1956.) Párttört. Közl., 81, vol. 27, n° 3, p. 3-50.

3522. HUNYADI (Károly). A munkás-paraszt hatalom védelmében. A fegyveres erők hősi halottai 1956-1957. (A la défense du pouvoir ouvrier-paysan. Les morts glorieux des forces militaires.) Budapest, Zrinyi Kiadó, 81, in-8, 253 p. (ill.).

3523. IZSÁK (Lajos). A Magyar Szabadság Párt megalakulása és tevékenysége 1946-1947. (The Hungarian Liberty Party : establishment and activity.) Tört. Szle, 81, vol. 24, n° 2, p. 203-226. - IDEM. Osztály- és pártharcok, politikai irányzatok a felszabadulás utáni években. (Luttes de classes et de partis, tendances politiques pendant les années après la libération.) Társad. Szle, 81, vol. 36, n° 7, p. 52-56 ; n°s 8-9, p. 53-66.

3524. KIRALY (Bela K.). The springboard of young Ferenc Deak's liberal nationalism : the emancipation of Hungary's serfs. In : Nationalism [Cf. n° 431], p. 131-140.

3525. KÖPECZI (Béla). Bethlen Gábor és állama, (Gábor Bethlen et son Etat.) Századok, 81, vol. 115, n° 4, p. 664-672.

3526. KŐVÁGÓ (László). Nemzetiségek a mai Magyarországon. (Nationalités dans la Hongrie d'aujourd'hui.) Budapest, Kossuth Kiadó, 81, in-8, 188 p.

3527. KOROM (Mihály). Magyarország Ideiglenes Nemzeti Kormánya és a fegyverszünet, 1944-1945. (Le gouvernement national provisoire de Hongrie et l'armistice, 1944-1945.) Budapest, Akad. Kiadó, 81, in-8, 522 p.

3528. KOSÁRY (Domokos). Le système des ordres à la croisée des chemins : contribution à l'histoire des tendances politiques en Hongrie, 1765-1795. In : La Pologne et la Hongrie aux XVIe-XVIIIe siècles [Cf. n° 6345], p. 93-112.

3529. KOSÁRY (Domokos). Széchenyi Döblingben. ([István] Széchenyi à Döbling.) Budapest, Magvető Kiadó, 81, in-8, 307 p. (Tények és tanuk).

3530. KOVÁSSY (Zoltán). Adalékok Gábor Aron életrajzához. (Daten zur Biographie Aron Gábors [1814-1849].) Hadtört. Közl., 81, vol. 28, n° 1, p. 117-124.

3531. KRUSENSTJERN (Benigna von). Die Ungarische Kleinlandwirte-Partei (1909-1922/1929). München, Trofenik, 81, in-8, VIII-316 p. (1 Kt.). (Studia hungarica, 18)

3532. MANN (Miklós). Agoston Trefort, Gestalter ungarischer Kulturpolitik 1872-1888. Acta hist. Acad. Sci. hungaricae, 81, vol. 27, n°s 1-2, p. 145-162.

3533. NAGY (László). Bocskai István a hadak élén. (István Bocskai à la tête de l'armée.) Budapest, Zrinyi Kiadó, 81, in-8, 253 p. (ill.).

3534. Nagybirtokos arisztokrácia (A) ellenforradalmi szerepe 1848-49-ben. [3. Cf. Bibl. 65, n° 4553.] 1 : Tanulmány. - Iratok, 1844. julius 4 - 1848. március 12. - Kiegészitő iratok a 2. és 3. kötethez. Összegyüjt., szerk. és bev. ANDICS Erzsébet. (le rôle antirévolutionnaire de l'aristocratie grande propriétaire en 1848-49. 1 : Etude. - Documents, 4 juillet 1844 - 12 mars 1848. - Documents complémentaires aux vol. 2 et 3. Composé, réd. et intr. par -.) Budapest, Akad. Kiadó, 81, in-8, 583 p. (Fontes historiae Hungaricae aevi recentioris.)

3535. NEMES (Dezső). A biatorbágyi merénylet és ami mögötte van ... (L'attentat de Biatorbágy et ce qui est derrière lui ...) Budapest, Kossuth Kiadó, 81, in-8, 304 p. (ill.).

3536. NEMESKÜRTY (István). Parázs a hamu alatt. Világostól Solferinóig. (Braise sous la cendre. De Világos à Solférino.) Budapest, Magvető Kiadó, 81, in-8, 335 p.

3537. ORSZÁGH (László). "Anglomania" in Hungary, 1780-1900. New hungar. Quart., 81, vol. 22, n° 2, p. 168-179.

3538. PACH (Zsigmond Pál). Bethlen Gáborról - születésének 400. évfordulóján. (Sur Gábor Bethlen - à l'occasion du 400e anniversaire de sa naissance.) Században, 81, vol. 115, n° 4, p. 659-663.

3539. PASTOR (Peter). The nationality policy of the Hungarian revolutionary government, 1918-1919. In : Nationalism [Cf. n° 431], p. 168-177.

3540. PERJÉS (Géza). Game theory and the rationality of war : the battle of Mohács and the disintegration of medieval Hungary. East european Quar., 81, vol. 15, n° 2, p. 153-162.

3541. PÉTER (Katalin). Bethlen Gábor emlékezete. (In memoriam Gábor Bethlen.) Szdazadok, 81, vol. 115, n° 4, p. 744-749.

3542. PINTÉR (István). A Szociáldemokrta Párt története 1933-1944. (Histoire du parti social-démocrate.) Budapest, Kossuth Kiadó, 80, in-8, 443 p.

3543. RÁCZ (Lajos). Főhatalom a XVI-XVII. századi Erdélyben. (le pouvoir principal en Transylvanie aux XVIe-XVIIe s.) Jogtudom. Közl., 81, vol. 36, n° 10, p. 857-864.

3544. ROUCEK (Joseph S.). The problems connected with the departure of Karl the last from central Europe [1921]. East european Quar., 81, vol. 15, n° 4, p. 453-468.

3545. SÁNDOR (Pál). Deák és titkosrendőrség. Titkosrendőri adalék politikai koncepciójáról 1843. ([Ferenc] Deák and the secret police. On the political conception of a secret protocol, 1843.) Tört. Szle, 81, vol. 24, n° 4, p. 592-610. - IDEM. A pályakezdő Deák portréjához. (Contribution au portrait de Deák au début de sa carrière.) Században, 81, vol. 115, n° 3, p. 522-556.

3546. SARLÓS (Béla). Historical significance of the legislation of the Hungarian Soviet Republic. Acta jur. Acad. Sci. hungaricae, 81, vol. 23, n° 3-4, p. 377-395.

3547. SIPOS (Ferenc) A Rákóczi-szabadságharc előkészítése 1697-1703. (Die Vorbereitung des Freiheitskampfes Rákóczis.) Hadtört. Közl., 81, vol. 28, n° 1, p. 43-73.

3548. SOLTÉSZ (István). El kell menni katonának. A falusi ember és a régi katonáskodás. (Il faut se faire soldat. L'homme du village et le service militaire ancien.) Budapest, Zrínyi Kiadó, 81, in-8, 454 p. (ill.).

3549. SOMLYAI (Magda). Történelemreformáló hétköznapok Jász-Nagykun-Szolnok vármegyében. (Les jours décisifs pour l'histoire des comitats Jász-Nagykun-Szolnok.) Szolnok, Szolnok megyei Levéltár, 81, in-8, 217 p.

3550. SOMOGYI (Eva). Abszolutizmus és kiegyezés 1849-1867. (Absolutisme et compromis.) Budapest, Gondolat Kiadó, 81, in-8, 225 p. (ill.) (Magyar História)

3551. SPIRA (György). Perczel próbálkozása a délvidéki szerbek megbékítésére 1849 tavaszán. (La tentative de [Mór] Perczel pour la réconciliation des Serbes de la région du Sud au printemps de 1849.) Tört. Szle, 81, vol. 24, n° 1, p. 114-128.

3552. SUGÁR (István). Az egri vár eleste 1596-ban. (Der Fall der Burg von Eger, 1596.) Hadtört. Közl., 81, vol. 28, n° 1, p. 11-42.

3553. SUGAR (Peter F.). An underrated event : the hungarian constitutional crisis of 1905-1906. East european Quar., 81, vol. 15, n° 3, p. 281-306.

3554. SZAKÁLY (Ferenc). Magyar adóztatás a török hódoltságban. (Le système de taxation hongrois sur le territoire de l'occupation turque.) Budapest, Akad. Kiadó, 81, in-8, 486 p.

3555. TILKOVSZKY (Loránt). Gömbös 1934. évi kezdeményezése a német kisebbségi kérdés rendezésére. (Les initiatives de 1934 de [Gyula] Gömbös pour l'arrangement du problème des minorités allemandes.) Magy. tudom. Akad. Filoz. Törttudom. Oszt. Közl., 80, vol. 29, n° 1-2, p. 165-203. - IDEM. A magyarországi németség a Darányi-kormány idején. (les Allemands de Hongrie à l'époque du gouvernement [Kálmán] Darányi.) Században, 81, vol. 115, p. 883-923, 1091-1135. [Cf. n° 6628.]

3556. TÓTH (Pál Péter). Az egyetemi hallgatók mozgalmai Debrecenben 1933-1936. (Les mouvements des étudiants de l'université de Debrecen.) Században, 81, vol. 115, n° 6, p. 1196-1217.

3557. TRORY (Ernie). Hungary 1919 and 1956, the anatomy of counter-revolution. Hove, Crabtree Press, 81, in-8, 88 p.

3558. URBÁN (Aladár). A nagy év sodrában. Tanulmányok 1848-ról. (Au cours de la grande année. Etudes sur 1848.) Budapest, Magvető Kiadó, 81, in-8, 603 p. (Elvek és utak) - Batthyány Lajosné visszaemlékezései férje fogságára és halálára. (Les souvenirs de l'épouse de Lajos Batthyány sur la détention et la mort de son mari.) Században, 81, vol. 115, n° 3, p. 587-620.

3559. URBÁN (Károly). Az 1953-as fordulat és magyar értelmiség. (Le tournant de 1953 et les intellectuels hongrois.) Párttört. Közl., 81, vol. 27, n° 4, p. 30-83.

3560. VARGA (F. János). A Magyar Radikális Párt és az 1947-es választások. (The Hungarian Radical Party and the Elections of 1947). Tört. Szle, 81, vol. 24, n° 2, p. 227-244.

3561. VARGA (J. János). Szervitorok katonai szolgálata a XVI-XVII. századi dunántuli nagybirtokokon. (Le service militaire des "servitores" sur les grands domaines de Transdanubie aux XVIe-XVIIe s.) Budapest, Akad. Kiadó, 81, in-8, 203 p. (Ertekezések a történeti tudományok köréből, N.S., 94)

3562. VARKONYI (Ágnes), R. Politique envers les serfs et développement culturel dans l'Etat de Rákóczi. Acta hist. Acad. Sci. hungaricae, 81, vol. 27, n°s 1-2, p. 31-62.

3563. VIDA (István). A magyarországi népi demokratikus forradalom külső feltételeinek kérdéséhez. (The external conditions of the people's democratic revolution in Hungary.) Tört. Szle, 81, vol. 24, n° 2, p. 165-177. - IDEM. Partijno-politiČeskaja struktura vengerskoj narodnoj demokratii, 1944-1948. (Structure politique des partis dans la démocratie populaire hongroise.) Acta hist. Acad. Sci. hungaricae, 80, vol. 26, n°s 3-4, p. 309-343.

Irán.

* Cf. nºˢ 690, 6909.

3564. AGAEV (S.L.). Iran v prošlom i nastojaščem. (Iran, past and present.) Puti i formy rev. processa. Moskva, Nauka, 81, 271 p. (AN SSSR. In-t meždunar. rabočego dviženija)

3565. AKHAVI (Shahrough). Religion and politics in contemporary Iran : clergy-state relations in the Pahlavi period. Albany, State Univ. of New York Press, 80, in-8, XIX-255 p.

3566. BANANI (Amin). Ahmad Kasravi and the "purification" of Persian : a study in nationalist motivation. In : Nation and ideology [Cf. nº 437], p. 463-479.

3567. HEIKAL (Mohammed). The return of the Ayatollah : the Iranian revolution from Mossadeq to Khomeini. London, Deutsch, 81, in-8, 240 p.

3568. KEDDIE (Nikki R.), RICHARD (Yann). Roots or revolution : an interpretive history of modern Iran. New Haven, Conn., Yale U.P., 81, in-8, XII-321 p.

Cf. nº 3933.

Irlanda.

* Cf. nº X.

3569. BROWN (Terence). Ireland, a social and cultural history, 1922-1979. London, Fontana, 81, in-8, 248 p.

3570. CULLEN (Louis Michael). The emergence of modern Ireland (1600-1900). London, Batsford, 81, in-8, 292 p.

Italia.

* 3571. PINE-COFFIN (R.S.). Bibliography of British and American travel in Italy to 1860. Bibliofilia [Firenze], 81, a. 83, p. 237-262.

** 3572. Catasti (I) storici di Venezia, 1808-1913. A cura di Italo PAVANELLO. Con una introd. di Egle R. TRINCANATO e con un commento stor. di Ennio CONCINA. Roma, Officina, 81, in-4, 178 p. (ill., tav.). (Mater. di Stor. urbana, 2)

** 3573. Dalla restaurazione al consolidamento dello Stato unitario. A cura di Mario TEDESCHI. Milano, Giuffrè, 81, in-8, 345 p. (Fattore relig. e comunità pol.) [Racc. di Doc.]

** 3574. FORTUNATO (Giustino). Scritti politici. Introd. e cura di Francesco BARBAGALLO. Bari, De Donato, 81, in-8, 447 p.

** 3575. GIORGIO. Memorie. Dalla clandestinità un terrorista non pentito si racconta. Roma, Savelli, 81, in-8, 126 p. (il pane e le rose, 41)

** 3576. SILVESTRI (Carlo). Matteotti, Mussolini e il dramma italiano. Verbale stenografico della deposizione di Carlo Silvestri al processo Matteotti. Milano, Cavallotti, 81, in-8, XL-319 p. (Testim. 1)

3577. ADLER (Winfried). Die Kulturpolitik des italienischen Faschismus in Südtirol. Quellen u. Forsch., 81, Bd 61, p. 305-361.

3578. ARTIERI (Giovanni). Cronaca della Repubblica italiana. 1 : Mussolini e l'avventura repubblicana. Milano, Mondadori, 81, in-8, XIII-679 p. (tav.). (le scie)

3579. BARBERIS (Walter). Continuità aristocratica e tradizione militare nel Piemonte sabaudo. Soc. e Stor., 81, a. 4, p. 529-592.

3580. BARRA (Francesco). Cronache del brigantaggio meridionale, 1806-1815. Salerno e Catanzaro, Soc. editr. merid., 81, in-8, 394 p. (tav.). (Collez. merid., 6)

3581. BIANCHI (Antonio). Lotte sociali e dittatura in Lunigiana storica e Versilia, 1919-1930. Firenze, Olschki, 81, in-8, XII-309 p.

3582. BRUNELLO (Piero). Ribelli, questuanti e banditi. Proteste contadine in Veneto e in Friuli, 1814-1866. Venezia, Marsilio, 81, in-8, 216 p. (Ric., 78. Veneto contemp., 7)

3583. BULGARELLI LUKACS (Alessandra). Le Universitates meridionali all'inizio del regno di Carlo di Borbone, la struttura amministrativa. Clio [Roma], 81, a. 17, p. 5-26.

3584. CALABRIA (Antonio). Per la storia della dominazione austriaca a Napoli, 1707-1734. Arch. stor. ital., 81, a. 139, p. 459-478.

3585. CALVI (Giulia). L'oro, il fuoco, le forche : la peste napoletana del 1656. Arch. stor. ital., 81, a. 139, p. 405-458.

3586. CANOSA (Romano), SANTOSUOSSO (Amedeo). Magistrati, anarchici e socialisti alla fine dell'Ottocento in Italia. Milano, Feltrinelli econ., 81, in-8, 171 p. (I nuovi testi, 248)

3587. CARDINI (Antonio). Stato liberale e protezionismo in Italia (1890-1900). Bologna, Il mulino, 81, in-8, 342 p. (Saggi, 207).

3588. CARLETTO (Giacomo). Il ghetto veneziano nel Settecento attraverso i catastici. Roma, Carucci, 81, in-8, 319 p. (Testim. sull' ebraismo, 12)

3589. CHIARAVIGLIO (Curio). Giovanni Giolitti nei ricordi di un nipote. Con documenti inediti. Pref. di Salvatore VALITUTTI. Torino, Centro, Studi piemontesi, 81, in-8, XVI-210 p. (tav.).

3590. Città e proprietà immobiliare in Italia negli ultimi due secoli. A cura di Carlo CAROZZI e Lucio GAMBI. [Scritti di] G. BAZZOCCHI [e altri]. Milano, Angeli, 81, in-8, 533 p. (Coll. di Stor. urbana, 4)

3591. Cronache del Genio alpino, 1935-1980. Acura del Comitato promotore per la storia del Genio alpino. Milano, Mursia, 81, in-8, 510 p. (ill., tav.). (Uomini e armi, 3)

3592. D'ANGELO (Lucio). Radical-socialismo e radicalismo sociale nell'età giolittiana. Critica stor., 81, a. 18, p. 419-465.

3593. DE FELICE (Renzo), GOGLIA (Luigi). Storia fotografica del fascismo. Roma e Bari, Laterza, 81, in-8, XXVIII-395 p. (Grandi opere)

3594. DE GRAZIA (Victoria). The culture of consent : mass organization of leisure in fascist Italy. London a. New York, Cambridge U.P., 81, in-8, X-310 p. (ill., tab.).

3595. DE LEO (Antonio). Briganti, sbirri e manutengoli in Calabria. Note sul brigantaggio calabrese negli anni 1799-1870. Cosenza, Pellegrini, 81, in-8, 133 p. (Interventi, 7).

3596. DENTICE DI ACCADIA (Roberto). La real piazza di Longone tra l'assedio dei francesi e l'anarchia popolare del 1799. Pref. di Ruggero MOSCATI. Napoli, Ediz. scient. ital., 81, in-8, 91 p.

3597. DRAKE (Richard). The theory and practice of Italian nationalism, 1900-1906. J. mod. Hist., 81, vol. 53, n° 2, p. 213-241.

3598. Emergere (L') di una comunità. Le Alfonsine nel Settecento. Scritti di Dante BOLOGNESI [e altri]. Con pref. di Giovanni ZANZI. Ravenna, Longo, 81, in-8, 78 p. (Stor. e costume romagnoli).

3599. FERRI (Lucio). La monetazione in Piemonte durante l'occupazione napoleonica (1798-1814). R. ital. Num. Sci. aff., 81, vol. 83, p. 215-232.

3600. Friul. Friuli. [Scritti di vari.] Udine, Soc. filol. friulana, 81, in-8, 203 p. (ill.). (Soc. filologjche furlane, Soc. filologica friulana).

3601. GAETA (Franco). Il nazionalismo italiano. Roma e Bari, Laterza, 81, in-8, 303 p. (Univers. Laterza, 9)

3602. GARZIA (Italo). La questione romana durane la prima guerra mondiale. Napoli, Ediz. scient. ital., 81, in-8, 216 p. (Pubb. della Fac. giur. dell'Univ. di Bari. Sci. pol., 3)

3603. GHISALBERTI (Carlo). Il sistema politico italiano e la prima guerra mondiale. Clio [Roma], 81, a. 17, p. 330-345.

3604. GUI (Francesco). Governo e parlamento in Italia all'indomani di Vittorio Veneto. Clio [Roma], 81, a. 17, p. 47-78. - IDEM. Riforma delle istituzioni e partiti fra Orlando e Nitti. Clio [Roma], 81, a. 17, p. 171-196.

3605. ISENBURG (Teresa). Acque e Stato. Energia, bonifiche, irrigazione in Italia fra 1930 e 1950. Milano, Angeli, 81, in-8, 198 p. (Geogr. umana, 39)

3606. Italia (L') unita. Problemi ed interpretazioni storiografiche. A cura di Romain RAINERO. Atti di un congresso tenuto a Palermo nel 1978. Milano, Marzorati, 81, in-8, VI-407 p.

3607. KOGAN (Norman). A political history of postwar Italy : from the old to the new center-left. London a. New York, Praeger, 81, in-8, XVIII-177 p.

3608. KOMOLOVA (N.P.). Gibel' Al'do Moro. (The death of Aldo Moro.) Nov. novejš. Ist., 81, n° 3, p. 140-160.

3609. KOON (Tracy). Fascist mythmaking : the Italian regime's appeal to youth. In : Nation and ideology [Cf. n° 437], p. 387-410.

3610. KOVAL'SKAYA (M.I.). Italija v bor'be za nezavisimost' i edinstvo. Ot revoljucii 1831 g. k revoljucii 1848-1849 gg. (Italy in the struggle for independence and unity. From the revolution of 1831 to the revolution of 1848-1849.) Moskva, Nauka, 81, 272 p. (ill.). (AN SSSR. In-t vseobšč. istorii)

3611. LAY (Adriana), PESANTE (Maria Luisa). Produttori senza democrazia. Lotte operaie, ideologie corporative e sviluppo economico da Giolitti al fascismo. Bologna, Il mulino, 81, in-16, 306 p. (Univers. paperbacks Il mulino, 117)

3612. LEPRE (Aurelio). La crisi del XVII secolo nel Mezzogiorno d'Italia. Studi stor., 81, a. 22, p. 51-78.

3613. Liguria. Territorio e civiltà. Collana diretta da Gaspare DE FIORE. 1 [2] : La Spezia e la Valle della Magra. Di Paolo MARCHI. 3 [2] : Val di Vara. Di Renato MARMORI. 5 : Chiavari e la Fontanabuona. Di Vittorio GARRONI CARBONARA. 17 : Valle Impero. Di Paolo STRINGA. 20 : Valli di Sanremo. Di Luisa COGORNO e Raoul ROBINSON. Genova, SAGEP, 78-81, 5 vol. in-4, 64, 62, 62, 64, 61 p. (ill.).

3614. LINDON (J.). Foscolo, Daru e la storia di Venezia. R. Et. ital., 81, n. sér., t. 27, p. 8-39.

3615. LUPO (Salvatore). Blocco agrario e crisi in Sicilia tra le due guerre. Napoli, Guida, 81, in-16, 226 p. (Quad. dell'Istit. campano per la Stor. della Resist., 2)

3616. MERIGGI (Marco). Liberalismo o libertà dei ceti ? Costituzionalismo lombardo agli albori della Restaurazione. Studi stor., 81, a. 22, p. 315-344.

3617. Mezzogiorno (Il) all'Assemblea regionale siciliana, 1947-1976. A cura di Salvatore LA ROSA. Milano, Giuffrè, 81, in-8, 856 p. (La questione merid. dal dopoguerra ad oggi, 15). (Sicilia. Assemblea reg.)

3618. MICHELI (Gianni). Sul paese senza. Soc. e Stor., 81, a. 4, p. 411-419.

3619. MINICUCCI (Maria Jole). Perierant et inventae sunt. Le carte di Bettino Ricasoli nella Biblioteca Riccardinana. Present. di Francesco SISINNI. Firenze, Olschki, 81, in-8, 31 p. (Bibl. Riccardiana, Firenze)

3620. MORIONDO (Carlo). Testa di ferro. Vita di Emanuele Filiberto di Savoia. Milano, Bompiani, 81, in-8, 247 p. (tav.).

3621. MOSS (David). The kidnapping and murder of Aldo Moro. Arch. europ. Sociol., 81, t. 22, p. 265-282.

3622. MUIR (Edward). Civic ritual in Renaissance Venice. Princeton, N.J., Princeton U.P., 81, in-8, XIV-356 p.

3623. Nazionalisti (I). Introd. e cura di Angelo D'ORSI. Milano, Feltrinelli, 81, in-8, 346 p., (SC/10. Scrittori pol. ital., 6)

3624. NOCIFORA (Enzo). Dal latifondo all'assistenza. Le trasformazioni della società siciliana dal secondo dopoguerra ad oggi. Milano, Giuffrè, 81, in-8, 252 p. (ill.). (Stud. sociol. Univ. degli Studi di Messina. Fac. di Sci. pol. 1).

3625. O'BRIEN (Albert C.). Benito Mussolini, Catholic youth, and the origins of the Lateran treaties. J. Church a. State, 81, vol. 23, n° 1, p. 117-130.

3626. PAPPAS (Nicholas C.). The Balkan foreign legions in eighteenth-century Italy : the Reggimento real macedone. In : Nation and ideology [Cf. n° 437], p. 35-59.

3627. PASSUELLO (Mario), FUREGON (Nevio). Le origini del fascismo a Vicenza e le lotte sociali fra il 1919 et il 1922. Vicenza, Pozza, 81, in-8, XXIV-217 p. (tav.).

3628. PETRACCONE (Claudia). Napoli moderna e contemporanea. Napoli, Guida, 81, in-8, 152 p. (Aggiornamenti, 4)

3629. PINCHERLE (Marcella). Fra Vienna e Parma : l'inizio del ducato di Maria Luigia. Aurea Parma, 81, a. 65, p. 3-21.

3630. Ricasoli e il suo tempo. Atti del Convegno internazionale di studi ricasoliani. Firenze, 26-28 settembre 1980. A cura di Giovanni SPADOLINI. Firenze, Olschki, 81, in-8, 440 p. (Bibl. stor. toscana. Sez. di Stor. del Risorg., 5)

3631. ROSSELLI (John). Governi, appaltatori e giochi d'azzardo nell'Italia napoleonica. R. stor. ital., 81, a. 93, p. 346-385.

3632. SAIJA (Marcello). Un soldino contro il fascismo. Istituzioni ed élites politiche nella Sicilia del 1923. Catania, Coop. univ. libr. catanese, 81, in-8, 316 p.

3633. SASSOON (D.). The strategy of the Italian Communist Party, from the resistance to the historic compromise. London, F. Pinter, 81, in-8, 300 p.

3634. SCIROCCO (Alfonso). Il Mezzogiorno nella crisi dell'unificazione (1860-61). Napoli, Soc. editr. napoletana, 81, in-8, 398 p. (Coll. di Ric. e analisi stor., 5)

3635. Società, politica e cultura a Carpi ai tempi di Alberto III Pio. Atti del Convegno internazionale. Carpi, 19-21, maggio 1978. Padova, Antenore, 81, 2 vol. in-8, XXI-759 p. compless. (Medioevo e umanesimo, 46-47)

3636. Storia d'Italia dall'unità alla Repubblica. [2. Cf. Bibl. 80, n° 3679.] 3 : L'Italia giolittiana (1869-1915). 1 : Le premesse politiche ed economiche. Di Alberto AQUARONE. Bologna, Il mulino, 81, in-16, 464 p. (Univers. paperbacks Il mulino, 87)

3637. Storia fotografica del lavoro in Italia, 1900-1980. A cura di Aris ACCORNERO, Uliano LUCAS, Giulio SAPELLI. Con un saggio di A.C. QUINTAVALLE. Bari, De Donato, 81, in-8, 333 p. (ill.).

3638. TREXLER (Richard C.). Public life in Renaissance Florence. London a. New York, Academic Press, 80, in-8, XXVI-591 p. (Stud. in Social Discontinuity).

3639. VALIANI (Leo). La storiografia dei partiti nell'età contemporanea. Nuova Antol., 81, a. 116, vol. 544, fasc. 2137, p. 195-214.

3640. Valle (La) del Chiampo. Vita civile ed economica in età moderna e contemporanea. A cura di Paolo PRETO. Vicenza, Pozza, 81, 2 vol. in-8, XIV-591 p. compless. (tav.).

3641. VALSECCHI (Franco). Maria Teresa e l'Italia : il riformismo teresiano. Veltro, 81, a. 25, p. 547-558.

3642. VANNUCCI (Marcello). L'avventura degli stranieri in Toscana. Ottocento e Novecento : fra cronaca e storia. Premessa di Harold ACTON. Aosta, Musumeci, 81, in-4, 217 p. (ill.). (Immagini di ieri).

3643. VERUCCI (Guido). L'Italia laica prima e dopo l'unità, 1848-1876. Anticlericalismo, libero pensiero e ateismo nella società italiana. Roma e Bari, Laterza, 81, in-8, XV-380 p. (Collez. stor.)

3644. VILLANI (Pasquale), MARRONE (Nunzia). Riforma agraria e questione meridionale. Antologia critica, 1943-1980. Bari, De Donato, 81, in-8, 309 p. (Movim. op., 65).

3645. VIVARELLI (Roberto). Il fallimento del liberalismo. Studi sulle origini del fascismo. Bologna, Il mulino, 81, in-8, 353 p. (Saggi, 211)

Cf. n° 308.

Japón.

3646. BEASLEY (W.G.). A modern history of Japan. 3rd rev. ed.. London, Weidenfeld a. Nicolson, 81, in-8, 358 p. (maps). [1st ed. Cf. Bibl. 63, n° 7741.]

3647. HUBER (Thomas M.). The revolutionary origins of modern Japan. Stanford, Calif., Stanford U.P., 81, in-8, 260 p.

3648. KINMOUTH (Earl H.). The self-made man in Meiji Japanese thought : from samurai to salary man. Berkeley a. Los Angeles, Univ. of California Press, 81, in-8, XI-385 p.

3649. KOVALENKO (I.I.). Očerki istorii Kommunističeskoj partii Japonii posle vtoroj mirovoj vojny. 1945-1961. (History of the Japanese communist party after the Second world war, 1945-1961.) Moskva, Nauka, 81, 301 p. (ill.). (AN SSSR. In-t vostokovedenija).

Cf. n° 7040.

México.

3650. BERRY (Charles R.). The reform in Oaxaca, 1856-1876 : a micro-history of the liberal revolution. Lincoln, Univ. of Nebraska Press, 81, in-8, XVIII-282 p.

3651. GONZÁLEZ LOSCERTACES (Vicente). La Historia de la guerra de México de Pedro Pruneda [1867] (análisis historiográfica de una protesta ante la intervención francesa). Quinto Centenario, 81, t. 1, p. 77-97.

3652. GUERRA (François-Xavier). La révolution mexicaine : d'abord une révolution minière ? A. Ec. Soc. Civ., 81, a. 36, p. 785-814 (graph., cartes).

3653. HALL (Linda B.). Alvaro Obregon : power and revolution in Mexico, 1911-1920. College Station, Texas A a. M U.P., 81, in-8, XIV-290 p.

3654. HENDERSON (Peter V.N.). Felix Diaz, the Porfirians, and the Mexican revolution. Lincoln, Univ. of Nebraska Press, 81, in-8, XI-239 p.

3655. HOHENSTEIN (Jutta). Politische, wirtschaftliche und soziale Verhältnisse in Mexiko im Spiegel deutschsprachiger Publikationen, 1821-1861. Jb. f. Gesch. Lateinamerikas, 81, Bd 18, p. 187-247.

3656. SANDERSON (Steven E.). Agrarian populism and the Mexican state : the struggle for land in Sonora. Berkeley a. Los Angeles, Univ. of California Press, 81, in-8, XX-290 p.

3657. VANDERWOOD (Paul J.). Disorder and progress : bandits, police, and Mexican development. Lincoln, Univ. of Nebraska Press, 81, in-8, XIX-264 p.

Nigeria.

3658. KIRK-GREENE (A.H.M.), RIMMER (Douglas). Nigeria since 1970, a political and economic outline. London, Hodder, 81, in-8, 176 p.

3659. Istorija Nigerii v novoe i novejšee vremja. (History of Nigeria in modern and contemporary times.) Pod red. Ju. N. ZOTOVOJ, I.V. SLEDZEVSKOGO. Moskva, Nauka, 81, 357 p. (ill.). (AN SSSR. In-t Afriki. Istorija stran Afriki).

Noruega.

* Cf. n° XV.

3660. Norsk historisk leksikon : naeringsliv, rettsvesen, administrasjon, mynt, mål og vekt, militaere forhold, byggeskikk mm. : 1500-1850. Red. av Rolf FLADBY, Steinar IMSEN, Harald WINGE. (Norwegian historical dictionary : trade, law, administration, etc.) 2. utg. (ed.). Oslo, Cappelen, 81, 389 p. (ill.).

3661. PRYSER (Tore). Internasjonale "revolusjonaere" strømninger i Norge 1847-49. Noen forbindelser på individplanet. (International "revolutionary" trends in Norway 1847-49. Some connections on the individual level.) [Norsk] Hist. T., 81, vol. 60, p. 105-132. [Eng. summary]

3662. USTVEDT (Yngvar). Overflod og opprør : 1961-72. (Abundance and revolt.) Oslo, Gyldendal, 81, in-8, 571 p. (ill.). (Det skjedde i Norge, 3).

Papuasia-Nueva Guinea.

3663. BALLARD (J.A.). Policy making in a new state : Papua New Guinea, 1972-1977. Brisbane Queensland U.P., 81, in-8, 354 p.

Perú.

3664. GLEASON (Daniel). Anti-democratic thought in early republican Peru : Bartolomé Herrera and the liberal-conservative ideological struggle. Americas, 81, vol. 38, n° 2, p. 205-218.

3665. McCLINTOCK (Cynthia). Peasant cooperatives and political change in Peru. Princeton, N.J., Princeton U.P., 81, in-8, XVII-418 p.

3666. STEIN (Steve). Populism in Peru : the emergence of the masses and the politics of social control. Madison, Univ. of Wisconsin Press, 80, in-8, XVI-296 p.

Países Bajos.

* Cf. n° XVI.

Polonia.

*3667. WYGLENDA (Ewa). Górny Śląsk w latach 1918-1922. Bibliografia. (La Haute-Silésie dans les années 1918-1922. Bibliographie.) Opole, Wydawn. Inst. Śląskiego, 81, in-8, XXXIII-345 p.

* Cf. n° XVII.

** 3668. Akta Stanów Prus Królewskich. [T. 5. Cf. Bibl. 74-76, n° 4398.] T. 6 : 1512-1515. (Actes judiciaires des états de la Prusse Royale.) Ed. Marian BISKUP et Irena JANOSZ-BISKUPOWA. Poznań, Państw. Wydawn. Nauk., 79, in-8, XVII-339 p.

*3669. Gdańsk - sierpień 1980. Rozmowy Komisji Rządowej z Międzyzakładowym Komitetem Strajkowym w Stoczni Gdańskiej (23-31 sierpnia 1980 r.). (Gdańsk - août 1980. Entretiens de la commission Gouvernementale avec le Comité de Grève des Entreprises au Chantier Naval de Gdańsk.) [D'après l'enregistrement sur bande magnétique, éd. par Mirosław CHOJECKI.] Warszawa, Inst. Wydawn. Zw. Zawod., 81, in-8, 172 p.

** 3670. Niepodległość pracy. (La liberté du travail.) Warszawa, Ośrodek Badań Społ. NSZZ "Solidarność", Region Mazowsze, 81, in-8, 156 p. [Publication préparée pour le 1er Congrès des délégués du NSZZ (Syndicat Indépendant Autonome) "Solidarité", novembre 1981]

** 3671. [Parti ouvrier unifié polonais.] IXe Congrès extraordinaire du ..., Varsovie, 14-20 juillet 1981. Documents et matériaux. Trad. du pol. Varsovie, Interpress, 81, in-8, 372 p.

** 3672. Protokoly porozumień - Gdańsk, Szczecin, Jastrzębie. Statut NSZZ [Niezależnego Samorządnego Związku Zawodowego] "Solidarność". Założenia ustawa o związkach zawodowych. (les procès-verbaux des accords de Gdańsk, Szczecin, Jastrzębie. Statut du NSZZ [Syndicat Indépendant Autonome] "Solidarité". Les principes de la loi sur les syndicats.) Warszawa, Krajowa Agencja Wydawn., 81, in-8, 39 p.

3673. ACHREMCZYK (Stanisław). Reprezentacja stanowa Prus Królewskich w latach 1696-1772. Skład społeczny i działalność. (La représentation des états de la Prusse Royale dans les années 1696-1772. Sa structure et son activité.) Olsztyn, Pojezierze, 81, in-8, 265 p. (Rozpr. i Mater. Ośrodka Badań Nauk. im. W. Ketrzyńskiego w Olsztynie, 72).

3674. Anarchizm i anarchiści na ziemiach polskich do 1914 roku. (L'anarchisme et les anarchistes sur les terres polonaises jusqu'à 1914). Recueil et éd. : Herman RAPPAPORT. Warszawa, Państw. Wydawn. Nauk., 81, in-8, 353 p.

3675. AUGUSTYNIAK (Urszula). Informacja i propaganda w Polsce za Zygmunta III. (L'information et la propagande en Pologne aux temps de Sigismond III.) Warszawa, Państw. Wydawn. Nauk., 81, in-8, 231 p.

3676. BORAS (Zygmunt). Związki Śląska i Pomorza Zachodniego z Polską w XVI wieku. (Les rapports de la Silésie et la Poméranie Occidentale avec la Pologne au XVIe s.) Poznań, 81, in-8, 407 p. (Uniw. im. Adama Mickiewicza w Poznaniu. Historia, 93)

3677. CIEPIELEWICZ (Mieczysław). Uwagi o stanie armii gen. Władysława Sikorskiego. W 100 rocznicę urodzin. (Les Remarques sur l'état de l'armée du général Władysław Sikorski [1926]. Pour le centenaire de sa naissance.) Wojsk. Przegl. hist., 81, a. 26, n° 1, p. 174-206.

3678. DRZEWIENIECKI (Walter M.). The Polish army on the eve of world war II. Polish R., 81, vol. 26, n° 3, p. 54-64.

3679. Dzieje Górnego Śląska w latach 1816-1947. (Histoire de la Haute Silésie dans les années 1816-1947.) Réd. Franciszek HAWRANEK, Auteurs : Andrzej BROŻEK et autres. Opole, Inst. Śląski, 81, in-8, 595 p.

3680. Dzieje Warmii i Mazur w zarysie. (Précis d'histoire de la Varmie et la Masurie.) Réd. scientif. : Jerzy SIKORSKI et Stanisław SZOSTAKOWSKI. T. 1 : Od pradziejów do 1870 roku. (De la préhistoire à l'an 1870.) Warszawa, Państw. Wydawn. Nauk., 81, in-8, 407 p. (Ośrodek Badań Nauk. im. Wojciecha Kętrzyńskiego w Olsztynie. Monografie Dziejów Społ. i Polit. Warmii i Mazur, 5/1)

3681. Dzieje Ziemi Kujawskiej oraz akta historyczne do nich służące ogłosił Adolf PAWIŃSKI.) T. 1 : Rządy sejmikowe w epoce królów elekcyjnych 1572-1795. (Le régime des diétines à l'époque des rois électifs 1572-1795.) T. 2- 5 : Lauda i instrukcje. Rządy sejmikowe w epoce królów elekcyjnych 1572-1795. (Lauda [décisions] et instructions. Le régime des diétines à l'époque des rois électifs 1572-1795.) T. 2 : 1572-1674. T. 3 : 1674-1700. T. 4 : 1700-1733. T. 5 : 1733-1795. Warszawa, Wydawn. Artyst. i Filmowe, 81, 5 vol. in-4, XIII-431, XXVI-434, 245-XVII, 420-XXI, 413-XLVI p. Reprod. photo-offset. de l'éd. orig. Warszawa 1888.

3682. Francja w pamiętnikach Polaków. Antologia. (La France dans les mémoires des Polonais. Antologie.) Choix, avant-propos, commentaires et annotations d'Andrzej GAWERSKI. Warszawa, Interpress, 81, in-8, 445 p.

3683. CARLICKI (Andrzej). Od maja do Brześcia. (De mai à Brześć.) Warszawa, Czytelnik, 81, in-8, 405 p.

3684. GÓRSKI (Konstanty). Historya piechoty polskiej. (Histoire de l'infanterie polonaise.) Warszawa, Wydawn. Artyst. i Filmowe, 81, in-8, 265 p. [Reprod. photo-offset de l'éd. orig. Kraków 1893]

3685. GROMADA (Thaddeus V.). Joseph Beck in the light of recent Polish historiography. Polish R., 81, vol. 26, n° 3, p. 65-73.

3686. Historyczny rodowód polskiego ceremoniału wojskowego. (La genèse historique du cérémoniel militaire polonais.) Ouvrage coll. sous la réd. scientif. de Leonard RATAJCZYK. Warszawa, Wydawn. Min. Obrony Narod., 81, in-8, 542 p.

3687. HUNDERT (Gershon David). Jews, money and society in the seventeenth-century Polish commonwealth : the case of Krakow. Jewish soc. Stud., 81, vol. 43, n° 3-4, p. 261-274.

3688. JASKÓLSKI (Michał). Historia-naród-państwo. Zarys syntezy myśli politycznej konserwatystów krakowskich w latach 1866-1934. (Histoire - nation - Etat. Esquisse d'une synthèse de la pensée politique de conservateurs cracoviens dans les années 1866-1934.) Kraków, 81, in-8, 230 p. (Rozpr. Habilitacyjne Uniw. Jagiell. 49)

3689. JĘDRUSZCZAK (Tadeusz). Czasy załamań - czasy nadziei. (Les temps du désarroi - les temps de l'espoir.) Kwart. hist., 80 [81], a. 87, n°^{S} 3/4, p. 577-587.

3690. KARWOWSKI (Stanisław). Historya Wielkiego Księstwa Poznańskiego. (Histoire du Grand Duché de Poznań.) Vol. 1 : 1815-1852. Vol. 2 : 1852-1863. Vol. 3 : 1890-1914. Avant-propos par Andrzej WOJTKOWSKI. Warszawa, Wydawn. Artyst. i Filmowe, 81, 3 vol. in-8, XV-588, 527, XVI-454 p. [Reprod. photo-offset. de l'éd. orig., Poznań 1918-1931]

3691. KIENIEWICZ (Stefan). Problem konieczności powstania listopadowego. (Le problème de l'inévitabilité de l'Insurrection de Novembre [1830-1831].) Kwart. hist., 80 [81], a. 87, n°^{S} 3/4, p. 607-619.

3692. KOCÓJ (Henryk), SKRZYPCZAK (Stanisław). Polska opinia publiczna wobec Prus w początkach powstania listopadowego. (L'opinion publique polonaise face à la Prusse au début de l'insurrection de novembre [1830-1831].) Kwart. hist., 80 [81], a. 87, n°^{S} 3/4, p. 635-642.

3693. KOFMAN (Jan). The political role of big bussiness circles in Poland between the two World Wars. Acta Poloniae hist., 81, vol. 43, p. 151-170.

3694. KORBONSKI (Andrzej). The dilemmas of civil-military relations in contemporary Poland : 1945-1981. Armed Forces a. Soc., 81, vol. 8, n° 1, p. 3-20.

3695. KORPALSKA (Walentyna). Władysław Eugeniusz Sikorski. Biografia polityczna. (Władysław Eugeniusz Sikorski. Biographie politique.) Wrocław, Zakł. Narod. im. Ossolińskich, 81, in-8, 263 p.

3696. McCLELLAN (Woodford). Nikolai Utin and the Marienhausen affair : land and liberty in the January rebellion [1863]. In : Nation and ideology [Cf. n° 437], p. 265-284.

3697. MENDELSOHN (Ezra). Zionism in Poland : the formative years, 1915-1926. New Haven, Conn., Yale U.P., 81, in-8, XI-373 p.

3698. NAIMARK (Norman M.). Ludwik Waryński : a revolutionary career. In : Nation and ideology [Cf. n° 437], p. 285-313.

3699. NOWAK (Tadeusz Marian), WIMMER (Jan). Historia oręża polskiego 963-1795. (Histoire des armes polonaises 963-1795.) Warszawa, Wiedza Powszechna, 81, in-8, 699 p. (Bibl. Wiedzy Hist. Historia Pol.)

3700. OPALIŃSKI (Edward). Elita władzy w województwach poznańskim i kaliskim za Zygmunta III. (L'élite du pouvoir dans les voïvodies de Poznań et de Kalisz aux temps de Sigismond III. Poznań, Wydawn. Pozn., 81, in-8, 175 p.

3701. PACHOŃSKI (Jan). Generał Jan Henryk Dąbrowski 1755-1818. (Le général J.H. Dąbrowski 1755-1818.) Warszawa, Wydawn. Min. Obrony Narod., 81, in-8, 747 p.

3702. PIOTRKIEWICZ (Teofil). Kwestia ukraińska w Polsce w koncepcjach piłsudczyzny 1926-1930. (La question ukrainienne en Pologne selon les conceptions des partisans de Piłsudski.) Warszawa, 81, in-8, 165 p. (Uniw. Warsz. Wydz. Historyczny).

3703. Powstanie czy rewolucja ? W 150 rocznicę powstania listopadowego. (Insurrection ou révolution ? Pour le 150e anniversaire de l'insurrection de novembre.) Réd. par Henryk KOCÓJ. Katowice, 81, in-8, 343 p. (Prace Nauk. Uniw. Śląskiego w Katowicach, 422)

3704. Powstanie II Rzeczypospolitej. Wybór dokumentów 1866-1925. (L'origine de la IIe République. Choix de documents 1866-1925.) Sous la réd. de Halina JANOWSKA et Tadeusz JĘDRUSZCZAK. Avant-propos de T. JĘDRUSZACZAK. Préparé à l'Inst. d'Hist. de l'Acad. Polonaise des Sci. Warszawa, Lud. Spółdz. Wydawn., 81, in-8, 786 p.

3705. Poznański czerwiec 1956. (Juin 1956 à Poznań.) Réd. Par Jarosław MACIEJEWSKI et Zofia TROJANOWICZOWA. Poznań, Wydawn. Pozn., 81, in-8, 347 p.

3706. RAKOWSKI (Mieczysław Franciszek). Przesilenie grudniowe. Przyczynek do dziejów najnowszych. (La crise de décembre [1980]. Contribution à l'histoire récente.) Warszawa, Państw. Inst. Wydawn., 81, in-8, 205 p. - IDEM. Rzeczypospolita na progu lat osiemdziesiątych. (La République au début des années quatre vingts.) Avant-propos : Jan SZCZEPAŃSKI. Warszawa, 81, in-8, 261 p.

3707. RUDNICKI (Szymon). Działalność polityczna polskich konserwatystów 1918-1926. (L'activité politique des conservateurs polonais 1918-1926.) Wrocław, Zakł. Narod. im. Ossolińskich, 81, in-8, 284 p.

3708. SIERADZKA (Danuta). Niemieckie organizacje kulturalne na terenie województwa śląskiego w okresie międzywojennym. (Les organisations culturelles allemandes dans la voïvodie de Silésie durant l'entre-deux-guerres.) Kwart. hist., 81, a. 88, n° 3, p. 691-702.

3709. SKRZYPEK (Andrzej). Forschungen zur neuesten Geschichte in Polen. Jb. f. Gesch., 81, Bd 23, p. 549-559.

3710. SKURNOWICZ (Joan S.). Romantic nationalism and liberalism : Joachim Lelewel and the Polish national idea. Boulder, Colo., East European Monographs, 81, in-8, 202 p. (East European Monogr., 83)

3711. Społeczeństwo wobec kryzysu. Konwersatorium "Doświadczenie i przyszłość" - raport. trzeci. (La société face à la crise [1944-1980]. Séminaire "Expérience et avenir" - 3e rapport.) Warszawa, Inst. Wydawn. Związków Zawod., 81, in-8, 71 p. (NSZZ "Solidarność" Region Mazowsze)

3712. STONE (Daniel). Daniel Hailes and the Polish constitution of May 3, 1791. Polish R., 81, vol. 26, n° 2, p. 51-63.

3713. STRYCZYŃSKI (Michał). Gdańsk w latach 1945-1948. Odbudowa organizmu miejskiego. (Gdańsk dans les années 1945-1948. La reconstruction de l'organisme municipal.) Wrocław, Zakł. Narod. im. Ossolińskich, 81, in-8, 231 p. (Gdańskie Tow. Nauk. Wydz. 1 Nauk społ. i Humanist. Studia i Mater. do Dziejów Gdańska 9. Ser. Monografii, 77).

3714. TERLECKI (Olgierd). Generał Sikorski. [Cz. 1.] (Le général Sikorski.) Kraków, Wydawn. Liter., 81, in-8, 460 p.

3715. TOMICKI (Jan). Parteien und Parteiensysteme in Polen (1918 bis 1939). Ein Überblick. Jb. f. Gesch., 81, Bd 23, p. 273-304.

3716. URUSZCZAK (Wacław). Sejm walny koronny w latach 1506-1540. (La Diète plénière de la Couronne dans les années 1506-1540.) Warszawa, Państw. Wydawn. Nauk., 81, in-8, 273 p. (Pol. Akad. Nauk Inst. Hist. Zakład Hist. Państwa i Prawa. Studia nad Hist. Państwa i Prawa, Ser. 2, 16)

3717. WOJCIAK (Jerzy). Walka polityczna w wyborach do parlamentu Rzeszy i sejmu pruskiego w Poznańskiem w latach 1898-1914. (La lutte politique pendant les élections au parlement du Reich et à la Diète prussienne dans la région de Poznań 1898-1914.) Poznań, Państw. Wydawn. Nauk., 81, in-8, 202 p. (Bydgoskie Tow. Nauk. Prace Wydz. Nauk Humanist., 23)

3718. Wydarzenia czerwcowe w Poznaniu 1956 r. Materiały z konferencji zorganizowanej przez Instytut Historii Uniwersytetu im. Adama Mickiewicza w Poznaniu w dniu 4 V 1981 roku. (Les évènements de juin 1956 à Poznań. Matériaux de la conférence organisée par l'Institut Historique de l'Université Adam Mickiewicz le 4 mai 1981.) Aut. : Andrzej CHONIAWKO et autres. Réd. Edmund MAKOWSKI. Poznań, Wydawn. Nauk. Uniw. im. A. Mickiewicza, 81, in-8, 121 p.

3719. ZAJEWSKI (Władysław). La presse belge sur Varsovie pendant l'insurrection de novembre 1830. Acta Poloniae hist., 81, vol. 43, p. 127-150. - IDEM. Wpływ rewolucji lipcowej 1830 r. na Noc 29 listopada 1830 r. w Polsce. (Influence de la révolution de juillet 1830 sur les évènements de la nuit du 29 novembre 1830 en Pologne.) Kwart. hist., 80 [81], a. 87, n°s 3/4, p. 621-634.

3720. ZIELIŃSKI (Władysław). Z myślą o zjednoczeniu (Wokół problematyki stosunku społeczeństwa Polski do powstań i plebiscytu na Górnym Śląsku). (L'idée de l'union. Contribution à l'étude du problème de l'attitude de la société polonaise à l'égard des insurrections et du plébiscite en Haute Silésie.) Zaranie śląskie, 81, a. 44, n° 2, p. 189-204.

3721. ZIELIŃSKI (Zygmunt). Der Kulturkampf in der Provinz Posen. Hist. Jb., 81, Jg. 101, p. 447-461.

3722. ZWIERZCHOWSKI (Eugeniusz). Polityczny proces kształtowania ustroju Polski Ludowej 1944-1952. (Le processus politique de la formation du régime de la Pologne Populaire 1944-1952.) Katowice, 81, in-8, 149 p. (Prace Nauk. Uniw. Śląskiego w Katowicach, 431)

Cf. n° 2715.

Rumania.

* 3723. TORREY (Glenn E.). Romania in the First World war, 1914-1919 : an annotated bibliography. Emporia, Kan., Emporia State Univ., 81, in-8, 49 p. (The Emporia State univ. research stud., 24/4).

* Cf. n° XVIII.

** 3724. KREUTEL (Richard F.), TEPLY (Karl). Der Löwe von Temeschvar. Erinnerungen an Ca'fer Pascha den Älteren, aufgezeichnet von seinem Siegelbewahrer 'Ali. Übersetzt, eingel. u. erklärt. Graz, Wien u. Köln, Styria, 81, in-8, 295 p. (2 Kt.). (Osman. Geschichtsschreiber, 10)

** 3725. RĂDUȚIU (Aurel), GYÉMÁNT (Ladislau). Repertoriul actelor oficiale privind Transilvania tipărite în limba română 1707-1847. (Répertoire des actes officiels concernant la Transylvanie imprimés en langue roumaine, 1707-1847.) București, Ed. științ. și enciclop., 81, in-8, 351 p. (16 ill.). [Eng. summary]

** Cf. n° 710.

3726. ANDREESCU (Ștefan). Restitutio Daciae. Relațiile politice dintre Țara Românească, Moldova și Transilvania în răstimpul 1526-1593. (Les relations politiques entre la Valachie, la Moldavie et la Transylvanie de 1526 à 1593.) București, Albatros, 80, in-8, 239 p.

3727. BERINDEI (Dan). Frămîntari politice in Țara Românească în primăvara și vara anului 1861. Petiția de la 11 iunie 1861. (Remous politiques en Valachie - printemps-été 1861. La pétition du 11 juin 1861.) R. Ist., 81, t. 34, n° 1, p. 75-108. [Rés. franç. p. 108-109]

3728. CUTIȘTEANU (S.), IONIȚĂ (Gh. I.). Electoratul din România în anii interbelici. (Lélectorat de la Roumanie de l'entre-deux-guerres.) Cluj-Napoca, Dacia, 81, in-8, 314 p.

3729. FISCHER-GALATI (Stephen). Myths in Romanian history. East european Quar., 81, vol. 15, n° 3, p. 327-334.

3730. GYÉMÁNT (Ladislau). L'intégration de la paysannerie dans le mouvement national roumain de Transylvanie durant la période 1790-1848. R. roumaine Hist., 81, t. 20, p. 245-268.

3731. IONIȚĂ (Gheorghe I.). Istoria României și a Partidului Comunist Român (1948-1981). (Histoire de Roumanie et du Parti Communiste Roumain, 1948-1981.) București, Tipografia Universității, 81, in-8, 148 p.

3732. JURCĂ (Nicolae). Le mouvement socialiste et social-démocrate dans la vie politique de la Roumanie (1934-1844). R. roumaine Hist., 80, t. 19, p. 415-429.

3733. MOISUC (Viorica). La Roumanie et le problème de la sécurité entre les deux guerres mondiales. R. roumaine Hist., 80, t. 19, p. 353-370.

3724. NEDELCU (Florea). De la restaurație la dictatura regală : din viața politică a României 1930-1938. (De la restauration à la dictature royale : pages de la vie politique de la Roumanie.) Cluj-Napoca, Dacia, 81, in-8, 446 p. (ill., pl.). (Istorie contemporană).

3735. NISTOR (Joan Silviu). Contribuții mureșene la Marea Unire din 1918. Prefață de acad. Ștefan PASCU. (Contributions de la région de Mureș à la Grande Union de 1918. Préf. de Ștefan PASCU.) Cluj-Napoca, Dacia, 81, in-8, 278 p. (ill., pl.). (Testimonia).

3736. REZACHEVICI (Constantin). Mercenarii în oștile românești în evul mediu. (Les mercenaires dans les armées roumaines pendant le moyen âge [XV-XVIII s.].) R. Ist., 81, t. 34, n° 1, p. 37-71. [Rés. franç. p. 71-73]

3737. ROIDER (Karl A.) Jr. Nationalism and colonization in the Banat of Temesvar, 1718-1778. In : Nation and ideology [Cf. n° 437], p. 87-100.

3738. TEODOR (Pompiliu). Options sociales dans le mouvement politique roumain de Transylvanie à l'époque de la révolution démocratique. R. roumaine Hist., 81, t. 20, p. 223-244.

3739. UCRAIN (Constantin). Oastea lui Horea. Cuvînt înainte de acad. Ștefan PASCU. (L'armée de Horea. Avant-propos de Ștefan PASCU.) București, Ed. militară, 80, in-8, 237 p. (ill., pl.).

Cf. n° 6644.

El Salvador.

3740. BULYČEV (I.M.). Uspekhi i problemy sandinistskoj revoljucii. (Successess and problems of the Sandinist revolution.) Lat. Am., 81, n° 7, p. 26-41.

3741. LEONOV (N.S.). Sal'vadorskaja drama. (The drama of Salvador.) Lat. Am., 81, n° 8, p. 5-22.

Suecia.

**3742. WESTMAN (Karl Gustaf). Politiska anteckningar september 1939 - mars 1943. Utg. genom W.M. Carlgren. (Political notes, September 1939 - March 1943. Ed. By W.M. CARLGREN.) Stockholm, Samfundet för utg. av handskrifter rörande SKandinaviens hist., 81, in-8, 237 p. (1 pl.). (Handl. Kungl. Samfundet för utg. av handskrifter rörande Skandinaviens hist., 6)

3743. Amiralitetskollegiets historia. Vol. 4 : 1878-1930. Text : Folke Wedin. (History of the Swedish Board of Admiralty. Vol. 4 : 1878-1930. By Folke WEDIN.). Malmö, Allhem, 81, in-4, 202 p. (ill.).

3744. BUCHHOLTZ (Werner). Die Instruktionskommission der zentralen Reichsverwaltung im Herbst 1722 : ein Beitrag zur Entstehungsgeschichte und zur Funktion des parlamentarischen Ausschusswesens. [Svensk] Hist. T., 81, vol. 101, p. 19-39.

3745. DUNSDORFS (Edgars). The Livonian estates of Axel Oxenstierna. Stockholm, Almqvist a. Wiksell international, 81, in-8, XVI-248 p. (ill.)

3746. Enköpings stads historia. Vol. 2 : Från 1718 till 1950. Red. av Stellan Dahlgren. (History of the town of Enköping. Vol. 2 : From 1718 to to 1950. Ed. by Stellan DAHLGREN.) Enköping, Kommunfullmäktige, 79, in-8, 520 p. (ill.)

3747. FAGERLUND (Rainer). Reduktionen av militien i Östersjöprovinserna 1660-1661. (Reduction of the militia in the Baltic provinces, 1660-61.) Karolinska Förb. Årsb., 79-80 [81], vol. 68-69, j p. 120-141.

3748. JONASSON (Gustaf). I väntan på uppbrott ? Bondeförbundet/Centerpartiet i regeringskoalitionens slutskede 1956-1957. (In Erwartung eines Aufbruchs ? Der Bauernbund während der Schlussphase der Regierungskoalition.) Stockholm, Almqvist a. Wiksell international, 81, in-8, 115 p. (Studia hist. Upsaliensia, 118) [Mit deutscher Zusammenfassung]

3749. KILANDER (Svenbjörn). Censur och propadanda : svensk informationspolitik under 1900-talets första decennier. (Censorship and propaganda : Swedish information policy in the early decades of the 20th century.) Stockholm, Almqvist a. Wiksell international, 81, in-8, 219 p. (Studia hist. Upsaliensia, 121) [Eng. summary]

3750. KROMNOW (Åke). Die schwedischen Könige aus dem Hause Wittelsbach. Z. f. bayer. Landesgesch., 81, Bd 44, p. 329-344.

3751. LÖVGREN (Abba-Brita). Effektivitetskrav och/eller maktpolitik ? Handläggningen avregeringsärendena under Karl XII:s tid. (Demand for efficiency and/or policy of power ? The treatment of government affairs during the reign of Charles XII.) Karolinska Förb. Årsb., 79-80 [81], p. 30-47.

3752. RUSSELL of LIVERPOOL (Lord). Bernadotte, King of Sweden. London, Springwood Books, 81, in-8, 224 p.

3753. STADE (Arne). Carl X Gustafs armé. (The army of Charles X Gustavus.) Stockholm, Militärhist. förlaget, 79, in-8, 358 p. (ill.). (Carl X Gustaf-studier, 8).

3754. STECKZÉN (Birger). Umeå stads história 1588-1888. Personreg. av Saga Edstedt o. ortreg. av Gun o. Kurt Boberg ; med en efterskrift av Erik Thelaus. (History of the town of Umeå, 1588-1888. Name index by Saga EDSTEDT place index by Gun a. Kurt BOBERG ; with a postscript by Erik THELAUS.) Umeå, Två förläggare, 81, in-4, 487-XXXIV p. (ill.). [Facs. of the 1st ed., 1922]

3755. ZERNACK (Klaus). Schweden als europäische Grossmacht der Frühen Neuzeit. Hist. Z., 81, Bd 232, p. 327-357.

Suiza.

* Cf. n° XIX.

** 3756. DONNET (André). Documents pour servir à l'histoire de la révolution valaisanne de 1798. [III. Cf. Bibl. 78-79, n° 4325.] IV : De la république des Dix-Dizains au canton de la République helvétique (16 mars-6 mai 1798). Vallesia, 80, t. 35, p. 1-120.

3757. BERGIER (Jean-François). Villes et campagnes en Suisse sous l'Ancien Régime. Quelques variations. Schweiz. Z. f. Gesch., 81, Bd 31, p. 391-402.

3758. BORNER (Heidi). Zwischen Sonderbund und Kulturkampf. Zur Lage der Besiegten im Bundesstaat von 1848. Luzern u. Stuttgart, Rex, 81, in-8, 271 p. (Luzerner hist. Veröff., 11)

3759. LEWANDOWSKI (Jan). Polacy w Szwajcarii. (Les Polonais en Suisse.) Lublin, 81, in-8, 138 p. (Polonijne Centrum Kult.-Oświat. Uniw. Marii Curie-Skłodowskiej w Lublinie. Z Dziejów Polonii)

3760. PARET (Peter). The Tschudi affair. J. mod. Hist., 81, vol. 53, n° 4, p. 489-618.

Siria.

3761. BATATU (Hanna). Some observations on the social roots of Syria's ruling military group and the causes for its dominance. Middle East J., 81, vol. 35, n° 3, p. 331-344.

Tanzania.

3762. CLAYTON (Anthony). The Zanzibar revolution and its aftermath. London, G. Hurst, 81, in-8, 166 p. (maps).

Checoslovaquia.

* Cf. n° XX.

** 3763. HAVLÍČEK BOROVSKÝ (Karel). Lid a národ. Úvahy a články z let 1845-1851. (Volk und Nation. Abhandlungen und Artikel aus d.J. 1845-1851.) Hrsg. von Josef ŠPIČÁK. Praha, Melantrich, 81, in-8, 626 p. (20 fig.)

** 3764. HUSÁK (Gustáv). Projevy a stati. Leden 1979 - duben 1981. (Reden und Aufsätze. Januar 1979 - April 1981.) Praha, Svoboda, 81, in-8, 528 p.

** 3765. KSČ v Bratislave 1921-1945. Dokumenty. (Die Kommunistische Partei der Tschechoslowakei in Bratislava 1921-1945. Dokumente.) Edit. Vladimír HORVÁTH. Bratislava, Obzor, 81, in-8, 448 p. (16 fig.).

3766. AGNEW (Hugh LeCaine). Enlightenment and national consciousness : three Czech "popular awakeners" In : Nation and ideology [Cf. n° 437], p. 201-226.

3767. CHOVANEC (Jaroslav). Revolučný a štátoprávny odkaz Slovenského národného povstania. (Das revolutionäre u. staatsrechtl. Vermächtnis d. Slowakischen Nationalaufstandes.) Bratislava, Pravda, 80, in-8, 464 p.

3768. COHEN (Gary B.). The politics of ethnic survival : Germans in Prague, 1861-1914. Princeton, N.J., Princeton U.P., 81, in-8, XVII-344 p.

3769. GARVER (Bruce M.). Palacký and Czech politics after 1876. East european Quar., 81, vol. 15, n° 1, p. 46-56.

3770. GREŠÍK (Ladislav). Slovenská kultúra v začiatkoch budovania socializmu (1948-1955). (Die slowakische Kultur am Anfang des Aufbaus des Sozialismus.) Bratislava, Pravda, 80, in-8, 384 p.

3771. GRIEŠ (Ondrej). 60 rokov kultúrnej politiky KSČ. (60 Jahre Kulturpolitik der Kommunist. Partei der Tschechoslowakei.) Bratislava, Obzor, 81, in-8, 224 p.

3772. JANKOVIČ (Vendelín) et coll. Národné kultúrne pamiatky na Slovensku. (Nationale Kulturdenkmäler in der Slowakei.) Martin, Osveta, 80, in-8, 306 p. (32 fig.).

3773. JOHANIDES (Josef). František Martin Pelcl. Praha, Melantrich, 81, in-8, 432 p. (48 fig.). (Odkazy pokrok. osobností naší minulosti, 62).

3774. KODEDOVÁ (Oldřiška). Lidové hnutí a ohlas první ruské revoluce v českých zemích v letech 1905-1907. (Die Volksbewegung und der Widerhall der Ersten russischen Revolution in den böhmischen Ländern in d.J. 1905-1907.) Praha, Academia, 80, in-8, 160 p. (Studie ČSAV 80, 7)

3775. KREMPA (Ivan). Cesta k jednotné revoluční straně v Československu. (Der Weg zur einheitlichen revolutionären partei in der Tschechoslowakei.) Praha, Horizont, 81, in-8, 248 p. (16 fig.).

3776. KRYSTUFEK (Zdenek). The soviet regime in Czechoslovakia. Boulder, Colo., East European Monographs, 81, in-8, VII-340 p. (East European Monographs, 81).

3777. KUTNAR (František). František Palacký and the development of modern Czech nationalism. East european Quar., 81, vol. 15, n° 1, p. 3-13.

3778. KVAČEK (Robert). Cesty ke svobodě. (Die Wege zur Freiheit.) Praha, Českosl. strana socialist., 81, in-8, 130 p.

3779. MACŮREK (Josef). Z minulosti východní Moravy v 18.-19. století. Daniel SLoboda jako buditel na východní Moravě a průkopník novodobé československé i širší mezinárodní vzájemnosti a spolupráce. (Aus der Vergangenheit Ostmährens im 18.-19. Jahrhundert. Daniel Sloboda als Vorkämpfer der nationalen Wiedergeburt in Ostmähren und der modernen tschecho-slowakischen und breiteren internationalen Gegenseitigkeit und Zusammenarbeit.) Brno, Muzejní a vlastivědná společnost, 80, in-8, 166 p. (22 fig.). (Vlastivědná knihovna moravská, 34)

3780. MAMATEY (Victor S.). The battle of the White mountain as myth in Czech history. East european Quar., 81, vol. 15, n° 3, p. 335-345.

3781. Materiály k politickým, hospodářským a sociálním dějinám Československa v letech 1918-1929. (Materialien zur politischen, Wirtschafts-und Sozialgeschichte der Tschechoslowakei in d.J. 1918-1929.) Bearb. v. Josef HARNA, Zdeněk DEYL, Vlastislav LACINA. Sborn. k Děj. 19. a 20. Stol., 81, vol. 7, 582 p.

3782. MYANT (Martin R.). Socialism and democracy in Czechoslovakia, 1945-1948. London a. New York, Cambridge U.P., 81, in-8, IX-302 p. (Soviet a. East European Stud.)

3783. Praha národního probuzení. (Prag in der Zeit der nationalen Wiedergeburt.) Von Emanuel POCHE, Dobroslav LÍBAL, Eva REITHAROVÁ, Petr WITTLICH. Praha, Panorama, 80, in-8, 505 p. (16 fig.)

3784. PŘIKRYL (František). Národnostná otázka v našich dejinách. (Die Nationalitätenfrage in unserer Geschichte.) Bratislava, Pravda, 80, in-8, 256 p.

3785. PROCHAZKA (Theodore) Sr. The Second Republic. The disintegration of post-Munich Czechoslovakia, oct. 1938-march 1939. Boulder, Colo., Columbia U.P., 81, in-8, VII-231 p. (East European Monogr., 90)

3786. RUPNIK (Jacques). Histoire du Parti communiste tchécoslovaque. Des origines à la prise du pouvoir. Paris, Presses de la Fondation nat. des Sci. pol., 81, in-8, 288 p.

3787. SIVÁK (Florián). Z bojov KSČ proti buržoáznemu parlamentarizmu 1921-1938. (Aus den Kämpfen der Kommunist. Partei d. Tschechoslowakei gegen den bürgerl. Parlamentarismus 1921-1938.) Bratislava, Pravda, 81, in-8, 288 p.

3788. Slováci vo svete. (Slovaks in the World.) Part 1. Par Ján SIRÁCKY et coll. Part 2. Par František BIELIK et coll. Martin, Matica slovenská, 80, 2 vol. in-8, 304, 320 p.

3789. Slovensko v podmienkach socialistickej výstavby. (Die Slowakei unter den Bedingungen des sozialistischen Aufbaus.) Hrsg. v. Jozef KOLLÁR u. a. Bratislava, Pravda, 81, in-8, 200 p. (16 fig.).

3790. SZPORLUK (Roman). The political thought of Thomas G. Masaryk. Boulder, Colo., East European Monographs, 81, in-8, 244 p. (East European Monographs, 85)

3791. TABORSKY (Edward). President Edward Beneš : between east and west, 1938-1948. Stanford, Calif., Hoover Inst. Press, 81, in-8, XI-299 p. (Hoover Press Pub., 246).

3792. VELIKÝ (Marián). Základné otázky politického systému ČSSR. (Fundamental questions of the political system of the Czechoslovak Socialist Republic.) Bratislava, Veda, 81, in-8, 344 p.

3793. VOJTĚCH (Tomáš). Mladočesi a boj o politickou moc v Čechách. (Die Jungtschechen und der Kampf um die politische Macht in Böhmen.) Praha, Academia, 80, in-8, 200 p. (4 fig.).

Cf. n°s 379, 4409.

Turquía.

3794. BROADUS (John R.). Soviet historical literature on the reform period of later Ottoman history. Wiener Z. f. d. Kde d. Morgenlandes, 81, Bd 73, p. 137-165.

3795. EKREM (Mehmet Ali). Considérations sur les réformes intérieures et sur la politique étrangère de Kemal Atatürk. R. roumaine Hist., 81, t. 20, p. 435-454.

3796. HALE (William). The political and economic development of modern Turkey. London, Croom Helm, 81, in-8, 272 p.

3797. KEYDER (Caglar). The definition of a peripheral economy : Turkey, 1923-1929. London, Cambridge U.P., 81, in-8, 158 p. (tab.).

3798. OZBUDIN (Ergun), KAZANCIGIL (Ali). Ataturk, the founder of a modern state. London, C. Hurst, 81, in-8, 220 p.

3799. TANAŞOCA (Anca). Autonomia vlahilor

din Imperiul Otoman în secolele XV-XVII. (L'autonomie des Vlaches de l'Empire ottoman aux XVe-XVIIIe ș.). R. Ist., 81, t. 34, n° 8, p. 1513-1530. [Rés. franç.]

3800. TOPRAK (Binnaz). Islam and political development in Turkey. Leiden, Brill, 81, in-8, 164 p. (Social, econ. a. pol. Stud. of the Middle East, 32)

3801. WELKER (Walter F.). The modernization of Turkey : from Ataturk to the present day. New York, Holmes a. Meier, 81, in-8, XIX-303 p.

Uganda.

3802. JORGENSEN (J.). Uganda, a modern history. London, Croom Helm, 81, in-8, 384 p.

3803. PANKRAT'EV (V.P.). Uganda : ėtapy političeskoj bor'by (1960-e gody). (Uganda : stages of political struggle in the 1960 s.) Nar. Azii Afr., 81, n° 2, p. 139-147.

U.R.S.S.

* 3804. Soviet (The) air and strategic rocket forces, 1939-1980 : a guide to sources in English. Comp. by Myron J. SMITH, Jr. Foreword by Kenneth R. WHITING. Santa Barbara, Calif., ABC-Clio, 81, XLIV-321 p. (War-peace Bibl. Ser., 10)

** 3805. Istorija dorevoljucionnoj Rossii v drevnikakh i vospominanijakh. (History of pre-revolutionary Russia in diaries and memoirs.) Annot. ukaz. kn. i publ. v žurn. Nauč. rukovodstvo, red. i vved. P.A. ZAJONČKOVSKOGO. T. 3, Č. 3 : 1857-1894. Moskva, Kniga, 81, 375 p. (Gos. b-ka SSSR im. V.I. Lenina i dr.)

** 3806. KOSYGIN (A.N.). Selected speeches and writings. Oxford, Pergamon Press, 81, in-8, 352 p.

** 3807. Pod znamenem Oktjabrja. Sbornik dokumentov i materialov. 25 okt. (7 nojab.) 1917 g. - 7 nojab. 1923 g. (Under the banner of the October Revolution. Collection of documents and materials. Oct. 25 (Nov. 7) 1917 - Nov. 7, 1923.) Redkol. : A.D. PEDOSOV, I. DIMITROV (NRB) i dr. V 2-kh t. T. 1 : Učastie bolgarskikh internacionalistov. (The participation of Bulgarian internationalists.) Moskva, Politizdat ; Sovija, Izd-vo BKP, 81. (In-t marksizma-leninizma pri CK KPSS i dr.)

** 3808. Russische Revolution (Die) 1917. Der Aufstand d. Arbeiter, Bauern u. Soldaten. Eine Dokumentation. Hrsg. v. Richard LORENZ [u.a.] München, Nymphenburger Verl.-Handlung, 81, in-8, 376 p.

** 3809. SHLYAPNIKOV (Alexander). On the eve of 1917 : reminiscences and documents of the Labour Movement and the revolutionary underground, 1914-1917. Tr. from the Russ. by R. CHAPPEL. London, Allison a. Busby, 81, in-8, 352 p.

** 3810. TROTSKY (Leon). The challenge of the Left opposition, 1923-1925 ; 1926-1927. Ed. by Naomi ALLEN. London, Pathfinder Press, 81, 2 vol. in-8, 428, 548 p.

3811. AGAJANC (C.P.). Pobeda Sovetskoj vlasti i vozroždenie armjanskogo naroda. (The victory of the Soviet power and the revival of the Armenian people.) Moskva, Mysl', 81, 224 p. (ill.).

3812. ARIE (Katriel Ben). M. N. Tukhachevsky and the theory of civil war. East european Quar., 81, vol. 15, n° 4, p. 441-452.

3813. ARVON (H.). 1921. La révolte de Cronstadt. Bruxelles, Complexe, 81, in-8, 154 p.

3814. ASCHER (Abraham). Pavel Axelrod's dilemma of Jewish national consciousness. In : Nationalism [Cf. n° 431], p. 156-167.

3815. BEGUNOV (Jurij K.). Die altrussischen Quellen zu Pelgusij-Filipp. DIETSCH (V.). Hist. Diskurs u. Geschichtskonzeption. GROSS (H.). Selbstverwaltung u. Staatskrise in Russland 1914-1917. Wiesbaden, Harrassowitz, 81, in-8, 381 p. (Forsch. z. osteurop. Gesch., 28)

3816. BROOKS (E. Willis). Nicholas I as reformer : Russian attempts to conquer the Caucasus, 1825-1855. In : Nation and ideology [Cf. n° 437], p. 227-263.

3817. BROOKS (Jeffrey). Russian nationalism an Russian literature : the canonization of the classics. In : Nation and ideology [Cf. n° 437], p. 315-334.

3818. BUSHNELL (John). The tsarist officer corps, 1881-1914 : customs, duties, inefficiency. Am. hist. R., 81, vol. 86, n° 4, p. 753-780.

3819. CARR (Francis). Ivan the Terrible. Newton Abbot, David a. Charles, 81, in-8, 240 p. (ill.).

3820. DUFFY (Christopher). Russia's military way to the West, the origins and nature of Russian military power, 1700-1800. London, Routledge, 81, in-4, 270 p. (ill., maps).

3821. DUNMORE (Timothy). Stalinist command economy : Soviet State apparatus and economic policy, 1945-1953. London, Macmillan, 81, in-8, 192 p.

3822. ĖJDEL'MAN (N. Ja.). Dvorcovyj zagovor 1797-1799 godov. (The coup d'état of the palace of 1797-1799.) Vopr. Ist., 81, n° 1, p. 103-112.

3823. ESTHUS (Raymond A.). Nicholas II and the Russo-Japanese war. Russian R., 81, vol. 40, n° 4, 396-411.

3824. FARNSWORTH (Beatrice). Aleksandra Kollontai : socialism, feminism, and the bolshevik revolution. Stanford, Calif., Stanford U.P., 80, in-8, XIV-432 p.

3825. FLORJA (B.N.). O Zemskom sobore 1612 goda (On the Zemski Sobor of 1621.) Ist. SSSR, 81, n° 4, p. 96-106.

3826. FRANKEL (Jonathan). Prophecy and politics : socialism, nationalism and the Russian Jews, 1862-1917. London, Cambridge U.P., 81, in-8, 686 p. (ill.).

3827. FUHRMANN (Joseph T.). Tsar Alexis : his reign and his Russia. Gulf Breeze, Fla., Academic Internat. Press, 81, in-8, VIII-250 p.

3828. GAVRILOV (L.M.). Soldatskie komitety v bor'be za pobedu Velikoj Oktjabr'skoj socialističeskoj revoljucii. (Soldier's committees in the struggle for the victory of the Great October Socialist Revolution.) Ist. Zap., 81, n° 106, p. 5-51.

3829. GLEASON (Walter J.). Moral idealists, bureaucracy, and Catherine the Great. New Brunswick, N.J., Rutgers U.P., 81, in-8, IX-252 p.

3830. GORODECKIJ (E.N.). Sovetskaja istoriografija Velikogo Oktjabrja. 1917-seredina 30-kh gg. (Soviet historiography of the Great October. From 1917 to the middle of the 30 s.) Moskva, Nauka, 81, 367 p. (AN SSSR. Nauč. sovet po kompleks. probl. "Velikaja Okt. Soc. revoljucija". In-t istorii SSSR)

3831. GROMYKO (Andrei Andreevich). Lenin and Soviet peace policy. Tr. from the Russian. London, Central Books, 81, in-8, 496 p.

3832. GRUNT (A. Ja.). O nekotorykh problemakh revolucionnoj situacii v Rossii meždu fevralëm i oktjabrem 1917 goda. (Some problems of the revolutionary situation in Russia from February to October 1917.) Ist. SSSR, 81, n° 1, p. 41-58.

3833. HAMM (Michael F.). Khar'kov's progressive Duma, 1910-1914 : a study in russian municipal reform. Slavic R., 81, vol. 40, n° 1, p. 17-36.

3834. HASEGAWA (Tsuyoshi). The February revolution : Petrograd, 1917. Seattle, Univ. of Washington Press, 81, in-8, XXII-652 p. (Pub. on Russia a. Eastern Europe of the School of International Stud., 9)

3835. HULSE (James W.). The view from the Krakow anthill : one source of the Comintern's misunderstanding of east European nationalism. In : Nation and ideology [Cf. n° 437], p. 351-367.

3836. Istorija gorodov i sël Ukrainskoj SSR. (History of towns and villages of the Ukrainian SSR.) Gl. redkol. : P. T. TRON'KO (predsedatel') i dr. V 26-ti t. Zaporožskaja oblast'. Nikolaevskaja oblast'. Kiev, 81, 2 vol., 726, 710 p. (ill.)

3837. JACOBS (Dan N.). Borodin : Stalin's man in China. Cambridge, Mass., Harvard U.P., 81, in-8, VIII-369 p.

3838. JARRING (Gunnar). Ervin Petrovitj Zinser och de karolinska krigsfångarnas insatser för utforskandet av Sibirien. (E.P. Zinser and the contribution of the Swedish Caroline war prisoners to the exploration of Sibiria.) Karolinska Förb. Årsb., 79-80 [81], vol. 68-69, p. 48-119.

3839. KISHLANSKY (Mark). Consensus politics and the structure of debate at Putney. J. brit. Stud., 81, vol. 20, n° 2, p. 50-69.

3840. KOENKER (Diane). Moscow workers and the 1917 revolution. Princeton, N.J., Princeton U.P., 81, in-8, XIV-420 p. (Stud. of the Russian Inst., Columbia Univ.)

3841. KOZLOV (A.I.). Oktjabr' i kazačestvo Dona, Kubani i Tereka. (The Great October Revolution and the Cossacks of the Don, Kuban and Terek regions.) Vopr. Ist., 81, n° 3, p. 20-33.

3842. LEGGETT (George). The Cheka : Lenin's political police : the all-Russian extraordinary commission for combating counter revolution and sabotage (December 1917 to February 1922). New York, Oxford U.P., 81, in-8n XXXV-514 p.

3843. Lenin kak političeskij myslitel'. (Lenin as political thinker.) Redkol. : V.V. ZAGLADIN i dr. Moskva, Politizdat, 81, 431 p.

3844. LINCOLN (W. Bruce). The Romanovs : autocrats of all the Russias. New York, Dial Press, 81, in-8, XII-852 p.

3845. LINHART (Karel). SSSR od Října k dnešku, 1917-1977. (Die UdSSR vom Oktober bis heute.) Vorwort v. Juraj VARHOLÍK. Praha, Stát. pedag. naklad., 81, in-8, 412 p. (16 fig.)

3846. ŁUKAWSKI (Zygmunt). Historia Syberii. (Histoire de la Sibérie.) Wrocław, Zakł. Narod. im. Ossolińskich, 81, in-8, 394 p.

3847. McCAULEY (Mary). The Soviet Union since 1917. London, Longman, 81, in-8, 308 p.

3848. MADARIAGA (Isabel de). Russia in the age of Catherine the Great. London, Weidenfeld a. Nicolson ; New Haven, Conn., Yale U.P., 81, in-8, XII-698 p. (maps).

3849. MASSIE (Robert K.). Peter the Great. London, Gollancz, 81, in-8, 896 p.

3850. MATTHES (Eckhard). Das veränderte Russland. Studien zum deutsch. Russlandverständnis im 18. Jh. zwischen 1725 u. 1762. Frankfurt (Main), Bern u. Cirencester, Lang, 81, in-8, 565 p. (Ill.). (Europ. Hochschulschr. Reihe 3 : Gesch. u. ihre Hilfswiss., 135)

3851. MEDVEDEV (Roy A.). Nikolai Bukharin, the last years. Fr. from the Russian by A. D. BRIGGS. London, Benn, 81, in-8, 176 p.

3852. MIKHAJLOV (B.G.). Revoljucionnaja propaganda sredi krest'jan na Evropejskom Severe Rossii v 70-e gody XIX v. (Revolutionary propaganda among the peasantry in the European north of Russia in the 1870 s.) Ist. Zap., 81, n° 106, p. 348-368.

3853. MILOV (L.V.). Klassovaja bor'ba krepostnogo krest'janstva Rossii v XVII-XVIII vv. (Peasant struggle in 17th-18th cent. Russia.) Vopr. Ist., 81, n° 3, p. 34-52.

3854. Nacional'naja politika KPSS. Očerk Istoriografii. (National policy of the CPSU. Historiography.) Avt. : T. Ju. BURMISTROVA (rukovoditel'), E. A. ZAJCEVA, J.Z. ZAKHAROV, E.I. ŠURYGIN. Moskva, Politizdat, 81, 256 p.

3855. NOLTE (Hans-Heinrich). Budgetakkumulation. Kollektivierungskampagne und Religionsbedrückung im ersten sowjetischen Fünfjahrplan. Kirche im Osten, 81, Bd 24, p. 83-105.

3856. ORLOVSKY (Daniel T.). The limits of reform : the ministry of internal affairs in imperial Russia. 1802-1881. Cambridge, Mass., Harvard U.P., 81, in-8, VIII-299 p. (Russian Research Center Stud., 81)

3857. Ot kapitalizma k socializmu. Osnovnye problemy perekhodnogo perioda v SSSR, 1917-1937 gg. (From capitalism to socialism. Basic problems of the transitional period in the USSR, 1917-1937.) Pod obšč. red. Ju. A. POLJAKOVA. T. 1 : Pobeda socialističeskoj revoljucii. Načalo perekhodnogo perioda, 1917-1927 gg. (The victory of the socialist revolution. The beginnings of the transitional period.) T. 2 : Razvernutoe stroitel'stvo socializma v SSSR, 1928-1937 gg. (The edification of socialism in the USSR.) Moskva, Nauka, 81, 2 vol., 519, 440 p. (AN SSSR. In-t istorii SSSR).

3858. OWEN (Thomas C.). Capitalism and politics in Russia, a social history of the Moscow merchants, 1855-1905. London, Cambridge U.P., 81, in-8, 295 p. (ill., tab.).

3859. PEARSON (Thomas S.). The origins of Alexander III's land captains : a reinterpretation. Slavic R., 81, vol. 40, n° 3, p. 384-403.

3860. PETROV (F.A.). Iz istorii obščestvennogo dviženija v period vtoroj revoljucionnoj situacii v Rossii. Revoljucionery i liberaly v konce 1870-kh godov. (From the history of the social movement in the period of the second revolutionary situation in Russia. Revolutionaries and liberals at the end of the 1870 s.) Ist. SSSR, n° 1, p. 144-155.

3861. PODGORNOVA (A.I.). Reforma knigoizdatel'skogo dela v RSFSR 1921-1923 gg. (The book publishing reform of 1921-1923 in the Russian Soviet Federated Socialist Republic.) Vopr. Ist., 81, n° 10, p. 47-60.

3862. POL'SKIJ (M.P.). K istorii social'noj politiki Kommunističeskoj partii v 1917-1920 gg. (On the history of the social policy of the [Russian] communist party in 1917-1920.) Vopr. Ist. KPSS, 81, n° 5, p. 15-25.

3863. Rabočij klass - veduščaja sila Velikoj Oktjabr'skoj Socialističeskoj revoljucii. (The working class - leading force of the Great October Socialist Revolution.) Pod red. A.A. ČERNOBAEVA. Moskva, Vysš. škola, 81, 216 p.

3864. RALEIGH (Donald J.). Revolutionary politics in provincial Russia : the Tsaritsyn "republic" in 1917. Slavic R., 81, vol. 40, n° 2, p. 194-209.

3865. RIASANOVSKY (Alexander V.). Ideological and political extensions of the "Norman" controversy. In : Nation and ideology [Cf. n° 437], p. 335-350.

3866. RUBLE (Blair A.). Soviet trade unions, their development in the 1970's. London, Cambridge U.P., 81, in-8, 190 p. (Soviet a. E. European Stud.)

3867. RUUD (Charles A.). The printing press as an agent of political change in early twentieth-century Russia. Russian R., 81, vol. 40, n°4, p. 378-395.

3868. ŠKARENKOV (L.K.). Agonija beloj emigracii. (Agony of the White emigration.) Moskva, Mysl', 81, 231 p.

3869. Sovetskaja istoriografija Velikoj Oktjabr'skoj socialističeskoj revolucii. (Soviet historiography of the Great October Socialist Revolution.) Otv. red. V.P. NAUMOV. Moskva, Nauka, 81, 293 p. (AN SSSR. In-t istorii SSSR)

3870. STRODS (Hinrik). Odgłosy powstania listopadowego na Łotwie. (Les répercussions de l'Insurrection [polonaise] de Novembre [1830-1831] en Lettonie.) Zap. hist., 81, vol. 46, n° 3, p. 33-75.

3871. SUBTELNY (Orest). The Mazepist : Ukrainian separatism in the early eighteenth century. Boulder, Colo., East European Monographs, 81, in-8, 280 p. (Esat European Monographs, 87)

3872. SULEJMENOV (B.S.), BASIN (V.Ja.). Kazakhstan v sostave Rossii v XVIII-načale XX veka. (Kazakhstan in the composition of Russia, 18th - beginning of the 19th cent.) Alma-Ata, Nauka, 81, 247 p. (AN Kaz. SSR. In-t istorii, arkheologii i ėtnografii. Istoki velikogo sodružestva.)

3873. SZPORLUK (Roman). The Pokrovskii-Trotsky debate of 1922. In : Nation and ideology [Cf. n° 437], p. 369-386.

3874. THADEN (Edward C.) a. others. Russification in the Baltic provinces and Finland, 1855-1914. Princeton, N.J., Princeton U.P., 81, in-8, XIII-497 p.

3875. TOKMAKOFF (George). P.A. Stolypin and the third Duma : an appraisal of the three major issues. Washington, D.C., U.P. of America, 81, in-8, XI-246 p.

3876. TOLSTOY (Nikolai). Stalin's secret war. London, Cape, 81, in-8, 480 p.

3877. TULEPBAEV (B.A.). Dobrovol'noe prisoedinenie Kazakhstana k Rossi i ego istoričeskoe znacenie. (The historic significance of Kazakhstan's voluntary incorporation into Russia.) Vopr. Ist., 81, n° 9, p. 3-16.

3878. ULAM (Adam B.). Russia's failed revolutions : from the Decembrists to the Dissidents. London, Weidenfeld a. Nicolson ; New York, Basic Books, 81, in-8, VII-453 p.

3879. VAGANOV (F.M.). Bor'ba partii protiv pravooportunističeskoj revizii leninskogo kooperativnogo plana. (The struggle of the party against the right-wing opportunist revision of Lenin's co-operative plan.) Vopr. Ist. KPSS, 81, n° 4, p. 40-50.

3880. WEISSMAN (Neil B.). Reform in tsarist Russia : the state bureaucracy and local government, 1900-1914. New Brunswick, N.J., Rutgers U.P., 81, in-8, X-292 p.

3881. WICKMAN (Kurt). Brott eller kontinuitet : framväxten av ekonomisk planering i Sovjetunionen 1917-1929. (The emergence of economic planning in the Soviet Union, 1917-1929.) [Svensk] Hist. T., 81, vol. 101, p. 435-455. [Eng. summary]

3882. ZARODOV (K.I.). Istoričeskij opyt Oktjabrja i garantii revoljucionnykh zavoevanij. (The lessons of the Great October Socialist Revolution and the safeguarding of revolutionary achievements.) Vopr. Ist., 81, n° 11, p. 3-24.

3883. ŽVANIJA (G.). Bol'ševiki i pobeda Sovetskoj vlasti v Gruzii. (The Bolsheviks and the victory of Soviet power in Georgia.) Tbilisi, Sabčota Sakrtvelo, 81, 358 p.

Uruguay.

3884. VANGER (Milton L.). The model country : José Batlle y Ordoñez of Uruguay, 1907-1915. Hanover, N.H., Univ. Press of New England, 80, in-8, XII-436 p.

Venezuela.

3885. EWELL (Judith). The indictment of a dictator : the extradition and trial of Marcos Pérez Jiménez [1958-1968]. College Station, Texas A & M U.P., 81, in-8, VIII-203 p.

3886. HERMAN (Donald L.). Christian democracy in Venezuela. Chapel Hill, Univ. of North Carolina Press, 80, in-8, XIV-289 p.

Yugoslavia.

3887. BANAC (Ivo). Ministration and desceration : the place of Dubrovnik in modern Croat ideology and political culture. In : Nation and ideology [Cf. n° 437], p. 149-175.

3888. DJILAS (Milovan). Tito, the story from the inside, Tr. from the Serbocroat by V. KOJIC a. R. HAYES. London, Weidenfeld a. Nicolson, 81, in-8, 185 p.

3889. DONIA (Robert J.). Islam under the Double Eagle : the Muslims of Bosnia and Hercegovina, 1878-1914. Boulder, Colo., Columbia U. P., 81, in-8, XIX-237 p. (East European Monogr., 78).

3890. GROSS (Mirjana). Croatian national-integrational ideologies from the end of Illyrism to the creation of Yugoslavia. Austrian Hist. Y. B., 79-80, vol. 15-16, p. 3-33. - EADEM. On the integration of the Croatian nation : a case study in nation building. East european Quar., 81, vol. 15, n° 2, p. 209-225.

3891. GROTHUSEN (Klaus-Detlev). Urbanisierung und Nationsbildung in Jugoslawien. Südost-Forsch., 81, Bd 40, p. 62-80.

3892. HEER (Caspar). Territorialentwicklung und Grenzfragen von Montenegro in der Zeit seiner Staatswerdung (1830-1887). Bern, Lang, 81, in-8, XII-279 p. (9 Kt.). (Geist u. Werk d. Zeiten, 61).

3893. KESSLER (Wolfgang). Politik, Kultur und Gesellschaft in Kroatien und Slawonien in der ersten Hälfte des 19. Jahrhunderts. Historiographie u. Grundlagen. München, Oldenbourg, 81, in-8, 352 p. (Südosteurop. Arbeiten, 77).

3894. PAXTON (Roger V.). Identity and consciousness : culture and politics among the Habsburg Serbs in the eighteenth century. In : Nation and ideology [Cf. n° 437], p. 101-119.

3895. VERMES (Gabor P.). South Slav aspirations and Magyar nationalism in the Dual Monarchy. In : Nation and ideology [Cf. n° 437], p. 177-200.

Zambia.

3896. BRATTON (Michael). The local politics of rural development : peasant and party-state in Zambia. Hanover, N.H., Univ. Press of New England, 80, in-8, XII-334 p.

Zimbabwe.

3897. HUDSON (Miles). Triumph or tragedy ? Rhodesia to Zimbabwe. London, H. Hamilton, 81, in-8, 256 p.

§ 3. Descubrimientos geográficos.

** 3898. DAMPIER (William). Voyage to New Holland : the English voyage of discovery to the South Seas in 1699. Ed. by James SPENCER. Gloucester, A. J. Sutton, 81, in-8, 256 p. (ill., maps).

** 3899. Entdeckung (Die) und Eroberung der Welt. Dokumente u. Berichte. Bd 2 : Asien, Australien, Pazifik. Hrsg. v. Urs BITTERLI. München, Beck, 81, in-8, 364 p.

** 3900. Expedition (The) of the "Saint-Jean-Baptiste" to the Pacific, 1769-1770, from Journals of Jean de Surville and Guillaume Labé, trans. a. ed. by John DUNMORE. London, Hakluyt Soc., 81, in-8, 310 p.

** 3901. GOOD (Peter). Journal of Peter Good, gardener on Matthew Flinders' voyage to Terra Australis, 1801-1803. Ed. by Phyllis Irene EDWARDS. London, H.M. Stationery Office, 81, in-8, 213 p.

** 3902. HAKLUYT (Richard). Voyages : selection. Ed. by Richard DAVID. London, Chatto, 81, in-8, 640 p.

** 3903. KROELL (Anne). Le voyage de Lazarus Nürnberger en Inde, 1517-1518. B. Et. portugaises, 80 [81], t. 41, p. 57-87.

3904. EPIFANOV (P.P.). K istorii osvoenija Sibiri i Dal'nego Vostoka v XVII veke. (On the history of the development of Siberia and the Far East in the 17th cent.) Ist. SSSR, 81, n° 4, p. 70-84.

3905. HAMDANI (Abbas). Ottoman response to the discovery of America and the new route to India. J. am. orient. Soc., 81, vol. 101, n° 3, p. 323-330.

3906. NICHOLS (Roger I.), HALLEY (Patrick L.). Stephen Long and American frontier exploration. East Brunswick, N.J., Univ. of Delaware Pres, 80, in-8, 276 p.

Cf. n° 5282.

L

HISTORIA RELIGIOSA DE LA EDAD MODERNA

§ 1. Generalidades. 3907-3943. - § 2. Catolicismo (a. Generalidades ; b. Historia del Papado ; c. Estudios particulares ; d. Historia monástica ; e. Historia de las misiones). 3944-4072. - § 3. Ortodoxia. 4073-4082. - § 4. Protestantismo. 4083-4173. - § 5. Religiones y sectas no cristianas. 4174-4198.

§ 1. Generalidades.

* 3907. GAGNON (Claude-Marie). Les manuscrits et imprimés religieux au Québec, 1867-1960 : bibliographie. Québec, Univ. Laval, Inst. supérieur des sciences humaines, 81, in-8, 195 p. (Cah. de l'ISSH. Coll. Et. sur le Québec, 12).

* 3908. HOGAN (Brian). A current bibliography of Canadian church history. [Cf. Bibl. 78-79, n° 4500.] Canad. cath. hist. Assoc. Stud. Sess., 80, vol. 47, p. 69-108 ; 81, vol. 48, p. 101-139.

* Cf. n° 4379.

** 3909. Religious census (The) of 1851 : a calendar of the returns relating to Wales. Ed. by Ieuan Gwynedd JONES. Vol. 1 : South Wales. Vol. 2 : North Wales. Cardiff, Univ. of Wales Press, 76-81, 2 vol. in-4, XXXV-698, 438 p. (fac-sim.).

3910. BARRIE (Viviane). Recherches sur la vie religieuse en Angleterre au XVIIIe siècle. R. hist., 81, t. 266, p. 339-379.

3911. BLACKWELL (Albert L.). The antagonistic correspondence of 1801 between chaplain Sack and his protegé Schleiermacher. Harvard theol. R., 81, vol. 74, n° 1, p. 101-122. [Friedrich S. G. Sack, catholic preacher at Berlin]

3912. BOWDEN (Henry Warner). American Indians and Christian missions : studies in cultural conflict. Chicago, Chicago U.P., 81, in-8, XIX-255 p. (Chicago Hist. of Am. Religion)

3913. CHAUNU (Pierre). Eglise, culture et société. Essais sur Réforme et Contre-Réforme, 1517-1620. Paris, SEDES, 81, in-8, 544 p.

3914. COSTAMAGNA (Henri). Aspects et problèmes de la communauté chrétienne niçoise 1706-1860. In : Lyon et l'Europe [Cf. n° 417], vol. 1, p. 101-118.

3915. CSIZMADIA (Andor). Eötvös József egyházpolitikája. (La politique ecclésiastique de József Eötvös.) Világosság, 81, vol. 22, n° 7, p. 437-445.

3916. DEYON (Pierre). Sur certaines formes de la propagande religieuse au XVIe siècle. A., Ec., Soc., Civ., 81, a. 36, p. 16-25.

3917. EBERHARD (Winfried). Konfessionsbildung und Stände in Böhmen, 1478-1530. München u. Wien, Oldenbourg, 81, in-8, 314 p. (Veröff. d. Collegium Carolinum, 38)

3918. Eglises (Les) et leurs institutions au XVIe siècle. Actes du Ve Colloque du Centre d'hist. de la Réforme et du protestantisme, Univ. Paul Valéry, Montpellier [27-30 sept. 1977]. Recueillis par Michel PERONNET. [Précédés de] Hommage solennel à la mém. du prof. Jean Boisset, rendu à l'Univ. le 10 février 1978. Montpellier, Centre d'hist. de la Réforme et du protestantisme, 80, in-8, XXV-232 p. (pl.)

3919. GENIZI (Haim). American interfaith cooperation on behalf of refugees from nazism, 1933-1945. Am. jewish Hist., 81, vol. 70, n° 3, p. 347-361.

3920. HALE (Frederick). The development of religious freedom in Norway. J. Church a. State, 81, vol. 23, n° 1, p. 47-68.

3921. HELMREICH (Ernst Christian). The German churches under Hitler : background, struggle, and epilogue. Detroit, Mich., Wayne State U.P., 79, in-8, 616 p.

3922. HILL (Samuel S.) Jr. The south and the north in American religion. Athens, Univ. of Georgia Press, 80, in-8, XVI-152 p. (Mercer Univ. Lamar Memorial Lectures, 23)

3923. JENSEN (Gwendolyn E.). A comparative study of Prussian and Anglican church-state reform in the nineteenth century. J. Church a. State, 81, vol. 23, n° 3, p. 445-464.

3924. JOLICOEUR (Catherine). La vie religieuse des Acadiens à travers leurs croyances traditionnelles. Soc. canad. Hist. Egl. cath. Sess. ét., 81, vol. 48, p. 79-88.

3925. KALU (O.U.). History of Christianity in West Africa. London, Longman, 81, in-8, 388 p.

3926. KINGDON (Robert M.). The church : ideology or institution ? Church Hist., 81, vol. 50, n° 1, p. 81-97. [presidential address, 1980, American Society for Church History]

3927. LARNER (Christina). Enemies of God : the witch-hunt in Scotland. Foreword by Norman COHN. Baltimore, Md., Johns Hopkins

U.P., 81, in-8, X-244 p.

3928. McKERROW (Ray E.). Archbishop Whately : human nature and Christian assistance. Church Hist., 81, vol. 50, n° 2, p. 166-181. [R. Whately, archbishop of Dublin, 1831-1863]

3929. McLEOD (Hugh). Religion and the people of Western Europe, 1789-1970. London, Oxford U.P., 81, in-8, 182 p.

3930. MACQUARRIE (John). Twentieth century religious thought : frontiers of philolophy and theology, 1900-1970. 2nd rev. ed. London, S.C.M. Press, 81, in-8, 432 p. [1st ed. Cf. Bibl. 70-71, n° 5451.]

3931. MARRANZINI (A.). Dibattito Lutero-Seripando su "Giustizia e libertà del cristiano". Brescia, Morcelliana, 81, in-8, 380 p. (ill.). (Ambrosiana, 15).

3932. MASER (Peter). Orientalische Mystik und evangelische Erweckungsbewegung. Z. f. Religions- u. Geistesgesch., 81, Bd 33, p. 221-249.

3933. MOREEN (Vera B.). The status of religious minorities in Safavid Iran 1617-1661. J. near east. Stud., 81, vol. 40, n° 2, p. 119-134.

3934. MOSELEY (James G.). A cultural history of religion in America. Westport, Conn., Greenwood Press, 81, in-8, XVIII-183 p. (Contrib. to the Study of Religion, 2)

3935. ORTNER (Franz). Reformation, katholische Reform und Gegenreformation im Erzstift Salzburg. Salzburg, Pustet, 81, in-8, 320 p. (Abb., Kt.).

3936. PETROCCHI (Giorgio). Segnali e messaggi. Milano, Rusconi, 81, in-8, 171 p.

3937. RAITT (Jill) a. others. Shapers of religious traditions in Germany, Switzerland, and Poland, 1560-1600. Foreword by Robert M. KINGDON. New Haven, Conn., Yale U.P., 81, in-8, XX-224 p.

3938. Reformationszeit (Die). Martin GRESCHAT (Hrsg.). 1, 2. Berlin, Stuttgart, Köln u. Mainz, Kohlhammer, 81, 2 vol. in-8, 355, 335 p. (Ill.). (Gestalten d. Kirchengesch., 5, 6)

3939. REYNOLDS (David S.). Faith in fiction : the emergence of religious literature in America. Cambridge, Mass., Harvard U.P., 81, in-8, 269 p.

3940. SUMMERVILLE (C. John). The anti-Puritan work ethic. J. brit. Stud., 81, vol. 20, n° 2, p. 70-81.

3941. TALMAGE (Frank). "To sabbatize in peace" : Jews and new Christians in sixteenth-century Portuguese polemics. Harvard theol. R., 81, vol. 74, n° 3, p. 325-330.

3942. TAZBIR (Janusz). Rola żywego słowa w polskiej propagandzie wyznaniowej. (Le rôle de la parole dans la propagande religieuse polonaise [XVIe-XVIIe s.].) Kwart. hist., 80 [81], a. 87, n° 2, p. 291-309.

3943. WUNDERLI (Richard M.). London church courts and society on the eve of the Reformation. Cambridge, Mass., Medieval Acad. of Am., 81, in-8, XIII-163 p. (Speculum Anniversary Monographs, 7).

Cf. n° 3760.

§ 2. Catolicismo.

a. Generalidades.

* 3944. TYRRELL (George). Letters from a "Modernist" ; the letters of George Tyrrell to Wilfred Ward, 1893-1908. Ed. by Mary Jo WEAVER. London, Sheed a. Ward, 81, in-8, 224 p.

3945. Aspetti e problemi del cattolicesimo europeo del XX secolo. [Scritti di :] Marc MINIER, Jörg WINTER, Cecilia DAU NOVELLI, Gianni VANNONI, Maria Teresa BRUNORI DE SIERVO, Roberto RUFFILLI, Giorgio RUMI. Stor. contemp., 81, a. 12, p. 575-828.

3946. GRIGULEVIČ (I.R.). Cerkov'i oligarkhija v Latinskoj Amerike. 1810-1959. (Church and oligarchy in Latin America, 1810-1959.) Moskva, Nauka, 81, 327 p. (ill.). (AN SSSR. In-t ètnografii)

3947. HAIGH (Christopher). From monopoly to minority : Catholicism in early modern England. Trans. Roy. hist. Soc., 81, vol. 31, p. 129-147.

3948. HARVEY (Nancy Lenz). Thomas, Cardinal Wolsey. London, Collier Macmillan, 81, in-8, 256 p.

3949. HENNESEY (James). American Catholics : a history of the Roman Catholic community in the United States. Forew. by John Tracy ELLIS. New York, Oxford U.P., 81, in-8, XVI-397 p.

3950. LEVINE (Daniel H.). Religion and politics in Latin America : the Catholic church in Venezuela and Colombia. Princeton, N.J., Princeton U.P., 81, in-8, XII-342 p.

3951. NOEL (Léon). Le statut de l'Eglise de France après la Séparation : l'affaire des associations diocésaines. R. Hist. dipl., 80, a. 94, p. 5-69.

3952. VIGUERIE (Jean de). Quelques aspects du catholicisme des Français au XVIIIe siècle. R. Hist., 81, a. 105, t. 265, p. 335-370.

b. Historia del Papado.

** 3953. Friedenslegation des Reginald Pole zu Kaiser Karl V. und König Heinrich II. (1553-1556). Im Auftr. d. Deutsch. Hist. Inst. in Rom bearb. v. Heinrich LUTZ. Tübingen, Niemeyer, 81, in-8, XCVIII-435 p. (Nuntiaturberichte aus Deutschland. Abt. 1 : 1533-1559, Bd 15)

** 3954. Nuntiatur des Germanico Malaspina und des Giovanni Andrea Caligari 1582-1587. Unter Mitw. v. Sabine WEISS bearb. v. Johann RAINER. Wien, Verl. d. Österr. Akad. d. Wiss., 81, in-8, XXVIII-496 p. (Nuntiaturberichte. Sonderreihe : Grazer Nuntiatur, 2). (Publ. d. Österr. Kulturinst. in Rom, Abt. 2, R. 2)

3955. ALGISI (L.). Papa Giovanni XXIII. A cura di L.F. CAPOUILLA. Torino, Marietti, 81, in-8, 429 p.

3956. ANDERSON (Robin). Between two wars, the story of Pope Pius XI, 1922-1939. Chulmleigh, Augustine Publ. Co., 81, in-8, XXX-154 p. (ill.).

3957. BLACK (C.F.). Perugia and Papal absolutism in the 16th century. Eng. hist. R., 81, vol. 96, p. 509-539.

3958. CHADWICK (Owen). The popes and European revolution. London a. New York, Oxford, U.P., 81, in-8, IX-646 p. (Oxford Hist. of the Christian Church).

3959. FALCONI (Carlo). Il giovane Mastai. Il futuro Pio IX dall'infanzia a Senigallia alla Roma della restaurazione, 1792-1827. Milano, Rusconi, 81, in-8, 842 p. (tav.).

3960. FIRPO (Massimo). Sulla legazione di pace di Reginald Pole (1553-1556). R. stor. ital., 81, a. 93, p. 821-836.

3961. GRIGULEVIČ (I.P.). Papstvo. Vek XX. (Papacy. The 20th century.) 2-e izd., dop. Moskva, Politizdat, 81, 532 p. (ill.).

3962. HOLMES (J. Derek). The Papacy in the modern world, 1914-1978. London, Burns a. Oates, 81, in-8, 288 p. (ill.).

3963. MALIŃSKI (Mieczysław). "Totus Tuus". Papież Jan Paweł II. ("Totus Tuus". Le pape Jean Paul II.) Poznań, Księgarnia św. Wojciecha, 81, in-8, 290 p.

3964. NEVEU (Bruno). Juge suprême et docteur infaillible : le pontificat romain de la bulle "In eminenti" (1643) à la bulle "Auctorem fidei" (1794). Mél. Ec. franç. Rome, Moyen Age, Temps mod., 81, t. 93, p. 215-275.

3965. WEBER (Christoph). Dans les couloirs du Vatican. Der Kampf der Kardinäle Czacki und Galimberti um die politische Richtung im Vatikan 1879-1896 im Spiegel der Literatur, Presse und Diplomatie. Hist. Jb., 81, Jg. 101, p. 38-129.

Cf. n°ˢ 4285, 6456.

c. Estudios particulares.

** 3966. HOFFMANN (Rüdiger). António Vieiras Rochuspredigt aus dem Restaurationskriegsjahr 1642. Einf., krit. Text u. Komm. Münster, Aschendorff, 81, in-8, VI-458 p. (Portugiesische Forsch. d. Görresges. Reihe 3 : Vieira-Texte u. Vieira-Stud., 6)

3967. BELLENGER (Dominic). The English catholics and the French exiled clergy. Recusant Hist., 81, vol. 15, p. 433-451.

3968. BOUVERESSE (abbé Jacques). Contribution à l'étude de la dîme : la jurisprudence de Lorraine au XVIIIe siècle. A. Est, 81, sér. 5, a. 33, p. 99-150.

3969. BRAMBILLA (Elena). Società ecclesiastica e società civile : aspetti della formazione del clero dal Cinquecento alla restaurazione. Soc. e Stor., 81, a. 4, p. 299-366.

3970. BRUTI LIBERATI (Luigi). Il clero italiano nella grande guerra. Roma, Edit. riuniti, 81, in-8, 194 p. (Bibl. di Stor., 98)

3971. CARDINI (Franco). Il Concilio lateranense IV e la Fraternitas di S. Bernardino da Siena. Studi francesc., 81, a. 78, p. 239-250.

3972. CHAMBERS (Raymond W.). Thomas More. Brighton, Harvester Press, 81, in-8, 416 p.

3973. CHIANDOTTO (Vannes). Stato e Chiesa nel Friuli occidentale, 1900-1920. Pordenone, Coop. cult. G. Lozer, 81, in-8, 264 p.

3974. CHRISTIAN (William A.) Jr. Local religion in sixteenth-century Spain. Princeton, N.J., Princeton U.P., 81, in-8, VIII-283 p. [Cf. n° 904.]

3975. CONZEMIUS (Victor). Charlotte Lady Blennerhasset. Die Bildungsjahre einer liberalen Katholikin. Z. f. bayer. Ldesgesch., 81, Bd 44, p. 723-788. - IDEM. Die Konzilsbriefe des "Grafen" Ladislaus Kulczycki. Zur Quellenkritik v. A. B. Hasler. Röm. Qschr. f. christl. Altertumskde, 81, Bd 76, p. 173-237.

3976. COUPRIE (Alain). "Courtisanisme" et christianisme au XVIIe siècle. XVIIe Siècle, 81, a. 33, p. 371-391.

3977. COUSIN (Bernard). Notre-Dame-de-Lumières. Trois siècles de dévotion populaire en Lubéron. Paris, Desclée de Brouwer, 81, in-8, 213 p.

3978. CUDDY (Edward). The Irish question and the revival of anticatholicism in the 1920's. Cath. hist. R., 81, vol. 67, n° 2, p. 236-255.

3979. CUENCA TORIBIO (José Manuel), MIRANDA GARCÍA (Soledad). Notas para el pontificado burgalés de Fernando de la Puente [arzobispo de Burgos y cardenal] y Primo de Rivera (1858-1867). Estudio sobre la restauración religiosa isabelina. Hispania [Madrid], 81, t. 41, p. 61-153.

3980. DESCOTES (Dominique). La première critique des Pensées. Texte et commentaire du 5e Dialogue et du Traité de la délicatesse de l'abbé de Villars (1671). Paris, Ed. du C.N.R.S., 80, in-8, 83 p.

3981. Dibattito (Il) sulla Ricomposizione dell'area cattolica in Italia. A cura di Bartolomeo SORGE. Roma, Città nuova, 81, in-16, 394 p.

3982. DIETRICH (Donald J.). Anton Günther: catholic liberal in the Hapsburg empire. J. Church a. State, 81, vol. 23, n° 3, p. 497-518.

3983. DINET (Dominique). Les ordinations sacerdotales dans les diocèses d'Auxerre, Langres et Dijon (XVIIe-XVIIIe siècles). R. Hist. Egl. France, 80, t. 66, p. 211-241.

3984. Dizionario storico del movimento cattolico in Italia, 1860-1980. Francesco TRANIELLO, Giorgio CAMPANINI direttori. I, 1-2 : I fatti e le idee. Torino, Marietti, 81, 2 vol. in-8.

3985. DOLAN (Claire). Entre tours et clochers. Les gens d'Eglise à Aix-en-Provence au XVIe siècle. Aix-en-Provence, Edisud, 81, in-8,

433 p. (fig.)

3986. DOMPNIER (Bernard). Un aspect de la dévotion eucharistique dans la France du XVIIe siècle : les prières des Quarante-Heures. R. Hist. Egl. France, 81, t. 67, p. 5-31.

3987. DOWNEY (Dennis B.). Tradition and acceptance : American catholics and the Columbian exposition. Mid-Am., 81, vol. 63, n° 2, p. 79-92.

3988. DUFOUR (Liliane). La reconstruction religieuse de la Sicile après le séisme de 1693 : une approche des rapports entre histoire urbaine et vie religieuse. Mél. Ec. franç. Rome, Moyen Age, Temps mod., 81, t. 93, p. 525-563.

3989. FABER (Richard). Roma aeterna. Zur Kritik d. "Konservativen Revolution". Würzburg, Königshausen u. Neumann, 81, in-8, IX-395 p.

3990. FIRPO (Massimo), MARCATTO (Dario). Il primo processo inquisitoriale contro il cardinale Giovanni Morone (1552-1553). R. stor. ital., 81, a. 93, p. 71-142.

3991. Franciszkowi rycerze. Ojciec Kolbe i jego współpracownicy. (Les chevaliers de François. Père Kolbe et ses collaborateurs.) Ouvrage collectif réd. par Jan BERNATEK. Niepokalanów, OO. Franciszkanie, 81, in-8, 327 p.

3992. GODIN (Edgar). Etablissement de l'Eglise catholique au Nouveau-Brunswick. Soc. canad. Hist. Egl. cath. Sess. Et., 81, vol. 48, p. 37-56.

3993. GOLDEN (Richard M.). The godly rebellion : Parisian curés and the religious fronde, 1652-1662. Chapel Hill, Univ. of North Carolina Press, 81, in-8, IX-221 p.

3994. GOUJARD (Philippe). Echec d'une sensibilité baroque : les testaments rouennais au XVIIIe siècle. A., Ec., Soc., Civ., 81, a. 36, p. 26-43.

3995. GUITTON (le P. Georges), S.J. Le bienheureux Claude La Colombière, apôtre du Sacré-Coeur, 1641-1682, d'après ses oeuvres, sermons et correspondance, et de nombreux documents inédits. Paris, Nouv. Librairie de France, 81, in-8, 252 p. (ill.).

3996. HAUSE (Steven C.), KENNEY (Anne R.). The development of the catholic women's suffrage movement in France, 1896-1922. Cath. hist. R., 81, vol. 67, n° 1, p. 11-30.

3997. HELLMAN (John). Emmanuel Mounier and the new Catholic left, 1930-1950. Buffalo, N.Y., Univ. of Toronto Press, 81, in-8, VIII-355 p.

3998. HESBERT (Dom René-Jean). Saint Augustin, maître de Bossuet. Paris, Nouv. Ed. latines, 80, in-8, 207 p.

3999. Historia katolicyzmu społecznego w Polsce 1832-1939. (Histoire du catholicisme social en Pologne 1832-1939.) Com. de réd. : Czesław STRZESZEWSKI, Ryszard BENDER, Konstanty TUROWSKI. Avant-propos Stefan WYSZYŃSKI. Warszawa, Ośrodek Dokum. i Studiów Społ., 81, in-, 719 p.

4000. HUNT (Thomas C.). The Edgerton bible decision : the end of an era. Cath. hist. R., 81, vol. 67, n° 4, p. 589-619.

4001. Integralismo (L') cattolico in Italia, 1789-1859. Antologia di scritti. [A cura di] Francesco LEONI, Domenico DE NAPOLI, Antonio RATTI. Napoli, Guida, 81, in-8, 182 p. (La spirale, 48)

4002. KANTOWICZ (Edward R.). Cardinal Mundelein of Chicago and the shaping of twentieth-century American catholicism. J. am. Hist., 81, vol. 68, n° 1, p. 52-68, n° 1, p. 52-68.

4003. KUZNIEWSKI (Anthony J.). Faith and fatherland : the Polish church war in Wisconsin, 1896-1918. Notre Dame, Ind., Univ. of Notre Dame Press, 80, in-8, XII-171 p. (Notre Dame Stud. in Am. Catholicism, 3)

4004. LaFONTAINE (Charles V.). S.A. Father Paul Wattson of Graymoor and prayer for Christian unity. Cath. hist. R., 81, vol.67, n° 1, p. 31-49.

4005. LEBRUN (Jean). Lamennais ou l'inquiétude de la liberté. Paris Fayard ; Tours, Mame, 81, in-8, 281 p.

4006. McNALLY (Vincent J.). John Thomas Troy, archbishop of Dublin, and the establishment of Saint patrick's College, Maynooth, 1791-1795. Cath. hist. R., 81, vol. 67, n° 4, p. 565-588.

4007. MAITRE (Jacques). Idéologie religieuse, conversion mystique et symbiose mère enfant : le cas de Thérèse Martin (1873-1897). Arch. Sci. soc. Relig., 81, a. 26, p. 65-99.

4008. MEIER (Heinrich). Das apostolische Vikariat in den sächsischen Erblanden. Leipzig, St.-Benno-Verl., 81, in-8, XIV-289 p. (Studien z. kathol. Bistums- u. Klostergesch., 24)

4009. MELLINATO (Giuseppe). Revisione testuale delle Confessioni di Pietro Favre, primo compagno di Ignazio de Loyola. Studia patavina, 80, a. 27, p. 565-583.

4010. MENARD (Michèle). Une histoire des mentalités religieuses aux XVIIe et XVIIIe siècles : mille retables de l'ancien diocèse du Mans. Paris, Beauchesne, 80, in-4, 467 p. (ill.).

4011. NEVEU (Bruno). Archéolâtrie et modernité dans le savoir ecclésiastique au XVIIe siècle. XVIIe Siècle, 81, a. 33, p. 169-184.

4012. NICHOLLS (David). Inertia and reform in the pre-Tridentine French church : the response to protestantism in the diocese of Rouen, 1520-1562. J. eccles. Hist., 81, vol. 32, p. 185-197.

4013. ORTON (Lawrence D.). Polish Detroit and the Kolasinski affair. Detroit, Mich., Wayne State U.P., 81, in-8, 229 p.

4014. OSUCHOWSKI (Janusz). Państwo ludowe a Kościół rzymskokatolicki w Polsce w latach 1944-1948. Studium z zakresu stosunków władzy. (L'Etat populaire et l'Eglise catholique romaine en Pologne dans les années 1944-1948. Etude concernant les relations avec le pouvoir.) Warszawa, 81, in-8, 216 p. (Rozpr. Uniw. Warsz., 175).

4015. PALANQUE (Jean-Rémy). Une catholique libérale du XIXe siècle : la marquise de Forbin d'Oppède d'après sa correspondance inédite.

Leuven, Nauwelaerts, 81, in-8, VII-466 p. (Bibliothèqe de la R. Hist. ecclés., 66)

4016. PECORARI (Paolo). Giuseppe Toniolo e il socialismo. Saggio sulla cultura cattolica tra '800 e 900. Bologna, Pàtron, 81, in-8, XII-322 p. (ritr.). (il mondo mod. e contemp., 1)

4017. PEYROUS (Bernard). La réforme ecclésiastique de l'archidiocèse de Bordeaux au temps du cardinal François de Sourdis (1599-1628). R. Hist. ecclés., 81, vol. 76, p. 5-77.

4018. Polscy kanoniści. Wiek XIX i XX. (Les canonistes polonais. XIXe et XXe s.) Matériaux réunis, coll., éd. par Joachim Roman BAR. Auteurs : Marian ALEKSANDROWICZ et autres. P. 1 : A - K. P. 2 : L - Ż. Warszawa, Akad. Teologii Katol., 80, 2 vol. in-8, 284, 281 p.

4019. POOLE (Stafford) C.M. Church law on the ordination of Indians and castas in New Spain. Hisp. am. hist. R., 81, vol. 61, n° 4, p. 637-650.

4020. QUINN (Peter A.). Ignatius Loyola and Gian Pietro Carafa : catholic reformers at odds. Cath. hist. R., 81, vol. 67, n° 3, p. 386-400.

4021. S. Caietano Thianaeo Quinto iam revoluto saeculo ab eius nativitate, 1480-1980. [Contributi di:] F. AUDREU, G. MANTESE, E. MENEGAZZO, M. G. ALBERTI, S. PRONTI, F. PICCIRILLO, F. ZAGHINI, F. CARAFFA, E. RONZANI, C. DE AMBROGGI, W. CAMILLERI, G. ROSSEL. Regnum Dei, 81, a. 37, n° 107, p. 6-285.

4022. SCHIWY (Günther). Teilhard de Chardin. Sein Leben und seine Zeit. T. 1 : 1881-1923. München, Kösel, 81, in-8, 349 p.

4023. SCHULTENOVER (David G.). George Tyrrell : in search of Catholicism. Shepherdstown, W. Va., Patmos, 81, in-8, XII-504 p.

4024. SCHWALLER (John Frederick). The cathedral chapter of Mexico in the sixteenth century. Hisp. am. hist. R., 81, vol. 61, n° 4, p. 651-674.

4025. SERAPIÃO (Luis Benjamin). The Roman Catholic church and the principle of self-determination : a case study of Mozambique. J. Church a. State, 81, vol. 23, n° 2, p. 323-336.

4026. SHANABRUCH (Charles). Chicago's Catholics : the evolution of an American identity. Notre Dame, Ind., Univ. of Notre Dame Press, 81, in-8, XI-296 p. (Notre Dame Stud. in Am. Catholicism, 4)

4027. SNIDER (Carlo). L'episcopato del cardinale Andrea C. Ferrari. 1 : Gli ultimi anni dell'Ottocento. Pref. di Carlo M. MARTINI. Vicenza, Pozza, 81, in-8, XX-877 p. (tav.). (Fontes Ambrosiani, 67)

4028. SOBOUL (Albert). Les oeuvres de l'abbé Grégoire. R. franç. Hist. Livre, 80, a. 49, n. sér., n° 28, p. 485-498.

4029. SOUMILLE (P.). Le catholicisme des Européens de l'île de Djerba (Tunisie) dans les années 1840 à 1880. In : Iles de Méditerranée [Cf. n° 216], p. 31-38.

4030. SPERBER (Jonathan). The transformation of Catholic associations in the northern Rhineland and Westphalia 1830-1870. J. soc. Hist., 81, vol. 15, n° 2, p. 253-264.

4031. SZYDŁOWSKI (Piotr). Katolicka filozofia kultury w Polsce w latach 1918-1939. (Philosophie catholique de la culture en Pologne dans les années 1918-1939.) Kraków, 81, in-8, 205 p. (Rozpr. Habilitacyjne Uniw. Jagiell., 51)

4032. Tomas Mor, 1478-1978. Kommunističeskie idealy i istorija kul'tury. (Thomas More, 1478-1978. Communist ideals and the history of culture.) Otv. red. V.I. RUTENBURG. Moskva, 81, 384 p. (ill., portr.). (AN SSSR. Nauč. sovet po istorii mirovoj kul'tury. Komis. po kul'ture Vozroždenija)

4033. TRACY (James D.). Erasmus and the Arians : remarks on the Consensus Ecclesiae. Cath. hist. R., 81, vol. 67, n° 1, p. 1-10.

4034. TRAVENEAUX (René). La pensée et l'oeuvre sociales de saint Pierre Fourier. In : Lyon et l'Europe [Cf. n° 417], vol. 2, p. 267-278.

4035. VESELSKY (Oskar). Bischof und Klerus der Diözese Seckau unter nationalsozialistischer Herrschaft. Graz, DBV-Verl. f. die Techn. Univ. Graz, 81, in-8, XXXIX-484 p. (Diss. d. Karl-Franzens- Univ. Graz, 54)

4036. WISŁOCKI (Jerzy). Uposażenie kościoła i duchowieństwa katolickiego w Polsce 1918-1939.(Les dotations à l'Eglise et au clergé catholique en Pologne 1918-1939.) Poznań, 81, in-8, 338 p. (Uniw. im. Adama Mickiewicza w Poznaniu. Prawo, 103)

4037. YARDENI (Myriam). Esotérisme, religion et histoire dans l'oeuvre de Palma-Cayet. R. Hist. Relig., 81, t. 198, p. 285-308.

Cf. n°s 2716, 3251, 4398, 4404, 5608, 5928, 6608.

d. Historia monástica.

* 4038. BROEKAERT (Jean D.). Bibliographie de la règle de Saint Benoît : éditions latines et traductions imprimées de 1489 à 1929. T. 1 : 1489-1750. T. 2 : 1751-1929. Studia anselmiana, 77-78 [80], p. 1-947.

* 4039. LALO (Jean-Xavier). Les recueils des sources juridiques franciscaines (1502-1535). Description et analyse. Arch. francisc. hist., 81, a. 74, p. 146-230.

* 4040. POLGÁR (László). Bibliographia de historia Societatis Iesu. [Cf. Bibl. 80, n° 4036.] Arch. hist. Soc. Jesu, 81,a. 50, p. 264-338.

4041. ASSELIN (Jean-Pierre). Les Rédemptoristes au Canada : implantation à Sainte-Anne-de-Beaupré, 1878-1911. Montréal, Bellarmin, 81, in-8, 165 p.

4042. AVELING (J.C.H.). The Jesuits. London, Blond a. Briggs, 81, in-8, 398 p.

4043. BAUDOIN (Marthe). The religious of the Sacred Heart in Canada 1842-1980. Canad. cath. hist. Assoc. Stud. Sess., 81, vol. 48, p. 43-60.

4044. DEDIEU (Hugues), O.F.M. Notes pour

servir à l'histoire franciscaine de la Révolution française à travers un Répertoire récent des papiers du cardinal Caprara (1801-1808). Arch. francisc. hist., 81, a. 74, p. 518-539.

4045. DELAUNAY (Jean-Marc). Des réfugiés en Espagne : les religieux français et les décrets du 29 mars 1880. Mél. Casa de Velázquez, 81, t. 17, p. 291-319.

4046. EDWARDS (Francis). The Elizabethan Jesuits. Chichester, Phillimore, 81, in-8, 389 p.

4047. ESZER (Ambrosius). O.P. Zur Geschichte der "Congrégation du Saint-Sacrement". Arch. Fr. Praedicatorum, 80, vol. 50, p. 307-386.

4048. FRĄCEK (Teresa). Zgromadzenie Sióstr Franciszkanek Rodziny Marii w latach 1939-1945. (La Congrégation des Soeurs Franciscaines de la Famille de Marie [en Pologne] dans les années 1939-1945.) Warszawa, Akad. Teologii Kat., 81, in-8, 360 p. (Kościół Kat. na Ziemiach Pol. w Czasie II Wojny Światowej, 11)

4049. FUMAROLI (Marc). Temps de croissance et temps de corruption : les deux Antiquités dans l'érudition jésuite française du XVIIe siècle. XVIIe Siècle, 81, a. 33, p. 149-168.

4050. JEGOU (Marie-Andrée). Les Ursulines du faubourg Saint-Jacques à Paris, 1607-1662. Paris, Presses univ. France, 81, in-8, 191 p. (Bibl. de l'E.H.E., Sci. relig., 82)

4051. KANIOR (Marian). Benedyktyńskie studium zakonne w Polsce w XVIII w. (L'Ecole monastique des Bénédictins en Pologne au XVIIIe s.) Studia hist., 81, a. 24, n° 3, p. 363-388.

4052. LAPOMARDA (Vincent A.) S.J. The Jesuits and the holocaust. J. Church a. State, 81, vol. 23, n° 2, p. 241-258.

4053. MANTELLI (Roberto). The political and social ideas of an enlightened catholic : the Catalan jesuit Juan Francisco Masdeu (1744-1817). Arch. hist. Soc. Jesu, 81, a. 50, p. 3-47.

4054. MARTIN (Hervé). Les Franciscains bretons et les gens de mer (XVe-début XVIIIe siècle). A. Bretagne, 80, t. 87, p. 641-677.

4055. PATER (Józef). Zarys dziejów Zgromadzenia Sióstr. św. Elżbiety. (Précis d'histoire de la Congrégation des Soeurs de St. Elisabeth [à Nysa, Basse Silésie, fondée en 1842].) Nasza Przeszł., 81, vol. 55, p. 45-83.

4056. PIĘTA (Zenon). Polskie klaryski pod zaborami i w Księstwie Warszawskim 1772-1815. (Les Clarisses polonaises dans les territoires annexés et le Grand Duché de Varsovie 1772-1815.) Warszawa i Rzym, Rotatori, 81, in-8, 244 p.

4057. Słownik polskich pisarzy franciszkańskich. Lexicon Scriptorum franciscalium Poloniae. [Bernardyni i Franciszkanie śląscy, Franciszkanie konwentualni, Klaryski orza Zgromadzenie III reguły. Bernardini et Franciscani in Silesia, Franciscani conventuales, Clarissae nec non Congregationes II regulae.] Réd. par Hieronim Eugeniusz WYCZAWSKI. Auteurs : Joachim BAR et autres. Warszawa, Archiwum Prowincji OO. Bernardynów, 81, in-8, 570 p.

4058. ULTEE (Maarten). The abbey of St. Germain des Prés in the seventeenth century. New Haven, Conn., Yale U.P., 81, in-8, IX-210 p.

4059. ZAJĄC (Miriam). Działalność apostolska polskich Sióstr Elżbietanek za granicą. (L'activité apostolique des Soeurs polonaises de Sainte Elisabeth à l'étranger [Danemark, Norvège, Suède, Hongrie, Etats-Unis, 1866-1973].) Nasza Przeszł., 81, vol. 55, p. 433-471.

Cf. n°s 869, 4313, 4347.

e. Historia de las misiones.

* Cf. n° 891.

4060. GALIŃSKA (Seweryna). Działalność Sióstr Elżbietanek w Ziemi Świętej. (L'activité des Soeurs de St. Elisabeth en Terre Sainte.) Nasza Przeszł., 81, vol. 55, p. 405-431. [La Maison Polonaise à Jérusalem, 1923-1978]

4061. GARAVAGLIA (Juan Carlos). I gesuiti nel Paraguay ; utopia e realtà. R. stor. ital., 81, a. 93, p. 269-314.

4062. HUMBERTCLAUDE (Pierre). Guillaume Courtet, Dominicain français, martyr au Japon (1590-1637). Paris, Cerf, 81, in-8, 156 p.

4063. KONRAD (Herman W.). A Jesuit hacienda in colonial Mexico : Santa Lucia, 1576-1767. Stanford, Calif., Stanford U.P., 80, in-8, XII-435 p.

4064. MASTER (Robert Allen). Mission life in seventeenth-century Florida. Cath. hist. R., 81, vol. 67, n° 3, p. 401-420.

4065. MIJOLLA (Marie-Cécile de). Les pionnières maristes en Océanie. Roma, Suore Missionarie della Soc. di Maria, 80, in-8, 300 p. (pl.).

4066. POMERLEAU (Claude). French missionaries and Latin American Catholicism in the nineteenth century. Americas, 81, vol. 37, n° 3, p. 351-368.

4067. REYNOLDS (Ernest Edwin). Campion and Parsons, the Jesuit mission of 1580-1581. London, Sheed a. Ward, 81; in-8, 236 p.

4068. RICHARD (Francis). Catholicisme et Islam chiite au "Grand Siècle" : autour de quelques documents concernant les missions catholiques en Perse au XVIIe siècle. Euntes docete, 80, t. 33, p. 339-403.

4069. SALWA (Tadeusz). Litewska prowincja księży Misjonarzy (1794-1842). (La province lituanienne des Prêtres Missionnaires, 1794-1842.) Nasza Przeszł., 81, vol. 56, p. 147-235.

4070. VIGIL (Ralph E.). Bartolomé de las Casas, judge Alonso de Zorita, and the Franciscans : a collaborative effort for the spiritual conquest of the borderlands. Americas, 81, vol. 38, n° 1, p. 45-58.

4071. WICKI (Josef). Philipp II. und die Jesuiten der indischen Provinz (einschliesslich Molukken, China und Japan) 1580-1598. Arch. hist. Soc. Jesu, 81, a. 50, p. 161-211.

4072. WILTGEN (Ralph M.). The founding of the Roman Catholic Church in Oceania, 1825 to 1850. 2nd rev. ed. Canberra, Australian Nat. Univ. Press, 81, in-8, XXII-610 p.

Cf. n°ˢ 6292, 6303, 6984.

§ 3. Ortodoxia.

* 4073. BELIAJEFF (A.S.). Articles and books relating to Old Orthox in languages other than Russian. Cah. Monde russe et sovietique, 80, vol. 21, p. 109-121.

4074. CUNNINGHAM (James W.). A vanquished hope. The movement for church renewal in Russia, 1905-1906. Crestwood, N.Y., St. Vladimir's Seminary Press, 81, in-8, 384 p.

4075. LOWRY (Heath W.). A note on the population and status of the Athonite monasteries under Ottoman rule (ca. 1520). Wiener Z. f. d. Kde d. Morgenlandes, 81, Bd 73, p. 115-135.

4076. MAXIM (Mihai). Les relations des pays roumains avec l'archevêché d'Ohrid à la lumière de documents turcs inédits. R. Et. sud-est europ., 81, t. 19, p. 653-671.

4077. MIAN (Franca). La ricostituzione del Patriarcato di Mosca (1917-1925). Dal santo sinodo al nuovo patriarcato. Milano, Giuffrè, 81, in-8, VIII-140 p. (Univ. di Trieste, Fac. di Sci. pol., 20)

4078. ONASCH (Konrad). Kunst und Liturgie der Ostkirche in Stichworten unter Berücksichtigung der Alten Kirche. Wien, Köln u. Graz, Böhlau, 81, in-8, 495 p. (24 Bl. Abb.).

4079. ROULEAU (F.). La grande épreuve de l'Eglise russe. Istina, 81, a. 26, n° 3-4, p. 7-20.

4080. SCHULZ (Günther). Die theologiegeschichtliche Stellung des Starzen Artemij innerhalb der Bewegung der Besitzlosen im Russland der 1. Hälfte des 16. Jahrhunderts. Erlangen, Seminar f. Gesch. u. Theol. d. christl. Ostens, 80, in-8, XXX-296-XXV p. (Oikonomia, 13)

4081. VOLKER (Werner). Die Unabhängigkeit der Bulgarisch-Orthodoxen Kirche und ihr Verhältnis zum Staat bis 1877. Kirche im Osten, 81, Bd 24, p. 56-82.

4082. YUZYK (Paul). The ukrainian Greek Orthodox Church of Canada, 1918-1951. Ottawa, Univ. Press, 81, in-8, X-210 p.

Cf. n° 3855.

§ 4. Protestantismo.

* 4083. Lutherbibliographie [1979. Cf. Bibl. 78-79, n° 4736.] 1981. Luther-Jb., 81, Jg. 48, p. 162-215.

** 4084. BEZE (Théodore de). Correspondance. Recueillie par Hippolyte AUBERT. [T. 9. Cf. Bibl. 78-79, n° 4737.] T. 10 : 1569. Publ. par Alain DUFOUR, Claire CHIMELLI et Béatrice NICOLLIER. Genève, Droz, 80, in-4, 320 p. (Travaux d'humanisme et Renaissance, 181).

4085. AKENSON (Donald Harman). A protestant in purgatory : Richard Whately, archbishop of Dublin. Hamden, Conn., Archon Books, 81, in-8, XIII-276 p. (Conference on Brit. Stud. Biogr. Ser., new ser., 2)

4086. ASH (James L.) Jr. American religion and the academy in the early twentieth century : the Chicago years of William Warren Sweet. Church Hist., 81, vol. 50, n° 4, p. 450-464. [professor, Univ. of Chicago Divinity School, 1927-1946]

4087. BARTA (János) Jr. Kétszáz éves II. József Türelmi Rendelete. (La patente bicentenaire sur la tolérance religieuse de Joseph II.) Budapest, TIT Történelmi Választmány, 81, in-8, 55 p. (Történelmi Füzetek).

4088. BAUMAN (Mark A.). Warren Akin Candler : the conservative as idealist. Metuchen, N.J., Scarecrow Press, 81, in-8, X-278 P. [Bishop, Southern Methodist Church, early 20. c.]

4089. BERGSTEN (Torsten). Anders Wiberg - väckelseman, samfundsledare och teolog. (Anders Wiberg [1816-87] - revivalist, religious leader, theologian.) Kyrkohist. Årsskr., 81, vol. 81, p. 84-93. [Eng. summary]

4090. Bibliotheca dissidentium : répertoire des nonconformistes religieux des XVIe et XVIIe siècles. Ed. par André SEGUENNY. Textes revus par Jean ROTT. T. 1 : Johannes Campanus, Christian Entfelder, Justus Velsius, Catherine Zellschütz. T. 2 : Martin Borrhaus (Cellarius). Par Irena BACKUS. Baden-Baden, Koerner, 80-81, 2 vol. in-8, 127, 127 p. (Ill.). (Bibliotheca bibliographica Aureliana, 79, 88)

4091. BORNERT (René). La Réforme protestante du culte à Strasbourg au XVIe siècle (1523-1598). Approche sociologique et interprétation théologique. Leiden, Brill, 81, in-8, XVIII-654 p. (Stud. in medieval a. Reformation thought, 28)

4092. BOWKER (Margaret). The henrician reformation : the diocese of Lincoln under John Longland, 1521-1547. London a. New York, Cambridge U.P., 81, in-8, XX-229 p. (ill., tab.)

4093. BRACHLOW (Stephen). John Robinson and the lure of separatism in pre-revolutionary England. Church Hist;, 81, vol. 50, n° 3, p. 288-301.

4094. BRINGHURST (Newell G.). Saints, slaves and blacks : the changing place of black people within Mormonism. Westport, Conn., Greenwood Press, 81, in-8, XIX-254 p. (Contrib. to the Study of Religion, 4)

4095. BUCKLEY (Thomas E.) S.J. Church and state in Massachusetts Bay : a case study of Baptist dissent. J. Church a. State, 81, vol. 23, n° 2, p. 309-322.

4096. BUSH (Sargent) Jr. The writings of Thomas Hooker : spiritual adventure in two worlds. Madison, Univ. of Wisconin Press, 80, in-8, X-387 p.

4097. CARLSON (Leland H.). Martin Marprelate, gentleman : master Job Throckmorton laid open in his colors. San Marino, Calif., Huntington Library, 81, in-8, XIX-445 p.

4098. CHERRY (Conrad). Nature and religious imagination : from Edwards to Bushnell. Philadelphia, Fortress Press, 80, in-8, X-242 p. [Jonathan Edwards ; Horace Bushnell]

4099. CONFORTI (Joseph A.). Samuel Hopkins and the new divinity movement : Calvinism, the congregational ministry, and reform in New England between the great awakenings. Grand Rapids, Mich., Christian U.P., 81, in-8, VIII-241 p.

4100. DEETJEN (Werner-Ulrich). Studien zur Württembergischen Kirchenordnung Herzog Ulrichs, 1534-1550. Das Herzogtum Württemberg im Zeitalter Herzog Ulrichs (1498-1550), d. Neuordnung d. Kirchengutes u. d. Klöster (1534-1547). Stuttgart, Calwer Verl., 81, in-8, XLIII-561 p. (1 Kt.). (Quellen u. Forsch. z. württemberg. Kirchengesch., 7)

4101. DODD (Valerie A.). Strauss's English propagandists and the politics of Unitarianism, 1841-1845. Church Hist., 81, vol. 50, n° 4, p. 415-435.

4102. FAIRCLOUGH (Adam). The southern Christian leadership conference and the second reconstruction, 1957-1973. South Atlantic Quar., 81, vol. 80, n° 2, p. 177-194.

4103. FIERING (Norman). The first American enlightenment : Tillotson, Leverett, and philosophical Anglicanism. New England Quar., 81, vol. 54, n° 3, p. 307-344. [Archbishop John Tillotson, John Leverett, 17. c.]

4104. FOGARTY (Robert S.). The righteous remnant : the House of David. Kent, Ohio, Kent State U.P., 81, in-8, XIII-195 p. [Millenarian sect. Michigan, 1903-1927]

4105. FOSTER (Stephen). New England and the challenge of heresy, 1630 to 1660 : the Puritan crisis in transatlantic perspective. William a. Mary Quar., 81, vol. 38, n° 4, p. 624-660.

4106. GANOCZY (A.), MÜLLER (K.). Calvins handschriftliche Annotationen zu Chrysostomus. Ein Beitrag z. Hermeneutik Calvins. Wiesbaden, F. Steiner, 81, in-8, 165 p.

4107. GILMONT (Jean-François). Jean Crespin, un éditeur réformé du XVIe siècle. Genève, Droz ; Paris, Champion-Minard, 81, in-8, 288 p. (ill.).

4108. GOEZ (Werner). Luthers "Ein Sermon von der Bereitung zum Sterben" und die mittelalterliche ars moriendi. Luther-Jb., 81, Jg. 48, p. 97-114.

4109. GREENE (Robert A.). Whichcote, Wilkins, "ingenuity," and the reasonableness of Christianity. J. Hist. Ideas, 81, vol. 42, n° 2, p. 227-252. [Benjamin Whichcote, John Wilkins, G.B., 17. c.]

4110. GRIFFIN (Edward M.). Old brick : Charles Chauncy of Boston, 1705-1787. Minneapolis, Univ. of Minnesota Press, 80, in-8, X-248 p. (Minnesota Monogr. in the Humanities, 11)

4111. HAMMER (Wilhelm). Die Melanchthonforschung im Wandel der Jahrhunderte. Ein beschreibendes Verzeichnis. [Bd 2. Cf. Bibl. 68-69, n° 6542.] Bd 3. : Nachträge und Berichtigungen 1519-1970. Gütersloh, Gütersloher Verl.-Haus Mohn, 81, in-8, 743 p. (Quellen u. Forsch. z. Reformationsgesch., 49)

4112. HAMRE (James S.). Norwegian immigrants respond to the common school : a case study of American values and the Lutheran tradition. Church Hist., 81, vol. 50, n° 3, p. 302-315.

4113. HANSEN (Klaus J.). Mormonism and the American experience. Chicago, Univ. of Chicago Press, 81, in-8, XVIII-257 p. (Chicago Hist. of Am. Religion)

4114. HARTWEG (Frédéric G.). Die Widerlegung der Schriftbeweise der Zwölf Artikel durch Luther und Melanchthon. Jb. f. Gesch. d. Feudalismus, 81, Bd 5, p. 291-306.

4115. HAYES (A.J.), GOWLAND (D.A.). Scottish Methodism in the early Victorian period. Edinburgh, U.P., 81, in-8, 160 p.

4116. HEDLUND (Oscar). Kyrkolivet i västra Dalarna fram till 1900-talet. (Church life in western Dalsland [Sweden] until the 20th century.) Kyrkohist. Årsskr., 81, vol. 81, p. 62-83. [Eng. summary]

4117. Historical Manuscripts Commission, London. Visitations of the Archdeaconry of Stafford, 1829-1841. London, H.M. Stationey Office, 81, in-8, 188 p.

4118. HULTVALL (John). Mission och revolution i Centralasien : Svenska missionsförbundets mission i Östturkestan 1892-1938. (Mission and revolution : the mission of the Svenska missionsförbundet in East Turkestan, 1892-1938.) Stockholm, Gummesson, 81, in-8, 288 p. (Studia missionalia Upsaliensia, 35)

4119. JAMIESON (John F.). Jonathan Edwards's change of position on Stoddardeanism. Harvard theol. R., 81, vol. 74, n° 1, p. 79-100.

4120. KAJANUS (Herman). St. Katarina svenska församlings i St. Petersburg historia. Utg. med inled. o. komment. av W.E. Nordström. (History of the Swedish St. Catharine parish in St. Petersburg. Ed. with an introd. a. comment. by W.E. NORDSTRÖM.) Ekenäs, Ekenäs tr., 80, in-4, 173 p. (ill.). [Text in Swedish a. German]

4121. KELLEY (Donald R.). The beginning of ideology : consciousness and society in the French reformation. London a. New York, Cambridge U.P., 81, in-8, XV-351 p.

4122. KIM (Yung-Jae). Der Protestantismus in Korea und die calvinistische Tradition : eine geschichtl. Untersuchung über Entstehung u. Entwicklung d. Presbyterian. Kirche in Korea. Frankfurt a. M., Bern u. Cirencester, Lang, 81, in-8, 211 p. (ill.). (Europ. Hochschulschriften, R. 23 ; Theologie, 140)

4123. KIMBALL (Stanley B.). Heber C. Kimball : Mormon patriarch and pioneer. Urbana, Univ. of Illinois Press, 81, in-8, XV-343 p.

4124. KING (William McGuire). The emergence of social gospel radicalism : the Methodist case. Church Hist., 81, vol. 50, n° 4, p. 436.

4125. KOCSIS (Elemér). Az elfelejtett és félreértett Zwingli. Halálának 450. évfordulója. (Zwingli oublié et mécompris. A l'occasion du 450e anniversaire de sa mort.) Confessio, 81, vol. 5, n° 4, p. 23-31.

4126. KOLB (Robert Kolb). Matthaeus Judex's condemnation of princely censorship of theologians' publications. Church Hist., 81, vol. 50, n° 4, p. 401-414. [Lutheran theologian, 16. c.]

4127. LESICK (Lawrence Thomas). The Lane

rebels : Evangelicalism and antislavery in antebellum America. Metuchen, N.J., Scarecrow Press, 80, in-8, IX-278 p. (Stud. in Evangelicalism, 2) [Lane Theol. Sem., Cincinnati, 1834]

4128. LOESCHEN (John R.). The divine community : trinity, church, and ethics in reformation theologies. Kirksville, Sixteenth Cent. Journal, Northeast Missouri State Univ., 81, in-8, 238 p.

4129. LOOSS (Sigrid). Reformatorische Ideologie im Dienst des Rates und der Bürgerschaft Strassburgs. Jb. d. Gesch. d. Feudalismus, 81, Bd 5, p. 255-290.

4130. LOVELAND (Anne C.). Southern evangelicals and the social order, 1800-1860. Baton Rouge, Louisiana State U.P., 80, in-8k, X-293 p.

4131. LOWANCE (Mason I.) Jr. The language of Canaan : metaphor and symbol in New England from the puritans to the transcendentalists. Cambridge, Mass., Harvard U.P., 80, in-8, X-335 p.

4132. LUKER (Ralph E.). Liberal theology and social conservatism : a southern tradition, 1840-1920. Church Hist., 81, vol. 50, n° 2, p. 193-204.

4133. LYNCH (Michael). Edinburgh and the Reformation. Edinburgh, J. Donald, 81, in-8, 250 p.

4134. MacHAFFIE (Barbara Zink). "Monument facts and higher critical fancies" : archaeology and the popularization of Old Testament criticism in nineteenth-century Britain. Church Hist., 81, vol. 50, n° 3, p. 316-328.

4135. McKEE (Denis). Les protestants de Sedan et la révocation de l'édit de Nantes : opposition, fuites et résistance. B. Soc. Hist. Prot. franç., 81, t. 127, p. 219-254.

4136. McLAUGHLIN (William G.). Cherokees and methodists, 1824-1834. Church Hist., 81, vol. 50, n° 1, p. 44-63.

4137. MÁLYUSZ (Elemér). A kétszázéves Türelmi rendeletről. (Sur la patente bicentenaire de Tolérance Religieuse.) Confessio, 81, vol. 5, n° 2, p. 25-31.

4138. MILDENBERGER (Friedrich). Geschichte der deutschen evangelischen Theologie im 19. und 20. Jahrhundert. Stuttgart, Berlin, Köln u. Mainz, Kohlhammer, 81, in-8, 287 p. (Ill., graph. Darst.). (Theologische Wiss., 10)

4139. MÜHLEN (Karl-Heinz zur). Luthers Kritik am scholastischen Aristotelismus in der 25. These der "Heidelberger Disputation" von 1518. Luther-Jb., 81, Jg. 48, p. 54-79.

4140. MULLER (Richard A.). Christ in the Eschaton : Calvin and Moltmann on the duration of the Munus Regium. Harvard theol. R., 81, vol. 74, n° 1, p. 31-62. [Jürgen Moltmann 1974]

4141. NÉMETHY (Sándor). A Delegatum Judicium Extraordinarium Posoniense anno 1674 története és jogászi kritikája. 1-5. (Histoire et critique juridique du Delegatum Judicim Extraordinarium Posoniense anno 1674. 1-5.) Theol. Szle, 80, vol. 23, n° 6, p. 331-335 ; 81, vol. 24, n° 2-5, p. 93-100, 162-166, 219-224, 295-300.

4142. NOWAK (Kurt). Evangelische Kirche und Weimarer Republik. Zum polit. Weg d. deutsch. Protestantismus zw. 1918 u. 1932. Göttingen, Vandenhoeck u. Ruprecht ; Weimar, Böhlau, 81, in-8, 358 p. (Arbeiten z. Kirchengesch., 7)

4143. OPGENOORTH (Ernst). Die Reformierten in Brandenburg-Preussen. Minderheit und Elite ? Z. f. hist. Forsch., 81, Bd 8, p. 439-459.

4144. PESCHKE (Erhard). Kirche und Welt in der Theologie der Böhmischen Brüder. Vom Mittelalter z. Reformation. Berlin, Evang. Verl.-Anst., 81, in-8, 219 p.

4145. PORTER (J.M.). Luther and political millenarianism : the case of the peasants' war. J. Hist. Ideas, 81, vol. 42, n° 3, p. 389-406.

4146. RAITT (Jill). Calvin's use of Bernard of Clairvaux. Arch. f. Reformationsgesch., 81, vol. 72, p. 98-121.

4147. REARDON (Bernard M.G.). Religious thought in the Reformation. London, Longman, 81, in-8, 372 p.

4148. RICHARD (Robert), VATINEL (Denis). Le Consistoire de l'Eglise réformée du Havre au XVIIe siècle : les pasteurs (étude sociale). B. Soc. Hist. Prot. franç., 81, t. 127, p. 1-77.

4149. ROMANE-MUSCULUS (pasteur Paul). Les pasteurs de l'Eglise réformée de Toulouse du XVIe au XIXe siècle. B. Soc. Hist. Prot. franç., 80, t. 126, p. 525-557.

4150. SCRIBNER (R.W.). For the sake of simple folk : popular propaganda for the German Reformation. New York, Cambridge U.P., 81, in-8, XI-299 p. (Cambridge Stud. in Oral a. Literate culture, 2)

4151. SEMPLE (Neil). "The nurture and admonition of the Lord" : nineteenth-century Canadian methodism's response to "Childhood". Soc. Hist., 81, vol. 14, p. 157-175.

4152. SESBOUE (Bernard). Christologie et soteriologie chez Paul Tillich dans le cadre de la théologie contemporaine. R. Hist. Philos. relig., 81, a. 61, n° 3, p. 223-238.

4153. SHIELS (Richard D.). The feminization of American Congregationalism, 1730-1835. Am. Quar., 81, vol. 33, n° 1, p. 46-62.

4154. SIMON (Gerhard). Die Nördlinger Reformation unter Theobald Billican. Luther, 81, Jg. 52, p. 131-137.

4155. SKARSTEN (Trygve R.). Erik Pontoppidan and his Asiatic prince Menoza. Church Hist., 81, vol. 50, n° 1, p. 33-43. [Norwegian pietist, 18. c.]

4156. SNYDER (C. Arnold). Revolution and the Swiss Brethren : the case of Michael Sattler. Church Hist., 81, vol. 50, n° 3, p. 276-287.

4157. SÖDERLUND (Rune). Der meritum-Begriff der "Heidelberger Disputation" im Verhältnis zur mittelalterlichen und zur späteren reformatorischen Theologie. Luther-Jb., 81, Jg. 48, p. 44-53.

4158. SPINDER (Marc R.). L'ecclésiologie de Maurice Leenhardt. J. Soc. Océanistes, 80

[81], t. 36, n° 69, p. 279-291.

4159. STAUFFER (Richard). Interprètes de la Bible : études sur les réformateurs du XVIe siècle. Paris, Beauchesne, 80, in-8, 275 p.

4160. STEINMETZ (David C.). Luther and Staupitz : an essay in the intellectual origins of the protestant reformation. Durham, N.C., Duke U.P., 80, in-8, X-149 p. (Duke Monographs in Medieval a. Renaissance Stud., 4)

4161. TAZBIR (Janusz). Die Stellung der polnischen Gesellschaft zur Reformation. Jb. f. Gesch., 81, Bd 23, p. 123-140.

4162. Thesen über Martin Luther. Zum 500. Geburtstag. Z. f. Geschichtswiss., 81, Jg. 29, p. 879-893.

4163. TUCKER (Bruce). The reinterpretation of Puritan history in provincial New England. New England Quar., 81, vol. 54, n° 4, p. 481-498.

4164. USHER (Roland G.). The presbyterian movement in the reign of Queen Elizabeth as illustrated by the minute book of the Dedham Classis, 1582-1589. London, R. Hist. Soc., 81, in-4, 165 P. (Camden Soc.)

4165. VÁLASZUTI (György). Pécsi disputa. Bev. és jegyz. DÁN Róbert. (La disputation de Pécs. Intr. et annotée par -.) Budapest, Akad. Kiadó, 81, in-8, 792 p. (ill.). (Régi magyar prózai emlékek, 5)

4166. Vizsolyi biblia. I-II. Köt. (La Bible de Vizsoly. Vol. 1,2.) Budapest, Magyar Helikon - Európa Kiadó, 81, 2 vol. in-8, 686, 232 p. (1 annexe : 14 p.). [Ed. fac-simi.]

4167. WALL (Donald D.). The Confessing Church and the second world war. J. Church a. State, 81, vol. 23, n° 1, p. 15-34.

4168. WEBB (Lillian Ashcraft). About my father's business : the life of elder Michaux. Westport, Conn., Greenwood Press, 81, in-8, XIX-210 p. (Contrib. in Afro-Am. a. African Stud., 61) [Church of God in Christ]

4169. WILLIAMS (David B.). Horses, pigeons, and te therapy of conversion : a psychological reading of Jonathan Edwards's theology. Harvard theol. R., 81, vol. 74, n° 4, p. 337-352.

4170. WILLIAMS (R.L.). Martin Cellarius and the Reformation in Strasbourg. J. eccles. Hist.,81, vol. 32, p. 477-497.

4171. WIRTH (J.). Luther. Etude d'histoire religieuse. Genève, Droz, 81, in-8, 158 p. (ill.). (Travaux d'hist. éthico-politique)

4172. YOST (John K.). The reformation defense of clerical marriage in the reigns of Henry VIII and Edward VI. Church Hist., 81, vol. 50, n° 2, p. 152-165.

4173. ZSINDELY (Endre). A 16. század lelkivilága és a reformáció. (La psychologie du XVIe siècle et la Réforme.) Confessio, 81, vol. 5, n° 1, p. 25-32.

Cf. n°s 4294, 5927.

§ 5. Religiones y sectas no cristianas.

** 4174. American (The) Jewish woman : a documentary history. Ed. by Jacob R. MARCUS. New York, KTAV, 81, in-8, XVII-1047 p.

4175. ARJOMAND (Said Amir). Religious extremism (Ghuluww), Sūfism and Sunnism in Safavid Iran : 1501-1722. J. asian Hist., 81, vol. 15, p. 1-35. - IDEM. The Shi'ite hierocracy and the state in pre-modern Iran, 1785-1858. Arch. europ. Sociol., 81, t. 22, p. 40-80. - IDEM. The Ulama's traditionalist opposition to parlamentarianism 1907-1909. Middle East Stud., 81, vol. 17, p. 174-190.

4176. AVINERI (Shlomo). The making of modern zionism : the intellectual origins of the Jewish state. New York, Basic Books, 81, in-8, X-244 p.

4177. BERLIN (George L.). Solomon Jackson's The Jew : an early American Jewish response to the missionaries. Am. jewish Hist., 81, vol. 70, n° 4, p. 10-28.

4178. FARAH (Caesar E.). Islamic fundamentalism as an alternative to nationalism. In : Nation and ideology [Cf. n° 437], p. 435-462.

4179. GUROCK (Jeffrey S.). Jacob A. Riis : Christian friend or missionary foe ? Two Jewish views. Am. jewish Hist., 81, vol. 70, n° 4, p. 29-47.

4180. HERSCHER (Uri D.). Jewish agricultural utopias in America, 1880-1910. Detroit, Mich., Wayne State U.P., 81, in-8, 197 p.

4181. Islam et politique au Maghreb (Table ronde du CRESM [Centre de Recherches et d'Etudes sur les Sociétés Méditerranéennes], Aix, Juin 1979). Par Ernest GELLNER, Jean-Claude VATIN, et Abdallah HAMMOUDI, Jean-François CLEMENT, Fanny COLONNA, Hug ROBERTS, etc. Paris, Ed. du C.N.R.S., 81, in-8, 374 p. (Coll. Recherches sur les Soc. méditerr.)

4182. Jewish life in modern Britain 1962-1977. Papers a. proceedings of a conference held at Hillel House, London, on March 3, 1977, by the Board of Deputies of British Jews a. the Inst. of Jewish Affairs. Ed. by Sonia L. LIPMAN a. Vivian D. LIPMAN. New York, München, London a. Paris, Saur, 81, in-8, XVII-203 p.

4183. LOWENSTEIN (Steven M.). The rural community and the urbanization of German Jewry. Central european Hist., 80, vol. 13, n° 3, p. 218-236.

4184. MARCUS (Jacob R.). The American Jewish woman, 1654-1980. New York, KTAV, 81, in-8, XIV-231 p.

4185. MOORE (Deborah Dash). At home in America : second generation New York Jews. New York, Columbia U.P., 81, in-8, XIII-303 p. (Columbia Hist. of Urban Life). - EADEM. B'nai B'rith and the challenge of ethnic leadership. Albany, State Univ. of New York Press, 81, in-8, XVI-288 p.

4186. MOULINAS (René). Les Juifs du Pape en France : les communautés d'Avignon et du

Comtat Venaissin aux XVIIe et XVIIIe siècles. Toulouse, Privat, 81, in-8, 584 p.

4187. NIMITZ (August E.) Jr. Islam and politics in East Africa : the Sufi order in Tanzania. Minneapolis, Univ. of Minnesota Press, 80, in-8, XVI-234 p.

4188. POPKIN (Jeremy D.). Zionism and the Enlightenment : the "letter of a Jew to his brethren". Jewish soc. Stud., 81, vol. 43, n° 2, p. 113-120.

4189. POSPELOV (B.V.). Ideologija religioznogo modernizma v Japonii. (Ideology of the Japanese religious modernism.) Nar. Azii Afri., 81, n° 6, p. 50-61.

4190. RAUSCH (David A.). Protofundamentalism's attitudes toward Zionism, 1878-1918. Jewish soc. Stud., 81, vol. 43, n° 2, p. 137-152.

4191. Relations (Les) entre Juifs et Musulmans en Afrique du Nord, XIXe-XXe siècles. Actes du Colloque internat. de l'Inst. d'hist. des pays d'outre-mer, Abbaye de Sénanque, oct. 1978. Paris, Ed. du C.N.R.S., 80, in-4, 228 p.

4192. RUDERMAN (David B.). The world of a Renaissance Jew : the life and thought of Abraham ben Mordecai Farissol. Cincinnati, Ohio, Hebrew Union College Press, 81, in-8, XVI-265 p. (Monographs of the Hebrew Union College, 6)

4193. SARNA (Jonathan D.). Jacksonian Jew : the two worlds of Mordecai Noah. New York, Holmes a. Meier, 81, in-8, XI-223 p. - IDEM. The American Jewish response to nineteenth-century Christian missions. J. am. Hist., 81, vol. 68, n° 1, p. 35-51.

4194. SHIMONI (Gideon). Jews and Zionism : the South African experience, 1910-1967. New York, Oxford U.P., 80, in-8, XIII-428 p.

4195. SINGERMAN (Robert). The American career of the Protocols of the Elders of Zion. Am. Jewish Hist., 81, vol. 71, n° 1, p. 10-28.

4196. TABORY (Ephraim). State and religion : religious conflict among Jews in Israel. J. Church a. State, 81, vol. 23, n° 2, p. 275-284.

4197. TICKER (Jay). Max I. Bodenheimer : advocate of pro-German Zionism at the beginning of world war I. Jewish soc. Stud., 81, vol. 43, n° 1, p. 11-30.

4198. UROFSKY (Melvin I.). American Jewish leadership. Am. jewish Hist., 81, vol. 70, n° ', p. 401-419.

Cf. n°s 3264, 3889, 4452, 4460, 6933.

M

HISTORIA DE LA CULTURA EN LA EDAD MODERNA

§ 1. Generalidades. 4199-4249. - § 2. Academias y organización intelectual. 4250-4264. - § 3. Pedagogía y enseñanza. 4265-4375. - § 4. Prensa. 4376-4424. - § 5. Filosofía y concepto del mundo. 4425-4552. - § 6. Ciencias exactas, técnica, ciencias naturales y medicina. 4553-4689. - § 7. Literatura (a. Generalidades ; b. Renacimiento ; c. Clasicismo ; d. Romanticismo y presente). 4690-4838. - § 8. Arte y arte industrial (a. Generalidades ; b. Arquitectura ; c. Escultura, pintura, dibujos, grabado ; d. Artes decorativos, arte popular, arte industrial). 4839-4926. - § 9. Música, teatro y cinematografía. 4927-5009.

§ 1. Generalidades.

**4199. DONI GARFAGNINI (Manuela). Lettere e carte Magliabechi. Regesto. 1. Roma, Istit. stor. ital. per l'età mod. e contemp., 81, 2 vol. in-8, XXIV-1065 p. compless. (Fonti per la Stor. d'Italia, 137).

** 4200. FORSTER (Georg). Georg Forsters Werke. Sämtliche Schriften, Tagebücher, Briefe. Hrsg. v. d. Akad. d. Wiss. d. DDR, Zentralinst. f. Literaturgesch. Bd [16. Cf. Bibl. 80, n° 4221.] 15 : Briefe Juli 1787-1789. Bearb. v. Horst FIEDLER. Berlin, Akad.-Verl., 81, in-8, 574 p.

4201. Aspekte des Kulturaustausches zwischen Schweden und dem deutschsprachigen Mitteleuropa nach 1945. [Kongress, Hässelby slott, 20-24. Okt. 1980.] Hrsg. von Helmut MUSSENER. Stockholm, Almqvist a. Wiksell international, 81, in-8, 349 p. (Stockholmer germanist. Forschungen, 28)

4202. BARNARD (Frederick M.). Particularity, universality, and the Hebraic spirit : Heine and Herder. Jewish soc. Stud., 81, vol. 43, n° 2, p. 121-136.

4203. BEC (Christian). Cultura e società a Firenze nell'età della Rinascenza. Roma, Salerno editr., 81, in-8, 364 p. (Studi e saggi, 3)

4204. BERANGER (Jean), ROUGE (Robert). Histoire des idées aux U.S.A. du XVIIe siècle à nos jours. Paris, Presses univ. France, 81, in-8, 262 p.

4205. BILLINGTON (Ray Allen). Land of savagery, land of promise : the European image of the American frontier in the nineteenth century. New York, W.W. Norton, 81, in-8, XV-364 p.

4206. BOCŞAN (Nicolae). Istorie şi istorism în cultura românească din Banat în secolul al XVIII-lea şi prima jumătate a secolului al XIX-lea. (History a. historicism in the 18th-19th cent. Romanian culture in Banat.) Studia Univ. Babeş-Bolyai [Cluj], Hist., 81, a. 26, p. 27-45. [Eng. summary]

4207. BOGUCKA (Maria). Gest w kulturze szlacheckiej. (Le geste dans la culture nobiliaire [en Pologne, XVIe-XVIIIe s.]. Odrodzen. Reform. Polsce, 81, vol. 26, p. 5-18.

4208. BUŞE (Constantin). Les villes roumaines -foyers culturels du sud-est européen aux XVIIIe-XIXe siècles. R. roumaine Hist., 81, t. 20, p. 469-483.

4209. COOPER (Robyn). The relationship between the pre-Raphaelite brotherhood and painters before Raphael in English criticism of the late 1840s and 1850s. Victorian Stud., 81, vol. 24, n° 3, p. 405-438.

4210. Cultura e società in Italia nell'età umbertina. Problemi e ricerche. Centro di ricerca Letteratura e cultura dell'Italia unita. Atti del primo Convegno. Milano, 11-15 settembre 1978. Milano, Vita e Pens., 81, in-8, X-487 p. (Sci. filol. e Letter., 19)

4211. Cultura (La) italiana tra '800 e '900 e le origini del nazionalismo [Atti del Congresso tenuto a Firenze nel 1979.] Firenze, Olschki, 81, in-8, X-313 p. (Bibl. dell'Arch. stor. ital., 22)

4212. Cultural relations between Greeks and Bulgarians from the middle of the XVth to the middle of the XIXth cent. 1st Greek-Bulgarian symposium organized in Thessaloniki (22-25 Sept. 1978) by the "Institute for Balkan Studies" in Thessaloniki and the "Institut za Balkanistika Pri BAN" in Zofia. Thessaloniki, Inst. for Balkan Stud., 80, in-8, 316 p.

4213. DELBANCO (Andrew). William Ellery Channing : an essay on the liberal spirit in America. Cambridge, Mass., Harvard U.P., 81, in-8, XVIII-203 p.

4214. DI RIENZO (Eugenio). Il libertino, il "philosophe" e "l'homme de lettres". Movimenti intellettuali e politica della cultura nella Francia del' 700. Studi francesi, 81, a. 24, p. 426-439.

4215. DMITRIEVSKIJ (V.N.). Šaljapin i Gor'kij. Istorija vzaimootnošenij v kontekste obščestv. i lit. khudož. Processa konca XIX-pervoj treti XX v. (Chaliapin and Gorki. History of their reciprocal influence in the context of the social a. belletristic process, end of the 19th-1st third of the 20th cent.) Leningrad, Muzyka, 81, 240 p.

4216. DUȚU (Alexandru). European intellectual movements and modernization of Romanian culture. București, Ed. Acad., 81, in-8, 198 p. (Bibl. hist. Romaniae, 62)

4217. Europäische Hofkultur im 16. und 17. Jahrhundert. Vorträge u. Referate geh. anlässl. d. Kongresses d. Wolfenbütteler Arbeitskreises für Renaissanceforsch. u. d. Internat. Arbeitskreises f. Barocklit. in d. Herzog-August-Bibl. Wolfenbüttel v 4.-8. Sept. 1979. Hrsg. v. August BUCK [u.a.]. 1 : Vorträge. 2 : Referate der Sektionen 1 bis 5. 3 : Referate der Sektionen 6 bis 10. Hamburg, Hauswedell, 81, 3 vol. in-8, 127, 431 p., p. 442-744 (Ill., graph. Darst., Kt.). (Wolfenbütteler Arbeiten z. Barockforsch., 8-10)

4218. GILBERT (Felix). Einstein und das Europa seiner Zeit. Hist. Z., 81, Bd 233, p. 1-33.

4219. GRAS (Vernon W.). Myth and the reconciliation of opposites : Jung and Lévi-Strauss. J. Hist. Ideas, 81, vol. 42, n° 3, p. 471-488.

4220. HERMSDORF (Klaus), FETTING (Hugo), SCHLENSTEDT (Silvia). Exil in den Niederlanden und in Spanien. Leipzig, Reclam, 81, in-8, 423 p. (Ab.). (kunst u. Lit. im antifaschist. Exil 1933-1945, 6. - Reclams Universal-Bibl., 861)

4221. HOLLANDER (Paul). Political pilgrims : travels of western intellectuals to the Soviet Union, China, and Cuba, 1928-1978. New York, Oxford U.P., 81, in-8, XVI-524 p.

4222. HOLZBERG (Niklas). Willibald Pirckheimer. Griech. Humanismus in Deutschland. München, FInk, 81, in-8, 496 p. (Humanist. Bibl. Reihe 1 : Abh., 41)

4223. HORSMAN (Reginald). Race and manifest destiny : the origins of American racial Anglo-Saxonism. Cambridge, Mass., Harvard U.P., 81, in-8, 367 p.

4224. IŁOWIECKI (Maciej). Dzieje nauki polskiej. (Histoire de la science polonaise.) Warszawa, Interpress, 81, in-8, 375 p.

4225. IONESCU-NIȘCOV (Traian). Relațiile social-culturale ceho-române (epoca modernă). (Les relations socio-culturelles tchéco-roumaines, époque moderne.) Cluj-Napoca, Dacia, 81, in-8, 211 p.

4226. JACOB (Margaret C.). The radical enlightenment : pantheists, freemasons, and republicans. Boston, George Allen a. Unwin, 81, in-8, XIII-312 p. (Early Mod. Europe Today, 3)

4227. KAMMEN (Michael G.). People of paradox : inquiry concerning the origins of American civilization. London a. New York, Oxford U.P., 81, in-8, 352 p.

4228. Kul'tura i iskusstvo Rossii XVIII veka. (Civilization and art of Russia in the 18th cent.) Novye materialy i issled. Sb. statej. Nauč. red. B. V. SAPUNOV, I.N. UKHANOVA. Leningrad, Iskusstvo, 81, 151 p. (ill.). (Gos. Ėrmitaž. Otd. istorii rus. kul'tury)

4229. LACKÓ (Miklós). Szerep és mü. Kulturtörténeti tanulmányok. (Rôle et oeuvre. Etudes d'histoire culturelle.) Budapest, Gondolat Kiadó, 81, in-8, 342 p.

4230. LAUDAT (I.D.). Din relațiile culturale româno-bulgare : Evtimie de Tîrnovo și scoala sa, Nicodim de la Tismana, Grigorii Țamblac. (Contributions aux relations roumano-bulgares : Eftimij de Târnovo et son école : Nicodim de la Tismana, Gregorii Tzamblak.) Iași, Junimea, 81, in-8, 172 p.

4231. LEARS (T.J. Jackson). No place of grace: antimodernism and the transformation of American culture, 1880-1920. New York, Pantheon, 81, in-8, XX-375 p.

4232. Livre et lecture en Espagne et en France sous l'Ancien Régime. Colloque de la Casa Velázquez [17-19 nov. 1980]. Paris, A.D.P.F., 81, in-4, 170 p. (Recherche sur les grandes civilisations)

4233. MAKKAI (László). Bethlen és az európai müvelődés. (Bethlen et la culture européenne.) Századok, 81, vol. 115, n° 4, p. 673-697.

4234. PANDSTRALLER (Gian Paolo). Riflessione sulla decadenza dell'Occidente. Roma, Salerno editr., 81, in-8, 153 p. (Cult. e Soc., 1)

4235. PARRY (Graham). The Golden Age restor'd : the culture of the Stuart Court, 1603-1642. Manchester, U.P., 81, in-8, 288 p. (ill.).

4236. PASKALEVA (V.). Mitteleuropa und die Entwicklung der bulgarischen Kultur während der nationalen Wiedergeburt. (18.-19. Jh.). Österr. Osthefte, 81, Bd 23, p. 412-429.

4237. PINEGINA (L.A.). Organizacija proletarskoj kul'tury 1920-kh godov i kul'turnoe nasledie. (Organization of proletarian culture in the 1920s and the cultural heritage.) Vopr. Ist., 81, n° 7, p. 84-94.

4238. Rezeption (Die) der Antike. Zum Problem d. Kontinuität zw. Mittelalter u. Renaissance, in d. Herzog-August-Bibl. Wolfenbüttel v. 2.-5. September 1978. Hrsg. v. August BUCK. Hamburg, Hauswedell, 81, in-8, 280 p. (Ill.). (Vorträge geh. anlässlich d. ... Kongresses d. Wolfenbütteler Arbeitskreises für Renaissanceforsch., 1) (Wolfenbütteler Abh. z. Renaissanceforsch., 1)

4239. ROUSSEAU (Guildo). L'image des Etats-Unis dans la littérature québécoise, 1775-1930. Sherbrooke, Québec, Naaman, 81, in-8, 356 p. (Coll. Etudes, 28)

4240. SARTI (Roland). Folk drama and secularization of rural culture in Italian Appennines. J. soc. Hist., 81, vol. 14, n° 3, p. 465-480.

4241. Seis lecciones sobre la España de los Siglos de Oro : homenahe a Marcel Bataillon. Ed. alcuidado de Pedro M. PIÑERO RAMÍREZ y Rogalio REYES CANO. Sevilla, Univ., 81, in-8, 177 p. (pl.). (Serie Filos. y letras, 54) [Contiene : LÓPEZ ESTRADA (Francisco). Un centenario humanístico : Tomás Moro (1478-1978). - CHEVALIER (Maxime). Un personaje folklórico de la literatura del Siglo de Oro : el estudiante. - RICO (Francisco). Un prólogo al Renacimiento espanol. - PEREZ (Joseph). La unidad religiosa en la España del siglo XVI. - MARAVALL (José Antonio). Interpretaciones de la crisis social del siglo XVII por los escritores de la época. - HEUGAS (Pierre). "La Celestina", novela dialogada ?]

4242. SMITH (Laurence D.). Psychology and philosophy : toward a realignment, 1905-1935. J. Hist. behavioral Sci., 81, vol. 17, n° 1, p. 28-37.

4243. STREISAND (Joachim). Kultur in der DDR. Studien zu ihren histor. Grundlagen u. ihren Entwicklungsetappen. Das Werk wurde im Auftr. d. Erben bearb. u. hrsg. von Hans-Dieter LAHNE. Berlin, Deutsch. Verl. d. Wiss., 81, in-8, 247 p.

4244. TOMASZEWSKI (Andrzej). Berliner Künstler und polnische Magnaten in der ersten Hälfte des 19. Jahrhunderts. Jb. f. d. Gesch. Mittel- u. Ostdeutschlands, 81, Bd 30, p. 121-130.

4245. TORTORELLI (Gianfranco). Editoria e cultura a Milano tra le due guerre. Soc. e Stor., 81, a. 4, p. 725-731.

4246. TURNER (Frank M.). The Greek heritage in Victorian Britain. New Haven, Conn., Yale U.P., 81, in-8, XIV-461 p.

4247. Ur nordisk kulturhistoria. XVIII Nordiska historikermötet Jyväskylä [Finland] 1981. Mötesraport 1-3. (Cultural history of Scandinavia. The XVIIIth Nordic Conference on History, Jyväskylä. Report 1-3. Red. av Mauno JOKIPII och Ilkka NUMMELA. 1 : Universitetsbesöken i utlandet före 1660. (Studying at foreign universities before 1660.) 2 : Den kritiska tanken i vetenskapen på 1700- och 1800-talen. (The critical thought in Scandinavian science during the 18th and 19th centuries.) 3 : Läskunnighet och folkbildning före folkskoleväsendet. (Literacy and popular education before the primary school system.) Jyväskylä, Jyväskylän yliopisto, 81, 3 vol. in-8, 216, 148, 267 p. (Stud. hist. Jyväskyläensia, 22/1-3) [Engl. summary]

4248. ZAK (L.M.). Istorija izučenija sovetskoj kul'tury. (History of the study of Soviet culture.) Moskva, Vysš. škola, 81, 176 p. (B-ka istorika)

4249. ZIFF (Larzer). Literary democracy : the declaration of cultural independence in America. New York, Viking Press, 81, in-8, XXV-333 p.

§ 2. Academias
y organización intelectual.

4250. BERNATCHEZ (Ginette). La Société littéraire et historique de Québec (The Literary and Historical Society of Quebec) 1824-1890. R. Hist. Amérique franç., 81-82, vol. 35, p. 179-192.

4251. CAVAGNA (Anna Giulia). Libri e tipografi a Pavia nel Cinquecento. Note per la storia dell'università e della cultura. Milano, Cisalpino-La goliardica, 81, in-8, 348 p. (Fonti e Stud. per la Stor. dell'Univ. di Pavia, 3)

4252. Dzieje Uniwersytetu Warszawskiego 1807-1915. (Histoire de l'Université de Varsovie 1807-1915.) Réd. Stefan KIENIEWICZ. Auteurs : Barbara GROCHULSKA et autres. Warszawa, Państw. Wydawn. Nauk., 81, in-8, 605 p. (Polska XIX i XX wieku. Dzieje Społeczne)

4253. KLEINEIDAM (Erich). Universitas studii Erffordensis. Überblick über d. Gesch. d. Univ. Erfurt. T. [3. Cf. Bibl. 80, n° 4291.] 4 : Die Universität Erfurt und ihre theologische Fakultät von 1633 bis zum Untergang 1816. Leipzig, St.-Benno-Verl., 81, in-8, XXIV-375 p. (Erfurter theol. Studien, 47)

4254. KOCKA (Jürgen). Otto Hintze, Max Weber und das Problem der Bürokratie. Hist. Z., 81, Bd 233, p. 65-105.

4255. KRUGLOVA (Z.M.). Sojuz sovetskikh obščestv družby i kul'turnoj svazi s zarubežnymi stranami. Novyj ètap razvitija. (The Union of Soviet Friendship Societies. A New stage of development.) Vopr. Ist., 81, n° 12, p. 34-55.

4256. LAUZUN (Philippe). La Société académique d'Agen. Histoire d'une société savante [1776-1900]. Toulouse, Ed. Eché, 81, in-8, 409 p.

4257. McMANN (Evelyn de R.). Royal Canadian Academy of Arts. Académie royale des arts du Canada. Exhibitions and members, 1880-1979. Toronto, Univ. Press, 81, in-8, XVI-448 p.

4258. MARTINIERE (Guy). Aux origines de la coopération universitaire entre la France et l'Amérique latine : Georges Dumas et le Brésil (1900-1920). Relations int., 81, n° 25, p. 41-66.

4259. OZOUF (Mona). L'invention de l'ethnographie française : le questionnaire de l'Académie celtique [1805-1807]. A. Ec., Soc., Civ., 81, a. 36, n° 210-230.

4260. SCHMITT (Charles B.). History of Universities. Vol. 1 : Continuity and change in early modern universities. Amersham, Avebury, 81, in-8, 252 p.

4261. SEALY (Robert J.). The Palace academy of Henry III. Genève, Droz ; Paris, Champion, 81, in-8, 209 p.

4262. SENN (Henry). Folklore beginnings in France : the Académie celtique, 1804-1813. J. Folklore Inst. [Bloomington], 81, vol. 18, p. 23-33.

4263. SISLER (Rebecca). Passionate spirits : a history of the Royal Canadian Academy of Arts, 1880-1980. Toronto, Clarke, Irwin, 80, in-8, 295 p.

4264. SPINDLER (Max). Gründung und Anfänge der Bayerischen Akademie der Wissenschaften. Z. f. bayer. Landesgesch., 81, Bd 44, p. 505-523.

Cf. n°s 236, 4632, 4642.

§ 3. Pedagogía y enseñanza.

* 4265. PFAUCH (Wolfgang), RÖDER (Reinhard). C.-G.- Salzmann-Bibliographie. Unter Berücksichtigung v. Besitznachweisen in Bibliotheken. Weimar, Böhlau, 81, in-8, 488 p. (Abb.)

* 4266. Presse (La) d'éducation et d'enseignement, XVIIIe siècle - 1940. Répertoire analytique établi sous la dir. de Pierre CASPARD. T. 1 : A - C. Paris, Ed. du C.N.R.S. et Inst. nat. de recherche pédagogique, 81, in-8, 560 p.

* 4267. TAPIO-PENTTILÄ (Eijaliisa), VUORINEN (Tuula). Suomen aikuiskasvatuksen bibliografia 1972-1978. (Bibliography of Finnish adult education 1972-1978.) Tampere, Tampereen yliopisto, 81, in-8, 204 p. (Acta Univ. Tamperensis. Ser. A, 124)

* Cf. n° 803

** 4268. Dokumentumok a magyarországi felsőoktatás történetéből 1760-1790. Szerk. TÓTH András, LADÁNYI Andor. (Documents concernant l'histoire de l'enseignement supérieur en Hongrie 1760-1790. Réd. par -.) Budapest, Felsőoktatási Pedagógiai Kutatóközpont, 81, in-8, 111 p. (Felsőoktatástörténeti kiadványok, 7)

** 4269. Raporty Szkoły Głównej Koronnej o generalnych wizytach szkół Komisji Edukacji Narodowej 1787-1793. (Les rapports de l'Ecole Centrale de la Couronne concernant les inspections générales des écoles de la Commission de l'Education Nationale 1787-1793.) Choix et avant-propos par Kamille MROZOWSKA. Wrocław, Zakł. Narod. im. Ossolińskich, 81, in-8, XXXVI, 265 p. (Pol. Akad. Nauk, Inst. Hist. Nauki, Oświaty i Techn., Pracownia Dziejów Oświaty. Archiwum Dziejów Oświaty, 10)

** 4270. Registrum Cancelarii, 1498-1506. Ed. by W. T. MITCHELL. Oxford, Clarendon, 80, in-8, 346 p. (Oxford Hist. Soc., N.S., 27)

4271. ANDERSSON (Bo). Folkbildning i demokratins tjänst : forskning om folkbildning, särskilt folkbildningshistoria. (Folk education in democracy's service : research on folk education, particularly on folk education history.) [Svensk] Hist. T., 81, vol. 101, p. 147-156. [Eng. summary]

4272. ANSPAK (Ja. I.). Marksistsko-Leninskaja pedagogičeskaja mysl' v Latvii. 1893-1917. (Marxist-Leninist pedagogical thought in Latvia, 1893-1917.) Riga, Zinatne, 81, 239 p. (Latv. un-t)

4273. BARCAN (Alan). History of Australian education. Melbourne, Oxford U.P., 81, in-8, 424 p. (ill., fig.).

4274. Vacat.

4275. BAUER (Michel), COHEN (Elie). Politiques d'enseignement et coalitions industrialo-universitaires : l'exemple de deux "grandes écoles" de chimie, 1882-1976. R. franç. Sociol., 81, t. 22, p. 183-203.

4276. BELY (Lucien). L'élève et le monde. Essai sur l'éducation des Lumières, d'après les mémoires autobiographiques du temps. R. Hist. mod., 81, t. 28, p. 3-35.

4277. BEZILLA (Michael). Engineering education at Penn State : a century in the land-grant tradition. University Park, Pennsylvania State U. P., 81, in-8, VIII-239 p.

4278. BONETTA (Gaetano). Istruzione e società nella Sicilia dell'Ottocento. Pref. di Giuseppe TALAMO. Palermo, Sellerio, 81, in-8, 309 p. (Prisma, 37)

4279. BOWEN (James). History of Western education. Vol. 3 : The modern West, Europe and the New World. London, Methuen, 81, in-8, 630 p. [Vol. 1. Cf. Bibl. 72, n° 856.]

4280. BRIAND (Jean-Pierre), CHAPOULIE (Jean-Michel). L'enseignement primaire supérieur des garçons en France, 1918-1942. Actes Rech. Sci. soc., 81, n° 39, p. 87-111.

4281. BULMER (Martin). Quantification and Chicago social science in the 1920s : a neglected tradition. J. Hist. behavioral Sci., 81, vol. 17, n° 3, p. 312-331.

4282. BURSTYN (Joan). Victorian education and the ideal of womanhood. London, Croom Helm, 81, in-8, 224 p.

4283. CARTER (Susan Boslego). Academic women revisited : an empirical study of changing patterns in women's employment as college and university faculty, 1890-1963. J. soc. Hist., 81, vol. 14, n° 4, p. 675-700.

4284. ČERNOHORSKÝ (Zdeněk). Dějiny zemědělského školství v Československu. (Geschichte des landwirtschaftlichen Schulwesens in der Tschechoslowakei.) Praha, Stát. pedag. nakl., 80, in-8, 308 p.

4285. CHEVALIER (P.). La séparation de l'Eglise et de l'école : Jules Ferry et Léon XIII. Paris, Fayard, 81, in-8, 486 p.

4286. CHISICK (Harvey). The limits of reform in the Enlightenment : attitudes toward the education of the lower classes in eighteenth century France. Princeton, N.J., Princeton U.P., 81, in-8, XVI-324 p.

4287. CHODAKOWSKA (Janina). Rozwój szkolnictwa wyższego w Polsce Ludowej w latach 1944-1951. (Le développement des écoles supérieures en Pologne Populaire dans les années 1944-1951.) Wrocław, Zakł. Narod. im. Ossolińskich, 81, in-8, 195 p. (Pol. Akad. Nauk, Inst. Hist. Nauki, Oświaty i Techn. Zakł. Dziejów Oświaty. Monografie z Dziejów Oświaty, 26)

4288. CLARK (Linda L.). The primary education of French girls : pedagogical prescriptions and social realities, 1880-1940. Hist. Educat. Quar., 81, vol. 21, n° 4, p. 411-428.

4289. CLOWSE (Barbara Barksdale). Brainpower for the cold war : the sputnik crisis and the [U.S.] national defense education act of 1958. Westport, Conn., Greenwood Press, 81, in-8, X-225 p. (Contrib. to the Study of Education, 3)

4290. COMPERE (Marie-Madeleine). Les professeurs de la République : rupture et continuité dans le personnel enseignant des écoles centrales. A. hist. Révol. franç., 81, a. 53, p. 39-60.

4291. CORTESI (Mariarosa). Alla scuola di Gian Pietro d'Avenza in Lucca. Quellen u. Forsch., 81, Bd 61, p. 109-167.

4292. CREET (Mario). H. M. Tory and the secularization of Canadian universities. Queen's Quar., 81, vol. 88, p. 718-736.

4293. DAVIS (Donald E.). Americanizing Ivan : the case of the Russian student fund. Historian, 81, vol. 43, n° 2, p. 195-210.

4294. DAY (C.R.). The development of protestant primary education in France under the Constitutional Monarchy, 1815-1848. Canad. J. Hist., 81, vol. 16, p. 215-236.

4295. DESIRAT (Claude), HORDE (Tristan). La fabrique aux élites : théories et pratiques de la grammaire générale dans les écoles centrales. A. hist. Révol. franç., 81, a. 53, p. 61-88.

4296. DHOMBRES (Jean). L'enseignement des mathématiques par la "méthode révolutionnaire" : les leçons de Laplace à l'Ecole normale de l'an III. R. Hist. Sci., 80, t. 33, p. 315-348.

4297. EAGAN (Eileen). Class, culture, and the classroom : the student peace movement of the 1930s. Philadelphia, Temple U.P., 81, in-8, XI-319 p.

4298. EBERT (Berthold). Zur Stellung des Menschen in Natur und Gesellschaft in Herbarts pädagogischem Werk. Jb. f. Erziehungs- u. Schulgesch., 81, Jg. 21, p. 113-136.

4299. EKLOF (Ben). Peasant sloth reconsidered : strategies of education and learning in rural Russia before the revolution. J. soc. Hist., 81, vol. 14, n° 3, p. 355-386.

4300. FAVRE (Pierre). Les sciences d'Etat entre déterminisme et libéralisme. Emile Boutmy (1835-1906) et la création de l'Ecole libre des Sciencs politiques. R. franç. Sociol., 81, t. 22, p. 429-465.

4301. FINDLAY (James). Agency, denominations and the western colleges, 1830-1860 : some connections between evangelicalism and American higher education. Church Hist., 81, vol. 50, n° 1, p. 64-80.

4302. FRIJHOFF (Willem), JULIA (Dominique). Les grands pensionnats de l'Ancien Régime à la Restauration : la permanence d'une structure éducative. A. hist. Révol. franç., 81, a. 53, p. 153-198.

4303. GĄSIOROWSKI (Andrzej). Z dziejów szkolnictwa polskiego na Warmii i Mazurach 1919-1939. (Contribution à l'étude de l'histoire de l'instruction publique en Varmie et Masurie 1919-1939.) Przegl. hist.-oświat., 81, a. 24, n° 3, p. 320-345.

4304. GOODENOW (Ronald K.). The southern progressive educator on race and pluralism : the case of William Heard Kilpatrick. Hist. Educat. Quar., 81, vol. 21, n° 2, p. 147-170.

4305. GOODENOW (Ronald K.), WHITE (Arthur O.) a. others. Education and the rise of the new South. Boston, G.K. Hall, 81, in-8, XI-303 p.

4306. GRAFTON (A.). Teacher, text and pupil in the Renaissance class-room : a case study from a Parisian college. Hist. Univ. [London], 81, n° 1, p. 37-70.

4307. GRANDEROUTE (Robert). La fable et La Fontaine dans la réflexion pédagogique de Fénelon à Rousseau. XVIIIe Siècle, 81, n° 13, p. 335-348.

4308. GREENBERG (Louis). Architects of the new Sorbonne : Liard's purpose and Durkheim's role. Hist. Educat. Quar., 81, vol. 21, n° 1, p. 77-94.

4309. GUY (Marcel). L'enseignement de l'histoire dans les écoles centrales (an IV-an XII). A. hist. Révol. franç., 81, a. 53, p. 89-122.

4310. HANSSON (Stina). Översättningar och utbildningspolitik under 1600-talet. (Translations [into Swedish] and educational policies during the 17th century.) Svensk Hist. T., 81, vol. 101, p. 170-173. [Eng. summary]

4311. HEAP (Ruby). Un chapitre dans l'histoire de l'éducation des adultes au Québec : les écoles du soir, 1889-1892. R. Hist. Amérique franç., 80-81, vol. 34, p. 594-625.

4312. HENCZ (Aurél). Felsőfokú közigazgatási szakemberképzés Magyarországon 1848-1948. (La formation supérieure des cadres de l'administration en Hongrie, 1848-1948.) Szeged, József Attila Tudományegyetem, 81, in-8, 320 p. (Dissertationes ex Bibliotheca Univ. de Attila József nominatae, 3)

4313. HENGST (Karl). Jesuiten an Universitäten und Jesuitenuniversitäten. Zur Gesch. d. Universitäten in d. oberdeutsch. u. rhein. Provinz d. Gesellschaft Jesu im Zeitalter d. konfessionellen Auseinandersetzung. Paderborn, München u. Wien, Schöningh, 81, in-8, 425 p. (1 Kt.). (Quellen u. Forsch. aus d. Gebiet d. Gesch., N.F., 2)

4314. HOEVELER (J. David) Jr. James McCosh and the Scottish intellectual tradition : from Glasgow to Princeton. Princeton, N.J., Princeton U.P., 81, in-8, XIV-374 p. [McCosh : president Princeton Univ., 1868-1888.]

4315. JENDY (Colette), SCHUBA (Ludwig). Erhard Knab und die Heidelberger Universität im Spiegel von Handschriften und Akteneinträgen. Quellen u. Forsch., 81, Bd 61, p. 60-106.

4316. JULIA (Dominique). Les professeurs, l'Eglise et l'Etat, après l'expulsion des Jésuites, 1762-1789. Hist. Reflections, 80, vol. 7, p. 459-481. - IDEM. La naissance du corps professoral. Actes Rech. Sci. soc., 81, n° 39, p. 71-86. - IDEM. Les trois couleurs du tableau noir : la Révolution. Paris, Belin, 81, in-8, 394 p. (Fondateurs de l'éducation)

4317. KALEDIN (Eugenia). The education of Mrs. Henry Adams. Philadelphia, Temple U.P., 81, in-8, XVII-306 p.

4318. KENNEDY (Emmet), NETTER (Marie-Laurence). Les écoles primaires sous le Directoire. A. hist. Révol. franç., 81, a. 53, p. 3-38.

4319. KIRÁLY (Péter). Die ersten Schulbücher der Ofner Universitätsdruckerei in sprachlicher und orthographischer Hinsicht. Studia slavica Acad. Sci. hungaricae, 80, vol. 26, n° 3-4, p. 307-324.

4320. KÖNIG (Wolfgang). Stand und Aufgaben der Forschung zur Geschichte der deutschen Polytechnischen Schulen und Technischen Hochschulen im 19. Jahrhundert. Technikgesch., 81, Bd 48, p. 47-67.

4321. KONTOS (Joan Fultz). Red cross, black eagle : a biography of Albania's American school. Boulder, Colo., East European Monographs, 81, in-8, XV-216 p. (East European Monographs, 75) [Albanian Vocational School, 1921-1933]

4322. KOPITSCH (Franklin). Erziehungs- und Bildungsgeschichte Schleswig-Holsteins von der Aufklärung bis zum Kaiserreich. Theorie, Fallstudien, Quellenkunde, Bibliographie. Neumünster, Wachholtz, 81, in-8, 268 p.

4323. KULCZYCKI (John J.). School strikes in Prussian Poland, 1901-1907 : the struggle over bilingual education. Boulder, Colo., East European Monographs, 81, in-8, XXII-279 p. (East European Monographs, 82).

4324. LACOUR (René). Une correspondance inédite du major [Claude] Martin, fondateur de l'école de la Martinière (1793-1798). In : Lyon et l'Europe [Cf. n° 417], vol. 2, p.17-32.

4325. LETOURNEAU (Jeannette). Les écoles normales de filles au Québec. Montréal, Fides, 81, in-8, 239 p. (Coll. Hist. et doc.)

4326. Livre (Le) du recteur de l'Académie de Genève, 1559-1978. Publ. par Suzanne STELLING-MICHAUD. [5. Cf. Bibl. 76-77, n° 5434.] 6 : Notices biographiques des étudiants, T - Z. Genève, Droz, 80, in-4, XXII-679 p.

4327. LÖNNSTRÖM (Paul). Skolradions tillkomst 1924-1931. (The early years of the Swedish school radio, 1924-1931.) [Svensk] Hist. T., 81, vol. 101, p. 213-225. [Eng. summary]

4328. McFARLANE (I.D.). Buchanan. London, Duckworth, 81, in-8, 575 p.

4329. McLAREN (Angus). Revolution and education in late nineteenth century France : the early career of Paul Robin. Hist. Educat. Quar., 81, vol. 21, n° 3, p. 317-336.

4330. MANGAN (J.A.). Athleticism in the Victorian and Edwardian public school : the emergence and consolidation of an educational ideology. New York, Cambridge U.P., 81, in-8, XV-345 p.

4331. MARTUSZEWSKI (Edward). Przemiany w szkolnictwie elementarnym na polskiej Warmii po 1772 roku. (Les transformations de l'instruction primaire en Varmie polonaise après 1772 [jusqu'au milieu du XIXe s.].) Przegl. hist.-oświat. 81, a. 24, n° 3, jp. 346-368.

4332. MÉSZÁROS (István). A XVI. századi városi iskoláink és a "studia humanitatis". (Nos écoles de ville du XVIe siècle et les "studia humanitatis" [en Hongrie].) Budapest, Akad. Kiadó, 81, in-8, 237 p. (Humanizmus és reformáció, 11)

4333. MORRIS (Robert C.). Reading, 'riting, and reconstruction : the education of freedmen in the south. 1861-1870. Chicago, Univ. of Chicago Press, 81, in-8, XV-341 p.

4334. MOSS (Alfred A.) Jr. The American Negro Academy : voice of the talented tenth. Baton Rouge, La., Louisiana State U.P., 81, in-8, 327 p. [Am. Negro school, 1897-1928.]

4335. NASH (Carol S.). Educating new mothers : women and the Enlightenment in Russia. Hist. Educat. Quar., 81, vol. 21, n° 3, p. 301-316.

4336. NEHER-BERNHEIM (Renée). Un pionnier dans l'art de faire parler les sourds-muets : Jacob Rodrigues Pereire [1715-1780]. XVIIIe Siècle, 81, n° 13, p. 47-61.

4337. NIHLÉN (Lars). "Brain-gain" under stormaktstiden : professorerna i Uppsala. ("Brain-gain" in 17th century Sweden : professors at Uppsala.) [Svensk] Hist. T., 81, vol. 101, p. 157-169. [Eng. summary]

4338. Österreichische (Die) Reformpädagogik 1918-1938. Symposiumsdokumentation. Hrsg. v. Erik ADAM. Wien, Köln u. Graz, Böhlau, 81, in-8, 291 p. (Beitr. z. Gesch. d. Pädagogik, 1)

4339. PALMER (Robert R.). Le Prytanée français et les écoles de Paris (1798-1802). A. hist. Révol. franç., 81, a. 53, p. 123-152.

4340. PEDERSEN (Joyce Senders). Some Victorian headmistresses : a conservative tradition of social reform. Victorian Stud., 81, vol. 24, n° 4, p. 463-488.

4341. PERÚTKA (Jaromír). Dejiny telesnej výchovy a športu na Slovensku. (Geschichte der Körpererziehung und des Sports in der Slowakei.) Bratislava, Sport, 80, in-8, 240 p. (24 fig.).

4342. PLATEN (Magnus von). Privatinformation i skolan : en undervisningshistorisk studie. (Privatunterricht in der Schule : eine unterrichtshistorische Studie.) Umeå, Umeå unib.-bibl., 81, in-4, 149 p. (umeå studies in humanities, 34)

4343. PREVOT (Jacques). La première institutrice de France : Madame de Maintenon. Paris, Belin, 81, in-8, 287 p. (Fondateurs de l'éducation) - IDEM. L'utopie éducative : Coménius. Préf. de Jean PIAGET. Paris, Belin, 81, in-8, 286 p. (Fondateurs de l'éducation)

4344. RAE (John). The Public School revolution : Britain's independent schools, 1964-1979. London, Faber, 81, in-8, 188 p.

4345. RAICHLE (Donald R.). From a normal beginning : the origins of Kean College of New Jersey. Rutherford, N.J., Fairleigh Dickinson U. P., 80, in-8, 432 p.

4346. Ratio Educationis. Az 1777-i és az 1806-i kiadás magyar nyelvü forditása. Ford., jegyz. MÉSZÁROS István. (La traduction en langue hongroise des éditions de 1777 et 1806, Trad., annotée par -.) Budapest, Akad. Kiadó, 81, in-8, 433 p. (ill.).

4347. Ratio (La) studiorum. Modelli culturali e pratiche educative dei gesuiti in Italia tra Cinque e Seicento. A cura di Gian Paolo BRIZZI. Rom, Bulzoni, 81, in-8, 256 p. (Bibl. del Cinquecento. Centro Studi Europa delle corti, 16)

4348. RAVITCH (Diane), GOODENOW (Ronald K.) a. others. Educating an urban people : the New York City experience. New York, Teachers College Press, 81, in-8, VIII-287 p.

4349. RAYMAN (Ronald). Joseph Lancaster's monitorial system of instruction and American Indian education, 1815-1838. Hist. Educat. Quar., 81, vol. 21, n° 4, p. 395-410.

4350. RESNICK (Daniel P.). Educational policy and the applied historian : testing, competency, and standards. J. soc. Hist., 81, vol. 14, n° 4, p. 539-560.

4351. RICHARDSON (Gunnar). Education as a national resource : strategies in Swedish education and economic policy during the nineteen forties. Scand. J. Hist., 81, vol. 6, p. 29-54.

4352. ROOKE (Patricia T.). A scramble for souls : the impact of the negro education grant on evangelical missionaries in the British West Indies. Hist. Educat. Quar., 81, vol. 21, n° 4, p. 429-448.

4353. RUMMEL (E.). Structure and argumentation in Erasmus' De Pueris Instituendis. Renaissance a. Reformation, 81, n.s., vol. 5, p. 127-140.

4354. SÁRKÖZI (István). Az ellenforradalmi rendszer népiskolapolitikája Magyarországon,

1919. aug. -1944. (La politique d'enseignement primaire du régime contre-révolutionnaire en Hongrie, août 1919 - 1944.) Budapest, Akad. Kiadó, 80, in-8, 271 p.

4355. SCHLIEBEN -LANGE (Brigitte). Die französische Revolution und die Sprache. Z. f. Literaturwiss., 81, Jg. 11, p. 90-123.

4356. SCHREINER (Klaus). Disziplinierte Wissenschaftsfreiheit. Gedankliche Begründung u. geschichtliche Praxis freien Forschens, Lehrens u. Lernens an d. Univ. Tübingen (1477-1945). Tübingen, Mohr, 81, in-8, 151 p. (Contubernium, 22)

4357. SCHWARZ (Hans-Ulrich). Die Universitätspflege Feuerbach (1477-1825). Stud. z. Besitz-, Verwaltungs- u. Wirtschaftsgesch. d. Univ. Tübingen. Tübingen, Mohr, 81, in-8, XXIV-206 p. (Contubernium, 18)

4358. SHINN (Terry). Des sciences industrielles aux sciences fondamentales : la mutation de l'Ecole supérieure de physique et de chimie (182-1970). R. franç. Sociol., 81, t. 22, p. 167-182.

4359. SOLDANI (Simonetta). L'istruzione tecnica nell'Italia liberale, 1861-1900. Studi stor., 81, a. 22, p. 79-118.

4360. SOLTOW (Lee), STEVENS (Edward). The rise of literacy and the common school in the United States : a socioeconomic analysis to 1870. Chicago, Univ. of Chicago Press, 81, in-8, XII-247 p.

4361. SPIVAK (Marcel). Pour une approche renouvelée de l'histoire de l'éducation physique et du sport. Hist. Education, 81, n° 10, p. 21-32. - IDEM. Quelques aperçus de la recherche en histoire de l'éducation physique et des sports en France. Ibid., p. 1-19. Hist. Education, 81, n° 10, p. 1.-19.

4362. STEINSON (Barbara J.). Sisters and soldiers : American women and the national service schools, 1916-1917. Historian, 81, vol. 43, n° 2, p. 225-239.

4363. ŚWIATŁO (Adam). Oświata a polski ruch robotniczy 1876-1939. (L'instruction publique et le mouvement ouvrier polonais.) Warszawa, Książka i Wiedza, 81, in-8, 725 p.

4364. SWORDS (Liam). History of the Irish college, Paris, 1578-1800. Arch. hibern., 80, vol. 35, p. 3-233.

4365. Tanulmányok a magyar nevelésügy XVII-XX. századi történetéből. Szerk. MÉSZÁROS István. (Etudes sur l'histoire de l'enseignement en Hongrie aux XVIIe-XXe s. Réd. par -.) Budapest, Akad. Kiadó, 80, in-8, 316 p.

4366. THELIN (Bengt). Biskopspetitionen och biskoparna : några forskningsfragment om läroverkens sekularisering och striden om kristendomsundervisningen. (The Swedish bishop's petition [1906] and the bishops : some research arguments about the secularization and religious instruction in the high schools.) Kyrkohist. Årsskr., 81, vol. 81, p. 94-119.

4367. THOMS (David William). Policy-making in education : Robert Blair and the London County Council, 1904-1924. Leeds, Univ., Museum of the Hist. of Educ., 81, in-8, 60 p.

4368. THYSELIUS (Ingrid). Folkuppfostran och yrkesutbildning : reformarbetet bakom 1918 års praktiska ungdomsskolesystem. (Civic upbringing and professional training : reform work behind the 1918 practical juvenile school system [in Sweden].) [Svensk] Hist. T., 81, vol. 101, p. 201-212. [Eng. summary]

4369. TOPOLSKI (Jerzy). O przedmiocie i metodologii badań regionalnych w zakresie historii oświaty. (L'objet et la méthodologie des études régionales concernant l'histoire de l'instruction publique.) Przegl. hist.-oświat., 81, a. 24, n° 2, p. 171-181.

4370. TOPPING (James). The beginnings of Brunel University ; from Technical College to University. London, Oxford U.P., 81, in-8, 480 p. (ill., fig.).

4371. TORSTENDAHL (Rolf). The social relevance of education : Swedish secondary schools during the period of industrialization. Scand. J. Hist., 81, vol. 6, p. 77-89.

4372. URBAN (Wayne J.). History of education : a southern exposure. Hist. Educat. Quar., 81, vol. 21, n° 2, p. 131-146.

4373. WALCZAK (Marian). L'enseignement légal et l'enseignement clandestin pendant l'occupation nazie en Pologne. Warszawa, Państw. Wydawn. Nauk., 81, in-8, 32 p. (Acad. Pol. des Sciences, Centre Scient. à Paris. Conférences, 130)

4374. WEISS (Janice). Educating for clerical work : the nineteenth-century private commercial school. J. soc. Hist., 81, vol. 14, n° 3, p. 407-424.

4375. WIMSHURST (Kerry). Child labour and school attendance in South Australia, 1890-1915. Hist. Stud., 81, vol. 19, p. 388-411.

Cf. n°^{s} 4050, 4247, 4459.

§ 4. Prensa.

* 4376. Bibliographie de la presse française politique et d'information générale, des origines à 1944. [T. 49. Cf. Bibl. 80, n° 4420.] T. 47 : Lot-et-Garonne, par Patrice CAILLOT. Paris, Bibliothèque nat., 81, in-8, 74 p.

* 4377. GLENSK (Joachim). Bibliografia adnotowana śląskiej prasy plebiscytowej i powstańczej. (Bibliographie annotée de la presse plébiscitaire et de l'insurrection en Silésie [1919-1921].) Kwart. Hist. Prasy pol., 81, a. 20, n° 2, p. 59-77.

* 4378. PASÁK (Tomáš). Soupis legálních novin, časopisu a úředních věstníků v českých zemích z let 1939-1945. (Verzeichnis der legalen Zeitungen, Zeitschriften, und amtlichen Mitteilungsblätter in den tschechischen Ländern in den Jahren 1939 - 1945.) Praha, Univ. Karlova, 80, in-8, 441 p.

* 4379. Pressefrühdrucke aus der Zeit der Glaubenskämpfe [1517-1648]. Bestandsverzeichnis d. Instituts f. Zeitungsforschung. München, New York, London u. Paris, Saur, 80, in-8, 247 p. (Dortmunder Beitr. z. Zeitungsforschung, 33)

* Cf. n° 4266.

4. PRENSA

** 4380. Magyar Hirmondó. Az első magyar nyelvü ujság. Válogatás. Sajtó alá rend., bev., jegyz. KÓKAY György. (Courrier Hongrois. Le premier périodique en langue hongroise. Choix. Mis sous presse, intr. et annoté par -.) Budapest, Gondolat Kiadó, 81, in-8, 556 p. (ill.). (Nemzeti Könyvtár. Müvelődéstörténet).

4381. BAYLEN (J.O.). The tsar and the British press : Alexander III and the Pall Mall Gazette, 1888. East european Quar., 81, vol. 15, n° 4, p. 425-439.

4382. BAYLEY (Edwin R.). Joe McCarthy and the press. Madison, Univ. of Wisconsin Press, 81, in-8, X-270 p. [U.S. Senator Joseph R. McCarthy]

4383. BORZYMIŃSKA (Zofia). "Miesięcznik Żydowski". W 50 rocznicę wydania pierwszego numeru. (La "Revue mensuelle juive". Pour le 50e anniversaire de la parution du premier numéro.) B. żyd. Inst. hist., 81, a. 31, n° 3, p. 63-75. [Revue scientifique éditée à Varsovie dans les anées 1930-1935]

4384. BOTEIN (Stephen), CENSER (Jack R.), RITVO (Harriet). The periodical press in eighteenth-century English and French society : a cross cultural approach. Isis, 81, vol. 23, p. 464-90.

4385. BÜTTNER (Wolfgang). Das Feuilleton der "Neuen Rheinischen Zeitung". Jb. f. Gesch., 81, Bd 22, p. 7-50.

4386. BULLOCK (Penelope L.). The Afro-American periodical press, 1838-1909. Baton Rouge, Louisiana State U.P., 81, in-8, XIV-330 p.

4387. CAVIGLIA (Elena). Il sionismo e la Palestina negli articoli dell'Osservatore Romano e della Civiltà Cattolica (1919-1923). Clio [Roma], 81, a. 17, p. 79-90.

4388. COONEY (Terry A.). Cosmopolitan values and the identification of reaction : Partisan Review in the 1930s. J. am. Hist., 81, vol. 68, n° 3, p. 580-598.

4389. CORNEBISE (Alfred E.). The Amaroc News : the daily newspaper of the American force in Germany, 1919-1923. Carbondale, Southern Illinois U.P., 81, in-8, XXII-248 p. (New Horizons in Journalism)

4390. DASCĂLU (Nicolae). Evoluția statistică a presei în România interbelică. (L'évolution statistique de la presse de Roumanie pendant la période de l'entre-deux-guerres.) R. Ist., 81, t. 34, n° 7, p. 1251-1271. [Rés. franç.]. - IDEM. La presse des minorités nationales dans la Roumanie d'entre les deux guerres (1919-1939). Analyse statistique. Ibid., 81, t. 20, p. 111-130. - IDEM. Le régime de la presse en Roumanie pendant la période de l'entre-deux-guerres. R. roumaine Hist., 80, t. 19, p. 389-413.

4391. DIOUDONNAT (Pierre-Marie). L'argent nazi à la conquête de la presse française, 1940-1944. Paris, Picollec, 81, in-8, 309 p.

4392. Emlékülés a magyar sajtó jubileuma alkalmából. (Session commémorative à l'occasion de l'anniversaire de la presse hongroise.) Magy. Könyvszle, 81, vol. 97, n°s 1-2, p. 1-40. [Contient : KOSÁRY (Domokos). A magyar sajtó megszületése (La naissance de la presse hongroise), p. 7-15. - KÖPECZI (Béla). A Rákóczi-szabadságharc a külföldi közvéleményben (La guerre d'indépendance de Rákóczi dans l'opinion publique de l'étranger), p. 16-22. - SZIKLAY (László). A magyarorsz7agi nem magyar nyelvü sajtó kezdetei (Les origines de la presse de langue non hongroise en Hongrie), p. 23-34. - KOKAY (György). Az első magyar ujságok és az akadémiai törekvések (Les premiers journaux hongrois et les efforts académiques), p. 35-40.]

4393. ERIKSSON (Gösta). Dagspressen i Norden. (The daily press in the Nordic countries.) Åbo, Åbo Akademi, 81, in-8, 129 p. (Acta Acad. Aboensis. Humaniora, t. 60, n° 2) [Summary in Eng.]

4394. ESIN (B.I.). Russkaja gazeta i gazetnoe delo v Rossii. (The Russian newspaper and the press in Russia.) Zadači i teoret.-metodol. principy izuč. Moskva, Izd-vo MGU, 81, 132 p.

4395. GEMEINHARDT (Heinz Alfred). Deutsche und österreichische Pressepolitik während der Bosnischen Krise 1908/09. Husum, Matthiesen, 80, in-8, 427 p. (Hist. Studien, 437)

4396. GERGELY (András), VELIKY (János). Der Weg der ungarischen Presse in der Politik nach 1867. Acta hist. Acad. Sci. hungaricae, 81, vol. 27, n°s 1-2, p. 163-187.

4397. GODIN (Pierre). La lutte pour l'information : histoire de la presse écrite au Québec. Montréal, Le Jour, 81, in-8, 317 p. (Les Idées du jour).

4398. GRENIER (Joseph A.). An apostolate of battle : La Croix, 1883-1890. Cath. hist. R., 81, vol. 67, n° 2, p. 214-235.

4399. Institut français de presse. Section d'histoire. Tables du journal Le Temps. [Vol. 7. Cf. Bibl. 76-77, n° 5520.] Vol. 8 : 1892-1894. Vol. 9 : 1895-1897. Introd. de Pierre ALBERT. Paris, Ed. du C.N.R.S., 78-80, 2 vol. in-8, XVI-1154, XVIII-1278 p.

4400. KMIECIK (Zenon). Prasa warszawska 1908-1918. (La presse de Varsovie 1908-1918.) Warszawa, Państw. Wydawn. Nauk., 81, in-16, 501 p.

4401. KOSS (Stephen). The rise and fall of the political press in Britain : the nineteenth century. Chapel Hill, Univ. of North Carolina Press, 81, in-8, VIII-455 p.

4402. KUCHARZEWSKI (Feliks). Czasopiśmiennictwo techniczne polskie przed rokiem 1875. (La presse technique polonaise avant l'année 1875.) Warszawa, Wydawn. Artyst. i Filmowe, 81, in-4, 105 p. [Reprod. photo-offset. de l'éd. orig. Varsovie 1904]

4403. LAUNAY (Jean-Marie). L'Est républicain de 1944 à nos jours. Lille, Atelier Reprod. des Thèses, Univ. de Lille III ; Paris, Champion, 81, 2 vol. in-8, 1070 p. (pl.).

4404. LICATA (Glauco). Centoventi anni di giornali dei cattolici italiani. Milano, Pan, 81, in-16, 146 p. (Il timone, 111)

4405. Literaturnyj process i russkaja žurnalistika konca XIX-načala XX veka. 1890-1904. (Literary process and Russian journalism at the end of the 19th-beginning ot the 20th cent.

1890-1904.) Social-democrat. i obšcedemokrat. izd. Redkol. : B.A. BJALIK (otv. red.) i dr. Moskva, Nauka, 81, 390 p. (AN SSSR. In-t mirovoj lit.)

4406. MARSZALEK (John F.). Sherman's other war : the general and the civil war press. Memphis, Tenn., Memphis State U.P., 81, in-8, X-230 p.

4407. MARTIN (Marc). Journalistes parisiens et notoriété (vers 1830-1870) : pour une histoire sociale du journalisme. R. hist., 81, a. 105, t. 266, p. 31-74.

4408. MORAN (Daniel J.). Cotta and Napoleon : the French pursuit of the Allgemeine Zeitung. Central european Hist., 81, vol. 14, n° 2, p. 91-109.

4409. Naše Rudé právo. (Unsere Zeitung Rudé právo). Autorenkoll. : Karel DOUDĚRA, Zdeněk HOŘENÍ, Jarmila HOUFOVÁ, Jan HROBAŘ, Vladimír HUDEC, Miloš JERIE, Zdeněk KOVAŘÍK, Antonín KRÁKORA, Zdeněk PROVAZNÍK, Karel SRŠEŇ, Jiří STANO. Praha, Rudé právo, 80, in-8, 346 p.

4410. NEAMŢU (Gelu). Din istoria presei românești : "Concordia" (1861-1866). (From the history of the Romanian press : the "Concordia" [Budapest], 1861-1866.) Anu. Inst. Ist. Arheol. Cluj-Napoca, 81, t. 24, p.237-279. [Eng. summary]

4411. PIETILÄ (Kauko). Formation of a newspaper : a theory. Tampere, Univ. of Tampere, 81, in-8, XIII-402 p. (Acta Univ. Tamperensis, Ser. A, 119).

4412. POPOV (N.P.), GOROKHOV (N.A.). Sovetskaja voennaja pečat' v gody Velikoj Otečestvennoj vojny 1941-1945. (The Soviet military press during the Great Patriotic War, 1941-1945.) Moskva, Voenizdat, 81, 416 p. (12 p. ill.)

4413. RUDNICKAJA (E.L.). Francuzskij "Kolokol" A.I. Gercena i N.P. Ogareva. (The French edition of "Kolokol" published by Herzen and Ogarev, 1868-1869.) Vopr. Ist., 81, n° 7, p. 16-31.

4414. SCHILLER (Dan). Objectivity and the news : the public and the rise of commercial journalism. Philadelphia, Univ. of Pennsylvania Press, 81, in-8, XIV-222 p.

4415. TORBACKE (Jarl). Värmdömålet 1819 - den svenska pressens första stora seger . (The Värmdö trial of 1819 - the Swedish press' first major victory ?) Scandia, 81, vol. 47, p. 255-299, 311. [Eng. summary]

4416. TURCZEL (Lajos). A csehszlovákiai magyar sajtó fejlődése 1919 és 1945 között. (L'évolution de la presse hongroise de Tchécoslovaquie entre 1919 et 1945.) Magy. Könyvszle, 81, vol. 97, n° 4, p. 299-316.

4417. TUSZYŃSKI (Bogdan). Prass i sport 1881-1981. (La presse et le sport 1881-1981). Warszawa, Sport i Turystyka, 81, in-8, 518 p.

4418. TYROWICZ (Marian). Spojrzenie na dzieje prasy polskiej w świetle ostatnich badań (1960-1980). (L'histoire de la presse polonaise à la lumière des dernières études, 1960-1980.) Kwart. Hist. Prasy pol., 81, a. 20, n° 4, p. 7-17.

4419. VÁMOS (Éva). Lássák, ismerjék a világnak minden népei ... Magyarországi és magyar vonatkozásu röpiratok, ujságlapok, 1485-1849. (Ce que voient et connaissent tous les peuples du monde. Pamphlets et périodiques de Hongrie ou en relation avec la Hongrie, 1485-1849.) Budapest, Magyar Helikon, 81, in-8, 141 p. (ill.).

4420. VANDE KEMP (Hendrika). The dream in periodical literature : 1860-1910. J. Hist. behavioral Sci., 81, vol. 17, n° 1, p. 88-113.

4421. VOGNE (Marcel). La presse périodique en Franche-Comté des origines à 1870. [T. 1, 3-6. Cf. Bibl. 78-79, n° 5173.] T. 2, 7. Vanves, l'Auteur, 16, av. Victor-Hugo, 80, 2 vol. in-8, 326, 396 p.

4422. WAQUET (Françoise). Il pubblico del libro erudito : i sottoscrittori del Museum veronense di Scipione Maffei. R. stor. ital., 81, a. 93, p. 36-48.

4423. WELCKER (Karl Theodor). Kampf um publizistische Libertät. Schriften u. Aktivitäten zu Konzeption, Realisierung u. erneuter Einbusse von Pressefreiheit 1830-1833. Hrsg. u. eingel. v. Heinz-Dietrich FISCHER u. Rainer SCHÖTTLE. Bochum, Brockmeyer, 81, in-8, XX-533 p. (1 Ill.). (Bochumer Stud. z. Publizistik u. Kommunikationswiss., 30)

4424. WELLS (Ronald A.). The voice of empire : The Daily Mail and British emigration to North America. Historian, 81, vol. 43, n° 2, p. 240-257.

Cf. n°s 440, 3184, 3213, 3867, 4810, 5940, 6593.

§ 5. Filosofía y concepto del mundo.

* 4425. Bertrand Russell. A bibliography of his writings 1895-1976. Comp. by Werner MARTIN. München, New York, London a. Paris, Saur, 81, in-8, XLV-332 p.

* 4426. Bibliographie analytique des écrits sur Benjamin Constant, 1796-1980. Bibliothèque cantonale et universitaire de Lausanne, réalisée par Brigitte WARIDEL, Jean-François TIERCY, Norbert FURRER et Anne-Marie AMOOS, sous la dir. de Etienne HOFMANN. Lausanne, Inst. Benjamin Constant ; Oxford, Voltaire Foundation ; Paris, J. Touzot, 80, in-8, VIII-317 p.

* 4427. Martin Buber. A bibliography of his writings. Eine Bibliographie seiner Schriften, 1897-1978. Comp. by Margot COHN, Rafael BUBER. Jerusalem, Magnes Press ; München, New York, London a. Paris, 80, in-4, 160 p.

** 4428. BENTHAM (Jeremy). Correspondence. [Vol. 3. Cf. Bibl. 70-71, n° 6099.] Vol. 4 : October 1788-December 1793. Vol. 5 : January 1974-December 1797. Ed. by Alexander Taylor MILNE. London, Athlone Press, 81, 2 vol. in-8, 552, 424 p.

** 4429. COMTE (Auguste). Correspondance générale et confessions. Textes établis et prés. par Paulo E. de BERREDO CARNEIRO et Pierre ARNAUD. [T. 2. Cf. Bibl. 74-75, n° 5267.] T. 4 : 1846-1848. Paris, J. Vrin, 81, in-8, CXIV-334 p. (Archives positivistes).

** 4430. GASSENDI (Pierre). Instituto logica

(1658). A critical ed. with trans. a. intr. by H. JONES. Assen, Van Gorcum, 81, in-8, LXVIII-172 p.

** 4431. GAYOT (Gérard). La franc-maçonnerie française. Textes et pratiques (XVIIIe-XIXe siècles). Paris, Gallimard-Julliard, 81, in-8, 254 p. (Archives).

** 4432. LOCKE (John). Correspondence. Vol. 6 : 2199-2664, ed. by E.S. De BEER. London, Oxford U.P., 81, in-8, 800 p. [Vol. 3. Cf. Bibl. 78-79, n° 5187.]

** 4433. SAINT-MARTIN (Louis-Claude de). Théosophie et théologie. Correspondance avec Vialetes d'Aignan (1795-1797), mise à jour et publiée pour la première fois par Robert Amadou. Doc. martinistes, s.d., n° 13, 71 p. - IDEM. Une nouvelle lettre de Louis-Claude de Saint-Martin à Nicolas Tournyer, publiée pour la première fois, avec un commentaire par R. AMADOU. Initiation, 81, n.s., n° 1, p. 19-31.

** 4434. WITKIEWICZ (Stanisław Ignacy). Listy do Bronisława Malinowskiego. (Lettres à Bronisław Malinowski.) Avant-propos d'Edward C. MARTINEK ; éd. par Tomasz JODEŁKA BURZECKI. Warszawa, Państw. Inst. Wydawn., 81, in-8, 129 p.

** Cf. n° 4554.

4435. AGULHON (Maurice). Le sang des bêtes : le problème de la protection des animaux en France au XIXe siècle. Romantisme, 81, n° 31, p. 81-109.

4436. ALQUIE (Ferdinand). Le rationalisme de Spinoza. Paris, Presses univ. France, 81, in-8, 365 p. (Epiméthée).

4437. AMERIKS (Karl). Kant's deduction of freedom and morality. J. Hist. Philos., 81, vol. 19, n° 1, p. 53-80.

4438. Antike Philosophie (Die) in ihrer Bedeutung für die Gegenwart. Kolloquium zu Ehren d. 80. Geburtstages v. Hans-Georg GADAMER. Hrsg. v. Reiner WIEHL. Vorgelegt am 13. Dez. 1980 v. Albrecht DIHLE. Heidelberg, Winter, 81, in-8, 71 p. (S.-B. d. Heidelberger Akad. d. Wiss., phil.-hist. Kl. Bericht. Jg. 81, 1)

4439. ASHWORTH (E.J.). "Do words signify ideas or things ?" The scholastic sources of Locke's theory of language. J. Hist. Philos., 81, vol. 19, n° 3, p. 299-326.

4440. BARNOUW (Jeffrey). The separation of reason and faith in Bacon and Hobbes, and Leibniz's Theodicy. J. Hist. Ideas, 81, vol. 42, n° 4, p. 607-628.

4441. BEAUCHAMP (T. L.), ROSENBERG (A.). Hume and the problem of causation. New York a. Oxford, Oxford U.P., 81, in-8, XXIV-340 p.

4442. BOCCARA (Nadia). Vittoriani e radicali. Da Mill a Russel. Etica e politica nella cultura inglese tra '800 et '900. Roma, Ediz. dell'Ateneo, 81, in-8, 265 p. (Studi, 1).

4443. BOISSEL (J.). Gobineau, 1816-1882. Un Don Quichotte tragique. Paris, Hachette, 81, in-8, 378 p.

4444. BRANDOM (Robert B.). Leibniz and degrees of perception. J. Hist. Philos., 81, vol. 19, n° 4, p. 447-480.

4445. Breviarium politicorum secundum rubricas Mazarinicas. Breviario dei politici secondo il cardinale Mazzarino. A cura di Giovanni MACCHIA. Milano, Rizzoli, 81, in-16, XXXIV-148 p. (tav.). (Il ramo d'oro).

4446. CARLSNAES (Walter). The concept of ideology and political analysis : a critical examination of its usage by Marx, Lenin, and Mannheim. Westport, Conn., Greenwood Press, 81, in-8, XII-274 p. (Contrib. in Philos., 17)

4447. CARPANETTO (Dino). L'Italia del Settecento. Illuminismo e movimento riformatore. Torino, Loescher, 81, in-8, 369 p. (Doc. della Stor., 29)

4448. ČERNJAK (E.B.). Zapadnoevropejskoe masonstvo XVIII veka. (18th century west European freemasonry.) Vopr. Ist., 81, n° 12, p. 109-118.

4449. CETL (Jiří). Český pozitivismus. Příspěvek k charakteristice jedné z tradic českého buržoazního myšlení. (Der tschechische Positivismus. Beitrag zur Charakterisierung einer der Traditionen des tschechischen bürgerlichen Denkens.) Brno, Univ. J.E. Purkyně, 81, in-8, 173 p. (Spisy Univ. J.E. Purkyně v Brně. Filoz. fak., 234)

4450. CLEGG (Jerry S.). Nietzsche and the ascent of man in a cyclical cosmos. J. Hist. Philos., 81, vol. 19, n° 1, p. 81-94.

4451. COOK (Daniel J.), ROSEMONT (Henry) Jr. The pre-established harmony between Leibniz and Chinese thought. J. Hist. Ideas, 81, vol. 42, n° 2, p. 253-268.

4452. CORBIN (Henry). La philosophie iranienne islamique aux XVIIe et XVIIIe siècles. Paris, Buchet-Chastel, 81, in-4, 416 p.

4453. COTTON (James). James Harrington and Thomas Hobbes. J. Hist. Ideas, 81, vol. 42, n° 3, p. 407-422.

4454. CSEJTEI (Dezső). José Ortega y Gasset. Budapest, Kossuth Kiadó, 81, in-8, 111 p.-

4455. DAMICO (Alfonso J.). Dewey and Marx : on partisanship and reconstruction of society. Am. pol. Sci. R., 81, vol. 75, n° 3, p. 654-666.

4456. DANIEL (Stephen H.). Seventeenth-century scholastic treatments of time. J. Hist. Ideas, 81, vol. 42, n° 4, p. 587-606.

4457. DAVIS (J.C.). Utopia and the ideal society : a study of English utopian writing, 1516-1700. London a. New York, Cambridge U. P., 81, in-8, X-427 p.

4458. DIGGINS (John Patrick). John Dewey in peace and war. Am. Scholar, 81, vol. 50, n° 2, p. 213-230.

4459. DOMONKOS (László). A felvilágosodás és a felsőoktatás a 18. századi Amerikában. (Les Lumières et l'enseignement supérieur en Amérique du Nord au XVIIIe s.) Tört. Szle, 81, vol. 24, n° 1, p. 58-70.

4460. DREYFUS (Theodore). Martin Buber. Paris, Ed. du Cerf, 81, in-8, 209 p. (Témoins spirituels d'aujourd'hui).

4461. DUMOULIN (Heinrich). Buddhism and nineteenth-century German philosophy. J. Hist. Ideas, 81, vol. 42, n° 3, p. 457-470.

4462. EISENACH (Eldon J.). Two worlds of liberalism : religion and politics in Hobbes, Locke, and Mill. Chicago, Univ. of Chicago Press, 81, in-8, X-262 p.

4463. FIERING (Norman). Jonathan Edwards's moral thought and its British context. Chapel Hill, Univ. of North Carolina Press, 81, in-8, XIII-391 p. - IDEM. Moral philosophy at seventeenth century Harvard : a discipline in transition. Chapel Hill, Univ. of North Carolina Press, 81, in-8, X-323 p.

4464. FLEURET (Colette). Rousseau et Montaigne. Paris, Nizet, 80, in-8, 200 p. (ill.). (Publ. de la Sorbonne, sér. Littérature, 11)

4465. FRIESS (Horace L.). Felix Adler and ethical culture : memories and studies. Ed. by Fannia WEINGARTNER. New York, Columbia U.P., 81, in-8, XI-272 p.

4466. FRONGIA (G.). Guida alla letteratura su Wittgenstein. Storia e analisi della critica. Urbino, Argalia, 81, in-8, 342 p. (Pubbl. dell' Univ. di Urbino).

4467. GEHIN (Etienne). Rousseau et l'histoire naturelle de l'homme social. R. franç. Sociol., 81, t. 22, p. 15-31.

4468. GENRI (Ėrnst). Professional'nyj antikommunizm. K istorii vozniknovenija. (Professional anti-communism. On the history of its origin.) Moskva, Politizdat, 81, 367 p.

4469. GLAT (Mark). John Locke's historical sense. R. Politics, 81, vol. 43, n° 1, p. 3-21.

4470. GOULEMOT (Jean-Marie). Démons, merveilles et philosophie à l'âge classique. A. Ec. Soc., Civ., 1980, a. 35, p. 1223-1250.

4471. GOYARD-FABRE (Simone). Montesquieu adversaire de Hobbes. Paris, Lettres modernes, 80, in-8, 70 p. - EADEM. L'idée de représentation dans L'Esprit des lois. Dialogue, 81, vol. 20, p. 1-22.

4472. HARVEY (Warren Zev). A portrait of Spinoza as a Maimonidean. J. Hist. Philos., 81, vol. 19, n° 2, p. 151-172.

4473. Homburg vor der Höhe in der deutschen Geistesgeschichte. Stud. zum Freundeskreis um Hegel u. Hölderlin. Hrsg. v. Christoph JAMME u. Otto PÖGGELER. Stuttgart, Klett-Cotta, 81, in-8, 337 p. (Deutscher Idealismus, 4)

4474. HOPP (Lajos). A Contrat social fogadtatása és interpretációja Magyarországon és Kelet-Európában. (Fortune littéraire et politique du Contrat social [de Rousseau] en Hongrie et en Europe Orientale.) Helikon, 81, vol. 27, n° 4, p. 379-385.

4475. HOYER (Siegfried). Utopia deutsch. Zu d. Gleichheitsvorstellungen im Basler Humanistenkreis. Jb. f. Gesch. d. Feudalismus, 81, Bd 5, p. 237-254.

4476. HUMPHREY (Ted B.). Schopenhauer and the Cartesian tradition. J. Hist. Philos., 81, vol. 19, n° 2, p. 191-212.

4477. Idejnye zvjazi ukrainskikh i russkikh revolucionnykh demokratov. (Ideological links of Ukrainian and Russian revolutionary democrats.) Avt. : V.D. BELODED, I.P. GOLOVAKHA, V.S. GORSKIJ i dr. Redkol. : P.T. MANZENKO (otv. red.) i dr. Kiev, Nauk, dumka, 81, 315 p. (AN USSR. In-t filosofii)

4478. JACKSON (Carl T.). The oriental religions and American thought : nineteenth century explorations. Westport, Conn., Greenwood Press, 81, in-8, XII-302 p. (Contrib. in Am. Stud., 55)

4479. JACQUES-CHAQUIN (Nicole). L'imaginaire et le discours théosophique ou les rêves de l'écriture chez Louis-Claude de Saint-Martin. R. Sci. humaines, 81, t. 54, p. 31-44.

4480. JANZ (Curt Paul). Friedrich Nietzsche. Biographie. Bd 1 : Kindheit und Jugend. Die zehn Basler Jahre. Bd 2 : Die zehn Jahre des freien Philosophen. Bd 3 : Die Jahre des Siechtums. Dokumente, Reg. München, Deutsch. Taschenbuch-Verl., 81, 3 vol. in-8, 848, 667, 462 p. (dtv, 4383. dtv-Wissenschaft)

4481. Jean-Jacques Rousseau et la société du XVIIIe siècle. Actes du Colloque organisé à l'université McGill de Montréal, les 25, 26 et 27 oct. 1978. R. Univ. Ottawa, 81, vol. 51, n° 1, p. 5-158.

4482. JONES (H.). Pierre Gassendi 1592-1655. An intellectual biography. Nieuwkoop, De Graaf, 81, in-8, 320 p. (Bibl. humanistica et reformatorica, 34)

4483. KOONTZ (Theodore J.). Religion and political cohesion : John Locke and Jean Jacques Rousseau. J. Church a. State, 81, vol. 23, n° 1, p. 95-116.

4484. KOPF (Eike), ZÖLLNER (Norber). Zur Auseinandersetzung bürgerlicher Ideologen mit dem Marxismus von 1878 bis 1890. Ein Überblick. Jb. f. Gesch., 81, Bd 22, p. 157-174.

4485. KUČERENKO (G.S.). Issledovanija po istorii obščestvennoj mysli Francii i Anglii. XVI-pervaja polovina XIX v. (Research on the history of public thought in France and England, 16th-first half of the 19th cent.) Moskva, Nauka, 81, 319 p. (AN SSSR. In-t vseobšč. istorii).

4486. KUNDEL (Erich), MALYSCH (Alexander). Bilanz und Perspektiven. Ein Bericht d. Sekretäre d. Redaktionskommission über d. Herausgabe d. Marx-Engels-Gesamtausg. nach d. Erscheinen d. ersten 10 Bände. Marx-Engels-Jb., 81, Jg. 4, p. 263-305.

4487. KUNTZ (Marion L.). Guillaume Postel, prophet of the restitution of all things. His life a. thought. La Haye, Boston a. London, Nijhoff, 81, in-8, XV-270 p. (Arch. internat. d'histoire des idée, 98)

4488. LACROIX (Bernard). Durkheim et la politique. Paris, Presses de la Fondation nat. des Sci. pol., 81, in-8, 324 p.

4489. LINDENFELD (David F.). The transformation of positivism : Alexius Meinong and European thought, 1880-1920. Berkeley a. Los Angeles, Univ. of California Press, 80, in-8, XII-

5. FILOSOFÍA Y CONCEPTO DEL MUNDO

301 p.

4490. LLOYD (Howell A.). The political thought of Charles Loyseau (1564-1627). European Stud. R., 81, vol. 11, p. 53-82.

4491. LOSCERBO (J.). Being and technology. A study in the philosophy of Martin Heidegger. La Haye, Boston a. London, Nijhoff, 81, in-8, XII-283 p. (Phaenomenologica, 82)

4492. McKERROW (Ray E.). Richard Whately on the nature of human knowledge in relation to ideas of his contemporaries. J. Hist. Ideas, 81, vol. 42, n° 3, p. 439-456.

4493. MAKER (William). Understanding Hegel today. J. Hist. Philos., 81, vol. 19, n° 3, p. 343-376.

4494. MALHERBE (Michel). Kant ou Hume ou la raison et le sensible. Paris, Vrin, 80, in-8, 333 p. (Bibl. d'hist. de la philos.)

4495. MANSFIELD (Harvey C.) Jr. Machiavelli's political science. Am. pol. Sci. R., 81, vol. 75, n° 2, p. 293-305.

4496. MILLER (D.). Philosophy and ideology in Hume's political thought. Oxford, Clarendon Press ; London a. New York, Oxford U.P., 81, in-8, IX-218 p.

4497. MONTEIRO (J.P.). Hume's conception of science. J. Hist. Philos., 81, vol. 19, n° 3, p. 327-342.

4498. Mort (La), le fantastique, le surnaturel du XVIe siècle à l'époque romantique. Actes du Colloque, 9-10 mars 1979. Univ. de Lille III, Centre de recherches sur l'Angleterre des Tudors à la Régence. Directeur : Michèle PLAISANT. Lille, Centre de recherches sur l'Angleterre des Tudors à la Régence, 80, in-4, 175 p.

4499. MÜHLPFORDT (Günter). Ein radikaler Geheimbund vor der Französischen Revolution. Die "Union" K. F. Bahrdts. Jb. f. Gesch. d. Feudalismus, 81, Bd 5, p. 379-413.

4500. MÜLLER (Gabriele). Staat und Geschichte im System der Philosophie Hegels. Staat, 81, Bd 20, p. 325-348.

4501. N.G. Černyševskij v obščestvennoj mysli narodov zarubežnykh stran. (N.G. Chernyshevski in the public thought of the peoples of foreign countries.) Redkol. : V.E. EVGRAFOV i dr. Moskva, Nauka, 81, 285 p.

4502. NAMER (Emile). La vie et l'oeuvre de J.-C. Vanini, prince des libertins mort à Toulouse sur le bûcher en 1619. Paris, Vrin, 80, in-8, IV-286 p. (Bibl. d'hist. de la philos.)

4503. NAUDON (Paul). Histoire générale de la franc-maçonnerie. Fribourg, Office du Livre ; Paris, Presses univ. France, 81, in-8, 252 p.

4504. NEGRO PAVÓN (Dalmacio). La religión política de Augusto Comte. R. Filos. Madrid, 80, sér. 2, t. 3, p. 223-238 ; 81, sér. 2, t. 4, p. 7-50.

4505. NISTOR (Ioan). Nouvelles recherches et conceptions sur les Lumières roumaines. R. roumaine Hist., 80, t. 19, p. 521-553.

4506. NOLE' (Luigi). Tempo e sacralità del mito. Saggio su Claude Lévi-Strauss. Roma, Bulzoni, 81, in-8, 175 p. (Bibl. di Cult., 203)

4507. NOONE (John B.) Jr. Rousseau's Social contract : a conceptual analysis. Athens, Univ. of Ga. Press, 81, in-8, 222 p.

4508. NOVIKOVA (N.N.), KLOSS (B.M.). N.G. Černyševskij vo glave revoljucionerov 1861 goda. (N.G. Chernyshevski at the head of the revolutionaries of 1861.) Nekotorye itogi i perspektivy issled. Moskva, 81, 319 p. (ill., portr.). (AN SSSR. In-t istorii SSSR)

4509. NUZZO (Enrico). La storia della storia della filosofia nella cultura napoletana tra Seicento e Settecento. B. Centro Studi vichiani, 81, a. 11, p. 203-210.

4510. OBZINA (Jaromír). Leninské pojetí politiky a kritika "humanitní demokracie". (Die leninsche Auffassung der Politik und die Kritik der "Humanitäts-Demokratie.") Praha, Academia, 81, in-8, 308 p.

4511. OGONOWSKI (Zbigniew). Leibniz i socynianizm. (Leibniz et le socinianisme.) Odrodzen. Reform. Polsce, 81, vol. 26, p. 105-124.

4512. ORLANDI (G.). Per la storia della Massoneria nel ducato di Modena dalle origini al 1755. Modena, Aedes Muratoriana, 81, in-8, 233 p. (Deputazione di Storia Pa. per le antiche prov; modenesi, Bibl., N.S., 62)

4513. PAPP (Zsolt). A válság filozófiájától a konszenzus szociológiájáig. Utvesztők és utelágazások a huszadik századi német polgári filozófia és szociológia történetében. (De la philosophie de la crise à la sociologie du consentement. Labyrinthes et branchements dans l'histoire de la philosophie et sociologie bourgeoises allemandes au XXe siècle.) Budapest, Kossuth Kiadó, 80, in-8, 371 p.

4514. PASTORE (Alessandro). Marcantonio Flaminio. Fortune e sfortune di un chierico nell' Italia del Cinquecento. Milano, Angeli, 81, in-8, 184 p. (Studi e Ric. stor., 10)

4515. PAUL (Diana). "in the interests of civilization" : Marxist views of race and cultures in the nineteenth century. J. Hist. Ideas, 81, vol. 42, n° 1, p. 115-138.

4516. PERLA (Georges A.). La philosophie de Jaucourt dans l'Encyclopédie. R. Synthese, 81, t. 102, p. 27-46.

4517. PHILONENKO (Alexis). Schopenhauer : une philosophie de la tragédie. Paris, Vrin, 80, in-8, 271 p. (pl.). (Bibl. d'hist. de la philos.)

4518. Philosophie und Religion. Beiträge z. Religionskritik d. deutsch. Klassik. Weimar, Böhlau, 81, in-8, 266 p. (Collegium philos. Jenense, 3)

4519. Philosophy (The) of Jean-Paul Sartre. Ed. by Paul Arthur SCHILPP. La Salle, Ill., Open Court, 81, in-8, XIV-751 p. (The Library of living Philosophers, 16)

4520. POLIN (Raymond). Hobbes, Dieu et les hommes. Paris, Presses univ. France, 81, in-8, 240 p. (Philosophie d'aujourd'hui)

4521. RÉZ (Pál). Voltaire világa. (Le monde de Voltaire.) Budapest, Európa, 81, in-8, 346 p. (ill.).

4522. RICHARDS (Judith), MULLIGAN (Lotte), GRAHAM (John K.). "Property" and "people": political usages in Locke and some contemporaries. J. Hist. Ideas, 81, vol. 42, n° 1, p. 29-52.

4523. RICKE (Gabriele). Schwarze Phantasie und trauriges Wissen. Beobachtungen über Melancholie u. Denken im 18. Jh. Hildesheim, Gerstenberg, 81, in-8, 210 p.

4524. ROGALLA VON BIEBERSTEIN (Johannes). Die Bedeutung der Freimaurerei für national-emanzipatorische Gesellschaften in Polen und Russland 1815-1825. Z. f. Ostforsch., 80, Jg. 29, p. 639-653.

4525. ROSE (Ann C.). Transcendentalism as a social movement, 1830-1850. New Haven, Conn., Yale U.P., 81, in-8, XII-269 p.

4526. ROSSI (Arcangelo). Giordano Bruno e l'eredità Copernicana. Wrocław, Zakł. Narod. im. Ossolińskich, 81, in-8, 18 p. (Accad. Pol. delle Scienze. Bibl. e Centro di Studi a Roma. Conferenze, 85)

4527. SCHAEFER (David Lewis). Of cannibals and kings : Montaigne's egalitarianism. J. European econ. Hist., 80, vol. 19, n° 3, p. 43-74.

4528. SCHLEICH (Thomas). Aufklärung und Revolution. Die Wirkungsgesch. Gabriel Bonnot de Mablys in Frankreich (1740-1914). Stuttgart, Klett-Cotta, 81, in-8, 268 p. (Sprache u. Gesch., 5). - IDEM. Die Aufklärung und die Revolution. Überlegungen zu ihren Zusammenhängen am Fall Gabriel Bonnot de Mablys. Z. f. Lit.-Wiss. u. Linguistik, 81, Jg. 11, p. 27-51.

4529. SCHMIDT (Wolff A. von). Berührungspunkte der Geschichtsphilosophie Herders und Schlegels. Z. f. Religons- u. Geistesgesch., 81, Bd 33, p. 127-154.

4530. SCRUTON (Roger). From Descartes to Wittgenstein, a short history of modern philosophy. London, Routledge, 81, in-8, 304 p.

4531. SHAPIN (Steven). Of gods and kings : natural philosophy and politics in the Leibniz-Clarke disputes. Isis, 81, vol. 72, n° 262, p. 187-215.

4532. SHEETS-PYENSON (Susan). War and peace in natural history publishing : The Naturalist's Library, 1833-1843. Isis, 81, vol. 72, n° 261, p. 50-72.

4533. SHKLAR (Judith N.). Jean d'Alembert and the rehabiliation of history. J. Hist. Ideas, 81, vol. 42, n° 4, p. 643-664.

4534. SUCHODOLSKI (Bogdan). Anthropologie philosophique aux XVIIe et XVIIIe siècles. Trad. du pol. par Irena WOJNAR et Stanisław LEDOCHOWSKI. Wrocław, Zakł. Narod. im. Ossolińskich, 81, in-8, 618 p. (Pol. Akad. Nauk, Inst. Hist. Nauki, Oświaty i Techn.)

4535. SWIDERSKI (Richard M.). Bouvet and Leibniz : a scholarly correspondence. Eighteenth-cent. Stud., 81, vol. 14, n° 2, p. 135-150.

4536. SZACKI (Jerzy). Historia myśli socjologicznej. Cz. 1-2. (Histoire de la pensée sociologique. P. 1-2.) Warszawa, Państw. Wydawn. Nauk., 81, 2 vol. in-8, 456 p., p. 459-918.

4537. SZIKLAI (László). Lukács és a fasizmus kora. ([György] Lukács et l'époque du fascisme.) Budapest, Magvető Kiadó, 81, in-8, 179 p. (Gyorsuló idő).

4538. TESSITORE (Fulvio). La bibliografia vichiana di Pietro Piovani. B. Centro Studi vichiani, 81, a. 11, p. 5-12.

4539. TIKHONOVA (T.P.). Sekuljaristskoe tečenie v arabskom nacionalizme. (The secular trend in Arab nationalism.) Nar. Azii Afr., 81, n° 2, p. 74-85.

4540. TOEWS (John Edward). Hegelianism, the path toward dialectical humanism, 1805-1841. London, Cambridge U.P., 81, in-8, 450 p.

4541. UTKIN (A.I.). Stanovlenie burŽuaznogo evropeizma. (Formation of the ideology of bourgeois Europeism.) Vopr. Ist., 81, n° 2, p. 67-82.

4542. VARTANIAN (Aram). Diderot's rhetoric of paradox, or, the conscious automaton observed. Eighteenth-cent. Stud., 81, vol. 14, n° 4, p. 379-405.

4543. VERNON (Richard). "Citizenship" in "Industry" : the case of Georges Sorel. Am. pol. Sci. R., 81, vol. 75, n° 1, p. 17-28.

4544. VIEILLARD-BARON (Jean-Louis). Platon et l'idéalisme allemand, 1770-1830. Paris, Beauchesne, 79, in-8, 408 p. (Bibl. des archives de philos., nouv. sér., 28).

4545. VOJTĚCH (Tomáš). Česká historiografie a pozitivismus do roku 1918. (Die tschechische Historiographie und der Positivismus bis zum Jahre 1918.) Československ. Čas. hist., 80, vol. 28, p. 78-105.

4546. WALDROWN (J.J.). Locke's account of inheritance and bequest. J. Hist. Philos., 81, vol. 19, n° 1, p. 39-52.

4547. WHELAN (Frederick G.). Language and its abuses in Hobbes' political philosophy. Am. pol. Sci. R., 81, vol. 75, n° 1, p. 59-75.

4548. WINFREY (John C.). Charity versus justice in Locke's theory of property. J. Hist. Ideas, 81, vol. 42, n° 3, p. 423-438.

4549. WOOD (Allen W.). Karl Marx. Boston, Routledge a. Kegan Paul, 81, in-8, XVIII-282 p. (Arguments of the Philosophers)

4550. WORTHINGTON (B.A.). Ethics and the limits of language in Wittgenstein's Tractatus. J. Hist. Philos., 81, vol. 19, n° 4, p. 481-496.

4551. YOUNG (David). Montesquieu's methodology : holism, individualism, and morality. Historian, 81, vol. 44, n° 1, p. 36-50.

4552. ZAPPONI (Niccolò). I miti e le ideologie. Storia della cultura italiana, 1870-1960. Napoli, Ediz. scient. ital., 81, in-8, 250 p.

Cf. n°s 3141, 4594, 4659, 4577.

§ 6. Ciencias exactas, técnica, ciencias naturales y medicina.

* 4553. Biologie-Dokumentation. Bibliographie der deutschen biologischen Zeitschriftenliteratur 1796-1965. Hrsg. v. Martin SCHEELE, Gerhard NATALIS. Bd 1 : Aa-Ano, - Bd 16 : Sch-Sha. München, New York, London u. Paris, Saur, 81, in-8, 8644 p.

** 4554. BOLZANO (Bernard). Výbor z filozofických spisů. (Auswahl aus den philosophischen Schriften.) Hrsg. v. Jaromír LOUŽIL und Jiří ČERNÝ. Praha, Svoboda, 81, in-8, 438 p.

** 4555. DARWIN (Erasmus). Letters, Ed. by Desmond KING-HELE. London, Cambridge U.P., 81, in-8, 363 p.

** 4556. LATROBE (Benjamin Henry). The engineering drawings of Benjamin Henri Latrobe. Ed. by Darwin H. STAPLETON. New Haven, Conn., Yale U.P., 80, XX-256 p. (Papers of Benjamin Henry Latrobe, ser. 2, n° 1)

4557. ACLOQUE (Paul). Oscillations et stabilité selon Foucault. Critique hist. et expérimentale. Préf. de Pierre COSTABEL. Paris, Ed. du C.N.R.S., 81, in-8, 164 p. (23 fig.). (Coll. des travaux de l'Acad. internat. d'hist. des sciences, 28).

4558. AKOPJAN (A.S.). Ovanes Adamjan : izobretatel' cvetnogo televidenija i radiofototelegrafii. (Ovanes Adamyan : inventor of colour TV and radiophototelegraph.) Erevan, Izd-vo Erev. un-ta, 81, 206 p. (ill.).

4559. ALLISON (David Kite). New eye for the navy : the origin of radar at the naval research laboratory. Washington, D.C., Naval Research Laboratory, 81, in-8, XI-228 p.

4560. ANTALL (József). Az európai orvostudomány és gyógyszerészet emlékei. (Les monuments de la médecine et pharmacologie européenne.) Budapest, Corvina, 81, in-8, 20 p. (120 p. ill.).

4561. ASH (Mitchell G.). Academic politics in the history of science : experimental psychology in Germany, 1879-1941. Central european Hist., 80, vol. 13, n° 3, p. 255-286.

4562. ASRATJAN (É.A.). Ivan Petrovič Pavlov. Žizn', tvorčestvo, sovrem. sostojanie učenija. (Ivan Petrovich Pavlov. Life, scientific work, present state of study.) 2-e izd., pererab. Moskva, Nauka, 81, 438 p. (ill.). (AN SSSR. Nauč. -biogr. ser.)

4563. AZOUVI (François). La femme comme modèle de pathologie au XVIIIe siècle. Diogène, 81, n° 115, p. 25-40.

4564. BECK (Ann). Medicine, tradition, and development in Kenya and Tanzania, 1920-1970. Waltham, Mass., Crossroads Press, 81, in-8, VIII-114 p.

4565. BERKA (Karel). Bernard Bolzano. Praha, Horizont, 81, in-8, 136 p.

4566. Bernard Bolzano. Leben und Wirkung. Hrsg. v. Curt CHRISTIAN. Mit Beitr. v. Jaromír LOUŽIL u. a. Wien, Verl. d. Österr. Akad. d. Wiss., 81, in-8, 147 p. (ill.). (Veröff. d. Kommission f. Gesch. d. Mathematik, Naturwissenschaften u. Medizin, 38). (Österr. Akad. d. Wiss., Phil.-hist. Kl., S.-B., 391)

4567. Bernard Bolzano 1781-1848. Studien u. Quellen. Zentralinst. f. Philosophie d. Akad. d. Wiss. d. DDR. Berlin, Akad.-Verl., 81, in-8, 364 p.

4568. BERNIER (Jacques). Vers un nouvel ordre médical : les origines de la corporation des médecins et chirurgiens du Québec. Rech. sociogr., 81, vol. 22, p. 307-330.

4569. BEUGNOT (Bernard). De quelques lieux rhétoriques du discours scientifique classique. R. Synthèse, 81, t. 102, p. 5-25.

4570. BOWERS (John Z.). When the twain meet : the rise of western medicine in Japan. Baltimore, Md., Johns Hopkins U.P., 80, XI-173 p. (Henry E. Sigerist Suppl. to B. Hist. Medicine, new ser., 5)

4571. BRAUN (Hans-Joachim). Franz Reuleaux und der Technologietransfer zwischen Deutschland und Nordamerika am Ausgang des 19. Jahrhunderts. Technikgesch., 81, Bd 48, p. 112-130.

4572. BRENT (Peter). Charles Darwin, a man of enlarged curiosity. London, Heinemann, 81, in-8, 544 p. (ill.)

4573. BROOKS (G.P.), AALTO (S.K.). The rise and fall of moral algebra : Francis Hutcheson and the mathematization of psychology. J. Hist. behavioral Sci., 81, vol. 17, n° 3, p. 343-356.

4574. BULHOF (Ilse N.). From psychotherapy to psychoanalysis : Frederik van Eeden and Albert Willem van Renterghem. J. Hist. behavioral Sci., 81, vol. 17, n° 2, p. 209-221.

4575. CARRIERE (Geneviève), CARRIERE (Bruno). Santé et hygiène au bagne de Brest au XIXe siècle. A. Bretagne, 81, t. 88, p. 347-361.

4576. CHRISTEN (Yves). Marx et Darwin : le grand affrontement. Paris, A. Michel, 81, in-8, 268 p. (Sciences d'aujourd'hui).

4577. Commémoration du bicentenaire de la naissance de Laennec, 1781-1826. Colloque organisé au Collège de France, les 18 et 19 février 1981. Paris, Palais de la Découverte, 81, 343 p. (ill.).

4578. CONSTANT (Edward W.), II. The origins of the turbojet revolution. Baltimore, Md., Johns Hopkins U.P., 80, in-8, XIV-311 p. (Johns Hopkins Stud. in the Hist. of Technology, new ser., 5)

4579. DECKER (Hannah S.). Freud and Dora : constraints on medical progress. J. soc. Hist., 81, vol. 14, n° 3, p. 445-464.

4580. DELANGE (Y.). Fabre, l'homme qui aimait les insectes. Paris, J.-C. Lattès, 81, in-8, 352 p.

4581. DEVORKIN (David H.). A sense of community in astrophysics : adopting a system of spectral classification. Isis, 81, vol. 72, n° 261, p. 29-49.

4582. DI MEO (Antonio). Aspetti e problemi delle "dissoluzioni" chimiche, dalla fine del XVII agli inizi del XVIII secolo. Physis, 81, a. 23, p. 53-88.

4583. DUCHESNE (Raymond). La bibliothèque scientifique de l'abbé Léon Provancher. R. Hist. Amérique franç., 80-81, vol. 34, p. 535-556.

4584. DUNLAP (Thomas R.). DDT : Scientists, citizens, and public policy. Princeton, N.J., Princeton U.P., 81, in-8, 318 p.

4585. EMMERSON (Joan S.). Catalogue of the Pybus collection of medical books, letters and engravings, 15th-20th centuries, held in the University Library, Newcastle upon Tyne. Manchester, U.P., 81, in-4, 280 p.

4586. ENGELHARDT (Dietrich von). Zu einer Sozialgeschichte der romantischen Naturforschung. Sudhoffs Arch., 81, Bd 65, p. 209-225.

4587. ENGSTRAND (Iris H.W.). Spanish scientists in the new world : the eighteenth century expeditions. Seattle, Univ. of Washington Press, 81, in-8, XIV-220 p.

4588. ESOAVELOMANDROSO (Faranirina). Résistance à la médecine en situation coloniale : la peste à Madagascar. A. Ec., Soc., Civ., 81, a. 36, p. 168-190.

4589. ETTLING (John). The germ of laziness : Rockefeller philanthropy and public health in the new south. Cambridge, Mass., Harvard U. P., 81, in-8, X-263 p.

4590. FABI DE LAURA (Letizia). Il tempo del telefono. L'insufficienza di Euclide. Roma, Bulzoni, 81, in-8, 238 p. (Bibl. di Cult., 206)

4591. FADDA (Bianca). L'innesto del vaiolo : un tema di storia della medicina e di storia della cultura nel Settecento. Soc. e Stor., 81, a. p. 849-886.

4592. FAURE (Olivier). Genèse de l'hôpital moderne. Les Hospices Civils de Lyon de 1802 à 1845. Paris, Ed. du C.N.R.S., 81, in-8, 272 p.

4593. FELLMAN (Anita Clair), FELLMAN (Michael). Making sense of self : medical advice literature in late nineteenth century America. Philadelphia, Univ. of Pennsylvania Press, 81, in-8, VII-198 p.

4594. FERRONE (Vincenzo). Galileo, Newton e la libertas philosophandi nella prima metà del XVIII secolo in Italia. R. stor. ital., 81, a. 93, p. 143-185.

4595. FISCHER (Jean-Louis). L'hybridologie et la zootaxie du Siècle des Lumières à L'origine des espèces. R. Synthese, 81, t. 102, p. 47-72.

4596. FRANK (Robert G.) Jr. History and the Oxford physiologists : scientific ideas and social interaction. Berkeley a. Los Angeles, Univ. of California Press, 80, in-8, XVIII-308 p.

4597. FRIEDEN (Nancy Mandelker). Russian physicians in an era of reform and revolution, 1856-1905. Princeton, N.J., Princeton U.P., 81, in-8, XVII-378 p.

4598. GELFAND (Tony). Professionalizing modern medicine : Paris surgeons and medical science and institutions in the eighteenth century. Westport, Conn., Greenwood Press, 80, in-8, XVIII-271 p. (Contrib. in Medical Hist., 6)

4599. GELIS (Jacques). L'enquête de 1786 sur les sages femmes du Royaume. A. Démogr. hist., 80, p. 299-343.

4600. GIBSON (H.B.). Hans Eysenck, the man and his work. London, P. Owen, 81, in-8, 280 p. (ill.).

4601. GIEDROYĆ (Franciszek). Źródła biograficzno-bibliograficzne do dziejów medycyny w dawnej Polsce. (Les sources biographiques et bibliographiques de l'histoire de la médecine dans l'ancienne Pologne.). Warszawa, Wydawn. Artyst. i Filmowe, 81, in-8, 942-XXIV p. [Reprod. photo-offset de l'éd. orig. Varsovie 1911]

4602. GILLETT (Mary C.). The Army medical department, 1775-1818. Washington, D.C., Government Printing Office, 81, in-8, XIII-299 p. (U.S. Army Hist. Ser.)

4603. GILLISPIE (Charles Coulton). Science and polity in France at the end of the old regime. Princeton, N.J., Princeton U.P., 80, in-8, XII-601 p.

4604. GIROUD (Françoise). Une femme honorable, Marie Curie. Paris, Fayard, 81, in-8, 382 p.

4605. GLASS (Bentley). A hidden chapter of German eugenics between the two world wars. Proc. am. philos. Soc., 81, vol. 125, n° 5, p. 357-367.

4606. GLUŠKO (V.P.). Razvitie raketostroenija i kosmonavtiki v SSSR. (Development of rocketry and cosmonautics in the USSR.) 2-e izd., dop. Moskva, Mašinostroenie, 81, 205 p. (ill.). (AN SSSR)

4607. GRAHAM (Loren R.). Between science and values. New York, Columbia U.P., 81, in-8, X-449 p.

4608. HALLER (John A.) Jr. American medicine in transition, 1840-1914. Urbana, Univ. of Illinois Press, 81, in-8, XII-457 p.

4609. HAMILTON (David). The healers, the history of medicine in Scotland. Edinburgh, Canongate Publ., 81, in-8, 332 p.

4610. HARVEY (A. McGehee). Science at the bedside : clinical research in American medicine, 1905-1945. Baltimore, Md., Johns Hopkins U.P., 81, in-8, XIX-554 p.

4611. HELLIN (Jacqueline). Nicolas-Claude Fabri de Peiresc, 1580-1637. Bruxelles, Assoc. pour la Commémoration du 400e Anniversaire de la Naissance de Peiresc, 80, 205 p. (ill.)

4612. HILDESHEIMER (Françoise). Prévention de la peste et attitudes mentales en France au XVIIIe siècle. R. hist., 81, a. 105, t. 265, p. 5-79.

4613. HILLARD (Denise). Jacques Besson et son Théâtre des instruments mathématiques. Recherches complémentaires. R. franç. Hist. Livre, 81, a. 50, n.s., p. 47-77.

4614. HODDESON (Lillian). The emergence of basic research in the Bell telephone system, 1875-1915. Technol. a. Cult., 81, vol. 22, n° 3, p. 512-544.

4615. HOLTON (Gerald). Einstein's search for the Weltbild. Proc. am. philos. Soc., 81, vol. 125, n° 1, p. 1-15.

4616. HUARD (Pierre), NIAUSSAT (P.-M.). L'évolution du stéthoscope de Laennec à nos jours : son influence dans certains domaines des transmissions acoustiques. Hist. Sci. méd., 81, t. 15, p. 173-187.

4617. HÜNEMÖRDER (Christian). Antike und mittelalterliche Enzyklopädien und die Popularisierung naturkundlichen Wissens. Sudhoffs Arch., 81, Bd 65, p. 339-365.

4618. IMBAULT-HUART (Marie-José). Les chirurgiens et l'esprit chirurgical en France au XVIIIe siècle. Clio medica, 81, vol. 15, p. 143-157.

4619. Istorija učenija o khimičeskom processe. (History of studies on chemical processess.) Otv. red. Ju. I. SOLOVJEV. Moskva, Nauka, 81, 447 p. (ill.). (AN SSSR. In-t istorii estestvoznanija i tekhniki. Vseobšč. istorija khimii).

4620. JACK (Donald). Rogues, rebels and geniuses : the story of Canadian medicine. Toronto, Doubleday Canada, 81, in-8, IX-662 p.

4621. JARNÍK (Vojtěch). Bolzano a základy matematické analýzy. K dvoustému výročí narození Bernarda Bolzana. (Bernard Bolzano und die Grundrisse der mathematischen Analyse. Zum 200. Geburtstags-Jubiläum B. Bolzanos.) Praha, Jednota českosl. matematiků a fyziků, 81, in-8, 81 p. (8 fig.).

4622. JAROŠEVSKIJ (M.G.). Sečenov i mirovaja psikhologičeskaja mysl'. (Sechenov and world psychological thought.) Moskva, Nauka, 81, 392 p. (AN SSSR. In-t istorii estestvoznanija i tekhniki)

4623. JOBE (Thomas Harmon). The devil in restoration science : the Glanvill-Webster witchcraft debate. Isis, 81, vol. 72, n° 263, p. 343-356.

4624. JONES (James H.). Bad blood : the Tuskegee syphilis experiment. New York, Free Press, 81, in-8, XII-272 p.

4625. KELLY (Alfred). The descent of Darwin : the popularization of Darwinism in Germany, 1860-1914. Chapel Hill, Univ. of North Carolina Press, 81, in-8, 185 p.

4626. KNJAŽECKAJA (E.A.). Naučnye svjazi Rossii i Francii pri Petre I. (Scientific ties between France and Russia under Peter the Great.) Vopr. Ist., 81, n° 5, p. 91-100.

4627. KOČINA (P.Ja.). Sof'ja Vasil'evna Kovalevskaja. 1850-1891. (S. V. Kovalevskaya, 1850-1891.) Moskva, Nauka, 81, 312 p., ill. (AN SSSR. Nauc.-biogr. ser.)

4628. KURITZ (Hyman). The popularization of science in nineteenth century America. Hist. Educat. Quar., 80, vol. 21, n° 3, p. 259-274.

4629. LANKFORD (John). Amateurs versus professionals : the controversy over telescope size in late Victorian science. Isis, 81, vol. 72, n° 261, p. 11-28.

4630. LEONARD (Jacques). La médecine entre les pouvoirs et les savoirs. Histoire intellectuelle et politique de la médecine française au XIXe siècle. Paris, Aubier Montaigne, 81, in-8, 384 p. (Coll. historique)

4631. McCARTHY (Timothy). Freud and the problem of sexuality. J. Hist. behavioral Sci., 81, vol. 17, n° 3, p. 332-339.

4632. McCLELLAN (James E.) III. The Académie Royale des Sciences, 1699-1793 : a statistical portrait. Isis, 81, vol. 72, n° 264, p. 541-567.

4633. MACDONALD (Michael). Mystical bedlam : madness, anxiety, and healing in seventeenth century England. London a. New York, Cambridge U.P., 81, in-8, XVI-323 p. (Cambridge Monographs on the Hist. of Medicine)

4634. MAINGUY (Paul). La médecine à la Belle Epoque. Paris, Ed. France-Empire, 81, 254 p. (pl.)

4635. MARK (Joan). Four anthropologists : an American science in its early years. New York, Science Hist. Pub., 80, in-8, 209 p. [Frederick W. Putnam, Alice W. Fletcher, Frank H. Cushing, William H. Holmes, active 1870-1910]

4636. MELHADO (Evan M.). Jacob Berzelius : the emergence of his chemical system. Stockholm, Almqvist a. Wiksell international, 81, in-4, 357 p. (Lychnos-bibl., 34)

4637. MILLER (Justin). Interpretations of Freud's jewishness, 1924-1974. J. Hist. behavioral Sci., 81, vol. 10, n° 3, p. 357-374.

4638. MITCHELL (Harvey). Politics in the service of knowledge : the debate over the administration of medicine and welfare in late eighteenth-century France. Soc. Hist., 81, vol. 6, p. 185-207.

4639. MÓRA (László). Varga József (1891-1956). (József Varga.) Budapest, Akad. Kiadó, 81, in-16, 164 p. (ill.). (A mult magyar tudósai, X. sor.) [Chimiste, ministre.]

4640. MORAN (Bruce T.). German princepractitioners : aspects in the development of courtly science, technology, and procedures in the Renaissance. Technol. a. Cult., 81, vol. 22, n° 2, p. 253-274.

4641. MORDIER (Jean-Pierre). Les débuts de la psychanalyse en France, 1895-1926. Paris, Maspero, 81, in-8, 279 p. (Petite coll. Maspero, 81, in-8, 279 p. (Petite coll. Maspero, 253)

4642. MORRELL (Jack), THACKRAY (Arnold). Gentlemen of science : early years of the British Association for the Advancement of Science. London a. New York, Oxford U.P., 81, in-8, XXIII-592 p. (ill.)

4643. MURPHY (Terence D.). Medical knowledge and statistical methods in early nineteenth-century France. Med. Hist., 81, vol. 25, p. 301-319.

4644. NAPOLI (Donald S.). Architects of

adjustment : the history of the psychological profession in the United States. Port Washington, N.Y., Kennikat Press, 81, in-8, 176 p.

4645. NEUENSCHWANDER (E.). Über die Wechselwirkungen zwischen der französischen Schule, Riemann und Weierstrass. Eine Übersicht mit zwei Quellenstudien. Arch. Hist. exact Sci., 81, vol. 24, p. 221-255.

4646. NOWAK (Tadeusz Marian). Wpływ rozwoju nauki i techniki na wojskowość polską XVI-XVII w. (L'influence du développement de la science et de la technique sur les questions militaires en Pologne aux XVIe-XVIIe s.) Kwart. Hist. Nauki Techn., 81, a. 26, n° 1, p. 39-56.

4647. NUMBERS (Ronald L.), ORR (William J.) Jr. William Beaumont's reception at home and abroad. Isis, 81, vol. 72, n° 264, p. 590-612.

4648. PALLÓ (Gábor). Szilárd Béla tudományos életrajza. (La carrière scientifique de Béla Szilárd [1884-1926].) Századok, 81, vol. 115, n° 4, p. 770-798. [Chimiste.]

4649. PARK (Katherine), DASTON (Lorraine J.). Unnatural conceptions : the study of monsters in sixteenth- and seventeenth century France. Past a. Present, 81, n° 92, p. 21-54.

4650. PAUL (Charles B.). Science and immortality : the eloges of the Paris Academy of Sciences, 1699-1791. Berkeley a. Los Angeles, Univ. of California Press, 80, in-8, X-202 p.

4651. PETERS (Dolores). The pregnant Pamela : characterization and popular medical attitudes in the eighteenth century. Eighteenth-cent. Stud., 81, vol. 14, n° 4, p. 432-451.

4652. PICKSTONE (John V.). Bureaucracy, liberalism and the body of post-Revolutionary France : Bichat's physiology and the Paris school of medecine. Hist. Sci., 81, vol. 19, part 2, p. 115-142.

4653. PIERRE-DESCHENES (Claudine). Santé publique et organisation de la profession médicale au Québec, 1870-1918. R. Hist. Amérique franç., 81-82, vol. 35, p. 355-375.

4654. POSTEL (Jacques). Genèse de la psychiatrie. Les premiers écrits psychiatriques de Philippe Pinel. Paris, Sycomore, 81, in-8, 312 p.

4655. Problemy novejšej istorii evoljucionnogo učenija. (Problems of the contemporary history of evolutional studies.) Sb. Otv. red. Ja. M. GALL. Leningrad, Nauka, 81, 203 p. (ill.). (AN SSSR. In-t istorii estestvoznanija i tekhniki).

4656. PURSELL (Carroll W.) Jr. a. others. Technology in America : a history of individuals and ideas. Cambridge, Mass., MIT Press, 81, in-8, XI-264 p.

4657. PYNE (Stephen J.). Grove Karl Gilbert : a great engine of research. Austin, Univ. of Texas Press, 80, in-8, XIV-306 p. [Gilbert : Am. geologist, 1843-1918)

4658. RAY (Laurence J.). Models of madness in Victorian asylum practice. Arch. europ. Sociol., 81, t. 22, p. 229-264.

4659. ROE (Shirley A.). Matter, life and generation : 18th century embryology and the Haller-Wolff debate. London, Cambridge U.P., 81, in-8, 214 p.

4660. ROMANOVSKIJ (S.I.). Aleksandr Petrovič Karpinskij. 1847-1936. (A. P. Karpinsky, 1847-1936.) Leningrad, Nauka, 81, 484 p. (ill.). (AN SSSR. Nauč.-biogr. ser.)

4661. RUBAJLOVA (N.G.). Formirovanie i razviti teorii estestvennogo otbora. (Formation and development of the theory of natural selection.) Ist. očerk. Moskva, Nauka, 81, 197 p. (AN SSSR. In-t evoljuc. morfologii i ékologii životnykh)

4662. RYCHLAK (Joseph F.). Freud's confrontation with telic mind. J. Hist. behavioral Sci., 81, vol. 17, n° 2, p. 176-183.

4663. SAMELSON (Franz). Struggle for scientific authority : the reception of Watson's behaviorism, 1913-1920. J. Hist. behavioral Sci., 81, vol. 17, n° 3, p. 399-425.

4664. SCHALLENBERG (Richard H.). The anomalous storage battery : an American lag in early electrical engineering. Technol. a. Cult., 81, vol. 22, n° 4, p. 725-752.

4665. SCULL (Andrew T.) a. others. Madhouses, mad-doctors, and madmen : the social history of psychiatry in the Victorian era. London, Athlone Press ; Philadelphia, Univ. of Pennsylvania Press, 81, in-8, XV-384 p.

4666. SECORD (James A.). Nature's fancy : Charles Darwin and his breeding of pigeons. Isis, 81, vol. 72, n° 262, p. 163-186.

4667. SELLNOW (Irmgard). Lewis Henry Morgan und sein Erbe. Ethnograph.-archäol. Z., 81, Jg. 22, p. 561-580.

4668. SEMENIŠČEV (Ju. P.). "Isčeznovenie" Nil'sa Bora v 1943 g. (The "disappearance" of Niels Bohr in 1943.) Nov. novejš. Ist., 81, n° 4, p. 158-171, n° 5, p. 116-135.

4669. SKEMPTON (A.W.). John Smeaton, F.R.S. London, Telford, 81, in-8, 300 p. (ill., tab.).

4670. SMITH (A. Mark). Getting the big picture in perspectivist optics. Isis, 81, vol. 72, n° 264, p. 568-589.

4671. ŠOLLE (Zdenko). Neue Gesichtspunkte zum Galilei-Prozess (mit neuen Akten aus böhmischen Archiven.) Wien, Verl. d. Österr. Akad. der Wiss. 80, in-8, 71 p. (S.-B. Österr. Akad. der Wiss. Philo.-hist. Kalsse, 361)

4672. SONDHEIMER (E.), ROGERSON (A.). Numbers and infinity : a historical account of mathematical concepts. London, Cambridge U.P., 81, in-8, 172 p. (dr.).

4673. STAFLEU (Frans Antonie). Nikolaus Freiherr von Jacquin und die systematische Botanik seiner Zeit. Mit e. Vorwort v. Friedrich EHRENDORFFER : Nikolaus Freiherr v. Jacquin. 250. Geburstag am 16. Febr. 1977. Wien, Verl. d. Österr. Akad. d. Wiss., 81, in-8, p. 285-310. [S.-A. aus : Anz. d. Österr. Akad. d. Wiss., phil.-hist. Kl., 1980]

4674. STAGE (Sarah). Female complaints : Lydia Pinkham and the business of women's medicine. New York, W.W. Norton, 79, in-8, 304 p.

4675. STEWART (Larry). Samuel Clarke, Newtonianism, and the factions of post-revolutionary England. J. Hist. Ideas, 81, vol. 42, n° 1, p. 53-72.

4676. SUTTON (Geoffrey). Electric medicine and Mesmerism. Isis, 81, vol. 72, n° 263, p. 375-392.

4677. TAROZZI (Gino). Realisme d'Einstein et mécanique quantique : un cas de contradiction entre une théorie physique et une hypothèse philosophique clairement définie. R. Synthèse, 81, t. 102, p. 125-158.

4678. TEMIN (Peter). Taking your medicine : drug regulation in the United States. Cambridge, Mass., Harvard U.P., 80, in-8, VII-274 p.

4679. TOBEY (Ronald C.). Saving the prairies : the life cycle of the founding school of American plant ecology, 1895-1955. Berkeley a. Los Angeles, Univ. of California Press, 81, in-8, X-315 p.

4680. TORT (Patrick). L'ordre et les monstres : le débat sur l'origine des déviations anatomiques au XVIIIe siècle. Paris, Sycomore, 80, in-8, 264 p. (ill.).

4681. TREUE (Wilhelm). Technik beim Bau des Wiener Ringstrassen-Viertels. Technikgesch., 81, Bd 48, p. 135-147.

4682. TUNIS (Barbara). Medical education and medical licensing in Lower Canada : demographic factors, conflict and social change. Soc. Hist., 81, vol. 14, p. 67-91.

4683. Učenie o periodičnosti : istorija i sovremennost'. (Studies on periodicity : history and present time.) Otv. red. D.N. TRIFONOV. Moskva, Nauka, 81, 254 p. (AN SSSR. In-t istorii estestvoznanija i tekhniki)

4684. WARD (James F.). Arthur F. Bentley and the foundations of behavioral science. J. Hist. behavioral Sci., 81, vol. 17, n° 2, p. 222-231.

4685. WEBSTER (Charles). Biology, medicine and society, 1840-1940. London, Cambridge U.P., 81, in-8, 344 p. (Past a. Present Publ.)

4686. WESTFALL (Richard S.). Never at rest, the biography of Isaac Newton. London, Cambridge U.P., 81, in-8, 908 p. (ill., dr.). - IDEM. The career of Isaac Newton : a scientific life in the seventeenth century. Am. Scholar, 81, vol. 50, n° 3, p. 341-354.

4687. WETMORE (Karin). A note on the twenty-second international congress of psychology. J. Hist. behavioral Sci., 81, vol. 17, n° 2, p. 232-235.

4688. WILLIAMS (Guy). The age of reason : medicine and surgery in the 19th century. London, Constable, 81, in-8, 230 p. (ill.)

4689. YOUNG (James Harvey). Self-dosage medicine in America, 1906 and 1981. South Atlantic Quar., 81, vol. 80, n° 4, p. 379-390.

Cf. n°s 162, 841, 2766, 4224, 4247, 4296, 5733, 6627.

§ 7. Literatura.

a. Generalidades.

* 4690. RAABE (Paul), RUPPELT (Georg). Quellenrepertorium zur neueren deutschen Literaturgeschichte. 3., vollständig neu bearb. Aufl. Stuttgart, Metzler, 81; in-8, IX-194 p. (Slg Metzler, 74).

* 4691. RANCOEUR (René). Bibliographie de la littérature française du moyen âge à nos jours. [1978, 1979. Cf. Bibl. 80, n° 4707.] Année 1980. Paris, A. Colin, 81, in-8, 413 p.

4692. Autobiographie (L') dans le monde hispanique. Actes du Colloque internat. de La Baume-lès-Aix, 11-12-13 mai 1979 [organisé par le Centre de recherches hispaniques de l'Univ. de Provence. Paris, Champion, 80, in-8, 320 p. (Etudes hispaniques, 1)

4693. BEASLEY (Jerry C.). Portraits of a monster : Robert Walpole and early English prose fiction. Eighteenth-cent. Stud., 81, vol. 14, n°4, p. 406-431.

4694. BITSKEY (István). Ujabb kutatások a magyar barokkról és Zrinyiről. (Nouvelles recherches sur le baroque hongrois et sur [Miklós] Zrinyi [1620-1664].) Irodtört., 81, vol. 13, n° 4, p. 987-1007.

4695. Genre (Le) pastoral en Europe du XVe au XVIIe siècle. Actes du Colloque internat. tenu à Saint-Etienne du 28 sept. au 1er oct. 1978, Centre d'études de la Renaissance et de l'Age classique. Saint-Etienne, Publ. de l'Univ. de Saint-Etienne, 80, in-8, 374 p.

4696. MONKMAN (Leslie). A native heritage : image of the Indian in English-Canadian literature. Toronto, Univ. Press, 81, in-8, XIII-193 p.

4697. Pensée (La) sociale dans la littérature française. Actes du colloque de Katowice-Sosnowiec, 22-24 mai 1980. Sous la réd. de Aleksander ABŁAMOWICZ. Katowice, 81, in-8, 167 p. (Prace Nauk. Uniw. Śląskiego w Katowicach, 463)

4698. Problemy istorizma v russkoj literature. Konec XVIII - nač. XIX v. (Problems of historical research in Russian literature. End of the 19th beginning of the 19th cent.) Otv. red. G.P. MAKOGONENKO, A.M. PANČENKO. Leningrad, Nauka, 81, 293 p. (XVIII vek. Sb. 13)

4699. Problemy stanovlenija amerikanskoj literatury. (Problems of the formation of American literature.) Redkol. : Ja. N. ZASURSKIJ (otv. red.) i dr. Moskva, Nauka, 81, 384 p. (AN SSSR. In-t mirovoj lit.)

4700. ROSENBERG (Rainer). Zehn Kapitel zur Geschichte der Germanistik. Literaturgeschichtsschreibung. Berlin, Akad.-Verl., 81, in-8, 275 p.

4701. SIMION (Eugen). Dimineața poeților : eseu despre începuturile poeziei române. (Le matin des poètes : essai sur les débuts de la poésie roumaine.) București, Cartea românească, 80, in-8, 429 p.

4702. Vremja i sud'by russkikh pisatelej.

(Time and fortunes of Russian writers.) Redkol. : N.V. OS'MAKOV (otv. red.) i dr. Moskva, Nauka, 81, 344 p. (AN SSSR. In-t mirovoj lit.)

4703. WEBER (Eugen). Fairies and hard facts : the reality of folk-tales. J. Hist. Ideas, 81, vol. 42, n° 1, p. 93-114.

4704. ŽIRMUNSKIJ (V.M). Gete v russkoj literature. (Goethe in Russian literature.) Izbr. tr. Leningrad, Nauka, 81, 558 p. (AN SSSR. Otd-nie lit. i jaz.) - IDEM. Iz istorii zapadnoevropejskikh literatur. (From the history of western European literature.) Izbr. tr. Leningrad, Nauka, 81, 303 p. (AN SSSR. Otd-nie lit. i jaz.)

Cf. n° 4846.

b. Renacimiento.

* 4705. DÜNNHAUPT (Gerhard). Bibliographisches Handbuch der Barockliteratur. 100 Personalbibliogr. deutsch. Autoren d. 17. Jh. T. 1 : A - G. T. 2 : H - P. T. 3 : R - Z. Stuttgart, Hiersemann, 80-81, 3 vol. in-4, XLIV-744, p. 746-1491, VIII p., p. 1494-2164.

* 4706. Shakespeare-Bibliographie für 1979. Mit Nachträgen aus früheren Jahren. Bearb. v. Karl-Heinz MAGISTER. [1978. Cf. Bibl. 80, n° 4723.] Shakespeare-Jb., 81, Bd 117, p. 227-307.

** 4707. MARGUERITE DE NAVARRE. Oraison à nostre Seigneur Jesus Christ. Ed. critique et commentaire par Renja SALMINEN. Helsinki, Suomalainen Tiedeakatemia, 81, in-8, 58 p. (A. Acad. Sci. fennicae, 215)

4708. Automne (L') de la Renaissance. XXIIe Colloque internat. d'études humanistes, Tours, 2-13 juillet 1979. Etudes réunies par Jean LAFOND et André STEGMANN. Paris, Vrin, 81, in-8, 386 p. (De Pétrarque à Descartes, 41)

4709. BARYCZ (Henryk). Z zaścianka na Parnas. Drogi kulturalnego rozwoju Jana Kochanowskiego i jego rodu. (Du village noble au Parnasse. Les voies du développement culturel de Jan Kochanowski et de sa famille.) Kraków, Wydawn. Liter., 81, in-8, 397 p.

4710. BELLENGER (Yvonne). Le jour dans la poésie française au temps de la Renaissance. Tübingen, Narr ; Paris, Place, 79, in-8, 255 p. (Etudes littéraires franç., 2)

4711. FARLEY-HILLS (David). The comic in Renaissance comedy. Totowa, N.J., Barnes a. Noble, 81, in-8, X-189 p. [Eng. drama, 17th cent.]

4712. FUMAROLI (Marc). L'âge de l'éloquence : rhétorique et "res literaria", de la Renaissance au seuil de l'époque classique. Genève, Droz ; Paris, Champion, 80, in-4, 882 p. (pl.). (Centre de recherches d'hist. et de philol. de la IVe Section de l'Ecole pratique des hautes études 5 : Hautes études médiévales et modernes, 43)

4713. HAAN (Hans den). Le parallèle avec l'antiquité dans la littérature hollandaise de la Renaissance. R. Nord, 81, t. 63, p. 439-452.

4714. HUCHON (Mireille). Rabelais grammairien : de l'histoire du texte aux problèmes d'authenticité. Genève, Droz, 81, in-4, 539 p. (Et. rabelaisiennes, 16) (Travaux d'humanisme et Renaissance, 183)

4715. KLINCK (Dennis R.). Vestigia Trinitatis in man and his works in the English Renaissance. J. Hist. Ideas, 81, vol. 42, n° 1, p. 13-28.

4716. MARGOLIN (J.-C.). L'humanisme en Europe au temps de la Renaissance. Paris, Presses Univ. France, 81, in-8, 127 p. (Que sais-je ? 1945)

4717. PEROUSE (Gabriel-A.). Quelques remarques sur les gens et l'argent d'après les conteurs français du XVIe siècle. In : Lyon et l'Europe [Cf. n° 417], vol. 2, p. 131-145.

4718. Šekspirovskie čtenija. 1978. (Shakespearean readings. 1978.) Pod red. A. Aniksta. Moskva, Nauka, 81, 326 p. (AN SSSR. Nauč. sovet po istorii mirovoj kul'tury. Šekspir. komis.)

4719. Studien zur deutschsprachigen Leichenpredigt der frühen Neuzeit. Hrsg. v. Rudolf LENZ. Marburg (Lahn), Schwarz, 81, in-8, VII-274 p. (36 Ill., graph. Darst., Kt.-Beil.). (Marburger Personalschriften-Forsch., 4)

4720. TRUCHET (Sybil). Le théâtre médiéval en Angleterre et son influence sur l'oeuvre de Marlowe, Kyd et Lyly : contribution à l'étude du drame pré-shakespearien. Lille, Atelier Reprod. des thèses, Univ. de Lille III ; diff. Paris, Champion, 80, 2 vol. in-8, II-958 p.

4721. VERNET (M.). "L'Histoire tragique au service du Prince" : un sens politique de la Trilogie de Des Masures ? Renaissance a. Reformation, 81, n.s., vol. 5, p. 146-161.

c. Clasicismo.

* 4722. Goethe Bibliographie [1978. Cf. Bibl. 80, n° 4732.] 1979. Bearb. v. Hans HENNING Goethe-Jb., 81, Bd 98, p. 283-312.

** 4723. Briefe an Goethe. Gesamtausgabe in Regestform. Nationale Forschungs- u. Gedenkstätten d. Klass. Deutsch. Literatur in Weimar, Goethe- u. Schiller-Archiv. Hrsg. v. Karl-Heinz HAHN, Red. : Irmtraut SCHMID. Bd [1. Cf. Bibl. 80, n° 4734.] 2 : 1796-1798. Weimar, Böhlau, 81, in-8, 494 p.

** 4724. Correspondance littéraire du président [Jean] Bouhier. [1-8. Cf. Bibl. 80, n° 4737.] 9: Lettres de Mathieu Marais, 2 ; 1726-1728. Saint-Etienne, Univ. 81, in-8, 308 p.

** 4725. Elise. Roman inédit du XVIIe siècle. Ed. critique par Maurice LEVER. Av.-propos d'Albert-Jean GUIBERT. Paris, Ed. du C.N.R.S., 81, in-8, 176 p. (Centre d'étude de la littér. franç. du XVIIe et du XVIIIe siècle, Paris-Sorbonne)

** 4726. LA ROCHEFOUCAULD (François de). Oeuvres complètes. Introd. par Robert KANTERS, chronologie et index par Jean MARCHAND. Ed. établie par L. MARTIN-CHAUFFIER. Ed. revue et augmentée par Jean MARCHAND. Paris, Gallimard, 80, in-8, XLVIII-996 p. (Bibl. de la Pléiade, 24)

4727. BOUTANG (Pierre). La Fontaine politique. Paris, A. Michel, 81, in-8, 378 p.

4728. CIEŃSKI (Andrzej). Pamiętnikarstwo polskie XVIII wieku. (Les mémoires polonaises du XVIIIe s.) Wrocław, Zakł. Narod. im Ossolińskich, 81, in-8, 218 p. (Pol. Akad. Nauk. Inst. Badań Liter. Studia z Okresu Odrodzenia, 18)

4729. EICHNER-DIXON (Peter). Studien zum Verhältnis von Dichtung und Malerei im englischen Neoklassizismus des 18. Jahrhunderts. Frankfurt (Main) u. Bern, Lang, 81, in-8, 310 p. (Europ. Hochschulschr. Reihe 14 : Angelsächs. Sprache u. Lit., 93)

4730. GRAPPIN (Pierre). Über den Stand der Goethe-Forschung in Frankreich. Goethe-Jb., 81, Bd 98, p. 148-155.

4731. KAPITZA (Peter K.). Ein bürgerlicher Krieg in der gelehrten Welt. Zur Gesch. d. Querelle des anciens et des modernes in Deutschland. München, Fink, 81, in-8, 508 p.

4732. KURILOV (A.S.). Literaturovedenie v Rossii XVIII veka. (History of the literature in Russia in the 18th cent.) Moskva, Nauka, 81, 264 p. (ill.). (AN SSSR. In-t mirovoj lit.)

4733. Lessing i sovremennost'. (Lessing and the present time.) Sb. statej. Otv. red. M. LIFŠIC. Moskva, Izobraz. iskusstvo, 81, 191 p. (portr., 15 p. ill.). (Akad. khudožestv SSSR. NII teorii i istorii izobraz. iskusstv. Sektor istorii èstet. učenij)

4734. LOHMEIER (Anke-Marie). Beatus ille. Studien zum "Lob des Landlebens" in d. Literatur d. absolutist. Zeitalters. Tübingen, Niemeyer, 81, in-8, 521 p. (Hermaea, N.F., 44)

4735. LOMBARD (Jean). Courtilz de Sandras et la crise du roman à la fin du grand siècle. [Publ. par l'] Univ. de Picardie, Centre d'études du roman et du romanesque. Paris, Presses univ. France, 80, in-8, 545 p. (2 pl.).

4736. MALEKIN (Peter). Liberty and love, English literature and society, 1630-1688. London, Hutchinson, 81, in-8, 224 p.

4737. MASS (Edgar). Literatur und Zensur in der frühen Aufklärung. Produktion, Distribution u. Rezeption d. Lettres Persanes [Montesquieus]. Frankfurt (Main), Klostermann, 81, in-8, XI-328 p. (Analecta Romanica, 46)

4738. RIBBLE (Frederick G.). Aristotle and the "prudence" theme of [Fielding's] Tom Jones. Eighteenth-cent. Stud., 81, vol. 15, n° 1, p. 26-47.

4739. RIGAUD (Nadia J.). George Etherege, dramaturge de la Restauration anglaise. Lille, Atelier Reprod. des thèses, Univ. de Lille III ; diff. Paris, Champion, 80, in-8, 2 vol. in-8, VII-947 p. (32 f. de pl.)

4740. ROŽNOVSKIJ (S.V.). Das Werk Goethes in den Arbeiten sowjetischer Germanisten. Forschungsbericht f. d. Zeitraum 1945-1980. Goethe-Jb., 81, Bd 98, p. 131-147.

4741. Studien zur Goethezeit. Erich TRUNZ zum 75. Geburtstag. Hrsg. v. Hans-Joachim MÄHL u. Eberhard MANNACK. Heidelberg, Winter, 81, in-8, 306 p. (Beih. z. Euphorion, 18)

4742. TRENARD (Louis). Voltaire et ses relations lyonnaises. In : Lyon et l'Europe [Cf. n° 417], vol. 2, p. 297-312.

4743. VELČEV (Velčo). Paisij Khilendarski, Epokha, ličnost, delo. (Paisij Khilendarski. Epoque, personnalité, oeuvre.) Sofija, Izd. Narodna Prosveta, 81, in-8, 215 p.

4744. WEHLENS (A.). Le duc de Saint-Simon. Immuable comme Dieu et d'une suite enragée. Bruxelles, Facultés Univ. Saint-Louis, 81, in-8, 354 p. (Publ. des Fac. Univ. Saint-Louis, 20)

4745. ZISCHKA (Gert A.). Goethe. Tageskonkordanz des Begebenheiten, Tagebücher, Briefe u. Gespräche in 8 Bdn. Bd 7 : 1823-1832. Wien, Hollinek, 80, in-8, X-483 p. [Bd 1-6 noch nicht erschienen]

Cf. n°s 3253, 4972.

d. Romanticismo y presente.

* 4746. AMIR (Dov). Leben und Werk der deutschsprachigen Schriftsteller in Israel. Eine Bio-Bibliographie. München, New York, London u. Paris, Saur, 80, in-8, 95 p.

* 4747. DUGAS (Guy). Bibliographie de la littérature tunisienne des Français (1881-1980). Paris, Ed. du C.N.R.S., 81, in-8, 86 p. (Les cahiers du CRESM, 13)

* 4748. GUILIANO (E.). Lewis Carroll, an annotated international bibliography, 1960-1977. Brighton, Harvester Press, 81, in-8, 220 p.

** 4749. BYRON (Lord George G.). Letters and journals. Ed. by L. A. MARCHAND. [Vol. 9, 10. Cf. Bibl. 80, n° 4752.] Vol. 11 : 1823-1824. For freedom's battle. London, J. Murray, 81, in-8, 256 p.

** 4750. CAMUS (Albert), GRENIER (Jean). Correspondance, 1932-1960. Avertissement et notes par Marguerite DOBRENN. Paris, Gallimard, 81, in-8, 280 p.

** 4751. CHANDLER (Raymond). Selected letters. Ed. by Frank MacSHANE. London, Cape, 81, in-8, 616 p.

** 4752. COWPER (William). Letters and prose writings. Vol. 2 : Letters, 1782-1786. Ed. by James KING a. Charles RYSKAMP. London, Oxford U.P., 81, in-8, 680 p.

** 4753. DICKENS (Charles). Letters. [Vol. 4. Cf. Bibl. 78-79, n° 5451.] Vol. 5 : 1847-1848. Ed. by K.J. FIELDING a. Graham STOREY, London, Oxford U.P., 81, in-8, 776 p.

** 4754. FLAUBERT (Gustave). Correspondance. T. 2 : Juillet 1851 - décembre 1858. Ed. établie, prés. et annotée par Jean BRUNEAU. Paris, Gallimard, 80, in-8, XIII-1534 p. (Bibl. de la Pléiade, 284).

** 4755. FORSTER (E.M.). Only connect : E.M. Forster's letters to Indian friends. Ed. by Syed H. HUSAIN. Delhi, Heinemann ; London, J. K. Publ., 81, in-8, 128 p.

** 4756. HEINE (Heinrich). Werke, Briefwechsel, Lebenszeugnisse. Hrsg. v. d. Nationalen Forsch.- u. Gedenkstätten d. Klass. Deutsch.

Lit. in Weimar u. d. Centre National de la Recherche Scientif. in Paris. Säkularausg. Bd [27. Cf. Bibl. 80, Nr. 4755.] 4 : Tragödien, Frühe Prosa 1820-1831. Bearb. : Karl Wolfgang BECKER. Berlin, Akad.-Verl.; Paris, Ed. du C.N.R.S., 8¹, in-8, 270 p.

** 4757. HEMINGWAY (Ernest). Selected letters, 1917-1961. Ed. by Carlos BAKER. London, Granada, 8¹, in-8, 960 p.

** 4758. JAMES (Henry). Letters, ed. by L. EDEL. [Vol. 1, 2. Cf. Bibl. 80, n° 4757.] Vol. 3. London, Macmillan, 8¹, in-8, 592 p.

** 4759. LYTTELTON (George), HART-DAVIS (Rupert). The Lyttelton Hart-Davis letters : Correspondence of George Lyttelton and Rupert Hart-Davis, ed. a. intr. by Rupert HART-DAVIS. [Vol. 1. Cf. Bibl. 78-79, 3829.] Vol. 2 : 1956-1957. Vol. 3 : 1958. London, J. Murray, 79-8¹, 2 vol. in-8, X-226, V-185 p.

** 4760. O'CASEY (Sean). Letters, ed. by David KRAUSE. Vol. 1 : 1910-1941 ; Vol. 2 : 1942-1954. London, Collier Macmillan, 8¹, 2 vol. in-8, 1008, 1024 p.

** 4761. PROUST (Marcel). Correspondance. [T. 5, 6. Cf. Bibl. 80, n° 4763.] T. 7 : 1907. Texte établi, prés. et annoté par Philippe KOLB. Paris, Plon, 8¹, in-8, XXIV-369 p.

** 4762. SAND (George). Correspondance. [T. 13. Cf. Bibl. 78-79, n° 5457.] T. 14 : Juillet 1856 - Juin 1858. T. 15 : Juillet 1858 - Juin 1860. [Textes réunis, classés et annotés par Georges LUBIN.] Paris, Garnier, 79-8¹, 2 vol. in-8, XXI-908, XXI-964 p. (pl.).

** 4763. SASSOON (Siegfried). Diaries, 1920-1922. Ed. by Rupert HART-DAVIS. London, Faber, 8¹, in-8, 304 p.

** 4764. TOLKIEN (J.R.R.). Letters. Ed. by Humphrey CARPENTIER. London, Allen a. Unwin, 8¹, in-8, 448 p.

4765. ABRAHAMS (Edward). Randolph Bourne on feminism and feminists. Historian, 8¹, vol. 43, n° 3, p. 365-377.

4766. ALLEN (James Smith). Popular French romanticism : authors, readers, and books in the nineteenth century. Syracuse, N.Y., Syracuse U. P., 8¹, in-8, XIII-290 p.

4767. ARNAUD (Pierre), RAIMOND (Jean). Le préromantisme anglais. Paris, Presses univ. de France, 80, in-8, 267 p. (Le Monde anglophone)

4768. BATTISCOMBE (Georgina). Christina Rossetti. London, Constable, 8¹, in-8, 234 p.

4769. BAUMANN (Gerhart). Robert Musil. Bern, Francke, 8¹, in-8, 254 p.

4770. BERTHOFF (Warner). The ferment of realism : American literature, 1884-1919. London, Cambridge U.P., 8¹, in-8, 330 p.

4771. BODNÁR (György). A szocialista irodalompolitikai fordulat ellentmondásai : Révai József pályája a felszabadulás után. (Les contradictions du tournant de la politique littéraire socialiste : la carrière de Joseph Révai après la libération.) Literatura, 8¹, n°ˢ 1-2, p. 164-183.

4772. BOSSE (Monika). Metamorphosen des literarischen "Contre-pouvoir" im nachrevolutionären Frankreich : Madame de Staël, Saint-Simon, Balzac, Flaubert, München, Fink, 8¹, in-8, VIII-280 p.

4773. BRABAZON (James). Dorothy L. Sayers. London, Gollancz, 8¹, in-8, 288 p.

4774. BRAUN (Thom). Disraeli, the novelist. London, Allen a. Unwin, 8¹, in-8, 176 p.

4775. BRUCCOLI (Matthew J.). Some sort of epic grandeur : the life of F. Scott Fitzgerald. London, Hodder, 8¹, in-8, 624 p.

4776. BURIÁNEK (František). Česká literatura první poloviny XX. století. (Die tschechische Literatur der ersten Hälfte des 20. Jahrhundert.) Praha, Českosl. spisovatel, 8¹, in-8, 352 p.

4777. Byron. Poetry and politics. 7th Internat. Byron Symposium, Salzburg 1980. Ed. by Erwin Anton STÜRZL a. James HOGG. Salzburg, Inst. f. Anglistik u. Amerikanistik, Uniw. Salzburg, 8¹, in-8, X-427 p. (Salzburger Studien z. Anglistik u. Amerikanistik, 13).

4778. CANO BALLESTA (Juan). Literatura y tecnología (Las letras españolas ante la revolución industrial, 1900-1933.) Madrid, Orígenes, 8¹, in-8, 253 p.

4779. CARPENTER (Humphrey). W.H. Auden, biography. London, Allen a. Unwin, 8¹, in-8, 460 p.

4780. CLARK (Katerina). The Soviet novel : history as ritual. Chicago, Univ. of Chicago Press, 8¹, in-8, XV-293 p.

4781. CONRAD (John). Joseph Conrad, times remembered. London, Cambridge U.P., 8¹, in-8, 218 p. (ill.).

4782. CRICK (Bernard). George Orwell, a life. Rev. ed. London, Secker a. Warburg, 8¹, in-8, 544 p. (ill.).

4783. CROUZET (Michel). Polémique et politesse ou Stendhal pamphlétaire. Stendhal Club, 80, a. 23, n. sér., n° 89, p. 53-65 ; 8¹, a. 23, n. sér., n° 90, p. 156-178.

4784. DARROCH (R.). D.H. Lawrence in Australia. London, Macmillan, 8¹, in-8, 130 p.

4785. DERETIĆ (Jovan). Srpski roman 1800-1950. (Le roman serbe.) Beograd, Nolit, 8¹, in-8, 394 p.

4786. Dostoïevski et les lettres françaises. Actes du Colloque de Nice réunis et prés. par Jean ONIMUS. Nice, Centre du XXe siècle, 8¹, in-8, 163 p.

4787. ELBORN (Geoffrey). Edith Sitwell. London, Sheldon Press, 8¹, in-8, 340 p. (ill.)

4788. ERDÉLYI (Ilona). Erdélyi János (1814-1861). (János Erdélyi). Budapest, Akad. Kiadó, 8¹, in-16, 214 p. (ill.). (A mult magyar tudósai, X. sor.) [Poète, philosophe]

4789. Exil und Asyl. Antifaschistische deutsche Literatur in d. Tschechoslowakei 1933-

1938. Von e. Autorenkollektiv unter Leitung v. Miroslav BECK u.Jiri VESELY. Berlin, Volk u. Wissen, 81, in-8, 431 p. (Abb.)

4790. FEJNBERG (I.L.). Čitaja tetradi Puškina. (Reading Pushkin's writing-books.) 2-e izd. Moskva, Sov. pisatel', 81, 431 p. (ill.)

4791. FRANKEL (Edith Rogovin). "Novy Mir", a case study in the politics of literature, 1952-1958. London, Cambridge U.P., 81, in-8, 206 p. (Stud. in Russ. Lit.)

4792. FRIEDRICHS (Elisabeth). Die deutschsprachigen Schriftstellerinnen des 18. und 19. Jahrhunderts. Ein Lexikon. Stuttgart, Metzler, 81, in-4, XXIII-388 p. (Repertorien z. deutsch. Lit.-Gesch., 9)

4793. GLENDINNING (Victoria). Edith Sitwell, a unicorn among the lions. London, Weidenfeld a. Nicolson, 81, in-8, 393 p. (ill., pl.)

4794. GREEN (Benny). P.G. Wodehouse, a literary biography. London, M. Joseph, 81, in-8, 256 p. (ill.).

4795. GUNN (Elizabeth). Passion for the particular : Dorothy Wordsworth, a portrait. London, Gollancz, 81, in-8, 320 p.

4796. HAMILTON (Nigel). The brothers Mann : the lives of Heinrich and Thomas Mann, 1871-1950 and 1875-1955. New Haven, Conn., Yale U.P., 79, in-8, 422 p.

4797. HEMMERDINGER (Bertrand). Baudelaire de 1848 à 1851. Belfagor, 81, a. 36, p. 513-527.

4798. HIGGINS (D. Syndey). Rider Haggard, the great story teller. London, Cassell, 81, in-8, 266 p.

4799. HONAN (Park). Matthew Arnold, a life. London, Weidenfeld a. Nicolson, 81, in-8, 496 p.

4800. HUHTALA (Liisi). Kuu torpparin aurinko. Torppari-aihe suomalaisessa kaunokirjallisuudessa 1809-1918. (The moon, the crofter's sun : crofters in Finnish literature 1809-1918.) Helsinki, 81, in-8, 213 p. (Suomal. Kirjall. Seuran toim., 371) [Summary in Eng.]

4801. JANSEN (Karl-Heinz). Literatur und Geschichte in Afrika. Darst. d. vorkolonialen Gesch. u. Kultur Afrikas in d. engl.- u. französischsprachigen fiktionalen afrikan. Lit. Berlin, Reimer, 81, in-8, 353 p. (Kölner Beitr. z. Afrikanistik, 8)

4802. KISS (István). Za Athenaeum Könyvkiadó története és szerepe a magyar irodalomban. (L'histoire et le rôle de la maison d'édition Athenaeum dans la littérature hongroise.) Budapest, Akad. Kiadó, 80, in-8, 264 p.

4803. KRAMER (Leonie) a. others. The Oxford history of Australian literature. Melbourne, Oxford U.P., 81, in-8, 518 p.

4804. LANGGUTH (A.J.). Saki, the life of Hector Hugh Munro. London, H. Hamilton, 81, in-8, 366 p. (ill.).

4805. LEES-MILNE (James). Harold Nicolson, a biography. [Vol. 1. Cf. Bibl. 80, n° 4806.] Vol. 2 : 1930-1968. London, Chatto, 81, in-8, 416 p.

4806. LEMIRE (Maurice). Introduction à la littérature québécoise, 1900-1939. Montréal, Fides, 81, in-8, 171 p.

4807. LINDON (Grevel). The opium eater, the life of Thomas De Quincey. London, Dent, 81, in-8, 448 p.

4808. MacSHANE (Frank). The life of John O'Hara. London, Cape, 81, in-8, 320 p.

4809. Magyar irodalom (A) története 1945-1975. I. köt. : Irodalmi élet és irodalomkritika. Szerk. BÉLÁDI Miklós. (Histoire de la littérature hongroise 1945-1975. Vol. I : Vie littéraire et critique littéraire. Réd. par -.) Budapest, Akad. Kiadó, 81, in-8, 527 p.

4810. MAJED (Jaafar). La presse littéraire en Tunisie de 1904 à 1955. Tunis, Publ. de l'Univ., 80, in-8, 400 p.

4811. MARTIN (Ronald E.). American literature and the universe of force. Durham, N.C., Duke U.P., 81, in-8, XVIII-284 p.

4812. Mégis győztes, mégis uj és magyar. Tanulmányok a "Nyugat"-ról. Szerk. TAKÁCS Olga. Előszó : BODNÁR György. (Défis victorieux, défis nouveaux et hongrois. Etudes sur le périodique "Nyugat". Réd. par -. Intr. par -.) Budapest, Akad. Kiadó, 80, in-8, 249 p. (Irodalomtörténeti füzetek)

4813. MENHENNET (A.). The Romantic movement, 1795-1830. London, Croom Helm, 81, in-8, 272 p.

4814. MÜLLER (Peter). Emile Zola - der Autor im Spannungsfeld seiner Epoche. Stuttgart, Metzler, 81, in-8, 201 p. (Romanist. Abh., 3)

4815. MÜNCHOW (Ursula). Arbeiterbewegung und Literatur 1860-1914. Berlin, Weimar : Aufbau-Verl., 81, in-8, 640 p. (Veröff. d. Akad. d. Künste d. Deutsch. Demokrat. Republik. Beitr. z. Gesch. d. deutsch. sozialist. Literatur im 20. Jh., 7)

4816. MUNTEANU (George). Istoria literaturii românești : epoca marilor clasici. (Histoire de la littérature roumaine : l'époque des grands classiques.) București, Ed. didactică și pedagog., 80, in-8, 643 p.

4817. NEUMES (Gerd). Religiosität - Agnostizismus - Objektivität. Studien z. Werk u. Ästhetik Roger Martin du Gards. Frankfurt/Main, Lang, 81, in-8, 323 p. (Trierer Stud. zur Lit., 4)

4818. NIKOLJUKIN (A.N.). Literaturnye svjazi Rossii i SŠA. (Literary ties between Russia and the USA.) Stanovlenie lit. kontaktov. Moskva, Nauka, 81, 406 p., (ill.). (AN SSSR. INION. In-t rus. lit. Pušk. dom.)

4819. OLIVIER-MARTIN (Yves). Histoire du roman populaire en France, de 1840 à 1980. Paris, A. Michel, 79, in-8, 301 p.

4820. PÁSZTOR (József), M. Az iró beleszól ... Baloldali irodalmi folyóiratok az ellenforradalmi Magyarországon. (L'écrivain prend la parole ... Périodiques littéraires de gauche en Hongrie à l'époque de la contre-révolution.)

Budapest, Kossuth Kiadó, 80, in-8, 463 p.

4821. Problemy novejšej literatury SŠA. (Problems of contemporary literature in the USA.) Pod red. K.A. ŠAKHOVOJ. Kiev, Izd-vo pri Kiev. un-te, 81, 239 p.

4822. PUZIKOV (A.I.). Portrety francuzskikh pisatelej. Žižn' Zolja. (Portraits of French writers. The life of E. Zola.) 2-e izd., pererab. i dop. Moskva, Khudož. lit., 81, 576 p. (ill.)

4823. ROCA MARTÍNEZ (José Luis). Contribución a la bibliografía literaria del dictador Juan Manuel Rosas. R. Indias [Madrid], 81, vol. 41, p. 203-262. [Rosas en las obras de Manuel Gálvez]

4824. ROGUSKI (Piotr). Tułacz polski nad renem. Literatura i sprawa polska w Niemczech w latach 1831-1845. (L'errant polonais au bord du Rhin. La littérature et la question polonaise en Allemagne dans les années 1831-1845.) Warszawa, Państw. Inst. Wydawn., 81, in-8, 290 p.

4825. Russkaja i pol'skaja literatura konca XIX - načala XX veka. (Russian and Polish literature of the end of the 19th - beginning of the 20th cent.) Pod red; E.Z. CYBENKO, A.G. SOKOLOVA i dr. Moskva, Izd-vo MGU, 81, 271 p. (Mosk. un-t. Varš. un-t)

4826. SIBLEWSKI (Klaus). Ritterlicher Patriotismus und romantischer Nationalismus in der deutschen Literatur 1770-1830. Zur konservativen Rezeption d. Reformation, d. Bauernkriegs u. d. Aufstandsbewegung d. niederen Adels. München, Fink, 81, in-8, 342 p. (Lit. in d. Ges., N.F., 4)

4827. SIEGEL (Adrienne). The image of the American city in popular literature, 1820-1870. Port Washington, N.Y., Kennikat, 81, in-8, 211 p. (National Univ. Pub. Interdis. Urban Ser.)

4828. SLATER (Catherine). Defeatists and their enemies, political invective in France, 1914-1918. London, Oxford U.P., 81, in-8, 208 p. (Mod. Lang. a. Lit. Monogr.)

4829. Studien zur Literatur des 19. und 20. Jahrhunderts in Österreich. Festschrift f. Alfred Doppler zum 60. Geburtstag. Hrsg. v. Johann HOLZNER, Michael KLEIN u. Wolfgang WIESMÜLLER. Innsbruck, Inst. f. Germanistik, Univ., 81, in-8, 295 p. (Innsbrucker Beitr. z. Kulturwiss., Germanist. R., 12)

4830. TANGUY BAUM (Margarethe). Der historische Roman im Frankreich der Julimonarchie. Eine Untersuchung v. Werken d. Autoren Frédéric Soulié u. Eugène Sue. Frankfurt/Main, Lang, 81, in-8, 197 p. (Bonner romanist. Arbeiten 9)

4831. L.N. Tolstoj i sovremennost'. (L.N. Tolstoy and the present time.) Sb. statej i materialov. Redkol. : G.P. BERDNIKOV i dr. Moskva, Nauka, 81, 280 p. (AN SSSR. In-t mirovoj lit.)

4832. TROJANOWICZWA (Zofia). Ostatni spór romantyczny Cyprian Norwid - Julian Klaczko. (La dernière dispute romantique entre Cyprian Norwid et Julian Klaczko.) Warszawa, Państw. Inst. Wydawn., 81, in-8, 157 p. (Pol. Akad. Nauk, Inst. Badań Liter. Hist. i Teoria Literatury Studia, 40)

4833. TUCZYŃSKI (Jan). Motywy indyjskie w literaturze polskiej. (Les motifs des Indes dans la littérature polonaise.) Warszawa, Państw. Wydaw. Nauk., 81, in-8, 227 p.

4834. Vremennik Puškinskoj komissii, 1978. (The yearbook of the Pushkin Comission, 1978.) Pod red. M.P. ALEKSEEVA. Leningrad, Nauka, 81, 167 p. (ill.). (AN SSSR. Otd-nie lit. i jaz. Pušk. dom) [Cf. Bibl. 78-79, n° 5532.]

4835. WADDINGTON (Patrick). Turgenev and George Sand. London, Macmillan, 81, in-8, 146 p.

4836. WALDER (Dennis). Dickens and religion. London, Allen a. Unwin, 81, in-8, 256 p. (ill.).

4837. WILSON (Colin). Bernard Shaw. London, Macmillan, 81, in-8, 328 p.

4838. ZYLBERBERG-HOCQUARD (Marie-Hélène). L'ouvrière dans les romans populaires du XIXe siècle. R. Nord, 81, t. 63, n° 250, p. 603-635. [Cf. n° 5964.]

Cf. n° 5876.

§ 8. Arte y arte industrial.

a. Generalidades.

* Cf. n° III.

4839. ARADI (Nóra). A magyar müvészet története 1945 után. (Histoire de l'art hongrois après 1945.) Müvészet, 81, vol. 22, n° 3, p. 4-18.

4840. Arts (The) in Canada : the last fifty years. Ed. by W.J. KEITH a. B.-Z. SHEK. Toronto, Univ. Press, 80, in-8, VIII-157 p. - CR : G. Woodcock, Queen's Quar., 81, vol. 88, p. 672-678.

4841. BAZIN (Germain). Les palais de la foi : le monde des monastères baroques. I : Italie, pays ibériques, France. Fribourg, Office du livre ; Paris, Vilo, 80, in-4, 307 p. (ill.)

4842. Ca' (La) Grande. Cinque secoli di storia e d'arte dell'Ospedale Maggiore di Milano. Palazzo Reale, marzo-agosto 1981. Catalogo della Mostra. Milano, Electa, 81, in-8, 398 p. (ill.)

4843. CATALANO (Gary). The years of hope : Australian art and criticism, 1959-1968. Melbourne, Oxford U.P., 81, in-4, 216 p. (ill., pl.).

4844. DUNCAN (Carol). Fallen fathers : images of authority in pre-révolutionary French art. Art Hist., 81, vol. 4, p. 186-202.

4845. GALAVICS (Géza). Program és müalkotás a 18. század végén. (Programme et oeuvre d'art à la fin du XVIIIe s.) Budapest, Akad. Kiadó, 80, in-8, 71 p. (20 pl.). (Müvészettörténeti füzetek, 2)

4846. HAUSER (Arnold). A modern müvészet és irodalom eredete. A manierizmus fejlödése a reneszánsz válsága óta. (Les origines de l'art et de la littérature modernes. Le développement du maniérisme depuis la crise de la Renaissance.) Budapest, Gondolat Kiadó, 80, in-8, 519 p. (ill.)

8. ARTE Y ARTE INDUSTRIAL

4847. HIRDINA (Karin). Pathos der Sachlichkeit. Tendenzen materialist. Ästhetik in d. zwanziger Jahren. Berlin, Dietz, 81, in-8, 222 p. (Abb.)

4848. IVAN'O (I.). Očerk razvitija èstetičeskoj mysli Ukrainy. (Essay on the development of aesthetic thought in Ukraine.) Moskva, Iskusstvo, 81, 423 p. (Èstet. mysl' narodov SSSR)

4849. Magyar müvészet 1890-1919. I-II. köt. Szerk. NÉMETH Lajos. (L'art hongrois 1890-1919. Vol. 1, 2. Réd. par -.) Budapest, Akad. Kiadó, 81, 2 vol. in-4, 688, 598 p. (A magyarországi müvészet története, 6)

4850. MATSCHE (Franz). Die Kunst im Dienst der Staatsidee Kaiser Karls VI. Ikonographie, Ikonologie u. Programmatik d. "Kaiserstils". Berlin u. New York, de Gruyter, 81, 2 vol. in-4, XVII-427 p., p. 430-590. (165 ill.). (Beitr. z. Kunstgesch., 16)

4851. MOSSAKOWSKI (Stanisław). Sztuka jako świadectwo czasu. Studia z pogranicza historii sztuki i historii idei. (L'art comme témoignage de l'époque. Etudes aux confins de l'histoire de l'art et de l'histoire des idées.) Warszawa, Arkady, 81, in-8, 234 p. (Sztuka jako Świadectwo Czasu).

4852. OSBORNE (Harold). The Oxford companion to 20th century art. London, Oxford U.P., 81, in-8, 624 p. (ill., pl.).

4853. PARET (Peter). The Berlin secession : modernism and its enemies in imperial Germany. Cambridge, Mass., Belknap Press of Harvard U. P., 80, 269 p.

4854. PEREZ (Marie-Félicie). La maison de campagne d'un échevin lyonnais au XVIIIe siècle. In : Lyon et l'Europe [Cf. n° 417], vol. 2, p. 113-129 (6 fig.)

4855. SHEDEL (James). Art and society : the new art movement in Vienna, 1897-1914. Palo Alto, Calif., SPOSS, 81, in-8, IX-232 p.

4856. Studien zur deutschen Kunst und Architektur um 1800. Hrsg. v. Peter BETTHAUSEN. Dresden, Verl. d. Kunst, 81, in-8, 290 p. (Abb.). (Fundus-Bücher, 75-76)

4857. WICHMANN (Siegfried). Japonisme, the Japanese influence in Western art since 1858. London, Thames a. Hudson, 81, in-4, 432 p. (pl., ill.).

4858. Współczesna sztuka polska. (L'art polonais contemporain.) Ouvrage collectif réd. par Andrzej RYSZKIEWICZ. Avant-propos de Janusz BOGUCKI. Warszawa, Arkady, 81, in-8, 413 p.

Cf. n°s 4257, 4263.

b. Arquitectura.

4859. BAKONYI (Tibor), KUBINSZKY (Mihály). Lechner Ödön [1845-1914]. (Ödön Lechner). Budapest, Corvina, 81, in-8, 193 p. (ill.). [Architecte]

4860. BERGEVIN (Hélène). Eglises protestantes. Montréal, Libre expression, 81, in-8, 205 p. (Patrimoine du Québec.)

4861. BUTI (Andrea), GALLIANI (Gianni V.). Il Palazzo ducale di Genova. Il concorso del 1777 e l'intervento di Simone Cantoni. Genova, SAGEP, 81, in-4, 95 p. (ill.). (Quad. di indice, 2)

4862. CROOK (J. Mordaunt). William Burges and the high Victorian dream. Chicago, Univ. of Chicago Press, 81, in-8, 454 p.

4863. FODOR (Pál). Bauarbeiten der Türken an den Burgen in Ungarn im 16.-17. Jahrhundert. Acta orient. Acad. Sci. hungaricae, 81, vol. 35, n° 1, 55-88.

4864. FRANKLIN (Jill). The gentlemen's country house and its plan, 1835-1914. Boston, Routledge a. Kegan Paul, 81, in-8, XVI-279 p.

4865. GERŐ (Győző). Az oszmán-török épitészet Magyarországon. (L'architecture ottmano-turque en Hongrie.) Budapest, Akad. Kiadó, 80, in-8, 174 p. (36 pl.). (Müvészettörténeti füzetek, 12)

4866. GRADIDGE (Roderick). Edwin Lutyens. London, Allen a. Unwin, 81, in-4, 192 p. (ill.)

4867. HITCHCOCK (Henry-Russell). German Renaissance architecture. Princeton, N.J., Princeton U.P., 81, XXXIV-379 p.

4868. IRVING (Robert Grant). Indian summer : Lutyens, Baker, and imperial Delhi. New Haven, Conn., Yale U.P., 81, in-8, X-406 p.

4869. JACOB (Frank-Dietrich). Bürgerliche Entwicklung im Zeitalter der frühbürgerlichen Revolution. Jb. f. Gesch. d. Feudalismus, 81, Bd 5, p. 307-341.

4870. KAUFMANN (Emil). De Ledoux à Le Corbusier. Origine et développement de l'architecture autonome. Paris, l'Equerre, 81, 101 p. (ill.).

4871. KOWSKY (Francis R.). The architecture of Frederick Clarke Withers and the progress of the Gothic revival in America after 1850. Middletown, Conn., Wesleyan U.P., 80, XVI-225 p.

4872. LILEYKO (Jerzy). Le Château de Varsovie. Trad. du pol. Maria CIESZEWSKA. Varsovie, Interpress, 81, in-8, 249 p.

4873. LOEBER (Rolf). Biographical dictionary of architects in Ireland, 1600-1720. London, J. Murray, 81, in-8, 136 p.

4874. MAFFEI (Gian Luigi). La progettazione edilizia a Firenze, 1910-1930. Venezia, Marsilio, 81, in-8, 135 p. (ill., tav.). (Polis, 24)

4875. MUCCIGROSSO (Robert). American Gothic : the mind and art of Ralph Adams Cram. Washington, D.C., U.P. of America, 80, VIII-294 p.

4876. NOLTE (Margret). Johann Conrad Schlaun (1695-1773). Westfäl. Z., 80, Bd 130, p. 192-244.

4877. ROBINSON (Willard B.). Gone from Texas : our lost architectural heritage. College Station, Texas A a. M U.P., 81, XIX-296 p.

4878. STARR (S. Frederick). Melnikov. Solo architect in a mass Society. Princeton, N.J.,

Princeton U.P., 81, in-8, 270 p.

4879. WHIFFEN (Marcus), KOEPER (Frederick). American architecture, 1607-1976. London, Routledge, 81, in-4, 512 p. (ill.).

4880. ZÁDOR (Anna). A klasszicizmus és a romantika épitészete Magyarországon. (Architecture du classicisme et du romantisme en Hongrie.) Budapest, Magyar Helikon - Corvina, 81, in-8, 193 p. (ill.).

c. Escultura, pintura,
dibujos, grabado.

* 4881. APOLLINAIRE (Guillaume). Chroniques d'art, 1902-1918. Textes réunis avec préf. et notes par L.-C. BREUNIG. Paris, Gallimard, 81, in-8, 623 p.

4882. BALL (Victoria Kloss). Architecture and interior design, a basic history through the 17th century. London, Wiley, 81, in-4, 464 p. (ill.).

4883. BENKOVITZ (Miriam J.). Aubrey Beardsley. London, H. Hamilton, 81, in-8, 220 p. (ill.).

4884. CHENEY (Iris). Catalogue of preparatory drawings related to the mid-sixteenth century decorations in Palazzo Farnese. Mél. Ec. franç. Rome, Moyen Age, Temps mod., 81, t. 93, p. 791-820.

4885. CONNISBEE (Philip). Painting in 18th century France. London, Phaidon Press, 81, in-4, 224 p. (ill., pl.).

4886. CRESPELLE (Jean-Paul). La vie quotidienne des impressionnistes : du salon des Refusés (1863) à la mort de Manet (1883). Paris, Hachette-Littérature, 81, in-8, 286 p.

4887. DAIGNEAULT (Gilles), DESLAURIERS (Ginette). La gravure au Québec, 1940-1980. Saint-Lambert, Québec, Héritage, 81, in-8, 268 p. (Héritage plus)

4888. ERVAMAA (Jukka). R.W. Ekmanin ja C.E. Sjöstrandin Kalevala-aiheinen taide. (L'art de R.W. Ekman et C.E. Sjöstrand inspiré du Kalevala.) Helsinki, 81, in-4, 184 p. (ill.). (Suomen Muinaism.-yhd. Aikakausk., 81)

4889. GĘBAROWICZ (Mieczysław). Początki malarstwa historycznego w Polsce. (Les origines de la peinture historique en Pologne [XVIe-XVIIe s.].) Wrocław, Zakł. Narod. im. Ossolińskich, 81, in-8, 194 p. (Pol. Akad. Nauk, Inst. Sztuki. Studia z Hist. Sztuki, 34)

4890. Gosudarstvennaja Tret'jakovskaja Galereja. Očerki istorii. 1856-1917. (The Tretyakov State Gallery. History. 1856-1917.) Otv. red. Ja. V. BRUK. Leningrad, Khudožnik RSFSR, 81, 351 p. (ill.).

4891. GUILLON-LAFFAILLE (Fanny). Raoul Dufy : catalogue raisonné des aquarelles, gouaches et pastels. Paris, L. Carré, 81, LXXIII-395 p. (ill.).

4892. KAPLANOVA (S.G.). Ot zamysla i natury k zakončennomy proizvedeniju. Surikov, Vrubel', Petrov-Vodkin. (From conception and nature to finished work : Surikov, Vrubel, Petrov-Vodkin.) Moskva, Izobraz. iskusstvo, 81, 215 p. (ill.).

4893. LE PICHON (Yann). Le monde du douanier Rousseau. Paris, R. Laffont, 81, 288 p.

4894. LINDSAY (Jack). Thomas Gainsborough, his life and art. London, Granada, 81, in-8, 256 p. (ill.).

4895. MARROW (James H.), SHESTACK (Alan). Hans Baldung Grien : prints and drawings. New Haven, Yale Univ. Art Gallery, 81, 282 p. (ill.).

4896. MICHEL (Olivier). Adrien Manglard, peintre et collectionneur 1695-1760. Mél. Ec. franç. Rome, Moyen Age, Temps mod., 81, t. 93, p. 823-926.

4897. NOCHLIN (Linda). Impressionism and post impressionism, 1874-1904. London, Prentice-Hall, 81, in-8, 222 p. (Sources a. Documents in the Hist. of Art)

4898. ORMOND (Richard L.). Sir Edwin Landseer. London, Thames a. Hudson, 81, in-4, 224 p. (ill., pl.).

4899. Picasso. Bemutatja SOMLYÓ György. (Présenté par -.) Budapest, Európa Kiadó - Magyar Helikon, 81, in-8, 85 p. (ill.).

4900. PIERRE (José). Le cubisme. Genève, Edito-service ; Evreux. Guilde du Disque, 81, 207 p. (ill.).

4901. POTABENKO (S.I.). Izobrazitel'noe iskusstvo Indii v novoe i novejšee vremja (Konec XVIII - seredina XX veka). (Fine arts of India in modern and contemporary times : from the end of the 18th to the middle of the 20th cent.) Moskva, Nauka, 81, 151 p. (ill.). (AN SSSR. In-t vostokovedenija)

4902. QUARM (Roger), WYLLIE (John). W.L. Wyllie, marine artist, 1851-1931. London, Barrie e Jenkins, 81, in-4, 139 p. (ill., pl.)

4903. RAZDOL'SKAJA (V.I.). Iskusstvo Francii vtoroj poloviny XIX veka. (French art of the second half of the 19th cent.) Leningrad, Iskusstvo, 81, 319 p. (ill.). (Očerki istorii i teorii izobraz. iskusstv)

4904. SEERVELD (Calvin). Telltale statues in Watteau's painting. Eighteenth-cent. Stud., 81, vol. 14, n° 2, p. 151-180.

4905. Sovetskoe izobrazitel'noe iskusstvo, 1941-1960. (Soviet fine arts, 1941-1960.) Živopis', Skul'ptura, Grafika, Teatr.-dekorat. iskusstvo. Pod red. B. V. VEJMARNA, O. I. SOPOCINSKOGO. Moskva, Iskusstvo, 81, 651 p. (ill.). (Akad. khudožestv SSSR. NII teorii i istorii izobraz. iskusstva)

4906. TISSOT (Roland). L'Amérique et ses peintres, 1908-1978 : essai de typologie artistique. Lyon, Presses univ. de Lyon, 80, in-8, 390 p. (ill.).

4907. TURČIN (V.S.). Epokha romantizma v Rossii. K istorii rus. iskusstva pervoj treti XIX stoletija. (The age of Romanticism in Russia. History of Russian art in the first third of the 19th cent.) Očerki. Moskva, Iskusstvo, 81, 550

p. (ill.).

4908. VINCENT (Madeleine). La peinture lyonnaise, du XVIe au XXe siècle. Lyon, Guillot, 80, 139 p. (ill.).

4909. WATERHOUSE (Ellis). Dictionary of British 18th century painters in oils and crayons. London, Antique Collectors' Club, 81, in-4, 444 p. (ill.).

4910. WRIGHT (Beth Segal). Scott's historical novels and French historical painting, 1815-1855. Art B., 81, vol. 63, p. 268-287.

4911. YORKE (Malcolm). Eric Gill, man of flesh and spirit. London, Constable, 81, in-8, 275 p. (ill.).

4912. Zapadnoevropejskoe iskusstvo XVII veka. (Western European art of the 17th cent.) Publ. i issled. Pod red. Ju. O. KAGAN, I.B. LINNIK. Leningrad, Iskusstvo, 81, 231 p. (ill.). (Gos. Ėrmitaž. Otd. zapadnoevrop. iskusstva)

Cf. n° 4729.

d. Artes decorativos, arte popular, arte industrial.

4913. BRADSHAW (Peter). 18th century porcelain figures. London, Antique Collectors' Club, 81, in-4, 312 p. (ill., pl.).

4914. CHAPMAN (Stanley D.), CHASSAGNE (S.). European textile printers in the 18th century. London, Heinemann Educ., 81, in-8, 257 p.

4915. Civiltà del '700 a Napoli. La maiolica. Catalogo della Mostra a cura di Guido DONATONE. Pref. di Nicola SPINOSA. [Tenuta a Napoli nel 1980.] Napoli, Gallina, 81, in-8, 196 p. (ill.)

4916. FAGIOLO (Marcello), MADONNA (Maria Luisa). Il teatro del sole. La rifondazione di Palermo nel Cinquecento e l'idea della città barocca. Roma, Officina, 81, in-8, 271 p. (tav.). (Heliopolis, 2)

4917. FAIRCLOUGH (Oliver), LEARY (Emmeline). Textiles by William Morris and Morris & Co., 1861-1940. London, Thames a. Hudson, 81, in-4, 120 p. (pl., ill.).

4918. FERENCZY (László). Japán iparművészet, XVII-XIX. század. (Les arts décoratifs japonais, XVIIe-XIXe s.) Budapest, Corvina, 81, in-8, 340 p.

4919. JANNEAU (Guillaume). Le meuble bourgeois en France. Paris, Garnier, 80, 187 p. (ill.).

4920. LEAROYD (Stanley). English furniture : construction and decoration, 1500-1910. London, Evans Bros., 81, in-4, 128 p. (ill.)

4921. LE NORMAND (Antoinette). La tradition classique et l'esprit romantique. Les sculpteurs de l'Académie de France à Rome de 1824 à 1840. Roma, Elefante, 81, in-4, 378 p. (tav.). (Acad. de France à Rome, 3)

4922. MOMPEUT (Jacques). Les faïences de Moustiers, du XVIIe siècle à nos jours. Aix-en-Provence, Edisud, 80, 188 p. (ill.).

4923. PAYNE (Christopher). Price guide to 19th-century European furniture, 1830-1940. London, Antique Collectors' Club, 81, in-4, 525 p. (ill., pl.).

4924. STANDEN (Edith A.). Studies in the history of tapestry, 1520-1790. Apollo, 81, vol. 113, n° 233, p. 6-54.

4925. TABURET (Marjatta). La faïence de Nevers et le miracle lyonnais aux XVIe siècle. Paris, Sous le Vent, 81, 188 p. (ill.)

4926. WILLIAMS-WOOD (Cyril). English transfer-printed pottery and porcelain : the history of over-glaze printing. London, Faber, 81, in-8, 250 p. (pl., ill.). (Monogr. on Pottery a. Porcelain)

§ 9. Música, teatro y cinematografía.

* 4927. Bach-Schrifttum (Das). [1968-1972. Cf. Bibl. 76-77, n° 6080.] 1973-1977. Zusammengest. v. Rosemarie NESTLE. Bach-Jb., 81, Jg. 66, p. 87-152.

* 4928. HEFELE (Bernhard). Jazz Bibliographie - Jazz bibliography. Verzeichnis d. internat. Schrifttums über Jazz, Blues, Spirituals, Gospel u. Ragtime mit e. Auswahlbibliogr. über d. sozialen u. Kulturellen Hintergrund. Internat. literature on jazz, blues, spirituals, gospel a. ragtime music, with a selected list of works on the social a. cultural background. München, New York, London a. Paris, Saur, 81, in-8, 368 p.

* Cf. n° 2318.

** 4929. TCHAIKOVSKY (Peter Ilich). Letters to his family. Autobiography. Ed. by Percy Marshall YOUNG ; tr. from the Russ. by G. von MECK. London, Dobson, 81, in-8, 608 p.

4930. ALEXANDER (William). Film on the left : American documentary film from 1931 to 1942. Princeton, N.J., Princeton U.P., 81, in-8, XVIII-355 p.

4931. ASHBEE (Andrew). Lists of payments to the King's Musick in the reign of Charles II (1660-1685). Snodland, Author, 81, in-8, 144 p.

4932. ASPLUND (Anneli), HAKO (Matti). Kansanmusiikki. (La musique populaire finlandaise.) Helsinki, 81, in-8, 268 p. (ill.). (Suomal. Kirjall. Seuran toim., 366)

4933. BABLET (Denis). The theatre of Edward Gordon Craig. London, Eyre Methuen, 81, in-8, 224 p.

4934. BARDEZ (Jean-Michel). Les écrivains et la musique au XVIIIe siècle. Vol. 2 : La gamme d'amour de J.-J. Rousseau. Vol. 3 : Philosophes, encyclopédistes, musiciens, théoriciens. Genève et Paris, Slatkine, 80, 2 vol. in-8, XIX-209, 161 p. (ill.).

4935. BARTOK (Béla) Jr. Apám életének krónikája. (La chronique de la vie de mon père.) Budapest, Zeneműkiadó, 81, in-8, 473 p. - IDEM. Bartók Béla műhelyében. (Dans l'atelier de Béla Bartók.) Budapest, Szépirodalmi Kiadó, 81, in-8, 529 p.

4936. BLANC (André). L'action à la Comédie-française au XVIIIe siècle. XVIIe Siècle, 81, a. 33, p. 319-327. - IDEM. La Comédie-française (1756-1763). XVIIIe Siècle, 81, n° 13, p. 210-221.

4937. BOOTH (Michael Richard). Victorian spectacular theatre, 1850-1910. London, Routledge, 81, in-8, 200 p. (ill.).

4938. BRONNER (Edwin J.). Encyclopaedia of the American theatre, 1900-1975. London, Tantivy Press, 81, in-4, 659 p. (ill.).

4939. BRUNEL (Pierre). Vincenzo Bellini. Paris, Fayard, 81, in-8, 431 p. (pl.). (Bibliothèque des grands musiciens)

4940. BUACHE (Freddy). Le cinéma italien, 1945-1979. Lausanne, l'Age d'homme, 79, in-8, 401 p. (32 p. de pl.). (Hist. et théorie du cinéma)

4941. Bürgerliche Musikkultur im 19. Jahrhundert in Salzburg. Ein Symposium aus Anlass d. hundertjähr. Gründungstages d. Internat. Stiftung Mozarteum Salzburg. Salzburg, 20. Sept. 198, Mozarteum, Wiener Saal. Red. : Rudolph ANGERMÜLLER. Salzburg, Internat. Stiftung Mozarteum, 81, in-8, 150 p. (ill.).

4942. CAMPBELL (Edward D.C.) Jr. The celluloid south : Hollywood and the southern myth. Knoxville, Univ. of Tennessee Press, 81, in-8, XVII-212 p.

4943. Centenarul George Enescu. (The centennial G. Enescu.) [Coordinator ştiinţific : Speranţa RĂDULESCU.] Bucureşti, Ed. muzicală, 81, in-8, 399 p. (ill.). [Eng. summary]

4944. CHASINS (Abram). Leopold Stokowski, a profile. London, Hale, 81, in-8, 224 p.

4945. CHIAPPELLI (Alberto). Storia del teatro in Pistoia dalle origini alla fine del sec. XVIII. Roma, Multigrafica, 81, in-8, VIII-321 p. (tav.).

4946. CHYLIŃSKA (Teresa). Szymanowski. Transl. from the Polish by Alexander T. JORDAN. Cracow, Pol. Wydawn. Muzyczne, 81, in-8, 228 p.

4947. COHEN (Albert). Music in the French royal academy of sciences : a study in the evolution of musical thought. Princeton, N.J., Princeton U.P., 81, XVII-150 p.

4948. CSOMASZ TÓTH (Kálmán). Huszár Gál énekeskönyve [1560] és zenei jelentősége. (Le recueil de chant de Gál Huszár [1560] et son importance musicale.) Magy. Zene, 81, vol. 22, n° 2, p. 176-208.

4949. CZARTKOWSKI (Adam), JEŻEWSKA (Zofia). Fryderyk Chopin. (Frédéric Chopin.) Warszawa, Państw. Inst. Wydawn., 81, in-8, 596 p. (Ludzie Żywi, 12)

4950. DREJDEN (S.D.). Muzyka revoljucii (Music of the Revolution.) 3-e izd. pererab. i dop. Moskva, Sov. kompozitor, 81, 550 p. (ill.)

4951. DUSE (Ugo). Per una storia della musica del Novecento e altri saggi. Torino, E.D.T., 81, in-8, VI-271 p. (Bibl. di Cult. musicale Doc.)

4952. DUX (Pierre), CHEVALLEY (Sylvie). La Comédie française : trois siècles de gloire. Paris, Denoël, 80, in-4, 243 p. (ill.).

4953. Encyclopedia of music in Canada. Ed. by Helmut KALLMANN, Gilles POTVIN, Kenneth WINTERS. Toronto, Univ. Press, 81, in-8, XXIX-1076 p.

4954. FENBY (Eric). Delius as I knew him. Rev. ed. of "Delius". London, Faber, 81, in-8, 266 p. (ill.).

4955. FENLON (Iain). Music and patronage in 16th century Mantua. Vol. 1. London, Cambridge U.P., 81, in-8, 233 p. (ill.).

4956. GARBICZ (Adam), KLINOWSKI (Jacek). Kino, wehikuł magiczny. Przewodnik osiągnięć filmu fabularnego. [Cz. 1:] Podróż pierwsza 1913-1949. (Le cinéma, véhicule magique. Guide des réalisations du film narratif. [P. 1:] Premier voyage 1913-1949.) Kraków, Wydawn. Liter., 81, in-8, 585 p.

4957. George Enescu : omagiu cu prilejul aniversării a 100 de ani de la naştere. (G. Enescu : hommage à l'occasion du 100e anniversaire de sa naissance.) Cuvînt înainte : Zeno VANCEA. Bucureşti, Meridiane, 81, in-8, 149 p. (ill.). [En roumain et franç.]

4958. GERBOD (Paul). La scène parisienne et sa représentation de l'histoire nationale dans la première moitié du XIXe siècle. R. Hist., 81, a. 105, t. 266, p. 3-30.

4959. GERGELY (Jean). Bela Bartok, compositeur hongrois. 1 : Bartok et la spécificité de la civilisation hongroise. Paris, Richard-Masse, 80, in-4, 88 p. (ill.). (La Revue musicale, 328-329)

4960. GROSSEGGER (Elisabeth). Freimaurerei und Theater 1770-1800. Freimaurerdramen an den k. k. privilegierten Theatern in Wien. Wien, Köln u. Graz, Böhlau, 81, in-8, 140 p. (ill.). (Maske u. Kothurn, Beih. 4)

4961. HADAMOWSKY (Franz). Mittelalterliches geistliches Spiel in Wien 1499-1718. Eine Dokumentation aus d. wichtigsten Quellen. Wien, Verb. d. Wissenschaftl. Gesellschaften Österreichs, 81, in-8, 153 p. (Quellen z. Theatergesch., 3). (Jb. d. Wiener Ges. f. Theaterforschung, 23)

4962. HEADINGTON (Christopher). Britten. London, Eyre Methuen, 81, in-8, 176 p.

4963. Hofmannsthal und das Theater. Die Vorträge d. Hofmannsthal Symposiums Wien 1979. Hrsg. v. Wolfram MAUSER. Wien, Halosar, 81, in-8, IX-331 p. (Hofmannsthal Forsch., 6)

4964. HUGHES (Alan). Henry Irving, Shakespearean. London, Cambridge U.P., 81, in-8, 304 p. (ill.).

4965. ISHERWOOD (Robert M.). Entertainment in the Parisian fairs in the eighteenth century. J. mod. Hist., 81, vol. 53, n° 1, p. 24-48.

4966. Istorija sovetskogo teatrovedenija. Očerky. 1917-1941. (History of the Soviet theatre science, 1917-1941). Redkol. : G.A. KHAJČENKO (otv. red.) i dr. Moskva, Nauka, 81, 365 p. (AN SSSR. VNII iskusstvoznanija M-va kul'tury SSSR. Leningr. in-t teatra, muzyki i kinematografii

M-va kul'tury RSFSR)

4967. Istorija zarubežnogo kino. (History of cinema abroad.) T. 3 : KOMAROV (S. V.), TRUTKO (I. I.), UTILOV (V. A.). Kino stran socializma. (The cinema of the socialist countries.) Moskva, Iskusstvo, 81, 192 p. (22 p. ill.). (Vsesojuz. in-t kinematografii)

4968. KIEMAN (Thomas). Olivier. London, Sidgwick a. Jackson, 81, in-8, 302 p. (ill.)

4969. KIMBELL (David R.B.). Verdi in the age of Italian Romanticism. London, Cambridge U.P., 81, in-8, 703 p.

4970. KOTSILIBAS-DAVIS (James). The Barrymores, the royal family in Hollywood. London, Barker, 81, in-8, 371 p. (ill.).

4971. LAMONDE (Yvan), HEBERT (Pierre-François). Le cinéma au Québec : essai de statistique historique, 1896 à nos jours. Québec, Inst. québécois de recherche sur la culture, 81, in-8, 478 p. (Instruments de travail, 2)

4972. LAMPORT (F.J.). Lessing and the drama. Oxford, Clarendon Press, 81, in-8, 247 p.

4973. LARTHOMAS (Pierre). Le théâtre en France au XVIIIe siècle. Paris, Presses univ. France, 80, in-8, 127 p. (Que sais-je ? 1848)

4974. LAZZARINI (John), LAZZARINI (Roberta). Pavlova. London, Collier-Macmillan, 81, in-4, 224 p. (ill.).

4975. LE HURAY (Peter), DAY (James). Music and aesthetics in the 18th and early 19th centuries. London, Cambridge U.P., 81, in-8, 597 p.

4976. LEWAŃSKI (Julian). Dramat i teatr średniowiecza i renesansu w Polsce. (Le drame et le théâtre du Moyen Age et de la Renaissance en Pologne.) Warszawa, Państw. Wydawn. Nauk., 81, in-8, 630 p. (Pol. Akad. Nauk. Inst. Badań Liter. Dzieje Teatru Pol.)

4977. LINAKIS (Steven). The Diva, the life and death of Maria Callas. London, P. Owen, 81, in-8, 192 p.

4978. LINDER (Jutta). Pasolini als Dramatiker. Frankfurt/Main, Lang, 81, in-8, 135 p. (Europ. Hochschulschr.)

4979. LJUBOMUDROV (M.N.). Veka i gody starejšej sceny. Očerk istorii jarosl. akad. dram. teatra im. F.G. Volkova. (Years and centuries of the eldest stage. History of Volkov's Academic Drama Theatre in Jaroslavl.) Moskva, Sov. Rossija, 81, 256 p. (3 p. ill.).

4980. LORCEY (Jacques). La Comédie-française. Paris, Nathan, 80, 237 p. (ill.)

4981. MORENAS (François). Le cinéma ambulant en Provence. Lyon, Presses univ. Lyon, 81, 210 p. (pl.).

4982. MORRIS (Peter). After Grierson : the National Film Board 1945-1953. J. canad. Stud., 81, vol. 16, n° 1, p. 3-12.

4983. Musique et société sous la Deuxième République. R. int. Musique franç., 80, a. 1, n° 3 [spécial], p. 314-401.

4984. MYLES (Ashley E.). Theatre of aristocracy. A study of W.B. Yeats as a dramatist. Salzburg, Inst. f. Anglistik u. Amerikanistik, Univ., 81, in-8, IV-124 p. (Poetic drama a. poetic theory, 52). (Salzburg Stud. in Eng. literature)

4985. OPPERBY (Preben). Leopold Stokowski, Tunbridge Wells, Midas Books, 81, in-8, 288 p. (ill.).

4986. PAQUETTE (Daniel). La musique à Lyon au XVIe siècle. In : Lyon et l'Europe [Cf. n° 417], vol. 2, p. 99-112.

4987. PATTERSON (Michael). The revolution in the German theatre, 1900-1933. London, Routledge, 81, in-8, 240 p. (ill.).

4988. PERZ (Mirosław). Mikołaj Gomółka. Monografia. (M. Gomółka. Monographie.) Kraków, Pol. Wydawn. Muzyczne, 81, 366 p. [Gomółka : compositeur polonais, né vers 1535, mort après 1591.]

4989. PETERS (Margot). Bernard Shaw and the actresses. London, Doubleday, 81, in-8, 462 p. (ill.).

4990. PIKE (Andrew), COOPER (Ross). The Australian film, 1900-1977 : guide to feature film production. Melbourne, Oxford U.P., 81, in-6, 460 p. (ill., pl.).

4991. PISTONE (Danièle). La musique en France, de la Révolution à 1900. Paris, Champion, 79, in-8, 243 p. (musique). (Musique, musilogie, 8). - EADEM. Wagner et Paris. R. int. Musique franç., 80, a. 1, p. 7-84.

4992. PÓTH (István). A magyar népszinmü a szerb szinpadon. (Le drame lyrique populaire hongrois sur les scènes serbes.) Budapest, Akad. Kiadó, 81, in-8, 158 p. (Modern filológiai füzetek, 33)

4993. PRICE (David C.). Patrons and musicians of the English Renaissance. London a. New York, Cambridge U.P., 81, in-8, XIX-250 p. (ill., tab., maps.). (Cambridge Stud. in Music)

4994. Recherches sur la musique française classique. Publ. avec le concours du C.N.R.S. [T. 19. Cf. Bibl. 80, n° 4997.] T. 20 : 1980. Paris, Picard, 81, in-4, 249 p. (ill.). (La vie musicale en France sous les rois Bourbons)

4995. RIDENOUR (Robert C.). Nationalism, modernism, and personal rivalry in nineteenth century Russian music. Ann Arbor, Mich., UMI Research Press, 81, in-8, 258 p. (Russian Music Stud.)

4996. ROWELL (George). The theatre in the age of Irving. Oxford, Blackwell, 81, in-4, 200 p. (ill.). (Drama a. Theatre Stud.)

4997. RUDNICKIJ (K.L.). Mejerkhol'd. (Meyerhold.) Moskva, Iskusstvo, 81, 426 p. (28 p. ill.). (Žižn' v iskusstve)

4998. SHEPHERD (Simon). Amazons and warrior women : varieties of feminism in 17th century drama. Brighton, Harvester Press, 81, in-8, 224 p.

4999. SHORT (K.R.M.) a. others. Feature films as history. Knoxville, Univ. of Tennessee Press, 81, in-8, 192 p.

5000. SICLIER (Jacques). La France de Pétain et son cinéma. Paris, H. Veyrier, 81, 460 p. (pl.).

5001. SLOAN (Kay). Sexual warfare in the silent cinema : comedies and melodramas of woman suffragism. Am. Quar., 81, vol. 33, n° 4, p. 412-436.

5002. SOLLERTINSKY (Dmitri), SOLLERTINSKY (Ludmilla). Pages from the life of Dmitri Shostakovich. Tr. from the Russ. by G. HOBBS a. C. MIDGLEY. London, Hale, 81, in-8, 256 p.

5003. STEPHENS (John Russell). The censorship of English drama, 1824-1901. London, Cambridge U.P., 81, in-8, 206 p.

5004. TAYLOR (Samuel S.). Le geste chez les "maîtres" italiens de Molière. XVIIe Siècle, 81, a. 33, p. 285-301.

5005. TEMPERLEY (Nicholas). The Romantic age, 1800-1914. London, Athlone Press, 81, in-8, XII-548 p.

5006. TREMBLAY-DAVIAULT (Christiane). Un cinéma orphelin : structure mentales et sociales du cinéma québécois, 1942-1953. Montréal, Québec/Amérique, 81, in-8, 355 p.

5007. VACHA (J.E.). The case of the runaway opera : the Federal Theatre and Marc Blizstein's The cradle will rock. New York Hist., 81, vol. 62, n° 2, p. 133-152.

5008. Voies (Les) de la création théâtrale. [T. 7, 8. Cf. Bibl. 80, n° 5007.] T. 9 : La formation du comédien. Paris, Ed. du C.N.R.S., 81, in-4, 387 p.

5009. WHYNOT (Chris). The NFB and labour, 1945-1955. J. canad. stud., 81, vol. 16, n° 1, p. 13-22.

Cf. n°s 247, 3210, 4720.

N

HISTORIA ECONÓMICA Y SOCIAL DE LA EDAD MODERNA

§ 1. Economía política. 5010-5039. - § 2. Historia económica general. 5040-5132. - § 3. Industria, minas y transportes. 5133-5278. - § 4. Comercio. 5279-5350. - § 5. Agricultura y problemas agrários. 5351-5454. - § 6. Moneda y hacienda. 5455-5494. - § 7. Demografía y urbanismo. 5495-5561. - § 8. Historia social y de las costumbres. 5562-5798. - § 9. Movimiento obrero y socialismo. 5799-5964.

§ 1. Economía política.

** 5010. RUEFF (Jacques). Oeuvres complètes. T. 1 : De l'aube au crépuscule, autobiographie de l'auteur. T. 2, 1 : Théorie monétaire. T. 2, 2 : Théorie monétaire, introduction, notes. T. 3 : Politique économique. T. 4 : L'ordre social. Paris, Plon, 79-81, 5 vol. in-8, 443, 464, 350, 555, 682 p. (ill.).

** Cf. n° 3574.

5011. BAHMUELLER (Charles F.). The National Charity Company : Jeremy Bentham's silent revolution. Berkeley a. Los Angeles, Univ. of California Press, 81, in-8, XI-272 p.

5012. BEAUD (Michel). Capitalisme et économie politique dans l'histoire, XVIe-XVIIIe siècle. Saint-Denis, Assoc. pour la Recherche et l'Etude sur le Capitalisme et l'Econ. pol. 81, in-8, 99 p.

5013. BEAUGRAND (Philippe). Henri Thornton : un précurseur de J.M. Keynes. Paris, Presses univ. France, 81, in-8, XVIII-129 p. (Travaux et recheches de l'Univ. de Droit, d'Econ. et de Sci. soc. de Paris, sér. Sci. écon., 9)

5014. BEHRENS (Fritz). Grundriss der Geschichte der politischen Ökonomie. Bd [3. Cf. Bibl. 78-79, n° 5674.] 4 : Die bürgerliche Ökonomie in der allgemeinen Krise des Kapitalismus. Berlin Akad.-Verl., 81, in-8, 350 p.

5015. BORDO (Michael D.), SCHWARTZ (Anna J.). Money and prices in the 19th century : was Thomas Tooke right ? Explor. in econ. Hist., 81, vol. 18, n° 2, p. 97-127.

5016. CAMPBELL (T.D.), ROSS (J.S.). The utilitarianism of Adam Smith's policy advice. J. Hist. Ideas, 81, vol. 42, n° 1, p. 73-92.

5017. CHARBIT (Yves). Du malthusianisme au populationnisme. Les économistes franç. et la population, 1840-1870. Préf. d'Alfred SAUVY. Paris, Presses univ. France, 81, in-8, 307 p. (Travaux et doc., 90)

5018. ENGELHARDT (Ulrich). Zum Begriff der Glückseligkeit in der kameralistischen Staatslehre des 18. Jahrhunderts (J. H. G. v. Justi). Z. f. hist. Forsch., 81, Bd 8, p. 37-79.

5019. COLLINS (Robert M.). The business response to Keynes, 1929-1964. New York, Columbia U.P., 81, in-8, XII-293 p. (Contemporary Am. Hist. Ser.)

5020. EKELUND (Robert B.) Jr., TOLLISON (Robert D.). Mercantilism as a rent-seeking society : economic regulation in historical perspective. College Station, Texas A a. M U.P., 81, in-8, XIII-169 p. (Texas A a. M Univ. Econ. Ser., 5)

5021. FERGE (Zsuzsa). A gazdaság történelmileg változó jellege és helye a társadalmi ujratermelésben. (The historical changing character and the place of the economy in the social reproduction.) Tört. Szle, 81, vol. 24, n° 4, p. 521-552.

5022. FINCH (M.H.J.). The political economy of Uruguay since 1870. London, Macmillan, 81, in-8, 356 p.

5023. FOWERAKER (Joe). The struggle for land, the political economy of the pioneer frontier in Brazil from 1930 to the present day. London, Cambridge U.P., 81, in-8, 260 p. (tab. maps). (Latin Amer. Stud.)

5024. FRENCH (David). British economic and strategic planning, 1905-1915. London, Allen a. Unwin, 81, in-8, 224 p.

5025. GAZIER (Bernard). Histoire et théories économiques : quelques remarques sur la crise de 1929 en France et sa théorisation actuelle. R. Econ. pol., 81, a. 91, p. 265-288.

5026. HAAKONSSEN (Knud). The science of a legislator : the natural jurisprudence of David Hume and Adam Smith. New York, Cambridge U. P., 81, in-8, VIII-240 p.

5027. JAFFE (William). Another look at Léon Walras's theory of tâtonnement. Hist. pol. Econ., 81, vol. 13, p. 313-336.

5028. KINDLEBERGER (Charles P.). Keynesianism vs. monetarism in eighteenth and nineteenth-century France. Hist. pol. Econ., 80, vol. 12, p. 429-523.

5029. KUISEL (Richard F.). Capitalism and the state in modern France ; renovation and economic management in the twentieth century. London a. New York, Cambridge U.P., 81, in-8,

XIV-344 p.

5030. McCLELLAND (Peter D.), MAGDOVITZ (Alan L.). Crisis in the making : the political economy of New York state since 1945. London a. New York, Cambridge U.P., 81, in-8, XVI-522 p. (Stud. in Econ. Hist. a. Policy : The United States in the 20th cent.)

5031. MEDDOLESI (Luca). La teoria economica di Lenin. Imperialismo e socialismo nel dibattito classico, 1914-1916. Roma e Bari, Laterza, 81, in-8, V-292 p. (Libri del tempo, 178)

5032. MENARD (Claude). Three forms of resistance to statistics : Say, Cournot, Walras. Hist. pol. Econ., 80, vol. 12, p. 524-541.

5033. MIGLIO (Bruno). Ordine fisico e ordine sociale nel pensiero dei Fisiocratici. R. Filos., 80, vol. 71, p. 169-197.

5034. MUSELLA (Luigi). La valutazione storica del dazio sul grano nel dibattito tra liberisti e protezionisti a cavallo fra Otto e Novecento. Arch. stor. ital., 81, a. 139, p. 479-496.

5035. NIL'VE (A.I.). Kritika V.I. Leninym agrarnykh programm melkoburžuaznykh partij v period russkoj revoljucii 1905-1907 gg. (Na materiallakh II Gosudarstvennoj dumy). (V.I. Lenin's critique of petty-bourgeois parties' agrarian programs during the first Russian revolution of 1905-1907: materials of the 2nd State Duma.) Ist. SSSR, 81, n° 4, p. 135-147.

5036. RÁCZ (Lajos). Széchenyi István államtudományi gondolkodásáról. A Hitel 150 éves megjekenése alkalmából. (Sur les idées en science politique d'István Széchenyi. A l'occasion du 150e anniversaire de la parution de Hitel ["Crédit"].) Jogtudom. Közl., 81, vol. 36, n° 3, p. 171-178.

5037. SALVEMINI (Biagio). Economia politica e arretratezza meridionale nell' età del Risorgimento. Luca de Samuele Cagnazzi e la diffusione dello smithianesimo nel Regno di Napoli. Lecce, Milella, 81, in-8, 306 p. (Bibl. di Stor. della Soc. contemp. Sez. di Stor. della Soc. merid., 4)

5038. SCHAEFFER (Robert K.). The entelechies of mercantilism. Scand. econ. Hist. R., 81, vol. 29, p. 81-96.

5039. SHELTON (George). Dean Tucker and eighteenth-century economic and political thought. New York, St. Martin's Press, 81, in-8, 289 p.

Cf. n°s 842, 3881, 5064.

§ 2. Historia económica general.

5040. ABBOTT (Carl). Boosters and businessmen : popular economic though and urban growth in the antebellum middle west. Westport, Conn., Greenwood Press, 81, in-8, XII-266 p. (Contrib. in Am. Stud., 53)

5041. ABELSHAUSER (Werner). Wiederaufbau vor dem Marshall-Plan. Westeuropas Wachstumschancen u. d. Wirtschaftspolitik in d. zweiten Hälfte d. vierziger Jahre. Vjhefte f. Zeitgesch., 81, Jg. 29, p. 545-578.

5042. ADAM (Iosif I.). Economia Transilvaniei în timpul primului război mondial. (L'économie de la Transylvanie pendant la première guerre mondiale.) R. Ist., 81, t. 34, n° 11, p. 2009-2028. [Rés. franç.]

5043. ADĂNILOAIE (Nichita). Implicațiile economice ale dominației otomane asupra Principatelor Române (1750-1859). (Les implications économiques de la domination turque sur les Principautés Roumaines, 1750-1859.) R. Ist., 81, t. 34, p. 441-463. [Rés. franç.]

5044. AKIMOTO (Hiroya). Capital formation and economic growth in mid-19th century Japan. Explor. in econ. Hist., 81, vol. 18, n° 1, p. 40-59.

5045. ALEKSEEV (A.I.), MOROZOV (B.N.). Ėkonomičeskoe razvitie Dal'nego Vostoka vo vtoroj polovine XIX veka. (Economic development in the Far East, second half of the 19th cent.) Vopr. Ist., 81, n° 5, p. 37-47.

5046. ANDERSON (Terry L.), HILL (Peter J.). The birth of a transfer society. Stanford, Calif., Hoover Inst. Press, 80, in-8, XV-114 p. (Hoover Press Pub., 229) [transfer of wealth in U.S. from 1787]

5047. BAIROCH (Paul), LEVY-LEBOYER (M. M.). Disparities in economic development since the Industrial Revolution. London, Macmillan, 81, in-8, 448 p.

5048. BAUDIS (Dieter). Deutschland und Grossbritannien in der Zeit des ersten Weltkrieges. Versuch e. vergleichenden Betrachtung einiger Aspekte d. wirtschaftl. u. sozialen Entwicklung. Jb. f. Wirtschaftsgesch., 81, T. 3, p. 49-78.

5049. BEREND (T. Iván). A nagy válság és Közép-Kelet Európa. (La grande crise et l'Europe centrale - orientale.) Magy. tudom. Akad. Filoz. Törttudom. Oszt. Közl., 80, vol. 29, n°s 1-2, p. 41-53.

5050. BOROZDINA (R.I.). Ėkonomika Gajany : 15 let nezavisimogo razvitija. (The economy of Guyana : 15 years of independent development.) Lat. Am., 81, n°10, p. 19-34.

5051. BURGEL (Guy). Croissance urbaine et développement capitaliste : le "miracle" athénien. Paris, Ed. du C.N.R.S., 81, in-4, 272 p. (15 fig.).

5052. CARON (François). Histoire économique de la France, XIXe-XXe siècles. Paris, A. Colin, 81, in-8, 320 p. (Coll. U)

5053. CHRISTENSEN (Paul P.). Land abundance and cheap horsepower in the mechanization of the antebellum United States economy. Explor. in econ. Hist., 81, vol. 18, n° 4, p. 309-329.

5054. CIACCIO (C.). La rivalorizzazione delle isole minori della Sicilia. In : Iles de Méditerranée [Cf. n° 216], p. 118-128.

5055. Deutsche Wirtschaftsgeschichte im Industriezeitalter. Konjunktur, Krise, Wachstum. Werner ABELSHAUSER, Dietmar PETZINA (Hrsg.). Königstein, Athenäum ; Düsseldorf, Droste, 81, in-8, 369 p. (graph. Darst.). (Athenäum-Droste-Taschenbücher Gesch., 7239)

5056. DOWBOR (Władysław). Brazylia bez

2. HISTORIA ECONÓMICA GENERAL

egzotyki. Formowanie się kapitalizmu zależnego w Brazylii. (Le Brésil sans exotisme. La formation du capitalisme dépendant au Brésil.) Wrocław, Zakł. Narod. im. Ossolińskich, 81, in-8, 184 p. (Azja, Afryka, Ameryka Łacińska. Historia)

5057. Economic (The) history of Britain since 1700. Vol. 1 : 1700-1860. Vol. 2 : 1860 to the 1970s. Ed. by Roderick FLOUD, Donald McCLOSKEY. New York, Cambridge U.P., 81, 2 vol. in-8, XV+323, XVII-485 p.

5058. EGOROV (A.G.). Leninskij plan GOELRO i socialističeskoe kommunističeskoe stroitel'stvo. (Lenin's plan GOELRO and the socialist communist building.) Vopr. Ist. KPSS, 81, n° 2, p. 13-30.

5059. ELLIS (Geoffrey). Napoleon's continental blockade : the case of Alsace. London a. New York, Oxford U.P., 81, in-8, XVI-355 p. (fig., maps). (Oxford Hist. Monographs)

5060. El-MALLAKH (Ragaei). The economic development of the United Arab Emirates. London, Croom Helm, 81, in-8, 240 p.

5061. FALKENSTEINER (Reinhold). Beiträge zur Wirtschaftsgeschichte Innsbrucks im 18. Jahrhundert. Innsbruck, Stadtmagistrat, 80, in-8, 275 p. (Veröff. d. Innsbrucker Stadtarchivs, N. F., 11)

5062. FAVRE (Robert). Sur un Almanach Royal de 1750 : un livre de raison manuscrit. In : Lyon et l'Europe [Cf. n° 417], vol. 1, p. 223-235.

5063. FERRARI (Umberto). Struttura e congiuntura in una città di antico regime. Contratti e rapporti di produzione a Catanzaro nel 1740-1750. Salerno e Catanzaro, Soc. editr. meridionale, 81, in-8, 234 p. (tav.). (Collez. meridonale, 7)

5064. FILIPPI (Alberto). Teoria e storia del sottosviluppo latinoamericano. 1 [Questioni di teoria e di metodo]. 2 [Questioni di storia, economia e società]. Napoli, Jovene, 81, 2 vol. in-8. (Pubbl. della Fac. di Giurispr. dell'Univ. di Camerino, 23)

5065. GALIČ (Z.N.). Problemy social'no-èkonomičeskoj evolucii stran Jugo-Vostočnoj Azii i Tropičeskoj Afriki. (Problems of the socio-economic evolution of countries of South-Eastern Asia and tropical Africa.) Sravn. analiz. Moskva, Nauka, 81, 214 p. (AN SSSR. In-t vostokovedenija)

5066. GARDEN (Maurice). La région Rhône-Alpes : une construction de l'histoire encore incertaine. In : Lyon et l'Europe [Cf. n° 417], vol. 1, p. 267-279.

5067. GIESINGER (Harald). Wirtschaftsleben des Bodenseebezirks um 1500. Innsbrucker hist. Stud., 81, Bd 4, p. 17-46.

5068. GIUSTI (Renato). Economia e società in Italia nell'età delle riforme [Rassegna]. Arch. stor. ital., 81, a. 139, p. 289-322.

5069. GLAZUNOV (E.P.). Preobrazovanie častnoj promyšlennosti i torgovli vo V'etname. (Transformation of private industry and trade in Vietnam.) Moskva, Nauka, 81, 215 p.

5070. GREVE (Klaus). Zentrale Orte im Herzogtum Schleswig um 1800. Ein Grundriss wirtschaftsräumlicher Verflechtungsmuster vor d. Industrialisierung. Z. d. Ges. f. schleswig-holstein. Gesch., 81, Bd 106, p. 89-115.

5071. HANSON (Carl A.). Economy and society in baroque Portugal, 1668-1703. London, Macmillan, 81, in-8, 354 p.

5072. HARSÁNYI (László). A nemzetivagyon-számitás 125 éve. (125 ans de calcul des biens nationaux.) Statiszt. Szle, 81, vol. 59, n° 7, p. 749-757.

5073. HENTSCHEL (Volker). Produktion, Wachstum und Produktivität in England, Frankreich und Deutschland von der Mitte des 19. Jahrhunderts bis zum Ersten Weltkrieg. Statist. Grenzen u. Nöte beim internat. wirtschaftshist. Vergleich. Vjschr. f. Soz.- u. Wirtschaftsgesch., 81, Bd 68, p. 457-510.

5074. HIRSCHMEIER (J.), YUI (J.). The development of Japanese business [from the 17th cent. to the present]. 2nd ed. London, Allen a. Unwin., 81, in-8, 416 p.

5075. HOLTHAUS (Fred). Die Entwicklung der Produktivkräfte in Deutschland nach der Reichsgründung. Ein geschichtsoziologischer Beitrag unter bes. Berücksichtigung d. Zyklizität d. Wirtschaftsexpansion u. d. Lage d. arbeitenden Klasse. Franfurt a. M., Haag u. Hercken, 80, in-8, 380 p. (ill.).

5076. INGHAM (Barbara), SIMMONS (C.). Two World Wars and economic development. Oxford, Pergamon Press, 81, in-4, 100 p.

5077. KESSNER (Thomas). Jobs, ghettoes and the urban economy, 1880-1935. Am. jewish Hist., 81, vol. 71, n° 2, p. 218-238.

5078. KIRBY (M.W.). The decline of British economic power since 1870. London, Allen a. Unwin, 81, in-8, 216 p.

5079. KLEIN (P.A.), MOORE (G.H.). Growth cycles in France (1953-1978). R. écon., 81, vol. 32, p. 468-489.

5080. KOBYLKOVÁ (Luďa). Česká města v období formování kapitalistické společnosti ve srovnání se zeměmi "klasické cesty" ke kapitalismu. (Czech towns in the period of formation of the capitalist society in comparison with the countries of the "classic way" to capitalism.) Hosp. Děj., 81, vol. 7, p. 83-97.

5081. KOCKA (Jürgen). Grossunternehmen und der Aufstieg des Manager-Kapitalismus im späten 19. und 20. Jahrhundert : Deutschland im Internationalen Vergleich. Hist. Z., 81, Bd 232, p. 39-60.

5082. KOLODNY (E.). Samothrace : répercussions migratoires et évolution récente d'une île de l'Egée. In : Iles de Méditerranée [Cf. n° 216], p. 129-148.

5083. Konjunktur, Krise, Gesellschaft. Wirtschaftliche Wechsellagen u. soziale Entwicklung im 19. u. 20. Jh. Hrsg. v. Dietmar PETZINA u. Ger VAN ROON. Stuttgart, Klett-Cotta, 81, in-8, 415 p. (graph. Darst.). (Gesch. u. Ges., 25)

5084. LACERTE (Robert K.). Xenophobia and economic decline : the Haitian case, 1820-1843.

Americas, 81, vol. 37, n° 4, p. 499-516.

5085. LÁRUSSON (Björn), NILSSON (Carl Axel), SCHÖN (Lennart). Från kolonisation till internationella investeringar : ett ekonomiskthistoriskt längdsnitt. (From colonisation to international investments : an economic-historical survey.) Lund, Ekon.-hist. inst., 79/-80/, in-4, 62 p. (maps). (Meddel. fran Ekon.-hist. inst., Lunds univ., 9)

5086. LASSERRE (André). Finances publiques et développement. Le canton de Vaud 1831-1913. Lausanne, Presses centrales, 81, in-8, 435 p. (Bibl. hist. vaudoise, 68)

5087. ŁUKASIEWICZ (Juliusz). Zasoby naturalne w Europie środkowej w okresie rewolucji przemysłowej. (Les ressources naturelles d'Europe centrale à l'époque de la révolution industrielle.) Kwart. hist., 80 [81], a. 87, n° 2, p. 369-382.

5088. McCLOSKEY (Donald N.). Enterprise and trade in Victorian Britain. London, Allen a. Unwin, 81, in-8, 240 p.

5089. MAJOR (J. Russell). Noble income, inflation, and the wars of religion in France. Am. hist. R., 81, vol. 86, n° 1, p. 21-48.

5090. MAUNY (Raymond). Le "Grand hiver" de 1708-1709 dans le Centre-Ouest de la France et son contexte européen. B. Soc. archéol. Touraine, 80, t. 39, p. 511-532.

5091. MAUR (Eduard), ŠPIESZ (Anton). Die Manufakturperiode in der tschechoslowakischen Historiographie von 1970 bis 1979. Jb. f. Gesch. d. Feudalismus, 81, Bd 5, p. 343-377.

5092. MERCALOV (A.N.). Sovremennaja buržuaznaja istoriografija o sovetskoj ékonomike v gody Velikoj Otečestvennoj vojny. (Modern bourgeois historiography on Soviet economics during the Great Patriotic War.) Ist. SSSR, 81, n° 6, p. 192-202.

5093. Bibl. 76-77, n° 6264. MEUVRET (Jean). Le problème des subsistances à l'époque de Louis XIV. - CR : S.L. Kaplan, s. le titre : Les subsistances et l'ancien régime : l'oeuvre de Jean Meuvret. A. Ec. Soc. Civ., 81, a. 36, p. 294-300.

5094. MEYER (Jean). Les capitalismes. Paris, Presses univ. France, 81, in-8, 272 p. (L'Historien)

5095. MILLWARD (R.). The emergence of wage labor in early modern England. Explor. in econ. Hist., 81, vol. 18, n° 1, p. 21-39.

5096. MULLER (Gilberte). La croissance économique lorraine et les Etats allemands (1840-1870). A. Est, 81, sér. 3, a. 33, p. 167-182.

5097. NATTRASS (Jill). The South African economy, its growth and change. Pretoria, Oxford U.P., 81, in-8, 348 p. (fig., tab., maps)

5098. NYÁRY (Zsigmond). A magyar gazdaság hosszutávu vizsgálata ökonometriai módszerrel, 1875-1913. (Etude de longue durée de l'économie hongroise par des méthodes économétriques, 1875-1913.) Budapest, Központi Statisztikai Hivatal, 81, in-8, 109 p. (Történeti Statisztikai Füzetek, 6)

5099. OWEN (Roger). The Middle East in the world economy, 1800-1914. London, Methuen, 81, in-8, 400 p.

5100. PIUZ (Anne-Marie). L'alimentation hospitalière à Genève au XVIIIe siècle. In : Lyon et l'Europe [Cf. n° 417], vol. 2, p. 167-185.

5101. PLETCHER (David M.). Rhetoric and results : a pragmatic view of American economic expansionism, 1865-1898. Dipl. Hist., 81, vol. 5, n° 2, p. 93-106.

5102. POLLARD (Sidney). Integration of the European economy since 1815. London, Allen a. Unwin, 81, in-8, 96 p.

5103. POMFRET (Richard). The economic development of Canada. Toronto, Methuen, 81, in-8, VIII-215 p. - IDEM. Capital formation in Canada 1870-1900. Explor. in econ. Hist., 81, vol. 18, n° 1, p. 84-96.

5104. PONSOT (Pierre). Problème de la conjoncture urbaine : le cas de Séville, milieu XVIe-milieu XIXe s. In : Lyon et l'Europe [Cf. n° 417], vol. 2, p. 211-221.

5105. POULSON (Barry W.). The economic history of the United States. London, Collier Macmillan, 81, in-8, 672 p.

5106. PREISSER (Thomas M.). Alexandria and the evolution of the northern Virginia economy. Virginia Mag. Hist. a. Biogr., 81, vol. 89, n° 3, p. 282-293.

5107. RÁNKI (György). Surmounting the economic crisis in south-east Europe in the 1930s. Acta hist. Acad. Sci. hungaricae, 81, vol. 27, n°s 3-4, p. 499-523.

5108. RANSOM (Roger). Coping with capitalism : economic transformation of the United States, 1776-1980. London, Prentice-Hall, 81, in-8, 186 p.

5109. RICHEZ (G.). Le développement du tourisme à Mallorca (Baléares) et ses conséquences socio-économiques. In : Iles de Méditerranée [Cf. n° 216], p. 73-108.

5110. ROCKOFF (Hugh). Price and wage controls in four wartime periods. J. econ. Hist., 81, vol. 41, n° 2, p. 381-401.

5111. ROTELLA (ELyce J.). The transformation of the American office : changes in employment and technology. J. econ. Hist., 81, vol. 41, n° 1, p. 51-58.

5112. RUSIŃSKI (Władysław). Stagnacja czy postęp ? Uwagi o gospodarce Polski międzywojennej. (Stagnation ou progrès ? Observations sur l'économie de la Pologne de l'entre-deux-guerres.) Kwart. hist., 80 [81], a. 87, n° 3/4, p. 677-686.

5113. SAIZU (Ioan). Politica economică a României între 1922 si 1928. (La politique économique de la Roumanie entre 1922 et 1928.) București, Ed. Acad., 81, in-8, 208 p.

5114. SCHAEPER (Thomas J.). The economy of France in the second half of the reign of Louis XIV. Montréal, Interuniv. Centre for European Studies, 80, in-8, 91 p.

5115. SCHREMMER (Eckart). Das 18. Jahrhundert, das Kontinuitätsproblem und die Geschichte der Industrialisierung. Erfahrungen für d. Entwicklungsländer ? Z. f. Agrargesch., 81, Jg. 29, p. 58-78.

5116. SEREGHYOVÁ (Jana). Podmínky rozvoje hospodářských vztahů mezi zeměmi s rozdílnou ekonomickou úrovní. (Die Bedingungen der Entwicklung ökonomischer Beziehungen zw. Staaten mit verschiedenem ökon. Niveau.) Praha, Academia, 81, in-8, 71 p. (Rozpravy Českosl. akad. věd. Řada společ. věd., 91/4)

5117. SORI (Ercole). La penetrazione economica italiana nei territori degli Slavi del Sud (1896-1914). Stor. contemp., 81, a. 12, p. 217-270.

5118. STAFFORD (G.B.). The end of economic growth ? Growth and decline in the United Kingdom since 1945. London, Martin Robertson, 81, in-8, 124 p.

5119. Sviluppo (Lo) economico in Italia. Storia dell'economia italiana negli ultimi cento anni. A cura di Giorgio FUA'. 1 : Lavoro e reddito. Milano, Angeli, 81, in-8, 386 p. (Economia, Sez. 5, 2)

5120. SZÉKELY (György). Emelkedő és hanyatló városok Európában a 17. század első felében. (Villes en développement et villes en déclin dans l'Europe de la première moitié de XVIIe s.) Századok, 81, vol. 115, n° 4, p. 714-724.

5121. TOMLINSON (Jim). Problems of British economic policy, 1870-1945. London, Methuen, 81, in-8, 176 p.

5122. TUCCI (Ugo). Mercanti, navi, monete nel Cinquecento veneziano. Bologna, Il mulino, 81, in-8, 316 p. (Saggi, 214)

5123. VANDENBROEKE (Chr.). Mutations économiques et sociales en Flandre au cours de la phase proto-industrielle 1650-1850. R. Nord, 81, t. 63, p. 73-94.

5124. VARGA (Jenő). A tőkés gazdaság a II. világháboru után. Válogatott irások, 1945-1954. (L'économie capitaliste après la IIe guerre mondiale. Ecrits choisis.) Budapest, Kossuth Kiadó, 81, in-8, 356 p.

5125. VASIL'EV (V.V.). Meždunarodnoe razdelenie truda v kolonial'nyj period. (International division of labour in the colonial period.) Nar. Azii Afr., 81, n° 2, p. 48-73.

5126. WALLERSTEIN (Immanuel). The modern world system. [Vol. 1. Cf. Bibl. 74-75, n° 6058.] Vol. 2 : Mercantilism and the consolidation of the European world economy, 1600-1750. New York, Academic Press, 80, in-8, 370 p.

5127. Weltwirtschaftliche und währungspolitische Probleme seit dem Ausgang des Mittelalters. Hrsg. v. Hermann KELLENBENZ. Stuttgart u. New York, Fischer, 81, in-8, 241 p. (22 graph. Darst.). (Bericht über d. ... Arbeitstagung d. Ges. f. Sozial- u. Wirtschaftsgesch., 7). (Forsch. z. Sozial- u. Wirtschaftsgesch., 23)

5128. WILLIAMSON (Jeffrey G.), LINDERT (Peter H.). American inequality : a macroeconomic history. New York, Academic Press, 81, in-8, XX-362 p.

5129. WYROBISZ (Andrzej). Typy funkcjonalne miast polskich w XVI-XVIII w. (Types fonctionnels des villes polonaises aux XVIe-XVIIIe s.) Przegl. hist., 81, vol. 72, p. 25-49.

5130. ZAMAGNI (Vera). Lo Stato italiano e l'economia. Storia dell'intervento pubblico dall'unificazione ai giorni nostri. Firenze, Le Monnier, 81, in-8, VII-119 p. (Le Monnier Univ., 2)

5131. ZIMÁNYI (Vera). Bethlen Gábor fejdelem gazdaságpolitikája. (La politique économique du prince Gábor Bethlen.) Századok, 81, vol. 115, n° 4, p. 703-713.

5132. ZUNKEL (Friedrich). Köln während der Weltwirtschaftskrise 1929-1933. Z. f. Unternehmensgesch., 81, Jg. 26, p. 104-128.

Cf. n°s 2256, 2692, 2880, 5778, 6209, 6885.

§ 3. Industria, minas y transportes.

* 5133. SACHSE (Wieland). Bibliographie zur preussischen Gewerbestatistik 1750-1850. Göttingen, Schwartz, 81, in-8, 392 p. (Göttinger Beitr. z. Wirtschafts- u. Sozialgesch., 6)

** 5134. Österreichische Fabriksprivilegien vom 16. bis ins 18. Jahrhundert und ausgewählte verwandte Quellen zur Frühgeschichte der Industrialisierung. Hrsg. v. Gustav OTRUBA unter Mitarb. v. Manfred LANG u. Harald STEINDL. Wien, Köln u. Graz, Böhlau, 81, in-8, 434 p. (Österr. Akad. d. Wiss., Phil.-hist. Kl., Kommission d. Savigny-Stiftung. Fontes rerum Austriacarum, Abt. 3, Bd 7)

** 5135. Selected (The) papers of Boulton and Watt. Vol. 1 : The engine partnership, 1775-1823. Ed. by Jennifer TANN. Cambridge, Mass., MIT Press, 81, in-8, XV-425 p.

5136. ADUDDELL (Robert M.), CAIN (Louis P.). The consent decree in the meatpacking industry, 1920-1956. Business Hist. R., 81, vol. 55, n° 3, p. 359-378. - IIDEM. Public policy toward "the greatest trust in the world". Ibid., n° 2, p. 217-242. [U.S. meat packing industry, 1919-1932]

5137. AHVENAINEN (Jorma). The far eastern telegraphs. The history of telegraphic communications between the Far-East, Europe and America before the first world war. Helsinki, Societas Scientiarum Fennica, 81, in-8,j 226 p. (ill., carte). (A. Acad. Sci. Fenncae, Ser. A, 216)

5138. AXELSSON (Björn). Wikmanshyttans uppgång och fall : en kommentar til angreppssättet i ein företagshistorisk studie. (The rise and fall of the Wikmanshyttan steel works : a commentary to the aproach in a company history study.) Uppsala, Företagsekon. inst., Uppsala univ., 81, in-8, 156 p. [Eng. summary]

5139. BARBIER (Frédéric). Les ouvriers du livre et la révolution industrielle en France au XIXe siècle. R. Nord, 81, t. 63, p. 189-205.

5139a. BARRAL (Pierre). Une grande entreprise lorraine : Pont-à-Mousson [à propos de BAUDANT (Alain). Pont-à-Mousson. Cf. Bibl. 80, n° 5149]. A. Est, 81, a. 33, p. 215-229.

5140. BASKERVILLE (Peter). Americans in Britain's backyard : the railway era in upper Canada, 1850-1880. Business hist. R., 81, vol. 55, n° 3, p. 314-336.

5141. BATEMAN (Fred), WEISS (Thomas). A deplorable scarcity : the failure of industrialization in the slave economy. Chapel Hill, Univ. of North Carolina Press, 81, in-8, XIII-237 p.

5142. BECHER (Udo). Die Leipzig-Dresdner Eisenbahn-Compagnie. Berlin, Transpress, 81, in-8, 208 p. (Abb., Tab.).

5143. BECKETT (J.V.). Coal and tobacco : the Lowthers and the economic development of West Cumberland, 1660-1760. New York, Cambridge U.P., 81, in-8, XIII-278 p. [Sir John a. Sir James Lowther, proprietors a. entrepreneurs]

5144. BEHR (Marhild von). Die Entstehung der industriellen Lehrwerkstatt. Materialien u. Analysen z. beruflichen Bildung im 19. Jh. Frankfurt (Main) u. New York, Campus, 81, in-8, III-308 p. (Ill., graph. Darst.).

5145. BEJLINA (E.E.). Promyšlennoe razvitie SSSR v gody desjatoj pjatiletki. (Industrial development of the USSR during the tenth Five-Year Plan period.) Ist. SSSR, 81, n° 5, p. 3-25.

5146. BERLANSTEIN (Lenard R.). The formation of a factory labor force : rubber and cable workers in Bezons, France (1860-1914). J. soc. Hist., 81, vol. 15, n° 2, p. 163-186.

5147. BRAMANN (Jorn K.), MORAN (John). Karl Wittgenstein, business tycoon and art patron. Austrian Hist. Y.B., 79-80, vol. 15-16, p. 107-124.

5148. BRODY (David). Workers in industrial America, essays on the 20th century struggle. London a. New York, Oxford U.P., 81, in-8, 270 p.

5149. BUZATU (Gh.). România și trusturile petroliere internaționale pînă la 1929. (La Roumanie et les trusts internationaux du pétrole jusqu'à 1929.) Iași, Junimea, 81, in-8, 274 p.

5150. CAIN (Louis P.), PATERSON (Donald G.). Factor biases and technical change in manufacturing : the American system, 1850-1919. J. econ. Hist., 81, vol. 41, n° 2, p. 341-360.

5151. CARLSON (Leonard A.). Labor supply, the acquisition of skills, and the location of southern textile mills, 1880-1900. J. econ. Hist., 81, vol. 41, n° 1, p. 65-71.

5152. CHADEAU (Emmanuel). L'industrie française d'aviation à la veille de la Première guerre mondiale. R. hist. Armées, 81, n° 2, p. 61-81 ; n° 3, p. 181-206.

5153. CHANNON (Geoffrey). The Great Western Railway under the British railways act of 921. Business Hist. R., 81, vol. 55, n° 2, p. 188-216.

5154. CHASSAGNE (Serge). Indistrialisation et désindustrialisation dans les campagnes françaises : quelques réflexions à partir du textile. R. Nord, 81, t. 63, n° 248, p. 35-57.

5155. CHAUNCEY (George) Jr. The locus of reproduction : women's labour in the Zambian Copperbelt, 1927-1953. J. southern african Stud., 81, vol. 7, p. 135-164.

5156. CIRIACONO (Salvatore). Silk manufacturing in France and Italy in the XVIIth century : two models compared. J. europ. econ. Hist., 81, vol. 10, n° 1 p. 167-199.

5157. CLASEN (Claus-Peter). Die Augsburger Weber. Leistungen u. Krisen d. Textilgewerbes um 1600. Augsburg, Mühlberger, 81, in-8, 460 p. (Abh. z. Gesch. d. Stadt Augsburg, 27)

5158. COCHRAN (Thomas C.). Frontiers of change : early industrialism in America. London a. New York, Oxford U.P., 81, in-8, 179 p.

5159. CONDIT (Carl W.). The port of New York. [Vol. 1. Cf. Bibl. 80, n° 5169.] Vol. 2 : A history of the rail and terminal system from the Grand Central electrification to the present. Chicago, Univ. of Chicago Press, 81, in-8, XII-399 p.

5160. COOK (Peter). Massey at the brink : the story of Canada's greatest multinational and its struggle to survive. Toronto, Collins, 81, in-8, 288 p.

5161. COUDOUIN (André). L'âge d'or de la soierie, à Tours, 1470-1550. A. Bretagne, 81, t. 88, p. 43-65.

5162. CRISTOFOLI (Maria Cristina), POZZOBON (Martino). I tessili milanesi. Le fabbriche, gli industriali, i lavoratori, il sindacato dall' Ottocento agli anni '30. Milano, Angeli, 81, in-8, 173 p. (Studi e Ric. stor., 11)

5163. CROUCH (Tom D.). A dream of wings : Americans and the airplane, 1875-1905. New York, W.W. Norton, 81, in-8, 349 p.

5164. DANNINGER (Gerhard). Das Linzer Handwerk und Gewerbe vom Verfall der Zunfthoheit über die Gewerbefreiheit bis zum Innungszwang. Linz, Trauner, 81, in-8, 232 p. (Tab.). (Linzer Sch. zur Sozial- u. Wi.-Gesch., 4)

5165. DATTLER (Philippe). La métallurgie dans le comté de Belfort, 1659-1790. Besançon, Bulletin de la Soc. belfortaine d'émulation, 80, in-4, 139 p. (ill.). [N° spéc. du B. Soc. belfortaine Emul., 1980]

5166. DICKINSON (John N.). To build a canal : Sault Ste. Marie, 1853-1854 and after. Columbus, Ohio State U.P., 81, in-8, XVIII-204 p.

5167. DÓKA (Klára). Buda kézmüvesei 1828-ban. (L'artisanat de la ville de Buda en 1828.) Tört. Szle, 81, vol. 24, n° 1, p. 100-113.

5168. DRESCHER (Seymour). Cart whip and billy roller : or anti-slavery and reform symbolism in industrializing Britain. J. soc. Hist., 81, vol. 15, n° 1, p. 3-24.

5169. DRUSHKA (Ken). Against wind and weather : the history of towboating in British Columbia. Vancouver, Douglas a. McIntyre, 81, in-8, 258 p.

5170. DUBLIN (Thomas). Women at work : the transformation of work and community in Lowell, Massachusetts, 1826-1860. New York, Columbia U.P., 79, in-8, XIII-312 p.

3. INDUSTRIA, MINAS Y TRANSPORTES

5171. DUFOUR (Pierre). La construction navale à Québec, 1760-1825 : sources inexplorées et nouvelles perspectives de recherches. R. Hist. Amérique franç., 81-82, vol. 35, p. 231-251.

5172. EAGLE (John A.). Monopoly or competition : the nationalization of the Grand Trunk Railway. Canad. hist. R., 81, vol. 62, p. 3-30.

5173. EGGERT (Gerald G.). Steelmasters and labor reform, 1886-1923. Pittsburgh, Pa., Univ. of Pittsburgh Press, 81, in-8, XVII-212 p.

5174. EICHHOLTZ (Dietrich). Niemiecki kapitał monopolistyczny a zbrojenia w latach 1933-1939. (Le capital monopoliste allemand et l'armement entre 1933-1939.) Kwart. hist., 81, a. 88, n° 1, p. 225-249.

5175. ENGRAND (Charles). Les industries lilloises et la crise économique de 1826 à 1832. R. Nord, 81, t. 63, n° 248, p. 233-251.

5176. EVANS (Francis T.). Roads, railways, and canals : technical choices in 19th-century Britain. Technol. a. Cult., 81, vol. 22, n° 1, p. 1-34.

5177. FALER (Paul G.). Mechanics and manufacturers in the early industrial revolution : Lynn, Massachusetts, 1780-1860. Albany, State Univ. of New York Press, 81, in-8, XVII-267 p. (SUNY Ser. in Am. Soc. Hist.)

5178. FELCMAN (Ondřej). Počátky obnovy textilního průmyslu českých zemí po druhé světové válce. (Beginnings of the renovation of the textile industry in the Czech lands after world war II.) Hosp. Děj., 80, vol. 6, p. 227-275.

5179. FICKLE (James E.). The new south and the "new competition" : trade association development in the southern pine industry. Urbana, Univ. of Illinois Press, 80, in-8, XII-435 p.

5180. FOREMAN-PECK (James). The effect of market failure on the British motor industry before 1939. Explor. in econ. Hist., 81, vol. 18, n° 3, p. 257-289.

5181. FORES (Michael). The myth of a British industrial revolution. History, 81, vol. 66, p. 181-198.

5182. FREMDLING (Rainer). Britische Exporte und die Modernisierung der deutschen Eisenindustrie während der Frühindustrialisierung. Vjschr. f. Soz.- u. Wirtschaftsgesch., 81, Bd 68, p. 305-324.

5183. GARDNER (Charles). History of the British Aircraft Corporation. London, Batsford, 81, in-8, 320 p. (ill.).

5184. GAYOT (Gérard). La longue insolence des tondeurs de draps dans la manufacture de Sedan au XVIIIe siècle. R. Nord, 81, t. 63, n° 248, p. 105-134.

5185. GHEORGHIU (Constantin C.), ZĂGĂNESCU (Florin). Din istoria industriei româneşti : aviaţia = Historical data on the Romanian industry : aviation. Bucureşti, Ed. tehnică, 81, in-8, 160 p. [Romanian a. Eng.]

5186. GILLETTE (Philip S.). Armand Hammer, Lenin, and the first American concession in Soviet Russia. Slavic R., 81, vol. 40, n° 3, p. 355-365.

5187. GIMPEL'SON (E.G.). O rabočem kontrole posle prinjatija dekreta o nacionalizacii promyšlennosti v SSSR. (On workers' control after the decree on the nationalization of industry in the USSR.) Ist. SSSR, 81, n° 4, p. 116-126.

5188. GOLDTHWAITE (Richard A.). The building of Renaissance Florence : an economic and social history. Baltimore, Md., Johns Hopkins U. P., 81, in-8, XVIII-459 p. [construction industry]

5189. GREENWALD (Maurine Weiner). Women, war, and work : the impact of world war I on women workers in the United States. Westport, Conn., Greenwood Press, 80, in-8, XXVII-309 p.

5190. GRØNLIE (Tore). Staten og Store Norske 1961-63. (The Norwegian State and Store Norske Spitsbergen Coal Company 1961-63). Summary. [Norsk] Hist. T., 81, vol. 60, p. 233-265. [En. summary].

5191. HALSEY (Harlan I.). The choice between high-pressure and low-pressure steam power in America in the early nineteenth century. J. econ. Hist., 81, vol. 41, n° 4, p. 723-744.

5192. HARVEY (Charles E.). The Rio Tinto Company, an economic history of a leading international mining concern, 1873-1954. Penzance, A. Hodge, 81, in-8, 390 p. (fig., tab.)

5193. HEYWOOD (Colin).. The market for child labour in 19th-century France. History, 81, vol. 66, p. 34-49. - IDEM. The role of the peasantry in French industrialization, 1815-1880. Econ. Hist. R., 81, ser. 2, vol. 34, n° 3, p. 359-376.

5194. HINDLE (Brooke). Emulation and invention. New York, New York U.P., 81, in-8, XIX-162 p.

5195. HINDLE (Brooke) a. others. Material culture of the wooden age. Tarrytown, N.Y., Sleepy Hollow Press, 81, in-8, 394 p. [U.S., 19. c.]

5196. HOCHHEISER (Sheldon). The evolution of U.S. food color standards, 1913-1919. Agric. Hist., 81, vol. 55, n° 4, p. 385-391.

5197. HOLSINGER (Donald C.). Trade routes of the Algerian Sahara in the nineteenth century. R. Occident musulman, 80, n° 30, p. 57-70.

5198. HOUZARD (G.). Les grosses forges ont-elles mangé la forêt ? A. Normandie, 80, a. 30, p. 245-269.

5199. JAMES (John A.). Some evidence on relative labor scarcity in 19th-century American manufacturing. Explor. in econ. Hist., 81, vol. 18, n° 4, p. 376-388.

5200. JENEI (Károly), SZEKERES (József). Az Ikarus Karosszéria- és Járműgyár története, 1895-1980. (Histoire de l'Usine de véhicules Ikarus.) Budapest, Magy. Tört. Társ. Üzemtört. Szakoszt. Ikarus Gyár, 81; in-8, 393 p.

5201. JEREMY (David J.). Transatlantic industrial revolution : the diffusion of textile technologies between Britain and America, 1790-1830. Cambridge, Mass., MIT Press ; Oxford,

Blackwell, 81, in-8, XVII-384 p. (fig., tab.).

5202. JOBERT (Philippe). Jalons pour le déclin de la métallurgie en Côte-d'Or (1830-1860). A. Bourgogne, 80, t. 52, p. 185-212.

5203. JONES (R. Merfyn). North Wales quarrymen, 1874-1922. Cardiff, Univ. Wales Press, 81, in-8, 376 p.

5204. KLEJN (N.L.). Promyšlennost' Srednego Povolž' ja v period kapitalizma. (The industry of the middle region of the Volga River during capitalism.) Ist. Zap., 81, n° 106, p. 74-126.

5205. KOPAČKA (Ludvík). Some economico-geographical aspects of the development of Czechoslovak industry after the year 1945. Hist. Geogr., 80, vol. 19, p. 312-375 (3 fig.)

5206. KRAMMER (Arnold). Technology transfer as war booty : the U.S. technical oil mission to Europe, 1945. Technol. a. Cult., 81, vol. 22, n° 1, p. 68-103.

5207. KULCZYKOWSKI (Mariusz). Geneza i znaczenie historyczne manufaktury domowej w centralnej i wschodniej Europie. (La genèse et l'importance historique de la manufacture à domicile en Europe centrale et orientale.) Studia hist., 81, a. 24, n° 2, p. 169-182.

5208. LANDAU (Zbigniew). Industrial recession in Poland 1924-1925. Acta Poloniae hist., 81, vol. 43, p. 171-194.

5209. LASCHKE (Michael). Investitions- und Rohstoffprobleme während der sozialistischen Industrialisierung in den europäischen RGW-Ländern in der zweiten Hälfte der fünfziger Jahre. Jb. f. Wirtschaftsgesch., 80, T. 1, p. 43-61.

5210. LAYTON (Ian G.). The evolution of Upper Norland's ports and loading places, 1750-1976. Umeå, Dep. of georg., Univ. of Umeå, 81, in-8, XV-358 p. (maps). (Geographical reports, 6)

5211. LAZONICK (William D.). Production relations, labor productivity, and choice of technique : British and U.S. cotton spinning. J. econ. Hist., 81, vol. 41, n° 3, p. 491-516.

5212. McHUGH (Jeanne). Alexander Holley and the makers of steel. Baltimore, Md., Johns Hopkins Univ. Press, 80, in-8, XIV-402. (Johns Hopkins Stud. in the Hist. of Technology, new ser., 4)

5213. MALCOLMSON (Patricia E.). Laundresses and the laundry trade in Victorian England. Victorian Stud., 81, vol. 24, n° 4, p. 439-462.

5214. MALONE (Michael P.). The battle for Butte : mining and politics on the northern frontier, 1864-1906. Seattle, Univ. of Washington Press, 81, in-8, XIV-281 p.

5215. MAREŠ (Jaroslav). Průmyslové regiony ČSR. (The industrial regions of the Czech Socialist Republic.) Praha, Academia, 80, in-8, 82 p. (3 fig.). (Rozpravy Českoslov. akad. věd. Řada matemat. a přír. věd. 90/6)

5216. MARTIN (Charles H.). Southern labor relations in transition : Gadsden, Alabama, 1930-1943. J. south. Hist., 81, vol. 47, n° 4, p. 545-568.

5217. MASSON (Jack), GUIMARY (Donald). Asian labor contractors in the Alaskan canned salmon industry : 1880-1937. Labor Hist., 81, vol. 22, n° 3, p. 377-397.

5218. MAYR (Otto), POST (Robert C.). Yankee enterprise : the rise of the American system of manufactures. Washington, D.C., Smithsonian Instit. Press, 81, in-8, XX-236 p.

5219. MAZUZAN (George T.). Conflict of interest : promoting and regulating the infant nuclear power industry, 1954-1956. Historian, 81, vol. 44, n° 1, p. 1-14.

5220. MELUSO (Salvatore). La spedizione Bandiera in Calabria. L'itinerario della spedizione dalla foce del Neto al Vallone di Rovito. Chiaravalle Centrale, Frama Sud, 81, in-8, 189 p. (ill.)

5221. MERKLE (Judith A.). Management and ideology : the legacy of the international scientific management movement. Berkeley a. Los Angeles, Univ. of California Press, 80, in-8, IX-325 p.

5222. MESQUI (Jean). Répertoire des ponts routiers antérieurs à 1750. T. 1 : Présentation, répertoire administratif et répertoire des bassins fluviaux. T. 2 : Répertoire alphabétique. Paris, Ed. de la S.E.T.R.A., 81, 2 vol. in-8, 327, 225 p. (507 ill.).

5223. MEYER (Stephen) III. The five dollar day : labor management and social control in the Ford motor company, 1908-1921. Albany, State Univ. of New York Press, 81, in-8, X-249 p. (SUNY Ser. in Am. Soc. Hist.)

5224. MILLER (Randall M.). The fabric of control : slavery in antebellum southern textile mills. Business Hist. R., 81, vol. 55, n° 4, p. 471-490.

5225. MINNITI (Fortunato). La politica industriale del Ministero [italiano] dell'Aeronautica. Mercato, pianificazione, sviluppo (1935-1943). Stor. contemp., 81, a. 12, p. 5-56, 271-314 p.

5226. MORGAN (Wallace). Die Ölpolitik der USA in Mesopotamien nach dem ersten Weltkrieg. Jb. f. Gesch., 81, Bd 24, p. 73-98.

5227. MOYNAGH (Michael). Brown or white ? A history of the Fiji sugar industry, 1873-1973. Canberra, Australian Nat. Univ. Press, 81, in-8, XIII-306 p. (map). (Pacific Research Monogr., 5)

5228. MULLIGAN (William H.) Jr. Mechanization and work in the American shoe industry : Lynn, Massachusetts, 1852-1883. J. econ. Hist., 81, vol. 41, n° 1, p. 59-63.

5229. NIFONTOV (A.S.). Krupnaja promyšlennost' Rossii na rubeže 50-60-kh godov XIX veka. (Large-scale industry of Russia at the turn of the 1850s-1860s.) Ist. SSSR., 81, n° 3, p. 60-77.

5230. NORRVIK (Christer). Briggen Carl Gustaf 1875-1889. Under österbottniska segel i ångans tidevarv. (Brig Carl Gustaf. Under ostrobothnian sails during the steem period.) Helsinki, 81, 314 p. (ill.). (Skr. svenska Litteratursälls. Finland, 498) [Engl. summary]

5231. NOVOTNÝ (Karel). Hospodářské a sociální problémy vývoje kartounářského průmyslu v Čechách v první polovině 19. stoketí. (Wirtschaftliche und soziale Entwicklungsprobleme der Kattunindustrie in Böhmen in der ersten Hälfte des 19. Jh.) Acta Univ. Carolinae, Philos. et Hist., 79, vol. 3, p. 7-61.

5232. OMNES (Catherine). De l'atelier au groupe industriel : Vallourec, 1882-1978. Paris, Ed. de la Maison des Sci. de l'Homme ; Villeneuve-d'Ascq, Presses univ. de Lille, 81, in-8, 452 p. (ill.)

5233. OTT (Hugo), ALLGEIER (Rudi), FEHRENBACH (Philipp), HERZIG (Thomas). Historische Energiestatistik am Beispiel der öffentlichen Elektrizitätsversorgung Deutschlands. Eine Zwischenbilanz. Vjschr. f. Soz.- u. Wirtschaftsgesch., 81, Bd 68, p. 325-348.

5234. PARMA (Josef). Dějiny válcoven železa v českých zemích v období 1821-1945, na Slovensku v období 1918-1945. (Geschichte d. Eisenwalzwerke in d. böhmischen Ländern im Zeitraum 1821-1945 u. in d. Slowakei im Zeitraum 1821-1945.) Praha, Technickoekon. výz. ústav hutního průmyslu, 80, in-8, 233 p.

5235. PAYNE (Peter L.). Early scottish limited companies, 1856-1895. Edinburgh, Scot. Academic Press, 81, in-8, 152 p.

5236. PETERSON (Joyce Shaw). Auto workers and their work, 1900-1933. Labor Hist., 81, vol. 22, n° 2, p. 213-236.

5237. Petite entreprise et croissance industrielle dans le monde aux XIXe et XXe siècles. Paris, Ed. du C.N.R.S., 81, 2 vol. in-8, XIV-1111 p.

5238. PETTERSSON (Jan-Erik). Kristidsekonomi och företagsutveckling : industrin i Uppsala län 1939-49. (Development of firms in a time of crisis : industry in the county of Uppsala, 1939-1949.) Stockholm, Almqvist a. Wiksell international, 80, in-8, 243 p. (Uppsala studies in econ. hist., 24) [Eng. summary]

5239. POHL (Hans). Zur Geschichte von Organisation und Leitung Deutscher Grossunternehmen seit dem 19. Jahrhundert. Z. f. Unternehmensgesch., 81, Jg. 26, p. 143-178.

5240. POLLARD (Sidney). Peaceful conquest, the industrialization of Europe, 1760-1970. London, Oxford U.P., 81, in-8, 464 p. (maps).

5241. POMMIER (Henriette). Soierie lyonnaise (1850-1940). Paris, Ed. du C.N.R.S., 81, in-8, 72 p.

5242. Promyšlennoe razvitie stran Latinskoj Ameriki v uslovijakh NTR. (Industrial development of countries of Latin America under the conditions of STR.) Otv. red. I. K. ŠEREMET'EV. Moskva, Nauka, 81, 333 p. (AN SSSR. In-t Lat. Ameriki).

5243. PURŠ (Jaroslav). Changes in the spatial organization of industry in Bohemia at the threshold of the indistrial revolution. Hist. Geogr., 80, vol. 19, p. 247-282 (5 fig.). - IDEM. Complex revolution of the modern age and industrial revolution. Historica [Praha], 80, vol. 19, p. 135-170.

5244. REININGHAUS (Wilfried). Vereinigungen der Handwerksgesellen in Hessen-Kassel vom 16. bis zum frühen 19. Jahrhundert. Hess. Jb. f. Landesgesch., 81, Bd 31, p. 97-148.

5245. ROBERTS (James S.). Drink and industrial work discipline in 19th century Germany. J. soc. Hist., 81, vol. 15, n° 1, p. 25-38.

5246. ROSEN (Philip T.). The modern stentors : radio broadcasters and the federal government, 1920-1934. Westport, Conn., Greenwood Press, 80, in-8, 267 p. (Contrib. in Econ. a. Econ. Hist., 31)

5247. ROSENBERG (William G.). The democratization of Russia's railroads in 1917. Am. hist. R., 81, vol. 86, n° 5, p. 983-1008.

5248. RULE (John). The experience of labour in eighteenth century English industry. New York, St. Martin's Press, 81, in-8, 227 p.

5249. SAHAM (Junid). British industrial investment in Malaysia, 1963-1971. Kuala Lumpur, Oxford U.P., 81, in-8, 376 p. (tab., fig.)

5250. ST. CLAIR (David J.). The motorization and decline of urban public transit, 1935-1950. J. econ. Hist., 81, vol. 41, n° 3, p. 579-600.

5251. SCHMITZ (Mark). The elasticity of substitution in 19th-century manufacturing. Explor. in econ. Hist., 81, vol. 18, n° 3, p. 290-303.

5252. SCHNAKENBOURG (Christian). Histoire de l'industrie sucrière en Guadeloupe aux XIXe et XXe siècles. 1 : La crise du système esclavagiste, 1835-1847. Paris, Harmattan, 80, in-8, 254 p. (graph.).

5253. SHANKMAN (Arnold). The five-day plan and the depression. Historian, 81, vol. 43, n° 3, p. 393-409.

5254. ŠIROKOV (G.K.). Promyšlennaja revoljucija v stranakh Vostoka. (The industrial revolution in countries of the East.) Moskva, Nauka, 81, 215 p. (AN SSSR. In-t vostokovedenija)

5255. SMITH (Steven R.). The ideal and reality : apprentice-master relationships in seventeenth century London. Hist. Educat. Quar., 81, vol. 21, n° 4, p. 449-460.

5256. SPILL (J.M.). L'avion et les îles : le cas de la Grèce. In : Iles de Méditerranée [Cf. n° 216], p. 49-72.

5257. STILL (William N.) Jr. Shipbuilding in North Carolina : the world war I experience. Am. Neptune, 81, vol. 41, n° 3, p. 188-207.

5258. STOKES (Durward T.). Company shops : the town built by a railroad. Winston-Salem, N.C., John F. Blair, 81, in-8, 169 p.

5259. Storia dell'industria europea. [Di vari.] Milano, ETAS libri, 81, in-4, 398 p. (ill.)

5260. STRICKER (Frank). The wages of inflation : worker's earnings in the world war one era. Mid-Am., 81, vol. 63, n° 2, p. 93-106.

5261. TARNOVSKIJ (K.N.). Organizacii melkoj promyšlennosti v Rossii v gody pervoj mirovoj vojny. (Small-industry organizations in Russia during the First World War.) Vopr. Ist., 81, n° 8, p. 18-34.

5262. TAYLOR (Graham D.). Management relations in a multinational enterprise : the case of Canadian Industries Limited, 1928-1948. Business Hist. R., 81, vol. 55, n° 3, p. 337-358.

5263. TOLNAI (György). A manufakturaipar pusztulása és a függő fejlődés kezdetei Mayarországon, 1850-1867. (La destruction de l'industrie des manufactures et les débuts du développement dépendant en Hongrie.) Budapest, Akad. Kiadó, 80, in-8, 183 p.

5264. TONNESSEN (J.N.), JOHNSON (A.O.). History of modern whaling. London, C. Hurst, 81, in-8, 832 p. (ill.).

5265. TRESCOTT (Martha Moore). The rise of the American electrochemicals industry, 1880-1910 : studies in the American technological environment. Westport, Conn., Greenwood Press, 81, in-8, XXXVIII-391 p. (Contrib. in Economics a. Econ. Hist., 38)

5266. TUCKER (Barbara M.). The merchant, the manufacturer, and the factory manager : the case of Samuel Slater. Business Hist. R., 81, vol. 55, n° 3, p. 297-313.

5267. TUTTLE (William M.) Jr. The birth of an industry : the synthetic rubber "mess" in world war II. Technol. a. Cult, 81, vol. 22, n° 1, p. 35-67.

5268. TYGIEL (Jules). Tramping artisans : the case of the carpenters in industrial America. Labor Hist., 81, vol. 22, n° 3, p. 348-376.

5269. VARGA (László). A csepeli gyáróriás kialakulásának története. (Histoire des débuts de la grande usine de Csepel.) Budapest, BME Mérnöktovábbképző Intézet, 81, in-8, 110 p.

5270. VERBÍK (Antonín). Dvouletý hospodářský plán a industrializace hospodářsky slabých krajů českých zemí. (The two-year economic plan and the industrialization of economically weak regions of the Czech lands.) Hosp. Děj., 80, vol. 6, p. 5-99.

5271. WARD (James A.). Image and reality : the railway corporate-state metaphor. Business Hist. R., 81, vol. 55, n° 4, p. 491-516. [U.S. railroad companies, 1850s-1880s]

5272. WERNER (George S.). Travelling journeymen in Metternichian south Germany. Proc. am. philos. Soc., 81, vol. 125, n° 3, p. 190-219.

5273. Where did we go wrong ? Industrial performance, education and the economy of Victorian Britain. Ed. a. intr. by Gordon RODERICK a. Michael D. STEPHENS. Leaves, Palmer Press, 81, in-8, 262 p.

5274. WHITMORE (R.L.). Coal in Queensland, the first 50 years. Brisbane, Queensland U. P., 81, in-8, 208 p.

5275. WIENER (Martin J.). English culture and the decline of the industrial spirit, 1850-1980. London a. New York, Cambridge U.P., 81, in-8, XI-217 p.

5276. WILLIAMS (Trevor I.). History of the British gas industry. London, Oxford U.P., 81, in-8, 336 p.

5277. WOOD (Charles L.). The Kansas beef industry. Lawrence, Regents Press of Kansas, 80, in-8, XIII-352 p.

5278. YEAGER (Mary). Competition and regulation : the development of oligopoly in the meat packing industry. Greenwich, Conn., JAI Press, 81, in-8, XXVI-296 p. (Industrial Development a. the Soc. Fabric, 2)

Cf. n°^{S} 2896, 4614, 5387, 6257, 7006.

§ 4. Comercio.

5279. ARNOLD (Allan A.). Merchants in the forecastle : the private ventures of New England mariners. Am. Neptune, 81, vol. 41, n° 3, p. 165-187.

5280. ATTMAN (Artur). The Russian market in world trade, 1500-1860. Scand. econ. Hist. R., 81, vol. 29, p. 177-202.

5281. BARBIER (Frédéric). Le commerce international de la librairie française au XIXe siècle (1815-1913). R. Hist. mod., 81, t. 28, p. 94-117.

5282. BARRATT (Glynn). Russia in Pacific waters, 1715-1825 : a survey of Russia's naval presence in the North and South Pacific. Vancouver a. London, Univ. Brit. Colombia Press, 81, in-8, XVII-300 p.

5283. BENSON (Susan Porter). The Cinderella of occupations : managing the work of department store saleswomen, 1900-1940. Business Hist. R., 81, vol. 55, n° 1, p. 1-25.

5284. BOLLARD (A.E.). The financial adventures of J.C. Godeffroy and Son in the Pacific. J. pacific Hist., 81, vol. 16, p. 3-19.

5285. CAMPBELL (Gwyn). Madagascar and the slave trade, 1810-1895. J. african Hist., 81, vol. 2, p. 203-227.

5286. CAPIE (Forrest). Shaping the British tariff structure in the 1930s. Explor. in econ. Hist., 81, vol. 18, n° 2, p. 155-173.

5287. CARLOS (Ann). The causes and origins of the North American fur trade rivalry : 1804-1810. J. econ. Hist., 81, vol. 41, n° 4, p. 777-794.

5288. CICANCI (Olga). Companiile grecești din Transilvania și comerțul european între anii 1636 și 1746. (Les compagnies grecques de la Transylvanie et le commerce européen entre les années 1636 et 1746.) București, Ed. Acad., 81, in-8, 208 p. (Bibl. istorică, 54)

5289. COCHRAN (Sherman). Big business in China : Sino-foreign rivalry in the cigarette industry, 1890-1930. Cambridge, Mass., Harvard U.P., 80, in-8, X-332 p. (Harvard Stud. in Business Hist., 33)

5290. COONEY (Jerry W.). Paraguayan Astilleros and the platine merchant marine, 1796-1806. Historian, 80, vol. 43, n° 1, p. 55-74.

5291. COSTELOE (Michael P.). Spain and the

Latin American wars of independence : the free trade controversy, 1810-1820. Hisp. am. hist. R., 81, vol. 61, n° 2, p. 209-234.

5292. CRISTEA (Gheorghe). L'expansion économique austro-hongroise en Roumanie et la réaction de la bourgeoisie autochtone (1886-1891). R. roumaine Hist., 80, t. 19, p. 313-332.

5293. DEMEULENAERE-DOUYERE (Christiane). Le commerce espagnol à Rouen au XVIe siècle. Et. normandes, 81, n° 2, p. 43-54. - EADEM. Les Espagnols et la société rouennaise au XVIe siècle. Ibid., n° 3, p. 65-83.

5294. DRALLE (Lothar). Der Bernsteinhandel des Deutschen Ordens in Preussen, vornehmlich zu Beginn des 16. Jahrhunderts. Hans. Gesch.-Bl., 81, Jg. 99, p. 61-72.

5295. ELTIS (David), WALVIN (James) a. others. The abolition of the Atlantic slave trade : origins and effects in Europe, Africa, and the Americas. Madison, Univ. of Wisconsin Press, 81, in-8, XIII-314 p.

5296. ESTEBAN (Javier Cuenca). Statistics of Spain's colonial trade, 1792-1820 : consular duties, cargo inventories, and balances of trade. Hisp. am. hist. R., 81, vol. 61, n° 3, p. 381-428.

5297. FISHER (John). Imperial "free trade" and the Hispanic economy, 1778-1796. J. latin am. Stud., 81, vol. 13, p. 21-56.

5298. FREMDLING (Rainer). Britische Exporterfolge und französische Schutzzollpolitik. Zur Entstehung und Auswirkung der Eisenzölle von 1822. Scripta Mercaturae, 80, Jg. 14, p. 55-70.

5299. FROSTIN (Charles). La piraterie américaine des années 1720 vue de Saint-Domingue (répression, environnement et recrutement). Cah. Hist., 80, t. 25, p. 177-210. - IDEM. Piraterie en mer des Antilles au début du XVIIIe siècle : les forbans de Saint-Domingue. Nouv. R. mar., 81, n° 359, p. 78-88.

5300. GOLDENBERG (Samuil). Les relations économiques entre Est et Ouest aux XVe-XVIIIe siècles. Anu. Inst. Ist. Arheol. Cluj-Napoca, 81, t. 24, p. 145-169.

5301. GOODWIN (Paul B.) Jr. Anglo-Argentine commercial relations : a private sector view, 1922-1943. Hisp. am. hist. R., 81, vol. 61, n° 1, p. 29-51.

5302. GRAGE (Elsa-Britta). Capital supply in Gothenburg's foreign trade, 1765-1810. Scand. econ. Hist. R., 81, vol. 29, p. 97-128.

5303. GRANASZTÓI (György). La ville de Kassa dans le commerce hungaro-polonais au XVIe siècle. In : La Pologne et la Hongrie aux XVIe-XVIIIe siècles, [Cf. n° 6345], p. 57-72.

5304. GREER (Allan). Fur-trade labour and Lower Canadian agrarian structures. Canad. hist. Assoc. Pap., 81, p. 197-214.

5305. HAJDUK (Bolesław). Wolne Miasto Gdańsk w polityce celnej Polski 1922-1934. (La Ville Libre de Gdańsk dans la politique douanière de la Pologne 1922-1934.) Wrocław, Zakł. Narod. im. Ossolińskich, 81, in-8, 282 p. (Gdańskie Tow. Nauk. Wydz. 1 Nauk Społ. i Humanist. Prace Komisji Hist. Ser. Monografii, 78)

5306. HANSON (John H.) II. Trade in transition : exports from the third world, 1840-1900. New York, Academic Press, 80, in-8, XII-197 p. (Stud. in Social Discontinuity)

5307. HICKEY (Donald R.). American trade restrictions during the war of 1812. J. am. Hist., 81, vol. 68, n° 3; p. 517-538.

5308. HOSZOWSKI (Stanisław). Wiślany handel zbożowy w 1662 roku. (Le commerce du blé par la Vistule en 1662.) Zap. hist., 81, vol. 46, n° 2, p. 5-25.

5309. HÓVÁRI (János). Az 1515-17. évi tulcsai török vámnapló. (The Turkish custom register of 1515-17 from Tulcea.) Tört. Szle, 81, vol. 24, n° 3, p. 430-449.

5310. INIKORI (J.E.). Market structure and the profits of British African trade in the late eighteenth century. J. econ. Hist., 81, vol. 41, n° 4, p. 745-776.

5311. IONESCU (Traian). Informations françaises touchant les rapports économiques entre la Roumanie et la France durant la période 1871-1883. R. roumaine Hist., 80, t. 19, p. 627-652.

5312. KAJZER (Leszek). W sprawie importu piwa angielskiego do Polski w XVIII w. (Sur l'importation de bière anglaise en Pologne au XVIIIe s.) Kwart. Hist. Kult. mater., 81, a. 29 n° 2, p. 163-176.

5313. KILLICK (J.R.). The transformation of cotton marketing in the late nineteenth century : Alexander Sprunt and Son of Wilmington, N.C., 1866-1956. Business Hist. R., 81, vol. 55, n° 2, p. 143-169.

5314. KIRCHNER (Walther). Russian tariffs and foreign industries before 1919 : the German entrepreneur's perspective. J. econ. Hist., 81, vol. 41, n° 2, p. 361-380.

5315. LABORA MARTÍN (Juan José). Materiales para el estudio de la política comercial durante el primer reinado de Felipe V : el valor ilustrativo del caso vizcaino (1700-1727). Cuad. Invest. hist., 81, t. 5, p. 73-112.

5316. LAPEYRE (H.). El comercio exterior de Castilla a traves de las aduanas de Felipe II. Valladolid, Univ., 81, in-8, 404 p.

5317. LEBERGOTT (Stanley). Through the blockade : the profitability and extent of cotton smuggling, 1861-1865. J. econ. Hist., 81, vol. 41, n° 4, p. 867-888.

5318. LEMELIN (André). Le déclin du port de Québec et la reconversion économique à la fin du XIXe siècle. Une évaluation de la pertinence de l'hypothèse du staple. Rech. sociogr., 81, vol. 22, p. 155-186.

5319. LEVITT (James H.). For want of trade : shipping and the New Jersey ports, 1680-1783. Newark, New Jersey Hist. Soc., 81, in-8, XI-224 p.

5320. LIVET (Georges). Croissance économique et privilèges commerciaux des Suisses sous l'Ancien Régime. Note sur les commerçants suisses établis en France au XVIIIe siècle. In : Lyon et l'Europe [Cf. n° 417], vol. 2, p. 43-63.

5321. LLOYD (Christopher). English corsairs on the Barbary Coast. London, Collins, 81, in-8, 176 p.

5322. LORENCE (James J.). Organized business and the myth of the China market : the American Asiatic association, 1898-1937. Philadelphia, Am. Philos. Soc., 81, in-8, 112 p. (Transactions of the Am. Philos. Soc., n° 71, part 4)

5323. LYDON(John). Fish for gold : the Massachusetts fish trade with Iberia, 1700-1773. New England Quar., 81, vol. 54, n° 4, p. 539-582.

5324. MALAMUD [RIKLES] (Carlos D.). El comercio directo de Europa con América en el siglo XVIII. Algunas consideraciones. Quinto centenario, 81, t. 1, p. 25-52.

5325. MARCO (Miguel Ángel de). La armada española en el Plata, 1845-1900. Rosario, Fac. de Derecho y Ci. soc., 81, in-8, 459 p. (ill.)

5326. MARTIN (Jean-Clément). Le commerçant, la faillite et l'historien. A., Ec., Soc., Civ., 80, a. 35, p. 1251-1268.

5327. MAUDE (H.E.). Slavers in paradise : Peruvian slave trade in Polynesia, 1862-1864. Stanford, Calif., Stanford U.P., 81, in-8, XXIII-244 p.

5328. MÉREI (Gyula). Marktverhältnisse im Aussenhandel des Königreichs Ungarn 1790-1848. Acta hist. Acad. Sci. hungaricae, 81, vol. 27, n°^{s} 3-4, p. 359-424.

5329. MILLER (Michael B.). The Bon Marché : bourgeois culture and the department store, 1869-1920. Princeton, N.J., Princeton U.P., 81, XII-266 p.

5330. MIRONOV (B.N.). Vnutrennij rynok Rossi vo vtoroj polovine XVIII - pervoj polovine XIX v. (The home market of Russia in the second half of the 18th a. the first half of the 19th cent.) Leningrad, Nauka, 81, 259 p. (AN SSSR. In-t istorii SSSR. Leningr. otd-nie)

5331. MOWAFI (Reda). Slavery, slave trade and abolition attempts in Egypt and the Sudan, 1820-1882. Stockholm, Esselte sutduim, 81, in-8, 145 p. (maps). (Lund studies in internat. hist., 14) [Text in Eng. a. French]

5332. MURRAY (David). Odious commerce : Britain, Spain and the abolition of the Cuban slave trade. London, Cambridge U.P., 81, in-8, 425 p. (tab.). (Latin Amer. Stud.)

5333. PACH (Zsigmond Pál). East central Europe and world trade at the dawn of modern times. Acta hist. Acad. Sci. hungaricae, 81, vol. 27, n°^{s} 3-4, p. 281-316. - IDEM. Le commerce du Levant et la Hongrie au XVIe siècle. In : La Pologne et la Hongrie aux XVIe-XVIIIe siècles [Cf. n° 6345], p. 45-55.

5334. PALMER (Colin A.). Human cargoes : the British slave trade to Spanish America, 1700-1739. Urbana, Univ. of Illinois Press, 81, in-8, XV-183 p. (Blacks in the New World)

5335. PAP (Francisc). Comerțul Clujului cu Viena între 1599-1637 (pe baza registrelor tricesimale). (Der Handel von Cluj-Klausenburg mit Wien im Zeitraum 1599-1637, auf Grund der Dreissigst-Register.) Acta Musei napocensis, 81, t. 18, p. 171-188. [Mit dt. Zsfassung, p. 188-190]

5336. PASKALEVA (Virginia). From the history of the Bulgarian trade during the third quarter of the 19th century. Bulg. hist. R., 81, a. 9, n°^{s} 1-2, p. 99-124.

5337. PERROT (Jean-Claude). Les dictionnaires de commerce au XVIIIe siècle. R. Hist. mod., 81, t. 28, p. 36-67.

5338. PITZ (Ernst). Die Herzöge von Braunschweig-Wolfenbüttel und der Tuchhandel Nordwestdeutschlands im 16. Jahrhundert. Hans. Gesch.-Bl., 81, Jg. 99, p. 73-89.

5339. PLUCHON (Pierre). La route des esclaves : négriers et bois d'ébène au XVIIIe siècle. Paris, Hachette-Littérature, 80, in-8, 311 p.

5340. RAWLEY (James A.). The transatlantic slave trade : a history. London a. New York, W.W. Norton, 81, in-8, XIV-452 p.

5341. SAVINA (Natalja V.). Die Handelsgesellschaften und die gesellschaftliche Bewegung in Deutschland während des ersten Drittels des 16. Jahrhunderts. Jb. f. Gesch. d. Feudalismus, 81, Bd 5, p. 149-179.

5342. SEIBOLD (Gerhard). Die Blommart und ihr Handelshaus. Ein Beitr. z. Gesch. d. niederländischen Kaufleute im Nürnberg des 17. Jh. unter bes. Ber. d. Familien de Brassrie, Buirette u. von Lierdt. Mitt. d. Ver. f. Gesch. Nürnberg, 81, Bd 68, p. 164-220.

5343. SPENCER (I.R.G.). The first assault on Indian ascendancy : Indian traders in the Kenya reserves, 1895-1929. African Affairs, 81, vol. 80, p. 327-343.

5344. TARDIEU (Jean-Pierre). Les principales structures administratives espagnoles de la traite des Noirs vers les Indes Occidentales. Caravelle, 81, n° 37, p. 51-84.

5345. VLAEMNINCK (Joseph-H.). Histoire et doctrines de la comptabilité. Vesoul, Pragnos, 79, in-8, 230 p. (Coll. La Bibliothèque de l'expert).

5346. WACHOWIAK (Bogdan). Problemy handlu Gdańska w pierwszej połowie XIX wieku. (Les problèmes du commerce de Gdańsk dans la seconde moitié du XIXe s.) Roczn. Gdańsk., 81, vol. 41, fasc. 2, p. 5-44.

5347. WINTERS (L. Alan). Econometric model of the export sector : United Kingdom visible exports and their prices, 1955-1973. London, Cambridge U.P., 81, in-8, 256 p. (dr., tab.).

5348. WOŹNIAK (Zbigniew). Polsko-turecka wymiana gospodarcza w okresie międzywojennym. (L'échange économique polono-turque dans l'entre-deux-guerres.) Studia hist., 81, a. 24, n° 1, p. 71-84)

5349. WURM (Clemens A.). Der Exporthandel und die britische Wirtschaft 1919-1939. Vjschr. f. Soz.- u. Wirtschaftsgesch., 81, Bd 68, p. 191-224.

5350. ZIMÁNYI (Vera). Les problèmes principaux du commerce extérieur de la Hongrie à partir du milieu du XVIe jusqu'au milieu du XVIIe siècle. In: La Pologne et la Hongrie aux XVIe-XVIIIe siècles [Cf. n° 6345], p. 25-43.

Cf. n°ˢ 33, 2260, 6313, 6471.

§ 5. Agricultura y problemas agrários.

* 5351. ROGERS (Earl H.), ROGERS (Susan H.). Significant books on agricultural history published in [1978. Cf. Bibl. 80, n° 5327.] 1979. Agric. Hist., 81, vol. 55, n° 4, p. 407-412.

** 5352. Dézsmajegyzékek. I, 1 : Heves és Külső-Szolnok vármegye 1548. Szerk. KOVÁCS Béla. (Regesta decimarum. I, 1 : Les comitats de Heves et Külső-Szolnok 1548. Réd. par -.) Eger, 81, in-8, 170 p. (A Heves megyei Levéltár forráskiadványai)

** 5353. LODER (Robert). Farm accounts, 1610-1620. Ed. by G.E. FUSSELL. London, R. Hist. Soc., 81, in-4, 238 p. (Camden Soc.)

5354. ALSTON (Lee J.). Tenure choice in southern agriculture, 1930-1960. Explor. in econ. Hist., 81, vol. 18, n° 3, p. 211-232.

5355. ANDERSON (Robin L.). A government-directed frontier in the humid tropics : Pará, Brazil, 1870-1920. Agric. Hist., 81, vol. 55, n° 4, p. 392-406.

5356. ANDRÉS-GALLEGO (José). El movimiento agrario confesional [en España] de principios del siglo XX. Hispania [Madrid], 81, t. 41, p. 155-195.

5357. ANKLI (Robert E.), OLMSTEAD (Alan L.). The adoption of the gasoline tractor in California. Agric. Hist., 81, vol. 55, n° 3, p. 213-230.

5358. BARTA (János), Jr. Mária Terézia mezőgazdasági társaságai. Kisérlet a Habsburg monarchia nemességének aktivizálására. (Agricultural societies of Maria Theresa. An attempt to activate the nobility in the Habsburg Monarchy.) Agrártört. Szle, 81, vol. 23, n°ˢ 1-2, p. 31-50.

5359. BERGER (Alain), MAUREL (Frédéric). La viticulture et l'économie du Languedoc du XVIIIe siècle à nos jours. Montpellier, Ed. du Faubourg, 80, in-8, 211 p. (ill.).

5360. BOEHLER (Jean-Michel). Enquête rurale et critique historique : un tableau de la campagne haut-rhinoise en 1789. R. Alsace, 81, n° 107, p. 87-113.

5361. BOKARËV (Ju. P.). Bjudžetnye obsledovanija krest'janskikh khozjajstv 20-kh godov kak istoričeskij istočnik. (Budgetary inspections of peasant farms in the 20s as historical source.) Moskva, Nauka, 81, 309 p. (AN SSSR. In-t istorii SSSR)

5362. BORKOWSKI (Jan). Chłopi polscy w dobie kapitalizmu. (Les paysans polonais à l'époque du capitalisme [XIXe-XXe s.]. Warszawa, Państw. Wydawn. Nauk., 81, in-8, 332 p.

5363. BUTERA (Maria Maddalena). Le campagne italiane in età napoleonica. La prima inchiesta agraria dell'Italia moderna. Milano, Angeli, 81, in-8, 295 p. (La Soc. ital. mod. e contemp., 6)

5364. CARLSON (Leonard A.). Indians, bureaucrats, and land : the Dawes Act [1887] and the decline of Indian farming. Westport, Conn., Greenwood Press, 81, in-8, XII-219 p. (Contrib. in Economics a. Econ. Hist., 36) - IDEM. Land allotment and the decline of American Indian farming. Explor. in econ. Hist., 81, vol. 18, n° 2, p. 128-154.

5365. CLAUSEN (Otto). Chronik der Heide- und Moorkolonisation im Herzogtum Schleswig (1760-1765). Husum, Husum-Druck-u. Verl.-Ges., 81, in-8, 886 p. (894 Ill., Kt., 2 Kt.-Beil.).

5366. CLIFTON (James M.). The rice industry in colonial America. Agric. Hist., 81, vol. 55, n° 3, p. 266-283.

5367. CONSTANTINESCU (Ioana). L'affermage des domaines aux paysans corvéables dans les Principautés Danubiennes sous le régime phanariote. R. roumaine Hist., 81, t. 20, p. 517-543.

5368. CROSS (Harry E.), SANDOS (James A.). Across the border : rural development in Mexico and recent migration to the United States. Berkeley, Inst. of Governmental Stud., Univ. of Calif., Berkeley, 81, in-8, XIX-198 p.

5369. CVETKOVA (Bistra A.). Le statut de la population rurale dans le Sud-Est européen aux XV-XVIII siècles. Südost-Forsch., 81, Bd 40, p. 1-17.

5370. DANIEL (Cletus E.). Bitter harvest : a history of California farmworkers, 1870-1941. Ithaca, N.Y., Cornell U.P., 81, in-8, 348 p.

5371. DANIEL (Pete). The transformation of the rural South : 1930 to the present. Agric. Hist., 81, vol. 55, n° 3, p. 231-248.

5372. DAVIDSON (Bruce Robinson). European farming in Australia, the economic history of Australian farming. London, Elsevier, 81, in-8, X-438 p. (ill., tab.).

5373. DERLANGE (Michel). L'olivier et ses perspectives de rentabilité en France méditerranéenne dans les domaines de l'ordre de Malte (Provence et Bas-Languedoc) de 1675 à la fin du XVIIIe siècle. Provence hist., 81, t. 31, fasc. 124, p. 101-125.

5374. DONTENWILL (Serge). Les baux à mi-fruits en Roannais et Brionnais aux XVIIe et XVIIIe siècles : une approche des conditions socio-économiques de la mise en valeur du sol sous l'Ancien Régime. In : Lyon et l'Europe [Cf. n° 417], vol. 1, p. 179-208 (5 fig.)

5375. DURAND (Georges). Parcelles : diviser ou redistribuer ? In : Lyon et l'Europe [Cf. n° 417], vol. 1, p. 209-221.

5376. FERRY (Robert J.). Encomienda, African slavery, and agriculture in seventeenth-century Caracas. Hisp. am. hist. R., 81, vol. 61, n° 4, p. 609-636.

5377. FIRESTONE (Ya'akov). Land equalization and factor scarcities : holding size and the burden of impositions in imperial central Russia and the late Ottoman Levant. J. econ.

Hist., 81, vol. 41, n° 4, p. 813-834.

5378. FITE (Gilbert C.). American farmers : the new minority. Bloomington, Indiana U.P., 81, in-8, IX-265 p. (Minorities in Mod. Am.)

5379. FLEISCHER (Manfred P.). The first German agricultural manuals. Agric. Hist., 81, vol. 55, n° 1, p. 1-15.

5380. GARNIER (Bernard). Production et prélèvement à Beaumesnil [Calvados] vers 1780. A. Normadie, 81, a. 31, p. 239-261.

5381. GILBERT (Jess), BROWN (Steve). Alternative land reform proposals in the 1930s : the Nashville agrarians and the southern tenant farmers' union. Agric. Hist., 81, vol. 55, n° 4, p. 351-369.

5382. GOLD (David M.). Jewish agriculture in the Catskills, 1900-1920. Agric. Hist., 81, vol. 55, n° 1, p. 31-49.

5383. GUBENKO (G.N.). Sel'skaja kreditnaja kooperacija na juge Ukrainy i eë rol' v razvitii agrarnogo kapitalizma v načale XX veka. (Rural credit cooperation in the south of the Ukraine and its role in the development of agrarian capitalism in the early 20th cent.) Ist. SSSR, 81, n° 2, p. 159-170.

5384. GULLICKSON (Gay L.). The sexual division of labor in cottage industry and agriculture in the Pays de Caux : Auffay, 1750-1850. French hist. Stud., 81, vol. 12, n° 2, p. 177-199.

5385. GUTH (James L.). Herbert Hoover, the U.S. Food Administration, and the dairy industry, 1917-1918. Business Hist. R., 81, vol. 55, n° 2, p. 170-187.

5386. HARDEMAN (Nicholas P.). Shucks, shocks, and hominy blocks : corn as a way of life in pioneer America. Baton Rouge, Louisiana State U.P., 81, in-8, XII-271 p.

5387. HARDER-GERSDORFF (Elisabeth). Leinsaat. Eine technische Kultur d. Baltikums als Produktionsbasis westeurop. Textilwirtschaft im 17. u. 18. Jh. Z. f. Agrargesch., 81, Jg. 29, p. 169-198.

5388. HELD (Joseph) a. others. The modernization of agriculture : rural transformation in Hungary, 1848-1975. Boulder, Colo., East European Monographs, 80, in-8, 508 p. (East Europ. Monogr., 63)

5389. HERMANN (Janet Sharp). The pursuit of a dream. New York, Oxford U.P., 81, in-8, XI-290 p. [19th c. attempt to create ideal plantation community]

5390. HOŠEK (Emil), TLAPÁK (Josef). Přehled vývoje lesnictví v českých zemích v druhé polovine 19. století. (Übersicht über die Entwicklung der Forstwirtschaft in den böhmischen Ländern in der zweiten Hälfte des 19. Jahrhunderts.) Praha, Zemědělské muzeum, 80, in-8, 136 p. (Prameny a studie, 22)

5391. HUREZEANU (Damian). Théories et pratiques des réformes agraires dans le sud-est européen à l'époque moderne. R. roumaine Hist., 80, t. 19, p. 191-213.

5392. ISERN (Thomas D.). Custom combining on the great plains : a history. Norman, Univ. of Oklahoma Press, 81, in-8, XV-248 p.

5393. JORDAN (Terry G.). Trails to Texas : southern roots of western cattle ranching. Lincoln, Univ. of Nebraska Press, 81, in-8, XV-220 p.

5394. KÁLLAY (István). A családi hitbizományok Magyarországon. (Majorats familiaux en Hongrie.) Levéltári Közl., -79, vol. 50, n° 1, p. 69-91.

5395. KALMYKOVA (A.I.), ROGALINA (N. L.), SELUNSKAJA (V.M.). Opyt izučenija processa klassovoj differenciacii krest'janskikh khozjajstv (Po materialam bjudžetnykh obsledovanij derevni Černozëmnogo Centra RSFSR 1924/25-1926/27 gg.). (An experience in studying the process of class differentiation of peasant farms.) Ist. SSSR, 81, n° 2, p. 110-125.

5396. KÁVÁSSY (Sándor). Gazdasági viszonyok Szatmárban a XIX. század elején. (Economic conditions in Country Szatmár in the early 19th century.) Agrártört. Szle, 81, vol. 23, n°s 1-2, p. 133-151.

5397. KOVAL'ČENKO (I.D.), BORODKIN (L. I.). Struktura i uroven' agrarnogo razvitija rajonov Evropejskoj Rossii na rubeže XIX-XX vekov (Opyt mnogomernogo analiza). (Structure and level of the agrarian development of European Russia's areas at the turn of the 19th and 20th cent.) : (a case study in multiple analysis.) Ist. SSSR, 81, n° 1, p. 76-99.

5398. KOVAL'CHENKO (I.D.), SELUNSKAIA (N.B.). Labor rental in the manorial economy of European Russia at the end of the 19th century and the beginning of the 20th. Explor. in econ. Hist., 81, vol. 18, n° 1, p. 1-20.

5399. KOVALEV (E.V.). "Zelenaja revoljucija" i agrarnye preobrazovanija. (The "green revolution" and agricultural transformations.) Lat. Am., 81, n° 11, p. 42-54.

5400. KULA (Witold), KOCHANOWICZ (Jacek). Chłopstwo. Problem intelektualny i zagadnienie nauk społecznych. (La paysannerie. Question intellectuelle et problème des sciences sociales.) Warszawa, 81, in-8, 63 p. (Uniw. Warsz. Wydz. Nauk. Ekonom.)

5401. KUSSMAUL (Ann). Servants in husbandry in early modern England. London, Cambridge U.P., 81, in-8, 233 p. (dr., tab.).

5402. LASSEN (Jan Gerhard). Jordreformpolitikk og bondemobilisering i Peru etter 1968 : en komparativ analyse av to forsøk på organisering av bønder. (Land reform policy and mobilization of farmers in Peru since 1968 : a comparative analysis of two attempts to organize farmers.) Oslo, Norsk utenrikspolitisk inst., 81, in-4, 217 p. (ill.). (NUPI rapport, 51)

5403. LEMAITRE (Nicole). Bruyères communes et mas. Les communaux en Bas-Limousin depuis le XVIe siècle. Ussel, Musée du Pays d'Ussel ; Paris, E. de Boccard, 81, in-8, 127 p.

5404. LEWIS (Frank D.). Farm settlement on th Canadian prairies, 1898 to 1911. J. econ. Hist., 81, vol. 41, n° 3, p. 517-536.

5405. McGUIRE (Robert A.). Economic

causes of late nineteenth-century agrarian unrest. J. econ. Hist., 81, vol. 41, n° 4, p. 835-852.

5406. MACHADO (Manuel A.) Jr. The north Mexican cattle industry, 1910-1975 : ideology, conflict, and change. College Station, Texas A a. M U.P., 81, in-8, XIV-152 p.

5407. MAJOR (Marjorie). From the ground : the story of planting in Nova Scotia. Research a. illustrations, Mary Eliza FRANKLYN. Halifax, N.S., Petheric Press, 81, in-8, 112 p.

5408. MAKKAI (László). Second servage et capitalisme. Acta hist. Acad. Sci. hungaricae, 81, vol. 27, n°^{s} 3-4, p. 425-448.

5409. MARCADE (J.). Les Lavradores dans le Bas-Alentejo au XVIIIe siècle. In : Lyon et l'Europe [Cf. n° 417], vol. 2, p. 83-97 (tabl., carte).

5410. MATTL (Siegfried). Agrarstruktur, Bauernbewegung und Agrarpolitik in Österreich 1919-1929. Wien u. Salzburg, Geyer, 81, in-8, IV-471 p. (Veröff. z. Zeitgesch., 1)

5411. MATTSSON (Leif). Svenskt skogsutnyttjande och dess intresseperspektiv : en historisk belysning. (Swedish forest utilization and its views of interest in the light of history.) Umeå, Inst. för skogsekon., Sveriges lantbruksuniv., 81, in-8, 42, 3 p. (Rapport. Sveriges lantbruksuniv., Inst. för skogsekon., 33) [Eng. summary]

5412. MERL (Stephan). Der Agrarmarkt und die "Neue ökonomische Politik". Die Anfänge staatl. Lenkung d. Landwirtschaft in d. Sowjetunion 1925-1928. München u. Wien, Oldenbourg, 81, in-8, 530 p. (Studien z. mod. Gesch., 25)

5413. MIKOS (Stanisław). Organizacja i początki rybołówstwa morskiego w Drugiej Rzeczypospolitej. (L'organisation et les débuts de la pêche maritime sous la Seconde République [polonaise, 1920-1924]. Roczn. Gdańsk., 81, vol. 41, fasc. 2, p. 95-116.

5414. MOELLER (Robert G.). Peasants and tariffs in the Kaiserreich : how backward were the Bauern ? Agric. Hist., 81, vol. 55, n° 4, p. 370-384.

5415. MUSOKE (Moses S.). Mechanizing cotton production in the American south : the tractor, 1915-1960. Explor. in econ. Hist., 81, vol. 18, n° 4, p. 342-375.

5416. NIEDERHAUSER (Emil). L'affranchissement des serfs en Europe de l'Est. Acta hist. Acad. Sci. hungaricae, 81, vol. 27, n°^{s} 3-4, p. 449-468.

5417. OTRUBA (Gustav). Die Agrarpolitik des Nationalsozialismus 1933 bis März 1938 in der Berichterstattung des Österreichischen Gesandten in Berlin. T. I (1933/34). T. II (1935/38). Z. f. Agrargesch., 81, Jg. 29, p. 2-31, 145-168.

5418. OTTO (John Solomon). Slaveholding general farmers in a "cotton county". Agric. Hist., 81, vol. 55, n° 2, p. 167-178.

5419. PALLOS (László). A földértékelés multja és jelene Magyarországon. (Le passé et le présent de l'évaluation des terres en Hongrie.) Pénzügyi Szle, 81, vol. 25, n° 12, p. 923-929.

5420. PENYIGEI (Dénes). Debrecen erdőgazdálkodása a XVIII. században és a XIX. század első felében. (L'économie forestière de la ville de Debrecen au XVIIIe siècle et dans la première moitié du XIXe siècle.) Budapest, Akad. Kiadó, 80, in-8, 364 p. (Agrártörténeti tanulmányok, 7)

5421. PERJÉS (Géza). Electronic data processing of an assessment of taxes carried out at the beginning of the 18th century. Agrártört. Szsle, 80-81, vol. 23-24, Suppl., p. 1-93.

5422. PERRY (P.J.). High farming in Victorian Britain ; prospect and retrospect. Agric. Hist., 81, vol. 55, n° 2, p. 156-166.

5423. PETERSON (Trudy Huskamp). Farmers, bureaucrats, and middlemen : historical perspectives on American agriculture. Washington, D.C., Howard U.P., 80, in-8, XVII-357 p. (National Archives Conferences, 17)

5424. PIQUERAS (Juan). La vid y el vino en el País Valenciano (geografía económica 1564-1980). Valencia, Institución Alfonso el Magnánimo, 80, in-4, 344 p. (ill.). (Estudios universitarios, ser. mayor, 1)

5425. Pobeda kolkhoznogo stroja v Belorusskoj SSR. (Victory of the Collective farm system in the Byelorussian SSR.) Redkol. : I.M. VOLKOV i dr. Minsk, Nauka i tekhnika, 81, 448 p. (AN BSRR. In-t istorii)

5426. PRAMPOLINI (Antonio). Agricoltura e società rurale nel Mezzogiorno agli inizi del '900. L'inchiesta parlamentare sulle condizioni dei contadini nelle provincie meridionali e nella Sicilia. 1 : L'agricoltura. Milano, Angeli, 81, in-8, 320 p. (tab.). (La Soc. ital. mod. e contemp., 7)

5427. RODRÍGUEZ GALDO (María Xoré), DOPICO (Fausto). Crisis agrarias y crecimiento en Galicia en el siglo XIX. Coruña, Do Castro, 81, in-8, 188 p.

5428. ROTHENBERG (Winifred B.). The market and Massachusetts farmers, 1750-1855. J. econ. Hist., 81, vol. 41, n° 2, p. 283-314.

5429. RUSIŃSKI (Władysław). Kryzys agrarny w Europie środkowo-wschodniej w XII w. (La crise agraire au XVIIe s. en Europe centre-orientale.) Roczn. Dziej. społ. gosp., 81, vol. 42, p. 25-76.

5430. SALEKHOV (N.I.). Socialističeskie preobrazovanija v sel'skom khozjajstve GDR. 1949-1980 gg. (Socialist transformations in the agriculture of the German Democratic Republic, 1949-1980.) Moskva, Nauka, 81, 279 p. (ill.). (AN SSSR. In-t slavjanovedenija i balkanistiki)

5431. SATER (William F.). La agricultura chilena y la guerra del Pacífico. Historia [Santiago de Chile], 81, n° 16, p. 125-149.

5432. SEATON (Beverly). Idylls of agriculture ; or, nineteenth century success stories of farming and gardening. Agric. Hist., 81, vol. 55, n° 1, p. 21-30.

5433. SEDDON (David). Moroccan peasants : a century of change in the Eastern Rif, 1870-1970. Folkestone, Dawson, 81, in-8, XVII-337 p.

5434. SELUNSKAJA (V.M.). V.I. Lenin i socialističeskoe preobrazovanie derevni v SSSR.

(Lenin and the socialist transformation of the Soviet village.) Vopr. Ist., 81, n° 3, p. 3-19.

5435. SENKOWSKA-GLUCK (Monika). Problem chłopski w Ilirii pod rządami napoleońskimi (1809-1813). (La question paysanne dans l'Illyrie napoléonienne.) Czas. prawno-hist., 80 [81], vol. 32, fasc. 2, p. 63-105.

5436. SIMKINS (Charles). Agricultural production in the African reserves of South Africa, 1918-1969. J. southern african Stud., 81, vol. 7, p. 256-283.

5437. SLEZÁK (Lubomír). Združstevěněná vesnice. K historii socialistické přestavby zemědělství Brněnského kraje v letech 1949-1959. (Das vergenossenschaftete Dorf. Zur Gesch. d. sozialist. Umgestaltung d. Landwirtschaft d. Brünner Kreises in d. J. 1949-1959.) Brno, Blok, 81, in-8, 184 p.

5438. SOUBEYROUX-DELEFORTRIE (Nicole). Changes in French agriculture between 1862 and 962. J. europ. econ. Hist., 80, vol. 9, p. 351-400.

5439. SPIRA (György). A magyar negyvennyolc és a parasztság. (Revolution and peasantry in Hungary, 1848-1849.) Agrártört. Szle, 81, vol. 23, n°s 1-2, p. 51-59.

5440. SUGÁR (István). Az egri vörös bor termelésének multjából - az egri bikavér kialakulása. (The past of red wine production in Eger. Development of the "Bull's blood of Eger".) Agrártört. Szle, 81, vol. 23, n°s 1-2, p. 104-132.

5441. SZAKÁCS (Kálmán). Mezőgazdasági munkásérdekképviselet 1896-1944. (La représentation des intérêts des ouvriers agricoles.) Budapest, Táncsics Kiadó, 81, in-8, 561 p.

5442. SZEMZŐ (Béla). A magyar cukorrépatermelés ujjászervezése,, 1945-1948. (The reorganization of sugar beet growing in Hungary.) Agrártört. Szle, 81, vol. 23, n°s 1-2, p. 241-313 ; n°s 3-4, p. 574-610.

5443. TAYLOR (Paul S.), LOFTIS (Anne). The legacy of the nineteenth-century New England farmer. New England Quar., 81, vol. 54, n° 2, p. 243-254.

5444. TØNNESSON (Kåre). Tenancy, freehold and enclosure in Scandinavia from the seventeenth to the nineteenth century. Scand. J. Hist., 81, vol. 6, p. 191-206.

5445. TÖRÖK (Katalin). Paraszti gazdaság és háztartás a 19. század közepén. Kísérlet az ipari forradalom előtti parasztgazdaságok rekonstruálására. (Peasant farm and household in the mid-19th century.) Agrártört. Szle, 81, vol. 23, n°s 3-4, p. 381-488.

5446. VIRÁGH (Ferenc). Adatok a dél-alföldi mezőgazdaság tőkés fejlődéséhez 1880-1910. (Contributions to the capitalist development of agriculture on the southern Great Plain [Hungary].) Agrártört. Szle, 81, vol. 23, n°s 3-4, p. 489-514.

5447. WALDRON (Kathy). Public land policy and use in colonial Caracas. Hisp. am. hist. R., 81, vol. 61, n° 2, p. 258-277.

5448. WIK (Reynold M.). The radio in rural America during the 1920s. Agric. Hist., 81, vol. 55, n° 4, p. 339-350.

5449. WILSON (Douglas L.). The American agricola : Jefferson's agrarianism and the classical tradition. South Atlantic Quar., 81, vol. 80, n° 3, p. 339-354.

5450. WINBERG (Christer). Familj och jord i tre västgöta-socknar : generationsskiften bland självägande bönder c:a 1810-1870. (Family and land in three Västergötland parishes : inheritance practices among farmers, ca. 1810-1870.) [Svensk] Hist. T., 81, vol. 101, p. 278-310. [Eng. summary]

5451. WINES (Richard A.). The nineteenth-century agricultural transition in an eastern Long Island community Agric. Hist., 81, vol. 55, n° 1, p. 50-63.

5452. WOOD (David L.). American Indian farmland and the great war. Agric. Hist., 81, vol. 55, n° 3, p. 249-265.

5453. ZIMÁNYI (Vera). Grands domaines et petites exploitations en Europe orientale-centrale. Acta hist. Acad. Sci. hungaricae, 81, vol. 27, n°s 3-4, p. 317-333. - EADEM. A Zrinyi-család tengermelléki birtokai. (Les domaines de la famille Zrinyi sur la côte adriatique.) Századok, 81, vol. 115, n° 2, p. 368-416.

5454. ŻYTKOWICZ (Leonid). Directions of agrarian development in South-Eastern-Europe in 16th-18th centuries. Acta Poloniae hist., 81, vol. 43, p. 31-73.

Cf. n°s 3853, 3879, 4299, 5193, 5472, 5486, 5748, 5927, 6279, 6963, 7011.

§ 6. Moneda y hacienda.

* Cf. n° 3166.

5455. AHRENS (Gerhard). Das Staatsschuldenwesen der freien Hansestädte im frühen 19. Jahrhundert. Vjschr. f. Soz.- u. Wirtschaftsgesch., 81, Bd 68, p. 22-51.

5456. ALLINNE (Jean-Pierre), LESCURE (Michel). Pour une étude des appareils économiques d'Etat en France au XIXe siècle. A., Ec., Soc., Civ., 81, a. 36, p. 280-293.

5457. ANTOINE (Michel). Le règlement des tailles de 1623-1625. R. hist., 81, a. 105, t. 265, p. 27-63.

5458. Argent (L') et la circulation des capitaux dans les pays méditerranéens (XVIe-XXe siècles). Actes des journées d'études de Bendor, 3-5 mai 1979. Nice, Univ. Centre de la Méditerr. mod. et contemp., 81, in-8, 254 p.

5459. AXENCIUC (Victor). Le capital étranger et national dans le sud-est de l'Europe dans la période de l'entre-deux-guerres. R. roumaine Hist., 80, t. 19, p. 215-227. - IDEM. Penetraţia capitalului străin în România pînă la primul război mondial. (La pénétration du capital étranger en Roumanie jusqu'à la première guerre mondiale.) R. Ist., 81, t. 34, n° 5, p. 821-851. [Rés. franç.]

5460. BARBIER (Jacques A.), KLEIN (Herbert S.). Revolutionary wars and public finances :

the Madrid treasury, 1784-1807. J. econ. Hist., 81, vol. 41, n° 2, p. 315-340.

5461. BOZGA (Vasile). Condiţiile penetraţiei capitalului străin în România în primul deceniu după Marea Unire din 1918. (Les conditions de la pénétration du capital étranger en Roumanie pendant la première décennie qui a suivi la Grande Union de 1918.) R. Ist., 81, t. 34, n° 6, p. 1065-1077. [Rés. franç.]

5462. DERMIGNY (Louis). La banque à Montpellier au XVIIIe siècle. A. Midi, 80, t. 92, p. 17-49.

5463. DOUGUI (Noureddine). Les origines de la libération des sociétés de capitaux à responsabilité limitée (S.A.R.L.), 1856-1863. R. Hist. mod., 81, t. 28, p. 268-292.

5464. DRUMMOND (Ian). The floating pound and the sterling area, 1931-1939. London, Cambridge U.P., 81, in-8, 308 p.

5465. EGGE (Åsmund). "The Commercial Bank of Norway" - et mislykket bankprosjekt fra 1850. (- an unsuccessful bank project from 1850.) [Norsk] Hist. T., 81, vol. 60, p. 391-421. [Eng. summary]

5466. Flux (Le) d'investissement direct entre la France et l'extérieur (1965-1978). Sous la dir. de P. ARNAUD-AMELLER et F. MARNATA. Paris, Ed. du C.N.R.S., 81, in-8, 206 p. - Flux (Le) d'investissement direct entre la France et les pays industrialisés (1965-1974). Paris, Ed. du C.N.R.S., 80, in-8, 215 p.

5467. GEORGELIN (Jean). Giro-banques et banques à billets. In : Lyon et l'Europe [Cf. n° 417], vol. 1, p. 327-338.

5468. GERARD (Gabriel). Historique du crédit et des établissements bancaires à la Réunion pendant les XVIIIe et XIXe siècles. B. Acad. Ile Réunion, 79-80, vol. 25, p. 11-36.

5469. Gosbank SSSR i ego rol' v razvitii ékonomiki strany. 1921-1981. (The USSR State Bank and its role in the development of the country's economics, 1921-1981). Pod red. V.S. ALKHIMOVA. Moskva, Nauka, 81, 238 p.

5470. GREENBERG (Dolores). Financiers and railroads, 1869-1889 : a study of Morton, Bliss and Company. Newark, Univ. of Delaware Press, 80, in-8, 286 p.

5471. HAEGER (John Denis). The investment frontier : New York businessmen and the economic development of the old northwest. Albany, State Univ. of New York Press, 81, in-8, XVIII-311 p.

5472. HILDESHEIMER (Françoise). L'huile, objet de fiscalité en Provence sous l'Ancien Régime. Provence hist., 81, t. 31, fasc. 124, p. 127-152.

5473. HUDSON (Pat). The role of banks in the finance of the west Yorkshire wool textile industry, c. 1780-1850. Business Hist. R., 81, vol. 55, n° 3, p. 379-402.

5474. JONES (Edgar). Accountancy and the British economy, 1840-1980. London, Batsford, 81, in-8, 288 p. (ill.).

5475. JURKOV (I.A.). Finansovaja politika Sovetskogo gosudarstva i tovarnodenežnye otnošenija v gody graždanskoj vojny (1918-1920 gg.). (The financial policy of the Soviet state and commodity-money relations during the civil war, 1918-1920). Vopr. Ist., 81, n° 10, p. 61-76.

5476. KORELIN (A.P.). Krypnyj sel'skokhozjajstvennyj kredit v kapitalističeskoj Rossii. (Large-scale credit in capitalist Russia.) Ist. Zap., 81, n° 106, p. 162-204.

5477. LEMKE (Heinz). Die Erdölinteressen der Deutschen Bank in Mesopotamien in den Jahren 1903-1911. Jb. f. Gesch., 81, Bd 24, p. 41-72.

5478. LEVASSEUR (Michel), OLIVACK (Jean-Louis). Théorie du financement des entreprises et évolution de la fiscalité française (1926-1965). R.. écon., 81, vol. 32, p. 490-512.

5479. MÄRZ (Eduard). Österreichische Bankpolitik in der Zeit der grossen Wende 1913-1923. Am Beispiel d. Creditanstalt f. Handel u. Gewerbe. Wien, Gesch. u. Politik, 81, in-8, 608 p.

5480. MICHIE (R.C.). Money, mania and markets : investment, company formation and the Stock Exchange in 19th century Scotland. Edinburgh, J. Donald, 81, in-8, 304 p.

5481. MIROWSKI (Philip). The rise (and decline) of a market : English joint stock shares in the eighteenth century. J. econ. Hist., 81, vol. 41, n° 3, p. 559-578.

5482. OFFICER (Lawrence H.). The floating dollar in the greenback period : a test of theories of exchange-rate determination. J. econ. Hist., 81, vol. 41, n° 3, p. 629-650.

5483. PÉTERI (György). International liquidity and the national economy as a factor in Hungary's monetary policy, 1924-1931. Acta hist. Acad. Sci. hungaricae, 80, vol. 26, n°s 3-4, p. 379-394.

5484. PILLITTERI (Francesco). Credito e risparmio nella Sicilia dell'unificazione. Palermo, Palumbo, 81, in-8, 158 p. (tav.).

5485. PUIA (Ilie). Capitalul străin în economia României în deceniul premergător celui de la doilea război mondial. (Le capital étranger dans l'économie de la Roumanie dans la décennie d'avant la deuxième guerre mondiale.) R. Ist., 81, t. 34, n° 8, p. 1405-1421. [Rés. franç.]

5486. ŞANDRU (D.). La réorganisation des institutions de crédit agricole de Roumanie dans les années de la crise économique. R. roumaine Hist., 81, t. 21, p. 91-110.

5487. SCHWARCZ (Katalin). Magyarország államháztartása 1828-1847-ben a Tafeln adatai alapján. (Public finances of Hungary in 1828-1847 according to the data of Tafeln.) Tört. Szle, 81, vol. 24, n° 3, p. 450-477.

5488. SINCLAIR (Andrew). The Corsair, the life of J. Pierpont Morgan. London, Weidenfeld a. Nicolson, 81, in-8, 269 p.

5489. SMILEY (Gene). The expansion of the New York securities market at the turn of the century. Business Hist. R., 81, vol. 55, n° 1, p.

5490. TENENTI (Alberto). Formes d'assurances multirisque à Raguse au milieu du XVIe siècle. In : Lyon et l'Europe [Cf. n° 417], vol. 2, p. 279-295.

5491. TESTA (Gian Albino). La strategia di una famiglia imprenditoriale tra Otto e Novecento. B. stor. bibliogr. subalpino, 81, a. 79, p. 603-636.

5492. VOGLER (Bernard). Les placements de capitaux à Strasbourg en 1751. In : Lyon et l'Europe [Cf. n° 417], vol. 2, p. 331-348 (2 cartes).

5493. WALLACE (Peter). Finances publiques et richesse privée : la ferme des revenus patrimoniaux de Colmar à la fin du XVIIe siècle. Annu. Soc. Hist. Archéol. Colmar, 80-81, t. 29, p. 87-102.

5494. WHITE (Eugene Nelson). State-sponsored insurance of bank deposits in the United States, 1907-1929. J. econ. Hist., 81, vol. 41, n° 3, p. 537-558.

Cf. n°s 83, 2741, 3203, 3263, 3326, 5086, 5127, 5149, 6468, 6950.

§ 7. Demografía y urbanismo.

* 5495. ARTIBISE (Alan F.J.), STELTER (Gilbert A.). Canada's urban past : bibliography to 1980 and guide to Canadian urban studies. Vancouver, Univ. of British Columbia Press, 81, in-8, XXXIX-396 p.

* 5496. LaROSE (André). Bibliographie courante sur l'histoire de la population canadienne et la démographie historique au Canada, 1980. A current bibliography on the history of Canadian population and historical demography in Canada, 1980. [Cf. Bibl. 78-79, n° 6212.] Hist. soc., 81, vol. 14, p. 509-515.

5497. ABBOTT (Carl). The new urban America : growth and politics in sunbelt cities. Chapel Hill, Univ. of North Carolina Press, 81, in-8, VIII-317 p.

5498. ALBIN (Janusz). Geneza światowego Związku Polaków z Zagranicy. (La genèse de l'Union Mondiale des Polonais à l'Etranger [1922-1934].) Dzieje najnowsze, 81, a. 13, n° 3, p. 57-91.

5499. ANIKIN (V.V.). K voprosu o migracii naselenija v gorodakh RSFSR v 1950-1956 godakh. (Urban migration in the RSFSR in 1950-1956.) Vopr. Ist., 81, n° 12, p. 56-65.

5500. BADE (Klaus J.). German emigration to the United States and continental immigration to Germany in the late nineteenth and early twentieth centuries. Central european Hist., 80, vol. 13, n° 4, p. 348-377.

5501. BROCK (Ingrid). Aufnahme und Bewertung historischer Stadtstrukturen in Mitteleuropa. Alte Stadt, 80, Jg. 7, p. 29-57.

5502. CANCHO (Miguel Rodríguez). La villa de Cáceres en el siglo XVIII (demografía y sociedad). Cáceres, Univ. de Extremadura, 81, in-8, 280 p.

5503. DAULTREY (Stuart), DICKSON (David), GRADA (Cormac O.). Eighteenth-century Irish population : new perspectives from old sources. J. econ. Hist., 81, vol. 41, n° 3, p. 601-628.

5504. DUNAE (Patrick A.). Gentlemen emigrants : from the British public schools to the Canadian frontier. Vancouver, Douglas a. McIntyre, 81, in-8, VIII-276 p.

5505. FENSKE (Hans). International migration : Germany in the eighteenth century. Central european Hist., 80, vol. 13, n° 4, p. 332-347.

5506. FINLAY (Roger). Population and metropolis : demography of London, 1580-1650. London, Cambridge U.P., 81, in-8, 188 p. (dr., tab.). (Geogr. Stud.)

5507. FLINN (Michael W.). The European demographic system, 1500-1820. Baltimore, Johns Hopkins U.P. ; Brighton, Harvester Press, 81, in-8, 175 p. (Johns Hopkins symposia in comparative hist.)

5508. FOLSOM (Burton W.) Jr. Urban capitalists : entrepreneurs and city growth in Pennsylvania's Lackawanna and Lehigh regions, 1800-1920. Baltimore, Md., Johns Hopkins U.P., 81, in-8, XIV-191 p. (Stud. in Industry a. Soc., 1)

5509. FOSTER (Mark S.). From streetcar to superhighway : American city planners and urban transportation, 1900-1940. Philadelphia, Temple U.P., 81, in-8, XIV-246 p. (Technol. a. Urban Growth)

5510. GABERT (P.). L'évolution démographique des îles de Sicile et de Sardaigne et les problèmes économiques de l'Italie. In : Iles de Méditerranée [Cf. n° 216], p. 109-117.

5511. GARCIA (Mario T.). Desert immigrants : the Mexicans of El Paso, 1880-1920. New Haven, Conn., Yale U.P., 81, in-8, XII-316 p. (Yale Western Americana Ser., 32)

5512. GARRIER (Gilbert). Cinq cents mariages en Beaujolais au milieu du XIXe siècle. In : Lyon et l'Europe [Cf. n° 417], vol. 1, p. 281-294 (ill.).

5513. HOUDAILLE (Jacques). La Réunion des origines à 1766 : étude démographique. A. Démogr. hist., 80, p. 213-237.

5514. ILBERT (Robert). Héliopolis, Le Caire, 1905-1922 : genèse d'une ville. Paris, Ed. du C.N.R.S., 81, in-4, 153 P. (49 pl.).

5515. JAKEŠOVÁ (Elena). Vysťahovalectvo Slovákov do Kanady. (The emigration of Slovaks to Canada.) Bratislava, Veda, 81, in-8, 160 p.

5516. JANOWSKA (Halina). Emigracja zarobkowa z Polski 1918-1939. (L'émigration de travail de Pologne 1918-1939.) Warszawa, Państw. Wydawn. Nauk., 81, in-8, 338 p. (Pol. XIX i XX wieku. Dzieje Społ.)

5517. JOHNSON (Charles W.), JACKSON (Charles O.). City behind a fence : Oak Ridge, Tennessee, 1942-1946. Knoxville, Univ. of Tennessee Press, 81, in-8, XXIII-248 p.

7. DEMOGRAFÍA Y URBANISMO

5518. KÄLVEMARK (Ann-Sofie). More children of better quality. Aspects on Swedish population policy in the 1930's. Stockholm, Almqvist a. Wiksell international, 80, in-8, 160 p. (Studia hist. Upsaliensia, 115)

5519. KATUS (László). Zum demographischen Übergang in Ungarn vor 1918. Acta hist. Acad. Sci. hungaricae, 81, vol. 27, n°ˢ 3-4, p. 469-497.

5520. KUPRIJANOVA (L.V.). Goroda Severnogo Kavkaza vo vtoroj polovine XIX veka. (Towns of the Northern Caucasus in the second half of the 19th cent.) K probleme razvitija kapitalizma všir'. Moskva, Nauka, 81, 232 p. (ill., map). (AN SSSR. In-t istorii SSSR)

5521. LINTEAU (Paul-André). Maisonneuve ou Comment des promoteurs fabriquent une ville : 1883-1918. Montréal, Boréal express, 81, in-8, 280 p. (Coll. Hist. et soc.) - CR : G. Divay, Rech. sociogr., 81, vol. 22, p. 280-282.

5522. LITHELL (Ulla-Britt). Breast-feeding and reproduction : studies in marital fertility and infant mortality in 19th century Finland and Sweden. Stockholm, Almqvist a. Wiksell international, 81, in-8, 87 p. (Studia hist. Upsaliensia, 120). - EADEM. Infant mortality rate and standard of living in the past. Scand. J. Hist., 81, vol. 6, p. 297-315.

5523. LITTLE (J.I.). Colonization and municipal reform in Canada East. Soc. Hist., 81, vol. 14, p. 93-121.

5524. LITTLEFIELD (Daniel C.). Plantations, paternalism, and profitability : factors affecting African demography in the old British empire. J. south. Hist., 81, vol. 47, n° 2, p. 167-182.

5525. LÓPEZ-SALAZAR PÉREZ (Jerónimo). La población manchega en los siglos XVI y XVII. R. int. Sociol., 81, t. 39, p. 7-31, 193-231.

5526. MARTÍN GALÁN (Manuel). Fuentes y métodos para el estudio de la demografía histórica castellana durante la edad moderna. Hispania [Madrid], 81, t. 41, p. 231-325.

5527. MATHIEU (Jacques) et al. Les alliances matrimoniales exogames dans le gouvernement de Québec, 1700-1760. R. Hist. Amérique franç., 81-82, vol. 35, p. 3-32.

5528. MILLER (Zane L.). Suburb : neighborhood and community in Forest Park, Ohio, 1935-1976. Knoxville, Univ. of Tennessee Press, 81, in-8, XXXI-263 p. (Twentieth Century Am. Ser.)

5529. MOEHRING (Eugene P.). Public works and the patterns of urban real estate growth in Manhattan, 1835-1894. New York, Arno Press, 81, in-8, XI-452 p.

5530. MOLTMANN (Günter). American-German return migration in the nineteenth and early twentieth centuries. Central european Hist., 80, vol. 13, n° 4, p. 378-392.

5531. MORICEAU (Jean-Marc). Les crises démographiques dans le sud de la région parisienne de 1560 à 1670. A. Démogr. hist., 80, p. 105-123. - IDEM. Mariages et foyers paysans aux XVIe et XVIIe siècles : l'exemple des campagnes du sud de Paris. R. Hist. mod., 81, t. 28, p. 481-502.

5532. NEGRUȚI (Ecaterina). Situația demografică a Moldovei în secolul al XIX-lea. (La situation démographique de la Moldavie au XIXe s.). R. Ist., 81, n° 2, p. 243-257 [Rés. franç.]

5533. NIELSEN (George R.). The Danish Americans. Boston, Twayne, 81, in-8, 237 p. (Immigrant Heritage of Am. Ser.)

5534. NIKULA (Riitta). Yntenäinen kaupunkikuva 1900-1930. Suomalaisen kaupunkirakentamisen ihanteista ja päämääristä, esimerkkeinä Etu-Töölö ja Uusi Vallila. (Harmonious townscape 1900-1930. On the ideals and aims of urban construction in Finland. Etu-Töölö and Uusi Vallila of Helsinki as examples.) Helsinki, Societas Scientiarum Fennica, 81, in-8, 318 p. (ill.). (Bidr. t. Känn. av Finl. Natur Folk, 127) [Summary in Eng.)

5535. PAP (Leo). The portuguese-Americans. Boston, Twayne, 81, in-8, 300 p.

5536. PEREIRA (Miriam Halpern). A política portuguesa de emigração, 1850-1930. (La politique portugaise d'émigration.) Lisboa, Regra do Jogo, 81, in-8, 270 p.

5537. POLJAKOV (Ju. A.), KISELEV (I. N.), USTINOV (V. A.). K voprosu o metodike opredelenija čislennosti i nacional'nogo sostava naselenija SSSR v 1917-1926 godakh. (On the problem of methods of estimation of the number and the ethnic composition of the Soviet population in 1917-1926.) Ist. SSSR, 81, n° 2, p. 99-109.

5538. PRED (Allen). Urban growth and city-systems in the United States, 1840-1860. Cambridge, Mass., Harvard U.P., 80, in-8, XV-282 p. (Harvard Stud. in Urban Hist.)

5539. PRONIN (V.I.). Naselenie Sibiri za 50 let (1863-1913 gg.). (Siberia's population from 1863 to 1913). Ist. SSSR, 81, n° 4, p. 50-69.

5540. RIIS (Thomas). Towns and central government in Northern Europe from the fifteenth century to the industrial revolution. Scand. econo. Hist. R., 81, vol. 29, p. 32-52.

5541. RINK (Oliver A.). The people of New Netherland : notes on non-English immigration to New York in the seventeenth century. New York History, 81, vol. 62, n° 1, p. 5-42.

5542. ROBINSON (David J.) a. others. Studies in Spanish American population history. Boulder, Colo., Westview, 81, in-8, XXI-274 p. (Dellplain Latin Am. Stud., 8)

5543. Russkij gorod. (The Russian town.) Sb. Pod red. V.L. JANINA. Vyp. 4 : Moskva i Podmoskov'e. Moskva, Izd-vo MGU, 81, 240 p. (ill.)

5544. SARNA (Jonathan D.). The myth of no return : Jewish return migration to eastern Europe, 1881-1914. Am. jewish Hist., 81, vol. 71, n° 2, p. 256-268.

5545. SCHMIDT (Albert J.). The restoration of Moscow after 1812. Slavic R., 81, vol. 40, n° 1, p. 37-48.

5546. Sibirskie goroda XVII-načala XX veka. (Siberian towns of from the 19th to the beginning of the 20th cent.). Sb. Redkol. : O.N. VILKOV (otv. red.) i dr. Novosibirsk, Nauka, 81, 222 p. (ill.). (AN SSSR. Sib. otd-nie. In-t istorii, filologii i filosofii)

5547. SOLY (Hugo). L'urbanisation d'Anvers au XVIe siècle. R. Nord, 81, t. 63, p. 391-414.

5548. SPANN (Edward K.). The new metropolis : New York city, 1840-1857. New York, Columbia U.P., 81, in-8, XIII-546 p. (Columbia Hist. of Urban Life)

5549. SUNDIN (Jan), TEDEBRAND (Lars-Göran). Dödlighet och sjuklighet i svensk järnbruksmiljö 1750-1875. (Mortality and morbidity in the Swedish ironworks milieu, 1750-1875.) Scandia, 81, vol. 47, p. 67-108, 145. [Eng. summary]

5550. Suomen kaupunkilaitoksen historia. (Histoire urbaine de la Finlande.) Päätoim. (-Réd. en chef) Päiviö TOMMILA. 1 : Keskiajalta 1870-luvulle. (Depuis le moyen âge jusqu'à 1870.) Kirj. (Par) C.J. GARDBERG, ... Helsinki, Suomen kaupunkiliitto, 81, in-8, 393 p. (ill., cartes).

5551. SUTCLIFFE (Anthony). Towards the planned city : Germany, Britain, the United States, and France, 1780-1914. New York, St. Martin's Press, 81, in-8, X-230 p.

5552. TARR (Joel A.). Changing fuel use behavior and energy transitions : the Pittsburgh smoke control movement, 1940-1950 a case study in historical analogy. J. soc. Hist., 81, vol. 14, n° 4, p. 561-588.

5553. TIGNER (James L.). Japanese immigration in Latin America : a survey. J. inter-am. Stud. a. World Affairs, 81, vol. 23, n° 4, p. 457-482.

5554. Town and city : aspects of western Canadian urban development. Ed., with introd. by Alan F.J. ARTIBISE. Regina, Canad. Plains Research Center, Univ. of Regina, 81, in-8, XIX-455 p. (Canad. plains studies, 10) - CR : E. A. Mitchner, Alberta Hist., 81, vol. 29, n° 3, p. 38.

5555. VASILE (Radu). L'évolution démographique en Roumanie au cours des trois dernières décennies du XIXe siècle. R. roumaine Hist;, 80, t. 19, p. 333-352 ; 81, t. 20, p. 65-89.

5556. VINOVSKIS (Maris A.). Fertility in Massachusetts from the revolution to the civil war. New York, Academic Press, 81, in-8, XII-253 p. (Stud. in Social Discontinuity)

5557. WELLMANN (Imre). Die erste Epoche der Neubesiedlung Ungarns nach der Türkenzeit (1711-1761). Acta hist. Acad. Sci. hungaricae, 80, vol. 26, n°s 3-4, p. 241-307.

5558. WILLIAMSON (Joel). New people : miscegenation and mulattoes in the United States. New York, Free Press, 80, in-8, XVI-221 p.

5559. WOKECK (Marianne). The flow and the composition of German immigration to Philadelphia, 1727-1775. Pennsylvania Mag. Hist., 81, vol. 105, n° 3, p. 249-278.

5560. WRIGLEY (E.A.), SCHOFIELD (R.S.). The population history of England, 1541-1871 : reconstruction. London, E. Arnold, 81, in-8, XV-779 p.

5561. Wychodźstwo a kraj. Studia historyczne ... (L'émigration et le pays [la Pologne].) Etudes historiques réd. par Krzysztof GRONIOWSKI et Witold STANKIEWICZ. Warszawa, Państw. Wydawn. Nauk., 81, in-8, 355 p. (Inst. Hist. Pol. Akad. Nauk.)

Cf. n°s 163, 2673, 2861, 4868, 5585, 6259, 6299.

§ 8. Historia social y de las costumbres.

* 5562. MONIERE (Denis), VACHET (André). Les idéologies au Québec : bibliographie. Préf. d'André-J. BELANGER. 3e éd. rev. et augm. Montréal, Bibliothèque nationale du Québec, 80, in-8, 175 p. - CR : J.-P. Bernard, R. Hist. Amérique franç., 81-82, vol. 35, p. 438.

** 5563. GRESSET (Maurice). Une famille nombreuse au XVIIIe siècle. Le livre de raison d'Antoine-Alexandre Barbier, notaire et vigneron bisontin (1762-1776). Toulouse, Privat, 81, in-8, 182 p. - IDEM. Le journal du notaire Barbier. In : Lyon et l'Europe [Cf. n° 417], vol. 1, p. 339-348.

5564. ALBANESE (Ralph) Jr. Historical and literary perceptions on XVIIth-century French criminality. Stanford French R., 80, vol. 4, p. 417-433.

5565. ALBERTO ROMERO (Luis). Buenos Aires : la sociedad criolla, 1810-1850. R. Indias [Madrid], 81, vol. 41, p. 143-165.

5566. ALEKSANDROV (V.A.). Tipologija russkoj krest'janskoj sem'i v êpokhu feodalizma. (Typology of the Russian peasant family in the feudal epoch.) Ist. SSSR, 81, n° 3, p. 78-96.

5567. ALLART (Marie-Christine). Les femmes de trois villages de l'Artois : travail et vécu quotidien (1919-1939). R. Nord, 81, t. 63, n° 250, p. 703-723.

5568. AMINZADE (Ronald). Class, politics, and early industrial capitalism : a study of mid-nineteenth century Toulouse, France. Albany, State Univ. of New York Press, 81, in-8, XX-334 p. (Stud. in European Soc. Hist.)

5569. ANDERSON (Karen). Wartime women : sex roles, family relations, and the status of women during world war II. Westport, Conn., Greenwood Press, 81, in-8, 198 p.

5570. Angestellte im europäischen Vergleich. Die Herausbildung angestellter Mittelschichten seit d. späten 19. Jh. Hrsg. v. Jürgen KOCKA. Göttingen, Vandenhoeck u. Ruprecht, 81, in-8, 378 p. (Gesch. u. Ges., Sonderh. 7)

5571. ARTEUS (Gunnar), OLSSON (Ulf), STRÖMBERG-BACK (Kerstin). The influence of the armed forces on the transformations of society, 1600-1945. Militärhist. T., 81, vol. 3, p. 3-18.

5572. ATACK (Jeremy), BATEMAN (Fred). Egalitarianism, inequality, and age : the rural north in 1860. J. econ. Hist., 81, vol. 41, n° 1, p. 85-93.

5573. AUGER (Geneviève), LAMOTHE (Raymonde). De la poêle à frire à la ligne de feu : la vie quotidienne des québécoises pendant la guerre '39-'45. Montréal, Boréal express, 81, in-8, 232 p.

5574. AUGUSTIN (Jean-Marie). Famille et société. Les substitutions fideicommissaires à Toulouse et en Haut-Languedoc au XVIIIe siècle. Toulouse, Publ. de l'Univ. des Sci. soc., 80, in-8, 122 p.

5575. BAADER (Renate). Die Frau im Ancien Régime. Romanist. Z. f. Literaturgesch., 81, Jg. 5, p. 296-339.

5576. BAEHRE (Rainer). Paupers and poor relief in Upper Canada. Canad. hist. Assoc. Pap., 81, p. 57-80.

5577. BALÁZS (György). A Csongrád megyei kubikosok helyzete és mozgalmai a gazdasági válság utáni években, 1933-1939. (The situation of navvies in Country Csongrád and the navvy movements in the post-crisis years 1933 to 1939.) Agrártört. Szle, 81, vol. 23, n°s 3-4, p. 546-563.

5578. BANKS (Arthur S.). An index of socio-economic development, 1869-1975. J. Politics, 81, vol. 43, n° 2, p. 390-411.

5579. BAUDOT (Georges). La vie quotidienne dans l'Amérique espagnole de Philippe II : XVIe siècle. Paris, Hachette, 81, in-8, 302 p. (cartes). (La vie quotidienne).

5580. Beiträge zur Geschichte der Sozialstruktur im 19. und 20. Jahrhundert. Jb. f. Wirtschaftsgesch., 81, T. 2, p. 7-351.

5581. BERNARD (Richard M.). The melting pot and the altar : marital assimilation in early twentieth-century Wisconsin. Minneapolis, Univ. of Minnesota Press, 80, in-8, XXVIII-162 p.

5582. BESPALOV (N.E.). Rabočij klass SSSR na sovremennom ètape v osveščenii anglo-amerikanskoj istoriografii. (The working class of the USSR today in British and American bourgeois historiography.) Ist. SSSR, 81, n° 10, p. 180-191.

5583. BETHEL (Elizabeth Rauh). Promiseland : a century of life in a negro community. Philadelphia, Temple U.P., 81, in-8, XVII-329 p.

5584. BLEWETT (David). Changing attitudes toward marriage in the time of Defoe : the case of Moll Flanders. Huntington Libr. Quar., 81, vol. 44, n° 2, p. 77-88.

5585. BOGUCKA (Maria). Miasta Europy środkowej w XIV-XVII w. Problemy rozwoju. (Les villes de l'Europe Centrale aux XIVe-XVIIe s. Problèmes du développement.) Roczn. Dziej. społ. gosp., 81, vol. 42, p. 5-24.

5586. BOIS (Jean-Pierre). Les anciens soldats, de 1715 à 1815. Problèmes et méthodes. R. hist., 81, a. 105, t. 265, p. 81-102.

5587. BONNIN (Bernard). Un aspect de la société rurale : les milieux dominants en Dauphiné au XVIIe siècle. In : Lyon et l'Europe [Cf. n° 417], vol. 1, p. 47-66.

5588. BORDES (Maurice). Quelques familles bourgeoises d'Antibes au XVIIIe et au début du XIXe siècle. In : Lyon et l'Europe [Cf. n° 417],
vol. 1, p. 67-82.

5589. BORDIN (Ruth). Woman and temperance : the quest for power and liberty, 1873-1900. Philadelphia, Temple U.P., 81, in-8, XVIII-221 p. [Women's Christian Temperance Union]

5590. BOUCHARD (Gérard). L'étude des structures familiales pré-industrielles : pour un renversement des perspectives. R. Hist. mod., 81, t. 28, p. 545-571.

5591. BOUCHER (Jacqueline). L'insertion sociale de Laurent Bouchel, avocat au Parlement de Paris, 1559-1629. In : Lyon et l'Europe [Cf. n° 417], vol. 1, p. 83-99.

5592. BOUGARD (Jean-Paul). La formation de la classe ouvrière dans le Borinage au XVIIIe et au début du XIXe siècle : le cas de Wasmes et de Warquignies. R. Nord, 81, t. 63, p. 157-168.

5593. BRAYBON (Gail). Women workers in the first world war : the British experience. Totowa, N.J., Barnes a. Noble, 81, in-8, 244 p.

5594. BRETTING (Agnes). Soziale Probleme deutscher Einwanderer in New York City 1800-1860. Wiesbaden, Steiner, 81, in-8, X-224 p. (Von Deutschland nach Amerika, 2)

5595. BROCK (William R.). Scotus Americanus. A survey of the sources for links between Scotland and America in the 18th century. Edinburgh, U.P., 81, in-8, 200 p.

5596. BUTTAFUOCO (Annarita). La storiografia femminista americana tra "women's culture" e "women's politics". Soc. e Stor., 81, a. 4, p. 943-965.

5597. CAMPBELL (Leon G.). The social structure of the Tupac Amaru army in Cuzco, 1780-1781. Hisp. am. hist. R., 81, vol. 61, n° 4, p. 675-694.

5598. CASPARD (Pierre). Gérer sa vie ? Etude statistique sur le profil de carrière des ouvriers de l'indiennage (1750-1820). R. Nord, 81, t. 63, n° 248, p. 207-232.

5599. CAVALLO (Dominick). Muscles and morals : organized playgrounds and urban reform, 1880-1920. Philadelphia, Univ. of Pennsylvania Press, 81, in-8, XIV-188 p.

5600. CHAGNIOT (Jean). La criminalité militaire à Paris au XVIIIe siècle. A. Bretagne, 81, t. 88, p. 327-345.

5601. CHENNTOUF (Tayeb). L'évolution du travail en Algérie au XIXe siècle : la formation du salariat. R. Occident musulman, 81, n° 31, p. 85-103.

5602. COHEN (Patricia Cline). Statistics and the state : changing social though and the emergence of a quantitative mentality in America, 1790 to 1820. William a. Mary Quar., 81, vol. 38, n° 1, p. 35-55.

5603. COHN (Samuel Kline) Jr. The laboring classes in Renaissance Florence. New York, Academic Press, 80, in-8, XII-296 p. (Stud. in Social Discontinuity)

5604. COLIN (Maurice). La vie quotidienne

à Sedan sous la Révolution, d'après une chronique familiale. R. hist. ardennaise, 81, n° 16, p. 59-82.

5605. COLLOMP (Alain). Conflits familiaux et groupes de résidence en Haute-Provence. A., Ec., Soc., Civ., 81, a. 36, p. 408-425.

5606. CONSTANTINE (Stephen). Amateur gardening and popular recreation in 19th and 20th centuries. J. soc. Hist., 81, vol. 14, n° 3, p. 387-406.

5607. COSTAS (Ilse). Auswirkungen der Konzentration des Kapitals auf die Arbeiterklasse in Deutschland (1880-1914). Frankfurt (Main) u. New York, Campus, 81, in-8, 445 p. (Campus-Forsch., 184)

5608. CROIX (Alain). La Bretagne aux XVIe et XVIIe siècles. T. 1, 2 : La vie, la mort, la foi. Paris, Maloine, 80, 2 vol. in-8, 1572 p. (ill.)

5609. CROUZET (François). Sur les hiérarchies sociales en Grande-Bretagne au XIXe siècle. In : Lyon et l'Europe [Cf. n° 417], vol. 1, p. 119-129.

5610. CROWTHER (M.A.). The workhouse system, 1834-1929, the history of an English institution. London, Batsford, 81, in-8, 304 p. (ill.).

5611. DAHL (Svein). Norsk Arbeidsgiverforening 1927/28. Tilbaketog og revurdering. (The Norwegian Employers' Union 1927/28. Retreat and revaluation.) [Norsk] Hist. T., 81, vol. 60, p. 1-25. [Eng. summary]

5612. DA SILVA (Gentil). Les gens et leur sécurité à l'époque moderne : quatre petites villes méridionales [de la France] d'après les actes notariés, XVIIIe siècle. In : Lyon et l'Europe [Cf. n° 417], vol. 1, p. 131-138.

5613. DAVIS (Natalie Zemon). Women in the Arts mécaniques in sixteenth-century Lyon. In : Lyon et l'Europe [Cf. n° 417], vol. 1, p. 139-167.

5614. DE MADDALENA (Aldo). Vespri e mattutino in una società preindustriale. R. stor. ital., 81, a. 93, p. 559-614.

5615. DE MARCO (William M.). Ethnics and enclaves : Boston's Italian north end. Ann Arbor, Mich., UMI Research Press, 81, in-8, XX-156 p.

5616. DESSERTINE (Dominique). Divorcer à Lyon sous la Révolution et l'Empire. Lyon, Presses univ. de Lyon, 81, in-8, 394 p.

5617. DI SIMPLICIO (Oscar). La nobiltà e la grande spinta del secolo XVI. Arch. stor. ital., 81, a. 139, p. 387-404.

5618. DIZIKES (John). Sportsmen and gamesmen. Boston, Houghton Mifflin, 81, in-8, XIV-350 p.

5619. DÜLMEN (Richard von). Formierung der europäischen Gesellschaft in der frühen Neuzeit. Ein Versuch. Gesch. u. Ges., 81, Jg. 7, p. 5-41.

5620. DUNLEAVY (Patrick). The politics of mass housing in Britain, 1945-1975, a study of corporate power and professional influence in the Welfare State. London, Oxford U.P., 81, in-8, 454 p. (fig., tab.)

5621. EHMER (Josef). Frauenarbeit und Arbeiterfamilie in Wien. Vom Vormärz bis 1934. Gesch. u. Ges., 81, Jg. 7, p. 438-473.

5622. EPSTEIN (Barbara Leslie). The politics of domesticity : women, evangelism, and temperance in nineteenth-century America. Middletwon, Conn., Wesleyan U.P., 81, in-8, 188 p.

5623. ERENBERG (Lewis A.). Steppin out : New York nightlife and the transformation of American culture, 1890-1930. Westport, Conn., Greenwood Press, 81, in-8, XIX-291 p. (Contrib. in Am. Stud., 50)

5624. ERICSSON (Tom). Kvinnor i facklig kamp : en studie av Föreningen kvinnor i statens tjänst 1904-1912. (Women in the union struggle : a study of the [Swedish] Association of Women in Civil Service, 1904-1912.) Scandia, 81, vol. 47, p. 109-129, 147. [Eng. summary]

5625. ESSEMYR (Mats). Teoribildningen kring den sociala skiktningen och differentieringen på den svenska landsbygden under 1700-och 1800-talen. (Theories concerning social stratification and differentiation in the Swedish rural districts during the 18th and 19th centuries.) [Svensk] Hist. T., 81, vol. 101, p. 455-465. [Eng. summary]

5626. Familie zwischen Tradition und Moderne. Studien z. Gesch. d. Familie in Deutschland u. Frankreich v. 16. bis zum 20. Jh. Hrsg. v. Neithard BULST, Joseph GOY u. Jochen HOOCK. Göttingen, Vandenhoeck u. Ruprecht, 81, in-8, 328 p. (Krit. Stud. z. Gesch.-Wiss., 48)

5627. FARWELL (Byron). For Queen and country : the social history of the Victorian and Edwardian army. London, A. Lane, 81, in-8, 320 p. (ill.).

5628. FELDENKIRCHEN (Wilfried). Kinderarbeit im 19. Jahrhundert. Ihre wirtschaftl. u. soz. Auswirkungen. Z. f. Unternehmensgesch., 81, Jg. 26, p. 1-41.

5629. FERRIEU (Xavier). Le mariage noble en Bretagne au XIXe siècle. A. Bretagne, 81, t. 88, p. 189-206.

5630. FINLAYSON (Geoffrey). The Seventh Earl of Shaftesbury. London, Eyne Methuen, 81, in-8, 640 p.

5631. FISHBEIN (Leslie). Harlot or heroine ? Changing views of prostitution, 1870-1920. Historian, 80, vol. 43, n° 1, p. 23-35.

5632. FISHBURN (Janet Forsythe). The fatherhood of God and the Victorian family : the social gospel in America. Philadelphia, Fortress Press, 81, in-8, XI-208 p.

5633. FOGARTY (Michael P.) a. others. Women in top jobs, 1968-1979. London, Heinemann Educ., 81, in-8, 273 p.

5634. FORSTER (Robert). Merchants, landlords, magistrates : the Depont family in eighteenth century France. Baltimore, Md., a. London, Johns Hopkins U.P., 80, in-8, XII-275 p. (ill., maps).

5635. FOSTER (Lawrence). Religion and

sexuality : three American communal experiments of the nineteenth century. New York, Oxford U. P., 81, .in-8, 363 p.

5636. FOURNIAL (Etienne). Les serfs de La Forest en Combraille en 1535. In : Lyon et l'Europe [Cf. n° 417], vol. 1, p. 251-266.

5637. FOX (Vivian C.), QUITT (Martin H.). Loving, parenting, and dying : the family cycle in England and America, past and present. New York, Psychohistory Press, 81, in-8, V-488 p.

5638. FRATER (Zsuzsa), J. Az 1855. évi kolerajárvány Magyarországon. (L'épidémie de choléra de 1855 en Hongrie.) Budapest, M. Orsz. Levéltár - Közp. Stat. Hivatal, 80, in-8, 156 p. (Történeti statisztikai füzetek)

5639. FREMONT (Armand). Paysans de Normandie. Paris, Flammarion, 81, in-8, 293 p. (pl.).

5640. FREVERT (Ute). Traditionelle Weiblichkeit und moderne Interessenorganisation. Frauen im Angestelltenberuf 1918-1933. Gesch. u. Ges., 81, Jg. 7, p. 507-533.

5641. FRIJHOFF (Willem Th. M.). La société néerlandaise et ses gradués, 1575-1814. Une recherche sérielle sur le statut des intellectuels à partir des registres universitaires. Amsterdam, APA-Holland Univ. P., 81, in-8, 422 p.

5642. FÜGEDI (Erik). Beiträge zur Siedlungsgeschichte einiger slowakischer Dörfer auf dem Gebiet des heutigen Ungarn. Studia slavica Acad. Sci. hungaricae, 80, vol. 26, n° 3-4, p. 245-305.

5643. GADANECZ (Béla). A vasutasok létszáma, megoszlása, gazdasági és szociális helyzete a századelőn. (The number, the division, the economic and social conditions of railwaymen at the beginning of the century.) Tört. Szle, 81, vol. 24, n° 4, p. 553-591.

5644. GARNOT (Benoît). Delits et châtiments en Anjou au XVIIIe siècle. A. Bretagne, 81, t. 88, p. 283-304.

5645. GEGOT (Jean-Claude). Storia della criminalità : le ricerche in Francia. Quad. stor., 81, a. 16, p. 192-211.

5646. GIROUARD (Mark). The return to Camelot : chivalry and the English gentleman. New Haven, Conn., Yale U.P., 81, in-8, 312 p.

5647. GONZÁLEZ MUÑOZ (Ma del Carmen). Datos para el estudio de Madrid en la primera mitad del siglo XVII. A. Inst. Est. madrilenos, 81, t. 18, p. 149-185.

5648. GRANASZTÓI (György). Kassa társadalma [1549-1557] a korrespondencia elemzés tükrében. (La société de Kassa [1549-1557] à la lumière de la correspondance.) Századok, 80, vol. 114, n° 4, p. 615-660.

5649. GREAVES (Richard L.). Society and religion in Elizabethan England. Minneapolis, Univ. of Minnesota Press, 81, in-8, IX-925 p.

5650. GUDYMENKO (A.V.). K voprosu o marksistsko-leninskoj metodologii izučenija proletariata v razvitajuščikhsja stranakh. (The problem of the Marxist-Leninist methodology of the study of the proletariat in developing countries.) Nar. Azii Afr., 81, n° 6, p. 72-82.

5651. GUIDOBONI (Emanuele). Terre, villaggi e famiglie del Polesine di Casaglia fra XV e XVI secolo. Soc. e Stor., 81, a. 4, p. 793-848.

5652. GUTIÉRREZ (Leandro). Condiciones de la vida material de los sectores populares en Buenos Aires, 1880-1914. R. Indias [Madrid], 81, vol. 41, p. 167-202.

5653. GUTTON (Jean-Pierre). Domestiques et serviteurs dans la France de l'Ancien Régime. Paris, Aubier - Montaigne, 81, in-8, 250 p.

5654. HABAKKUK (Sir John). The rise and fall of English landed families, 1600-1800. [II. Cf. Bibl. 80, n° 5681.] III : Did the gentry rise ? Trans. Roy. hist. Soc., 81, vol. 31, p. 195-217. [Presidential Address]

5655. HAESENNE-PEREMANS (Nicole). La pauvreté dans la région liégeoise à l'aube de la révolution industrielle. Un siècle de tension sociale (1730-1830). Paris, Belles lettres, 81, in-8, 507 p.

5656. HAJDU (Tibor). Az értelmiség számszerű gyarapodásának következményei a második világháboru előtt és után. (Les conséquences de l'accroissement numérique de l'intelligentsia avant et après la deuxième guerre mondiale.) Valóság, 81, vol. 24, n° 7, p. 1-22.

5657. HAMBURG (G.M.). Portrait of an elite : Russian marshals of the nobility, 1861-1917. Slavic R., 81, vol. 40, n° 4, p. 585-602

5658. HANLAN (James P.). The working population of Manchester, New Hampshire, 1840-1886. Ann Arbor, Mich., UMI Research Press, 81, in-8, XXI-237 p. (Stud. in Am. Hist. a. Culture, 29)

5659. HARRIS (Jennifer). The red cap of liberty : a study of dress worn by French revolutionary partisans. Eighteenth-cent. Stud., 81, vol. 14, n°3, p. 283-312.

5660. HAUBELT (Josef). Zrušení nevolnictví, významná událost v dějinách našeho lidu. K dvoustému výročí zrušení nevolnictví. (Die Aufhebung der Leibeigenschaft, ein bedeutendes Ereignis in der Geschichte unseres Volkes. Zum 200. Jubiläum der Aufhebung der Leibeigenschaft [in d. Tschechoslowakei].) Praha, Horizont, 81, in-8, 152 p. (16 fig.).

5661. HAUSEN (Karin). Women's History in den Vereinigten Staaten. Gesch. u. Ges., 81, Jg. 7, p. 347-363.

5662. HELL (Jürgen). Die Sklaverei im brasilianischen Minen-Komplex (1700 bis 1808). Jb. f. Wirtschaftsgesch., 81, T. 1, p. 107-123.

5663. HELLERSTEIN (Erna Olafson), HUME (Leslie Parker), OFFEN (Karen M.). Victorian women. A documentary account of women's lives in nineteenth-century England, France and the United States. Stanford, Stanford U.P., 81, in-8, 534 p.

5664. HENRY (Yves). Le colombier, un signe extérieur de noblesse : essai sur les colombiers en Bretagne. A. Bretagne, 81, t. 88, p. 67-86.

5665. HERSHBERG (Theodore) a. others. Philadelphia : work, space, family, and group experience in the nineteenth century. New York, Oxford U.P., 81, in-8, XVIII-525 p.

5666. HINE (Robert V.). Community on the American frontier : separate but not alone. Norman, Univ. of Oklahoma Press, 80, in-8, XII-292 p.

5667. HOLLOWAY (Thomas H.). Immigrants on the land : coffee and society in São Paulo, 1886-1934. Chapel Hill, Univ. of North Carolina Press, 80, in-8, XVIII-218 p.

5668. HOLMES (Geoffrey). Professions and social change in England, 1680-1730. London, Brit. Acad., 81, in-8, 42 p. (Raleigh Lect.).

5669. HOLT (Richard). Sport and society in modern France. Hamden, Conn., Archon Books, 81, in-8, XIII-256 p.

5670. Hommage à Roland Mousnier. Clientèle et fidélités en Europe à l'époque moderne. Publ. sous la dir. de Yves DURAND. Paris, Presses univ. France, 81, in-8, 388 p.

5671. IMHOF (Arthur E.). Die gewonnenen Jahre. Von d. Zunahme unserer Lebensspanne seit 300 Jahren oder v. d. Notwendigkeit e. neuen Einstellung zu Leben u. Sterben. Ein hist. Essay. München, Beck, 81, in-8, 280 p. (62 graph. Darst.).

5672. Inteligencja polska XIX i XX wieku. (Les intellectuels polonais aux XIXe et XXe s.) Etudes réd. par Ryszarda CZEPULIS-RASTENIS. Warszawa, Państw. Wydawn. Nauk., 81, in-8, 322 p. (Pol. akad. Nauk, Inst. Hist.)

5673. Istorija rabočikh Donbassa. (History of the Donbass workers.) Gl. redkol. : Ju. Ju. KONDUFOR (gl. red.) i dr. T. 1 : Rabočie Donbassa v epochu kapitalizma i v perekhodnyj period ot kapitalizma k socialismu. (The workers of the Donbass in the epoch of capitalism and the period of transition from capitalism to socialism.) T. 2 : Rabočie Donbassa v period zaveršenija stroitel'stva socializma i postepennogo perekhoda k kommunizmu. (The workers of the Donbass in the period of the achievement of the edification of socialism and the gradual transition to communism.) Kiev, Nauk. dumka, 81, 2 vol., in-8, 326, 431 p. (ill.).

5674. Iz istorii social'nykh dviženij i obščestvennoj mysli. (From the history of social movements and public thought.) Sb. statej. Redkol. : M.I. MIKHAJLOV (otv. red.) i dr. Moskva, Nauka, 81, 220 p. (AN SSSR. In-t vseobšč. istorii)

5675. JENTZ (John B.), KEIL (Hartmut). From immigrants to urban workers. Chicago's German poor in the gilded age and progressive era, 1883-1908. Vjschr. f. Soz.- u. Wirtschaftsgesch., 81, Bd 68, p. 52-97.

5676. JESPERSEN (Knud J.V.). Det 16. århundredes "militäre revolution" og det danske adelsrytteri : en sammenlignende analyse. (Die "militärische Revolution" des 16. Jahrhunderts und die dänische adlige Reiterei : eine Vergleichungsanalyse.) Militärhist. T., 81, vol. 3, p. 3-17. [Deutsche Zusammenfassung]

5677. JOHNSON (Michael P.). Smothered slave infants : were slave mothers at fault ? J. south. Hist., 81, vol. 47, n° 4, p. 493-520.

5678. JONES (Douglas Lamar). Village and seaport : migration and society in eighteenth century Massachusetts. Hanover, N.H., U.P., of New England, 81, in-8, XX-167 p.

5679. KAPISZEWSKI (Andrzej). Ideologie i teorie procesów asymilacji w USA. Szkic problemu. Cz. 1-2. (Les idéologies et théories des processus de l'assimilation aux Etats-Unis. Précis du problème. P. 1-2). Przegl. polon., 81, a. 7, fasc. 1, p. 5-24 ; fasc. 2, p. 19-35.

5680. KASPI (André). La vie quotidienne aux Etats-Unis au temps de la prospérité, 1919-1929. Paris, Hachette, 80, in-8, 349 p. (La vie quotidienne)

5681. KATZ (Michael B.), STERN (Mark J.). Fertility, class, and industrial capitalism : Erie county, New York, 1855-1915. Am. Quar., 81, vol. 33, n° 1, p. 63-92.

5682. KAUFFELDT (Leo). Elend und Auswege im 19. Jahrhundert. Frankfurt (Main), R.G. Fischer, 81, in-8, VII-237 p.

5683. KENT (Raymond A.). History of British empirical sociology. Epping, Gower Publ. Co., 81, in-8, 235 p. (tab.).

5684. KERN (Louis J.). An ordered love : sex roles and sexuality on Victorian Utopias - the Shakers, the Mormons, and the Oneida community. Chapel Hill, Univ. of North Carolina Press, 81, in-8, XIII-430 p.

5685. KISS (Lajos). A szegény emberek élete. I-II. köt. (La vie des pauvres. Vol. 1, 2). Budapest, Gondolat Kiadó, 81, 2 vol. in-8, 377, 465 p. (A magyar néprajz klasszikusai)

5686. KLINGER (András), NAGY (Istvánné). A munkásosztály összetételének alakulása a hetvenes években. (La formation de la structure de la classe ouvrière pendant les années 70.) Statiszt. Szle, 81, vol. 59, n° 12, p. 1173-1192.

5687. KOCKA (Jürgen). Die Angestellten in der deutschen Geschichte, 1850-1980. Vom Privatbeamten zum angestellten Arbeitnehmer. Göttingen, Vandenhoeck u. Ruprecht, 81, in-8, 235 p. - IDEM. The white collar workers in America, 1890-1940, a social-political history in international perspective. London, Sage Publ., 81, in-8, 406 p.

5688. KOEHLER (Lyle). A search for power : the "weaker sex" in seventeenth-century New England. Urbana, Univ. of Illinois Press, 80, in-8, VIII-561 p.

5689. KOHN (Richard H.). The social history of the American soldier : a review and prospectus for research. Am. hist. R., 81, vol. 86, n° 3, p. 553-567.

5690. KONRAD (Helmut). Das Entstehen der Arbeiterklasse in Oberösterreich. Wien, München u. Zürich, Europa, 81, in-8, 518 p.

5691. KOSÁRY (Domokos). Értelmiség és kulturális elit a XVIII. századi Magyarországon. (Intelligentsia et élite culturelle dans la Hongrie du XVIIIe s.) Valóság, 81, vol. 24, n° 2, p. 11-20.

5692. KOZŁOWSKI (Jerzy). Świadomość narodowa i więź z krajem polskiej emigracji zarobkowej. (La conscience nationale et l'union avec la patrie de l'émigration polonaise de travail.) Przegl. zach., 80 [81], a. 36, n° 3, p. 19-38. [Des années quatre-vingt du XIXe s. jusqu'à présent]

5693. KRAWCZYK-GŁYDA (Ewa). Organizacja emigracji polskiej w latach 1919-1939. (L'organisation de l'émigration polonaise dans les années 1919-1939.) Przegl. zach., 80 [81], a. 36, n° 3, p. 131-142.

5694. KUCZYNSKI (Jürgen). Geschichte des Alltags des deutschen Volkes. Studien. [1. Cf. Bibl. 80, n° 5714.] 2 : 1650-1810. Mit e. Abschn. über Alltag u. Übergangsepoche v. Gerhard HEITZ. 3 : 1810-1870. Berlin, Akad.-Verl., 81, 2 vol. in-8, 379, 389 p.

5695. KUETHE (Allan J.). The development of the Cuban military as a sociopolitical elite, 1763-1783. Hisp. am. hist. R., 81, vol. 61, n° 4, p. 695-704.

5696. Kultura skupisk polonijnych. Materiały z sympozjum zorganizowanego przez Bibliotekę Narodową oraz Instytut Historii Polskiej Akademii Nauk, Radziejowica, 22 i 23 IV 1980. (La culture des agglomérations de l'émigration polonaise. Matériaux du symposium organisé par la Bibliothèque Nationale et l'Institut d'Histoire de l'Académie Polonaise des Sciences, Radziejowice, 22 et 23-IV-1980.) Elab. scient. de Oskar Stanisław CZARNIK, Krzysztof GRONIOWSKI. Warszawa, Bibl. Narod., 81, in-8, 297 p.

5697. LATREILLE (André). Une réalisation moderne de la charité lyonnaise : le Foyer Notre Dame des Sans-Abri. In : Lyon et l'Europe [Cf. n° 417], vol. 2, p. 33-43.

5698. LAVERYČEV (V.Ja.), PUŠKAREVA (I. M.). Nekotorye problemy izučenija istorii rabočego klassa Rossii perioda imperializma. (Problems involved in the study of Russian working-class history in the imperialist period.) Vopr. Ist., 81, n° 1, p. 18-34.

5699. LEHNING (James E.). The peasants of Marlhes : economic development and family organization in nineteenth-century France. Chapel Hill, Univ. of North Carolina Press ; London, Macmillan, 80, in-8, XIV-218 p.

5700. LEWIN (Günter). Chinesische Arbeiter in den Goldbergwerken des Transvaal 1904 bis 1910. Jb. f. Wirtschaftsgesch., 81, T. 1, p. 87-106.

5701. LEWIS (David Levering). When Harlem was in vogue. New York, A.A. Knopf, 81, in-8, XIV-381 p.

5702. LIEBERSON (Stanley). A piece of the pie : blacks and white immigrants since 1880. Berkeley a. Los Angeles, Univ. of California Press, 80, in-8, XIII-419 p.

5703. LIEHR (Reinhard). Sozialgeschichte spanischer Adelskorporationen. Die Maestranzas de Caballeria (1670-1808). Wiesbaden, F. Steiner, 81, in-8, X-380 p.

5704. LJUBLINSKAJA (A.D.). K probleme social'noj psikhologii francuzskogo krest'janstva XVI-XVIII vv. (The social psychology of French peasants in the 16th-18th cent.) Vopr. Ist., 81, n° 10, p. 90-102.

5705. LÖWENTHAL (Richard). Vom Ausbleiben der Revolution in den Industriegesellschaften. Vergleichende Überlegungen zu e. "deutschen Problem". Hist. Z., 81, Bd 232, p. 1-24.

5706. LORCIN (Marie-Thérèse). La façon de donner vaut mieux que ce qu'on donne : typologie des legs aux pauvres en Lyonnais (XIVe-XVe s.). In : Lyon et l'Europe [Cf. n° 417], vol. 2, p. 65-82.

5707. LOTTIN (Alain), HILAIRE (Yves-Marie). Amour, mariage, famille dans le Nord de la France (XVIIe-XXe siècles). B. Sect. Hist. mod. contemp., 80, n° 12, p. 12-22.

5708. McCAHILL (Michael W.). Peerage creations and the changing character of the British nobility, 1750-1830. Eng. hist. R., 81, vol. 96, p. 259-284.

5709. McCLURE (Ruth K.). Coram's children : the London Foundling Hospital in the eighteenth century. New Haven, Conn., Yale U. P., 81, in-8, XIII-321 p.

5710. McDONAGH (Oliver). Inspector General Sir Jeremiah Fitzpatrick and the politics of social reform, 1783-1802. London, Croom Helm, 81, in-8, 336 p.

5711. McMILLAN (James F.). Housewife or harlot : the place of women in French society, 1870-1940. New York, St. Martin's Press, 81, in-8, 229 p. - IDEM. Clericals, anticlericals and the women's movement in France under the Third Republic. Hist. J., 81, vol. 24, p. 361-376.

5712. MALCOLMSON (Robert W.). Life and labour in England, 1700-1780. London, Hutchinson, 81, in-8, 240 p.

5713. MANSNER (Markku). Suomalaista yhteiskuntaa rakentamassa. Suomen työnantajain keskusliitto 1907-1940. (Builders of Finnish society. The confederation of Finnish employers, 1907-1940.) Helsinki, Teollisuuden Kustannus Oy, 81, in-8, 580 p. [Eng. summary]

5714. MARSH (James), FRANCIS (Daniel). New beginnings : a social history of Canada. Vol. 1 : From the coming of the original peoples to 1850. Toronto, McClelland a. Stewart, 81, in-8, 287 p.

5715. MAY (Elaine Tyler). Great expectations : marriage and divorce in post-Victorian America. Chicago, Univ. of Chicago Press, 80, in-8, VIII-200 p.

5716. MELOSI (Martin V.). Garbage in the cities : refuse, reform, and the environment, 1880-1980. College Station, Texas A & M U.P., 81, in-8, XVI-268 p. (Environmental Hist. Ser., 4)

5717. MOELLER (Robert G.). Dimensions of social conflict in the great war : the view from the German countryside. Central european Hist., 81, vol. 14, n° 2, p. 142-168.

5718. MOLINIER (Alain), MOLINIER-MEYER (Nicole). Environnement et histoire : les loups et l'homme en France. R. Hist. mod., 81, t. 28,

p. 225-245.

5719. MORGAN (H. Wayne). Drugs in America : a social history, 1800-1980. Syracuse, N. Y., Syracuse U.P., 81, in-8, XI-233 p.

5720. MUNSCHE (P.B.). The gamekeeper and English rural society 1660-1830. J. brit. Stud., 81, vol. 20, n° 2, p. 82-105. [Cf. n° 6080.]

5721. MURACCIOLE (Marie-Madeleine). Quelques aperçus sur la criminalité en Haute-Bretagne dans la deuxième moitié du XVIIIe siècle. A. Bretagne, 81, t. 88, p. 305-326.

5722. NADELL (Pamela S.). The journey to America by steam : the Jews of eastern Europe in transition. Am. jewish Hist., 81, vol. 71, n° 2, p. 269-284.

5723. NAGY (László). "Sok dolgot próbála Bethlen Gábor ..." Erdélyi boszorkányperek. (Gábor Bethlen essaya beaucoup de choses ..." Procès de sorciers en Transylvanie.) Budapest, Magveto Kiadó, 81, in-8, 213 p. (Gyorsuló idő)

5724. NEALE (R.S.). Bath 1680-1850 : a social history or a valley of pleasure, or a sink of iniquity. London a. Boston, Routlege a. Kegan Paul, 81, in-8, XIV-466 p. (ill.). - IDEM. Class in English history, 1680-1850. Oxford, Blackwell ; Totowa, N.J., Barnes a. Noble, 81, in-8, VI-250 p.

5725. NEVEUX (Hugues). Economische transformatie en sociale segregatie : het voorbeeld van een Normandische stad : Caen in de XVIIe eeuw. (Transformation économique et ségrégation sociale : l'exemple d'une ville normande : Caen au XVIIe s.) T. Gesch., 81, vol. 94, p. 205-220.

5726. NICHOLS (Glenn A.), SNYDER (Philip S.). Brazilian elites and the descendants of the German, Italian, and Japanese immigrants. J. inter-am. Stud. a. World Affairs, 81, vol. 23, n° 3, p. 321-344.

5727. NIETYKSZA (Maria). Dzieje miast polskich w epoce kapitalizmu. Problemy, stan badań, postulaty. (L'histoire des villes polonaises à l'époque du capitalisme. Problèmes, état des recherches, postulats.) Kwart. hist., 80 [81], a. 87, n° 2, p. 399-413.

5728. Noblesse française, noblesse hongroise. XVIe-XIXe siècles. Volume publié sous la direction de Béla KÖPECZI et Eva H. BALÁZS. Budapest, Akad. Kiadó ; Paris, Ed. du C.N.R.S., 81, in-8, 199 p. [Contient : BERANGER (Jean). Noblesse et absolutisme de François Ier à Louis XIV, p. 11-34. - MEYER (Jean). Noblesse des bocages : essai de typologie d'une noblesse provinciale, p. 35-56. - BLUCHE (François). Les enseignements sociaux du tarif de capitation de 1695, p. 57-64. - FURET (François) et al. Deux légitimations historiques de la société française au XVIIIe siècle : Mably et Boulainvilliers, p. 65-76. - SOBOUL (Albert). Trois notes pour l'histoire de l'aristocratie, p. 77-92. - DUPUY (Roger). Capitation nobiliaire et émigration en Ile-et-Vilaine [1789-1793], p. 93-98. - MUSSAT (André). Chateau-miroir ou la tradition architecturale de la noblesse française, p. 99-108. - DELOUCHE (Denise). Le rôle de la noblesse française dans la naissance de l'archéologie au XVIIIe et XIXe siècles, p. 109-119. - QUENIART (Jean). Visions de l'Europe dans les bibliothèques de la noblesse française au XVIIIe siècle, p. 121-128. - DENIS (Michel). Reconquête ou défensive : les stratégies de la noblesse de l'Ouest au XIXe siècle. p. 129-136. - SZÉKELY (György). Les révoltes paysannes et la noblesse hongroise au début du XVIe siècle, p. 137-154. - BENDA (Kálmán). Le droit de résistance de la Bulle d'Or hongroise et le calvinisme, p. 155-162. - MAKKAI (László). La noblesse de la Hongrie historique à l'époque du féodalisme tardif (1526-1760), p. 163-170. - KÖPECZI (Béla). La noblesse et le pouvoir politique dans la guerre d'indépendance hongroise contre les Habsbourg au début du XVIIIe siècle, p. 171-178. - BALÁZS (Eva, H.). La noblesse hongroise et les Lumières, p. 179-188. - DIÓSZEGI (István). La noblesse hongroise et la crise du féodalisme dans la première moitié du XIXe siècle, p. 189-200.]

5729. NUGENT (Walter). Structures of American social history. Bloomington, Indiana U.P., 81, in-8, XIII-206 p. (Samuel Paley Lectures in Am. Civ.)

5730. O'BRIEN (Raymond J.). American sublime : landscape and scenery of the lower Hudson valley. New York, Columbia U.P., 81, in-8, XII-353 p.

5731. ORBÁN (Sándor). A magyar társadalom felszabadulást követő átalakulásának történeti vizsgálatához. (The Transformation of Hungarian society after the liberation). Tört. Szle, 81, vol. 24, n° 2, p. 135-145.

5732. OUELLET (Fernand). La formation d'une société dans la vallée du Saint-Laurent : d'une société sans classes à une société de classes. Canad. hist. R., 81, vol. 62, p. 407-450.

5733. PANCINO (Claudia). La comare levatrice. Crisi di un mestiere nel XVIII secolo. Soc. e Stor., 81, a. 4, p. 593-638.

5734. PANEJAKH (V.M.). Is istorii zakreposčenija krest'jan v konce XVI-pervoj polovine XVII veka. (From the history of peasants' enserfment in the late 16th-first half of the 17th cent.) Ist. SSSR, 81, n° 5, p. 164-173.

5735. PÁSTI (Judit). A chemnitzi kézmüveslegények szabályzatai a 15. század végétől a 17. század elejéig. (Les règlements des compagnons-artisans de Chemnitz à partir de la fin du XVe jusqu'au commencement du XVIIe s.) Levéltári Szle, 80, vol. 30, n°s 1-2, p. 155-166.

5736. PATTERSON (James T.). America's struggle against poverty, 1900-1980. Cambridge, Mass., Harvard U.P., 81, in-8, IX-268 p.

5737. PAUL-LEVY (Françoise). L'amour nomade : la mère et l'enfant hors mariage, XVIe-XXe siècles. Paris, Ed. du Seuil, 81, in-8, 254 p. (Libre à elles)

5738. PERROT (Francine). Réflexions sur la paupérisation (1955-1957). Cah. Hist. Inst. Rech. marxiste, 81, a. 14, n.s., n° 40, p. 89-103.

5739. PÉTER (Katalin). Vie de la société transylvaine dans la première moitié du XVIIe siècle. Acta hist. Acad. Sci. hungaricae, 81, vol. 27, n°s 1-2, p. 1-29.

5740. PHILLIPS (Roderick). Family breakdown in late 18th-century France : divorces in Rouen, 1792-1803. London, Oxford U.P., 80, in-8, VIII-244 p. (fig.).

5741. PILLORGET (Suzanne). L'ascension de la famille d'Antoine de Sartine (XVIeXVIIIe siècles). In : Lyon et l'Europe [Cf. n° 417], vol. 2, p. 147-166.

5742. PIRUMOVA (N.M.). Zemskaja intelligencija v 70-80-e gody XIX v. (Zemstvo's intelligentsia in the 70s-80s of the 19th cent.) Ist. Zap., 81, n° 106, p. 127-161.

5743. POITRINEAU (Abel). Les chaudronniers migrants auvergnats dans la société traditionnelle (XVIIIe s.). In : Lyon et l'Europe [Cf. n° 417], vol. 2, p. 187-210. - IDEM. Minimum vital catégoriel et conscience populaire : les retraites conventionnelles des gens âgés dans le pays de Murat au XVIIIe siècle. French hist. Stud., 81, vol. 12, n° 2, p. 165-176.

5744. POPE (Dudley). Life in Nelson's navy. London, Allen a. Unwin, 81, in-8, 296 p.

5745. POŚPIECH (Andrzej), TYGIELSKI (Wojciech). The social role of magnates' courts in Poland (From the end of the 16th up to the 18th century.) Acta Poloniae hist., 81, vol. 43, p. 75-100.

5746. Practice and progress: British sociology, 1950-1980 [by Philip ABRAMS a. others]. London, Allen a. Unwin, 81, in-8, 240 p.

5747. Problemy istorii russkogo obščestvennogo dviženija i istoričeskoj nauki. (Problems of the history of Russian public movement and historical science.) Sb. statej. Redkol. : E.M. ŽUKOV (otv. red.) i dr. Moskva, Nauka, 81, 344 p. (AN SSSR. Otd-nie istorii. In-t istorii SSSR)

5748. Problemy istorii sovetskogo krest'janstva. (Problems of the history of Soviet peasantry.) Sb. statej. Redkol. : M.P. KIM (otv. red.) i dr. Moskva, Nauka, 81, 349 p. (AN SSSR. In-t istorii SSSR)

5749. PROST (Antoine). Mariage, jeunesse et société à Orléans en 1911. A., Ec., Soc., Civ., 81, a. 36, p. 672-701.

5750. PRYOR (Elizabeth Brown). An anomalous person : the northern tutor in plantation society, 1773-1860. J. south. Hist., 81, vol. 47, n° 3, p. 363-392.

5751. Rabočij klass Centra strany i Sibiri (konec XIX-načalo XX v.). (The working class of the centre of the country and of Siberia, end of the 19th-beginning of the 20th cent.) Sb. Redkol. : L.M. GORJUŠKIN (otv. red.) i dr. Novosibirsk, Nauka, 81, 256 p. (AN SSSR. Sib. otd-nie. In-t istorii, filologii i filosofii)

5752. RILEY (Glenda). Frontierswomen : the Iowa experience. Ames, Iowa State U.P., 81, in-8, XV-211 p.

5753. ROCHE (Daniel). Le peuple de Paris. Essai sur la culture populaire au XVIIIe siècle. Paris, Aubier-Montaigne, 81, in-8, 320 p.

5754. ROLLE (Andrew). The Italian Americans : troubled roots. New York, Free Press, 80, in-8, XVIII-222 p.

5755. ROTHMAN (David J.), WHEELER (Stanton). Social history and social policy. London, Academic Press, 81, in-8, 336 p.

5756. RUBINSTEIN (W.D.). Men of property : the very wealthy in Britain since the industrial revolution. New Brunswick, N.J., Rutgers U.P., 81, in-8, 261 p.

5757. RUGOFF (Milton). The Beechers : an American family in the nineteenth century. New York, Harper a. Row, 81, in-8, XVII-653 p.

5758. RUIZ TORRES (Pedro). Señores y propietarios : cambio social en el sur del País Valenciano, 1650-1850. Valencia, Institución Alfonso el Magnánimo, 81, in-8, 403 p. (Estudios universitarios, 4)

5759. RYAN (Mary P.). The cradle of the middle class : the family in Oneida County, New York, 1790-1865. London, Cambridge U.P., 81, in-8, 321 p. (ill., tab.).

5760. SAUZET (Robert). Religion et rapports de production dans la région nîmoise au XVIIe siècle. In : Lyon et l'Europe [Cf. n° 417], vol. 2, p. 235-243.

5761. SCHAFER (Judith Kelleher). New Orleans slavery in 1850 as seen in advertisements. J. south. Hist., 81, vol. 47, n° 1, p. 33-56.

5762. SCHLOSSMAN (Steven). Philanthropy and the gospel of child development. Hist. Educat. Quar., 81, vol. 21, n° 3, p. 275-300.

5763. SEGALEN (Martine). Pouvoirs et savoirs féminins au XIXe siècle. R. Nord., 81, t. 63, n° 250, p. 525-602.

5764. SECALEN (Martine), CHAMARAT (Jocelyne). Amours et mariages de l'Ancienne France. Paris, Berger-Levrault, 81, in-8, 175 p.

5765. SEIDENSPINNER (Wolfgang). Hölzerlips und Schwarzer Peter. Zur Raub- u. Bandenkriminalität im badisch-hessisch-fränkischen Grenzraum im frühen 19. Jh. Z. f. d. Gesch. d. Oberrheins, 81, Bd 129, p. 368-398.

5766. ŠMERDA (Milan). Úloha a charakteristické rysy třídních bojů poddaného lidu v českých zemích, Uhrách a jižním Polsku v období pozdního feudalismu. (Aufgabe und charakteristische Züge der Klassenkämpfe der Untertanen in den tschechischen Ländern, in Ungarn und Südpolen in der Epoche des Spätfeudalismus.) Hist. Štud., 81, vol. 25, p. 79-100.

5767. SMITH (Billy G.). The material lives of laboring Philadelphians, 1750 to 1800. William a. Mary Quar., 81, vol. 38, n° 2, p. 163-202.

5768. SMITH (Bonnie G.). Ladies of the leisure class : the bourgeoises of northern France in the nineteenth century. Princeton, N.J., Princeton U.P., 81, in-8, XII-295 p.

5769. SOLTOW (Lee). Age and economic achievement in an Irish barony in 1821 Explor. in econ. Hist;, 81, vol. 18, n° 4, p. 389-398.

5770. Stará dělnická Praha. Život a kultura pražských dělníků 1848-1939. (Das alte Arbeiter-Prag. Leben und Kultur der Prager Arbeiter 1848-1939.) Autorenkollektiv : Dagmar KLÍMOVÁ, Jaroslav MARKL, Mirjam MORAVCOVÁ, Antonín ROBEK, Vladimír SCHEUFLER, Olga SKALNÍKOVÁ, Jiřina SVOBODOVÁ, Jarmila ŠŤASTNÁ, Josef VAŘEKA. Praha, Academia, 81, in-4, 316

p. (4 fig.)

5771. STARK (Gary D.). Pornography, society, and the law in imperial Germany. Central european Hist., 81, vol. 14, n° 3, p. 200-229.

5772. STEINBERG (Stephen). The ethnic myth : race, ethnicity, and class in America. New York, Atheneum, 81, in-8, X-277 p.

5773. Storia della società italiana dall' unità a oggi. 11 : Le forze armate. [Di] Lucio CEVA. Torino, UTET, 81, in-8, XVI-641 p. (tav.). [7. Cf. Bibl. 74-75, n° 6784.]

5774. STRATTON (Joanna L.). Pioneer women : voices from the Kansas frontier. Intr. by Arthur M. SCHLESINGER, Jr. New York, Simon a. Schuster, 81, in-8, 319 p.

5775. SUKHOTINA (L.G.). Russkaja revoljucionno-demokratičeskaja intelligencija v osveščenii sovremennoj anglijskoj i amerikanskoj buržuaznoj istoriografii (1970-e gody). (The Russian revolutionary democratic intelligentsia in the interpretation of modern British and American bourgeois historiography, 1970s.) Ist. SSSR, 81, n°6, p. 178-191.

5776. SURRAULT (Jean-Pierre). Les "errants" en Touraine à la fin du XVIIIe siècle : délinquance et criminalité. A. Bretagne, 81, t. 88, p. 265-281.

5777. SUTHERLAND (Daniel E.). Americans and their servants : domestic service in the United States from 1800 to 1920. Baton Rouge, Louisiana State U.P., 81, in-8, XV-229 p.

5778. SZAFRAN (Przemysław). Żuławy gdańskie w XVII wieku. Studium z dziejów społecznych i gospodarczych. (Les bas-fonds de Gdańsk au XVII siècle. Etude d'histoire sociale et économique.) Gdańsk, Wydawn. Morskie, 81, in-8, 215 p. (Ser. Monografii Pomorskich)

5779. TOPLIN (Robert Brent). Freedom and prejudice : the legacy of slavery in the United States and Brazil. Westport, Conn., Greenwood Press, 81, in-8, XXVI-134 p. (Contrib. in Afro-Am. a. African Stud., 56)

5780. TURNER (James). Reckoning with the beast : animals, pain, and humanity in the Victorian mind. Baltimore, Md., Johns Hopkins U.P., 80, in-8, XII-190 p. (Johns Hopkins Univ. Stud. in Hist. a. Pol. Science, 98th ser., 2)

5781. VANDERWOOD (Paul J.). Mexico's rurales : image of a society in transition. Hisp. am. hist. R., 81, vol. 61, n° 1, p. 52-83.

5782. VIGUERIE (Jean de). Un document inédit pour l'histoire sociale du Dauphiné au XVIIe siècle : le journalier de Pierre Cheulliat. In : Lyon et l'Europe [Cf. n° 417], vol. 2, p. 313-330.

5783. VLAMYNCK (Alain). La délinquance au féminin : crimes et répression dans le Nord (1880-1913). R. Nord, 81, t. 63, p. 675-702.

5784. Vom Elend der Handarbeit. Probleme hist. Unterschichtenforsch. Hrsg. v. Hans MOMMSEN u. Winfried SCHULZE. Stuttgart, Klett-Cotta, 81, in-8, 585 p. (3 graph. Darst.). (Gesch. u. Ges., 24)

5785. VOVELLE (Michel). Du regard inquisiteur au regard ethnographique. Le prêtre [François] Marchetti, les confrères du Saint Sacrement et les bonnes femmes marseillaises. In : Lyon et l'Europe [Cf. n° 417], vol. 2, p. 349-372.

5786. WAJDA (Kazimierz). Klasa robotnicza Pomorza Wschodniego w drugiej połowie XIX i początkach XX wieku. (La classe ouvrière de la Poméranie Orientale dans la seconde moitié du XIXe et au début du XXe s.) Warszawa, Państw. Wydawn. Nauk., 81, in-8, 182 p. (Rozpr. i Mater. Ośrodka Badań Nauk. im. W. Kętrzyńskiego w Olsztynie, 70)

5787. WALLON (Armand). La vie quotidienne dans les villes d'eaux (1850-1914). Paris, Hachette-Littérature, 81, in-8, 349 p.

5788. WANDERSEE (Winifred D.). Women's work and family values, 1920-1940. Cambridge, Mass., Harvard U.P., 81, in-8, 165 p.

5789. WAQUET (Françoise). Les fêtes royales sous la Restauration ou l'Ancien Régime retrouvé. Paris, Arts et métiers graph. ; Genève, Droz, 81, in-4, 207 p. (LIX p. de pl.). (Bibl. de la Soc. franç. d'archéol., 14)

5790. WARD (W. Peter). Unwed motherhood in nineteenth-century English Canada. Canad. hist. Assoc. Pap., 81, p. 34-56.

5791. WEEKS (Jeffrey). Sex, politics and society, the regulation of sexuality since 1800. London, Longman, 81, in-8, XIV-306 p. (Themes in Soc. Hist.)

5792. WELLNER (Gabriele). Industriearbeiterinnen in der Weimarer Republik ; Arbeitsmarkt, Arbeit und Privatleben 1919-1933. Gesch. u. Ges., 81, Jg. 7, p. 534-554.

5793. WILLIAMS (Loretta J.). Black freemasonry and middle-class realities. Columbia, Univ. of Missouri Press, 80, in-8, 165 p. (Univ. of Missouri Stud., 49)

5794. WILSON (Stephen). Conflict and its causes in Southern Corsica, 1800-1835. Soc. Hist., 81, vol. 6, n° 1, p. 33-69.

5795. WISMES (Armel de). La vie quotidienne dans les ports bretons aux XVIIe et XVIIIe siècles : Nantes, Brest, Saint-Malo, Lorient. Genève, Famot, 80, in-8, 307 p. (ill., pl.)

5796. WRIGHT (Gwendolyn). Building the dream : a social history of housing in America. New York, Pantheon, 81, in-8, XIX-329 p.

5797. YEO (Eileen), YEO (Stephen). Popular culture and class conflict, 1590-1914 : explorations in the history of labour and leisure. Brighton, Harvester Press, 81, in-8, 288 p.

5798. ZWAHR (Hartmut). Zur Konstituierung des Proletariats als Klasse. Strukturuntersuchung über d. Leipziger Proletariat während d. industriellen Revolution. München, Beck, 81, in-8, 364 p.

Cf. n°s 672, 2692, 2752, 2811, 3624, 3853, 3858, 4203, 4210, 4278, 4375, 4886, 5071, 5075, 5123, 5244, 5245, 5416, 5502, 6230, 6299.

§ 9. Movimiento obrero y socialismo.

* 5799. ANDREAS (Bert). Ferdinand Lassalle - Allgemeiner Deutscher Arbeiterverein. Bibliogr. ihrer Schr. u. d. Lit. über sie 1840-1975. Mit e. Einl. v. Cora STEPHAN. Bonn, Neue Ges., 81, in-8, 312 p. (Arch. f. Sozialgesch., Beih. 9)

* 5800. DOWE (Dieter). Bibliographie zur Geschichte der deutschen Arbeiterbewegung, sozialistischen und kommunistischen Bewegung von den Anfängen bis 1863. Unter Berücks. d. polit., wirtschaftl. u. soz. Rahmenbedingungen. Berichtszeitraum 1945-1975. [1. Aufl. Cf. Bibl. 76-77, n° 7085.] 3., wesentl. erw. u. verb. Aufl. Bearb. v. Volker METTIG. Bonn, Neue Ges., 81, in-8, 358 p. (Arch. f. Sozialgesch., Beih. 5)

* 5801. Leniniana. Bibliogr. proizvedenij V.I. Lenina i lit. o nem. (Leniniana. Bibliographical index of V.I. Lenin's works and literature on V.I. Lenin.) T. 5 : Literatura o razvitii V.I. Leninym marksizma, 1908-1971. Redkol. : R.M. SAVICKAJA (otv. red.) i dr. Moskva, Kniga, 81, in-8, 558 p. (In-t marksizma-leninizma pri CK KPSS. Gos. b-ka SSSR im. V.I. Lenina)

* 5802. SMITH (Harold). The British Labour movement to 1970, a bibliography. London, Mansell, 81, in-8, 268 p.

* 5803. SWANSON (Dorothy). Annual bibliography on American labor history [1979. Cf. Bibl. 80, n° 5845.] 1980. Labor Hist., 81, vol. 22, n° 4, p. 545-572.

* 5804. VAISEY (G. Douglas). The labour companion : a bibliography of Canadian labour history based on materials printed from 1950 to 1975 ; with the assistance of John BATTYE, Marie DeYOUNG a. Gregory S. KEALEY. Halifax, N.S., Committee on Canad. Labour Hist., 80, in-8, 126 p.

** 5805. Dokumente zur Geschichte der SED. Bd 1 : 1847 bis 1945. Berlin, Dietz, 81, in-8, 412 p.

** 5806. LIEBKNECHT (Wilhelm). Briefe an den Chicagoer "Workingman's Advocate" 5. Nov. 1870 bis 8. Okt. 1871. Hrsg. u. eingel. v. Philip S. FONER. Berlin, Dietz, 81, in-8, 213 p.

** 5807. Magyar szakszervezeti mozgalom (A) határozatai. 1-2. köt. Szerk. ZSIGA László. (Les documents du mouvement syndical en Hongrie. Vol. 1, 2. Réd. par -.) Budapest, Táncsics Kiadó, 81, 2 vol. in-8, 435, 657 p.

** 5808. Moti (I) di Palermo del 1866. Verbali della Commissione parlamentare di inchiesta. A cura e con introd. di Magda DA PASSANO. Roma, CD Arch. stor., 81, in-8, 526 p. (Coll. dell'Arch. stor. della Camera, 5). (Camera dei Deputati)

** 5809. PIECK (Wilhelm). Gesammelte Reden und Schriften. Inst. f. Marxismus-Leninismus beim ZK d. SED. [Bd 3. Cf. Bibl. 72, n° 5286.] Bd 4 : Februar 1927 bis Januar 1933. Berlin, Dietz, 81, in-8, 13, 603 p. (Abb.)

** 5810. Plutokraten und Sozialisten. Berichte deutscher Diplomaten u. Agenten über d. amerikan. Arbeiterbewegung, 1878-1917. Plutocrats and socialists. Reports by German diplomats a. agents on the American labor movement, 1878-1917. Hrsg. v. Dirk HOERDER. München, New York, London u. Paris, Saur, 81, in-8, XXXV-422 p. (Kt.).

** 5811. Sozialdemokraten im Kampf um die Freiheit. Die Auseinandersetzungen zwischen SPD u. KPD in Berlin 1945/46. Stenograph. Niederschr. d. Sechziger-Konferenz am 20./21. Dez. 1945. Gert GRUNER, Manfred WILKE (Hrsg.). München, Piper, 81, in-8, 222 p. (Serie Piper, 226).

** 5812. THOUREL (Marcel). Itinéraire d'un cadre communiste, 1935-1950 : du stalinisme au trotskysme. Toulouse, Privat, 80, in-8, 318 p.

** Cf. n°^{s} 2623, 3765, 3809.

5813. ALEXANDER (Robert J.). The right opposition : the Lovestoneites and the international communist opposition of the 1930s. Westport, Conn., Greenwood Press, 81, in-8, X-342 p. (Contrib. in Pol. Sci., 54)

5814. AMORT (Čestmír). Georgi Dimitrov a československý lid. (Georgi Dimitrov und das tschechoslowakische Volk.) Praha, Horizont, 81, in-8, 188 p.

5815. ANGUS (Ian). Canadian Bolsheviks : an early history of the Communist Party of Canada. Montreal, Vanguard, 81, in-8, XII-404 p.

5816. Arbeiterbewegung (Die) europäischer Länder im Kampf gegen Faschismus und Kriegsgefahr in den zwanziger und dreissiger Jahren. Internat. Sammelbd. Inst. f. Marxismus-Leninismus beim ZK d. SED. Berlin, Dietz, 81, in-8, 469 p.

5817. BABIČENKO (L.G.), PETROVA (T.N.). Klara Cetkin-plamennaja revoljucionerka i internacionalistka, vernyj drug Strany Sovetov. (Clara Zetkin -an ardent revolutionary, true friend of the Soviet Country.) Nov. novejš. Ist., 81, n° 5, p. 97-115 ; n° 6, p. 68-87.

5818. BANCAL (Jean). Proudhon : la liberté, l'individu, la propriété. Cadmos, 81, a. 4, p. 42-58.

5819. BEIER (Gerhard). Geschichte und Gewerkschaft. Politisch-hist. Beitr. z. Gesch. sozialer Bewegungen. Köln, Bund, 81, in-8, 532 p. (Ill.). (Schriftenr. d. Otto-Brenner-Stiftung, 24)

5820. BIEBER (Hans-Joachim). Gewerkschaft in Krieg und Revolution. Arbeiterbewegung, Industrie, Staat u. Militär in Deutschland 1914-1920. T. 1, 2. Hamburg, Christians, 81, 2 vol. in-8, 519 p., p. 528-1248.

5821. BORDUKOV (V.A.), KOBYLJANSKIJ (K.V.). V.I. Lenin i revoljucionnoe rabočee dviženie v Italii. (V.I. Lenin and the Italian revolutionary workers' movement.) Vopr. Ist., 81, n° 7, p. 42-58.

5822. BOROZNJAK (A.I.), PAVLENKO (G. V.). Radikal'no-demokratičeskaja istoriografija FRG o problemakh germanskogo rabočego dviženija. (Radical-democratic historiography in the Federal Republic of Germany on the German working-Class movement.) Vopr. Ist., 81, n° 6, p. 64-75.

5823. BREITENBORN (Konrad). Der Friedensbund deutscher Katholiker 1918/19-1951. Berlin, Union-Verl., 81, 174 p.

5824. BULCIOLU (Maria Teresa). L'école saint-simonienne et la femme. Notes et documents pour une histoire de la femme dans la société saint-simonienne, 1828-1833. Pisa, Goliardica, 80, in-8, 253 p.

5825. CASARINO (Olimpia), MARCHETTI (Giulio). Scioperi e organizzazione operaia a Napoli : 1861-1873). Soc. e Stor., 81, a. 4, p. 367-410.

5826. CEPLAIR (Larry S.). La théorie de la grève générale et la stratégie du syndicalisme : Eugène Guérard et les cheminots français dans les années 1890. Mouvement soc., 81, n° 116, p. 21-46.

5827. CICONTE (Enzo). All'assalto delle terre del latifondo. Comunisti e movimento contadino in Calabria, 1943-1949. Milano, Angeli, 81, in-8, 288 p. (Stud. e Ric. stor., 14)

5828. CIVOLANI (Eva). L'anarchismo dopo la Comune. I casi italiano e spagnolo. Milano, Angeli, 81, in-8, 266 p. (Studi e Ric. stor., 8)

5829. CLARK (Paul F.). The miners' fight for democracy : Arnold Miller and the reform of the United Mine Workers. Ithaca, N.Y., New York State School of Industrial a. Labor Relations, Caronell Univ., 81, in-8, VII-190 p. (Cornell Stud. in Industrial a. Labor Relations, 21)

5830. CONLIN (Joseph R.) a. others. At the point of production : the local history of the I.W.W. Westport, Conn., Greenwood Press, 81, in-8, VIII-329 p. (Contrib. in Labor Hist., 10)

5831. CORBIN (David Alan). Life, work, and rebellion in the coal fields : the southern West Virginia miners, 1880-1922. Urbana, Univ. of Illinois Press, 81, in-8, XIX-294 p. (The Working Class in Am. Hist.)

5832. DENK (Hans Dieter). Ein Keil in der Arbeiterbewegung ? Zur Einschätzung d. christlichen Arbeiterbewegung durch sozialdemokratische Arbeiterbewegung, Arbeitgeber u. staatl. Institutionen in Bayern vor 1914. Z. f. bayer. Landesgesch., 81, Bd 44, p. 543-569.

5833. DI SCALA (Spencer). Dilemmas of Italian socialism : the politics of Filippo Turati. Amherst, Univ. of Massachusetts Press, 80, in-8, XII-209 p.

5834. DONNO (Carmelo Giovanni). Classe operaia, sindacato e partito socialista in Terra d'Otranto, 1901-1915. Introd. di Adolfo PEPE. Lecce, Milella, 81, in-8, 496 p. (tab.). (Bibl. di Stor. della Soc. contemp. Sez. di Stor. della Soc. merid., 3)

5835. DUNAEVSKIJ (V.A.), KUČERENKO (G.S.). Zapadnoevropejskij utopičeskij socialism v rabotakh sovetskikh istorikov. (Western European utopian socialism in works of Soviet historians.) Moskva, Nauka, 81, 328 p. (portr.). (AN SSSR. otd-nie istorii. In-t vseobšč. istorii. Nauč.sovet po probl. "Istorija ist. nauki")

5836. DUTTON (H.I.), KING (J.E.). Ten per cent and no surrender : the Preston strike, 1853-1854. London, Cambridge U.P., 81, in-8, 274 p.

5837. DYE (Nancy Schrom). As equals and as sisters : feminism, the labor movement, and the women's trade union league of New York. Columbia, Univ. of Missouri Press, 80, in-8, 200 p.

5838. Dyskusja nad programem i taktyka Związku. (La discussion sur le programme et la tactique du Syndicat.) Réd. Andrzej DORNIAK. Gdańsk, 81, in-8, 102 p. (Zesz. Informacyjne Biura Informacyjno-Prasowego "Solidarności")

5839. EDWARDS (Paul Kenneth). Strikes in the United States, 1881-1974. New York, St. Martin's Press ; Oxford, Blackwell, 81, in-8, XVI-336 p. (fig., tab.).

5840. EMMRICH (Volker). Die internationalen Sozialistenkongresse in Gent (1877) und Chur (1881) und die deutsche Sozialdemokratie. Jb. f. Gesch., 81, Bd 22, p. 111-138.

5841. FINKER (Kurt). Geschichte des Roten Frontkämpferbundes. Berlin, Dietz, 81, in-8, 277 p. (Abb.).

5842. FIRSOV (F.I.). Komintern i stanovlenie marksistsko-leninskikh partij. (The Comintern and the formation of Marxist-Leninist parties.) Vopr. Ist. KPSS, 81, n° 8, p. 76-87.

5843. FLOREY (R.A.). The [British] General Strike of 1926, the economical, political and social causes. London, J. Calder, 81, in-8, 192 p. (ill.).

5844. FONER (Philip S.). Women and the American labor movement : from world war I to the present. New York, Free Press, 80, in-8, VI-682 p.

5845. FONES-WOLF (Elizabeth), FONES-WOLF (Kenneth). Knights versus the trade unionists : the case of the Washington, D.C. carpenters, 1881-1896. Labor Hist., 81, vol. 22, n° 2, p. 192-212.

5846. FORSEY (Eugene A.). Trade unions in Canada 1812-1902. Toronto, Univ. Press, 81, in-8, XIV-600 p.

5847. FURLANI (Silvio). Ancora un po' di luce su Bakunin e la sua Associazione segreta scandinava : chi era Markus ? R. stor. ital., 81, a. 93, p. 795-808.

5848. GALANDAUER (Jan). Bohumír Šmeral 1880-1914. Praha, Svoboda, 81, in-8, 374 p.

5849. GEARY (Dick). The European labour protest, 1848-1939. London, Croom Helm ; New York, St. Martin's Press, 81, in-8, 195 p.

5850. GLASNECK (Johannes). Die Sozialistische Arbeiter-Internationale zwischen antifaschistischem Kampf und antikommunistischer Reaktion in den Jahren 1935 bis 1937. Hallesche Stud. z. Gesch. d. Sozialdemokratie, 80, Bd 4, p. 39-85. - IDEM. Die Strategie der internationalen Sozialdemokratie und der Februarkampf der österreichischen Arbeiter 1934. Jb. f. Gesch., 81, Bd 24, p. 283-312.

5851. GOLZ (Reinhard). Zur Bedeutung der Aktivitäten Rosa Luxemburgs im bildungspolitischen Kampf des polnischen Proletariats, vor und während der russischen Revolution von 1905/07. Jb. f. Erziehungs- u. Schulgesch., 80, Jg. 20,

p. 111-124.

5852. GONČAROVA (S.M.). Novye materialy o vstrečakh V.I. Lenina s zarubežnymi delegatami na III kongresse Kominterna. (New materials on V.I. Lenin's meetings with foreign delegates at the IIId Congress of the Comintern.) Vopr. Ist. KPSS, 81, n° 7, p. 73-84.

5853. GORALCZYK (Zbigniew). Komunistyczna Partia Chin a Stany Zjednoczone (lipiec 1921 - czerwiec 1950). (Le Parti Communiste de Chine et les Etats-Unis, juillet 1921 - juin 1950.) Avant-propos de Janusz Wojciech GOŁĘBIOWSKI. Warszawa, Państw. Wydawn. Nauk., 81, in-8, 449 p.

5854. GRANATA (Ivano). Il socialismo italiano nella storiografia del secondo dopoguerra. Roma e Bari, Laterza, 81, in-8, XI-199 p. (Bibl. di Cult. mod., 842)

5855. GRAZIOSI (Andrea). Common laborers, unskilled workers : 1890-1915. Labor Hist., 81, vol. 22, n° 4, p. 512-544.

5856. HANZAL (Slavomír). Cesta k jednotným revolučným odborom na Slovensku. (Der Weg zu den einheitlichen revolutionären Gewerkschaften in der Slowakei.) Bratislava, Práca, 81, in-8, 144 p.

5857. HAUBTMANN (Pierre). Proudhon, Marx et la pensée allemande. Grenoble, Presses univ. de Grenoble, 81, in-8, 316 p.

5858. HOBSBAWM (Eric John). History of Marxism. Vol. 1 : Marxism in Marx's day. Brighton, Harvester Press, 81, in-8, 500 p.

5859. HOHBERG (Claudia). Probleme der Entwicklung der Beziehungen zwischen der deutschen und russischen Arbeiterbewegung in den 90er Jahren des 19. Jahrhunderts. Zum Briefwechsel G.V. Plechanovs mit deutsch. Sozialdemokraten. Jb. f. Gesch., 81, Bd 22, p. 227-249.

5860. HORVÁTH (Gyula). A mexikói munkásmozgalom és a népfrontpolitika 1935-1938. (Le mouvement ouvrier méxicain et la politique du front populaire.) Párttört. Közl., 81, vol. 27, n° 4, p. 117-154.

5861. HUSSAIN (Athar), TRIBE (Keith). Marxism and the agrarian question. Vol. 1 : German social democracy and the peasantry, 1890-1907. Vol. 2 : Russian marxism and the peasantry, 1861-1930. Atlantic Highlands, N.J., Humanities Press, 81, 2 vol. in-8, X-152, IX-167 p.

5862. Internationale Tagung der Historiker der Arbeiterbewegung. 1976 : Linz, 14. bis 18. Sept. 1976. Arbeiterparteien u. Gewerkschaften vor 1917. Methodolog. Probleme d. Gewerkschaftsgeschichtsschreibung. Bearb. v. Helmut KONRAD. 1977 : Linz, 20. bis 24. Sept. 1977. Arbeiterbewegung, Koloniale Frage u. Befreiungsbewegung bis z. Ende d. 1. Weltkrieges, Arbeiterbildung unter d. Bedingungen d. Kapitalismus. Bearb. v. Brigitte PERFAHL. Wien, Europaverl., 79-81, 2 vol. in-8, XIII-440, VIII-354 p. (Gesch. d. Arbeiterbewegung, 11-12)

5863. Istorija socialističeskikh učenij. (History of socialist teachings.) Sb. st. Redkol. : A.A. ISKENDEROV (otv. red.) i dr. Moskva, Nauka, 81, 284 p. (AN SSSR. In-t vseobšč. istorii)

5864. JEMNITZ (János). Kunfi Zsigmond és a nemzetközi munkásmozgalom. (Zsigmond Kunfi [1879-1929] and the international labour movement.) Tört. Szle, 81, vol. 24, p. 675-685. - IDEM. A Szociáldemokrata Párt és a nemzetközi munkásmozgalom 1945-1948. (The Social Democratic Party and the international worker's movement.) Ibid., p. 159-164.

5865. JOUBERT (Jean-Paul). Trockij (Trotski) e il Fronte popolare. Ponte, 80, a. 36, p. 1332-1354.

5866. KAISER (Jochen-Christoph). Arbeiterbewegung und organisierte Religionskritik. Proletar. Freidenkerverb. in Kaiserreich u. Weimarer Republik. Stuttgart, Klett-Cotta, 81, in-8, 380 p. (1 graph. Darst.). (Industrielle Welt, 32)

5867. KANCEWICZ (Jan). Kwestia robotnicza i socjalizm na łamach legalnych tygodników zaboru rosyjskiego w końcu XIX s. (La question ouvrière et le socialisme dans les revues hebdomadaires légales à la fin du XIXe s. sur le territoire [polonais] annexé par la Russie.) Kwart. Hist. Prasy pol., 81, a. 20, n° 1, p. 95-117.

5868. KANNONIER (Reinhard). Zwischen Beethoven und Eisler. Zur Arbeitermusikbewegung in Österreich. Mit einem Vorwort v. Helmut KONRAD. Wien, Europa, 81, in-8, 163 p. (Materialien z. Arbeiterbewegung)

5869. KINGSTON-MANN (Esther). Marxism and Russian rural development : problems of evidence, experience, and culture. Am. hist. R., 81, vol. 86, n° 4, p. 731-752.

5870. KINNER (Klaus). Die KPD und die revolutionären Traditionen der deutschen Sozialdemokratie (1918-1933). Jb. f. Gesch., 81, Bd 22, p. 309-349.

5871. KLAR (Karl-Heinz). Der Zusammenbruch der Zweiten Internationale. Frankfurt a. M. u. New York, Campus, 81, in-8, 365 p.

5872. KLENNER (Fritz). Hundert Jahre österreichische Gewerkschaftsbewegung. Entstehung u. Entwicklung. Mit e. Vorwort v. Anton BENYA. Wien, Verl. d. Österr. Gewerkschaftsbundes, 81, in-8, 351 p.

5873. KNAACK (Rudolf), SCHRÖDER (Wolfgang). Gewerkschaftliche Zentralverbände, Freie Hilfskassen und die Arbeiterpresse unter dem Sozialistengesetz. Die Berichte d. Berliner Polizeipräsidenten vom 4. September 1886 u. 28. Mai 1888. Jb. f. Gesch., 81, Bd 22, p. 351-481.

5874. KOBERDOWA (Irena). Socjalno-rewolucyjna partia Proletariat 1882-1886. (Le Parti Social-Révolutionnaire [polonais] "Prolétariat" 1882-1886.) Warszawa, Książka i Wiedza, 81, in-8, 273 p. - EADEM. Die ersten Kontakte von Polen mit Marx und Engels. Jb. f. Gesch., 81, Bd 23, p. 233-249.

5875. KÖNIG (Helmut). Die Lehrer an der Seite der Volksmassen in den Kämpfen der bürgerlich-demokratischen Revolution 1848/49. Jb. f. Erziehungs- u. Schulgesch., 80, Jg. 20, p. 55-74.

5876. KÖSTER-BUNSELMEYER (Doris). Literarischer Sozialismus. Texte u. Theorien d. deutsch. Frühsozialisten 1843-1848. Tübingen, Niemeyer, 81, in-8, VI-155 p. (Stud. u. Texte z.

Sozialgesch. d. Lit., 2)

5877. KŐVÁGÓ (László). A Komintern és a nemzetiségi kérdés a huszas években. (L'Internationale Communiste et la question des nationalités dans les années vingt.) Századok, 81, vol. 115, n° 4, p. 754-769.

5878. KOLPINSKIJ (Nikita). Lenin über Friedrich Engels als einen der Begründer des wissenschaftlichen Kommunismus. Marx-Engels-Jb., 81, Jg. 4, p. 50-76.

5879. KOTH (Harald). Die deutsche Sozialdemokratie und der Londoner Kongress der II. Internationale 1896. Jb. f. Gesch., 81, Bd 22, p. 251-308.

5880. KRADITOR (Aileen S.). The radical persuasion, 1890-1917 : aspects of the intellectual history and the historiography of three American radical organizations. Baton Rouge, Louisiana State U.P., 81, in-8, VIII-381 p.

5881. KREJDLINA (L.M.). Rasprostranenie i propaganda proizvedenij V.I. Lenina v Rossii (1894-1917 gg.). (Spreading and propadanda of V.I. Lenin's works in Russia, 1894-1917.) Leningrad, Izd-vo LGU, 81, 216 p.

5882. KUNINA (Valerija). Friedrich Engels im Kampf für eine proletarische Partei in Grossbritannien (1871-1881). Marx-Engels-Jb., 81, Jg. 4, p. 113-142.

5883. LARGE (Stephen S.). Organized workers and socialist politics in interwar Japan. London a. New York, Cambridge U.P., 81, in-8, VIII-326 p.

5884. LARSON (Simeon). Opposition to AFL foreign policy : a labor mission to Russia, 1927. Historian, 81, vol. 43, n° 3, p. 345-364.

5885. LEINENWERBER (Charles). The class and ethnic bases of New York city socialism, 1904-1915. Labor Hist., 81, vol. 22, n° 1, p. 31-56.

5886. Leniniana. Research. Source Science. Archaeography. Redkol. : T.P. BONDAREVSKJA i dr. Leningrad, Lenizdat, 81, 399 p. (ill., portr.). (In-t istorii partii Leningr. obkoma KPSS-fil. In-ta marksizma-leninizma pri CK KPSS)

5887. LEVENSTEIN (Harvey A.). Communism, anticommunism, and the CIO. Westport, Conn., Greenwood Press, 81, in-8, XII-364 p. (Contrib. in Am. Hist., 91). - IDEM. Leninists undone by Leninism : communism and unionism in the United States and Mexico, 1935-1939. Labor Hist., 81, vol. 22, n° 2, p. 237-261.

5888. LEVINE (Susan). "Honor each noble maid" : women workers and the Yonkers carpet weavers' strike of 1885. New York Hist., 81, vol. 62, n° 2, p. 153-176.

5889. LOLLI (M.L.). Scienza, industria e società. Saint-Simon e i suoi primi seguaci. Milano, Il Saggiatore, 80, in-8, 276 p.

5890. LONGFELLOW (David). Silk weavers and the social struggle in Lyon during the French revolution, 1789-1794. French hist. Stud;, 81, vol. 12, n°1, p. 1-40.

5891. L'VUNIN (Ju.A.). Solidarnost' zarubež-nogo proletariata s sovetskim narodom v gody pervoj pjatiletki. (Proletarian solidarity with the Soviet people in the years of the first Five-Year Plan.) Vopr. Ist., 81, n° 3, p. 53-66.

5892. MACINTYRE (Stuart). Little Moscows : communism and working-class militancy in inter-war Britain. London, Croom Helm, 81, in-8, 216 p.

5893. McLAREN (Angus). "What has this to do with working class women ?" Birth control and the Canadian Left, 1900-1939. Soc. Hist., '81, vol. 14, p. 435-454.

5894. MÁRKUS (László). Szabó Ervin "ujraolvasva". (Ervin Szabó [1877-1918] "reread".) Tört. Szle, 81, vol. 24, n° 4, p. 625-635.

5895. MARROCU (Luciano). Laburismo e trade unions. L'evoluzione del movimento operaio britannico, 1867-1926. Bari, De Donato, 81, in-8, 183 p. (Movim. op., 67)

5896. MEJZLÍK (Jaroslav). Novinář Bohumír Šmeral. (Der Journalist B. Šmeral.) Praha, Novinář 80, in-8, 285 p. (19 fig.).

5897. MEŠČERJAKOV (M.T.). Ispanskaja respublika i Komintern (Nac.-rev. vojna isp. naroda i politika Kom. Internacionala. 1936-1939 gg.). (Spanish Republic and Comintern. The national revolutionary war of the Spanish people and the Comintern's policy, 1936-1939.) Moskva, Mysl', 81, 222 p.

5898. Meždunarodnoe rabočee dviženie : voprosy istorii i teorii. (The international working class movement : problems of history and theory.) Gl. red. komis. : B.N. PONOMAREV (predsedatel') i dr. [T. 1. Cf. Bibl. 76-77, n° 7221.] T. 5 : Sozidatel' socializma, borec protiv fašizma. (Founder of socialism, fighter against fascism.) Redkol. : S. S. SALYČEV (otv. red.) i dr. T. 6 : Rabočee dviženie razvitykh kapitalističeskikh stran posle vtoroj mirovoj vojny, 1945-1979. (The working class movement in the developed capitalist countries after the second world war.) Redkol. : N/N/ INOZEMCEV (otv. red.) i dr. Moskva, Mysl', 81, 2 vol. in-8, 750, 687 p.

5899. MICHEL (Jean-François). La scission de la Fédération syndicale mondiale (1947-1949). Mouvement soc., 81, n° 117, p. 33-52.

5900. MITIN (M.B.). Idei V.I. Lenina i sovremennost'. (V.I. Lenin's ideas and the present time.) Moskva, Nauka, 81, 391 p. (AN SSSR. Nauč. sovet po probl. zarubež. ideol. tečenij)

5901. MOHL (Raymond A.). The great steel strike of 1919 in Gary, Indiana : working class radicalism or trade union militancy ? Mid-Am., 81, vol. 63, n° 1, p. 36-52.

5902. MORANDI (Carlo). Per una storia del socialismo in Italia. Nuova Antol., 81, a. 116, vol. 544, fasc. 2137, p. 186-194.

5903. MOSTOVEC (N.V.). Genri Uinston-Nacional'nyj predsedatel' Kommunističeskoj partii SŠA. (Henry Winston, national chairman of the USA communist party.) Nov. novejš. Ist., 81, n° 3, p. 108-122 ; n° 4, p. 86-98.

5904. Movimento operaio e società industriale in Europa, 1870-1970. A cura di Franco PIRO e Paolo POMBENI. Istituto Rodolfo Moran-

9. MOVIMIENTO OBRERO Y SOCIALISMO

di. Atti del Semin. inter. tenuto a San Marino nel 1980. Venezia, Marsilio, 81, in-8, 276 p. (Doc. territorio e Soc.)

5905. MUCSI (Ferenc). Törekvések a Magyarországi Szociáldemokrata Párt szervezeti reformjára 1890-1914. (Luttes pour la réforme de l'organisation du Parti Social-démocrate de Hongrie.) Párttört. Közl., 81, vol. 27, n° 1, p. 47-80.

5906. MUSAT (Mircea), ARDELEANU (Ion). Unitate, continuitate şi ascensiune în mişcarea muncitorească din România, 1821-1948. (unité, continuité et ascension dans le mouvement ouvrier en Roumanie.) Bucureşti, Ed. Acad., 81, in-8, 342 p.

5907. NAJDUS (Walentyna). SDKPIL [Socjaldemokracja Królestwa Polskiego i Litwy] a SDPRR [Socjaldemokratyczna Partia Robotnicza Rosji]. (La Social-Démocratie du Royaume de Pologne et de Lituanie et le Parti Social-Démocrate Ouvrier de Russie.) Wrocław, Zakł. Narod. im. Ossolińskich, 80, [81], in-8, 495 p.

5908. NOLAN (Mary). Social democracy and society : working class radicalism in Düsseldorf, 1890-1920. London, Cambridge U.P., 81, in-8, 376 p. (tab.).

5909. OESTREICHER (Richard). Socialism and the Knights of Labor in Detroit, 1877-1886. Labor Hist., 81, vol. 22, n° 1, p. 5-30.

5910. PELINKA (Peter). Erbe und Neubeginn. Die revolutionären Sozialisten in Österreich 1934-1938. Mit einem Nachw. v. Manfred ACKERMANN. Wien, Europaverl., 81, in-8, XVII-308 p. (Materialien z. Arbeiterbewegung, 20)

5911. PERRIER (Hubert). The socialists and the working class in New York : 1890-1896. Labor Hist., 81, vol. 22, n° 4, p. 485-511.

5912. POLI (Gian Carlo). La Confederazione Generale del Lavoro e l'emigrazione nell'età giolittiana. Arch. stor. ital., 81, a. 139, p. 645-660.

5913. PORE (Renate). A conflict of interest : women in German social democracy, 1919-1933. Westport, Conn., Greenwood Press, 81, in-8, XVII-129 p. (Contrib. in Womens's Stud., 26)

5914. PUTENSEN (Dörte). Grundzüge der Entwicklung der sozialdemokratischen Arbeiterbewegung Finnlands zwischen den beiden Weltkriegen. Hallesche Stud. z. Gesch. d. Sozialdemokratie, 80, Bd 4,p. 86-112.

5915. Rabočij klass v pervoj rossijskoj revoljucii 1905-1907 gg. (The working class in the first Russian revolution of 1905-1907.) Redkol. : V.I. BOVYKIN (otv. red.) i dr. Moskva, Nauka, 81, 432 p. (ill.). (Istorija rabočego klassa SSSR. AN SSSR. In-t istorii SSSR. Vysš. škola profdviženija)

5916. RALLE (Michel). Les socialistes madrilènes au quotidien. I (des origines de l'agrupación en 1910). Mél. Case de Velázquez, 81, t. 17, p. 321-345.

5917. RAVINDRANATHAN (T.R.). Bakunin in Naples : an assessment. J. mod. Hist., 81, vol. 53, n° 2, p. 189-212.

5918. REESE (William J.). "Partisans of the proletariat" : the socialist working class and the Milwaukee schools, 1890-1920. Hist. Educat. Quar., 81, vol. 21, n° 1, p. 3-50.

5919. REID (Donald). The role of mine safety in the development of working-class consciousness and organization : the case of the Aubin coal basin, 1867-1914. French hist. Stud., 81, vol. 12, n° 1, p. 98-119.

5920. Revoluční odborové hnutí 1945-1975. (Die Revolutionäre Gewerkschaftsbewegung 1945-1975.) Hrsg. von Jaroslava LEHÁROVÁ. Praha, Ústřední škola ROH Ant. Zápotockého, 80, in-8, 304 p.

5921. RITTER (G.A.). Staat, Arbeiterschaft und Arbeiterbewegung in Deutschland. Berlin u. Bonn, Dietz, 81, in-8, 146 p.

5922. ROBINSON (Jo Ann Ooiman). Abraham went out : a biography of A.J. Muste. Philadelphia, Temple U.P., 81, in-8, XVII-341 p.

5923. ROSEMONT (Henry P.). Benjamin Franklin and the Philadelphia typographical strikers of 1786. Labor Hist., 81, vol. 22, n° 3, p. 398-429.

5924. ROUILLARD (Jacques). Histoire de la CSN, 1921-1981. Montréal, Boréal express, 81, in-8, 335 p. [CNS : Confédération des Syndicats Nationaux, Canada]

5925. SAMUEL (Albert). Le socialisme : histoire, courants, pratique. Lyon, Chronique soc. de France, 81, in-8, 470 p.

5926. SCARAMUZZA (Emma). Memorie ed autobiografie poumiste : un contributo alla conoscenza del Partito obrero de unificación marxista. Nuova R. stor., 81, a. 65, p. 449-467.

5927. SCOTLAND (Nigel). Methodism and the revolt in the field, a study of the Methodist contribution to agricultural trade unionism in East Anglia, 1872-1896. Gloucester, A.J. Sutton, 81, in-8, 296 p. (ill.).

5928. SEATON (Douglas P.). Catholics and radicals : the association of Catholic trade unionists and the American labor movement, from depression to cold war. Lewisburg, Pa., Bucknell U.P., 81, in-8, 269 p.

5929. SEIDEL (Jutta). Internationale Solidaritätsaktionen für den Kampf der deutschen Arbeiterpartei während des Sozialistengesetzes. Jb. f. Gesch., 81, Bd 22, p. 139-155.

5930. SEIDMAN (Michael). The birth of the weekend and the revolts against work : the workers of the Paris region during the Popular Front (1936-1938). French his. Stud., 81, vol. 12, n° 2, p. 249-276.

5931. SERETON (L. Glen.). The "new" working class and social banditry in depression America. Mid-Am., 81, vol. 63, n° 2, p. 107-118.

5932. SEWELL (William H.) Jr. La confraternité des prolétaires : conscience de classe sous la Monarchie de Juillet. A., Ec., Soc., Civ., a. 36, n° 4, p. 650-671.

5933. SILARD (Andrei). Factory councils in Italy : an insight 60 years later. R. roumaine

Hist., 80, t. 19, p. 669-700.

5934. SMIRNOVA (Valentina). Engels' Kritik an den Auffassungen Proudhons und sein Kampf gegen den Proudhonismus in der internationalen Arbeiterbewegung. Marx-Engels-Jb., 81, Jg. 4, p. 223-261.

5935. Socialismo (Il) riformista a Milano agli inizi del secolo. [Di] Marina BACCALINI PUNZO [e altri]. A cura di Alceo RIOSA. Milano, Angeli, 81, in-8, 435 P. (Stor. della Lombardia, 1)

5936. STĂNESCU (M.C.). Mişcarea muncitorească din România în anii 1924-1928. (Le mouvement ouvrier en Roumanie dans les années 1924-1928.) Bucureşti, Ed. ştiinţ. şi enciclop., 81, in-8, 296 p.

5937. STOLLBERG (Gunnar). Die Rationalisierungsdebatte 1908-1933. Freie Gewerkschaften zw. Mitwirkung u. Gegenwehr. Frankfurt (Main) u. New York, Campus, 81, in-8, 214 p.

5938. Storia del movimento operaio, del socialismo e delle lotte sociali in Piemonte. Diretta da Aldo AGOSTI e Gian Maria BRAVO. [3. Cf. Bibl. 80, n° 5979.] 4 : Dalla ricostruzione ai giorni nostri. Saggi di A. AGOSTI [e altri]. Bari, De Donato, 81, in-8, 760 p.

5939. Streik. Zur Gesch. d. Arbeitskampfes in Deutschland während d. Industrialisierung. Hrsg. v. Klaus TENFELDE u. Heinrich VOLKMANN. München, Beck, 81, in-8, 329 p.

5940. SUCHL (Jan). Novinář Jan Šverma. (Der Journalist Jan Šverma.) Praha, Novinář, 81, in-8, 212 p.

5941. SURH (Gerald D.). Petersburg's first mass labor organization : the assembly of Russian workers and father Gapon. Russian R., 81, vol. 40, n° 3, p. 241-262 ; n° 4, p. 412-441.

5942. TAFT (Philip). Organizing Dixie : Alabama workers in the industrial era. Rev. a. ed. by Gary M. FINK. Westport, Conn., Greenwood Press, 81, in-8, XXV-228 p. (Contrib. in Labor Hist., 9)

5943. TENFELDE (Klaus). Il movimento operaio tedesco nella prima guerra mondiale. Una sintesi storiografica. Quellen u. Forsch., 81, Bd 61, p. 216-247.

5944. TILLY (Louise A.), TILLY (Charles) a. others. Class conflict and collective action. Beverly Hills, Calif., Sage, 81, in-8, 260 p. (New approaches to Soc. Sci. Hist., 1)

5945. TJUTJULIN (S.V.). Pervaja rossijskaja revoljucija i G.V. Plekhanov. Iz istorii idejn. bor'by v rabočem dviženii Rossii v 1905-1907 gg. (The first Russian revolution and G.V. Plekhanov. On the history of the ideological struggle in Russia's working-class movement in 1905-1907.) Moskva, Nauka, 81, 334 p. (AN SSSR. In-t istorii SSSR.)

5946. TOIT (Darcy Du). Capital and labour in South Africa : class struggles in the 1970s. London, Routledge, 81, in-8, 510 p.

5947. TOMICKI (Jan). Założenia ideologiczno-programowe lewicy Socjalistycznej Międzynarodówki Robotniczej w latach 30-ych. (Les principes idéologiques de la gauche de l'Internationale Socialiste Ouvrière dans les années trente.) Z Pola Walki, 81, a. 24, n° 1, p. 25-45.

5948. TŮMA (Jiří). Bohuslav Vrbenský. O životě a díle revolucionáře. (Über Leben und Werk eines [tschechischen] Revolutionärs.) Ústí nad Labem, Severočeské naklad., 80, in-8, 211 p. (16 fig.).

5949. V první linii. Příspěvky k 60. výročí vzniku KSČ. (In vorderster Linie. Beiträge zum 60. Jubiläum des Entstehens der Kommunist. Partei der Tschechoslowakei.) Von : Miroslav GÖRTLER, Jan GALANDAUER, Ľudmila ŠUMBEROVÁ. Praha, Středočes. naklad., 81, in-8, 266 p.

5950. Velikij Oktjabr' i meždunarodnoe kommunističeskoe dviženie. (The Great October and the international communist movement.) Sb. statej. Sost. S.I. MOKŠIN. Pod obšč. red. V. V. ZAGLADINA. Moskva, Politizdat, 81, 367 p.

5951. VENTURI (Antonello). Guerra e rivoluzione : Plechanov e il socialismo italiano, 1914-1917. Stor. contemp., 81, a. 12, p. 835-882.

5952. WALKER (David). Porfirian labor politics : working class organizations in Mexico City and Porfirio Díaz, 1876-1902. Americas, 81, vol. 37, n° 3, p. 257-290.

5953. WEIDENHOLZER (Josef). Auf dem Weg zum "Neuen Menschen". Bildungs- u. Kulturarbeit d. österr. Sozialdemokratie in d. Ersten Republik. Mit einem Vorw. v. Karl R. STADLER. Wien, München u. Zürich, Europaverl., 81, in-8, 301 p. (ill.). (Schriftenreihe d. Ludwig Boltzmann Inst. f. Gesch. d. Arbeiterbewegung, 12)

5954. WESTOBY (Adam). Communism since world war II. Brighton, Harvester Press ; New York, St. Martin's Press, 81, in-8, XIII-514 p.

5955. WHITE (Dan S.). Reconsidering European socialism in the 1920s. J. contemp. Hist., 81, vol. 16, p. 251-272.

5956. WINKLER (Gerhard). Zur Entstehung kommunistischer Organisationsprinzipien und Parteinormen. Marx-Engels-Jb., 81, Jg. 4, p. 77-112.

5957. WYSZCZELSKI (Lech). Stosunek Komunistycznej Partii Polski do narodowo-rewolucyjnej wojny w Hiszpanii (1936-1938). (L'attitude du Parti Communiste de Pologne envers la guerre nationale-révolutionnaire en Espagne, 1936-1938.) Warszawa, 80, [81], in-8, 142 p. (Wojsk. Akad. Polit. im. F. Dzierżyńskiego. Katedra Teorii Wojen i Hist. Wojsk.)

5958. YELLOWITZ (Irwin). Jewish immigrants and the American labor movement, 1900-1920. Am. jewish Hist., 81, vol. 71, n° 2, p. 188-217.

5959. ZABOROV (M.A.). Problemy istorii rabočego klassa zarubežnykh stran i ego osvoboditel'noj bor'by v issledovanijakh sovetskikh učenykh. (Problems of the history of the working class abroad and its struggle in works of Soviet scholars.) Nov. novejš. Ist., 81, n° 5, p. 3-24.

5960. ŻARNOWSKA (Anna). Determinants of the political activity of the working class in the Polish territories on the turn of the 19th century. Acta Poloniae hist., 80, [81], vol. 42, p. 97-

110. - EADEM. Forschungen zur Geschichte der Arbeiterklasse Polens im 19. bis. 20. Jahrhundert (bis 1939). Jb. f. Gesch., 81, Bd 23, p. 531-548.

5961. ŻEBEREK (Gerard). Początki ruchu socialdemokratycznego w Kijowie w latach 1889-1903. (Les origines du mouvement social-démocrate à Kiev dans les années 1889-1903.) Kraków, Wydawn. Liter., 81, in-8, 214 p.

5962. ZERKER (Sally F.). The rise and fall of the Toronto Typographical Union 1832-1972 : a case study of foreign trade union domination. Toronto, Univ. Press, 81, in-8, VIII-397 p.

5963. ZVADA (Ján). Nové jevy v objektinvích podmínkách vývoje mezinárodního dělnického hnutí. (Neue Aspekte in den objektiven Bedingungen der Entwicklung der internationalen Arbeiterbewegung.) Praha, Práce, 81, in-8, 240 p.

5964. ZYLBERBERG-HOCQUARD (Marie-Hélène). Femmes et féminisme dans le mouvement ouvrier français. Paris, Ed. ouvrières, 81, 220 p. [Cf. n° 4838.]

Cf. n°s 2675, 3284, 3580, 3581, 3649, 3775, 3786, 3840, 3843, 3863, 4016, 4815, 5148, 6898.

O

HISTORIA DEL DERECHO E HISTORIA CONSTITUCIONAL DE LA EDAD MODERNA

§ 1. Historia general del derecho. 5965-5977. - § 2. Historial del derecho constitucional. 5978-6003. - § 3. Derecho público e instituciones. 6004-6047. - § 4. Derecho civil y penal. 6048-6096. - § 5. Derecho internacional. 6097-6104.

§ 1. Historial general del derecho.

* Cf. n° 749.

5965. ALEKSANDROV (V.A.). Obyčnoe pravo v Rossii v otečestvennoj nauke. (Russian research in common law at the turn of the 19th a. 20th cent.) Vopr. Ist., 81, n° 11, p. 41-55.

5966. CAREY (J.A.). Judicial reform in France before the Revolution of 1789. Cambridge, Mass., a. London, Harvard U.P., 81, in-8, XII-162 p.

5967. CHEVAILLER (L.). L'histoire du droit moderne en Europe (à propos d'un ouvrage récent [CAVANNA (Adriano). Storia del diritto moderno in Europa. Cf. BIbl. 78-79, n° 6743.]). R. hist. Droit franç. étr., 81, a. 59, p. 249-260.

5968. COSGROVE (Richard A.). The rule of law : Albert Venn Dicey, victorian jurist. Chapel Hill, Univ. of North Carolina Press, 80, in-8, XV-319 p. (Stud. in Legal Hist.)

5969. DAWSON (John P.). Gifts and promises : continental and American law compared. New Haven, Conn., Yale U.P., 80, in-8, IX-240 p. (Storrs Lectures on Jurisprudence)

5970. GEORGESCU (Valentin Al.), STRIHAN (Petre). Judecata domnească în Ţara Românească şi Moldova (1611-1831). Partea 1 : Organizarea judecătorească. (La justice princière en Valachie et Moldavie. 1e partie : L'organisation judiciaire.) [Vol. 1. Cf. Bibl. 78-79, n° 6749.] Vol. 2 : 1740-1831. Bucureşti, Ed. Acad., 81, in-8, 234 p. [Rés. franç.]

5971. INGERSOLL (David E.). American legal realism and sociological jurisprudence :the metholological rots of a science of law. J. Hist. behavioral Sci., 81, vol. 17, n° 4, p. 490-503.

5972. JOHNSON (John W.). American legal culture, 1908-1940. Westport, Conn., Greenwood Press, 81, in-8, X-185 p. (Contrib. in Legal Stud., n° 16.)

5973. KLAMI (H.T.). Suomen oikeustiedettä 1900-luvulla. (Legal science in Finland in the 20th century.) Turku, Turun yliopisto, 81, in-8, 112 p. (A. Univ. Turkuensis, Ser. C, 33) [Eng. summary]

5974. MOZZARELLI (G.), NESPOR (S.). Giuristi e scienze sociali nell'Italia liberale. Il dibattito sulla scienza nell' amministrazione e l'organizzazione dello Stato. Pref. di S. CASSE. Venezia, Marsilio, 81, in-8, 115 p.

5975. OKUBO (Yasuo). Gustave Boissonade, père français du droit japonais moderne (1825-1910). R. hist. Droit franç. étr., 81, a. 59, p. 29-54.

5976. SEOANE (M.I.). La enseñanza del derecho en la Argentina, desde sus orígenes hasta la prima década del siglo XX. Buenos Aires, Perrot, 81, in-8, 110 p. (Inst. de Hist. del Derecho Ricardo Levene, Coll. de estudios para la hist. del derecho argentino, 8)

5977. URUSZCZAK. (Wacław). Essais de codification du droit polonais dans la première moitié du XVIe siècle. R. hist. Droit franç. étr., 81, a. 59, p. 419-430.

Cf. n°^{s} 3546, 6616.

§ 2. Historia del derecho constitucional.

* 5978. STEPHENSON (D. Grier) Jr. The supreme court and the American republic : an annotated bibliography. New York, Garland, 81, in-8, XIV-281 p. (Garland Reference Lib. of Social Science, 85)

5979. ACHTERBERG (Norbert). Sylvester Jordan. Leben und Werk des Schöpfers der Verfassungs-Urkunde für das Kurfürstentum Hessen von 1831. Hess. Jb. f. Landesgesch., 81, Bd 31, p. 173-184.

5980. BELKNAP (Michael R.) a. others. American political trials. Westport, Conn., Greenwood Press, 81, in-8, X-316 p. (Contrib. in Am. Hist., 94)

5981. BRUNNER (Georg). Die Entwicklung der politischen Parteien in den Verfassungssystemen Südeuropas bis zum Zweiten Weltkrieg. Staat, 81, Bd 20, p. 55-82.

5982. CORTNER (Richard C.). The supreme court and the second bill of rights : the fourteent amendement and the nationalization of civil liberties. Madison, Univ. of Wisconsin Press, 81, in-8, XI-360 p.

5983. Dinamica (La) statale austriaca nel XVIII e XIX secolo. Strutture e tendenze di storia costituzionale prima e dopo Maria Teresa. A cura di Pierangelo SCHIERA. Atti del Congresso tenuto a Trento nel 1980. Bologna, Il mulino, 81, in-8, 353 p. (A. dell'Istit. stor. italo-germanico, 7) (Istit. trentino di Cult. Pubbl. dell'Istit. stor. italo-germanico in Trento)

5984. EHRMANN (Henry W.). Die Entwicklung der Verfassungsgerichtsbarkeit im Frankreich der Fünften Republik. Staat, 81, Bd 20, p. 373-392.

5985. FARIAS GARCÍA (Pedro). Breve historia constitucional de España, 1808-1978. Madrid, Latina Universitaria, 81, in-8, 440 p.

5986. FINKELMAN (Paul). An imperfect union : slavery, federalism, and comity. Chapel Hill, Univ. of North Carolina Press, 81, in-8, XII-378 p. (Stud. in Legal Hist.) [Legal conflicts re slave transit, 1787-1860]

5987. FREYER (Tony). Harmony and dissonance : the Swift and Erie cases in American federalism. New York, New York U.P., 81, in-8, XV-190 p. (New York Univ. School of Law Ser. in Legal Hist., 4)

5988. HUBER (Ernst Rudolf). Deutsche Verfassungsgeschichte seit 1789. [Bd 5. Cf. Bibl. 78-79, n° 6793.] Bd 6 : Die Weimarer Reichsverfassung. Stuttgart, Berlin, Köln u. Mainz, Kohlhammer, 81, in-8, XLIV-1146 p.

5989. IMSEN (Steinar). Superintendenten : en studie i kirkepolitikk, kirkeadministrasjon og statsutvikling mellom reformasjonen og eneveldet. (The Superintendent : a study in church politics, church administration and development of the state between the Reformation [1536] and the absolute monarchy [1660].) Trondheim, Univ., Norges kaererhøgskole, Historisk inst., 80, in-8, 413 p.

5990. KAGAN (Richard L.). Lawsuits and litigants in Castile, 1500-1700. Chapel Hill, Univ. of North Carolina, 81, in-8, XXIV-274 p.

5991. Konstitucija razvitogo socializma. (The constitution of developed socialism.) Ist. predposylki i značenie. Sb. Redkol. : Ju. A. POLJAKOV (otv. red.) i dr. Moskva, Nauka, 81, 280 p. (AN SSSR. in-t istorii SSSR)

5992. Konstytucja 3 maja 1791. Statut Zgromadzenia Przyjaciół Konstytucji [Rządowej 3 maja - z połowy maja 1791 r.]. (La Constitution [polonaise] du 3 mai 1791. Statut de l'Assemblé des Amis de la Constitution [Gouvernementale du 3 mai - au milieu de mai 1791].) Ed. Jerzy KOWECKI. Avant-propos de Bogusław LEŚNODORSKI. Warszawa, Państw. Wydawn. Nauk., 81, in-8, 135 p.

5993. LÜDTKE (Alf). Von der "Tätigen Verfassung" zur Abwehr von "Störern". Zur Theoriegesch. von "Polizei" u. staatl. Zwangsgewalt im 19. u. frühen 20. Jh. Staat, 81, Bd 20, p. 201-228.

5994. MATES (Pavel). Vývoj volebního práva v buržoazním Československu. (Die Entwicklung des Wahlrechts in der Tschechoslowakei vor München.) Brno, Univ. J.E. Purkyně,81, in-8, 230 p.

5995. MAURSETH (Per). Embetsmannsstat og rettsstat. Teorien om "politikkens opphevelse" og politisk handling i tiårene etter 1814. (The state of bureaucracy and the state of law and order. The theory of "the abolishment of politics" and policy in the decades after 1814.) [Norsk] Hist. T., 81, vol. 60, p. 160-179.

5996. MINAEVA (N.V.). Pravitel'stvennyj konstitucionalizm v Rossii posle 1812 g. (Governmental constitutionalism in post-1812 Russia.) Vopr. Ist., 81, n°7, p. 32-41.

5997. Moderne deutsche Verfassungsgeschichte, 1815-1914. Hrsg. v. Ernst-Wolfgang BÖCKENFÖRDE unter Mitarb. v. Rainer WAHL. [1 Aufl. Cf. Bibl. 72, n° 5439.] 2., veränd. Aufl. Königstein (Ts.), Verlagsgruppe Athenäum, Hain, Scriptor, Hanstein, 81, in-8, 548 p. (1 Kt.). (Neue wiss. Bibl., 51. Gesch.)

5998. PFEFFER (Leo). The deity in American constitutional history. J. Church a. State, 81, vol. 23, n° 2, p. 215-240.

5999. REID (John Phillip). In defiance of the law : the standing-army controversy, the two constitutions, and the coming of the American revolution. Chapel Hill, Univ. of North Carolina Press, 81, in-8, VIII-287 p. (Stud. in Legal Hist.)

6000. SCHEIBER (Harry N.). American constitutional history and the new legal history : complementary themes in two modes. J. am. Hist., 81, vol. 68, n° 2, p. 337-350.

6001. TATE (C. Neal). Personal attribute models of the voting behavior of U.S. Supreme Court justices : liberalism in civil liberties and economics decisions, 1946-1978. Am. pol. Sci. R., 81, vol. 75, n° 2, p. 355-367.

6002. TROPER (Michel). La séparation des pouvoirs et l'histoire constitutionnelle française. Paris, Libr. générale de Droit et de Jurisprudence, 80, in-8, 251 p.

6003. WESTON (Corinne Comstock), GREENBERG (Janelle Renfrow). Subjects and sovereigns : the grand controversy over legal sovereignty in Stuart England. New York, Cambridge U.P., 81, in-8, VIII-430 p.

Cf. n°s 2819, 3153.

§ 3. Derecho público e instituciones.

* Cf. n° 3166.

** 6004. EMMANUELLI (François-Xavier). L'intendance de Provence à la fin du XVIIe siècle : mémoires pour l'instruction du duc de Bourgogne [rédigés par Pierre Cardin Le Bret], édition critique. Paris, Bibliothèque nationale, 80, 415 p.

6005. ARMSTRONG (Christopher). The politics of federalism : Ontario's relations with the federal government, 1867-1942. Toronto a. Buffalo, N.Y., Univ. Press, 81, in-8, XIV-279 p. (Ontario hist. sut.) - CR : N. Ward, Canad. hist. R., 81, vol. 62, p. 530-532.

6006. BARTON (J.L.). Future interests and

royal revenues in the sixteenth century. In : On the laws and customs of England [Cf. n° 6006], p. 321-335.

6007. BELLOUBET-FRIER (Nicole). Le Bureau de chancellerie d'après les arrêts rendus de l'avis de Monsieur le Garde des sceaux en l'année 1777. Paris, Presses univ. France, 81, in-8, 123 p.

6008. BISKUP (Marian). Unbekannte Ständetage in Ordenspreussen am Anfang des 16. Jahrhunderts. Z. f. hist. Forsch., 81, Bd 8, p. 311-322.

6009. BUTTOUD (Gérard). Les conservateurs des Eaux-et-Forêts sous la Troisième République (1870-1940). Nancy, Inst. nat. de la Recherche agronomique, 81, in-8, 261 p.

6010. CAMUS (Michel). Histoire des saint-cyriens, 1802-1980. Paris, Charles-Lavauzelle, 80, in-8, 479 p. (ill.).

6011. CHESTER (Norman). The English administrative system, 1780-1870. London a. New York, Oxford U.P., 81, in-8, 398 p.

6012. CLINQUART (Jean). L'administration des douanes en France sous la Restauration et la Monarchie de Juillet (1815-1848). Neuilly, Assoc. pour l'Hist. de l'Administration des Douanes, 81, in-8, 522 p.

6013. COOK (Charles M.). The American codification movement : a study of antebellum legal reform. Westport, Conn., Greenwood Press, 81, in-8, XI-234 p. (Contrib. in Legal Stud., 14)

6014. CORVOL (Andrée). L'affouage au XVIIIe siècle : intégration et exclusion dans les communautés d'Ancien Régime. A., Ec., Soc., Civ., 81, a. 36, p. 390-407.

6015. DARSEL (Joachim). L'amirauté en Normandie. [X, XI. Cf. Bibl. 78-79, n° 6827.] XII : Amirauté de Bayeux. XIII : AMirautés de Grandcamp, Carentan et Isigny. A. Normandie, 80, a. 30, p. 231-244 ; 81; a. 31, p. 219-238.

6016. DEBRE (Jean-Louis). La justice au XIXe siècle : les magistrats. Paris, Perrin, 80, in-8, 223 p. (pl., fac-sim.).

6017. DEROBERT-RATEL (Christiane). Institutions et vie municipale à Aix-en-Provence sous la Révolution, 1789 - an VIII. Aix-en-Provence, Edisud, 81, in-8, XII-672 p. (ill.).

6018. DEVEZE (Michel) †. Les grands maîtres des Eaux et Forêts au XVIIe siècle. In : Lyon et l'Europe [Cf. n° 417], vol. 1, p. 169-178.

6019. DICK (Bettina). Die Entwicklung des Kameralprozesses nach den Ordnungen von 1495 bis 1555. Köln u. Wien, Böhlau, 81, in-8, LXVIIII-455 p. (Quellen u. Forsch. z. höchsten Gerichtsbarkeit im alten Reich, 10)

6020. EMMANUELLI (François-Xavier). L'intendance, du milieu du XVIIe siècle à la fin du XVIIIe siècle, France, Espagne, Amérique : un mythe de l'absolutisme bourbonien. Aix-en-Provence, Univ. de Provence ; Paris, H. Champion, 81, in-8, 199 p. (ill.). (Etudes hist., Univ. de Provence, 6)

6021. EROŠKIN (N.P.). Krepostničeskoe samoderžavie i ego političeskie instituty. Pervaja polovina XIX v. (Serfdom autocracy and its political institutes in the first half of the 19th cent.) Moskva, Mysl', 81, 252 p.

6022. GRANATSTEIN (J.L.). A man of influence : Norman A. Robertson and Canadian statecraft 1929-68. Ottawa, Deneau, 81, in-8, XV-488 p. - CR : J. Eayrs, Canad. hist. R., 81, vol. 62, p. 525-528.

6023. GÜDE (Wilhelm). Die rechtliche Stellung der Juden in den Schriften deutscher Juristen des 16. und 17. Jahrhunderts. Sigmaringen, Thorbecke, 81, in-8, 88 p.

6024. HENSLEY (Thomas R.) a. others. The Kent State incident : impact of judicial process on public attitudes. Westport, Conn., Greenwood Press, 81, in-8, XIV-281 p. (Contributions in Pol. Sci., 56)

6025. JOUANNA (Arlette). Le Second Ordre aux Etats de Languedoc : l'entrée des barons. In : Lyon et l'Europe [Cf. n° 417], vol. 2, p. 1-15.

6026. KADSON (I.Z.). Deputaty iz duhovenstva v III Gosudarstvennoj Dume. (Clergy's deputies in the IIId State Duma [1907-1912].) Ist. Zap., 81, n° 106, p. 302-322.

6027. KAPLAN (Steven L.). Note sur les commissaires de police de Paris au XVIIIe siècle. R. Hist. mod., 81, t. 28, p. 669-686.

6028. KENT (Joan). The English village constable, 1580-1642 : the nature and dilemmas of the office. J. brit. Stud., 81, vol. 20, n° 2, p. 26-49.

6029. KILBOURNE (Richard Holcombe) Jr. Louisiana commercial law : the antebellum period. Baton Rouge, Paul M. Hebert Law Center Pub. Inst., Louisiana State Univ., 80, in-8, XIX-233 p.

6030. KOSTIN (P.V.). Tajnaja policija SŠA (FBR : prošloe i nastojaščee). (The secret police of the USA — the FBI, past and present.) Moskva, Mysl', 81, 349 p. (ill.). (Imperialism : Sobytija. Fakty. Dokumenty)

6031. KUČUMOVA (L.I.). Sel'skaja pozemel'naja obščina Evropejskoj Rossii v 60-70-e gody XIX v. (The rural land commune of European Russia in the 60s-70s of the 19th cent.) Ist. Zap., 81, n° 106, p. 323-347.

6032. LAFON (Jacqueline-Lucienne). Juges et consuls : à la recherche d'un statut dans la France de l'Ancien Régime. Paris, Economica, 81, in-8, 55 p.

6033. LEROSIER (Jean-Jacques), BASLE (Maurice). Les premières lois sociales. R. franç. Aff. soc., 81, a. 35, p. 275-241.

6034. McCONVILLE (Sean). History of English prison administration. Vol. 1 : 1750-1877. London, Routledge, 81, in-8, 520 p.

6035. MALLORY (J.R.). The structure of Canadian government. [Cf. Bibl. 70-71, n° 7887.] Toronto, Gage, 81, in-8, XII-422 p.

6036. PELERIN (Claude). La douane à Paris, 1790-1850. Neuilly-sur-Seine, Assoc. pour l'Hist. de l'Administration des Douanes, 80, in-8, 114

p. (ill.)

6037. PETIT (Jacques G.). Le système pénitentiaire au XIXe siècle : problématique et recherches. A. Bretagne, 81, t. 88, p. 363-368.

6038. QUETEL (Claude). Essai sur les lettres de cachet. Toulouse, Privat, 81, in-8, 341 p.

6039. RĂDUŢIU (Aurel). Les institutions rurales dans les Pays Roumains au XVIIIe siècle. R. roumaine Hist., 81, t. 20, p. 503-515.

6040. ROEBER (A.G.). Faithful magistrates and republican lawyers : creators of Virginia legal culture, 1680-1810. Chapel Hill, Univ. of North Carolina Press, 81, in-8, XIX-292 p. (Stud. in Legal Hist.)

6041. SAVELLI (Rodolfo). La repubblica oligarchica. Legislazione, istituzioni e ceti a Genova nel Cinquecento. Milano, Giuffrè, 81, in-8, IV-296 p. (Coll. degli A. della Fac. di Giurispr. dell'Univ. di Genova, 49)

6042. Stato, società e giustizia nella Repubblica veneta (sec. XV-XVIII). A cura di Gaetano COZZI. Roma, Jouvence, 81, in-8, 619 p. (Stor., 6)

6043. TUSHNET (Mark V.). The American law of slavery, 1810-1860 : considerations of humanity and interest. Princeton, N.J., Princeton U.P., 81, in-8, VIII-262 p.

6044. VAŠKŮ (Vladimír). Panovnické konfirmace pro moravské kláštery v 18. století. Novověké úřední revize středověkých a raně novověkých listin. (Landesherrliche Konfirmationen für mährische Klöster im 18. Jahrhundert. Neuzeitliche amtliche Revisionen mittelalterlicher und frühneuzeitlicher Urkunden.) Brno, Univ. J.E. Purkyně, 81, in-8, 168 p. (Spisy Univ. J.E. Purkyně v Brně. Filoz. fak., 230)

6045. Vorträge zur Geschichte des Privatsrechts in Europa. Symposium in Krakau, 9.-12. Okt. 1979. Frankfurt a. M., Klostermann, 81, in-8, 221 p. (Ius Commune, Sonderhefte, 15)

6046. WEILL (Georges). L'intendant d'Alsace et la centralisation de la nation juive, d'après les réformes de la fiscalité. XVIIIe siècle, 81, n° 13, p. 181-205.

6047. WHETSTONE (Anne). Scottish county government in the 18th and 19th centuries. Edinburgh, J. Donald, 81, in-8, 240 p.

Cf. n°s 3825, 5456, 6606.

§ 4. Derecho civil y penal.

** 6048. BACON (Sir Nathaniel). Official papers of Sir Nathaniel Bacon of Stiffkey, Norfolk, as Justice of the Peace, 1580-1620. Ed. by H.W. SAUNDERS. London, R. Hist. Soc., 81, in-4, 298 p. (Camden Soc.)

** 6049. Québec (Province). [Code civil du Bas Canada] Les codes civils : éd. critique, préparée par Paul-A. CREPEAU. = The civil codes : a critical ed., presented by Paul-A. CREPEAU. Montréal, Chambre des notaires du Québec, 81, in-8, XIX-663 p.

** 6050 SKELHORN (Sir Norman). Public Prosecutor, the memoirs of Sir Norman Skelhorn, K.B.E., Q.C., Director of Public Prosecutions, 1964-1977. London, Harrap, 81, in-8, XVI-224 p.

6051. BAILEY (Victor) a. others. Policing and punishment in nineteenth-century Britain. London, Croom Helm ; New Brunswick, N.J., Rutgers U.P., 81, in-8, 248 p.

6052. BAKER (J.H.). Origins of the "doctrine" of consideration, 1535-1585. In : On the laws and customs of England [Cf. n° 434], p. 336-358.

6053. BARNES (Thomas G.). A Cheshire seductress, precedent, and a "sore blow" to Star Chamber. In : On the laws and customs of England [Cf. n° 434], p. 359-382.

6054. BILLINGS (Warren M.). Pleading, procedure, and practice : the meaning of due process of law in seventeenth-century Virginia. J. south. Hist., 81, vol. 47, n° 4, p. 569-584.

6055. BRAZIL (John R.). Murder trials, murder, and twenties America. Am. Quar., 81, vol. 33, n° 2, p. 163-182.

6056. BUCHHOLZ (Stephan). Eherecht zwischen Staat und Kirche. Preussische Reformversuche in d. Jahren 1854-1861. Frankfurt (Main), Klostermann, 81, in-8, 122 p. (Ius commune. Sonderh., Texte u. Monographien, 13)

6057. CAREY (John A.). Judicial reform in France before the revolution of 1789. Cambridge, Mass., Harvard U.P., 81, in-8, XII-162 p. (Harvard Hist. Stud., 99)

6058. CH'EN (Paul Heng-Chao). The formation of the early Meiji legal order : the Japanese code of 1871 and its Chinese foundation. London, Oxford U.P., 81, in-8, 240 p. (London Or. Ser.)

6059. Crime and criminal justice in Europe and Canada, Essays by J.H. BAKER et al. ; ed. by Louis A. KNAFLA. Waterloo, Ont., Publ. for the Calgary Inst. for the Humanities by Wilfrid Laurier Univ. Press, 81, in-8, VI-339 p.

6060. DONOVAN (James M.). Justice unblind : the juries and the criminal classes in France, 1825-1914. J. soc. Hist., 81, vol. 15, n° 1, p. 89-108.

6061. FAUCHON (Pierre). La justice dans l'Avranchin au XVIIIe siècle. R. Avranchin, 80, a. 98, t. 57, p. 255-303.

6062. FREEDMAN (Estelle B.). Their sisters' keepers : women's prison reform in America, 1830-1930. Ann Arbor, Univ. of Michigan Press, 81, in-8, VIII-248 p. (Women a. Culture Ser.)

6063. FRIEDMAN (Lawrence M.), PERCIVAL (Robert V.). The roots of justice : crime and punishment in Alameda County, California, 1870-1910. Chapel Hill, Univ. of North Carolina Press, 81, in-8, XIII-335 p. (Stud. in Legal Hist.)

6064. GARCÍA BORREGA (J. Antonio). La legislación penal en Madrid en el reinado de Fernando VII. A. Inst. Est. madrileños, 81, t. 18, p. 479-498.

6065. GARRETT-GOODYEAR (Harold). The Tudor revival of quo warranto and local contributions to state building. In : On the laws and customs of England [Cf. n° 434], p. 231-295.

6066. GRODZISKI (Stanisław). Komisja kodyfikacyjna Rzeczypospolitej Polskiej. (La Commission de codification de la République de Pologne [1919-1939].) Czas. prawno-hist., 81, vol. 33, fasc. 1, p. 47-81.

6067. GRUBER-MAGITOT (St.). Les conflits de coutumes en matière de contrats dans la jurisprudence des Parlements, de Dumoulin au Code civil. Paris, Presses univ. France, 80, in-8, 112 p.

6068. HEPPLE (Bob Alexander) a. others. Labour law in Great Britain and Ireland to 1978. London, Sweet a. Maxwell, 81, in-8, XXII-131 p.

6069. HOFFER (Peter C.), HULL (N.E.H.). Murdering mothers : infanticide in England and New England, 1558-1803. New York, New York U.P., 81, in-8, XXII-211 p. (New York Univ. School of Law Ser. in Legal Hist., n° 2)

6070. INCIARDI (James A.), FAUPEL (C.E.). History and crime : implications for criminal justice policy. London, Sage Publ., 81, in-8, 288 p.

6071. IVES (E.W.). Crime, sanctuary, and royal authority under Henri VIII : the exemplary sufferings of the Savage family. In : On the laws and customs of England [Cf. n° 434], p. 296-320.

6072. KIRÁLY (T.). Das [ungarische] Strafgesetzbuch vom Jahre 1878. Acta jur. Acad. Sci. hungaricae, 81, vol. 23, n°s 3-4, p. 433-445.

6073. LEFEBVRE-TEILLARD (Anne). L'intervention de l'Etat dans la constitution des sociétés anonymes (1807-1867). R. hist. Droit franç. étr., 81, a. 59, p. 383-418.

6074. LORGNIER (J.), MARTINAGE (Renée). Procédure criminelle et répression devant la maréchaussée de Flandre (1679-1790). R. hist. Droit franç. étr., 81, a. 59, p. 183-197.

6075. MACFARLANE (Alan), HARRISON (Sarah). The justice and the mare's ale : law and disorder in seventeenth century England. New York, Cambridge U.P. ; Oxford, Blackwell, 81, in-8, XII-238 p. (ill.).

6076. MASSETTO (Gian Paolo). Aspetti della prassi penalistica lombarda nell'età delle riforme : il ruolo del Senato milanese. Studia Doc. Hist. et Iuris, 81, t. 47, p. 93-194.

6077. MONKKONEN (Eric H.). The police in urban America, 1860-1920. London, Cambridge U.P., 81, in-8, 220 p. (ill., tab.). - IDEM. A disorderly people ? Urban order in the nineteenth and twentieth centuries. J. am. Hist., 81, vol. 68, n° 3, p. 539-559.

6078. MORAN (Richard). Knowing right from wrong : the insanity defense of Daniel McNaughten. New York, Free Press, 81, in-8, XIII-234 p.

6079. MUCHEMBLED (Robert), DESMONS (Martine). Les derniers bûchers : un village de Flandres [Bouvignies, Nord] et ses sorcières sous Louis XIV. Paris, Ramsay, 81, in-8, 288 p.

6080. MUNSCHE (P.B.). Gentlemen and poachers : the English game laws, 1671-1831.

London, Cambridge U.P., 81, in-8, 255 p. [Cf. n° 5720.]

6081. NASH (Jay Robert). Murder, America : homicide in the United States from the Revolution to the present. London, Harrap, 81, in-8, 480 p.

6082. Public Record Office, London. Calendar of Assize records, Kent indictments, James I. London, H.M. Stationery Office, 81, in-4, 276 p.

6083. Public Record Office, London. Calendar of Assize rolls. Surrey indictments, Elizabeth I. London, H.M. Stationery Office, 81, in-8, 732 p.

6084. RABKIN (Peggy A.). Fathers to daughters : the legal foundations of female emancipation. Westport, Conn., Greenwood Press, 80, in-8, VIII-214 p. (Contrib. in Legal Stud., 11)

6085. RICHTER (Donald C.). Riotous Victorians. Athens, Ohio U.P., 81, in-8, XI-185 p.

6086. ROTH (Robert). Pratiques pénitentiaires et théorie sociale : l'exemple de la prison de Genève (1825-1862). Préf. de Michelle PERROT. Genève, Droz, 81, in-8, XIII-343 p. (Travaux de droit, d'écon., de sociol. et de sci. pol., 129)

6087. SALMONOWICZ (Stanisław). Die neueren (1959-1978) polnischen Forschungen zur Geschichte des Strafrechts. Acta Poloniae hist., 80 [81], vol. 42, p. 209-229.

6088. SCHNEIDER (John C.). Detroit and the problem of order, 1830-1880 : a geography of crime, riot, and policing. Lincoln, Univ. of Nebraska Press, 80, in-8, XIV-171 p.

6089. SILVERMAN (Robert A.). Law and urban growth : civil litigation in the Boston trial courts, 1880-1900. Princeton, N.J., Princeton U.P., 81, in-8, XIV-217 p.

6090. Słownik biograficzny adwokatów polskich. (Dictionnaire biographique des avocats polonais [morts avant 1918].) Com. réd. : Zdzisław CZESZEJKO-SOCHACKI et autres. [T. 1. Cf. Bibl. 80, n° 6094.] T. 2 : G - Ł. Warszawa, Wydawn. Prawnicze, 81, in-8, 94-236 p.

6091. SMITH (Roger). Trial by medicine : insanity and responsibility in Victorian trials. Edinburgh, U.P., 81, in-8, 256 p.

6092. WAGNER (Joachim). Politischer Terrorismus und Strafrecht im Deutschen Kaiserreich von 1871. Unter Mitarb. v. Manfred MENDES. Heidelberg u. Hamburg, v. Decker, 81, in-8, XIII-448 p. (R. v. Deckers rechts- u. sozialwiss. Abh., 10)

6093. WATSON (Alan). The making of the civil law. Cambridge, Mass., Harvard U.P., 81, in-8, XII-201 p.

6094. WATTS (Eugene J.). Police priorities in twentieth century St. Louis. J. soc. Hist., 81, vol. 14, n° 4, p. 649-674.

6095. WILLS (Antoinette). Crime and punishment in revolutionary Paris. Westport, Conn., Greenwood Press, 81, in-8, XXI-227 p. (Contrib. in Legal Stud., 15)

6096. YALE (D.E.C.). "Of no mean authority" : some later uses of Bracton. In : On the laws and customs of England [Cf. n° 434], p. 383-396.

Cf. n°ˢ 2186, 6237.

§ 5. Derecho internacional.

6097. BESIER (Gerhard). The attitude of the Continuation Committee on Life and Work in Berne in 1926 concerning the question of German war guilt. Kyrkohist. Årsskr., 81, vol. 81, p. 120-152.

6098. JENSEN (Richard Bach). The international anti-anarchist conference of 1898 [Rome] and the origins of Interpol. J. contemp. Hist., 81, vol. 16, p. 323-347.

6099. JOHNSON (James Turner). Just war tradition and the restraint of war : a moral and historical inquiry. Princeton, N.J., Princeton U. P., 81, in-8, XXXV-380 p.

6100. McWHINNEY (Edward). Conflict and compromise : international law and world order in a revolutionary age. New York, Holmes a. Meier, 81, in-8, 160 p.

6101. PERRIN (Guy). Origines du droit international de la Sécurité sociale. R. franç. Aff. soc., 81, a. 35, p. 161-205.

6102. ROSEN (Stephen Peter). Alexander Hamilton and the domestic uses of international law. Dipl. Hist., 81, vol. 5, n° 3, p. 183-202.

6103. SMITH (Bradley F.). The road to Nuremberg. London, Deutsch ; New York, Basic Books, 81, in-8, 303 p.

6104. SZABO (Imre). Les minorités et les droits de l'homme. Acta jur. Acad. Sci. hungaricae, 81, vol. 23, n°ˢ 1-2, p. 1-19.

Cf. n° 6123.

P

HISTORIA DE LAS RELACIONES ENTRE LOS ESTADOS MODERNOS

§ 1. Generalidades. 6105-6152. - § 2. Historia de la colonización (a. Generalidades ; b. Asia ; c. África ; d. América ; e. Oceanía). 6153-6342. - § 3. De 1500 à 1789 (a. Generalidades ; b. 1500-1648 ; c. 1648-1789). 6343-6395. - § 4. De 1789 à 1815. 6396-6425. - § 5. De 1815 à 1910. 6426-6482. - § 6. De 1910 à 1935. La primera guerra mundial. 6483-6578. -§ 7. De 1935 à 1945. La segunda guerra mundial. (a. Generalidades ; b. Diplomacia. Economía ; c. Operaciones de guerra ; d. Resistencia). 6579-6796. - § 8. Desde 1945. 6797-6902.

§ 1. Generalidades.

** 6105. Dokumenty i materialy po istorii sovetsko-čekhoslovackikh otnošenij. (Documents and materials on the history of Soviet-Czechoslovak relations.) Redkol. : A.I. NEDOREZOV, V. KRÁL. [T. 2. Cf. Bibl. 76-77, n° 7980.] T. 4, Kn. 1 : Mart 1939-dek. 1943. Moskva, Nauka, 81, 424 p. (AN SSSR. In-t slavjanovedenija i balkanistiki i dr. Čekhosl. AN. Čekhosl.-sov. in-t ; Slovak. AN. In-t istorii evrop. soc. stran)

** 6106. Sovetsko-bolgarskie otnošenija i svjazi. Dokumenty i materialy. (Soviet-Bulgarian relations and ties. Documents and materials.) Glav. red. L.B. VALEV, Khr. KHRISTOV (otv. red.) i dr. T. 2 : Sent. 1944-dek. 1958. Moskva, Nauka, 81, in-8, 768 p. (In-t slavjanovedenija i balkanistiki. Bolg. AN. In-t istorii i dr.)

6107. ANDERSON (Irvine H.). Aramco, the United States, and Saudi Arabia : a study of the dynamics of foreign oil policy, 1933-1950. Princeton, N.J., Princeton U.P., 81, in-8, XIII-259 p.

6108. ARETIN (Karl Otmar Frh. v.). Tausch, Teilung und Länderschacher als Folgen des Gleichgewichtssystems der europäischen Grossmächte. Die Polnischen Teilungen als europäisches Schicksal. Jb. f. d. Gesch. Mittel- u. Ostdeutschlands, 81, Bd 30, p. 53-68.

6109. Austria e provincie italiane, 1815-1918. Potere centrale e amministrazioni locali. A cura di Franco VALSECCHI e Adam WANDRUSZKA. [Atti del 3. Convegno storico italo-austriaco, Trento, 21-24 settembre 1977.] Bologna, Il mulino, 81, in-8, 330 p. (A. dell'Istit. stor. italo-germanico, 6)

6110. BAIRU TAFLA. Ethiopia and Germany. Cultural, political and economical relations 1871-1936. Wiesbaden, Steiner, 81, in-8, 326 p. (Athiopistische Forsch., 5)

6111. BALAWYDER (Aloysius). The maple leaf and the white eagle : Canadian-Polish relations, 1918-1978. Boulder, Colo., East European Monographs, 80, in-8, VIII-300 p. (East European Monographs, 66)

6112. BALFOUR (Michael). The adversaries : America, Russia, and the open world, 1941-62. Boston a. London, Routledge a. Kegan Paul, 81, in-8, XV-259 p.

6113. BIRN (Donald S.). The League of Nations Union, 1918-1945. London a. New York, Oxford U.P., 81, in-8, 269 p.

6114. BOIKHOVITINOV (N.N.). Izučenie russko-amerikanskikh otnošenij : nekotorye itogi i perspektivy. (The studies of Russo-American relations : some results and prospects.) Nov. novejš. Ist., 81, n° 6, p. 54-67.

6115. BREEN (D.H.). Anglo-American rivalry and the evolution of Canadian petroleum policy to 1930. Canad. hist. R., 81, vol. 62, p. 283-303.

6116. COOGAN (John W.). The end of neutrality : the United States, Britain, and maritime rights, 1899-1915. Ithaca, N.Y., Cornell U.P., 81, in-8, 284 p.

6117. DE SANTIS (Hugh). The diplomacy of silence : the American foreign service, the Soviet Union, and the cold war, 1933-1947. Chicago, Univ. of Chicago Press, 80, in-8, X-270 p.

6118. DOUGLAS (Roy). From war to cold war, 1942-1948. New York, St. Martin's Press, 81, in-8, 224 p.

6119. Expérience (L') soviétique et le problème national dans le monde (1920-1939). Colloque, Paris, 6,7, 8 déc. 1978, [organisé par le] Centre d'études russes et soviét., Institut nat. des langues et civilisations orientales. T. 1, 2. Paris, INALCO, 81, 2 vol. in-8, XIII-642, XIII-468 p.

6120. HAGGIE (Paul). Britannia at bay : the defense of the British empire against Japan, 1931-1941. London a. New York, Oxford U.P., 81, in-8, XII-264 p.

6121. HAINES (Gerald K.), WALKER (J. Samuel) a. others. American foreign relations : a historiographical review. London, F. Pinter ; Westport, Conn., Greenwood Press, 81, in-8, XIII-369 p. (Contrib. in Am. Hist., 90)

6122. HANDEL (Michael I.). The diplomacy of surprise : Hitler, Nixon, Sadat. Cambridge, Mass., Harvard Univ. Center for Intern. Affairs,

1. GENERALIDADES

81, in-8, XI-369 p. (Harvard Stud. in Intern. Affairs, 44)

6123. HOLLICK (Ann L.). U.S. foreign Policy and the law of the sea. Princeton, N.J., Princeton .P., 81, in-8, XII-496 p.

6124. HOLLOWAY (Joseph E.). Liberian diplomacy in Africa : a study of inter-African relations. Washington, D.C., U.P. of America, 81, in-8, XXIV-230 p.

6125. HOLMES (John W.). Life with uncle : the Canadian-American relationship. Toronto, Univ. Press, 81, in-8, 144 p. (The Bissell lectures, 1980-81). (Canad. univ. paperbacks, 275)

6126. Istorija sovetsko-mongol'skikh otnošenij. (History of Soviet-Mongolian relations.) Redkol. : B.G. GAFUROV, B. ŠIRENDYB (gl. red.) i dr. Moskva, Nauka, 81, 352 p. (AN SSSR. In-t vostokovedenija. AN MNR. In-t istorii)

6127. Istorija vnešnej politiki SSSR. 1917-1980. (History of the foreign policy of the USSR.) T. 2 : 1945-1980 gg. Pod red. A.A. GROMYKO, B.N. PONOMAREVA. 4-e izd., pererab. i dop. V 2-kh t. Moskva, Nauka, in-8, 757 p. (AN SSSR. In-t istorii SSSR)

6128. JONES (Kenneth Paul) a. others. U.S. diplomats in Europe, 1919-1941. Foreword by Alexander DECONDE. Oxford a. Santa Barbara, Calif., Clio, 81, in-8, XXIII-240 p.

6129. KAGEDAN (Allan L.). American Jews and the Soviet experiment : the agro-joint project, 1924-1937. Jewish soc. Stud., 81, vol. 43, n° 2, p. 153-164.

6130. KRYLOV (L.S.), OSIPOVA (T.S.). Irlandcy protiv britanskikh kolonizatorov. (The Irish struggle against the British colonialists.) Vopr. Ist., 81, n° 5, p. 101-111.

6131. Leadership and national liberation movement in Africa. Ed. by Thea BÜTTNER. Berlin, Akad.-Verl., 80, in-8, 144 p. (Asien, Afrika, Lateinamerika, spec. issue, 7)

6132. LEBOW (Richard Ned). Between peace and war : the nature of international crisis. Baltimore, Md., Johns Hopkins U.P., 81, in-8, XI-350 p.

6133. ŁYCZKO-GRODZICKA (Beata). Dyplomacja polska a Ententa Bałkańska 1933-1938. (La diplomatie polonaise et l'Entente balkanique.) Wrocław, Zakł. Narod. im. Ossolińskich, 81, in-8, 146 p. (Pol. Akad. Nauk, Oddz. w Krakowie. Prace Komisji Nauk Hist., 44)

6134. MANDELBAUM (Michael). The nuclear revolution : international politics before and after Hiroshima. New York, Cambridge U.P., 81, in-8, XI-283 p.

6135. MARK (Eduard). American policy toward eastern Europe and the origins of the cold war, 1941-1946. J. am. Hist., 81, vol. 68, n° 2, p. 313-336.

6136. MILLER (Aaron David). Search for security : Saudi Arabian oil and American foreign policy, 1939-1949. Chapel Hill, Univ. of North Carolina Press, 80, in-8, XVIII-320 p.

6137. MRÁZEK (Rudolf). Jihovýchodní Asie ve světové politice. (Südost-Asien in der Weltpolitik.) 1900-1975. Praha, Svoboda, 80, in-8, 768 p.

6138. NAROČNICKIJ (A.L.), NEŽINSKIJ (L.N.). Aktual'nye problemy istorii vnešnej politiki SSSR i meždunarodnykh otnošenij. (Topical problems of the history of Soviet foreign policy and international relations.) Vopr. Ist., 81, n° 10, p. 12-31.

6139. NOWAK-KIEŁBIKOWA (Maria). Japonia i Chiny w dyplomacji II Rzeczypospolitej (Próba zarysu). (Le Japon et la Chine dans la diplomatie de la IIe République [de s Pologne]. Essai.) Dzieje najnowsze, 81, a. 13, n°^{S} 1-2, p. 214-253.

6140. PERKINS (Whitney T.). Constraint of empire : the United States and Caribbean interventions [1906-1965]. Westport, Conn., Greenwood Press, 81, in-8, XV-282 p.

6141. RAAT (E. Dirk). Revoltosos : Mexico's rebels in the United States, 1903-1923. College Station, Texas A a. M U.P., 81, in-8, XVIII-344 p.

6142. Retreat from power : studies in Britain's foreign policy of the twentieth century. Ed. by David DILKS. Vol. 1 : 1906-1939. Vol. 2 : After 1939. London, Macmillan, 81, 2 vol. in-8, VII-213, VII-189 p.

6143. REZUN (M.). The Soviet Union and Iran. Soviet policy in Iran from the beginnings of the Pahlavi dynasty until the Soviet invasion in 1941. Leiden, Sijthoff, 81, in-8, 426 p.

6144. SAFFORD (Jeffrey J.). Anglo-American maritime relations during the two world wars : a comparative analysis. Am. Neptune, 81, vol. 1, n° 4, p. 262-279.

6145. SALOMON (Kim). Pluralismens graenser : et studie i forklaringer på dansk-tyske konflikter i Slesvig. (The limits of pluralism : a study of the explanations of the conflicts between Dane and German in Schleswig.) Scandia, 81, vol. 47, p. 5-28, 141-142. [Eng. summary]

6146. SCHULZINGER (Robert D.). Whatever happened to the Council on Foreign Relations ? Dipl. Hist., 81, vol. 5, n° 4, p. 277-290.

6147. SHAFER (Boyd C.). Webs of common interest : nationalism, internationalism, and peace. In : Nationalism [Cf. n° 431], p. 3-32.

6148. SIZONENKO (A.I.). Stanovlenie otnošenij SSSR so stranami Latinskoj Ameriki. 1917-1945. (Formation of relations between the USSR and Latin American countries, 1917-1945.) Moskva, Nauka, 81, 199 p. (AN SSSR. In-t Lat. Ameriki)

6149. SOJÁK (Vladimír). Mezinárodní vztahy. (Internationale Beziehungen.) Praha, Stát. pedagog. naklad., 81, in-8, 260 p.

6150. STACEY (C.P.). Canada and the age of conflict : a history of Canadian external policies. [Vol. 1. Cf. Bibl. 76-77, n° 7526.] Vol. 2 : 1921-1948 : The Mackenzie King era. Toronto, Univ. Press, 81, in-8, X-491 p. - CR : H.B. Neatby, Canad. hist. R., 81, vol. 62, p. 522-523.

6151. VALETTE (J.). Problèmes des relations internationales, 1918-1949. Paris, S.E.D.E.S., 80, in-8, 396 p.

6152. ZAGLADIN (N.V.). Antisovetizm v global'noj strategii imperializma SŠA. (Anti-Sovietism in the global strategy of USA imperialism.) Moskva, Mysl', 81, 284 p.

Cf. n°s 421, 5853.

§ 2. Historia de la colonización.

a. Generalidades.

6153. ANDREW (Christopher M.), KANYA-FORSTNER (A.S.). The climax of French imperial expansion, 1914-1924. Stanford, Calif., Stanford U.P., 81, in-8, 302 p. - Brit. ed.: IIDEM. France overseas, the Great War and the climax of French imperial expansion. London, Thames a. Hudson, 81, in-8, 302 p. (maps).

6154. FIELDHOUSE (David K.). Colonialism, 1870-1945 : an introduction. London, Weidenfeld a. Nicolson ; New York, St. Martin's Press, 81, in-8, 151 p.

6155. HAMMER (Karl). Weltmission und Kolonialismus. Sendungsideen d. 19. Jh. im Konflikt. München, Deutsch. Taschenbuch-Verl., 81, in-8, 348 p.(dtv, 4368. dtv-Wiss.)

6156. HEADRICK (Daniel R.). The tools of empire : technology and European imperialism in the nineteenth century. London a. New York, Oxford U.P., 81, in-8, X-221 p.

6157. KESNER (Richard M.). Economic control and colonial development : crown colony financial management in the age of Joseph Chamberlain. Westport, Conn., Greenwood Press, 81, in-8, XVII-305 p. (Contrib. in Comparative Colonial Stud;, 7)

6158. LAMAR (Howard), THOMPSON (Leonard) a. others. The frontier in history : North America and Southern Africa compared. New Haven, Conn., Yale U.P., 81, XII-360 p.

6159. MOMMSEN (Wolfgang J.). Das Britische Empire. Strukturanalyse e. imperialistischen Herrschaftsverbandes. Hist. Z., 81, Bd 233, p. 317-361.

6160. REYNOLDS (Charles). Modes of imperialism. New York, St. Martin's Press, 81, in-8, VIII-263 p.

6161. PERSELL (Stuart Michael). The role of the Union coloniale françaises and the Fédération intercoloniale in colonial tariff reform, 1893-1925. Hist. Reflexions, 81, vol. 8, p. 77-91.

6162. SCOT (Jean-Paul). Spécificités de l'impérialisme français avant 1914. Pensée, 81, n°s 221-222, p. 32-47.

6163. VINOGRADOV (K.B.), NAUMENKOV (O.A.). Na službe britanskogo kolonializma (Stranicy političeskoj biografii lorda Solsberi). (At the service of British colonialism. Pages of the political biography of Lord Salisbury.) Nov. novejš. Ist., 81, n° 2, p. 122-138.

Cf. n°s 3189, 3411, 5125.

b. Asia.

** 6164. Transfer (The) of power in India,
1942-1947. Ed. by Nicholas MANSERGH. [Vol. 8, 9. Cf. Bibl. 80, n° 6154.] Vol. 10 : The Mountbatten viceroyalty, formulation of a plan, March 22 - May 30, 1947. London, H.M. Stationery Office, 81, in-4, 1210 p.

** Cf. n° 3391.

6165. APPADURAI (Arjun). Worship and conflict under colonial rule, a South Indian case. London, Cambridge U.P., 81, in-8, 266 p (fig., tab.). (S. Asian Stud.)

6166. ASHTON (S.R.). Federal negotiations with the indian Princes, 1935-1939. J. imp. commonw. Hist., 81, vol. 9, p. 169-192.

6167. BOXER (Charles Ralph). Portuguese India in the mid-17th century. Delhi, Oxford U.P., 81, in-8, 68 p.

6168. CHABLANI (S.P.), CHABLANI (Preet). Motilal Nehru : essays and reflections on his life and times. New Delhi, Chand ; London, Books from India, 81, in-8, 320 p.

6169. CRANE (Robert I.), BARRIER (Gerald) a. others. British imperial policy in India and Sri Lanka, 1858-1912 : a reassessment. Columbia, Mo., South Asia Books, 81, in-8, 237 p.

6170. DRAPER (Alfred). Amritsar, the massacre that ended the Raj. London, Cassell, 81, in-8, 301 p.

6171. HEUSSLER (Robert). British rule in Malaya : the Malayan Civil Service and its predecessors, 1867-1942. London, Clio ; Westport, Conn., Greenwood Press, 81, in-8, XX-356 p. (Contrib. in Comparative Colonial Stud., 61).

6172. JANSSON (Erland). India, Pakistan or Pakhtunistan ? The nationalist movements in the North-West Frontier Province, 1837-1947.) Uppsala, Almqvist a. Wiksell international, 81, in-8, 283 p. (Studia hist. Upsaliensia, 119)

6173. KOUR (Z.H.). The history of Aden, 1839-1872. London a. Totowa, N.J., Frank Cass, 81, in-8, 240 p.

6174. LEUE (Horst-Joachim). Britische Indien-Politik, 1926-1932. Motive, Methoden u. Misserfolge imperialer Politik am Vorabend d. Dekolonisation. Wiesbaden, Steiner, 81, in-8, XI-295 p. (1 Ill.). (Beitr. z. Südasienforsch., 59)

6175. MOORE (R.J.). Mountbatten, India and the Commonwealth. J. commonw. compar. Pol., 81, vol. 19, p. 5-43.

6176. MUNHOLLAND (J. Kim). Collaboration strategy and the French pacification of Tonkin, 1885-1897. Hist. J., 81, vol. 24, p. 629-650.

6177. MURRAY (Martin J.). The development of capitalism in colonial Indochina, 1870-1940. Berkeley a. Los Angeles, Univ. of California Press, 80, in-8, XII-685 p.

6178. NEIDPATH (James). The Singapore naval base and the defence of Britain's eastern empire, 1919-1941. London a. New York, Oxford U.P., 81, in-8, XVII-296 p.

2. HISTORIA DE LA COLONIZACIÓN

6179. SIDHU (Jagjit Singh). The administration in the Federated Malay States, 1896-1920. Kuala Lumpur, Oxford U.P., 81, in-8, 244 p.

6180. SIMS (John Merriman). List and index of Parliamentary papers relating to India, 1908-1947. London, India Office Libr., 81, in-4, 129 p.

6181. SPECTOR (Ronald). The Royal Indian Navy strike of 1946 : a study of cohesion and disintegration in colonial armed forces. Armed Forces a. Soc., 80, vol. 7, n° 2, p. 271-284.

c. África.

** 6182. Algérie française, 1942-1962, [Textes historiques] publ. par Philippe HEDUY. Paris, Soc. de Production littéraire, 80, 376 p. (pl.)

** 6183. DINESEN (Isak). Letters from Africa, 1914-1931. Ed. by Frans LASSON ; tr. from the Danish by A. BORN. London, Weidenfeld a. Nicolson, 81, in-8, 474 p. (ill.).

** 6184. MASOTTI (Pier Marcello). Ricordi d'Etiopia di un funzionario coloniale. Pref. di Renzo DE FELICE. Milano, Pan, 81, in-8, 252 p. (Doc. per la Stor., 16)

** 6185. Néo-Destour (Le) face à la troisième épreuve, 1952-1956. Textes réunis et commentés par Mohamed SAYAH. T. 1 : L'échec de la répression. T. 2 : La victoire. T. 3 : L'indépendance. Tunis, Dar el Amad, 1979, 3 vol. in-8, 641, 671, 720 p.

6186. ABU-LUGHOD (Janet L.). Rabat : urban apartheid in Morocco. Princeton, N.J., Princeton U.P., 80, in-8, XXII-374 p. (ill., pl., maps). (Princeton Stud. on the Near East)

6187. BAYLE (Jacqueline). Quand l'Algérie devenait française. Paris, Fayard, 81, in-8, 380 p.

6188. BOZZOLI (Belinda). The political nature of a ruling class : capital and ideology in South Africa, 1890-1933. Boston, Routledge a. Kegan Paul, 81, in-8, XI-384 p. (Intern. Lib. of Sociology)

6189. BRIDGMAN (Jon M.). The revolt of the Hereros, [1903-1907]. Berkeley a. Los Angeles, Univ. of California Press, 81, in-8, 184 p. (Perspectives on Southern Afica, 30)

6190. BUNDY (Colin). A voice in the big house : the career of headman Enoch Mamba. J. african Hist., 81, vol. 22, p. 531-550.

6191. CHABAL (Patrick). National liberation in Portuguese Guinea, 1956-1974. African Affairs, 81, vol. 80, p. 75-99.

6192. COOKE (James J.). Paul Azan and l'armée indigène nord-africaine [1925]. Milit. Affairs, 81, vol. 45, n° 3, p. 133-137.

6193. COOPER (Frederick). From slaves to squatters : plantation labor and agriculture in Zanzibar and coastal Kenya, 1890-1925. New Haven, Conn., Yale U.P., 80, in-8, XV-328 p.

6194. CZAPLIŃSKI (Marek). Niemieccy urzędnicy kolonialni. Próba typologii. (Les fonctionnaires coloniaux allemands [en Afrique 1885-1912]. Essai de typologie.) Dzieje najnowsze, 81, a. 13, n° 3, p. 3-25.

6195. DABBAB (Mohammed). Les délégations destouriennes à Paris, 1919-1921. Tunis, M.T.E., 80, in-8, 229 p. (ill.).

6196. DAGET (Serge). Rôle et contribution des états côtiers dans l'évolution des rapports entre Africains et Européens du XVe au XIXe siècle. A. Univ. Abidjan, Lettres, sér. D., 80, t. 13, p. 311-336.

6197. DIAS (Jill R.). Famine and disease in the history of Angola, c. 1830-1930. J. african Hist., 81, vol. 22, p. 349-378.

6198. DINWIDDY (Hugh). The search for unity in Uganda : early days to 1966. African Affairs, 81, vol. 80, p. 501-518.

6199. DRISS (Rachid). Résistance du Néo-Destour : contribution de Moncef-Bey à l'action nationale (1941-1943). Cah. Tunisie, 80, t. 28, p. 255-288.

6200. DUMETT (Raymond E.). Pressure groups, bureaucracy and the decision-making process : the case of slavery abolition and colonial expansion in the Gold Coast, 1874. J. impr. commonw. Hist., 81, vol. 9, p. 193-215.

6201. EKANZA (Simon-Pierre). La main-d'oeuvre ivoirienne des entreprises privées pendant l'entre-deux-guerres, 1921-1939. A. Univ. Abidjan, Hist., 81, t. 9, p. 71-97. - IDEM. Le Moronou à l'époque de l'administrateur Marchand [1907] : aspects physiques et économiques. Ibid., p. 53-70.

6202. ELKISS (T.H.). The quest for an African Eldorado : Sofala, southern Zambezia, and the Portuguese, 1500-1865. Waltham, Mass., Crossroads Press, 81, in-8, 121 p.

6203. ETHERINGTON (Norman). Frederic Elton and the South African factor in the making of Britain's East African Empire. J. imp. commonw. Hist., 81, vol. 9, p. 255-274.

6204. GANN (Lewis H.), HENRIKSEN (Thomas H.). The struggle for Zimbabwe, the battle in the bush. London, Praeger, 81, in-8, 154 p.

6205. GLUŠČENKO (E.A.). Britanskaja kolonizacionnaja praktika v Nigerii. (British colonizing practice in Nigeria.) Nar. Azii Afr., 81, n° 5, p. 26-38.

6206. GOGLIA (Luigi), GRASSI (Fabio). Il colonialismo italiano da Adua all'impero. Roma e Bari, Laterza, 81, in-16, VI-423 p. (tav.). (Stor. e Soc.)

6207. GON (Philip). The road to Isandlwana. Cape Town, A. Donker ; London, Wildwood House, 81, in-8, 288 p. (ill., maps).

6208. GUNNY (Ahmad). L'île Maurice et la France dans la deuxième moitié du siècle. XVIIIe Siècle, 81, n° 13, p. 297-316.

6209. GUYER (Jane I.). Head tax, social structure and rural incomes in Cameroun, 1922-1937. Cah. Et. africaines, 80, vol. 20, n° 79, p. 305-329.

6210. HARRIES (Patrick). Slavery, social incorporation and surplus extraction : the nature of free and unfree labour in south-east Africa. J. african Hist., 81, vol. 22, p. 309-330.

6211. JACOBS (Sylvia M.). The African news : black American perspectives on the European partitioning of Africa, 1880-1920. Westport, Conn., Greenwood Press, 81, in-8, XIV-311 p.

6212. JOUHAUD (Edmond). Yousouf [Joseph Vantini], esclave, mamelouk et général de l'armée d'Afrique. Paris, Laffont, 80, in-8, 264 p. (ill.).

6213. KAMOCHE (Jidlaph G.). Imperial trusteeship and political evolution in Kenya, 1923-1963 : a study of the official views and the road to decolonization. Washington, D.C., U.P. of America, 81, in-8, XVIII-443 p.

6214. KITCHING (Gavin). Class and economic change in Kenya : the making of an African petite bourgeoisie, 1905-1970. New Haven, Conn., Yale U.P., 80, in-8, XX-479 p.

6215. LE CORDEUR (B.). The politics of Eastern Cape separatism, 1820-1854. London a. Cape Town, Oxford U.P., 81, in-4, 328 p. (ill., maps).

6216. McGOWAN (Winston). Fula resistance to French expansion into Futa Jallon, 1889-1896. J. african Hist., 81, vol. 22, p. 245-261.

6217. MacPHERSON (F.). The anatomy of a conquest, the British occupation of Zambia, 1884-1924. London, Longman, 81, in-8, 276 p.

6218. MATTHEWS (T.I.). Portuguese, Chikunda, and peoples of the Gwembe Valley : the impact of the "Lower Zambezi complex" on southern Zambia. J. african Hist., 81, vol. 22, p. 23-41.

6219. NEWBURY (Colin). Out of the pit : the capital accumulation of Cecil Rhodes. J. imp. commonw. Hist., 81, vol. 10, p. 25-49.

6220. NEWITT (Malyn D.D.). Portugal in Africa, the last 100 years. London, C. Hurst, 81, in-8, X-278 p.

6221. Omar al-Mukhtar e la riconquista fascista della Libia. [Di] Enzo SANTARELLI [e altri]. Milano, Marzorati, 81, in-16, 337 p. (tav.). (Clio)

6222. PACKARD (Randall M.). Chiefship and cosmology : and historical study of political competions. Bloomington, Indiana U.P., 81, in-8, XII-243 p. (African Systems of Thought)

6223. PAILLARD (Yvan-Georges), BOUTONNE (Jean). Espoirs et déboires de l'immigration européenne à Madagascar sous Gallieni : l'expérience de colonisation militaire. R. franç. Hist. Outre-Mer, 80, a. 66, t. 55, p. 333-351.

6224. PALUMBO (Michael). The Italian fascist suppression of the Ethiopian national resistance, In : Nationalism [Cf. n° 431], p. 193-204.

6225. PEARCE (R.D.). Governors, nationalists and constitutions in Nigeria, 1935-1951. J. imp. commonw. Hist., 81, vol. 9, p. 289-307.

6226. PENNELL (C. Richard). Law, order and the formation of the Islamic resistance to European colonisation : the Rif 1921-1926. R. Hist. maghrébine, 81, a. 8, n°^{S} 21-22, p. 25-39.

6227. PERKINS (Kenneth J.). Qaids, captains, and colons : French military administration in the colonial Maghrib, 1844-1934. London a. New York, Africana, 81, in-8, 278 p.

6228. PERSEGANI (Italo). Per un riesame della politica economica italiana in Libia (1920-1940). Nuova R. stor., 81, a. 65, p. 572-587.

6229. Philosophie der Eroberer und koloniale Wirklichkeit. Ostafrika 1884-1918. Hrsg. v. Kurt BÜTTNER u. Heinrich LOTH. Berlin, Akad.-Verl., 81, in-8, XXIII-480 p. (Studien über Asien, Afrika u. Lateinamerika, 21)

6230. PROCHASKA (David). La ségrégation résidentielle en société coloniale : le cas de Bône (Algérie), 1872-1954. Cah. Hist., 80, t. 25, n° 2, p. 148-176.

6231. SANDERSON (Lilian Passmore), SANDERSON (Neville). Education, religion and politics in Southern Sudan, 1899-1964. London, Ithaca Press, 81, in-8, 460 p. (maps).

6232. SPEAR (T.). Kenya's past. London, Longman, 81, in-8, 184 p.

6233. TALBOTT (John). The war without a name : France in Algeria, 1954-1962. London, Faber, 81, in-8, 322 p.

6234. TEMU (A.), SWAI (B.). Historians and Africanist history, a critique. London, Zed Press, 81, in-8, 240 p.

6235. TURRELL (Rob). The 1875 Black Flag revolt on the Kimberley diamond fields. J. southern african Stud., 81, vol. 7, p. 194-235.

6236. VAIL (Leroy), WHITE (Landeg). Capitalism and colonialism in Mozambique : a study of Quelimane district. Minneapolis, Univ. of Minnesota Press, 80, in-8, XII-419 p.

6237. WALZ (Gotthilf). Die Entwicklung der Strafrechtspflege in Kamerun unter deutscher Herrschaft, 1884-1914. Freiburg (Breisgau), Schwarz, 81, in-8, XIX-573 p. (Beitr. z. Soziologie, Afrikas, 2)

6238. WESTCOTT (N.J.). An East African radical : the life of Erica Fiah. J. african Hist., 81, vol. 22, p. 85-101. - IDEM. Closer union and the future of East Africa, 1939-1948, a case study in the "Official mind of imperialism". J. imp. commonw. Hist., 81, vol. 10, p. 67-88.

6239. WHITE (Jeremy). Central administration in Nigeria, 1914-1918, the problem of polarity. London, F. Cass, 81, in-8, 364 p. (maps)

6240. ZINSOU (Jean-Vincent). Remarques sur la guerre coloniale en pays Baoulé. A. Univ. Abidjan, Hist., 81, t. 9, p. 155-171.

Cf. n°^{S} 624, 2786, 6474.

d. América.

* 6241. ADAMS (Th.R.). The American controversy. A bibliographical study of the British pamphlets about the American disputes, 1764-1783. Providence, Brown U.P., 80, 2 vol. in-8, 1102 p.

2. HISTORIA DE LA COLONIZACIÓN

* 6242. Bibliographie d'histoire de l'Amérique française (publications récentes) préparée depuis 1.967 par le Centre de bibliographie historique de l'Amérique française sous la direction de Paul AUBIN et Paul-André LINTEAU. [Cf. Bibl. 80, n° 6232.] R. Hist. Amérique franç., 80-81, vol. 34, p. 123-156, 296-314, 469-494.

* Cf. n°s 2874, 2875.

** 6243. LAURENS (Henry). The papers of Henry Laurens. [Vol. 8. Cf. Bibl. 80, n° 6235.] Vol. 9 : April 19, 1773-Dec. 12, 1774. Ed. by George C. ROGERS, Jr., David R. CHESNUTT. Columbia, Univ. of South Carolina Press, 81, XXIV-710 p.

** 6244. Letters of delegates to Congress, 1774-1789. [Vol. 3-5. Cf. Bibl. 80, n° 6236.] Vol. 6 : January 1-April 30, 1777. Vol. 7 : May 1-September 18, 1777. Vol. 8 : September 19, 1777-January 31, 1778. Ed. by Paul H. SMITH a. others. Washington, D.C., Libr. of Cong., 80-81, 3 vol., XXVIII-760, XXVI-749, XXXI-745 p.

** 6245. Naval documents of the American revolution. Vol. 8 : American theatre : Mar. 1, 1777-Apr. 30, 1777. European theatre : Jan. 1, 1777-May 31, 1777. American theatre : May 1, 1777-May 31, 1777. Ed. by William James MORGAN. Foreword by Jimmy CARTER. Introd. by John D.H. KANE, Fr. Washington, D.C., Naval Hist. Division, Dept. of the Navy, 80, XX-1184 p. [Vol. 6. Cf. Bibl. 73, n° 5217.]

** 6246. PENN (William). The papers of William Penn. Vol. 1 : 1644-1679. Ed by Mary Maples DUNN a. others. Philadelphia, Univ. of Pennsylvania Press, 81, XV-703 p.

** Cf. n°s 2931, 3391.

6247. ALLEN (David Grayson). In English ways : the movement of societies and the transferal of English local law and custom to Massachusetts Bay in the seventeenth century. Chapel Hill, Univ. of North Carolina Press, 81, in-8, XXI-312 p.

6248. ANDERLE (Ádám). Indián függetlenségi küzdelmek a XVI-XVIII. században. (Luttes pour l'indépendance des Indiens aux XVIe-XVIIIe s.) Budapest, Gondolat Kiadó, 81, in-8, 290 p. (ill.).

6249. ANDERSON (F.W.). Why did colonial New Englanders make bad soldiers ? Contractual principles and military conduct during the seven years' war. William a. Mary Quar., 81, vol. 38, n° 3, p. 395-417.

6250. ANDERSON (Thornton). Eighteenth-century suffrage : the case of Maryland. Maryland hist. Mag., 81, vol. 76, n° 2, p. 141-158.

6251. ANDRIEN (Kenneth J.). The sale of juros and the politics of reform in the viceroyalty of Peru, 1608-1695. J. latin am. Stud., 81, vol. 13, p. 1-19.

6252. ARCHER (Christon I.). The army of New Spain and the wars of independence, 1790-1821. Hisp. am. hist. R., 81, vol. 61, n° 4, p. 705-714. - IDEM. Bourbon finances and military policy in New Spain, 1759-1812. Americas, 81, vol. 37, n° 3, p. 315-350. - The royalist army in New Spain : civil-military relationships, 1810-1821. J. latin am. Stud., 81, vol. 13, p. 57-82.

6253. ARSENAULT (Georges). Complaintes acadiennes de l'Ile-du-Prince-Edouard. Montréal, Leméac, 80, in-8, 261 p. (Coll. Connaissance)

6254. AUSTIN (Aleine). Matthew Lyon : "new man" of the democratic revolution, 1749-1822. University Park, Pennsylvania State U.P., 81, in-8, XII-192 p.

6255. AXTELL (James). The European and the Indian : essays in the ethnohistory of colonial North America. London a. New York, Oxford U.P., 81, in-8, XII-402 p.

6256. BARBIER (Jacques A.). Venezulean "libranzas", 1788-1807 : from economic nostrum to fiscal imperative. Americas, 81, vol. 37, n° 4, p. 457-478.

6257. BARRETT (Elinore M.). Copper in New Spain's eighteenth century economy. Crisis and resolution. Jb. f. Gesch. Lateinamerikas, 81, Bd 18, p. 73-96. - EADEM. The king's copper mine : Inguarán in New Spain. Americas, 81, vol. 38, n° 1, p. 1-30.

6258. BARTOLOMEU (Melià). El "modo de ser" Guaraní en la primera documentación jesuítica (1594-1639). Arch. hist. Soc. Jesu, 81, a. 50, p. 212-233.

6259. BAUDOT (Georges). La percepción histórica del drama demográfico de México en el siglo XVI. Quinto Centenario, 81, t. 1, p. 3-24. - IDEM. La population des villes du Mexique en 1595 selon une enquête de l'Inquisition. Caravelle, 81, n° 37, p. 5-18.

6260. BEHOCARAY ALBERRO (Solange). Inquisition et société : rivalités de pouvoirs à Tepeaca [Mexique] (1656-1660). A. Ec. Soc. Civ., 81, a. 36, p. 758-784.

6261. BERNIER (Gérald). Sur quelques effets de la rupture structurelle engendrée par la conquête au Québec : 1760-1854. R. Hist. Amérique franç., 81-82, vol. 35, p. 69-95.

6262. BOYER (Richard). Juan Vázquez, muleteer of seventeenth-century Mexico. Americas, 81, vol. 37, n° 4, p. 421-444.

6263. BREEN (T.H.), INNES (S.). "Myne owne ground". Race and freedom on Virginia's eastern shore, 1640-1675. London, Oxford U.P., 81, in-8, 142 p.

6264. BRERETON (Bridget). History of modern Trinidad, 1783-1962. London, Heinemann Educ., 81, in-8, 262 p.

6265. BUECHLER (Rose Marie). The mining society of Potosí, 1776-1810. Ann Arbor, Michigan, Univ. Microfilms International, 81, in-8, XV-431 p.

6266. BURKHOLDER (Mark A.). Politics of a colonial career : José Baquíjano and the audencia of Lima. Albuquerque, Univ. of New Mexico Press, 80, in-8, XI-184 p.

6267. BUSHNELL (Amy). The king's coffer : proprietors of the Spanish Florida treasury, 1565-1702. Gainesville, Univ. Presses of Florida, 81, in-8, IX-198 p.

6268. COUNTRYMAN (Edward). A people in revolution : the American revolution and political society in New York, 1760-1790. Baltimore, Md., Johns Hopkins U.P., 81, in-8, XVIII-388 p. (Johns Hopkins Stud. in Hist. a. Pol. Sci., ninety-ninth ser., 2)

6269. DANIELL (Jere R.). Colonial New Hampshire : a history. Millwood, N.Y., KTO Press, 81, in-8, XVI-279 p. (A Hist. of the Am. Colonies)

6270. DEARDEN (Paul F.). The Rhode Island campaign of 1778 : inauspicious dawn of alliance. Providence, Rhode Island Bicentennial Foundation, 80, in-8, XV-169 p.

6271. DEBIEN (Gabriel). Les esclaves des plantations Mauger à Saint-Domingue (1763-1802). B. Soc. Hist. Guadeloupe, 80, n° 43-44, p. 31-164.

6272. DE PAUW (Linda Grant). Women in combat : the revolutionary war experience. Armed Forces a. Soc., 80, vol. 7, n° 2, p. 209-226.

6273. DOMINGUEZ (Jorge I.). Insurrection or loyalty : the break-down of the Spanish-American empire. Cambridge, Mass., Harvard U.P., 80, in-8, IX-307 p. (Pub. of the Center for International Affairs)

6274. DURANT (David N.). Raleigh's lost colony. London, Weidenfeld a. Nicolson, 81, in-8, 188 p.

6275. EKIRCH (A. Roger). "Poor Carolina" : politics and society in colonial North Carolina, 1729-1776. Chapel Hill, Univ. of North Carolina Press, 81, in-8, XIX-305 p.

6276. ELLER (Ernest McNeill) a. others. Chesapeake Bay in the American revolution. Centreville, Md., Tidewater, 81, in-8, XXXV-600 p.

6277. FERLING (John E.). A wilderness of miseries : war and warriors in early America. Westport, Conn., Greenwood Press, 80, in-8, XIV-227 p. (Contrib. in Military Hist., 22)

6278. FOURNIER (Marcel). Dictionnaire biographique des Bretons en Nouvelle-France, 1600-1765. Québec, Archives nationales du Québec, 81, in-4, IX-213 p. (Et. et recherches archivst., 4)

6279. FRANK (Andre Gunder). Mexican agriculture 1521-1630 : transformation of the mode of production. Cambridge a. New York, Cambridge U.P. ; Paris, Ed. de la Maison des Sciences de l'Homme, 79, in-8, XIX-91 p. (Stud. in modern capitalism = Etudes sur le capitalisme moderne)

6281. FROST (J. William). Religious liberty in early Pennsylvania. Pennsylvania Mag. Hist., 81, vol. 105, n° 4, p. 419-452.

6282. GALENSON (David W.). White servitude and the growth of black slavery in colonial America. J. econ. Hist., 81, vol. 41, n° 1, p. 39-47.

6283. GASPARINI (Graziano), PÉREZ VILA (Manuel). La Guaira : orígenes históricos, morfología urbana. Capitulo sobre "Las artes en el puerto de La Guaira durante la época colonial", por Carlos DUARTE. Caracas, Centro Simón Bolívar, Ministerio de Información y Turismo, 81, in-4, 421 p. (ill.).

6284. GEGGUS (David). The British government and the Saint Domingue slave revolt, 1791-1793. Eng. hist. R., 81, vol. 96, p. 285-305. - IDEM. Jamaica and the Sainte Domingue slave revolt, 1791-1793. Americas, 81, vol. 38, n° 2, p. 219-234.

6285. GOLDSTEIN (Kalman). Silas Deane : preparation for rascality. Historian, 80, vol. 43, n° 1, p. 75-97.

6286. HANISCH ESPÍNDOLA (Walter), S.J. Esclavitud y libertad de los indios de Chile, 1608-1696. Historia [Santiago de Chile], 81, n° 16, p. 5-65.

6287. HERNÁNDEZ RUIGÓMEZ (Manuel). El primer paso del proceso independista mexicano : el contragolpe de Gabriel de Yerma (1808). R. Indias [Madrid], 81, vol. 41, p. 541-601.

6288. HERNÁNDEZ SÁNCHEZ-BARBA (Mario). Provincialismo, regionalismo, nacionalismo : una mentalidad acumulativa en la crisis de la Independencia Hispanoamericana. Quinto Centenario, 81, t. 1, p. 53-75.

6289. HEUMAN (Gad J.). Between black and white : race, politics, and the free coloreds in Jamaica, 1792-1865. Oxford, Clio ; Westport, Conn., Greenwood Press, 81, in-8, XX-231 p. (Contrib. in COmparative Colonial Stud., 5)

6290. Historial (L') antillais. T. 1 : Guadeloupe et Martinique : des îles aux hommes. Sous la dir. de Jean-Luc BONNIOL. Fort-de-France, Dajani, 80, 591 p. (ill.).

6291. HOFFMAN (Ronald), ALBERT (Peter J.) a. others. Diplomacy and revolution : the Franco-American alliance of 1778. Charlottesville, Univ. Press of Virginia, 81, in-8, XII-200 p. - IIDEM. sovereign states in an age of uncertainty. Charlottesville, U.P. of Virginia, 81, in-8, XIV-261 p. (Perspectives on the Age of the American Revolution.)

6292. HU-DeHART (Evelyn). Missionaries, miners and Indians. Spanish contact with the Yaqui nation of Northwestern New Spain, 1533-1820. Tucson, Univ. of Arizona Press, 81, in-8, VIII-152 p. (maps).

6293. JACKSON (Harvey H.) a. others. Georgia's aigners and the declaration of independance. Atlanta, Ga., Cherokee, 81, in-8, 106 p.

6294. JOHNSON (Herbert A.). Essays on New York colonial legal history. Westport, Conn., Greenwood Press, 81, in-8, VIII-269 p. (Contrib. in legal Stud., 21)

6295. JOHNSON (Richard R.). Adjustement to empire : the New England colonies, 1675-1715. New Brunswick, N.J., Rutgers U.P., 81, in-8, XX-470 p.

6296. JORDAN (David W.). Sir Thomas Lawrence, secretary of Maryland : a royal placeman's fortunes in America. Maryland hist. Mag., 81, vol. 76, n° 1, p. 22-44.

6297. KRAMER (Lloyd S.). America's Lafayette and Lafayette's America : a European and the American revolution. William a. Mary Quar., 81, vol. 38, n° 2, p. 228-241.

6298. (Aubrey C.). Colonial Maryland : a history. Millwood, N.Y., KTO Press, 81, in-8, XVIII-367 p. (A Hist. of the Am. Colonies)

6299. LANGENBERG (Inge). Urbanisation und Bevölkerungsstruktur der Stadt Guatemala in der ausgehenden Kolonialzeit. Eine sozialhist. Analyse d. Stadtverlegung u. ihrer Auswirkungen auf d. demograph., berufl. u. soziale Gliederung d. Bevölkerung (1773-1824). Köln u. Wien, Böhlau, 81, in-8, X-468 p. (51 Ill., graph. Darst. u. Kt.). (Lateinamerikan. Forsch., 9)

6300. LOCKRIDGE (Kenneth A.). Settlement and unsettlement in early America : the crisis of political legitimacy before the Revolution. London a. New York, Cambridge U.P., 81, in-8, IX-134 p. (Joanne Goodman Lecture Ser.)

6301. LOY (Jane M.). Forgotten comuneros : the 1781 revolt in the Llanos of Casanare. Hisp. am. hist. R., 81, vol. 61, n° 2, p. 235-257.

6302. LUNEL (Pierre). Colonisation et pensée politique en Espagne au XVIe siècle : Palacios Rubios et Mathias de Paz, O.P. A. Univ. Sci. soc. Toulouse, 81, t. 29, p. 379-403.

6303. McCARTY (Kieran). A Spanish frontier in the enlightened age : Franciscan beginnings in Sonora and Arizona, 1767-1777. Washington, D. C., Acad. of Am. Franciscan Hist., 81, in-8, 116 p.

6304. MARCHENA FERNÁNDEZ (Juan). Guarniciones y población militar en Florida oriental (1700-1820). R. Indias [Madrid], 81, vol. 41, p. 91-142.

6305. MERWICK (Donna). Becoming English : Anglo-Dutch conflict in the 1670s in Albany, New York. New York Hist., 81, vol. 62, n° 4, p. 389-414.

6306. NECTOUX (Jean). La première opération combinée franco-américaine : la campagne de la Chesapeake, juillet-octobre 1781. Acad. toulousaine Hist. Arts milit., 81, n° 32, p. 1-36.

6307. OLAECHEA LABAYEN (Juan B.). La ciudadanía del indio en los dominios hispanos. Cuad. Invest. hist., 81, t. 5, p. 113-133.

6308. OUSTERHOUT (Anne M.). Controlling the opposition in Pennsylvania during the American revolution. Pennsylvania Mag. Hist., 81, vol. 105, n° 1, p. 3-34.

6309. PENCAK (William). War, politics, and revolution in provincial Massachusetts. Boston, Northeastern U.P., 81, in-8, XVI-314 p.

6310. PÉREZ DE LA RIVA (Juan). La isla de Cuba en el siglo XIX vista por los extranjeros. La Habana, Ed. de Ciencias sociales, 81, in-8, 269 p.

6311. POOLE (Stafford) C.M. Institutionalized corruption in the Letrado bureaucracy : the case of Pedro Farfán. Americas, 81, vol. 38, n° 2, p. 149-172.

6312. POTTS (Louis W.). Arthur Lee : a virtuous revolutionary. Baton Rouge, Louisiana State U.P., 81, in-8, XIV-315 p. (Southern Biogr. Ser.)

6313. RÁMOZ PÉREZ (Demetrio), TAU ANZOATEGUI (Victor). América a fines del siglo XVIII. Noticia de los lugares de contrabando. Valladolid, Seminario Americanista de la Univ., 80, in-8, 102 p.

6314. REID (John G.). Acadia, Maine and New Scotland : marginal colonies in the seventeenth century. Toronto, Publ. in assoc. with Huronia Historical Parks, Ontario Ministry of Culture a. Recreation by Univ. Press, 81, in-8, XVIII-293 p.

6315. RISCH (Erna). Supplying Washington's army. Washington, D.C., Center of Milit. Hist., U.S. Army, 81, in-8, XIV-470 p. (Special Stud., Center of Milit. Hist.)

6316. ROBBINS (Caroline). Laws and governments proposed for west New Jersey and Pennsylvania, 1676-1683. Pennsylvania Mag. Hist., 81, vol. 105, n° 4, p. 373-392.

6317. RODNEY (Walter). A history of the Guyanese working people, 1881-1905. Baltimore, Md., Johns Hopkins U.P., 81, in-8, XXV-282 p. (Johns Hopkins Stud. in Atlantic Hist. a. Cult.)

6318. ROSTWOROWSKI DE DIEZ CANSECO (María). Recursos renovables y pesca, siglos XVI y XVII. Lima, Instit. de Estudios Peruanos, 81, in-8, 180 p. (ill.). (Historia andina, 8)

6319. RUSSELL-WOOD (A.J.R.). Manuel Nunes Viana : paragon or parasite of empire ? Americas, 81, vol. 37, n° 4, p. 479-498. [Brazil, 18. c.]

6320. SAEGER (James S.). Survival and abolition : the eighteenth century Paraguayan encomienda. Americas, 81, vol. 38, n° 1, p. 59-86.

6321. SALINGER (Sharon V.). Colonial labor in transition : the decline of indentured servitude in late eighteenth century Philadelphia. Labor Hist., 81, vol. 22, n° 2, p. 165-191.

6322. SHAW (Peter). American patriots and the rituals of revolution. Cambridge, Mass., Harvard U.P., 81, in-8, 279 p.

6323. SHERIDAN (Eugene R.). Lewis Morris, 1671-1746 : a study in early American politics. Syracuse, N.Y., Syracuse U.P., 81, in-8, XII-257 p.

6324. SKRIPNIKOVA (L.V.). Osvoboditel'naja bor'ba narodov Britanskoj Vest-Indii v XIX v. (The struggle for liberation of the peoples of British West Indies in the 19th cent.) Vopr. Ist., 81, n° 1, p. 76-91.

6325. SOSIN (J.M.). English America and the restoration monarchy of Charles II : transatlantic politics, commerce, and kinship. Lincoln, Univ. of Nebraska Press, 80, in-8, 389 p.

6326. STEIN (Stanley J.). Bureaucracy and business in the Spanish empire, 1759-1804 : failure of a Bourbon reform in Mexico and Peru. Hisp. am. hist. R., 81, vol. 61, n° 1, p. 2-28.

6327. STERN (Steve J.). The rise and fall of Indian-white alliances : a regional view of "conquest" history. Hisp. am. hist. R., 81, vol. 61, n° 3, p. 461-492.

6328. STUART (Reginald C.). "For the lord is a man of warr" : the colonial New England view of war and the American revolution. J. Church a. State, 81, vol. 23, n° 3, p. 519-532.

6329. ŠUL'GOVSKIJ (A.F.). Bolivar i Bel' o : ikh rol' v bor'be za svobodu Latinskoj Ameriki. (Bolívar and Bello. Their role in the struggle for the freedom of Latin America.) Lat. Am., 81, n° 6, p. 13-27.

6330. TORTAROLA (Edoardo). Filippo Mazzei agente virginiano in Europa : i rapporti con il conte di Vergennes. R. stor. ital., 80, a. 92, p. 707-735. Filippo Mazzei e la rivoluzione americana. Alcuni documenti inediti. Ibid., 81, a. 93, p. 186-200.

6331. TRAUTMANN (Wolfgang). Die sozioökonomische Struktur der kolonialzeitlichen Latifundien in Tlaxcala (Mexiko). Vjschr. f. Soz.-u. Wirtschaftsgesch., 81, Bd 68, p. 349-371.

6332. TRIGGER (Bruce G.). Pour une histoire plus objective des relations entre colonisateurs et autochtones en Nouvelle-France. Rech. amérindiennes Québec, 81, vol. 11, p. 199-204.

6333. VAN YOUNG (Eric). Hacienda and market in eighteenth-century Mexico : the rural economy of the Guadalajara region, 1675-1820. Berkeley a. Los Angeles, Univ. of California Press, 81, in-8, XVI-388 p.

6334. VOSS (Stuart F.). Societal competition in northwest New Spain. Americas, 81, vol. 38, n° 2, p. 185-204.

6335. ZAPATER EQUIOIZ (Horacio). Los incas y la conquista de Chile. Historia [Santiago de Chile], 81, n° 16, p. 249-268.

Cf. n°s 279, 3359, 5252, 5376, 5541, 5579, 5597, 6385.

e. Oceanía.

* Cf. n° 604.

6336. CANNON (Michael Montague). The damned democrat : John Norton, an Australian populist, 1858-1916. Melbourne, U.P., 81, in-8, 186 p.

6337. DONOVAN (P.F.). A land full of possibilities, the history of South Australia's Northern Territory. Brisbane, Queensland U.P., 81, in-8, 296 p.

6338. FROST (Alan). Convicts and Empire, the naval question, 1776-1811. Melbourne, Oxford U.P., 81, in-8, 256 p.

6339. MACKAY (David). Far-flung Empire : a neglected imperial outpost at Botany Bay, 1788-1801. J. imp. commonw. Hist., 81, vol. 9, p. 125-145.

6340. OLIVER (W.H.), WILLIAMS (B.R.). The Oxford history of New Zealand. Wellington, Oxford U.P., 81, in-8, 586 p. (maps).

6341. OSBORNE (Thomas J.). "Empire can wait" ; American opposition to Hawaiian annexation, 1893-1898. Kent, Ohio, Kent State U.P., 81, in-8, XV-180 p.

6342. TOULLELAN (Pierre-Yves). La mise en valeur des E.F.O. de 1870 à 1914. B. Soc. Et. océaniennes, 81, t. 18, n° 216, p. 885-914.

Cf. n° 2825.

§ 3. De 1500 à 1789.

a. Generalidades.

6343. CVETKOVA (B.). Das bulgarische Volk im Rahmen der europäischen politischen Beziehungen des 17. Jahrhunderts. Österr. Osthefte, 81, Bd 23, p. 373-391.

6344. DETHAN (Georges). Mazarin, un diplomate de l'âge baroque. Paris, Impr. nationale, 81, in-8, 413 p. (ill.)

6345. Pologne (La) et la Hongrie aux XVIe-XVIIIe siècles. Textes du colloque polono-hongrois de Budapest. Budapest, Akad. Kiadó, 81, in-8, 148 p. [Cf. n°s 3528, 5303, 5333, 5350.]

b. 1500-1648.

** 6346. Beratungen (Die) der Städtekurie Osnabrück 1645-1649. Bearb. v. Günter BUCHSTAB. Münster, Aschendorff, 81, in-8, XLVIII-917 p. (Acta pacis Westphalicae, Ser. 3, Abt. A, 6)

** 6347. Documenta Bohemica Bellum Tricennale Illustrantia. [Tom. 5. Cf. Bibl. 76-77, n° 7777.] Tom. 6 : Der grosse Kampf um die Vormacht in Europa. Quellen z. Gesch. d. Dreissigjähr. Krieges 1635-1643. Hrsg. v. Bohumil BAĎURA u. Koll. Tom. 7 : Der Kampf um den besten Frieden. Quellen z. Gesch. d. Dreissigjähr. Krieges zur Zeit der Friedensverhandlungen von Westfalen und der Ratifizierung des Friedens 1643-1649. Hrsg. v. Miroslav TOEGEL u. Koll. Praa, Academia, 78-81, 2 vol. In-8, 536, 444 p. (fig.)

** 6348. Lupta pentru unitatea natională a Ţărilor Române, 1590-1630. Documente externe, publ. de Radu CONSTANTINESCU. (La lutte pour l'unité nationale des pays roumains. Documents étrangers, publ. par -.) Bucureşti, Direcţia generală a Arhivelor Statului, Inst. de Istorie "Nicolae Iorga", 81, in-8, XI-384 p.

** Cf. n° 3953.

6349. ANDREWS (K.R.). Beyond the equinoctial : England and South America in the 16th century. J. imp. commonw. Hist., 81, vol. 10, p. 4-24.

6350. BARTA (Gábor). A Sztambulba vezető ut 1526-1528. A török-magyar szövetség és előzményei. (Le chemin qui mène à Istanbul 1526-1528. L'alliance turco-hongroise et ses antécédents.) Századok, 81, vol. 115, n° 1, p. 152-205.

6351. BEC (Christian). Les Florentins et la France ou la rupture d'un mythe (1494-1540). Pens. pol., 81, a. 14, p. 375-394.

6352. BISKUP (Marian). Krzyżackie druki w Rzeszy w okresie konfliktu z Polska w początkach XVI wieku. (Les imprimés des chevaliers teutoniques en Allemagne à l'époque du conflit avec la Pologne, au début du XVIe s.) Komunikaty maz.-warm., 81, a. 30, n° 1, p. 9-22.

6353. GWYN (Peter). Wolsey's foreign policy : the conferences at Calais and Bruges reconsidered. Hist. J., 80, vol. 23, p. 755-772.

6354. HOWARTH (David). The voyage of the Armada. London, Collins, 81, in-8, 256 P. (ill., pl.).

6355. KOURI (E. I.). England and the attempts to form a Protestant alliance in the late 1560s : a case study in European diplomacy. Helsinki, Suomalainen tiedeakatemia, 81, in-8, 219 p. (A. Acad. Sci. fennicae, Ser. B, 210)

6356. KUBINYI (András). A mohácsi csata és előzményei. (La bataille de Mohács et ses antécédents.) Századok, 81, vol. 115, n° 1, p. 66-107.

6357. MAKKAI (László). Gábor Bethlen's European policy. New hungar. Quart., 81, vol. 22, n° 82, p. 63-71.

6358. NAGY (László). A magyar politikai irodalom történetéhez. Az 1605-ös kiáltvány Európa népeihez. (Sur l'histoire de la littérature politiqe hongroise. La proclamation de 1605 aux peuples de l'Europe.) Magy. Tudom., 81, vol. 26, n° 5, p. 358-365.

6359. PRZYBOŚ (Adam). Włoskie materiały do podróży królewicza Władysława Wazy do Europy Zachodniej w latach 1624 i 1625. (Matériaux italiens pour l'histoire du voyage du prince Ladislas Vasa en Europe occidentale dans les années 1624 et 1625.) Studia hist., 81, a. 24, n° 1, p. 105-111.

6360. SOLARI (Giovanna). Il sacco di Roma. Milano, Mondadori, 81, in-8, 273 p. (tav.). (Le scie).

6361. SUCHENI-GRABOWSKA (Anna). Zur Entstehungsgeschichte des Vertrages von 1549 zwischen Ferdinand I. und Sigismund II. August von Polen. Mitt. d. Inst. f. österr. Gesch.-Forsch., 81, Bd 89, p. 23-51.

6362. TÓTH (Sándor). Török stratégia a tizenöt éves háborúban, 1593-1606. (La stratégie des Turcs pendant la guerre de 15 ans.) Acta Univ. szegediensis. Acta hist., 81, n° 69, p. 15-41.

6363. TREVOR-ROPER (Hugh R.). Ruprecht der "Cavalier". Z. f. bayer. Landesgesch., 81, Bd 44, p. 241-256.

6364. WIESFLECKER (Hermann). Kaiser Maximilian I. Das Reich, Österreich u. Europa an d. Wende z. Neuzeit. [Bd 2, 3. Cf. Bibl. 76-77, n° 7797.] Bd 4 : Gründung des habsburgischen Weltreiches. Lebensabend u. Tod 1508-1519. München, Oldenbourg ; Wien, Verl. f. Gesch. u. Politik, 81, in-8, XXVIII-691 p. (Ill., 1 Kt.).

6365. WINTER (Eduard). Elekcje polskie 1575 i 1587 r. - z perspektywy Habsburgów. (Les élections polonaises et 1575 et 1587 vues par les Habsbourg.) Kwart. hist., 81, a. 88, n° 1, p. 107-120.

c. 1648-1789.

** 6366. BAUFFREMONT (Joseph de). Journal de campagne de l'amiral de Bauffremont, prince de Listenois, dans les pays barbaresques (1766). Etablissement du texte, introd. et notes par Marcelle CHIRAC. Préf. de Pierre GUIRAL. Ouvrage publ. sur la proposition de Jean-Louis MIEGE. Paris, Ed. du C.N.R.S., 81, in-4, 150 p. (23 phot.).

** 6367. BUCKINGHAMSHIRE (John, 2nd Earl of). Despatches and correspondence of ... Ambassador to the Court of Catherine II of Russia, 1762-1765. Ed. by Adelaide D'Arcy COLLYER. London, R. Hist. Soc., 81, 2 vol. in-4, 265, 317 p. (Camden Soc.)

** 6368. CERNOVODEANU (Paul). Le journal des travaux du Congrès de Karlowitz (1698-1699). R. Et. sud-est europ., 81, t. 19, p. 325-354.

** 6369. Rattachement (Le) de Strasbourg à la France en 1681. Textes choisis et commentés par Louis SCHMITT. Strasbourg, Centre régional de Documentation pédagogique, 81, in-8, X-128 p.

6370. BOSHER (John F.). The French government's motive in the Affaire du Canada, 1761-1763. Eng. hist. R., 81, vol. 96, p. 59-78.

6371. BROADUS (John R.). Soviet historians and te eastern question of the eighteenth century. East european Quar., 81, vol. 15, n° 3, p. 357-375.

6372. BROMLEY (J.S.). Britain and Europe in the 18th century. History, 81, vol. 66, p. 394-412.

6373. CEGIELSKI (Tadeusz). Preussische "Deutschland- und Polenpolitik" in dem Zeitraum 1740-1792. Jb. f. d. Gesch. Mittel- u. Ostdeutschlands, 81, Bd 30, p. 21-27.

6374. DECKER (Klaus Peter). Frankreich und die Reichsstände, 1672-1675. Die Ansätze z. Bildung e. "Dritten Partei" in d. Anfangsjahren d. Holländ. Krieges. Bonn, Röhrscheid, 81, in-8, 432 p. (Pariser hist. Stud., 18)

6375. DROZDOWSKI (Marian). Osiemnastowieczne źródła antagonizmu między Polską a Prusami. (Les sources du XVIIIe siècle concernant l'antagonisme entre la Pologne et la Prusse [1772-1792]. Przegl. zach., 80 [81], a. 36, n° 4, p. 72-87.

6376. DUCHHARDT (Heinz). Imperium und Regna im Zeitalter Ludwigs XIV. Hist. Z., 81, Bd 232, p. 555-581.

6377. DYCK (Harvey L.). New Serbia and the origins of the eastern questions, 1751-1755 : a Habsburg perspective. Russian R., 81, vol. 40, n° 1, p. 1-19.

6378. Fall (Der) der Reichsstadt Strassburg und seine Folgen. Zur Stellung d. 30. Sept. 1681 in d. Gesch. Wilfried FORSTMANN [u.a.]. Bad Neustadt (Saale), Pfaehler, 81, in-8, VIII-222 p. (Schr. d. Erwin-Von-Steinbach-Stiftung, 7)

6379. FREY (Linda), FREY (Marsha). II. Rákóczi Ferenc és a tengeri hatalmak. (Ferenc

Rákóczi II. and the maritime powers.) Tört. Szle, 81, vol. 24, n° 4, p. 663-674.

6380. HEER (Friedrich). Der König und die Kaiserin. Friedrich u. Maria Theresia, e. deutsch. Konflikt. München, List, 81, in-8, 399 p.

6381. HORN (David Bayne). British diplomatic representatives, 1689-1789. London, R. Hist. Soc., 81, in-4, 191 p. (Camden Soc.)

6382. KONOPCZYŃSKI (Władysław). Fryderyk Wielki a Polska. (Frédéric le Grand et la Pologne.) 2e éd., avec post-face d'Emanuel ROSTWOROWSKI. Poznań, 81, in-8, 265 p. (Prace Inst. Zach., 9)

6383. LAPORTALIERE (René de). Un ambassadeur ariégeois auprès du roi de Suède Gustave III : le comte d'Usson, 1724-1782. Soc. ariégeoise Sci., Lettres, Arts, 81, t. 36, p. 89-110.

6384. McLYNN (F.J.M.). France and the Jacobite rising of 1745. Edinburgh, U.P., 81, in-8, 250 p.

6385. QUATREFAGES (René). La collaboration franco-espagnole dans la prise de Pensacola [1781]. R. hist. Armées, 81, n° 4, p. 44-63.

6386. Rattachement (Le) de Strasbourg à la France. Saisons d'Alsace, 80, n.s., a. 25, n° 75 [spécial], p. 5-192.

6387. ROBERTS (Michael). British diplomacy and Swedish politics, 1758-1773. Minneapolis, Univ. of Minnesota Press, 80, in-8, XXV-528 p. (Nordic ser., 1)

6388. SCHINDLING (Anton). Reichstag und europäischer Frieden. Leopold I., Ludwig XIV. und die Reichsverfassung nach dem Frieden von Nimwegen (1679). Z. f. hist. Forsch., 81, Bd 8, p. 159-177.

6389. STASZEWSKI (Jacek). Polen und Sachsen im 18. Jahrhundert. Jb. f. Gesch., 81, Bd 23, p. 167-188. - IDEM. Die polnisch-sächsische Union und Hohenzollernmonarchie (1697-1763). Jb. f. d. Gesch. Mittel- u. Ostdeutschlands, 81, Bd 30, p. 28-34.

6390. STASZEWSKI (Jacek). La guerre d'indépendance en Hongrie et la Pologne. Quelques remarques sur la question de l'aide polonaise accordée à l'insurrection de François II Rakoczi. Acta Poloniae hist., 81, vol. 43, p. 101-125.

6391. TAŹBIERSKI (Zdzisław). Europejska polityka Williama Pitta w okresie rozbiorów. (La politique européenne de William Pitt à l'époque des annexions.) Kwart. hist., 81, a. 88, n° 3, p. 647-656.

6392. VÁRKONYI (Ágnes), R. "Legnagyobb bölcsesség és eszesség ..." Bethlen Gábor és az európai béketárgyalások, 1648-1714. ("La sagesse et l'intelligence la plus brillante". Gábor Bethlen et les négociations de paix en Europe, 1648-1714.) Valóság, 81, vol. 24, n° 2, p. 1-10.

6393. WILSON (Gary E.). The first American hostages in Moslem nations, 1784-1789. Am. Neptune, 81, vol. 41, n° 3, p. 208-223.

6394. WISNER (Henryk). Rok 1655 na Litwie. Pertraktacje ze Szwecją i kwestia wyznaniowa. (La Lituanie en 1655 : les négociations avec la Suède et la question religieuse.) Odrodzen. Reform. Polsce, 81, vol. 26, p. 83-103.

6395. ZERNACK (Klaus). Das preussische Königtum und die polnische Republik im europäischen Mächtesystem des 18. Jahrhunderts (1701-1763). Jb. f. d. Gesch. Mittel- u. Ostdeutschlands, 81, Bd 30, p. 4-20.

§ 4. De 1789 a 1815.

* 6396. GODECHOT (Jacques). Bulletin historique : la période révolutionnaire et impériale [suite de Bibl. 80, n° 3214]. R. hist., 80, a. 104, t. 264, p. 399-469 ; 81, a. 105, t. 266, p. 161-226.

** 6397. AITCHISON (John). Ensign in the Peninsular War, letters of John Aitchison, ed. by W.F.K. THOMPSON. London, M. Joseph, 81, in-8, 352 p. (maps).

6398. BANDELIER (André). L'évêché de Bâle et le pays de Montbéliard à l'époque napoléonienne. Porrentruy, sous-préfecture du Haut-Rhin : un arrondissement communal sous le Consulat et l'Empire, 1800-1814. Neufchâtel, Baconnière, 80, in-8, XIII-624 p. (fig.).

6399. BEERMAN (Eric). Spanish envoy to the United States (1776-1809). Marqués de Casa Irujo and his Philadelphia wife Sally McKean. Americas, 81, vol. 37, n° 4, p. 445-456.

6400. CARLSSON (Sten). O podziale Królestwa szwedzkiego 1809 roku (Utrata zwierzchnictwa nad Finlandią). (Le partage du Royaume de la Suède en 1809. La perte de la suprématie sur la Finlande.) Zap. hist., 81, vol. 46, n° 2, p. 27-46.

6401. DEINET (Klaus). Konrad Engelbert Oelsner und die Französische Revolution. Geschichtserfahrung u. Geschichtsdeutung e. deutsch. Girondisten. Mit e. Vorw. v. Jacques DROZ. München u. Wien, Oldenbourg, 81, in-8, 345 p. (Ancien régime, Aufklärung u. Revolution, 3)

6402. Erhebung (Die) Gegen Napoleon, 1806-1814/15. Hrsg. v. Hans-Bernd SPIES. Darmstadt, Wiss. Buchges., 81, in-8, XIX-472 p.. (Quellen z. polit. Denken d. Deutschen im 19. u. 20. Jh., 2)

6403. Europa von der Französischen Revolution zu den nationalstaatlichen Bewegungen des 19. Jahrhunderts. Unter Mitarb. v. Mathias BERNATH [u.a.]. Hrsg. v. Walter BUSSMANN. Stuttgart, Klett-Cotta, 81, in-8, 1077 p. (Handbuch d. europ. Gesch., 5)

6404. EVEREST (Allan S.). The war of 1812 in the Champlain Valley. Syracuse, N.Y., Syracuse U.P., 81, in-8, VIII-239 p. (A New York State Study).

6405. FEHRENBACH (Elisabeth). Vom Ancien Régime zum Wiener Kongress. München u. Wien, Oldenbourg, 81, in-8, 249 p. (1 Kt.). (Oldenbourg-Grundriss d. Gesch., 12)

6406. FRYER (W.R.). The mirage of restoration : Louis XVIII and Lord Macartney, 1795-1796. Manchester, John Rylands Univ. Libr., 81, in-8, 63 p.

6407. GIANNETTO (Francesco). La diplomazia del regno d'Italia napoleonico nei suoi rapporti con l'Impero ottomano. Clio [Roma], 81, a. 17, p. 357-404.

6408. HORSMAN (Reginald). Nantucket's peace treaty with England in 1814. New England Quar., 81, vol. 54, n° 2, p. 180-198.

6409. HORWARD (Donald D.). "L'horrible jour" : Masséna et Wellington sur la rivière Côa (1810). R. hist. Armées, 81, n° 2, p. 3-27. - IDEM. Un episódio da guerra peninsular : a batalha do Côa (24 de Julho de 1810). B. Arq. hist. milit., 80, vol. 50, p. 39-73.

6410. KAVTARADZE (A.G.). Ital'janskij i švejcarskij pokhody A.V. Suvorova v 1799 gody. (A.V. Suvorov's campaigns in Italy and Switzerland, 1799.) Nov. novejš. Ist., 81, n° 2, p. 85-101 ; n° 3, p. 123-139.

6411. KIRKOR (Stanisław). Polacy w niewoli angielskiej w latach 1803-1814. (Les Polonais en captivité anglaise dans les années 1803-1814.) Kraków, Wydawn. Liter., 81, in-8, 235 p.

6412. LENOIR (Madeleine). Missions militaires en Perse : le général Gardane et le colonel Colombari. R. int. Hist. milit., 80, n° 49, p. 145-159.

6413. MICHALON (colonel Roger), VERNET (chef de bataillon J.). Adaptation d'une armée française de la fin du XVIIe siècle à un théâtre d'opérations proche-oriental (Egypte, 1798-1801.) R. int. Hist. milit., 80, n° 49, p. 67-144.

6414. MICHALSKI (Jerzy). Polen und Preussen in der Epoche der Teilungen. Jb. f. d. Gesch. Mittel- u. Ostdeutschlands, 81, Bd 30, p. 35-52.

6415. NAROČNICKIJ (A.L.). Kharakter i značenie pervogo serbskogo vosstanija 1804-1813 gg. (The first Serbian uprising of 1804-1813 : its character and importance.) Nov. novejš. Ist., 81, n° 4, p. 54-70.

6416. PITTIER (Yolande). Les réactions des Valaisans à l'annexion de leur pays à la France et leur attitude face au nouveau gouvernement (1810-1813). A. valaisannes, 81, sér. 2, a. 56, p. 3-50.

6417. RAGSDALE (Hugh). Detente in the Napoleonic era : Bonaparte and the Russians. Lawrence, Regents Press of Kansas, 80, in-8, XII-183 p.

6418. SENKOWSKA-GLUCK (Monika). Historiografia francuska doby napoleońskiej w pięcioleciu 1975-1979. (L'historiographie française de l'époque napoléonienne au cours des années 1975-1979.) Kwart. hist., 81, a. 88, n° 2, p. 445-452.

6419. ŞERBAN (Constantin). Rezistenţele naţionale în Europa împotriva dominaţiei napoleonice. (Les résistances nationales en Europe contre la domination napoléonienne.) Stud. Articole Ist., 80, t. 41-42, p. 73-83.

6420. SEVERN (John Kenneth). A Wellesley affair : Richard marquess Wellesley and the conduct of Anglo-Spanish diplomacy, 1809-1812. Gainesville, U.P. of Florida, 81, in-8, XII-291 p.

6421. SIROTKIN (V.G.). Napoleonovskaja "vojna per'ev" protiv Rossii. (Napoleon's "Guerre de plume" against Russia in 1812.) Nov. novejš. Ist., 81, n° 1, p. 137-152. - IDEM. Velikaja Francuzskaja buržuaznaja revoljucija, Napoleon i samoderžavnaja Rossija. (The great French bourgeois revolution, Napoleon and the Russian autocracy.) Ist. SSSR, 81, n° 5, p. 39-56.

6422. STAGG (J.C.A.). James Madison and the coercion of Great Britain : Canada, the West Indies, and the war of 1812. William a. Mary Quar., 81, vol. 38, n° 1, p. 3-34.

6423. USCZECK (Hansjürgen). Scharnhorst über die Ursachen des französischen Sieges im Feldzug von 1794. Militärgesch., 80, Bd 19, p. 726-740.

6424. VOOGD (Ch. de). Les Français en Perse (1805-1809). Studia iranica, 81, t. 10, fasc. 2, p. 247-268.

6425. WILLBOLD (Franz). Die Schlacht von Elchingen, 14. Oktober 1805. Napoleons Feldzug um Ulm. Heidenheim, Kopp, 80, in-8, 96 p. (ill.).

Cf. n°s 3359, 6375, 6391.

§ 5. De 1815 a 1910.

* 6426. Mexican-American (The) war : an annotated bibliography. Ed. by Norman E. TUTOROW. Westport. Conn., Greenwood Press, 81, XXIX-427 p.

** 6427. American diplomatic and public papers : the United States and China. [Ser. 1. Cf. Bibl. 73, n° 5330] Ser. 2 : The United States, China, and imperial rivalries, 1861-1893. Vol. 1 : American relations with China. Vol. 2 : Political and internal affairs. Vol. 3 : The foreign powers and China : Great Britain. Vol. 4 : The foreign powers and China : Russia and Germany. Vol. 5, 6 : The French-China war. Vol. 7, 8 : Sino-Japanese relations. Vol. 9, 10, 11 : Korea. Vol. 12 : The coolie trade and outrages against the Chinese. Vol. 13 : Chinese immigration. Vol. 14 : Antiforeignism in China. Vol. 15 : Trade affairs and the opium question. Vol. 16 : Treaty ports. Vol. 17 : Economic affairs. Vol. 18 : The consular service. Ed. by Jules DAVIDS. Wilmington, Del., Scholarly Resources, 79, 18 vol., LXII-420, XXIII-536, XXI-413, XX-284, XIX-407, XXII-485, XXIV-558, XIX-285, XXII-284, XXI-365, XXI-407, XXII-257, XXIV-382, XX-407, XIX-423, XVIII-456, XIX-458, XX-269 p.

** 6428. American diplomatic and public papers : the United States and China. Ser. 3 : The Sino-Japanese war to the Russo-Japanese war, 1894-1905. Vol. 1 : The China scene. Vol. 2, 3 : The Sino-Japanese war. Vol. 4 : Korean affairs. Vol. 5, 6 : The boxer uprising and indemnities. Vol. 7 : Foreign concessions. Vol. 8 : Sino-American relations. Vol. 9 : Russia and the Manchurian borderland. Vol. 10 : The Russo-Japanese war. Vol. 11 : Missionary affairs and antiforeign riots. Vol. 12 : Consular affairs and extraterritoriality. Vol. 13 : Trade and economic activities. Vol. 14 : Railroad building and financial affairs. Ed. by Jules DAVIDS. Wilmington, Del., Scholarly Resources, 81, 14 vol., XLVII-218, XXI-362, XX-402, XIX-255, XXVI-363, XXI-301, XXXXV-352, XXII-236, XXIII-299, XX-353, XXIII-451, XVIII-242, XX-306, XX-256 p.

** 6429. Documente privind Unirea Principatelor. [Cf. Bibl. 63, n° 4568.] Vol. 6 : Corespondența diplomatică franceză (1856-1859). (Documents relatifs à l'Union des Principautés [Roumaines]. Vol. 6 : Correspondance diplomatique française, 1856-1859.) Culegerea documentelor, introducere, regeste, note și indice de Grigore CHIRIȚĂ, Valentina COSTAKE, Emilia POȘTĂRIȚA. București, Ed. Acad., 80, in-8, XLIX-595 p.

** 6430. LEY (Francis). La Révolution romaine et l'intervention française vues par le prince Volkonsky, 1846-1849 (documents inédits). Paris, Fischbacher, 81, in-8, 360 p. (ill.)

** 6431. LUKÁCS (Lajos). The Vatican and Hungary 1846-1878. Reports and correspondence on Hungary of the Apostolic Nuncios in Vienna. Budapest, Akad. Kiadó, 81, in-8, 295 p.

** 6432. SUSBIELLE (Bernard de). Souvenirs du général baron Bernard de Susbielle, présentés par le général Bernard de SUSBIELLE : l'occupation de Paris en 1871. R. hist. Armées, 80, n° 4, p. 64-82.

6433. ANDERSON (Stuart). Race and rapprochement : Anglo-Saxonism and Anglo-American relations, 1895-1904. Rutherford, N.J., Fairleigh Dickinson U.P., London, Associated U.P., 81, in-8, 237 p.

6434. BALACE (Francis). La Belgique et la guerre de sécession, 1861-1865. Etude diplomatique. Paris, Belles lettres, 79, 2 vol. in-8, LXXIX-638 p. (ill.). (Bibl. de la Fac. de philos. et lettres de l'Univ. de Liège, 226)

6435. BARTLETT (Merrill L.). Commodore James Biddle and the first [U.S.] naval mission to Japan, 1845-1846. Am. Neptune, 81, vol. 41, n° 1, p. 25-35.

6436. BOREJSZA (Jerzy W.). Polnische Frage - Deutsche Frage nach 1848. Jb. f. d. Gesch. Mittel- u. Ostdeutschlands, 81, Bd 30, p. 111-120.

6437. BROWN (Mark Liam). The Polish question and public opinion in France, 1830-1846. Antemurale, 80, vol. 14, p. 77-299.

6438. CERNOVODEANU (Paul), STANCIU (Ion). The Romanians and the American Civil war. R. roumaine Hist., 80, t. 19, p. 599-625.

6439. CHLEBOWCZYK (Józef). Idee niepodległościowe i ruchy odśrodkowe we wschodniej Europie Środkowej na początku XX wieku. (Idées d'indépendance et mouvements centrifuges en Europe centre-orientale au début du XXe s.) Kwart. hist., 81, a. 88, n° 3, p. 605-628.

6440. DACH (Krzysztof). Polsko-rumuńska współpraca polityczna w latach 1831-1852. (La collaboration politique polono-roumaine dans les années 1831-1852.) Warszawa, Państw. Wydawn. Nauk., 81, in-8, 306 p.

6441. DÜLFFER (Jost). Regeln gegen den Krieg ? Die Haager Friedenskonferenzen 1899 u. 1907 in d. internat. Politik. Frankfurt (Main), Berlin u. Wien, Ullstein, 81, in-8, 434 p.

6442. FELDMAN (Egal). The Dreyfus affair and the American conscience, 1895-1906. Detroit, Mich., Wayne State U.P., 81, in-8, IX-187 p.

6443. GHILARDI (Fabrizio). Politica estera e trasformismo. Le relazioni anglo-italiane dal 1878 al 1888. Milano, Angeli, 81, in-8, 104 p.

6444. GREVE (Tim). Fra unionsstridens år. Brev fra Oscar II til hoffmarskalk Fritz Rustad. (From the Norwegian-Swedish union crisis. Letters from King Oscar II to the royal marshal Fritz Rustad.) [Norsk] Hist. T., 81, vol. 60, p. 69-83.

6445. HOURIHAN (William J.). The fleet that never was : Commodore John Crittenden Watson and the eastern squadron. Am. Neptune, 81, vol. 41, n° 2, p. 93-110. [Spanish-American war]

6446. JENSEN (Ronald J.). Eugene Schuyler and the Balkan crisis. Dipl. Hist., 81, vol. 5, n° 1, p. 23-38. [U.S. Russian expert in Department of State, 1876]

6447. JESZENSZKY (Géza). A koalició és Anglia. Angol-orientációs kisérletek a századeleji magyar politikában (La coalition et l'Angleterre. Sur les tentatives d'orientation vers l'Angleterre de la politique hongroise au début du XXe s.) Századok, 81, vol. 115, n° 5, p. 958-994.

6448. KALEMBKA (Sławomir). L'insurrection polonaise de 1830-1831 jugée par les idéologues et publicistes de la Grande Emigration. Acta Poloniae hist., 80 [81], vol. 42, p. 67-96.

6449. KOSIM (Jan). Rola stowarzyszeń pomocy Polakom w dziejach ruchu demokratycznego w Niemczech i we współpracy rewolucyjnych demokratów polskich i niemieckich w latach trzydziestych XIX wieku. (Le rôle des associations pour l'aide aux Polonais dans l'histoire du mouvement démocratique en Allemagne et dans la coopération des démocrates révolutionnaires polonais et allemands dans les années trente du XIXe s.) Zap. hist., 81, vol. 46, n° 3, p. 77-100.

6450. KUROPJATNIK (G.P.). Rossija i SŠA : èkon., kul't. i diplomat. svjazi. 1867-1881. (Russia and the USA : economic, cultural and diplomatic ties, 1867-1881.) Moskva, Nauka, 81, 373 p. (AN SSSR. In-t vseobšč. istorii)

6451. LAMAR (Curt). Genesis of Mexican-United States diplomacy : a critical analysis of the Alaman-Poinsett confrontation, 1825. Americas, 81, vol. 38, n° 1, p. 87-110.

6452. LYON (Judson M.). Informal imperialism : the United States in Liberia, 1897-1912. Dipl. Hist., 81, vol. 5, n° 3, p. 221-244.

6453. McLEAN (David). The Greek Revolution and the Anglo-French entente 1843-4. Eng. hist. R., 81, vol. 96, p. 117-129.

6454. MAIER (Lothar). Die Politik Rumäniens in der Orientalischen Krise 1875-1878 aus der Sicht der diplomatischen Vertreter Grossbritanniens und Frankreichs in Bukarest. Südost-Forsch., 81, Bd 40, p. 81-103.

6455. MARINESCU (Beatrice). Les événements des Balkans après le Congrès de Berlin reflétés dans la presse de Roumanie (1878-1886). R. roumaine Hist., 81, t. 20, p. 287-308.

6456. MARTIN (Mgr Jacques). Une opération manquée : le sacre de Napoléon III par le pape Pie IX. Pio IX, 81, a. 10, p. 47-60.

6457. MASERATI (Ennio). Momenti della questione adriatica, 1896-1914. Albania e Montenegro tra Austria ed Italia. Udine, Del Bianco, 81, in-8, 171 p. (Civ. del Risorg., 19)

6458. MAYO (John). Britain and Chile, 1851-1886 : anatomy of a relationship. J. inter-am. Stud. a. World Affairs, 81, vol. 23, n° 1, p. 95-120.

6459. MIDDLETON (Charles R.). Palmerston, Ponsonby and Mehemet Ali : some observations on ambassadorial independence in the East, 1838-1840. East european Quar., 81, vol. 15, n° 4, p. 409-424.

6460. MORGAN (Gerald). Anglo-Irish rivalry in Central Asia, 1810-1895. London, F. Cass, 81, in-8, 264 p. (maps).

6461. MÜLLER (Michael G.). Deutsche und polnische Nation im Vormärz. Jb. f. d. Gesch. Mittel- u. Ostdeutschlands, 81, Bd 30, p. 69-95.

6462. NIKOLOVA (Veska). La Bulgarie et les pays voisins pendant la Guerre gréco-turque (1897). Bulg. hist. R., 81, a. 9, n° 4, p. 26-42.

6463. NOUZILLE (Jean). Le dernier siège de Strasbourg (11 août-28 septembre 1870). R. hist. Armées, 81, n° 3, p. 77-95.

6464. OLLIFF (Donathan C.). Reforma Mexico and the United States : a search for alternatives to annexation, 1854-1861. University, Univ. of Alabama Press, 81, in-8, VIII-213 p.

6465. PANTEV (Andrej). Bǎlgarskijat vǎpros v Velikobritanija, 1876-1878. (The Bulgarian question in Great Britain.) Sofija, Izd. oteč. Front, 81, in-8, 184 p.

6466. POPESCU-BOTENI (Stelian). Relaţii între România şi S.U.A. pîna în 1914. Cu o prefaţă de Corneliu BOGDAN. (Relations between Romania a. the U.S.A. before 1914. With a preface by (BOGDAN). Cluj-Napoca, Dacia, 80, in-8, 228 p. [Eng. summary]

6467. PORCH (Douglas). The march to the Marne : the French army, 1871-1914. London, Cambridge U.P., 81, in-8, 294 p. (tab., map)

6468. RAM (K.V.). British government, finance capitalists and the French Jibuti-Addis Ababa railway, 1898-1913. J. imp. commonw. Hist., 81, vol. 9, p. 146-168.

6469. Rossija i vostočnyj krizis 70-kh godov XIX v. (Russia and the Eastern Crisis in the 1870s.) Sb. Pod red. I.A. FEDOSOVA i dr. Moskva, Izd-vo MGU, 81, 224 p.

6470. SCHLICHT (Alfred). Frankreich und die syrischen Christen 1799-1861. Minoritäten u. europ. Imperialismus im Vorderen Orient. Berlin, Schwarz, 81, in-8, II-331 p. (Islamkundl. Unters., 61)

6471. SCHNEIDER (Jürgen). Frankreich und die Unabhängigkeit Spanisch-Amerikas. Zum französischen Handel mit d. entstehenden Nationalstaaten (1810-1850). Teilbd 1, 2. Stuttgart, Klett-Cotta, 81, 2 vol. in-8, 657, 705 p. (graph. Darst., Kt.)

6472. SCHÖLLGEN (Gregor). "Dann müssen wir uns aber Mesopotamien sichern !" - Motive deutscher Türkenpolitik zur Zeit Wilhelms II. in zeitgenössischen Darstellungen. Saeculum, 81, Bd 32, p. 130-145.

6473. STAN (Apostol). Les pourparlers roumano-russes de Crimée (1876), moment important dans l'affirmation de la souveraineté de la Roumanie. R. roumaine Hist., 81, t. 20, p. 269-285.

6474. TEMIMI (Abdeljelil). Recherches et documents d'histoire maghrébine : l'Algérie, la Tunisie et la Tripolitaine (1816-1871). Tunis, Revue d'Hist. maghrébine, 80, in-8, 208 p.

6475. TOMBS (Robert). The war against Paris, 1871. London, Cambridge U.P., 81, in-8, 256 p. (ill., tab., maps).

6476. TRASK (David F.). The war with Spain in 1898. London a. New York, Macmillan, 81, in-8, XIV-654 p. (The macmillan Wars of the U.S.).

6477. TRAVIS (Frederick F.). The Kennan-Russel anti-tsarist propaganda campaign among Russian prisoners of war in Japan. Russian R., 81, vol. 40, n° 3, p. 263-277.

6478. TRZECIAKOWSKI (Lech). Preussische Polenpolitik im Zeitalter der Aufstände (1830-1864). Jb. f. d. Gesch. Mittel- u. Ostdeutschlands, 81, Bd 30, p. 96-110.

6479. USTOR (Endre). A Budapest peace congres in 1896. New hungar. Quart., 81, vol. 22, n° 84, p. 154-159.

6480. VINOGRADOV (V.N.). Džordž Kanning, Rossija i osvoboždenie Grecii. (G. Canning, Russia and the liberation of Greece). Nov. novejš. Ist., 81, n° 6, p. 112-131.

6481. VIVIAN (James F.). United States policy during the Brazilian naval revolt, 1893-1894 : the case for American neutrality. Am. Neptune, 81, vol. 41, n° 4, p. 245-261.

6482. WOLTER (Heinz). O pewnych aspektach wschodniej polityki Bismarcka z końcem 1876 r. (Certains aspects de la politique de Bismarck concernant les pays de l'Est à la fin de 1876.) Kwart. hist., 81, a. 88, n° 1, p. 175-192.

Cf. n° 2798.

§ 6. De 1910 a 1935.
La primera guerra mundial.

* Cf. n°s 3723, 4377.

** 6483. Akten zur deutschen auswärtigen Politik. 1918-1945. Aus d. Archiv d. Auswärtigen Amts. Ser. B : 1925-1933. [Bd 14, 15. Cf. Bibl. 80, n° 6477.] Bd 16 : 1. Okt. 1930 bis 28. Febr. 1931. Ausw. d. Dokumente : Christian BAECHLER. Editor. Bearb. : Peter GRUPP. Göttingen, Vandenhoeck u. Ruprecht, 81, in-8, XLVIII-656 p. [Cf. n° 6634.]

** 6484. BLANCHARD (général J.). Les Dardanelles à la pointe de l'Europe, le débarquement (25-30 avril 1915) : le journal de marche du lieutenant Marcel Blanchard. R. hist. Armées, 81, n° 2, p. 129-166.

** 6485. BRITTAIN (Vera). Chronicle of youth : war diary, 1913-1917. Ed. by Alan BISHOP. London, Gollancz, 81, in-8, 288 p.

** 6486. Diplomacy (The) of frustration : the Manchurian crisis of 1931-1933 as revealed in the papers of Stanley K. Hornbeck. Ed. by Justus D. DOENECKE. Stanford, Calif., Hoover Inst. Press, 81, XIII-214 p. (Hoover Archival Documentaries, Hoover Press Publ., 231)

** 6487. Documents diplomatiques français, 1932-1939. Ministère des Affaires étrangères, Commission de publication des documents relatifs aux origines de la guerre 1939-1945. 1e série : 193-1935. [T. 7 - 9. Cf. Bibl. 80, n° 6482.] T. 10 : 24 mars - 31 mai 1935. Paris, Imprim. nationale, 81, in-8, LXII-760 p.

** 6488. Foreign and Commonwealth Office, London. Documents on British foreign policy, 1919-1939. 1st Ser., [Vol. 21. Cf. Bibl. 78-79, n° 7385.] Vol. 22 : Central Europe and the Balkans, 1921 ; Albania, 1921-1922. London, H.M. Stationery Office, 81, in-8, 998 p.

** 6489. KEYES (Sir Roger John B.). Papers, ed. by P.G. HALPERN. Vol. 3. London, Allen a. Unwin, 81, in-8, 475 p. [Vol. 1. Cf. Bibl. 74-75, n° 7558.]

** 6490. LAWRENCE (C.). Gallipoli diary of Sergeant Lawrence of the Australian Engineers, 1st A.I.F..., 1915. Melbourne, U.P., 81, in-8, 180 p. (ill., map).

** 6491. MOUTON (Marie-Renée). La Société des Nations, 1920-1924 [carnets de Gabriel HANOTAUX]. R. Hist. dipl., 80, a. 94, p. 111-229.

6492. ÁDÁM (Magda). A Kisantant 1920-1938. (La Petite Entente.) Budapest, Kossuth Kiadó, 81, in-8, 265 p. (ill.).

6493. BECKLER (Jean-Jacques). Les Français dans la Grande Guerre. Paris, R. Laffont, 80, in-8, 317 p. (pl.).

6494. BELLÉR (Béla). Az európai nemzetiségi kongreszszusok és Magyarország a kisebbségvédelem rendszerében 1925-1929. (Les congrès des nationalités et la Hongrie dans le système de la protection des minorités nationales.) Századok, 81, vol. 115, n° 5, p. 995-1040.

6495. BENNETT (Jack). Gallipoli. London, Angus a. Robertson, 81, in-8, 280 p.

6496. BERNARD (Dominique). Les méandres de la politique polonaise de la France : août 1914 - mars 1917. R. Nord, 81, t. 63, p. 453-463.

6497. BLATT (Joel). The parity that meant superiority : French naval policy towards Italy at the Washington conference, 1921-1922, and interwar French foreign policy. French hist. Stud., 81, vol. 12, n° 2, p. 223-248.

6498. BROOK-SHEPHERD (Gordon). November 1918. London, Collins, 81, in-8, 464 p. (ill., maps).

6499. BRUNDU OLLA (Paola). L'equilibrio difficile : Gran Bretagna, Italia e Francia nel Mediterraneo (1930-1937). Milan, Giuffrè, 80, in-8, 245 p.

6500. CAMPUS (Eliza). Les relations entre la Turquie kémaliste et la Roumanie entre les deux guerres mondiales. R. roumaine Hist., 81, t. 20, p. 411-433.

6501. CAMPUS (Eliza). Tentative de consolidare a Societății Națiunilor (1922-1925). (Tentatives de consolider la Société des Nations.) R. Ist., 81, t. 34, p. 3, p. 487-505. [Rés. franç.]

6502. COCKFIELD (Jamie I.). Dollars and diplomacy : ambassador David Rowland Francis and the fall of tsarism, 1916-1917. Durham, N. C., Duke U.P., 81, in-8, X-149 p.

6503. CRAMPTON (R.J.). The hollow detente : Anglo-German relations in the Balkans, 1911-1914. Atlantic Highlands, N.J., Humanities Press ; London, George Prior, 81, in-8, 255 p.

6504. DARWIN (John). Britain, Egypt, and the Middle East : imperial policy in the aftermath of war, 1918-1922. New York, St. Martin's Press, 81, in-8, XVII-333 p.

6505. DELABY (P.-A.). Un groupe de brancardiers pendant la bataille de Verdun. Hist. Sci. méd., 80, t. 14, p. 293-303.

6506. DENHAM (H.M.). The Dardanelles, a midshipman's diary, 1915-1916. London, J. Murray, 81, in-8, 224 p.

6507. DESICO [Edoardo SCHOTT]. La passione di Trieste. Ottobre 1914-maggio 1915. Roma, Ediz. di Stor. e Letter., 81, in-8, XIII-193 p. (Pol. e Stor., 48)

6508. DOCKRILL (Michael L.), GOULD (J. Douglas). Peace without promise : Britain and the peace conferences, 1919-1923. Hamden, Conn., Archon ; London, Batsford, 81, in-8, 287 p.

6509. DUDEK (Zbigniew). Wolontariusze polscy w armii francuskiej w latach 1914-1917. (Les volontaires polonais dans l'armée française dans les années 1914-1917.) Dzieje najnowsze, 81, a. 13, n° 3, p. 43-56.

6510. FARKAS (Márton). Lemberg. Az Osztrák-Magyar Monarchia hadmüveletei 1914 koraőszén Galiciában, augusztus 15. - szeptember 25. (Lemberg. Die Kriegsoperationen der Österreichisch-Ungarischen Monarchie im Frühherbst 1914 in Galizien, 15. Aug. - 25. Sept.) Hadtört. Közl., 81, vol. 28, n° 2, p. 167-207.

6511. FEJES (Judit). Magyar-német kapcsolatok 1928-1932. (Relations hungaro-allemandes.) Budapest, Akad. Kiadó, 81, in-8, 154 p. (Értekezések a történeti tudományok köréből, 93)

6512. FINK (Carole). Germany and the Polish elections of November 1930 : a study in League diplomacy. East european Quar., 81, vol. 15, n° 2, p. 181-207.

6513. FLISOWSKI (Zbigniew). Bitwa jutlandzka. (La bataille de Jütland.) Gdańsk, Wydawn. Morskie, 81, in-8, 221 p. (Wojny Morskie, 11)

6514. FLORY (Jean-Claude). Maubeuge, 1914-1918. Maubeuge, Ed. de la Liberté, 81, in-8, 107 p. (ill.).

6515. FLOTO (Inga). Colonel house in Paris. A study of American policy at the Paris peace Conference 1919. Princeton, Princeton U.P., 81, in-8, 374 p.

6516. FLUNEC (Edmond). Cartes postales et photographies de la Grande Guerre. Vigneux, Valin, 81, 103 p. (ill.).

6517. FOGARASSY (László). A Magyarországi Tanácsköztársaság katonai összeomlása. (La débâcle militaire de la République des Conseils de Hongrie.) Tört. Szle, 81, vol. 24, n° 1, p. 20-50.

6518. FRANKE (Reiner). London und Prag. Materialien zum Problem e. multinationalen Nationalstaates 1919-1938. München, Lerche, 81, in-8, 562 p. (Wiss. Materialien u. Beitr. z. Gesch. u. Landeskunde d. böhmischen Länder, 26)

6519. FUCHS (Gerhard). Die Locarno-Verträge von 1925 und die deutsch-tschechoslowakischen Beziehungen. Jb. f. Gesch., 81, Bd 24, p. 75-213.

6520. GALOS (Adam). Z dziejów polityki pruskiej na Górnym Śląsku w latach 1914-1918. (De l'histoire de la politique prussienne en Haute-Silésie dans les années 1914-1918.) Dzieje najnowsze, 81, a. 13, n° 3, p. 27-42.

6521. GONDA (Eugène). La Conférence de Versailles : la bataille perdue de Clémenceau, novembre 1918. Paris, L.P.F., 81, in-8, 329 p.

6522. GREENHUT (Jeffrey). Race, sex, and war : the impact of race and sex on the morale and health services for the Indian Corps on the western front, 1914. Milit. Affairs, 81, vol. 45, n° 2, p. 71-74.

6523. GUILLEN (Pierre). La politique culturelle de la France en Italie dans les années 1918-1922. Relations int., 81, n° 25, p. 67-85.

6524. HERMON (Elly). La crise de l'Entente du mois de novembre 1923 à la lumière de documents diplomatiques italiens. Mél. Ec. franç. Rome, Moyen Age, Temps mod., 80, t. 92, p. 663-690.

6525. HILLGRUBER (Andreas). Die deutsche Politik in der Julikrise 1914. Quellen u. Forsch., 81, Bd 61, p. 191-215.

6526. KATZ (Friedrich). The secret war in Mexico : Europe, the United States, and the Mexican revolution. Chicago, Univ. of Chicago Press, 81, in-8, XII-659 p.

6527. KAUFMANN (Hans Walter). Südafrikas Inderpolitik und das Empire, 1907-1915. Brit.-südafrikan. Beziehungen in d. Ära Botha. Hamburg, Buske, 81, in-8, X-507 p. (Hamburger hist. Stud., 9)

6528. KENT (Peter C.). The Pope and the Duce : the international impact of the Lateran agreements. New York, St. Martin's Press, 81, in-8, IX-248 p.

6529. KETTLE (Michael). Russia and the Allies, 1917-1920. Vol. 1 : The Allies and the Russian collapse, March 1917-March 1918. London, Deutsch, 81, in-8, 288 p.

6530. KNOX (D. Edward). The making of a new eastern question : British Palestine policy and the origins of Israel, 1917-1925. Washington, D.C., Catholic Univ. of America Press, 81, in-8, VI-219 p.

6531. KORCZYK (Henryk). Polskie zabiegi o wejście do Rady Ligi Narodów w dokumentach (1923-1926). (les démarches polonaises pour faire partie du Conseil de la Société des Nations dans les documents de 1923 à 1926.) Dzieje najnowsze, 80, [81], a. 12, n° 4, p. 21-40.

6532. KOSYK (Wolodymyr). La politique de la France à l'égard de l'Ukraine, mars 1917-février 1918. Paris, Publ. de la Sorbonne, 81, in-8, 304 p.

6533. KREPP (Endel). The Estonian war of independence, 1918-1920 : on the occasion of its 60th anniversary from the Treaty of Brest Litovsk to the treaty of peace at Tartu. Stockholm, Estonian information centre, 80, in-8, 47 p. (1 map). (Problems of the Baltic, 4)

6534. KULAK (Teresa). Propaganda antypolska dolnośląskich władz prowincjonalnych w latach 1922-1923. (La propagande antipolonaise des autorités provinciales en Basse-Silésie dans les années 1922-1923.) Wrocław, Zakł. Narod. im. Ossolińskich, 81, in-8, 247 p. (Travaux de la Soc. des Sci. et des Lettres de Wrocław, Ser. A, 220) - EADEM. Śląsk - ognisko rewizjonizmu niemieckiego w okresie międzywojennym. (La Silésie - centre du revisionnisme allemand durant l'entre-deux-guerres.) Śląski Kwart. hist. Sobótka, 81, a. 36, n° 3, p. 361-378.

6535. KUNZ (Hans Beat). Weltrevolution und Völkerbund. Die schweizerische Aussenpolitik unter d. Eindruck d. bolschewist. Bedrohung 1918-1923. Bern, Stämpfli, 81, in-8, 331 p.

6536. LARA (Dario). Gonzalo Zaldumbide, ministro plenipotenciario del Ecuador en Paris (193-1929). Cultura [Cuenca], 80, vol. 3, n° 7, p. 120-136.

6537. TRACHTENBERG (Marc). Poincaré's deaf ear : the Otto Wolff affair and French Ruhr policy. Hist. J., 81, vol. 24, p. 699-707.

6538. LAUNAY (Michel). Versailles, une paix bâclée ? Bruxelles, Complexe, 81, in-8, 192 p.

6539. LAYNE (Christopher). 1914 revisited : a reply to Miles Kahler. Orbis [Philadelphia], 81, vol. 24, p. 719-750.

6540. LOWRY (Bullitt). French and 1914 : his defense of his memoirs examined. Milit. Affairs, 81, vol. 45, n° 2, p. 79-84. [Sir John French]

6541. MARKOV (Georgi). Bulgaria and the Pact of the Four in 1933. Bulg. hist. R., 81, a. 9, n° 3, p. 21-33.

6542. MARKS (Sally). Innocent abroad : Belgium at the Paris peace conference of 1919. Chapel Hill, Univ. of North Carolina Press, 81, in-8, XVIII-461 p.

6543. MITROFANOVA (L.S.). U istokov stanovlenija sovetsko-norvežskikh otnošenij. (At the dawn of Soviet-Norwegian relations.) Nov. novejš. Ist., 81, n° 6, p. 21-32.

6544. MUNHOLLAND (J.K.). The French army and intervention in Southern Russia, 1918-1919. Cah. Monde russe et soviétique, 81, vol. 22, p. 43-66.

6545. NETEA (Vasile). Semnificaţia istorică a tratatului de la Trianon (1920). (La signification historique du traité de Trianon, 1920.) R. Ist., 81, t. 34, n° 10, p. 1812-1838. [Rés. franç.]

6546. ONCKEN (Emily). Panthersprung nach Agadir. Die deutsche Politik während d. zweiten Marokkokrise 1911. Düsseldorf, Droste, 81, in-8, 477 p. (Kt.).

6547. OPREA (Ion M.). Les rapports entre les grandes puissances et la Roumanie à la conférence de la paix de Paris (1919-1920). R. roumaine Hist., 81, t. 20, p. 309-327.

6548. PANTEV (Andrej). The USA and the Bulgarian problem, 1918-1919. Bulg. hist. R., 81, a. 9, n° 1-2, p. 46-65.

6549. PESQUIES-COURBIER (Simone). La politique de bombardement des usines sidérurgiques en Lorraine et au Luxembourg pendant la Première guerre mondiale. R. hist. Armées, 81, n° 4, p. 127-159.

6550. PIOTROWSKA-ORLOF (Ewa). Zerwanie Słowaków z Węgrami w r. 1918. (La rupture des Slovaques avec les Hongrois en 1918.) Studia hist., 81, a. 24, n° 1, p. 57-69.

6551. PISAREV (Ju. A.). Voennoe sotrudničestvo Rossii s Serbiej i Černogoriej v 1915 g. (Military Collaboration between Russia, Serbia and Montenegro im 1915.) Ist. Zap., 81, n° 106, p. 52-73.

6552. POPOV (V.I.), RUDNICKIJ (A. Ju.). Vnešnepolitičeskaja i diplomatičeskaja dejatel'nost' V.I. Lenina. (V.I. Lenin's foreign policy and diplomatic activity.) Vopr. Ist., 81, n° 1, p. 3-17.

6553. PROCACCI (Giovanna). Repressione e dissenso nella prima guerra mondiale. Studi stor., 81, a. 22, p. 119-150.

6554. PRODAN (David). Semnificaţia istorică a tratatului de la Trianon (1920). (La signification historique du traité de Trianon.) R. Ist., 81, t. 34, p. 1813-1838.

6555. PRZEWŁOCKI (Jan). Problem Górnego Śląska na Konferencji Pokojowej w Paryżu w 1919 roku. (La question de la Haute Silésie pendant la Conférence de Paix à Paris en 1919). Zaranie śląskie, 81, a. 44, n° 1, p. 5-22.

6556. RĂCILĂ (Emil). Contribuţii privind lupta românilor pentru apărarea patriei în primul război mondial, 1916-1918. (Contributions concernant la lutte des Roumains pour la défense de la patrie pendant la première guerre mondiale, 1916-1918.) Bucureşti, Ed. ştiinţ. şi enciclop., 81, in-8, 422 p.

6557. RADICE (Lisanne). Prelude to appeasement : east central European diplomacy in the early 1930's. Boulder, Colo., Columbia U.P., 81, in-8, VIII-218 p. (East European Monogr., 80)

6558. RÁNKI (György). Gazdaság és külpolitika. A nagyhatalmak harca a délkelet-európai gazdasági hegemóniáért, 1919-1938. (Economie et politique étrangère. La lutte des grands pouvoirs pour l'hégémonie économique en Europe de Sud-Est, 1919-1939.) Budapest, Magvető Kiadó, 81, in-8, 353 p. (Gyorsuló idő) - IDEM. The great powers and the economic reorganisation of the Danube valley after World War I. Acta hist. Acad. Sci. hungaricae, 81, vol. 27, n°˚ 1-2, p. 63-97.

6559. RICHMAN (John). The United States and the Soviet Union : the decision to recognize. Raleigh, N.C., Camberleigh a. Hall, 80, in-8, XI-287 p.

6560. ROSSOS (Andrew). Russia and the Balkans : inter-Balkan rivalries and Russian foreign policy, 1908-1914. Buffalo, N.Y., Univ. of Toronto Press, 81, in-8, XIII-313 p.

6561. ROTHBARTH (Maria). Grenzrevision und Minderheitenpolitik des deutschen Imperialismus. Der Europäische Minderheitenkongress als Instrument imperialist. deutsch. "Revisionsstrategie" 1925-1930. Jb. f. Gesch., 81, Bd 24, p. 215-240.

6562. RUGE (Wolfgang). An den Quellen von Erfüllungs- und Katastrophenpolitik. Antikommunismus u. Antisowjetismus auf dem Wege nach Versailles. Jb. f. Gesch., 81, Bd 24, p. 99-125.

6563. SANDOS (James A.). Pancho Villa and American security : Woodrow Wilson's Mexican diplomacy reconsidered. J. latin am. Stud., 81, vol. 13, p. 293-311.

6564. SCHMIDT (Gustav). England in der Krise. Grundzüge u. Grundlagen d. brit. Appeasement-Politik (1930-1937). Opladen, Westdeutsch. Verl., 81, in-8, 691 p. (Schr. d. Zentralinst. f. Sozialwiss. Forsch. d. Freien Univ. Berlin, 34)

6565. SCHMIDT (Heide-Irene). Wirtschaftliche Kriegsziele Englands und interalliierte Kooperation. Die Pariser Wirtschaftskonferenz 1916. Militärgesch. Mitt., 81, H. 29, p. 37-54.

6566. SENN (Alfred Erich). Assassination in Switzerland : the murder of Vatslav Vorovsky [1923]. Madison, Univ. of Wisconsin Press, 81, in-8, XI-219 p.

6567. SIKLÓS (András). Az Osztrák-Magyar Monarchia utolsó offenzivája, 1918. junius 15-24. (Die letzte Offensive der österreichisch-Ungarischen Monarchie, 15-24. Juni, 1918.) Hadtört. Közl., 81, vol. 28, n° 2, p. 208-253.

6568. STIVERS (William). International politics and iraqi oil, 1918-1928 : a study in Anglo-American diplomacy. Business Hist. H., 81, vol. 55, n° 4, p. 517-540.

6569. SZABÓ (Erzsébet), N. Angol dokumentumok a Baranya-misszió működéséről. (British documents on the activities of the Baranya mission.) Tört. Szle, 81, vol. 24, n° 4, p. 611-624.

6570. Szocialista világforradalom (A) utján. Magyar Tanácsköztársaság, Szlovák Tanácsköztársaság. Összeáll. és szerk. GYÖRFFY Sándor, Pavol KANIŠ. (Sur la voie de la révolution socialiste mondiale. La République des Conseils de Hongrie et de Slovaquie. Prés. et réd. par -.)

Budapest, Európa Kiadó, 81, in-8, 189 p.

6571. TERRAINE (John). To win a war : 1918, the year of victory. Garden City, N.Y., Doubleday, 81, in-8, XVI-268 p.

6572. THOBIE (Jacques). La France a-t-elle une politique culturelle dans l'Empire ottoman à la veille de la Première guerre mondiale ? Relations int., 81, n° 25, p. 21-40.

6573. TURTOLA (Martti). Samarbetet mellan generalstaberna i Finland och Sverige 1925-36. (Cooperation between the General Staffs of Finland and Sweden, 1925-36.) [Svensk] Hist. T., 81, vol. 101, p. 311-322. [Eng. summary]

6574. TUȚU (Dumitru). Aspects de la politique étrangère de la Roumanie dans le Sud-Est européen entre les deux guerres. R. Et. sud-est europ., 81, t. 19, p. 3-16.

6575. URBANIK (Andrew A.), BAYLEN (Joseph O.). Polish exiles and the Turkish empire, 1830-1876. Polish R., 81, vol. 26, n° 3, p. 43-53.

6576. VAÏSSE (Maurice). La politique française en matière de désarmement (9 déc. 1930 - 17 avril 1934). Paris, Pedone, 81, in-8, XV-653 p.

6577. WINTON (John). Jellicoe. London, M. Joseph, 81, in-8, 320 p. (maps).

6578. ZÜRRER (Werner). Die griechisch-türkischen Beziehungen im Rahmen der Grossen Politik 1909-1914. Südost-Forsch., 81, Bd 40, p. 104-143.

Cf. n°s 2722, 5305, 6116, 6646.

§ 7. De 1935 a 1945.
La segunda guerra mundial.

a. Generalidades.

* 6579. Bibliographie [d'histoire de la Seconde guerre mondiale]. R. Hist. 2e Guerre mond., 81, a. 31, n° 122, p. 113-127 ; n° 123, p. 113-125 ; n° 124, p. 133-137.

* 6580. Flugblätter aus Frankreich 1939/1940. Bibliogr., Katalog. Klaus KIRCHNER. Hrsg. v. Michel GIRARD. Erlangen, Verl. D u. C, 81, in-4, LVII-293 p. (Ill.). (Flugblattpropaganda im 2. Weltkrieg. Europa, 3)

* 6581. SSSR v gody Velikoj Otečestvennoj vojny (ijun' 1941-sentjabr' 1945). Geroi fronta i tyla. (USSR during the Great Patriotic War, June 1941-Sept. 1945. Heroes of the front and rear.) Ukaz. sov. lit. za 1941-1967 gg. Sost. L. V. Vinogradova, I.P. DORONIN, G.M. MARKOVSKAJA. Moskva, Nauka, 81, 215 p. (AN SSSR. In-t nauč. inform. po obščestv. naukam. In-t istorii SSSR. In-t voen. istorii M-va oborony SSSR)

** 6582. BOLLE (Pierre). Paris, été 40 : journal d'un pasteur [André-N. Bertrand]. B. Soc. Hist. Prot. franç., 81, t. 127, p. 457-496.

** 6583. HELLER (Gerhard), GRAND (Jean). Un Allemand à Paris, 1940-1944. Paris, Ed. du Seuil, 81, in-8, 220 p.

6584. Anschluss 1938. Protokoll d. Symposiums in Wien am 14. u. 15. März 1978. München, Oldenbourg, 81, in-8, 464 p. (Veröff. Wiss. Komm. d. Theodor-Körner-Stiftungsfonds u. d. Leopold-Kunschak-Preises z. Erforsch. d. Österr. Gesch. d. Jahre 1918 bis 1938, 7)

6585. ARAD (Yitzhak). Ghetto in flames : the struggle and destruction of the Jews in Vilna in the holocaust. New York, KTAV, 80, in-8, 500 p.

6586. BAUER (Yehuda). American Jewry and the holocaust : the American Jewish joint distribution committee, 1939-1945. Detroit, Mich., Wayne State U.P., 81, in-8, 522 p.

6587. BERMAN (Aaron). American zionism and the rescue of European Jewry : an ideological perspective. Am. jewish Hist., 81, vol. 70, n° 3, p. 310-330.

6588. BOREJSZA (Jerzy Wojciech). Polonia, Italia, Germania alla vigilia della seconda guerra mondiale. Wrocław, Zakł. Narod. im. Ossolińskich, 81, in-8, 84 p. (Accad. Pol. delle Scienze. Bibl. e Centro di Studi a Roma. Conferenze, 82)

6589. BROŽ (Miroslav), DREBOTA (Jindřich). Stálo za to žít. (Es lohnte sich zu leben.) Praha, Naše vojsko, 81, in-8, 160 p. (16 fig.)

6590. BUSZKO (Józef). Akcja solidarnościowa na rzecz profesorów krakowskich, aresztowanych w ramach tzw. Sonderaktion. (L'action de solidarité en faveur des professeurs de Cracovie, arretés [le 6 nov. 1939] au cours de la Sonderaktion.) Studia hist., 81, a. 24, n° 3, p. 441-470.

6591. CHANAL (Michel). Enquête sur la collaboration dans l'Isère : problèmes méthodologiques. B. Inst. Hist. Temps présent, 81, n° 5, p. 15-31.

6592. COOPER (Matthew). The German Air Force, an anatomy of failure, 1933-1945. London, Jane's Publ. Co., 81, in-8, 375 p. (ill.)

6593. DĄBROWSKI (Stanisław). Koncepcje przebudowy Polski w programach i publicystyce ruchu ludowego 1939-1945. (Les conceptions concernant la reconstruction de la Pologne dans les programmes et le journalisme du mouvement populaire 1939-1945.) Warszawa, Lud. Spółdz. Wydawn., 81, in-8, 429 p.

6594. DARIDAN (Jean). Le chemin de la défaite (1938-1940). Paris, Plon, 80, in-8, 252 p.

6595. DEAK (Istvan). Collaborationism in Europe, 1940-1945 : the case of Hungary. Austrian Hist. Y.B., 79-80, vol. 15-16, p. 157-164.

6596. Deutschland im zweiten Weltkrieg. Hrsg. v. d. Akad. d. Wiss. d. DDR, Zentralinst. f. Gesch., Wissenschaftsbereich Deutsche Gesch. 1917-1945. [3. Cf. Bibl. 78-79, n° 7546.] 4 : Das Scheitern der faschistischen Defensivstrategie an der deutsch-sowjetischen Front (Aug. bis Ende 1943). Von e. Autorenkoll. unter Leitung v. Wolfgang SCHUMANN u. Wolfgang BLEYER. Berlin, Akad.-Verl., 81, in-4, 617 p.

6597. DUCASSE (André). Les débuts de la Drôle de guerre (15 août-22 septembre 1939). Provence hist., 81, t. 31, p. 165-183.

6498. DUNIN-WĄSOWICZ (Krzysztof). Gubernator warszawski Ludwig Fischer. (Ludwig Fischer, gouverneur de Varsovie [1939-1945].) Dzieje najnowsze, 81, a. 13, n°^{s} 1-2, p. 97-111.

6599. DURAND (Yves). La captivité : histoire des prisonniers de guerre français, 1939-1945. Pari, Fédération nationale des Combattants Prisonniers de Guerre, 80, in-8, 542 p. (ill.)

6600. EVANS (Arthur R.) Jr. Assignment to Armageddon : Ernst Jünger and Curzio Malaparte on the Russian front, 1941-1943. Central european Hist., 81, vol. 14, n° 4, p. 295-321.

6601. FAJKOWSKI (Józef), RELIGA (Jan). Zbrodnie hitlerowskie na wsi polskiej 1939-1945. (Les crimes nazis dans la campagne polonaise 1939-1945.) Warszawa, Książka i Wiedza, 81, in-8, 636 p.

6602. GARDINER (C. Harvey). Pawns in a triangle of hate : the Peruvian Japanese and the United States. Seattle, Univ. of Washington Press, 81, in-8, X-222 p.

6603. GARLINSKI (Jozef). The Swiss corridor : espionage networks in Switzerland during World War Two. London, Dent, 81, in-8, 240 p. (ill.).

6604. GILBERT (Martin). Auschwitz and the Allies. London, M. Joseph, 81, in-8, 384 p.

6605. HINSLEY (F.H.), THOMAS (E.E.) a. others. British intelligence in the second world war : its influence on strategy and operations. [Vol. 1. Cf. Bibl. 78-79, n° 7563.] Vol. 2. London, M.H. Stationery Office ; New York, Cambridge U.P., 81, XVI-850 p.

6606. HIRSZ (Zbigniew Jerzy). Instytucje polityczno-prawne okupowanego państwa polskiego w latach 1939-1945. (Les institutions politico-juridiques de l'Etat polonais occupé dans les années 1939-1945.) Białystok, Sekcja Wydawn. Filii Uniw. Warsz., 81, in-8, 231 p. (Rozpr. Uniw. Warsz., 216)

6607. HOOP (Jean-Marie d'). Propagande et attitudes politiques dans les camps de prisonniers : le cas des Oflags. R. Hist. 2e Guerre mond., 81, a. 31, n° 122, p. 3-26.

6608. JACEWICZ (Wiktor), WOŚ (Jan). Martyrologium polskiego duchowieństwa rzymskokatolickiego pod okupacja hitlerowska w latach 1939-1945. Z. 5 : Zakony i zgromadzenia zakonne męskie i żeńskie. (Le martyre du clergé polonais catholique romain pendant l'occupation hitlérienne dans les années 1939-1945. [C. 3, 4. Cf. Bibl. 78-79, n° 7568.] C. 5 : Ordres et congrégations d'hommes et de femmes.) Warszawa, Akad. Teologii Kat., 81, in-8, 815 p. (Kościół Kat. na Ziemiach Pol. w Czasie II Wojny Światowej, 9)

6609. JAGODA (Zenon), KŁODZIŃSKI (Stanisław), MASŁOWSKI (Jan). Oświęcim nieznany. (Oświęcim inconnu.) Avant-propos de Józef BOGUSZ. Kraków, Wydawn. Liter., 81, in-8, 319 p.

6610. JAKUŠEVSKIJ (A.S.). Pravde vopreki. Protiv fal'sifikacii istorii Velik. Oteč. vojny. (In conflict with the truth. Against falsifications of the history of the Great Patriotic War.) Kiev, Politizdat Ukrainy, 81, 147 p.

6611. KERSAUDY (François). Churchill and De Gaulle. London, Collins, 81, in-8, 476 p. (pl.)

6612. LAGZI (Istvań). Militaires français réfugiés en Hongrie 1942-1945. Acta hist. Acad. Sci. hungaricae, 80, vol. 26, n°^{s} 3-4, p. 395-429.

6613. L'HUILLIER (Fernand). Strasbourg sous l'occupation allemande et sa Libération en 1944. R. hist. Armées, 81, n° 3, p. 131-150.

6614. ŁOSSOWSKI (Piotr). Lithuania's neutrality in the Polish-German war of 1939. Acta Poloniae hist., 80 [81], vol. 42, p. 145-174.

6615. MADAJCZYK (Czesław). Die internationale Bedeutung des von Polen im Jahre 1939 geführten Verteidigungskrieges. Jb. f. Gesch., 81, Bd 23, p. 305-330.

6616. MAJER (Diemut). "Fremdvölkische" im Dritten Reich. Ein Beitr. z. nationasozialist. Rechtssetzung u. Rechtspraxis in Verwaltung u. Justiz unter bes. Berücks. d. eingegliederten Ostgebiete u. d. Generalgouvernements. Boppard (Rhein), Boldt, 81, in-8, 1034 p. (22 Ill., 1 Kt.). (Schr. d. Bundesarch., 28)

6617. MANCHESTER (William). Goodbye, Darkness ; a memoir of the Pacific war. London, M. Joseph, 81, in-8, 416 p. (ill., maps).

6618. MICHEL (Henri). La 2e guerre mondiale commence. Bruxelles, Complexe ; Paris, Presses univ. France, 80, in-8, 192 p. (ill.)

6619. MORTON (Desmond). Canada and war : a military and political history. Toronto, Butterworths, 81, in-8, VII-228 p. (Political issues in their hist. perspectives)

6620. NINKOVICH (Frank A.). Diplomacy of ideas : the United States foreign policy and cultural relations, 1938-1950. London, Cambridge U.P., 81, in-8, 253 p.

6621. OKĘCKI (Stanisław). Cudzoziemcy w wojnie obronnej Polski 1939 r. (Les étrangers dans la guerre défensive de la Pologne en 1939.) Wojsk. Przegl. hist., 81, a. 26, n° 3, p. 25-32.

6622. PALLAS (Ladislav). Nacistická národnostní politika na Horním Slezsku v l. 1939-1945. (Die nazistische Nationalitätenpolitik in Oberschlesien in den Jahren 1939-1945.) Slezský Sborn., 81, vol. 79, p. 27-66. (carte).

6623. PITT (Barrie). Churchill and the Generals. London, Sidgwick a. Jackson, 81, in-8, 196 p.

6624. PRANGE (Gordon W.), GOLDSTEIN (Donald M.), DILLON (Katherine V.). At dawn we slept : the untold story of Pearl Harbor. New York, McGraw-Hill ; London, M. Joseph, 81, in-8, XVI-873 p. (ill., maps).

6625. SCHÖNHERR (Margit). Vorarlberg 1938. Die Eingliederung Vorarlbergs in das Deutsche Reich 1938/39. Dornbirn, Vorarlberger Verl.-Anst., 81, in-8, 208 p.

6626. SERWAŃSKI (Edward). Dywersja niemiecka i zbrodnie hitlerowskie w Bydgoszczy na tle wydarzeń w dniu 3 IX 1939. (La diversion allemande et les crimes nazis à Bydgoszcz sur le fond des événements du 3.IX.1939.) Poznań, Wydawn. Pozn., 81, in-8, 421 p.

6627. STERKOWICZ (Stanisław). Zbrodnicze eksperymenty medyczne w obozach koncentracyjnych Trzeciej Rzeszy. (Expériences médicales criminelles dans les camps de concentration du Troisième Reich.) Warszawa, Wydawn. Min. Obrony Narod., 81, in-8, 294 p.

6628. TILKOVSZKY (Loránt). Ungarn und die deutsche "Volksgruppenpolitik" 1938-1945. Budapest, Akad. Kiadó, 81, in-8, 368 p. [Cf. n° 3555.]

6629. VOUTEY (Maurice). Les persécutions raciales en Côte-d'Or : contribution à l'étude des arrestations. R. Hist. 2e Guerre mond., 81, a. 31, n° 123, p. 17-30.

6630. WALENDOWSKA-GARCZARCZYK (Anna). Eksterminacja Polaków w zakładach karnych Rawicza i Wronek w okresie okupacji hitlerowskiej 1939-1945. (L'extermination des Polonais dans les prisons de Rawicz et de Wronki pendant l'occupation nazie 1939-1945.) Poznań, 81, in-8, 159 p. (Uniw. im. A. Mickiewicza w Poznaniu. Historia, 91)

6631. ZAMOJSKI (Jan). Profesjonaliści i amatorzy. Szkic o dziejach polskiej służby wywiadowczej we Francji w latach 1940-1945- "F-2". (Les professionnels et les amateurs. De l'histoire du service de renseignements polonais en France, dans les années 1940-1945 : "F-2".) Dzieje najnowsze, 80 [81], a. 12, n° 4, p. 77-140.

6632. Za to groziła śmierć. Polacy z pomocą Żydom w czasie okupacji. (Sous la menace de la mort. Les Polonais portant secours aux Juifs pendant l'occupation.) Avant-propos, choix de mémoires et réd. : Władysław SMÓLSKI. Warszawa, Pax, 81, in-8, 325 p.

6633. ZARZYCKI (Edmund). Eksterminacyjna działalność hitlerowskich sądów okręgu Gdańsk - Prusy Zachodnie w latach 1939-1945. (L'action d'extermination des tribunaux nazis du district de Gdańsk - Prusse Occidentale dans les années 1939-1945.) Bydgoszcz, Wydawn. Uczelniane Wyższej Szkoły Pedagog., 81, in-8, 223 p.

Cf. n°s 3207, 3785, 4373, 6112, 6499, 6518.

b. Diplomacia. Economía.

** 6634. Akten zur deutschen auswärtigen Politik. 1918-1945. Aus d. Archiv d. Auswärtigen Amts. Ser. C : 1933-1937. Das Dritte Reich. Die ersten Jahre. [Bd 5. Cf. Bibl. 78-79, n° 7623.] Bd 6, 1 : 1. Nov. 1936-15. März 1937. Bd 6, 2 : 16. März - 14. Nov. 1937. Göttingen, Vandenhoech u. Ruprecht, 81, 2 vol. in-8, XCIX-594 p., p. 595-1249. [Cf. n° 6483.]

** 6635. Cumulated (The) index to the U.S. Department of State papers relating to the foreign relations of the United States, 1939-1945. Vol. 1, 2. Millwood, N.Y., Kraus International Pub., 80, 2 vol., CXCIX-452, VIII-578 p.

** 6636. Documents diplomatiques français, 1932-1939. Ministère des Affaires étrangères, Commission de publication des documents relatifs aux origines de la guerre 1939-1945. 2e série : 1936-1939. [T. 14. Cf. Bibl. 80, n° 6692.] T. 15 : 16 mars - 30 avril 1939. Paris, Impr. nationale, 81, in-8, LXXXVII-909 p.

** 6637. Dokumenty i materiały kanuna vtoroj mirovoj vojny. 1937-1939. (Documents and materials on the period preceding the second world war.) Komis. po izd. diplomat. dokumentov : A.A. GROMYKO (predsedatel') i dr. T. 1 : Nojab. 1937-dek. 1938. (Nov. 1937-Dec. 1938.) T. 2 : Janv.-avg. 1939. (Jan.-August 1939.) Moskva, Politizdat, 81, 2 vol., 302, 415 p.

** 6638. [FAUST (Imre).] Faust Imre visszaemlékezése a nem hivatalos magyar fegyverszüneti delegáció moszkvai útjáról, 1944. augusztus - szeptember. Közli PINTER István. (Imre Faust sur le voyage à Moscou de la délégation [hongroise] non officielle d'armistice. Publ. par -.) Párttört. Közl., 81, vol. 27, n° 2, p. 191-207.

** 6639. RŽEŠEVSKIJ (O.A.). Nekotorye novye materialy o Moskovskikh peregovorakh 1939 g. (New documents on the Moscow talks of 1939.) Nov. novejš. Ist., 81, n° 4, p. 41-53.

** 6640. Washington despatches, 1941-1945 : weekly political reports from the British embassy. Ed. by H.C. NICHOLAS. Foreword by Isaiah BERLIN. Chicago, Univ. of Chicago Press, 81, in-8, XVIII-700 p.

6641. AUSEMS (Andre). The "Bureau Inlichtingen" (intelligence service) of the Netherlands government in London, November 1942-May 1945. Milit. Affairs, 81, vol. 45, n° 3, p. 127-132.

6642. BARTOSZEWSKI (Władysław). Polskie państwo podziemne (1939-1945). Zarys problemu. (L'Etat polonais clandestin, 1939-1945. Aperçu général du problème.) Wrocław, Solidarność, 81, in-8, 25 p. (Bibl. Hist.-Liter. Oficyny Wydawn. "Solidarnośći" MKZ Wrocław).

6643. BATOWSKI (Henryk). Rok 1940 w dyplomacji europejskiej. (L'année 1940 dans la diplomatie européenne.) Poznań, Wydawn. Pozn., 81, in-8, 379 p. - IDEM. Polityka zagraniczna generała Władysława Sikorskiego 1939-1943. (La politique étrangère du général Władysław Sikorski dans les années 1939-1943.) Przegl. polon., 81, a. 7, fasc. 2, p. 69-87.

6644. BODEA (Gheorghe). Aspects de la lutte antifasciste et antirévisionniste de Roumanie entre les années 1934-1937. R. roumaine Hist., 80, t. 19, p. 431-456.

6645. BRYSON (Thomas A.). Seeds of mideast crisis : the United States diplomatic role in the Middle East during World War II. Jefferson, N.C., McFarland, 81, in-8, VIII-216 p.

6646. BYSTRICKÝ (Valerián). Kolektívna bezpečnosť alebo neutralita. Balkánske štáty a vytváranie záruk bezpečnosti v 30 rokoch. (Collective security or neutrality. Balkan states and the formation of guarantees of security in the thirties.) Bratislava, Veda, 81, in-8, 352 p.

6647. CALAFETEANU (Ion). The last conference of the Balkan Entente and the problem of territorial status quo in southeastern Europe. R. roumaine Hist., 80, t. 19, p. 229-245.

6648. DE CASOLA (Maria Antonia). Turchia neutrale, 1943-1945. La difesa degli interessi nazionali dalle pressioni alleate. 1 : Sino alla conferenza di Mosca tra i ministri degli esteri alleati (19-30 ottobre 1943). Milano, Giuffrè, 81, in-8, 315 p. (Centro Stud. per i popoli extraeuropei, Univ. di Pavia).

6649. DE LEONARDIS (Massimo). La Gran Bretagna e la monarchia italiana (1943-1946). Stor. contemp., 81, a. 12, p. 57-136.

6650. DELUCA (Anthony R). Great power rivalry at the Turkish straits : the Montreux conference and convention of 1936. Boulder, Colo., East European Monographs, 81, in-8,VIII-216 p. (East European Monogr., 77)

6651. DE ROBERTIS (Antonio Giulio M.). La frontiera orientale italiana nella diplomazia della seconda guerra mondiale. 1. Napoli, Ediz. scient. ital., 81, in-8, 255 p. (Pubbl. della Fac. giur. dell'Univ. di Bari, Sci. pol., 2)

6652. DORWART (Jeffery M.). The Roosevelt-Astor espionage ring. New York Hist., 81, vol. 62, n° 3, p. 307-322. [F. D. Roosevelt-Vincent Astor, 1933-1941]

6653. EISEN (Janet). Anglo-Dutch relations and European unity, 1940-1948. Hull, Univ., 81, in-8, 60 p.

6654. GATES (Eleanor M.). End of the affair : the collapse of the Anglo-French alliance, 1939-40. Berkeley a. Los Angeles, Univ. of California Press, 81, in-8, XVIII-630 p.

6655. GORŠKOV (A.I.). Sovetsko-čekhoslovackie otnošenija 1935-1945 godov v istoriografii ČSSR 70-kh godov. (Soviet-Czechoslovak relations of 1935-1945 in the historiography of the 70s in Czechoslovakia.) Ist. SSSR., 81, n° 1, p. 191-205.

6656. GROW (Michael). The good neighbor policy and authoritarianism in Paraguay : United States economic expansion and great-power rivalry in Latin America during World War II. Lawrence, Regents Press of Kansas, 81, in-8, XI-163 p.

6657. HARASZTI (Éva), H. Békéltetők. A brit külpolitika az 1930-as években. (Conciliateurs. La politique étrangère britannique pendant les années 1930.) Budapest, Kossuth Kiadó, 81, in-8, 179 p. (ill.).

6658. HARRISON (Richard A.). A presidential démarche : Franklin D. Roosevelt's personal diplomacy and Great Britain, 1936-1937. Dipl. Hist., 81, vol. 5, n° 3, p. 245-272.

6659. HILTON (Stanley E.). Hitler's secret war in South America, 1939-1945 : German military espionage and allied counterespionage in Brazil. Baton Rouge, Louisiana State U.P., 81, in-8, 353 p.

6660. IRIYE (Akira). Power and culture : the Japanese-American war, 1941-1945. Cambridge, Mass., Harvard U.P., 81, in-8, IX-304 p.

6661. JACOBS (Travis Beal), America and the winter war, 1939-1940. New York, Garland, 81, in-8, XVI-265 p.

6662. JUHÁSZ (Gyula). The Hungarian peace-feelers and the Allies in 1943. Acta hist. Acad. Sci. hungaricae, 80, vol. 26, n° 3-4, p. 345-377.

6663. KAISER (David E.). Economic diplomacy and the origins of the second world war : Germany, Britain, France, and eastern Europe, 1930-1939. Princeton, N.J., Princeton U.P., 81, in-8, XVI-346 p.

6664. KIMBALL (Warren F.), BARTLETT (Bruce). Roosevelt and prewar commitments to Churchill : the Tyler Kent affair. Dipl. Hist., 81, vol. 5, n° 4, p. 291-312.

6665. KOMJATHY (Anthony). The first Vienna award (November 2, 1938). Austrian Hist. Y. B., 79-80, vol. 15-16, p. 131-156.

6666. KONOVALOV (A.I.). Kvebekskaja konferencija 1944 g. (The Quebec conference of 1944.) SŠA ékon. polit. ideol., 81, n° 11, p. 49-58.

6667. LUTZHÖFT (Hans-Jürgen). Deutsche Militärpolitik und schwedische Neutralität, 1939-1942. Neumünster, Wachholtz, 81, in-8, 255 p. (Skandinav. Stud., 15)

6668. MACDONALD (C.A.). The United States, Britain, and appeasement, 1936-1939. New York, St. Martin's Press, 81, in-8, XI-220 p.

6669. MARDER (Arthur J.). Old friends, new enemies : the Royal Navy and the Imperial Japanese Navy ; strategic illusions, 1936-1941. London a. New York, Oxford U.P., 81, in-8, XXXII-533 p.

6670. MARTEL (Leon). Lendlease, loans, and the coming of the cold war : a study of the implementation of foreign policy. Boulder, Colo., Westview Press, 79, in-8, XIX-304 p.

6671. MENGER (Manfred). Die Einbeziehung Finnlands in den antisowjetischen Kriegskurs 1940-41. Jb. f. Gesch., 81, Bd 24, p. 351-388.

6672. MÜLLER (Rolf-Dieter). Industrielle Interessenpolitik im Rahmen des "Generalplans Ost". Dokumente zum Einfluss von Wehrmacht, Industrie und SS auf die wirtschaftspolitische Zielsetzung für Hitlers Ostimperium. Militärgesch. Mitt., 81, H. 29, p. 101-141.

6673. MUIR (Malcolm) Jr. American warship construction for Stalin's navy prior to world war II : a study in paralysis of policy. Dipl. Hist., 81, vol. 5, n° 4, p. 337-353.

6674. MUNCH-PETERSEN (Thomas). The strategy of phoney war : Britain, Sweden and the iron ore question, 1939-1940. Stockholm, Militärhist. förl., 81, in-8, 269 p. (1 map)

6675. OVSJANYJ (I.D.). 1939 : poslednie nedeli mira. Kak byla razvjazana imperialistami vtoraja mirovaja vojna. (1939 : last weeks of peace. How World War II was unleashed by imperialists.) Moskva, Politizdat, 81, 319 p.

6676. PIPER (Franciszek). Zatrudnienie więźniów KL [Konzentrationslager] Auschwitz. Organizacja pracy i metody eksploatacji siły roboczej. (Le travail des détenus du KL [Konzentrationslager] Auschwitz. Organisation du travail et méthodes d'exploitation des ouvriers.) Oświęcim, Państw. Muzeum w Oświęcimiu, 81, in-8, 484 p.

6677. POLLOCK (Fred E.). Roosevelt, the Ogdensburg agreement, and the British fleet : all done with mirrors. Dipl. Hist., 81, vol. 5, n° 3, p. 203-220.

6678. PRITZ (Pál). Magyarország külpolitikája a formálódó Berlin-Róma tengely árnyékában. (La politique extérieure de la Hongrie à l'ombre de l'Axe Berlin-Rome en train de se former). Századok, 81, vol. 115, n° 5, p. 924-957.

6679. QUEILLE (Pierre). Les diplomaties anglaise et américaine vis-à-vis de la France vaincue (1940-1942) : un schéma d'ensemble. R. His. dipl., 80, a. 94, p. 230-250.

6680. RÁNKI (György). A német-magyar kapcsolatok néhány problémája, 1933-1944. (Quelques problèmes des relations germano-hongroises.) Valóság, 81, vol. 24, n° 9, p. 1-18.

6681. RESIS (Albert). Spheres of influence in Soviet wartime diplomacy. J. mod. Hist., 81, vol. 53, n° 3, p. 417-439.

6682. REYNOLDS (David). The creation of the Anglo-American alliance, 1937-1941 : a study in competitive cooperation. Chapel Hill, Univ. of North Carolina Press ; London, Europa Publ., 81, in-8, XIII-397 p.

6683. REYNOLDS (David). The creation of the Anglo-American Alliance, 1937-1941. A study in competitive co-operation. London, Europa Publ., 81, in-8, 397 p.

6684. RUBIN (Barry). Ambassador Laurence A. Steinhardt : the perils of a Jewish diplomat, 1940-1945. Am. jewish Hist., 81, vol. 70, n° 3, p. 331-346.

6685. SEMIRJAGA (M.I.). Politika Kommunističeskoj partii i Sovetskogo pravitel'stva v otnošenii stran Central'noj i Jugo-Vostočnoj Evropy v 1944-1945 gg. i eë izvraščenie v buržuaznoj istoriografii. (Policy of the Communist Party and soviet Government in Countries of central and south-eastern Europe in 1944-1945 and its misinterpretation in bourgeois historiography.) Vopr. Ist. KPSS, 81, n° 6, p. 96-107.

6686. SEVOST'JANOV (P.P.). Pered velikim ispytaniem. Vneš. politika SSSR nakanyne Velikoj Oteč. vojny. Sent. 1939-ijun' 1941. (Before the great trial. Foreign policy of the USSR on the eve of the Great Patriotic War, Sept. 1939-June 1941.) Moskva, Politizdat,81, 367 p.

6687. SIRACUSA (Joseph M.). The night Stalin and Churchill divided Europe. R. Politics, 81, vol. 43, n° 3, p. 381-409.

6688. ŚLUSARCZYK (Jacek). Układ polsko-radziecki z 30.7.1941 r. (Le traité polono-soviétique du 30.7.1941.) Wojsk. Przegl. hist., 81, a. 26, n° 3, p. 5-24.

6689. STOFF (Michael B.). The Anglo-American oil agreement and the wartime search for foreign policy. Business Hist. R., 81, vol. 55, n° , p. 59-74.

6690. TOWLE (Philip). The Montreux convention as a regional arms control treaty - negotiation and practice. Milit. Affairs, 81, vol. 45, n° 3, p. 121-126.

6691. WEINBERG (Gerhard L.). World in the balance : behind the scenes of world war II. Hanover, N.H., U.P. of New England, 81, in-8, XVII-165 p. (Tauber Institute Ser., 1)

Cf. n°s 5092, 6492, 6574.

c. Operaciones de guerra.

** 6692. FOLCHER (Gustave). Les carnets de guerre de Gustave Folcher, paysan languedocien, 1939-1945. Présentation de Rémy CAZALS. Paris, Maspero, 81, in-8, 281 p. (ill.)

6693. AKIZUKI (Tatsuichiro). Nagasaki, 1945. Tr. from the Jap. by K. NAGATA. London, Quartet Books, 81, in-8, 160 p.

6694. AMIEL (Henri). Mémorial d'un bataillon de marche de la France libre, août 1940 - novembre 1945. Paris, Centre de Documentation de l'Armement, 81, in-8, XVII-415 p.

6695. ANFILOV (V.A.). Proval gitlerovskogo "blickriga" pod Moskvoj. (The failure of Hitler's Blitzkrieg at Moscow.) Nov. novejš. Ist., 81, n° 6, p. 88-111.

6696. BANTEA (Eugen). Possibilités d'un débarquement allié aux Balkans dans la vision du commandement allemand de la zone A à l'été de 1944. R. roumaine Hist., 80, t. 19, p. 701-728.

6697. BASOV (A.V.), KUMANEV (G.A.). Velikaja bitva pod Moskvoj (Nekotorye voprosy istorii i istoriografii). (The great battle of Moscow : Some problems of history and historiography.) Ist. SSSR, 81, n° 5, p. 57-67.

6698. BEGOUEN-DEMEAUX (capitaine de corvette). Une action navale française en 1940. R. hist. Armées, 81, n° 2, p. 181-199. [golfe de Gênes]

6699. BERGOT (Erwan). La 2e D.B. [Division Blindée]. Paris, Presses de la Cité, 80, in-8, 290 p.

6700. BLANC (colonel Marcel). La Légion étrangère dans la campagne de Norvège en 1940. R. hist. Armées, 81, n° 1, p. 143-165.

6701. BOWYER (Chaz). The air war over Europe, 1939-1945. London, Kimber, 81, in-8, 235 p. (ill.).

6702. BUFFOTOT (Patrice). L'aide aérienne alliée à la Finlande (nov. 1939-mars 1940). R. hist. Armées, 80, n° 4, p. 175-199. - IDEM. Les forces aériennes françaises libres en Afrique. L'escadrille "Topic" du G.R.B. 1 à Koufra en février 1941. R. hist. Armées, 80, n° 2, p. 171-187.

6703. COLLIER (Richard). 1941 : Armageddon. London, H. Hamilton, 81, in-8, 310 p. (ill.).

6704. COMPAGNON (général Jean). La légion étrangère dans la campagne de Tunisie, 1942-1943. R. hist. Armées, 81, n° 1, p. 185-216.

6705. COSTELLO (John). The Pacific war. London, Collins, 81, in-8, 736 p. (ill., maps)

6706. FLISOWSKI (Zbigniew). Od Morza Koralowego po Midway. (De la Mer de Corail à Midway.) Poznań, Wydawn. Pozn., 81, in-16, 193 p.

6707. GALICIAN (A.S.). Krušenie fašistskogo

blickriga. (Collapse of the Fascist Blitzkrieg.) Vopr. ist., 81, n° 12, p. 18-23.

6708. GLINES (Carroll V.). Doolittle's Tokyo raiders. London, Van Nostrand-Reinhold, 81, in-8, 449 p.

6709. Grandes (Les) unités françaises [T. 5. Cf. Bibl. 78-79, n° 7706.] T. 6 : La participation des Forces françaises de l'intérieur aux opérations des fronts de l'Atlantique et des Alpes et à la réorganisation de l'armée, 1944-1945. Sous la dir. du colonel Roger MICHALON. Paris, Impr. nationale, 80, 1037 p.

6710. HAMILTON (Nigel). Monty. Vol. 1 : The making of a General, 1887-1942. London, H. Hamilton, 81, in-8, 576 p. (ill., maps)

6711. HASTINGS (Max). Das Reich : resistance and the march of the Second S.S. Panzer Division through France, June 1944. London, M. Joseph, 81, in-8, 272 p. (maps).

6712. HECKMANN (Wolf). Rommel's war in Africa. St. Albans, Granada, 81, in-8, 496 p.

6713. HOYT (Edwin P.). To the Marianas : war in the Central Pacific, 1944. London, Van Nostrand-Reinhold, 81, in-8, 292 p.

6714. HUBÁČEK (Miloš). Pacifik v plamenech. (Der Pazifik in Flammen.) Praha, Panorama, 80, in-8, 448 p.

6715. KRAUSNICK (Helmut), WILHELM (Hans-Heinrich). Die Truppe des Weltanschauungskrieges. Die Einsatzgruppen d. Sicherheitspolizei u. d. SD 1938-1942. Stuttgart, Deutsche Verl.-Anst., 81, in-8, 687 p. (Ill., Kt.). (Quellen u. Darst. z. Zeitgesch., 22)

6716. LEFEVRE (Eric). Dunkerque : la bataille des dunes. Paris, Lavauzelle, 81, in-8, 157 p. (ill.).

6717. MALTESSE (Paolo). Lo sbarco in Sicilia. Milano, Mondadori, 81, in-16, 347 p. (Gli Oscar, 1334. Doc., 44)

6718. MAMMACH (Klaus). Der Volkssturm. Bestandteil d. totalen Kriegseinsatzes d. deutsch. Bevölkerung 1944-45. Berlin, Akad.-Verl., 81, in-8, 215 p. (Abb.).

6719. MURRAY (Williamson). The strategy of the "phoney war" : a re-evaluation. Milit. Affairs, 81, vol. 45, n° 1, p. 13-17.

6720. Na ognennych rubežach Moskovskoj bitvy. (On the fiery lines of the Moscow battle.) Sb. Redkol. : S.S. KHROMOV (otv. red.) i dr. Moskva, Mosk. rabočij, 81, 318 p. (16 p. ill.). (In-t istorii SSSR AN SSSR. In-t istorii partii MGK i MK KPSS-fil. In-ta marksizma-leninizma pri CK KPSS)

6721. Narodnyj podvig v bitve za Kavkaz. (People's dead in the battle for the Caucasus.) Sb. statej. Redkol. : G.A. KUMANEV (otv. red.) i dr. Moskva, Nauka, 81, 408 p. (AN SSSR. In-t istorii SSSR)

6722. NAVARD (Jean). La libération avec les chars. Du débarquement en Provence jusqu'à Ulm, 15 août 1944 - 8 mai 1945 avec la Première armée française. Paris, Nouv. Ed. latines, 80, in-8, 352 p.

6723. NESVADBA (František). Za svobodu Prahy. Vyvrcholení osvobozeneckého poslání Sovětské armády v Československu v letech 1944-45. (Für die Freiheit Prags. Der Höhepunkt d. Befreiungsmission d. sowjet. Armee in d. Tschechoslowakei in d. J. 1944-45.) Praha, Horizont, 80, in-8, 256 p. (32 fig.).

6724. PAULIAK (Ervín). Cesty slobody k Bratislave. (Die Wege der Freiheit zur Stadt Bratislava.) Bratislava, Obzor, 80, in-8, 176 p. (16 fig.).

6725. PEREŽOGIN (V.A.). Na zaščite Moskvy (Bor'ba partizan v tylu gitlerovskikh vojsk). (Defending Moscow : guerilla struggle in the rear of Hitler's troops.) Ist. SSSR, 81, n° 5, p. 79-91.

6726. PESZKE (Michael Alfred). The Polish armed forces in exile. Pt. 1 : September 1939-July 1941. Polish R., 81, vol. 26, n° 1, p. 67-113.

6727. Pobeda na reke Khalkhin-Gol. (Victory on the Halhin-Gol River.) Otv. red. P.A. ŽILIN. Moskva, Nauka, 81, 144 p. (AN SSSR. In-t voen. istorii M-va oborony SSSR)

6728. POWELL (T.G.). Mexico and the Spanish civil war. Albuquerque, Univ. of New Mexico Press, 81, in-8, XIII-210 p.

6729. PRZYTOCKI (Kazimierz). Warszawska Pancerna. Z dziejów 1 Warszawskiej Brygady Pancernej im. Bohaterów Westerplatte 1943-1946. (La Blindée de Varsovie. Contribution à l'histoire de la 1e Brigade Blindée de Varsovie des Héros de Westerplatte 1943-1946.) Warszawa, Wydawn. Min. Obrony Narod., 81, in-8, 350 p. (Wojsk. Inst. Hist. im. Wandy Wasilewskiej)

6730. RAWSKI (Tadeusz). Wojna na Bałkanach 1941. Agresja hitlerowska na Jugosławię i Grecję. (La guerre dans les Balkans 1941. L'agression nazie de la Yougoslavie et de la Grèce.) Warszawa, Wydawn. Min. Obrony Narod., 81, in-8, 456 p. (Wojsk. Inst. Hist. im. Wandy Wasilewskiej)

6731. RICHTER (Karel). Cesta k Sokolovu. (Der Weg nach Sokolovo.) Praha, Naše vojsko, 81, in-8, 304 p. (8 fig.).

6732. ROBICHON (Jacques). Le corps expéditionnaire français en Italie, 1943-1944. Paris, Presses de la Cité, 81, 450 p. (ill.)

6733. ROHMER (Richard). Patton's gap. London, Arms a. Armour, 81, in-8, 240 p. (ill., maps).

6734. ROSTOW (W.W.). Pre-invasion bombing strategy : General Eisenhower's decision of March 25, 1944. Farnborough, Gower Publ. Co., 81, in-8, 176 p.

6735. RUTHERFORD (Ward). Biography of Field Marshal Erwin Rommel. Feltham, Hamlyn, 81, in-4, 168 p. (ill., pl.).

6736. SAMSONOV (A.M.). Poraženie vermakhta pod Moskvoj. (Defeat of the Wehrmacht in the environs of Moscow.) Moskva, Mosk. rabočij, 81, 33 p.

6737. SAVČENKO (V.I.). Geroičeskaja oborona Liepai. (The heroic defence of Liepaja.)

Vopr. Ist., 81, n° 6, p. 91-102.

6738. SIMPSON (Tony). Operation Mercury, the battle for Crete. London, Hodder, 81, in-8, 272 p.

6739. SLÁDEK (Oldřich). Spálená země. (Die verbrannte Erde.) Praha, Naše vojsko, 80, in-8, 304 p. (24 fig.). (Dokumenty, 190)

6740. SOBCZAK (Kazimierz). Wyzwolenie Warszawy 1945. (La libération de Varsovie 1945.) Warszawa, Wydawn. Min. Obrony Narod., 81, in-8, 410 p. (Wojsk. Inst. Hist. im. Wandy Wasilewskiej. Wojsk. Akad. Polit. im. F. Dzierżyńskiego)

6741. STACHUŁA (Adolf). Szósta Pomorska. Z dzeijów Szóstej Pomorskiej Dywizji Piechoty 1944-1948. (La sixième poméranienne. Contribution à l'histoire de la Sixième Division Poméranienne d'Infanterie 1944-1948.) Warszawa, Wydawn. Min. Obrony Narod., 81, in-8, 319 p. (Wojsk. Inst. hist. im. Wandy Wasilewskiej)

6742. STRAWSON (John). El Alamein desert victory. London, Dent, 81, in-8, 192 p.

6743. SUNDERMAN (James F.). World War II : Europe ; The Pacific. London, Van Nostrand Reinhold, 81, 2 vol. in-8, 346, 306 p.

6744. TREVELYAN (Raleigh). Rome '44. London, Secker a. Warburg, 81, in-8, 320 p. (ill., maps).

6745. VARSIK (Milan). Príbehy odvážnych. Na frontách druhej svetovej vojny. (Geschichten der Mutigen. An den Fronten des Zweiten Weltkrieges.) Bratislava, Pravda, 80, in-8, 312 p. (16 fig.).

6746. VASSELLE (Pierre). La bataille du sud d'Amiens (20 mai - 8 juin 1940). Abbeville, Impr. Paillart, 80, in-8, 212 p.

6747. VERNET (Jacques). Le réarmement et l'organisation de l'armée de terre française, 1943-1946. Vincennes, Service hist. de l'Armée de Terre, 80, in-8, 241 p.

6748. VIDALENC (Jean). Les divisions de série "B" dans l'armée française pendant la campagne de France, 1939-1940. R. hist. Armées, 80, n° 4, p. 106-126.

6749. Walki formacji polskich na Zachodzie 1939-1945. (Les combats des formations polonaises à l'Ouest 1939-1945.) Aut. : Witold BIEGAŃSKI et autres. Réd. W. BIEGAŃSKI. Warszawa, Wydawn. Min. Obrony Narod., 81, in-8, 835 p. (Wojsk. Inst. Hist. im. Wandy Wasilewskiej. Pol. Czyn Zbrojny w II Wojnie Świat., 2)

6750. WARNER (Philip). Auchinleck, the lonely soldier. London, Muller, 81, in-8, 304 p. (ill., maps).

6751. WEIGLEY (Russell F.). Eisenhower's lieutenants : the campaign of France and Germany, 1944-1945. Bloomington, Indiana U.P. ; London, Sidgwick a. Jackson, 81, in-8, XVIII-800 p. (maps).

6752. WILHELM (Hans-Heinrich). Der SD und die Kirchen in den besetzten Ostgebieten 1941/42. Militärgesch. Mitt., 81, H. 29, p. 55-99.

6753. WILT (Alan F.). The French Riviera campaign of August 1944. Carbondale, Southern Illinois U.P., 81, in-8, 208 p. - IDEM. Hitler's late summer pause in 1941. Milit. Affairs, 81, vol. 45, n° 4, p. 187-193.

6754. WOLNY (Antoni). Wojska powietrznodesantowe w latach II wojny światowej. (L'armée de l'air de débarquement pendant la seconde guerre mondiale.) Wojsk. Przegl. hist., 80 [81], a. 25, n° 4, p. 155-177.

6755. ZAMOJSKI (Jan). Polska morska akcja ewakuacyjna z Afryki Północnej i Francji do Gibraltaru (1941-1942). (L'action polonaise d'évacuation par la mer de l'Afrique du Nord et de la France à Gibraltar, 1941-1942.) Dzieje najnowsze, 81, a. 13, n°^{s} 1-2, p. 347-368.

6756. ŻAROŃ (Piotr). Armia Polska w ZSRR, na Bliskim i Środkowym Wschodzie. (L'armée polonaise en U.R.S.S., au Proche et Moyen Orient.) Warszawa, Krajowa Agencja Wydawn., 81, in-8, 278 p.

d. Resistencia.

** 6757. V tylu vraga. 1942 g. Bor'ba partizan i podpol'ščikov na okkupir. territorii Leningr. obl. (At the rear of the enemy. Fight of partisans and members of secret organizations in the occupied territory of the Leningrad Region.) Sbornik dokumentov. 2 : 1942. Redkol. V.M. KOVAL'ČUK (otv. red.). Leningrad, Lenizdat, 81, 359 p. (ill.). (In-t istorii partii leningr. Obkoma KPSS, Leningr. otd-nie In-ta istorii SSSR AN SSSR)

6758. AVAKOUMOVITCH (Ivan). La Résistance du P.C.F. vue par la Wehrmacht (juin 1941 - mai 1942). Cah. Hist. Inst. Rech. marxistes, 81, a. 14, n. s., n° 40, p. 17-36.

6759. BERTRAND (M.). Les forces navales françaises libres. Paris, Argout, 81, in-8, 71 p.

6760. BIERNACKI (Stanisław). Gromadzenie i analiza danych o ruchu oporu przez hitlerowski aparat policyjny w Generalnym Gubernatorstwie. (Le rassemblement et l'analyse des données concernant la Résistance par la police nazie dans le Gouvernement Général.) Dzieje najnowsze, 81, a. 13, n°^{s} 1-2, p. 29-36.

6761. CANAUD (Jacques). Les maquis du Morvan : évolution d'ensemble et aspects sociologiques. R. Hist. 2e Guerre mond., 81, a. 31, n° 123, p. 51-74.

6267. DEUTSCH (Harold C.). The German resistance : answered and unanswered questions. Central european Hist., 81, vol. 14, n° 4, p. 322-331.

6763. DURACZYŃSKI (Eugeniusz). Polska Podziemna na tle europejskim. Uwagi, polemiki i przypomnienia. (La Pologne clandestine dans le contexte européen. Remarques, polémiques et souvenirs.) Dzieje najnowsze, 81, a. 13, n°^{s} 1-2, p. 113-127.

6764. COHEN (Yerachmiel [Richard].). A Jewish leader in Vichy France, 1940-1943 : the diary of Raymond-Raoul Lambert. Jewish soc. Stud., 81, vol. 43, n°^{s} 3-4, p. 291-310.

6765. FUNK (Arthur L.). Churchill, Eisenhower, and the French resistance. Milit. Affairs, 81, vol. 45, n° 1, p. 29-34.

6766. GEBHART (Jan), HÁJKOVÁ (Alena), KUKLÍK (Jan). 2245 dnů odporu. Podíl spojů a spojařů na národně osvobozeneckém zápase českého lidu v letech 1939-1945. (2245 Tage Widerstand. Der Anteil der Kommunikationen und deren Facharbeiter an dem Nationalbefreiungskampfe des tschechischen Volkes in d. J. 1939-1945.) Praha, Naklad. dopravy a spojů, 80, in-8, 252 p. (32 fig., 20 pl.).

6767. HILL (Leonidas E.). Towards a new history of German resistance to Hitler. Central european Hist., 81, vol. 14, n° 4, p. 369-399.

6768. HOFFMANN (Peter). Ludwig Beck : loyalty and resistance. Central european Hist., 81, vol. 14, n° 4, p. 332-350.

6769. JĘDRUSZCZAK (Tadeusz). Die antifaschistische Widerstandsbewegung in Polen 1939-1945. Jb. f. Gesch., 81, Bd 23, p. 331-415.

6770. JONCA (Karol). Opozycja antyhitlerowska i ruch oporu na Śląsku w czasie II wojny światowej. (L'opposition anti-hitlérienne et la Résistance en Silésie pendant la seconde guerre mondiale.) Śląski Kwart. hist. Sobótka, 81, a. 36, n° 3, p. 411-427.

6771. JOXE (Louis). Les victoires sur la nuit [1940-1944]. Paris, Flammarion, 81, in-8, 284 p.

6772. KAPAŁA (Zbigniew). Powstańcy śląscy w ruchu oporu na Górnym Śląsku. (Les insurgés silésiens dans la Résistance en Haute Silésie.) Zaranie śląskie, 81, a. 44, n° 2, p. 266-289.

6773. KLEMPERER (Klemens von). Adam von Trott zu Solz and resistance foreign policy. Central european Hist., 81, vol. 14, n° 4, p. 351-361.

6774. KVAČEK (Robert). Umění proti fašismu. Československá kultura proti fašismu v letech 1933-1938. (Kunst gegen Faschismus. Die tschechoslowakische Kultur gegen den Faschismus in d.J. 1933-1938.) Praha, Český svaz protifašistických bojovníků, 80, in-8, 54 p.

6775. LEVY (G.), CORDET (F.). A nous Auvergne ! La vérité sur la Résistance en Auvergne, 1940-1944. Paris, Presses de la Cité, 81, in-8, 416 p.

6776. MARTINET (Jean-Claude). Eléments pour une chronologie de la Résistance dans la Nièvre. R. Hist. 2e Guerre mond., 81, a. 31, n° 123, p. 31-50.

6777. MAURY (Lucien). La Résistance audoise, 1940-1946. Ginoles, Comité d'Hist. de la Résistance du Dépt. de l'Aude, 80, 2 vol. in-8, 449, 434 p. (ill.).

6778. MEURET (Roger). L'activité de l'Etat-Major départemental des F.F.I. en Côte-d'Or (juin -sept. 1944). R. Hist. 2e Guerre mond., 81, a. 31, n° 123, p. 75-90.

6779. PAXTON (Robert O.). The German opposition to Hitler : a non-Germanist's view. Central european Hist., 81, vol. 14, n° 4, p. 362-368.

6780. Protifašistický odboj na Slovensku v rokoch 1938-1945. Prehľad najvýznamenjších udalostí. (Der antifaschistische Widerstandskampf in der Slowakei in den Jahren 1938-1945. Übersicht über die bedeutendsten Ereignisse.) Hrsg. v. Dušan HALAJ. Bratislava, Osveta, 80, in-8, 184 p. (80 fig.).

6781. ROSSI (Amato). La Resistenza italiana. Scritti, documenti e testimonianze. Roma, Lucarini, 81, in-8, 422 p. (Coll. di Stor.)

6782. RUFFIN (Raymond). Ces chefs de maquis qui gênaient. Paris, Presses de la Cité, 80, in-8, 286 p. (pl.).

6783. SATORA (Kazimierz). Wokół problemów konspiracyjnej produkcji uzbrojenia w okresie okupacji (1940-1944). (Autour des problèmes de la production clandestine des armements pendant l'occupation [de la Pologne], 1940-1944.) Kwart. hist., 81, a. 88, n° 3, p. 733-752.

6784. SCHAEPMANN (Antoinette). The clouds, episode of Dutch wartime resistance, 1940-1945. Ilfracombe, Stockwell, 81, in-8, 48 p.

6785. SCHOENBRUN (D.). Soldats du silence. Paris, Plon, 80, in-8, 512 p.

6786. SIMMONDS (J.C.). The French communist party and the beginnings of Resistance : September 1939 - June 1941. European Stud. R., 81, vol. 11, p. 517-542.

6787. ŠPLÍCHAL (Karel). Tělovýchovné organizace v protifašistickém hnutí a odboji. (Körpererziehungsorganisationen in antifaschistischer Bewegung und Widerstand.) Praha, Olympia, 81, in-8, 81 p. (12 fig.).

6788. STACHIEWICZ (Piotr). "Parasol". Dzieje oddziału do zadań specjalnych kierownictwa Dywersji Komendy Głównej Armii Krajowej. ("Parasol". Histoire du détachement pour des tâches speciales de la Direction de Diversion du Commandement Central de l'Armée de l'Intérieur [polonaise].) Warszawa, Pax, 81, in-8, 796 p.

6789. STEINER (Herbert). Ruch oporu w Wiedniu w 1938 r. (La Résistance à Vienne en 1938.) Z Pola Walki, 80 [81], a. 23, n° 4, p. 131-141.

6790. STÜRMEL (Marcel). Das Elsass und die deutsche Widerstandsbewegung in der Sicht eines ehemaligen Abgeordneten der elsässischen Volkspartei. Oberrhein. Stud., 80, Bd. 5, p. 59-128.

6791. TERZUOLO (Eric R.). Resistance and the national question in the Venezia Giulia and Friuli, 1943-1945. In : Nation and ideology [Cf. n° 437], p. 411-434.

6792. TORZECKI (Ryszard). Kontakty polsko-ukraińskie na tle problemu ukraińskiego w polityce polskiego rządu emigracyjnego i podziemia (1939-1944). (Les contacts polono-ukrainiens sur le fond du problème ukrainien dans la politique du Gouvernement polonais de l'émigration et celle de la clandestinité, 1939-1944.) Dzieje najnowsze, 81, a. 13, n^s 1-2, p. 319-346.

6793. VACCARINO (Giorgio). Storia della Resistenza in Europa, 1938-1945. [1 :] I paesi dell'Europa centrale : Germania, Austria, Cecoslovacchia, Polonia. Milano, Feltrinelli, 81, in-8,

597 p. (Ivfatti e le idee, 454. Bibl. di Stor. contemp. Testi e saggi, 17)

6794. VADON (Jacques). Aperçu de la Résistance politique dans les Ardennes (mai 40 - oct. 45). R. hist. ardennaise, 81, n° 16, p. 83-101. - IDEM. La Résistance administrative dans les Ardennes (mai 1944 - sept. 1945). Ibid., 80, n° 15, p. 103-114.

6795. VARGYAI (Gyula). A vesérkari főnök bíróságának itélkezési gyakorlata a második világháború alatt. (La pratique judiciaire du tribunal de l'état-major [hongrois] pendant la deuxième guerre mondiale.) Jogtudom. Közl., 81, vol. 36, n° 5, p. 365-373.

6796. WILKINSON (James D.). The intellectual resistance in Europe. Cambridge, Mass., Harvard U.P., 81, in-8, X-358 p.

§ 8. Desde 1945.

* 6797. HARRIS (Brenda). Britain and Europe during 1980, a bibliographical guide. Brighton, Harvester Press, 81, in-8, 98 p.

* 6798. HOPKINS (M.). Policy formation in the European Communities : bibliographical guide to Community documentation, 1958-1978. London, Mansell, 81, in-8, 360 p.

** 6799. CASTRO (Fidel). Speeches : Cuba's internationalist foreign policy, 1975-1980. London, Pathfinder Press, 81, in-8, 392 p.

** 6800. DAYAN (Moshe). Breakthrough : a personal account of the Egypt-Israel peace negotiations. London, Weidenfeld a. Nicolson ; New York, A.A. Knopf, 81, in-8, 368 p.

** 6801. Foreign relations of the United States, 1951. [Vol. 1, 2. Cf. Bibl. 78-79, n° 7766.] Vol. 3, Pt. 1, 2 : European security and the German question. Washington, D.C., Government Printing Office, 81, 2 vol., XXXIV-1316, XXXIV-749 p. (Department of State Publ., 8982, 9113)

** 6802. Foreign relations of the United States, 1952-1954. [Vol. 3. Cf. Bibl. 78-79, n° 7767.] Vol. 16 : The Geneva conference. Washington, D.C., Government Printing Office, 81, XXII-1597 p. (Department of State Publ., 9167)

** 6803. HIGGINS (Rosalyn). The United Nations peace-keeping : documents and commentary. Vol. 3 : Africa. Vol. 4 : Europe, 1946-1979. London, Oxford U.P., 80-81, 2 vol. in-8, XIII-472, 432 p. (maps).

** 6804. KISSINGER (Henry Alfred). For the record, selected statements, 1977-1980. London, M. Joseph, 81, in-8, 346 p.

** 6805. Mnogostoronnee ėkonomičeskoe sotrudničestvo socialističeskikh gosudarstv (Dokumenty 1975-1980). (Multilateral economic cooperation of socialist states. DOcuments of 1975-1980.) Pod obšč. red. P.A. TOKAREVOJ. Moskva, Jurid. lit., 81, 472 p. (AN SSSR. In-t gosudarstva i prava)

** 6806. NENNI (Pietro). Diari. A cura di Giuliana NENNI e Domenico ZUCÀRO. Pref. di Giuseppe TAMBURRANO. I: Tempo di guerra fredda. Diari 1943-1956. Milano, Sugar Co, 81, in-8, VIII-790 p. (tav.)

** 6807. Otnošenija Sovetskogo Sojuza a Narodnoj Koreej. 1945-1980. Dokumenty i materialy. (Relations between the Soviet Union and People's Korea, 1945-1980. Documents and materials.) Sost. I.F. ČERNOV i dr. Redkol. : S.L. TIKHVINSKIJ (otv. red.) i dr. Moskva, Nauka, 81, 424 p. (Gl. arkh. upr. pri Sovete Ministrov SSSR. Ist.-diplom. upr. M-va inostr. del SSSR)

** 6808. RAFAEL (Gideon). Destination peace : three decades of Israeli foreign policy, a personal memoir. London, Weidenfeld a. Nicolson, 81, in-8, XI-405 p.

** 6809. SCHLICHER (Alfons). Österreich und die Grossmächte. Dokumente zur österr. Aussenpolitik 1945-1955. Wien u. Salzburg, Geyer, 80, in-8, XX-359 p. (Matericlien z. Zeitgesch., 2)

** 6810. Sovetsko-meksikanskie otnošenija. 1968-1980 gg. (Soviet-Mexican relations, 1968-1980.) Redkol. : I.N. ZEMSKOV i dr. Moskva, Politizdat, 81, 191 p. (M-vo inostr. del SSSR)

** 6811. SSSR-GDR. 30 let otnošenij. 1949-1979. Dokumenty i materialy. (USSR-GDR. 30 years of relations, 1949-1979. Documents and materials.) Redkol. : I.N. ZEMSKOV i dr. Moskva, Politizdat, 81, 755 p. (M-vo inostr. del SSSR. M-vo inostr. del GDR)

** 6812. STUART (John Leighton). The forgotten ambassador : the reports of John Leighton Stuart, 1946-1949. Ed. by Kenneth W. REA, John C. BREWER. Boulder, Colo., Westview Press, 81, in-8, XXII-345 p.

** 6813. Vereinten (Die) Nationen und ihre Spezialorganisationen. Dokumente. Hrsg. v. Wolfgang SPRÖTE, Harry WÜNSCHE. Bd [6. Cf. Bibl. 80, n° 6829.] 3, 1 : Resolutionen zur Abrüstung und zur Kodifizierung des Völkerrechts. Zus. gest. u. eingel. v. Joachim SCHULZ. 12 : Die internationale Arbeitsorganisation. Zus. gest. u. eingel. v. Heinz DEUTSCHLAND u. Ruth DEUTSCHLAND. Berlin, Staatsverl. d. DDR, 81, 2 vol. in-8, 637, 426 p.

** Cf. n° 6106.

6814. ALUKO (Olajide). African response to external intervention in Africa since Angola. African Affairs, 81, vol. 80, p. 159-179.

6815. ANDERSON (Gidske). Halvard Lange : portrett av en nordmann. (- : portrait of a Norwegian.) Oslo, Gyldendal, 81, in-8, 232 p. (8 pl.)

6816. ANDERSON (Terry H.). The United States, Great Britain, and the cold war, 1944-1947. Columbia, Univ. of Missouri Press, 81, in-8, XI-256 p.

6817. ANDERSON (Thomas P.). The war of the dispossessed : Honduras and El Salvador, 1969. Lincoln, Univ. of Nebraska Press, 81, in-8, XII-203 p.

6818. ARORA (B.D.). Indian-Indonesian relations, 1961-1980. New Delhi, Asian Educ. Services ; London, Books from India, 81, in-8, XX-373 p.

6819. BAR-SIMAN-TOV (Yaacov). The Israeli-Egyptian war of attrition, 1969-1970 : a case-study of limited local war. New York, Columbia U.P., 80, in-8, XI-248 p.

6820. BEHBEHANI (H.S.). China's foreign policy, towards the Palestine resistance movement and the Arabian Gulf, 1955-1975. London, Kegan Paul Internat., 81, in-8, 400 p.

6821. BENKE (József). Az arabok társadalmi tudatának fejlődése. (Evolution de la conscience sociale des Arabes.) Párttört. Közl., 81, vol. 27, n° 2, p. 113-153.

6822. BOLTANSKI (Luc). America, America ... Le plan Marshall et l'importation du "management". Actes Rech. Sci. soc., 81, n° 38, p. 19-41.

6823. BOWN (Colin), MOONEY (Peter J.). The Cold War to detente, 1945-1980. London, Heinemann Educ., 81, in-8, 214 p.

6824. BRANDELL (Inga). Les rapports franco-algériens depuis 1962 : du pétrole et des hommes. Paris, L'Harmattan, 81, in-8, 188 p. [Eng. summary]

6825. BUHITE (Russell D.). Soviet-American relations in Asia, 1945-1954. Norman, Univ. of Oklahoma Press, 81, in-8, XIII-254 p.

6826. CALDWELL (Dan). American-Soviet relations from 1947 to the Nixon-Kissinger grand design. Westport, Conn., Greenwood Press, 81, in-8, XIV-283 p. (Contrib. in Pol. Sci., 61)

6827. CAMBEL (Samuel) et coll. Vznik a vývoj svetovej socialistickej sústavy. (Die Entstehung und die Entwicklung des sozialistischen Weltsystems.) Part 1, 2. Bratislava, Univ. Komenského, 79-80, 2 vol. in-8, 160, 148 p.

6828. ČERKASOV (P.P.) Politika Francii v Afrike (70-e gody XX v.). (French policy in Africa in the 1970s.) Vopr. Ist., 81, n° 8, p. 49-65.

6829. COHEN (Michael J.). Truman and the State Department : the Palestine trusteeship proposal, March 1948. Jewish soc. Stud., 81, vol. 43, n° 2, p. 165-178.

6830. CORNELL (Margaret). Europe and Africa, issues in post-colonial relations. London, Overseas Development Inst., 81, in-8, 112 p.

6831. ČUBAR'JAN (A.O.). Vnešnjaja politika SSSR meždu XXV i XXVI s-ezdami KPSS. (Foreign policy of the USSR between the XXVth and XXVIth congresses of the CPSU.) Ist. SSSR, 81, n° 3, p. 25-43.

6832. CUMINGS (Bruce). The origins of the Korean war : liberation and the emergence of separate regimes, 1945-1947. Princeton, N.J., Princeton U.P., 81, in-8, XXXI-606 p.

6833. DE CASTRO (Diego). La questione di Trieste. L'Azione politica e diplomatica italiana dal 1943 al 1954. Trieste, LINT, 81, 2 vol. in-8 (tav.). [Contenuto : 1 : Cenni riassuntivi di storia della Venezia Giulia sotto il profilo etnico-politico. Il dissolvimento della Venezia Giulia e la fase statica del problema. - 2 : La fase dinamica.]

6834. DELL'OMODARME (Marcello). Europa. Mito e realtà del processo d'integrazione. Milano, Marzorati, 81, in-16, 381 p. (Clio, 2)

6835. DIVINE (Robert A.). Eisenhower and the cold war. New York, Oxford U.P., 81, in-8, IX-181 p.

6836. DOBBS (Charles M.). The unwanted symbol : American foreign policy, the cold war, and Korea, 1945-1950. Kent, Ohio, Kent State U.P., 81, in-8, XII-239 p.

6837. DONNO (Antonio). Gli anni di Truman ed il liberalismo della guerra fredda. Nuova R. stor., 81, a. 65, p. 380-398.

6838. EIDLIN (Fred H.). The logic of "normalization" : the Soviet intervention in Czechoslovakia of 21 August 1968 and the Czechoslovak response. Boulder, Colo., East European Monographs, 80, in-8, VII-278 p. (East European Monogr. 74)

6839. ERIKSEN (Knut E.), SKODVIN (Magne). Storbritannia, NATO og et skandinavisk forbund. (UK, NATO and a Scandinavian pact.) Int. Politikk, 81, p. 437-511. [Eng. summary, p. 533]

6840. EŽOV (V.D.). Kak i kem byla raskolota Germanija. (Who and how has split Germany.) Nov. novejš. Ist., 81, n° 5, p. 41-59.

6841. FEAVER (John H.). The China aid bill of 1948 : limited assistance as a cold war strategy. Dipl. Hist., 81, vol. 5, n° 2, p. 107-120.

6842. FUTREL (Robert F.), BLUMENSON (Martin). The advisory years to 1965. Washington, D.C., Government Printing Office, 81, in-8, XIII-398 p. (The U.S. Air Force in Southeast Asia)

6843. Geschichte der sozialistischen Gemeinschaft. Herausbildung u. Entwicklung d. realen Sozialismus v. 1917 bis z. Gegenwart. Hrsg. vom Wissenschaftl. Beirat f. Geschwiss. beim Ministerium f. Hoch- u. Fachschulwesen unter d. Leitung v. Manfred KOSSOK. Von e. Autorenkoll. unter Leitung v. Ernstgert KALBE. Berlin, Deutsch. Verl. d. Wiss., 81, in-8, 531 p. (Abb., Kt.).

6844. GONDEK (Leszek). Polskie misje wojskowe 1945 - 1949. Polityczno-prawne, ekonomiczne i wojskowe problemy likwidacji skutków wojny na obszarze okupowanych Niemiec. (Les missions militaires polonaises 1945 - 1949. Problèmes politiques et juridiques, économiques et militaires de la liquidation des effets de la guerre sur le territoire annexé de l'Allemagne.) Avant-propos : Eugeniusz STANCZYKIEWICZ. Warszawa, Wydawn. Min. Obrony Narod., 81, in-8, 329 p.

6845. HARASZTI (Éva), H. British reflections on the decisive year of post-war Hungary : 1948. Acta hist. Acad. Sci. hungaricae, 81, vol. 27, n° 1-2, p. 189-204.

6846. HARBUTT (Fraser). American challenge, Soviet response : the beginning of the cold war, February-May, 1946. Pol. Sci. Quar., 81, vol. 96, n° 4, p. 623-640.

6847. HARRISON (Michael M.). The reluctant ally : France and Atlantic security. Baltimore, Md., Johns Hopkins U.P., 81, in-8, XIII-

304 p.

6848. HATHAWAY (Robert M.). Ambiguous partnership : Britain and America, 1944-1947. New York, Columbia U.P., 8\], in-8, X-410 p. (Contemporary Am. Hist. Ser.)

6849. HERREN (Greg). The winning weapon : the atomic bomb in the cold war, 1945-1950. New York, A.A. Knopf, 80, in-8, X-425 p.

6850. HILTON (Stanley E.). The United States, Brazil, and the cold war, 1945-1960 : end of the special relationship. J. am. Hist., 8\], vol. 68, n° 3, p. 599-624.

6851. INNOCENTI (Marco). Fiamme su quattro continenti. Le guerre degli anni settanta. Milano, Pan, 8\], in-16, 165 p. (Il timone, 121)

6852. IRELAND (Timothy P.). Creating the entangling alliance : the origins of the North Atlantic Treaty Organization. London, Aldwych ; Westport, Conn., Greenwood Press, 8\], in-8, X-245 p. (Contrib. in Pol. Sci., 50)

6853. ISRAËLJAN (V.L.). Organizacija Obedinënnykh Nacij i razoruženie. (The United Nations Organization and disarmament.) Moskva, Meždunar. otnošenija, 8\], 230 p. (ill.).

6854. JACKOWICZ (Jerzy). Traktat pokojowy z Bułgarią 1947. (Le traité de paix avec la Bulgarie de 1947.) Wrocław, Zakł. Narod. im. Ossolińskich, 8\], in-8, 308 p. (Pol. Akad. Nauk, Inst. Krajów Socjalistycznych)

6855. JACOBSEN (C.G.). Sino-Soviet relations since Mao, the chairman's legacy. London a. New York, Praeger, 8\], in-8, III-170 p.

6856. JAIN (Ravindra K.). China-South Asian relations, 1947-1980. Vol. 1 : India. Vol. 2 : Pakistan. Brighton, Harvester Press, 8\], 2 vol. in-8, 599, 690 p.

6857. JAIN (Ravindra K.). U.S.S.R. and Japan, 1945-1980. Brighton, Harvester Press, 8\], in-8, 420 p.

6858. KASTORY (Andrzej). Pokój z Rumunią, Bułgarią i Węgrami w polityce wielkich mocarstw (1944-1947). (La paix avec la Roumanie, la Bulgarie et la Hongrie dans la politique des grandes puissances, 1944-1947.) Rzeszów, Wydawn. Uczelniane Wyższej Szkoły Pedagog., 8\], in-8, 363 p.

6859. KAUFMANN (Bernd), ŁAWACZ (Małgorzata). Die Politik der VR China in Asien (1949 bis 1957). T. 1, 2. Asien, Afrika, Lateinamerika, 8\], Bd 9, p. 347-452, 623-634.

6860. KAUL (T.N.). The Kissinger years : Indo-American relations. Delhi, A. Heinemann ; London, J.K. Publ., 8\], in-8, 112 p.

6861. KERESZTY (András). Piramis és Dávid-csillag. (Pyramide et étoile de David.) Budapest, Magvető Kiadó, 8\], in-8, 257 p. (Tények és tanuk.)

6862. KHURI (Fuad I.). The social dynamics of the 1975-1977 war in Lebanon. Armed Forces a. Soc., 8\], vol. 7, n° 3, p. 383-408.

6863. KISELEV (V.I.). Palestinskaja problema i bližnevostočnyj krizis. (The Palestinian problem and the Middle East crisis.). Kiev, Politizdat Ukrainy, 8\], 192 p.

6864. LACINA (Karel). Politikové v uniformách. (Politiker in uniform [in Afrika südl. d. Sahara].) Praha, Mladá fronta, 8\], in-8, 224 p. (8 fig.). (Archiv, 30)

6865. LEE (Sir David). Flight from the Middle East, a history of the Royal Air Force in the Arabian Peninsula and adjacent territories, 1945-1972. London, H.M. Stationery Office, 8\], in-8, 356 p. (maps).

6866. MACLEAR (Michael). Vietnam, the ten thousand day war. London, Methuen Educ., 8\], in-8, 288 p.

6867. McMAHON (Robert J.). Colonialism and cold war : the United States and the struggle for Indonesian independence, 1945-1949. Ithaca, N.Y., Cornell U.P., 8\], in-8, 338 p.

6868. MARGIOCCO (Mario). Stati Uniti e PCI, 1943-1980. Roma e Bari, Laterza, 8\], in-8, XII-327 p. (Stor. e Soc.)

6869. MIRONENKOV (E.G.), PARKANSKIJ (A.B.). Politika SŠA v otnošenii ASEAN. (US policy towards ASEAN.) SŠA ėcon. polit. ideol., 8\], n° 3, p. 27-37.

6870. NOËL (Gilbert). Le congrès européen d'agriculture de Munich (1949) : échec d'une initiative "européenne". R. hist., 8\], a. 105, t. 266, p. 95-126.

6871. NOGEE (J.L.), DONALDSON (Robert H.). Soviet foreign policy since World War II. Oxford, Pergamon Press, 8\], in-8, 328 p.

6872. NOUAILHAT (Yves-Henri). Aspects de la politique culturelle des Etats-Unis à l'égard de la France de 1945 à 1950. Relations int., 8\], n° 25, p. 87-111.

6873. OSTAPENKO (I.S.). Bor'ba SSSR v OON za social'no-ėkonomičeskie prava čeloveka. 1945-1977 gg. (The struggle of the USSR in the UN for socio-economic human rights, 1945-1977.) Moskva, Nauka, 8\], 279 p. (AN SSSR. In-t vseobšč. istorii.)

6874. PERRY (John Curtis). Beneath the eagle's wings : Americans in occupied Japan. Dodd, Mead, 80, in-8, XVI-253 p.

6875. POLVINEN (Tuomo). Suomi kansainvälisessä politiikassa. (Finland in international politics.) [1, 2. Cf. Bibl. 80, n° 6727.] 3 : Jaltasta Pariisin rauhaan 1945-1947. (From Yalta to the Paris peace treaty 1945-1947.) Porvoo, WS, 8\], in-8, 347 p.

6876. RAPPAPORT (Armin). The United States and European integration : the first phase. Dipl. Hist., 8\], vol. 5, n° 2, p. 121-150.

6877. ROŠČIN (V.L.). Amerikanskaja diplomatija v JUNESKO. (US diplomacy in the UNESCO.) SŠA ėcon. polit. ideol., 8\], n° 10, p. 38-47.

6878. RUBIN (Barry). The Arab states and the Palestine conflict. Syracuse, N.Y., Syracuse U.P., 8\], in-8, XVII-298 p. (Contemporary Issues in the Middle East)

6879. RUBIN (Jeffrey Z.). The dynamics of third party intervantion : Kissinger in the Middle

East. London, Praeger, 81, in-8, 503 p.

6880. RUBINSTEIN (Alvin Z.). Soviet foreign policy since World War II : imperial and global. London, Winthrop, 81, in-8, 295 p.

6881. RUSHKOFF (Bennett C.). Eisenhower, Dulles and the Quemoy-Matsu crisis, 1954-1955. Pol. Sci. Quar., 81, vol. 96, n° 3, p. 465-480.

6882. SALMI (Harri). Pääsihteeri Dag Hammarskjöld - myytti ruotsalaisessa kirjallisuudessa. (The myth of Secretary-General Dag Hammarskjöld in Swedish literature.) Turun hist. Arkisto, 81, t. 35, p. 136-186. [Eng. summary]

6883. SERGEEV (F.). Operacija v zalive Kočinos (Kak SŠA gotovili vooruž. vtorženie na Kubu v 1961 g.). (Operation in Cochinos Gulf. How the USA prepared the armed invasion of Cuba in 1961.) Nov. novejš. Ist., 81, n° 4, p. 129-142.

6884. SIRACUSA (Joseph M.), BARCLAY (Glen St. John). Australia, the United States, and the cold war, 1945-1951 : from V-J day to ANZUS. Dipl. Hist., 81, vol. 5, n° 1, p. 39-52.

6885. SKODLARSKI (Janusz). Polska w systemie współpracy gospodarczej ONZ (1945-1949). (La Pologne dans le système de coopération économique de l'O.N.U., 1945-1949.) Dzieje najnowsze, 80, [81], a. 12, n° 4, p. 141-167.

6886. SOLLIE (Finn). Sikkerhetspolitiske problemer i nordområdene - samspillet mellom strategiske og ressurspolitiske interesser og hensyn. (Security problems in the Far North - the interaction between strategic and resource interests.) Int. Politikk, 81, 7-24. [Eng. summary, p. 124]

6887. Sovetskij Sojuz i Organizacija Obedinënnykh Nacij. 1971-1975. (Soviet Union and United Nations Organization, 1971-1975.) Red. V. Ja. SIPOLS, G. V. DOLGILEVIČ. Moskva, Nauka, 81, 471 p. (AN SSSR. In-t istorii)

6888. SŠA i razvivajuščiesja strany. 70-e gody. (USA and developing countries in the 70s.) Otv. red. V.A. KREMENJUK i dr. Moskva, Nauka, 81, 294 p. (AN SSSR. In-t SŠA i Kanady)

6889. STENT (Angela). From embargo to Ostpolitik. The political economy of West German-Soviet relations, 1955-1980. Cambridge, Cambridge U.P., 81, in-8, XVI-328 p. (Soviet a. East europ. Stud.)

6890. STUECK (William Whitney) Jr. The road to confrontation : American policy toward China and Korea, 1947-1950. Chapel Hill, Univ. of North Carolina Press, 81, in-8, 326 p.

6891. Svetová socialistická sústava. Vznik a rozvoj do šesťdesiatych rokov. (Das sozialistische Weltsystem. Entstehung und Entwicklung bis z. d. sechziger Jahren.) Von : Samuel CAMBEL, Dagmar ČIERNA, Ivan DOLEŽAL, Juraj PORUBSKÝ, František VIŠVÁDER, Štefan ZELENÁK. Bratislava, Obzor, 81, in-8, 568 p. (48 fig.)

6892. SZIRTES (I. János). Az osztrák államszerződés története. (L'histoire du traité d'Etat autrichien.) Századok, 81, vol. 115, n° 4, p. 799-819.

6893. THOMAS (Siegfried). Zur Aussenpolitik der BRD 1949-1969. Etappen, Zäsuren, Hauptaktionsfelder. Z. f. Geschichtswiss., 81, Jg. 29, p. 581-596. - IDEM. Die Pariser Verträge 1955. Geschichte, Inhalt, Folgen. Ibid., p. 99-115.

6894. THOMPSON (Kenneth W.). Cold war theories. Vol. 1 : World polarization, 1943-1953. Baton Rouge, Louisiana State U.P., 81, in-8, 216 p.

6895. UNTERBERGER (Betty Miller). American views of Mohammad Ali Jinnah and the Pakistan liberation movement. Dipl. Hist., 81, vol. 5, n° 4, p. 313-336.

6896. VIÑAS (Ángel). Los pactos secretos de Franco con Estados Unidos : bases, ayuda económica, recortes de soberanía. Barcelona, Grijalbo, 81, in-8, 333 p. (Coleccion 80)

6897. WALKER (J. Samuel). "No more cold war" : American foreign policy and the 1948 Soviet peace offensive. Dipl. Hist., 81, vol. 5, n° 1, p. 75-91.

6898. WEILER (Peter). The United States, international labor, and the cold war : the breakup of the World Federation of Trade Unions. Dipl. Hist., 81, vol. 5, n° 1, p. 1-22.

6899. Weltprobleme zwischen den Machtblöcken. Hrsg. v. Wolfgang BENZ u. Hermann GRAML. Unter Mitarb. v. Rudolf v. ALBERTINI [u.a.]. Frankfurt (Main), Fischer-Taschenbuch-Verl., 81, in-8, 506 p. (graph. Darst., Kt.). (Das zwanzigste Jh., 3) (Fischer-Weltgesch., 36)

6900. WOLFF (Thomas). Mexican-Guatemalan imbroglio : fishery rights and national honor. Americas, 81, vol. 38, n° 2, p. 235-248. [1958-1959]

6901. ZIĘBA (Ryszard). Stanowisko Polski w sprawie paryskich traktatów pokojowych 1947 r. (L'attitude de la Pologne à l'égard des traités de paix de Paris de 1947.) Warszawa, Państw. Wydawn. Nauk., 81, in-8, 226 p.

6902. ŽIGALOV (I.I.). Obščestvennost' Velikobritanii i plany razmeščenija na eë territorii amerikanskogo nejtronnogo oružija i krylatykh raket. (British public opinion on the deployment of the US neutron weapon and cruise missiles.) Vopr. Ist., 81, n° 11, p. 66-80.

Cf. n°s 2876, 3092, 6112, 6127.

R

ASIA

§ 1. Generalidades. 6903-6908. - § 2. Asia central y occidental. 6909-6935. - § 3. Asia del sur. 6936-6964. - § 4. Asia del sudeste. 6965-6974. - § 5. China. 6975-7031. - § 6. Japón (antes de 1868). 7032-7040. - § 7. Corea. 7041-7045.

§ 1. Generalidades.

6903. DANKOFF (Robert). Inner Asian wisdom traditions in the pre-Mongol period. J. am. orient. Soc., 81, vol. 101, n° 1, p. 87-96.

6904. HOFFMANN (Steven A.). Faction behavior and cultural codes : India and Japan. J. asian Stud., 81, vol. 40, n° 2, p. 231-254.

6905. MATHER (Richard B.). The bonze's gegging bowl : eating practices in the Buddhist monasteries of medieval India and China. J. am. orient. Soc., 81, vol. 101, n° 4, p. 417-424.

6906. Pis'mennye pamjatniki Vostoka. (Written monuments of the East.) Ist.-filol. issled. Ežegodnik, [1973. Cf. Bibl. 78-79, n° 7857.] 1974. Redkol. : G. F. GIRS (presdedatel') i dr. Moskva, Nauka, 81, in-8, 366 p. (ill.). (AN SSSR. In-t vostokovedenija)

6907. SINOR (Denis). The inner Asian warriors. J. am. orient. Soc., 81, vol. 101, n° 2, p. 133-144.

6908. SŁUCZAŃSKI (Edward). Konkwistadorzy, korsarze, kupcy. Kartki z historii ludów azjatyckich. (Conquérants, corsaires, marchands. Pages de l'histoire des peuples asiatiques [XIIIe-XIXe s.].) Warszawa, Iskry, 81, in-8, 317 p.

§ 2. Asia occidental y central.

* 6909. Abstracta iranica. Leiden, Brill, 81, in-8, VIII-191 p. (Studia iranica, Suppl. 4)

* 6910. TRYJARSKI (Edward). Die alttürkischen Runen-Inschriften in den Arbeiten der letzten Jahre [Literaturbericht]. In : Altoriental. Forschungen [Cf. n° 1159], p. 339-352.

** 6911. Geheime Geschichte (Die) der Mongolen. Hrsg. v. Walther HEISSIG. Düsseldorf u. Köln, Diederichs, 81, in-8, 288 p. (16 Ill.)

6912. AJAMI (Fouad). The Arab predicament : Arab political thought and practice since 1956. London a. New York, Cambridge U.P., 81, in-8, XVI-220 p.

6913. AL-QADIRI (Muhammad). Nashr al-Mathani, the Chronicles, ed. by Norman CIGAR. In Arabic a. English, tr. from the Arabic. London, Oxford U.P., 81, in-8, 400 p. (maps)

6914. BARBIR (Karl K.). Ottoman rule in Damascus, 1708-1758. Princeton, N.J., Princeton U.P., 80, in-8, XIX-216 p. (Princeton Stud. on the Near East)

6915. BARFIELD (Thomas J.). The Hsiung-nu imperial confederacy : organization and foreign policy. J. asian Stud., 81, vol. 41, n° 1, p. 45-62.

6916. BAZYLOW (Ludwik). Historia Mongolii. (Histoire de la Mongolie.) Wrocław, Zakł. Narod. im. Ossolińskich, 81, in-8, 455 p.

6917. FERNEA (Elizabeth Warnock). An early ethnographer of middle eastern women : Lady Mary Wortley Montagu (1689-1762). J. near east. Stud., 81, vol. 40, n° 4, p. 329-338.

6918. GROOM (Nigel). Frankincense and myrrh : a study of the Arabian incense trade. London a. New York, Longman, 81, in-8, XVI-285 p.

6919. GUTAS (Dimitri). Classical Arabic wisdom literature : nature and scope. J. am. orient. Soc., 81, vol. 101, n° 1, p. 49-86.

6920. HOLDEN (David), JOHNS (Richard). The House of Saud. London, Sidgwick a. Jackson, 81, in-8, 569 p. (ill.).

6921. HOURANI (Albert H.). The emergence of the modern Middle East. Berkeley a. Los Angeles, Calif. U.P. ; London, Macmillan, 81, in-8, XX-243 p.

6922. INGRAM (Edward). Commitment to Empire : prophesies of the great game in Asia, 1797-1800. London, Oxford U.P., 81, in-8, 400 p. (maps).

6923. JAWAD (Sa'ad). Iraq and the Kurdish question, 1958-1970. London, Ithaca Press, 81, in-8, X-373 p.

6924. Kavkaz i Srednjaja Azija v drevnosti i srednevekov'e. Istorija i kul'tura. (The Caucasus and Central Asia in ancient times and the middle ages. History and culture.) Sb. statej. Pod red. B.A. LITVINSKOGO. Moskva, Nauka, 81, 182 p. (ill.). (AN SSSR. In-t vostokovedenija)

6925. Kul'tura i iskusstvo drevnego Khorezma. (Civilization and art of ancient Khorezm.)

Redkol. : M.A. ITINA i dr. Moskva, Nauka, 81, 272 p. (ill.). (AN SSSR. In-t étnografii. M-vo kul'tury SSSR. Gos.muzej iskusstva narodov Vostoka)

6926. LESCH (Ann Mosely). Arab politics in Palestine, 1917-1939 : the frustration of a nationalist movement. Ithaca, N.Y., Cornell U.P., 79, in-8, 257 p. (Modern Middle East Ser., Middle East Inst., Columbia Univ., 11)

6927. Palästina-Frage (Die) 1917-1948. Hist. Ursprünge u. internat. Dimensionen e. Nationenkonflikts. Helmut MEJCHER, Alexander SCHÖLCH (Hrsg.). Paderborn, Schöningh, 81, in-8, 259 p. (Kt.).

6928. Palestinskij sbornik. (Palestinian collection.) [T. 26. Cf. Bibl. 78-79, n° 1966.] T. 27. Pod red. B. B. PIOTROVSKOGO. Leningrad, Nauka, 81, in-8, 159 p. (ill.). (AN SSSR. Ros., Palest. obšč.)

6929. PLASCOV (Avi). Palestinian refugees in Jordan, 1948-1957. London, F. Cass, 81, in-8, 268 p.

6930. Problemy razvitija stran sovremennogo Bližnego i Srednego Vostoka (Iran, Pakistan, Turcija). (Development problems of countries of the contemporary Near and Middle East : Iran, Pakistan, Turkey.) Otv. red. Ju. V. GANKOVSKIJ. Moskva, Nauka, 81, 191 p. (AN SSSR. In-t vostokovedenija)

6931. SERGEANT (R.B.). Studies in Arabian history and civilization. London, Variorum Repr., 81, in-8, 350 p.

6932. Srednjaja Azija v drevnosti i srednevekov'e (Istorija i kul'tura). (Central Asia in ancient times and middle ages. History and culture.). Sb. statej. Pod red. B. A. LITVINSKOGO. Moskva, Nauka, 81, 183 p. (ill., map.). (AN SSSR. In-t vostokovedenija)

6933. SZULKIN (Michał). Żydzi palestyńscy w świetle raportów polskiej służby dyplomatycznej. (les Juifs de Palestine à la lumière des rapports du service diplomatique polonais.) 1 : 1923-1935. 2 : 1936-1939. B. żyd. Inst. hist., 80 [81], a. 30, n° 4, p. 127-143 ; 81, a. 31, n° 1, p. 63-82.

6934. TORRI (Michelguglielmo). Le origini del processo di modernizzazione in Asia centrale. R. stor. ital., 81, a. 93, p. 399-429.

6935. ZIEME (Peter). Uigurische Steuerbefreiungsurkunden für buddhistische Klöster. In : Altoriental. Forschungen [Cf. n° 1159], p. 237-263.

Cf. n° 3933.

§ 3. Asia del sur.

* 6936. PATTERSON (Maureen L.P.). South Asian civilizations. A bibliographic synthesis. In collab. with William J. ALSPAUGH, Chicago a. London, Univ. of Chicago Press, 81, in-4, XXXVII-853 p.

6937. ALAEV (L.B.). Sel'skaja obščina v Severnoj Indii. Osnovnye ètapy èvolucii. (The rural commune in Northern India. Main stages of its evolution.) Moskva, Nauka, 81, 240 p. (AN SSSR. In-t vostokovedenija)

6938. BARNETT (Richard B.). North India between empires : Awadh, the Mughals, and the British, 1720-1801. Berkeley a. Los Angeles, Univ. of Calif. Press, 80, in-8, XVII-276 p.

6939. BONGARD-LEVIN (G.M.), VIGASIN (A. A.). Obščestvo i gosudarstvo drevnej Indii. (Society and state in ancient India.) Vestn. drevn. Ist., 81, n° 1, p. 35-52.

6940. BROW (James). Class formation and ideological practice : a case from Sri Lanka. J. asian Stud., 81, vol. 40, n° 4, p. 703-718.

6941. DE SILVA (K.M.). History of Sri Lanka. London, C. Hurst, 81, in-8, XX-580 p. (ill., maps).

6942. DUTT (R.C.). The socialism of Jawaharlal Nehru. New Delhi, Abhinav Publ. ; London, Books from India, 81, in-8, 284 p.

6943. FISCHER (Herbert). Mahatma Gandhi. Persönlichkeit u. Gestalter seiner Zeit. Berlin, Dt. Verl. d. Wiss., 81, in-8, 144 p. (Abb.)

6944. GHOSH (Sananda Lal). Mejda, the family and early life of Paramhansa Yogananda. London, Fudge, 81, in-8, 330 p. (ill.).

6945. GUPTA (Narayani). Delhi between two Empires : society, government and urban growth. Delhi, Oxford U.P., 81, in-8, 280 p. (ill.)

6946. HIRSCHMANN (Edwin). "White mutiny" : the Ilbert bill crisis in India and genesis of the Indian national congress. Columbia, Mo., South Asia Books, 80, in-8, 331 p.

6947. HOGG (Dorothy). Memories for tomorrow : the life of Gandhi. London, Regency Press, 81, in-8, 316 p.

6948. Indický subkontinent. Zeměpisné a historické panoráma. (Der Indische Subkontinent. Das geograph. u. hist. Panorama.) Von Miloslav KRÁSA, Miroslav STŘÍDA, Jan MAREK, Cyrila MARKOVÁ, Jan FILIPSKÝ. Praha, Stát. pedagog. naklad., 80, in-8, 517 p.

6949. JORDENS (J.T.F.). Swami Shraddhananda : his life and causes. New York, Oxford U.P., 81, in-8, XV-210 p.

6950. KISHORE (Braj). Corporate capitalization in India, a study of corporate financing patterns since 1951-1952. Delhi, Himalaya Publ. House ; London, J.K. Publ., 81, in-8, 263 p.

6951. MEHLING (J.). Sprache, philosophie und Sprachphilosophie im alten Indien. Acta ant. Acad. Sci. hungaricae, 79, vol. 27, n° 4, p. 321-335.

6952. NATWAR-SINGH (K.). Maharaja Suraj Mal, 1707-1763, his life and times. Delhi, A. Heinemann ; London, J.K. Publ., 81, in-8, 204 p.

6953. NICHOLAS (Ralph W.). The goddess Śītalā and epidemic smallpox in Bengal. J. asian Stud., 81, vol. 41, n° 1, p. 21-44.

6954. NJAMMASCH (Marlene). Zur Genesis des Feudalismus in Indien. Ethnograph.-archäol. Z., 81, Jg. 22, p. 39-58. - EADEM. Kontinuität und Diskontinuität im Bereich der materiellen

Kultur beim Übergang zum Feudalismus in Indien. Jb. f. Wirtschaftsgesch., 81, T. 3, p. 107-120.

6955. PARKER (H.). Ancient Ceylon. New Delhi, Asian Educ. Services ; London, Books from India, 81, in-8, 695 p. (Ill.).

6956. PAUL (Sharada). The 1980 general elections in India, a study of mid-term poll. Delhi, Assoc. Publ. House ; London, Books from India, 81, in-8, 336 p.

6957. RATNAGAR (Shereen). Encounters : the westerly trade of the Harappa civilization. Delhi, Oxford U.P., 81, in-8, XXI-294 p.

6958. RAYMOND (E. Neill). Victorian Viceroy : the life of Robert, the first Earl of Lytton. London, Regency Press, 81, in-8, 356 p. (ill.)

6959. REID (Escott). Envoy to Nehru. Delhi, Oxford U.P., 81, in-8, 302 p. (ill.).

6960. SANKALIA (H.D.) a others. India, prehistoric and protohistoric periods. Delhi, Govt. of India ; London, Books from India, 81, in-8, 52 p.

6961. SPEAR (Percival). The twilight of the Mughals, studies in late Mughal Delhi. Pakistan, Oxford U.P., 81, in-8, 290 p. (ill., map). (Oxford in Asia Hist Repr.)

6962. TOYE (John). Public expenditure and Indian development policy, 1960-1970. London, Cambridge U.P., 81, in-8, 270 p. (tab.)

6963. UL'JANOVSKIJ (R.A.). Agrarnaja Indija meždu mirovymi vojnami. (Agrarian India between the world wars.) Opyt issled. kolon.-feod. kapitalizma. Moskva, Nauka, 81, 343 p.

6964. Uzlovye problemy istorii Indii. (Main problems of India's history.) Sb. statej. Redkol. : E.N. KOMAROV i dr. Moskva, Nauka, 81, 272 p. (AN SSSR. In-t vostokovedenija)

Cf. n° 864.

§ 4. Asia del sudeste.

6965. CROUCH (Harold) a. others. Malaysian politics and the 1978 election. Kuala Lumpur, Oxford U.P., 81, in-8, 344 p. (fig., tab.)

6966. DUIKER (William J.). The communist road to power in Vietnam. Boulder, Colo., Westview Press, 81, in-8, XVI-393 p. (Westview Special Stud. on South and Southeast Asia)

6967. FREDERIC (Louis). La vie quotidienne dans la péninsule indochinoise à l'époque d'Angkor (800-1300). Paris, Hachette, 81, in-8, 406 p.

6968. HODGKIN (Thomas). Vietnam : the revolutionary path. New York, St. Martin's Press, 81, in-8, X-433 p.

6969. Istorija Kampučii. (Cambodia's history.) Krat. očerk. Redkol. : Ju. Ja. MIKHEEV (otv. red.) i dr. Moskva, Nauka, 81, 254 p. (AN SSSR. In-t vostokovedenija)

6970. KUBITSCHECK (Hans-Dieter), WESSEL (Ingrid). Geschichte Indonesiens. Vom Altertum bis z. Gegenwart. Berlin, Akad.-Verl., 81, in-8, XII-266 p. (Abb.).

6971. MAK (Lau Fong). The sociology of secret societies : a study of Chinese secret societies in Singapore and peninsular Malaysia. New York, Oxford U.P., 81, in-8, IX-178 p. (East Asian Soc. Sci. Monographs)

6972. SANDER (Bernd), KUBICZEK (Wolfgang). Die Philippinen. Geschichte u. Gegenwart. Berlin, Dt. Verl. d. Wiss., 81, 263 p. (Abb., Kt.)

6973. TAI (Ta Van). The status of women in traditional Vietnam : a comparison of the code of the Lê Dynasty (1428-1788) with the Chinese codes. J. asian Hist., 81, vol. 15, p. 97-145.

6974. TRULLINGER (James Walker) Jr. Village at war. An account of revolution in Vietnam. New York a. London, Longman, 81, in-8, 235 p.

Cf. n°s 219, 863, 5249, 6177.

§ 5. China.

6975. BACKUS (Charles). The Nan-chao kingdom and T'ang China's south-western frontier. London, Cambridge U.P., 81, in-8, 224 p. (tab., maps).

6976. BEDESKI (Robert E.). State-building in modern China : the Kuomintang in the prewar period. Berkeley, Center for Chinese Studies, Instit. of East Asian Studies, Univ. of Calif., 81, in-8, X-181 p. (China Research Monograph, 18)

6977. BROWN (Shannon R.), WRIGHT (Tim). Technology, economics, and politics in the modernization of China's coal mining industry, 1850-1895. Explor. in econ. Hist., 81, vol. 18, n° 1, p. 60-83.

6978. BULLOCK (Mary Brown). An American transplant : the Rockefeller Foundation and the Peking Union Medical College. Berkeley a. Los Angeles, Univ. of California Press, 80, in-8, XXVII-280 p. (Center for Chinese Stud., Univ. of Calif., Berkeley)

6979. CHAO (Kang). New data on land ownership patterns in Ming-Ch'ing China - a research note. J. asian Stud., 81, vol. 40, n° 4, p. 719-734.

6980. CH'EN (Jerome). State economic policies of the Ch'ing government, 1840-1895. New York, Garland, 80, in-8, 216 p. (The Modern Chinese Economy)

6981. China under Mongol rule. Ed. by John D. LANGLOIS, Jr. Princeton, N.J., Princeton U. P., 81, in-8, XVI-487 p.

6982. COBLE (Parks M.) Jr. The Shanghai capitalists and the nationalist government, 1927-1937. Cambridge, Mass., Harvard U.P., 81, in-8, XIV-357 p. (Harvard East Asian Monographs, 94)

6983. COTTERELL (Arthur). The first Emperor of China. London, Macmillan, 81, in-4, 224 p. (ill.).

6984. DEHERGNE (le P. Joseph), S.J. Les lettres annuelles des missions jésuites de Chine au temps des Ming (1581-1644). Arch. hist. Soc. Iesu, 80, a. 49, fasc. 97, p. 379-392.

6985. DENNERLINE (Jerry). The Chia-ting loyalists : Confucian leadership and social change in seventeenth-century China. New Haven, Conn., Yale U.P., 81, in-8, XIX-389 p. (Yale Hist. Pub., Misc., 126)

6986. DIXON (John). The Chinese welfare system, 1949-1979. London, Praeger, 81, in-8, 437 p.

6987. EBREY (Patricia Buckley). Chinese civilization and society. London, Collier Macmillian, 81, in-4, 430 p.

6988. ECSEDY (Ildikó). Nyugati türkök Észak-Kinában a VII. században. (Turcs occidentaux dans le Nord de la Chine au VIIe s.) Ant. Tanulm., 79, vol. 26, n° 2, p. 247-256.

6989. EFIMOV (G.V.). Sun' Jatsen : poisk puti. 1914-1922. (Sun Yat-sen : in search of the way, 1914-1922.) Moskva, Nauka, 81, 239 p. (LGU im. A.A. Ždanova. Vostoč. fak.)

6990. GIULI TOZZI (Daniela). La grande rivolta musulmana nello Yünnan della metà del XIX secolo : antecedenti e fasi iniziali. R. Studi orient., 80, vol. 54, p. 359-378.

6991. GODLEY (Michael R.). Mandarin capitalists from Nanyang : overseas Chinese enterprise in the modernization of China, 1893-1911. London, Cambridge U.P., 81, in-8, 222 p. (Stud. in Chinese Hist., Lit. a. Instns.)

6992. GOLDMAN (Merle). China's intellectuals : advise and dissent. [1959-1979]. Cambridge, Mass., Harvard U.P., 81, in-8, 276 p.

6993. GRIEDER (Jerome B.). Intellectuals and the state in modern China : a narrative history. New York, Free Press, 81, in-8, XIX-395 p. (Transformation of Mod. China)

6994. HARDING (Harry). Organizing China : the problem of bureaucracy, 1949-1976. Stanford, Calif., Stanford U.P., 81, in-8, XI-418 p.

6995. HEYDE (Doris). Du Yu - eine Biographie aus den Gründungsjahren der Jin-Dynastie. In : Altoriental. Forschungen [Cf. n° 1159], p. 298-322.

6996. HUANG (Ray). 1687, a year of no significance : the Ming dynasty in decline. New Haven, Conn., Yale U.P., 81, in-8, XIII-278 p.

6997. JENNER (W.J.F.). Memories of Loyang : Yang Hsüan-chih and the lost capital, 493-534. London a. New York, Oxford U.P., 81, in-8, XII-310 p.

6998. JOHNSON (David). Epic and history in early China : the matter of Wu Tzu-hsü. J. asian Stud., 81, vol. 40, n° 2, p. 255-272.

6999. KAMACHI (Noriko). Reform in China : Huang Tsun-hsien and the Japanese model. Cambridge, Mass., Harvard U.P., 81, in-8, XVI-384 p. (Harvard East Asian Monographs, 95)

7000. Kitaj v novoe i novejšee vremja. (China in modern and contemporary times.) Istorija i istoriografija. Redkol. : A.M. GRIGOR' EV (otv. red.) i dr. Moskva, Nauka, 81, 197 p. (AN SSSR. INION)

7001. KRAUS (Richard Curt). Class conflict in Chinese socialism. New York, Columbia U.P., 81, in-8, X-243 p.

7002. KROLL (Paul W.). The dancing horses of the T'ang. T'oung Pao, 81, vol. 67, p. 241-268.

7003. KUHN (Dieter). Silk technology in the Sung period (960-1278 A.D.). T'oung Pao, 81, vol. 67, p. 48-90.

7004. LAZAREV (V.I.). Klassovaja bor'ba v KNR. (Class struggle in the People's Republic of China.) Moskva, Politizdat, 81, 318 p.

7005. LEVY (André). Le conte en langue vulgaire du XVIIe siècle. Paris, Inst. des hautes études chinoises ; diff. Presses univ. France, 81, in-4, 481 p. (Bibl. de l'Inst. des H. E. chinoises, 25)

7006. LI (Lillian M.). China's silk trade : traditional industry in the modern world, 1842-1937. Cambridge, Mass., Harvard U.P., 81, in-8, XV-288 p. (Harvard East Asian Monographs, 97)

7007. LITTRUP (Leif). Subbureaucratic government in China in Ming times : a study of Shandong province in the sixteenth century. Oslo, Univ. forl., 81, in-8, 224 p. (Inst. for sammenlignende kulturforskning. Ser. B : Skrifter, 64)

7008. LIU (Kwang-ching). World view and peasant rebellion : reflections on post-Mao historiography. J. asian Stud., 81, vol. 40, n° 2, p. 295-326.

7009. McDERMOTT (Joseph P.). Bondservants in the T'ai-hu basin during the late Ming : a case of mistaken identities. J. asian Stud., 81, vol. 40, n° 4, p. 675-702.

7010. McKNIGHT (Brian E.). The quality of mercy : amnesties and traditional Chinese justice. Honolulu, Univ. Press of Hawaii, 81, in-8, XII-172 p.

7011. MAGYAR (Lajos). A kinai mezőgazdaság hagyományos szerkezete. (La structure traditionnelle de l'agriculture chinoise.) Budapest, Kossuth Kiadó, 81, in-8, 387 p.

7012. MALJAVIN (V.V.). Kiotoskaja škola i problema "srednikh vekov" v istorii Kitaja. (The Kyoto School and the problem of "Middle Ages" in Chinese history.) Nar. Azii Afri., 81, n° 2, p. 188-203.

7013. MEDLEY (Margaret). T'ang pottery and porcelain. London, Faber, 81, in-8, 151 p. (ill., pl.).

7014. MEIJER (M.J.). The price of a P'ailou. T'oung Pao, 81, vol. 67, p. 288-304.

7015. MESKILL (Johanna Menzel). A Chinese pioneer family : the case of. Wu-feng, Taiwan, 1729-1895. Princeton, N.J., Princeton U.P., 79, in-8, XI-375 p.

7016. MIYAZAKI (Ichisada). China's examination hell. The civil service examinations of Imperial China. New Haven, Conn., a. London, Yale U.P., 81, in-8, 144 p.

7017. MORTON (W. Scott). China, its history and culture. London, Harper a. Row, 81, in-8, 276 p. (ill., maps).

7018. NAQUIN (Susan). Shantung rebellion : the Wang Lun uprising of 1774. New Haven, Conn., Yale U.P., 81, in-8, XVII-228 p.

7019. NEEDHAM (Joseph). Science in traditional China : a comparative perspective. Cambridge, Mass., Harvard U.P., 81, in-8, X-134 p.

7020. Obščestvo i gosudarstvo v Kitae. (Society and state in China.) Redkol. : L.P. DELJUSIN (otv. red.) i dr. Moskva, Nauka, 81, 256 p. (AN SSSR. In-t vostokovedenija)

7021. PICKOWICZ (Paul G.). Marxist literary thought in China : the influence of Ch'u Ch'iu-pai. Berkeley a. Los Angeles, Univ. of California Press, 81, in-8, XVII-259 p.

7022. ROPP (Paul S.). Dissent in early modern China : Ju-lin wai-shih and Ch'ing social criticism. Ann Arbor, Univ. of Michigan Press, 81, in-8, X-356 p. [Tr. : The Scholars : sociopolitical satire, 18. c.]

7023. RYBECKÝ (Vladislav). Maoistická vojenská politika (1966-1978). (Die maoistische Militärpolitik.) Praha, Naše vojsko, 80, in-8, 216 p.

7024. SNELLGROVE (David Llewellyn), RICHARDSON (H.). A cultural history of Tibet. London, Routledge, 81, in-8, 352 p.

7025. Social'nye organizacii v Kitae. (Social Organizations in China.) Sb. statej. Redkol. : L. S. VASIL'EV (otv. red.) i dr. Moskva, Nauka, 81, 303 p. (AN SSSR. In-t vostokovedenija)

7026. SUTTON (Donald). Pilot surveys of Chinese shamans, 1875-1945 : a spatial approach to social history. J. soc. Hist., 81, vol. 15, n° 1, p. 39-50.

7027. THINLEY (Karma). History of the sixteen Karmapas of Tibet. London, Routledge, 81, in-8, 160 p. (ill.).

7028. Voprosy istorii Kitaja. (Problems of China's history.) Sb. statej. Pod red. M.F. JUR'EVA, Z.G. LAPINOJ. Moskva, Izd-vo MGU, 81, 182 p.

7029. WYLIE (Raymond F.). The emergence of Maoism : Mao Tse-tung, Ch'en Po-ta, and search for Chinese theory, 1935-1945. Stanford, Calif., Stanford U.P., 80, in-8, VIII-351 p.

7030. YU (Chün-fang). The renewal of Buddhism in China : Chu-hung and the late Ming synthesis. New York, Columbia U.P., 81, in-8, XVI-353 p.

7031. ZURNDORFER (Harriet T.). The Hsin-an ta-tsu chih and the development of Chinese gentry society 800-1600. T'oung Pao, 81, vol. 67, p. 154-215.

Cf. n°s 37, 956.

§ 6. Japón (antes de 1868).

** 7032. THUNBERG (Carl Peter). Resa til och uti kejsardömet Japan åren 1775 och 1776. (Voyage to Japan and travels in that empire in the years 1775-1776.) Stockholm, Rediviva, 80, in-12, 607 p. (4 pl.). [Facs. of the 1st ed., 1791-93]

7033. AIKENS (C. Melvin), HIGUCHI (Takayasu). Prehistory of Japan. London a. New York, Academic Press, 81, in-8, XI-354 p. (ill., pl., maps).

7034. COLLCUT (Martin). Five mountains : the Rinzai Zen monastic institution in medieval Japan. Cambridge, Mass., Harvard U.P., 81, in-8, XXI-399 p.

7035. ELISON (George), SMITH (Bardwell L.) a. others. Warlords, artists, and commoners : Japan in the sixteenth century. Honolulu, Univ. Press of Hawaii, 81, in-8, XVI-356 p. (ill.)

7036. GROSSBERG (Kenneth Alan). Japan's renaissance : the politics of the Muromachi bakufu. [1336-1573]. Cambridge, Mass., Council on East Asian Stud., Harvard Univ., 81, in-8, XII-207 p. (Harvard East Asian Monographs, 99)

7037. HALL (John Whitney) a. others. Japan before Tokugawa : political consolidation and economic growth, 1500-1650. Princeton, N.J., Princeton U.P., 81, in-8, XIV-392 p.

7038. HALLIDAY (Jon). The political history of Japanese capitalism. London, Monthly Rev., 81, in-8, 466 p.

7039. NAKAMURA (J.I.). Human capital accumulation in premodern rural Japan. J. econ. Hist., 81, vol. 41, n° 2, p. 263-282.

7040. SHILLONY (Ben-Ami). Politics and culture in wartime Japan. London, Oxford U.P., 81, in-8, 272 p.

Cf. n° 4918.

§ 7. Corea.

* 7041. Studies on Korea : a scholar's guide. Ed. by Han-Kyo KIM, with the assistance of Hong Kyoo PARK. A study from the Center for Korean Studies, Univ. of Hawaii. Honolulu, U.P. of Hawaii, 80, in-8, XX-438 p.

7042. CH'OE (Yong-ho). Reinterpreting traditional history in North Korea. J. asian Stud., 81, vol. 40, n° 3, p. 503-524.

7043. KHO (Songmoo). Korean studies in Russia (1677-1930). Studia orientalia, 81, t. 51, n° 12, 27 p.

7044. SHAW (William). Legal norms in a Confucian state. [Korea : 1392-c. 1800]. Berkeley, Center for Korean Stud., Instit. of East Asian Stud., Univ. of California, Berkeley, 81, in-8, XV-267 p. (Instit. of East Asian Stud. Pub. Ser., Korea Research Monographs, 5)

7045. YANG (Sung Chul). Korea and two regimes : Kim Il-sung and Park Chung-hee. Cambrigde, Mass., Schenkman, 81, in-8, XI-438 p.

S

ÁFRICA
(desde los orígenes a la colonización)

N°S 4046-7072.

** 7046. Corpus of early Arabic sources. Ed. a. annot. by Nehemia LEVTZION a. J.P.P. HOPKINS. London, Cambridge U.P., 81, in-8, XX-492 p. (Fontes Historiae Africanae, Ser. arabica, 4)

** 7047. POIRET (abbé). Lettres de Barbarie [voyage dans la régence d'Alger en 1785]. Ed. par Denise BRAHIMI, Paris, Ed. du Sycomore, 80, in-8, 206 P.

** 7048. SANTI (Paul), HILL (Richard H.). Europeans in the Sudan, 1834-1878. Some manuscripts mostly unpublished written by traders, Christian missionaries, officials and others. London, Oxford U.P., 81, in-8, 264 p.

7049. ABIR (Mordechai). Ethiopia and the Red Sea : the rise and decline of the Solomonic dynasty andd Muslim-European rivalry in the region [1270 - c. 1850]. London, F. Cass, 80, in-8, XX-251 p. (maps).

7050. AMBOUROUE-AVARO (Joseph). Le peuple gabonais à l'aube de la colonisation : le Bas-Ogowé au XIXe siècle. Préf. de Gaston MWENDOGO, avant-propos de Yves PESSON. Paris, Karthala, 81, in-8, 285 p. (pl., cartes). (Coll. Hist. africaine)

7051. BEACH (D.M.). Shona and Zimbabwe, 900-1850. London, Harper a. Row, 81, in-8, 500 p.

7052. BERG (Gerald M.) Riziculture and the founding of monarchy in Imerina. J. african Hist., 81, vol. 22, p. 289-308.

7053. CONNAH (Graham). Three thousand years in Afica : man and his environment in the Lake Chad region of Nigeria. Cambridge a. New York, Cambridge U.P., 81, in-8, XX-268 p. (fig., tables). (New Stud. in Archaeology)

7054. DOMENICHINI (Jean Pierre). "La plus belle énigme du monde" [le peuplement de Madagascar] ou l'historiographie coloniale en question. Omaly sy anio, 81, n°S 13-14, p. 57-76.

7055. FAGERENG (Emile). Origine des dynasties ayant régné dans le Sud et l'Ouest de Madagascar. Omaly sy anio, 81, n°S 13-14, p. 125-140.

7056. FOLEY (Robert). Offsite archaeology and human adaptation in Eastern Africa. London, Brit. Archaeol. Rep., 81, in-4, 265 p. (fig.)

7057. HARMS (Robert W.). River of wealth, river of sorrow : the central Zaire basin in the era of the slave and ivory trade, 1500-1891. New Haven, Conn., Yale U.P., 81, in-8, XV-277 p.

7058. IRWIN (Paul). Liptako speaks : history from oral tradition in Africa. Princeton, N.J., Princeton U.P., 81, in-8, XXIV-221 p.

7059. KABA (Lansiné). Archers, musketeers and mosquitoes : the Moroccan invasion of the Sudan and the Songhay resistance (1591-1612). J. african Hist., 81, vol. 22, p. 457-475.

7060. LA VERONNE (Chantal de). Sources françaises de l'histoire. du Maroc au XVIIIe siècle. R. Hist. maghrébine, 81, a. 8, p. 117-198, 301-347.

7061. McCASKIE (T.C.). State and society, marriage and adultery : some considerations towards a social history of precolonial Asante. J. african Hist., 81, vol. 22, p. 477-494.

7062. McINTOSH (Susan Keech), McINTOSH (Roderick J.). Prehistoric investigations in the region of Jenne, Mali, a study of the development of urbanism in the Sahel. London, Brit. Archaeol. Rep., 81, in-4, 541 p. (ill., fig.). - IIDEM. The inland Niger delta before the empire of Mali : evidence from Jenne-Jeno. J. african Hist., 81, vol. 22, p. 1-22.

7063. MAGLYŠ (V.N.). Razvitie zemlevladenija v Bugande (K formac. kharakteristike afr. dokolon. ob-va). (The evolution of land ownership in Buganda : (Towards the formation of the characteristics of the African precolonial society.) Nar. Azii Afr., 81, n° 1, p. 53-65.

7064. OLIVER (Roland), ATMORE (Anthony). The African middle ages, 1400-1800. London a. New York, Cambridge U.P., 81, in-8, VIII-216 p. (maps).

7065. PETRY (Carl F.). The civilian elite of Cairo in the later middle ages. Princeton, N.J., Princeton U.P., 81, in-8, XXIV-475 p. (Princeton Stud. on the Near East)

7066. POPOV (V.A.). Obščinnye instituty ašantijcev v predkolonial'nyj period. (Ashanti communal institutions in the precolonial period.) Nar. Azii Afr., 81, n° 3, p. 51-61.

7067. RAISON (Françoise). A Madagascar : le temps comme enjeu politique [vers 1864]. A. Ec. Soc. Civ., 81, a. 36, p. 143-167.

7068. RANTOANDRO (Andriamiarintsoa-Gabriel). L'extrême Sud-Est de Madagascar aux XVI et XVIIèmes [sic] siècles à travers les chroniques européennes de l'époque. Omaly sy anio, 81, n°s 13-14, p. 211-234.

7069. REEFE (Thomas Q.). The rainbow and the kings : a history of the Luba empire to 1891. Berkeley a. Los Angeles, Univ. of California Press, 81, in-8, XX-286 p.

7070. SUTTON (J.E.G.). Ibn Battuta's Yufi - bronze and gold in mid-iron-age Africa. Transafrican J. Hist., 81, vol. 10, p. 138-177.

7071. YAHYA (D.). Morocco in the 16th century : problems and patterns in African foreign policy. London, Longman, 81, in-8, 242 p. (Ibadan Hist. Ser.)

7072. YLVISAKAR (Marguerite). Lamu in the nineteenth century : land, trade, and politics. Boston, African Center, Boston Univ., 79, in-8, IX-222 p. (African Research Stud., 13)

Cf. n°s 624, 986, 994, 2204, 4801.

T

AMÉRICA
(desde los orígenes a la colonización)

Nos 7073-7091.

7073. ANAWALT (Patricia Rieff). Indian cloth before Cortés : Mesoamerican costumes from the codices. Norman, Okla., Univ. of Okla. Press, 81, XIX-232 p. (300 fig., 16 p., 9 phot., 24 tables, map).

7074. ANTHONIOZ (Sydney), COLOMBEL (Pierre), MONZON (Susana). Les peintures rupestres de Cêrca Grande, Minas Gerais, Brésil. Introd. par A. LAMING-EMPERAIRE. Paris, Soc. des Américanistes, 78, in-4, 303 p. (ill.). (Cah. d'archeol. d'Amérique du Sud, 6)

7075. ASCHER (Maria), ASCHER (Robert). Code of the Quipu : a study in media, mathematics and culture. Ann Arbor, Univ. of Mich. Press, 81, in-8, VIII-166 p. (76 fig., 29 pl.).

7076. BLANTON (R.F.), KOWALEWSKI (St. A.), FEINMAN (G.), APPEL (J.). Ancient Mesoamerica. Cambridge a. London, 81, in-8, 300 p. (fig.).

7077. CARMACK (Robert M.). The Quiché Mayas of Utatlán : the evolution of a highland Guatemala kingdom. Norman, Univ. of Oklahoma Press, 81, in-8, XVIII-435 p. (46 fig., 38 pl., 10 tables). (Civ. of the Am. Indians Ser., 155)

7078. EPSTEIN (Jeremiah F.), HESTER (Thomas R.), GRAVES (Carol). Papers on the prehistory of Mexico and adjacent Texas. San Antonio, Univ. of Texas Press, 80, in-8, II-153 p. (11 fig., 12 tables). (Center for archaeol. Research, Univ. of Texas at S. Antonio, spec. report, 9)

7079. ERICSON (Jonathon E.). Exchange and production systems in Californian prehistory. London, Brit. Archaeol. Rep., 81, in-4, 240 p. (fig.).

7080. FURST (Jill Leslie), FURST (Peter J.). Pre-Columbian art of Mexico. London, Deutsch, 81, in-4, 128 p. (pl.).

7081. HAVILAND (William A.), POWER (Marjory W.). The original Vermonters : native inhabitants, past and present. Hanover, N.H., Univ. Press of New England, 81, in-8, XX-326 p. (65 fig., 6 tables).

7082. HEALY (Paul F.). Archaeology of the Rivas region, Nicaragua. Waterloo, Ont., Wilfried Laurier U.P., 81, in-8, XXIX-382 p. (128 fig., 13 pl., 20 tables).

7083. HIRTH (Kenneth), VILLASEÑOR (Jorge Angulo). Early state expansion in central Mexico : Teotihuacan in Morelos. J. Field Archaeol., 81, vol. 8,, p. 135-150.

7084. Lowland Maya settlement patterns. Ed. by Wendy ASHMORE. Albuquerque, Univ. of New Mexico Press, 81, in-8, XVIII-465 p. (56 fig., 18 tables)

7085. MILANICH (Jerald T.), FAIRBANKS (Charles H.). Florida archaeology. London, Academic Press, 81, in-8, 290 p. (ill.).

7086. Olmec (The) and their neighbours. Essays in memory of Matthew W. Stirling. Ed. by Elizabeth P. BENSON. Washington, D.C., Dumbarton Oaks, 81, in-8, XII-346 p. (268 fig., 14 tables).

7087. PARSONS (Lee A.). Pre-Columbia art. London, Harper a. Row, 81, in-4, 336 p.

7088. PENDERGAST (David M.). Lamanai, Belize : summary of excavation results, 1974-1980. J. Field Archaeol., 81, vol. 8, p. 29-53.

7089. PUPPO (Giancarlo). Argentine art before the Hispanic domination. Seattle, Wash., Univ. of Wash. Press, 81, in-4, 276 p. (164 pl., 6 tables, map).

7090. VAN ZWANTWIJK (Rudolf). La historia dinástica azteca : sus limitaciones y sus perspectivas. R. Indias [Madrid], 81, vol. 41, p. 9-30.

7091. WRIGHT (J.V.). La préhistoire de l'Ontario. Conseiller scientifique pour la version française : Roger J.-M. MAROIS. Montréal, Fides, 81, in-8, 121 p. (Coll. La préhistoire du Canada)

U

OCEANÍA
(desde los orígenes a la colonización)

Nºˢ 7092-7109.

* Cf. n° 604.

7092. Archaeological studies of Pacific stone resources. Ed. by Foss LEACH a. Janet DAVIDSON. Oxford, Brit. Archaeol. Rep., 81, in-8, 237 p. (ill., maps). (Brit. archaeol. Rep., Intern. ser., 104)

7093. BROU (Bernard). Poteries pré-européennes de Nouvelle-Calédonie. Nouméa, Soc. d'Et. hist. de la Nouv.-Calédonie, 80, in-8, 33 p. (Publ. de la Soc. d'Et. hist. de la Nouv.-Calédonie, 22)

7094. CANDELOT (Jean-Louis Teuruarii Tamatoa). Contribution à la prospection archéologique des îles Marquises : l'île [inhabitée] d'Eiao. J. Soc. Océanistes, 80, t. 36, n° 66-67, p. 105-121 (9 fig., 11 phot.).

7095. CORDY (Ross), KASCHKO (Michael W.). Prehistoric archaeology in the Hawaiian Islands : land units associated with social groups. J. Field Archaeol., 80, vol. 7, p. 403-416.

7096. DORAN (Edwin) Jr. Wangka, Austronesian canoe origins. College Station, Texas A & M Univ. Press, 81, in-8, 111 p. (ill., maps)

7097. FERDON (Edwin N.). Early Tahiti as the explorers saw it, 1767-1779. Tucson, Ariz., Univ. of Arizona Press, 81, in-8, XVI-371 p. (ill.).

7098. FRIMIGACCI (Daniel). Localisation éco-géographique et utilisation de l'espace de quelques sites Lapita de Nouvelle-Calédonie : essai d'interprétation. J. Soc. Océanistes, 80, t. 36, n° 66-67, p. 5-10 (7 fig.).

7099. FRIMIGACCI (Daniel), MONNIN (Jean). Un inventaire des pétroglyphes de Nouvelle-Calédonie. Grande Terre et Iles. J. Soc. Océanistes, 80, t. 36, n° 66-67, p. 17-59 (48 fig., 6 phot.).

7100. GARANGER (José). Prospections archéologiques de l'îlot Fenuaino et des vallées Aiurua et Vaiote à Tahiti. J. Soc. Océanistes, 80, t. 36, n° 66-67, p. 77-104 (13 fig., 9 pl.).

7101. HIGHAM (Charles). The Maoris. Cambridge a. New York, Cambridge U.P., 81, in-8, 48 p. (ill.).

7102. JONES (Rhys). Une île comme miroir d'un continent : la position unique de la Tasmanie dans la préhistoire de l'Australie. J. Soc. Océanistes, 80 [81], t. 36, n° 68, p. 207-222 (8 fig., 7 phot.).

7103. LEACH (Foss), WARD (Graeme). Archaeology of Kapingamarangi Atoll : a Polynesian outlier in the eastern Caroline Islands. Dunedin, B.F. Leach, 81, in-8, XI-150 p. (ill., maps).

7104. ORLIAC (Catherine), ORLIAC (Michel). Les structures de combustion et leur interprétation archéologique : quelques exemples en Polynésie. J. Soc. Océanistes, 80, t. 36, n° 66-67, p. 61-76 (3 fig.).

7105. Puti razvitija Avstralii i Okeanii : Istorija, èkonomika, ètnografija. (Ways of development of Australia and Oceania : History, economy, ethnography.) Otv. red. K.V. MALAKHOVSKIJ. Moskva, Nauka, 81, 328 p. (AN SSSR. In-t vostokovedenija)

7106. SELLNOW (Irmgard). Inseln und Inselreiche im Pazifik. Altertum, 81, Bd 27, p. 197-205 (Abb.).

7107. STRUWE (Ruth). Zur Besiedlungsgeschichte Australiens. Altertum, 81, Bd 27, p. 217-223 (Abb.).

7108. TIESLER (Frank). Hochseefahrten und Küstenhandel. Zwei Grundlagen f. Besiedlung u. Kulturentwicklung im westl. Pazifik. Altertum, 81, Bd 27, p. 206-216 (Abb.).

7109. TUGGLE (H. David), TOMONARI-TUGGLE (M. J.). Prehistoric agriculture in Kohala, Hawaii. J. Field Archaeol., 80, vol. 7, n° 3, p. 297-312.

ÍNDICE DE AUTORES Y DE PERSONAS[1]

A

Aalto (S.K.), 4573.
Abbassides (les), dynastie, 2146.
Abbott (Carl), 5040, 5497.
Ábel (Jenő), 313.
Abélard (Pierre), 2464, 2472, 2579.
Abelshauser (Werner), 5041, 5055.
Abir (Mordechai), 7049.
Abłamowicz (Aleksander), 4697.
Abraham (David), 2702.
Abraham von Ankyra, 1821.
Abrahams (Edward), 4765.
Abrahamson (James L.), 2935.
Abramovič (G.V.), 1991.
Abrams (Philip), 5746.
Abu al-Dhahab (Muhammad Bey), Pasha of Egypt, 2883.
Abu-Lughod (Janet L.), 6186.
Acciaiuoli (Donato), 1982.
Accolti (Benedetto), 314.
Accornero (Aris), 3637.
Achard (Guy), 1648.
Achen (Henrik v.), 2396.
Achilles Tatius, 142.
Achremczyk (Stanisław), 3673.
Achterberg (Norbert), 5979.
Ackerl (Isabella), 2843.
Ackermann (Manfred), 5910.
Acloque (Paul), 4557.
Acton (Harold), 3642.
Acton (Sir John Francis Edward), 625.
Adam de Bochyń, 2551.
Adam (Erik), 4338.
Adam (Iosif I.), 5042.
Ádám (Magda), 6492.
Adamec (Ludwig W.), 177.
Adamjan (Ovanes), 4558.
Adams (Bradley), VII.
Adams (Henry), 545.
Adams (Henry Brooks), 4317.
Adams (John), 3028.
Adams (John Quincy), 2913.
Adams (Marian), 4317.
Adams (Robert McC.), 1231.
Adams (Th. R.), 6241.
Adams (William Y.), 1186.
Adamson (Walter L.), 368.
Adăniloaie (Nichita), 5043.
Adenauer (Konrad), 2726.
Adgé (M.), 1109.
Adler (Felix), 4465.
Adler (Friedrich), 2838.
Adler (Winfried), 3577.
Aduddell (Robert M.), 5136.

Aeneas, héro légendaire, 1720.
Aethicus Ister, 1961.
Afanas'ev (Ju. N.), 438.
Agaev (S.L.), 3564.
Agajanc (C.P.), 3811.
Agárdi (Péter), 808.
Agosti (Aldo), 5938.
Agnew (Hugh LeCaine), 3766.
Agricola (Gnaeus Julius), 1558.
Agrippa (Marcus Vipsanius), 1651.
Aguilar Fernández (R.M.), 1375.
Agulhon (Maurice), 3180, 4435.
Ahl (Diane Cole), 2397.
Ahrens (Gerhard), 5455.
Ahrweiler (Hélène), 737.
Ahvenainen (Jorma), 5137.
Aiakidai, Eacides, dynastie d'Epire, 1356.
Aichelburg (Wladimir), 2831.
Aigner-Foresti (Luciana), 1097, 1490.
Aikens (C. Melvin), 7033.
Ainval (Christiane d'), 3181.
Aischylos, 1376, 1411, 1431.
Aitchison (John), 6397.
Ajami (Fouad), 6912.
Ajello (Raffaele), 625.
Ajnenkiel (Andrzej), 768.
Ajni [pseud.], v. Sadriddin (Said-Murodzoda).
Ajzin (B.A.), 2703.
Akenson (Donald Harman), 4085.
Akhavi (Shahrough), 3565.
Akimoto (Hiroya), 5044.
Akizuki (Tatsuichiro), 6693.
Akopjan (A.S.), 4558.
Aksakov (Konstantin S.), 315.
Aksel'rod (Pavel Borisovič), 3814.
Aladžemova (Dora), VI.
Alaev (L.B.), 6937.
Alaman (Lucas), 6451.
Alarcão (Adilia Moutinho), 1726.
Alarcão (Jorge), 1726.
Alba (Fernando Álvarez de Toledo, duque de), 2899.
Albanese (Ralph) Jr., 5564.
Alberigo (Giuseppe), 2488.
Albert, consort of queen Victoria of Great Britain, 3468.
Albert (Peter J.), 6291.
Albert (Pierre), 4399.
Albert-Samuel (Colette), IX.
Alberti (M.G.), 4021.
Albertini (Rosanna), 3182.

Albertini (Rudolf v.), 6899.
Alberto III Pio, principe di Carpi, 3635.
Alberto Romero (Luis), 5565.
Alberts (Wybe Jappe), 2202.
Albertus Magnus, Sanctus, 2477, 2533.
Albin (Janusz), 5498.
Albrecht (M. v.), 1649.
Albrecht-Szymanowska (Wiesława), 707.
Alcuin, 1916, 2474.
Alden (Maureen Joan), 1303.
Alderotti (Taddeo), 2381.
Aleksandr III, empereur de Russie, 3859, 4381.
Aleksandrov (V.A.), 570, 5566, 5965.
Aleksandrowicz (Marian), 4018.
Alekseev (A.I.), 5045.
Alekseev (M.P.), 4834.
Aleksej, tsar de Russie, 3827.
Alembert (Jean Le Rond d'), 4533.
Alencastro (Luiz Felipe de), 737.
Alexander V [Petros Philargos sive Pietro di Candia], Antipapa, 1900.
Alexander, emperors of Russia, v. Aleksandr.
Alexander (G.M.), 3489.
Alexander (James W.), 2052.
Alexander (M. Van Cleave), 3399.
Alexander (Manfred), 730.
Alexander (Robert J.), 5813.
ALexander (Thomas B.), 2936.
Alexander (William), 4930.
Alexandrescu-Dersca Bulgaru (M.M.), 154.
Alexandros III ho Megas [le Grand], roi de Macédoine, 112, 1314, 1323, 1347, 1349, 1351, 1653.
Alexis, tsar of Russia, v. Aleksej.
Alföldy (Geza), 1614.
Alfonso II, rey de Aragón, 2164, 2322.
Alfonso XIII, rey de España, 2901.
Alfonso II, re di Napoli, 625.
Alfonso d'Aragona, principe di Capua, v. Alfonso II, re di Napoli.
Algisi (L.), 3955.
Ali, Siegelbewahrer Ca'fer Paschas von Temeschvar, 3724.

---

1. Los apellidos eslavos, especialmente los rusos, se apuntan como se pronuncian en sus respectivas lenguas nacionales, pero transcritos según el método acostumbrado, y van colocados en el sitio que les pertenece según dicha transcripción. - Las letras con signos diacríticos van mezcladas con las letras ordinarias (v.g. : c, s, ś con c, s). - Las vocales germánicas modificadas (ä, ö, o, ü) se consideran como si estuviesen escritas, ae, oe, ue. - Los apellidos de los santos y de los papas se resenan bajo su forma latina. - Los apellidos Mac, M', Mc se consideran todos como Mac.

Ali Bey al-Kabir, Shaikh al-Balad of Egypt, 2883.
Alicu (Dorin), 1694.
Aliquot (H.), 74.
Alkaios, 1391.
Alkhimov (V.S.), 5469.
Alkman, 1394.
Allam (S.), 1187.
Allart (Marie-Christine), 5567.
Allday (D. Helen), 2084.
Allen (David Grayson), 6247.
Allen (Derek F.), 81.
Allen (Howard W.), 2937.
Allen (James Smith), 4766.
Allen (Naomi), 3810.
Allen (Pauline), 1777.
Allgeier (Rudi), 5233.
Allinne (Jean-Pierre), 3183, 5456.
Allison (David Kite), 4559.
Alphonse Ier, comte de Provence, v. Alfonso II, rey de Aragón.
Al-Qadiri (Muhammad), 6913.
Alquié (Ferdinand), 4436.
Alspaugh (William J.), 6936.
Alston (Lee J.), 5354.
Altermatt (Albrich), 889.
Altfahrt (Margit), 2832.
Althoff (Gerd), 2541.
Aluko (Olajide), 6814.
Alverny (Marie-Thérèse d'), 261.
Amadou (Robert), 4433.
Amandry (Pierre), 1459, 1460.
Amari (Michele), 316.
Ambouroue-Avaro (Joseph), 7050.
Ambrasi (Domenico), 625.
Ambrosiani (Kristina), 2154.
Ambrosius, Ep. Mediolanensis, Sanctus, 1811.
Ameling (W.), 1377.
Amenothes, figlio di Horos, 1178.
Ameriks (Karl), 4437.
Amiel (Henri), 6694.
Aminzade (Ronald), 5568.
Amir (Dov), 4746.
Ammon (Harry), 2939.
Ammonios d'Alexandrie, 2417.
Amonoo (Ben), 3389.
Amoos (Anne-Marie), 4426.
Amort (Čestmír), 611, 646, 5814.
Anacletus II [Pierleone], Antipapa, 2499.
Anastasius I, empereur de Byzance, 97.
Anawalt (Patricia Rieff), 7073.
Anaximandros, 1381.
Anderle (Ádám), 2881, 6248.
Andersen (Elga), 1466.
Anderson (Eric), 2940.
Anderson (F.W.), 6249.
Anderson (George M.) S.J., 2941.
Anderson (Gidske), 6815.
Anderson (Irvine H.), 6107.
Anderson (James W.), 2941.
Anderson (Judith Icke), 2942.
Anderson (Karen), 5569.
Anderson (Margaret Lavinia), 2705.
Anderson (Robin), 3956.
Anderson (Robin L.), 5355.
Anderson (Stuart), 6433.
Anderson (Terry H.), 6816.

Anderson (Terry L.), 5046.
Anderson (Thomas P.), 6817.
Anderson (Thornton), 6250.
Andersson (Bo), 4271.
Andics (Erzsébet), 3534.
Andorlini (Isabella), 1309.
András III, roi de Hongrie, 2196.
André, roi de Hongrie, v. András.
Andrea (Alfred J.), 1902.
Andreae (Bernard), 439.
Andreas, Könige von Ungarn, v. András.
Andréas (Bert), 5799.
Andreescu (Ştefan), 3726.
Andreev (Juri V.), 1339.
Andrén (Arvid), 846.
Andreoni Fontecedro (E.), 1650.
Andrés-Gallego (José), 5356.
Andreu (F.), 4021.
Andrew (Christopher M.), 6153.
Andrews (K.R.), 6349.
Andrien (Kenneth J.), 6251.
Anfilov (V.A.), 6695.
Angelico, Fra (Giovanni da Fiesole), 2397.
Angelov (D.), 647.
Angermeier (Heinz), 2085.
Angermüller (Rudolph), 4941.
Angrisani Guerrini (Isa), 382.
Angus (Ian), 5815.
Anikin (V.V.), 5499.
Aniksta (A.), 4718.
Anjou, Dynastie, 2006, 2076.
Ankli (Robert E.), 5357.
Annas (J.), 1378.
Anne d'Autriche, reine de France, 3242.
Anne de Bretagne, reine de France, 2116.
Annio da Viterbo, v. Nanni (Giovanni).
Anonymus Belae regis notarius, 1907.
Anselmi (G.M.), 2320.
Anspak (Ja. I.), 4272.
Antall (József), 3492, 4560.
Anthonioz (Sydney), 7074.
Antiochus IV Epiphanes, roi séleucide, 1548.
Antoine (Gérald), 735.
Antoine (Michel), 5457.
Antonello da Messina, 700.
Antonini, empereurs romains, 1646.
Antonius Patavinus, Sanctus, 1925.
Antonius (Marcus), triumvir, 1471.
Antosjak (A.V.), 211.
Aparicio Pérez (J.), 1011.
Apollinaire (Guillaume), 4881.
Apollinarius Laodicensis, 1755.
Apollonios, diocète, 1217.
Apollonios Rhodios, 1310.
Appadurai (Arjun), 6165.
Appel (J.), 7076.
Appleboom (Th. G.), 957.
Aquarone (Alberto), 3636.
Arad (Yitzhak), 6585.
Aradi (Nóra), 4839.
Arak'el von Bitlis, 1821.
Arató (Endre), 317.
Arató (Paolo), 890.
Arbeli (Shoshana), 1160.
Arborio Mella (Federico A.), 606.
Arcangeli (Bianca), 302.

Archer (Christon I.), 6252.
Archer (John H.), 2869.
Archi (Gian Gualberti), 1839.
Arconati-Visconti (Marie Peyrat, marquise), 3187.
Ardeleanu (Ion), 5906.
Arendt (Hannah), 318.
Arendt (Hans-Jürgen), 2706.
Aretin (Karl Otmar Frh. v.), 6108.
Arevšatyan (S.), 1840.
Argersinger (Peter H.), 2943.
Aricescu (Andrei), 1530.
Arie (Katriel Ben), 3812.
Ariston Khios, 1423.
Aristophanes, 1377.
Aristoteles, 1363, 1383, 1395, 1401, 1404-1406, 1418, 1419, 1428, 1432, 1442, 2469, 4738.
Arjomand (Said Amir), 4175.
Armayor (O. Kimball), 1379.
Armitage-Smith (Sydney), 1937.
Armstrong (Christopher), 6005.
Armstrong (John) Jr., 3124.
Armstrong (Lilian), 2398.
Arnaud (Pierre), 4429, 4767.
Arnaud-Ameller (P.), 5466.
Arnold (Allan A.), 5279.
Arnold (Klaus), 1993.
Arnold (Matthew), 4799.
Arnold (Morris S.), 434.
Arnold (Udo), 2109, 2779.
Arnoldus Parvus, Aachener Bürger, 2267.
Arnott (Geoffrey), 1380.
Arnould (Arthur), 3185.
Aron (Cindy S.), 2944.
Arora (B.D.), 6818.
Árpád, dynastie, 1903, 2448.
Arš (G.L.), 607.
Arsenault (Georges), 6253.
Arsinoé III, reine d'Egypte, 1215.
Artaxerxes II, roi de Perse, 1281.
Artemenko (I.I.), 726, 971.
Artemij, Starez, 4080.
Arteus (Gunnar), 5571.
Arthur (Chester Alan), 2985.
Artibise (Alan F.J.), 5495, 5554.
Artieri (Giovanni), 3578.
Arutjunov (S.A.), 569.
Arutjunova-Fidanjan (V.), 1841.
Arvon (H.), 3813.
Ary (Mikel V.), 2040.
Arz von Straussenburg (Albert), 64.
Ascher (Abraham), 3814.
Ascher (Maria), 7075.
Ascher (Robert), 7075.
Aschoff (Hans-Georg), 2778.
Asen, dynastie, 57.
Ash (James L.) Jr., 4086.
Ash (Mitchell G.), 4561.
Ashbee (Andrew), 4931.
Ashdown (Dulcie M.), 3400.
Asher (Johan), 410.
Ashmore (A.M.), 1012.
Ashmore (Wendy), 7084.
Asthon (S.R.), 6166.
Ashurbanipal, roi d'Assyrie, 1230.
Ashworth (E.J.), 4439.
Asimov (M.S.), 1068.
Asmis (Elizabeth), 1381.
Asplund (Anneli), 4932.
Asratjan (É.A.), 4562.

Asselin (Jean-Pierre), 4041.
Astor (Nancy Witcher), 3457.
Astor (Vincent), 6652.
Atack (Jeremy), 5572.
Atatürk, v. Kemal Atatürk (Mustafa).
Athanassidai-Fowden (Polymnia), 1531.
Atil (Esin), 2386.
Atmore (Anthony), 2692, 7064.
Attaleiates (Michael), 1858.
Atticus Herodes, v. Herodes Atticus.
Attman (Artur), 762, 5280.
Attridge (Harold W.), 1246.
Atzler (Michael), 1188.
Aubé (Pierre), 2053.
Aubert (Hippolyte), 4084.
Aubert (Roger), 879.
Aubin (Paul), 2867, 6242.
Auchinleck (Sir Claude John Eyre), 6750.
Auden (Wystan Hugh), 4779.
Auer (Alfred), 385.
Auersperg (Pavel), 2623.
Auffret (Pierre), 1247.
Augé (Christian), 202.
Auger (Geneviève), 5573.
Auguet (Roland), 1291.
August (Thomas G.), 3186.
Augustin (Jean-Marie), 5574.
Augustins (Georges), 2667.
Augustinus (Aurelius), Sanctus, 1565, 1759, 1812, 3998.
Augustus (Gaius Julius Caesar Octavianus), empereur romain, 1509, 1510, 1538, 1544, 1654.
Augustyniak (Urszula), 3675.
Aujourd'hui (R. d'), 2581.
Aurell i Cardona (Martí), 2164, 2322.
Ausems (Andre), 6641.
Ausonius (Decimus Magnus), 1661.
Austin (Aleine), 6254.
Austin (M.M.), 1323.
Autrand (Françoise), 2165.
Avakoumovitch (Ivan), 6758.
Aveling (J.C.H.), 4042.
Averincev (S.S.), 1439.
Averroes, v. Ibn Rushd.
Avesani (Rino), 1990.
Avicenna, v. Ibn Sinā.
Avineri (Shlomo), 4176.
Avril (Joseph), 2542.
Avrin (Leila), 19.
Avtukhova (I.I.), 806.
Axelrod, v. Aksel'rod.
Axelsson (Björn), 5138.
Axenciuc (Victor), 5459.
Axtell (James), 6255.
Aylmer (Charles), 1.
Aymard (Maurice), 270.
Ayyūbides (les), dynastie, 82.
Azaïs (Pierre-Hyacinthe), 3193.
Azan (Paul), 6192.
Azouvi (François), 4563.

B

Baader (Renate), 5575.
Baal (Gérard), 3187.
Baarck (Gerhard), 633.
Baba (Rabbah), 1251.
Babelon (Jean), 858.
Babeuf (François Noël, dit Gracchus), 3301, 3306.

Babičenko (L.G.), 5817.
Bablet (Denis), 4933.
Babut (Daniel), 1382.
Baccalini Punzo (Marina), 5935.
Bacchielli (Lidiano), 1228.
Bach (I.A.), 3337.
Bach (Johann Sebastian), 4927.
Bacharach (Jere L.), 2204.
Bachellery (E.), 149.
Bachmann (Werner), 864.
Bacchylides, v. Bakkhylides.
Backhaus (R.), 1585.
Backus (Charles), 6975.
Backus (Irena), 4090.
Backus (Oswald P.), 725.
Bacon (Francis, baron Verulam, viscount St. Albans), 4440.
Bacon (Sir Nathaniel), of Stiffkey, 6048.
Bade (Klaus J.), 5500.
Badel (Pierre-Yves), 2323.
Badian (E.), 1651.
Badstübner (Rolf), 2736.
Baḍura (Bohumil), 2821, 6347.
Baechler (Christian), 3165, 6483.
Baechler (Jean), 3229.
Baehre (Rainer), 5576.
Bagatti (Bellarmino), 1773.
Bagehot (Walter), 3423.
Bagge (Sverre), 2166.
Bagnall (Roger S.), 220, 1311, 1312, 1816.
Bagolini (Bernardo), 1034.
Bahmueller (Charles F.), 5011.
Bahner (Werner), 128.
Bahrdt (K.F.), 4499.
Bahuchet (Serge), 584.
Baier (Karl), 1383.
Bailey (Thomas A.), 2945.
Bailey (Victor), 6051.
Bairoch (Paul), 5047.
Bairu Tafla, 6110.
Bak (János M.), 3500.
Baker (Arthur), 2.
Baker (Carlos), 4757.
Baker (Sir Herbert), 4868.
Baker (J.H.), 6052, 6059.
Baker (Keith Michael), 3188.
Baker (Kendall L.), 2707.
Bakir (Güven), 1461.
Bakkhylides, 1385, 1396, 1440.
Bakonyi (Tibor), 4859.
Bakunin (Mikhail Aleksandrovič), 5847, 5917.
Balace (Francis), 6434.
Bălan (Ion Dodu), 943.
Balandier (Georges), 737.
Balázs (Eva H.), 5728.
Balázs (György), 5577.
Balázs (P. János), 1938.
Balawyder (Aloysius), 6111.
Balbo (Pier Paolo), 696.
Bald (Detlef), 2708.
Balduin von Luxemburg, Erzbischof von Trier, 239, 2117.
Baldung (Hans, gen. Grien), 4895.
Baldwin (B.), 1842.
Baldwin (John W.), 2054.
Baldwin (William), 3432.
Balfour (Michael), 6112.
Bálint (Csanád), 1122.
Ball (Victoria Kloss), 4882.
Balland (J.A.). 1468.
Ballard (J.A.), 3663.
Ballesteros Gaibrois (Manuel), 339.
Balmelle (Catherine), 1746.

Balmer (Hans Peter), 929.
Balog (Paul), 82.
Balogh (István), 3495.
Balout (Lionel), 411, 994.
Balsamo (Luigi), 28, 252.
Balther von Säckingen, 1955.
Balvano, famiglia, 625.
Balz (Robert), 888.
Balzac (Honoré de), 4772.
Bamba (Vamadou), 3189.
Bammi (Vivek), 2946.
Bán (Péter), 687.
Banac (Ivo), 437, 3887.
Banani (Amin), 3566.
Banaszak (Marian), 923.
Banaszkiewicz (Jacek), 2055.
Bancal (Jean), 5818.
Bandelier (André), 440, 6398.
Bandelli (G.), 1534.
Banks (Arthur S.), 5578.
Bankuti (Imre), 3501.
Bantea (Eugen), 6696.
Baquíjano (José), 6266.
Bar (Joachim Roman), 4018, 4057.
Bar-Kochba (Shimon bar Koseba, dit), 1273.
Bar-Siman-Tov (Yaacov), 6819.
Baranowski (Henryk), 703.
Baraschi (Silvia), 2582.
Baratte (François), 1708.
Barbagallo (Francesco), 3574.
Barbalucca (Giuseppe), 809.
Barběr (Giles), 33.
Barber (Malcolm), 2543.
Barbera (André), 1384.
Barberi (Francesco), 29.
Barberis (Walter), 3579.
Barbet (Alix), 1709.
Barbier (Antoine-Alexandre), 5563.
Barbier (Frédéric), 5139, 5281.
Barbier (Jacques A.), 5460, 6256.
Barbier (Jean-Marie), 763.
Barbir (Karl K.), 6914.
Barbour (R.), 3.
Barcan (Alan), 4273.
Barceló (P.A.), 1535.
Barceva (T.B.), 1098.
Barchiesi (Alessandro), 1506.
Barclay (Glen St. John), 6884.
Bardet (Jean-Pierre), 3339.
Bardey (Alfred), 3158.
Bardez (Jean-Michel), 4934.
Baré (Jean-Luc), 3345.
Barfield (Thomas J.), 6915.
Barg (M.A.), 411.
Bariţ (George), 319.
Barker (Graeme), 847, 964.
Barkley (Murray), VII.
Barletti (Antonio), 2689.
Barlow (Frank), 2538.
Barman (Roderick J.), 2855.
Barmeyer (Heide), 2778.
Barnard (Andrew), 2876.
Barnard (Frederick M.), 442, 4202.
Barnave (Antoine), 3182.
Barnea (I.), 65.
Barnes (Thomas G.), 6053.
Barnes (Timothy D.), 1536.
Barnett (Richard B.), 6938.
Barnouw (Jeffrey), 4440.
Barodet (Désiré), 3380.
Barra (Francesco), 3580.
Barraclough (Geoffrey), 878.
Barral (Pierre), 5139a.
Barral i Altet (Xavier), 2399.

Barratt (Glynn), 5282.
Barreau (Jean), 3190.
Barrett (Elinore M.), 6257.
Barrett (J.), 1062.
Barrié (Viviane), 3910.
Barrier (Gerald), 6169.
Barron (John P.), 1385.
Barros Arana (Diego), 320.
Barrow (G.W.S.), 2056.
Barrows (Susanna), 3191.
Barrymoore, family, 4970.
Barta (Gábor), 6350.
Barta (János) Jr., 4087, 5358.
Barta (Winfried), 1189, 1190.
Bartel (Horst), 443.
Bartl (Gerda), 609.
Bartlett (Bruce), 6664.
Bartlett (Irving H.), 2947.
Bartlett (Merrill L.), 6435.
Bartlett (Robert), 2167.
Bartlett (Thomas), 3401.
Bartly (Numan V.), 213.
Bartók (Béla), 4935, 4959.
Bartók (Béla), Jr., 4935.
Bartók (János), 3502.
Bartolini (Stefano), 3192.
Bartolomeu (Melià), 6258.
Barton (J.L.), 6006.
Bartos (Josef), 173, 444.
Bartoszewski (Władysław), 6642.
Bartusis (Mark C.), 1843.
Baruch (Bernard M.), 3111.
Barudio (Günter), 2628.
Barycz (Henryk), 271, 4709.
Bascapè (Giacomo C.), 66.
Basile (le Père), 1761
Basileios I, empereur de Byzance, 1823.
Basin (V. Ja.), 3872.
Baskerville (Peter), 5140.
Basle (Maurice), 6033.
Basov (A.V.), 6697.
Bastianini (M.P.), 1491.
Bastien (P.), 105.
Baszkiewicz (Jan), 2629.
Bataillon (Louis-Jacques), 2463.
Bataillon (Marcel), 321, 412, 4241.
Batatu (Hanna), 3761.
Bateman (Fred), 5141, 5572.
Batlle y Ordoñez (José), 3884.
Batowski (Henryk), 6643.
Batscha (Zwi), 2709.
Batthyány (Lajos), 3558.
Battiscombe (Georgina), 4768.
Battye (John), 5804.
Bauchhensz (G.), 1710.
Baudant (Alain), 5139a.
Baude (Michel), 3193.
Baudelaire (Charles Pierre), 4797.
Baudis (Dieter), 5048.
Baudoin (Marthe), 4043.
Baudot (Georges), 5579, 6259.
Baudouin IV, roi de Jérusalem, 2053.
Bauer (Michel), 4275.
Bauer (Yehuda), 6586.
Bauffremont (Joseph de), 6366.
Baum (Rainer C.), 2710.
Bauman (Mark A.), 4088.
Baumann (Gerhart), 4769.
Baumann (Heidrun), 3194.
Baumeister (Theofried), 1778.
Baumgarten (Albert I.), 1386.
Bausani (Allessandro), 1836.
Bautier (Robert-Henri), 2057.

Bayard (Françoise), 83.
Bayle (Jacqueline), 6187.
Baylen (Joseph O.), 4381, 6575.
Bayley (Edwin R.), 4382.
Bazan (Bernardo Carlos), 2465.
Bazin (Germain), 848, 4841.
Bazylow (Ludwik), 2630, 6916.
Bazzocchi (G.), 3590.
Beach (D.M.), 7051.
Beaconsfield (Benjamin Disraeli, earl of), 4774.
Beard (Charles A.), 322.
Beardsley (Aubrey Vincent), 4883.
Beasley (Jerry C.), 4693.
Beasley (W.G.), 3646.
Beauchamp (T.L.), 4441.
Beaud (Michel), 5012.
Beaugrand (Philippe), 5013.
Beaumont (William), 4647.
Bec (Christian), 4203, 6351.
Becher (Udo), 5142.
Bechtold (Klaus D.), 2205.
Beck (Ann), 4564.
Beck (Bernard), 2506.
Beck (Hans-Georg), 1831.
Beck (József), 3685.
Beck (Ludwig), 6768.
Beck (Miroslav), 4789.
Beck (Thomas), 3195.
Becker (C.J.), 84, 2620.
Becker (Jean-Jacques), 3196, 6493.
Becker (Marvin B.), 1994.
Becker (Winfried), 2631, 2712.
Becker (Wolfgang), 4756.
Beckerman (John S.), 2168.
Beckett (J.V.), 5143.
Beckett (James Camlin), 3402.
Beckett (L.), 2400.
Beckmann (Jan P.), 2480.
Beddoe (Alan), 67.
Bedeski (Robert E.), 6976.
Bednarczyk (Bogusława), 3403.
Bedos (Brigitte), 68, 2206.
Bee (Robert L.), 2948.
Beecher, family, 5757.
Beecher (Lyman), family, 2952.
Beer (Ellen J.), 2401.
Beerman (Eric), 6399.
Beethoven (Ludwig van), 5868.
Begelsbacher-Fischer (Barbara L.), 1191.
Begouen-Demeaux (capitaine de corvette), 6698.
Begunov (Jurij K.), 3815.
Behbehani (H.S.), 6820.
Behocaray Alberro (Solange), 6260.
Behr (Marhild v.), 5144.
Behre (Karl-Ernst), 2207.
Behrens (Fritz), 5014.
Behrens (Hermann), 1056, 1059.
Beier (Gerhard), 5819.
Beierwaltes (Werner), 1812, 2466.
Bejlina (E.E.), 5145.
Bekker-Nielsen (Hans), 2161, 2531.
Béla III, roi de Hongrie, 2067.
Béládi (Miklós), 4809.
Bélanger (André-J.), 5562.
Beliajeff (A.S.), 4073.
Beljaev (I.P.), 2882.
Belknap (Jeremy), 323.
Belknap (Michael R.), 5980.
Bell (Gary M.), 3404.
Bellen (Heinz), 1537.

Bellenger (Dominic), 3967.
Bellenger (Yvonne), 4710.
Bellér (Béla), 3503, 6494.
Bellini (Vincenzo), 4939.
Bello (Andrés), 6329.
Belloubet-Frier (Nicole), 6007.
Beloded (V.D.), 4477.
Belousova (Z.S.), 661.
Bély (Lucien), 4276.
Ben Sira, v. Sirach.
Benac (Alojz), 1123.
Benda (Kálmán), 688, 3504, 3505, 5728.
Bender (Ryszard), 3999.
Bender Jørgensen (Lise), 1100, 2620.
Bendjebbar (André), 3197.
Benedict (Philip), 3198.
Benedictus Nursinus, Sanctus, 2534.
Benedictus XIII [Pedro de Luna], Papa, 1900.
Beneš (Edward), 3791.
Beneš (František), 1975.
Bénéton (Philippe), 3229.
Bengtson (Hermann), 1538.
Benkő (Loránd), 1903.
Benkovitz (Miriam J.), 4883.
Benke (József), 6821.
Bennett (J.A.W.), 413, 2358.
Bennett (Jack), 6495.
Bennett (James), 445.
Benson (Elizabeth P.), 7086.
Benson (Susan Porter), 5283.
Bentham (Jeremy), 481, 4428, 5011.
Bentham (Sir Samuel), 3462.
Bentley (Arthur F.), 4684.
Benya (Anton), 5872.
Benz (Wolfgang), 6899.
Benzing (Josef), 26.
Beran (Jiří), 236.
Beránek (Karel), 1975.
Béranger (Jean), 4204, 5728.
Beranová (Magdalena), 2208.
Berard (Georges), 1055.
Berardi (Anna Rita), 1527.
Berciu (Dumitru), 1124.
Berding (Helmut), 2725.
Berdnikov (G.P.), 4831.
Berdoulay (Vincent), 155.
Berend (T. Iván), 3506, 4049.
Bérenger (Jean), 737.
Bérénice II, reine d'Egypte, 1215.
Berg (Gerald M.), 7052.
Berger (Alain), 5359.
Berger (Jason), 2949.
Berger (Rainer), 999.
Berger (Roger), 2324.
Bergeron (Louis), 3260.
Bergevin (Hélène), 4860.
Berghahn (V.), 2713.
Bergier (Jean-François), 2209, 3757.
Bergmann (Eckart), 2388.
Bergner (Jeffrey T.), 272.
Bergonzi (Giovanna), 1108.
Bergot (Erwan), 6699.
Bergsten (Torsten), 4089.
Beridze (Vachtang), 849.
Berindei (Dan), 3727.
Bering-Staschewski (Rosemarie), 1507.
Berka (Karel), 4565.
Berkhout (Carl T.), 2540.
Berkov (P.N.), 944.
Berlanstein (Lenard R.), 5146.

Berlin (George L.), 4177.
Berlin (Ira), 2950.
Berlin (Isaiah), 6640.
Berlin (Jörg), 2704.
Berman (Aaron), 6587.
Berman (Morris), 608.
Bernabò Brea (Luigi), 1462.
Bernadotte (Jean), v. Karl XIV Johan, roi de Suède et de Norvège.
Bernand (Etienne), 1179.
Bernard (Dominique), 6469.
Bernard (G.W.), 3405.
Bernard (Madeleine), 2454.
Bernard (Martin), 3296.
Bernard (Richard M.), 5581.
Bernardini (Enzo), 156.
Bernardinus Senensis, Sanctus, 625, 2520, 3971.
Bernardus, abbas Claraevallensis, Sanctus, 4146.
Bernatchez (Ginette), 4250.
Bernatek (Jan), 3991.
Bernath (Mathias), 609, 6403.
Bernecker (Annemarie), 1508.
Bernelle (Joseph Nicolas), 3283.
Berner (Ulrich), 335.
Bernhard (Ludwika Maria), 1463.
Bernier (Gérald), 6261.
Bernier (Jacques), 4568.
Bernštam (T.A.), 588.
Bernstein (Eduard), 324.
Bernstein (Howard R.), 446.
Berredo Carneiro (Paulo E. de), 4429.
Berry (Charles R.), 3650.
Berschin (Walter), 2354.
Berstein (Serge), 3199.
Bertaux (J.-J.), 654.
Berthier (André), 1539.
Berthier (François), 850.
Berthoff (Warner), 4770.
Bertier de Sauvigny (Guillaume de), 273.
Bertini (Ferruccio), 1990.
Bertrand (André-N.), 6582.
Bertrand (M.), 6759.
Berwanger (Eugene H.), 2951.
Berzelius (Jons Jacob), 4636.
Beschaouch (Azedine), 1820.
Besier (Gerhard), 6097.
Bespalov (N.E.), 5582.
Besseler (Heinrich), 864.
Bessenyei (József), 3496.
Bessil (R.J.), 2714.
Bessmertnyi (Ju. L.), 2210.
Besson (Jacques), 4613.
Bethel (Elizabeth Rauh), 5583.
Bethlen (Gábor), prince de Transylvanie, roi de Hongrie, 3504, 3510, 3525, 3538, 3541, 4233, 5131, 5723, 6357, 6392.
Bethlen (Mihály), 3493.
Betthausen (Peter), 4856.
Betto (Bianca), 56, 2169.
Beugnot (Bernard), 4569.
Beveridge (Charles E.), 2928.
Bewley (Christina), 3406.
Beyer (H.V.), 1844.
Beyer (Klaus G.), 849.
Bèze (Théodore de), 4084.
Bezilla (Michael), 4277.
Bialekova (Darina), 2211.
Białostocki (Jan), 414, 428.
Bianchi (Antonio), 3581.
Bianchini (Giuseppe), 625.

Bibikov (M.V.), 1904.
Bichat (Marie François Xavier), 4652.
Bichet (Robert), 3200.
Bick (Wolfgang), 478.
Biddle (James), 6435.
Bieber (Hans-Joachim), 5820.
Bieder (Robert E.), 447.
Biedermann (Hans), 1009.
Biegański (Witold), 6749.
Bielik (František), 3788.
Bieńkowski (Wiesław), XVII.
Biernacka (Maria), 568.
Biernacki (Stanisław), 6760.
Biernat (Andrzej), 51.
Bietak (Manfred), 1192.
Biezuńska-Małowist (Iza), 1644.
Biget (Jean-Louis), 2544.
Bihl (Wolfdieter), IV.
Billault (Alain), 1387.
Billican (Theobald), 4154.
Billings (Warren M.), 6054.
Billington (James H.), 2632.
Billington (Ray Allen), 4205.
Bingham (Caroline), 3407.
Biraschi (A.M.), 1374.
Birley (Anthony R.), 1540.
Birn (Donald S.), 6113.
Birnbaum (Henrik), 2023.
Biró (Margit), 1817.
Bischoff (Bernhard), 4, 1906, 2325.
Bishop (Alan), 6485.
Bishop (M. Guy), 2952.
Biskup (Marian), 3668, 6008, 6352.
Bismarck (Otto, Fürst v.), 6482.
Bitiri (Maria), 1013, 1014.
Bitskey (István), 4694.
Bittel (K.), 1125.
Bitterli (Urs), 3899.
Bittersdorff (Tassilo), 2430.
Bjalik (B.A.), 4405.
Björkenheim (Magnus), 249.
Black (C.F.), 3957.
Black (Robert), 314.
Blackwell (ALbert L.), 3911.
Blaich (Fritz), 2727.
Blair (Robert), 4367.
Blanc (André), 4578.
Blanc (colonel Marcel), 6700.
Blanchard (Alain), 1313.
Blanchard (général J.), 6484.
Blanchard (Marc Eli), 3201.
Blanchard (Marcel), 6484.
Bland (Larry I.), 2927.
Blanke (Richard), 2715.
Blankenberg (Heinz), 2716.
Blanqui (Louis Auguste), 3279.
Blanton (R.F.), 7076.
Blasi (Domenico), 698.
Blasius (Dirk), 448.
Blatt (Joel), 3202, 6497.
Blázquez (J.M.), 1716.
Bleibtreu (Erika), 1232.
Bleibtreu (Waltraut), 2212.
Bleicken (Jochen), 1541, 1615.
Blennerhasset (Charlotte Lady), 3975.
Blewett (David), 5584.
Bleyer (Wolfgang), 6596.
Blickle (Peter), 2717, 2718.
Bliquez (L.J.), 1340.
Blissett (Marlan), 3097.
BLizstein (Mark), 5007.
Bloch (Ernst), 1389.
Bloch (Marc), 325.

Blom (Grete Authén), 2086.
Blommart, Handels-haus, 5342.
Bluche (François), 5728.
Blum (Léon), 3333.
Blumenberg (Hans), 506.
Blumenson (Martin), 6842.
Bluntschli (Johann Caspar), 2730.
Boardman (John), 1365.
Boberg (Gun), 3754.
Boberg (Kurt), 3754.
Bobińska (Celina), 2667.
Boccara (Nadia), 4442.
Bocşan (Nicolae), 4206.
Bocskai (István), prince de Transylvanie, 3533.
Boczar (Kazimierz), 2213.
Bodea (Gheorghe), 6644.
Bodenheimer (Max I.), 4197.
Bodin (Jean), 742, 747.
Bodnár (György), 4771, 4812.
Bodrogi (Tibor), 557.
Bodson (L.), 1388.
Böckenförde (Ernst-Wolfgang), 5997.
Boehler (Jean-Michel), 5360.
Boehm (Eric H.), XI, 602.
Böl (Martin), 1389.
Boer (Willem den), 289.
Boethius (Anicius Manlius Severinus), 1663, 2335, 2476, 2483.
Böttcher (Kurt), 950.
Bogaert (Raymond), 1193, 1586.
Bogdan (Corneliu), 6466.
Bogdan Cătăniciu (I.), 1711.
Bogoslovskij (Evgeni S.), 1194.
Bogucka (Maria), 2087, 4207, 5585.
Bogucki (Peter I.), 1039.
Bogue (Allan G.), 2953.
Bogusz (Józef), 6609.
Bohanan (Robert D.), 2908.
Bohr (Niels Henrik David), 4668.
Bohtz (C.H.), 1458.
Boikhovitinov (N.N.), 6114.
Bois (Jean-Pierre), 5586.
Boissel (J.), 4443.
Boisset (Jean), 3918.
Boissonade (Gustave), 5975.
Bokarëv (Ju. P.), 5361.
Bolens (L.), 2326.
Bolesław II Śmiały [le Vaillant], roi de Pologne, 2055.
Bolívar (Simón), 6329.
Bollard (A.E.), 5284.
Bolle (Pierre), 6582.
Bolognesi (Dante), 3598.
Bolomey (G.), 983.
Boltanski (Luc), 6822.
Bolzano (Bernard), 4554, 4565-4567, 4621.
Bommelaer (J.-F.), 1341.
Bóna (Gábor), 3507.
Bóna (István), 1126.
Bondarevskja (T.P.), 5886.
Bondy (Louis W.), 30.
Bonetta (Gaetano), 4278.
Bonfante (Larissa), 1494.
Bongard-Levin (G.M.), 6939.
Bonifatius VIII [Benedetto Caetani], Papa, 2057.
Bónis (György), 384.
Bonnefous (Edouard), 3317.
Bonnefous (Georges), 3317.
Bonnet (Jean-Claude), 3184.

Bonneville (Jean-Noël), 1712.
Bonney (Richard), 3203.
Bonnin (Bernard), 5587.
Bonniol (Jean-Luc), 6290.
Bonucci Caporali (Gigliola), 1496.
Boockmann (Hartmut), 1986, 2327, 2508.
Boon (George C.), 1713.
Booth (Michael Richard), 4937.
Bor (Joep), 864.
Boras (Zygmunt), 3676.
Borawska (Danuta), 2058.
Bordes (Maurice), 5588.
Bordin (Ruth), 5589.
Bordo (Michael D.), 5015.
Bordonove (Georges), 2088, 3204.
Bordukov (V.A.), 5821.
Borejsza (Jerzy Wojciech), 2633, 6436, 6588.
Borg (A.), 2402.
Borgia, famille, 2108.
Borjaz (V.N.), 993.
Borkowska (Urszula), 702.
Borkowski (Jan), 5362.
Borkowski (Zbigniew), 1845.
Born (A.), 6183.
Born (Richard), 2954.
Borner (Heidi), 3758.
Bornert (René), 2509, 4091.
Borodin (Mikhail Markovič), 3837.
Borodkin (L. I.), 5397.
Borozdina (R.I.), 5050.
Boroznjak (A.I.), 5822.
Borrhaus, v. Cellarius (Martin).
Borscheid (Peter), 2727.
Borst (Arno), 2059, 2214.
Bortolotti (Lando), 449.
Borzsák (István), 313, 1314, 1390, 1509.
Borzymińska (Zofia), 4383.
Bos (Th. S.H.), XVI.
Bosher (John F.), 3166, 6370.
Bosl (Karl), 637.
Bosse (Monika), 4772.
Bossuet (Jacques Bénigne), 3998.
Bossy (John), 901.
Bosworth (Clifford Edmund), 52.
Botein (Stephen), 4384.
Botha (Louis), 6527.
Bothwell (Robert), 2870.
Bottasso (Enzo), 31.
Bottéro (J.), 1233.
Bouchard (Constance B.), 450, 2215, 2510.
Bouchard (Gérard), 5590.
Boucharlat (Rémy), 1281, 2301.
Bouchel (Laurent), 5591.
Boucher (Jacqueline), 5591.
Bougard (Jean-Paul), 5592.
Bouhier (Jean), 4724.
Boulainvilliers (Henri de), comte de Saint-Saire, 5728.
Boulay (Ch.), 333.
Boulet-Sautel (Marguerite), 749.
Boulton (Matthew), 5135.
Bouquiaux-Simon (O.), 1315.
Bourassin (Emmanuel), 2089.
Bourbon, dynastie, 273, 6020, 6252, 6326.
Bourbon-Penthièvre (Marie-Adélaïde de), duchesse d'Orléans, 3236.

Bourderon (Roger), 3205.
Bourdon (Léon), 3206.
Bourgeois (J.), 957.
Bourget (P.), 3207.
Bourgogne (Louis de France duc de), 6004.
Bourin (M.), 2216.
Bourne (Randolph), 4765.
Bourriau (Janine), 1195.
Boutang (Pierre), 4727.
Boutmy (Emile), 4300.
Boutonne (Jean), 6223.
Boutros (L.), 1366.
Bouveresse (abbé Jacques), 3968.
Bouvet (Joachim) S.J., 4535.
Bovykin (V.I.), 5915.
Bowden (Henry Warren), 3912.
Bowen (James), 4279.
Bowers (John Z.), 4570.
Bowie (Angus M.), 1391.
Bowker (Margaret), 4092.
Bowle (John), 3409.
Bowman (Steven), 3488.
Bown (Colin), 6823.
Bowsky (William M.), 2024.
Bowyer (Chaz), 6701.
Boxer (Charles Ralph), 6167.
Boyaval (Bernard), 1196.
Boyce (Gray Cowan), 1989.
Boyer (John W.), 2833.
Boyer (Pierre), 3208.
Boyer (Richard), 6262.
Bozga (Vasile), 5461.
Božilov (Ivan), 57.
Bozon (Michel), 3209.
Bozzoli (Belinda), 6188.
Bozzolo (Carla), 32.
Brabazon (James), 4773.
Braccesi (Lorenzo), 1510.
Bracco (Vittorio), 1714.
Brachlow (Stephen), 4093.
Bracton (Henry de), 6096.
Bradley (Rebecca J.), 1222.
Bradley (Richard), 1062.
Bradshaw (Peter), 4913.
Brady (David W.), 2973.
Braginskij (I.S.), 945.
Braham (Randolph L.), 3508.
Brahimi (Denise), 7047.
Braidwood (Robert J.), 1035.
Bramann (Jorn K.), 5147.
Brambilla (Elena), 3969.
Brandeis (Louis Dembitz), 2981, 3140.
Brandell (Inga), 6824.
Brandenborg Jensen (Ole), 2217.
Brandom (Robert B.), 4444.
Branig (Hans), 2719.
Brant (Sebastian), 2360.
Brashear (William M.), 1180.
Brassrie (de), Familie, 5342.
Brater (Karl), 2730.
Brather (Hans-Stephen), I.
Bratton (Michael), 3896.
Braudel (Fernand), 321, 326, 782, 788.
Braun (Hans-Joachim), 4571.
Braun (Thom), 4774.
Braunert (Horst), 1289.
Braunfels (Wolfgang), 2388.
Brausse (Ursula), 130.
Bravo (Gian Maria), 5938.
Braybon (Gail), 5593.
Brazil (John R.), 6055.
Brecy (Robert), 3210.
Bredero (Adriaan H.), 2511.

Brednich (Rudolf W.), 551.
Breen (D.H.), 6115.
Breen (T.H.), 6263.
Breitenborn (Konrad), 5823.
Breitman (Richard), 2720.
Brennan (Mary), 2535.
Brent (Peter), 4572.
Brereton (Bridget), 6264.
Bresciani (Edda), 424.
Bressan (Francesca), 997.
Bretone (Mario), 1301.
Bretschneider (Anneliese), 131.
Brett (M.), 1914.
Bretting (Agnes), 5594.
Breunig (L.-C.), 4881.
Brewer (John C.), 6812.
Breyer (Leopold), 1823.
Brezeanu (Stelian), 1907.
Briand (Jean-Pierre), 4280.
Bridgman (Jon M.), 6189.
Bridot (Jean), 1908.
Briggs (A.D.), 3851.
Brillante (C.), 1392.
Brincken (Anna-Dorothee von den), 1909.
Bringhurst (Newell G.), 4094.
Brittain (Vera), 6485.
Britten (Benjamin), 4962.
Brizzi (Gian Paolo), 4347.
Brizzi (Giovanni), 1542.
Brizzolara (Anna Maria), 2328.
Broadie (Alexander), 1248.
Broadus (John R.), 3794, 6371.
Broc (Numa), 153.
Brock (Euline W.), 2955.
Brock (Ingrid), 5501.
Brock (William R.), 5595.
Brockley (R.C.), 1652.
Broder (Albert), 2905.
Brodie (Fawn M.), 2956.
Brody (David), 5148.
Broekaert (Jean D.), 4038.
Broglie (Gabriel de), 3211.
Broilliard (Jean-Louis), 3212.
Bromlej (Ju. V.), 558, 559, 592.
Bromley (J.S.), 6372.
Bronner (Edwin J.), 4938.
Brook-Shepherd (Gordon), 6498.
Brooke (C.N.L.), 1914.
Brooks (E. Willis), 3816.
Brooks (G.P.), 4573.
Brooks (Jeffrey), 3817.
Broszat (Martin), 2711, 2721.
Brou (Bernard), 7093.
Brow (James), 6940.
Brown (Harry James), 2922.
Brown (John A.), 3104.
Brown (Mark Liam), 6437.
Brown (Peter), 2527.
Brown (Reginald Allen), 2075.
Brown (Shannon R.), 6977.
Brown (Steve), 5381.
Brown (Terence), 3569.
Browne (Gerald M.), 220.
Browning (Oscar), 3168.
Brownley (Martine Watson), 346.
Brož (Miroslav), 6589.
Brožek (Andrzej), 3679.
Brozzi (Mario), 2429.
Bruccoli (Matthew J.), 4775.
Bruce (Anthony), 675.
Bruch (Rüdiger v.), 2722.
Brucker (Gene), 2329.
Brühl (Carlrichard), 1997.
Bruk (Ja. V.), 4890.
Bruk (S.I.), 560, 561.
Brun (P.), 1063.

Brundu Olla (Paola), 6499.
Bruneau (Jean), 4754.
Bruneau (Philippe), 1464.
Brunel (Pierre), 4939.
Brunello (Franco), 764.
Brunello (Piero), 3582.
Bruneton-Governatori (Ariane), 797.
Brunner (Fernand), 932.
Brunner (Georg), 5981.
Brunner (Lance W.), 2455.
Bruno (Giordano), 4526.
Bruno (Vincent J.), 1465.
Brunori de Siervo (Maria Teresa), 3945.
Brunt (P.A.), 1599.
Bruschek-Klein (Brigitte), 2834.
Bruti Liberati (Luigi), 3970.
Brutus (Marcus Junius), 1546, 1582.
Bruyelle (P.), 669.
Bruzelius (Caroline A.), 2403.
Brye (Bernard de), 3213.
Bryson (Thomas A.), 6645.
Buache (Freddy), 4940.
Buber (Martin), 4427, 4460.
Buber (Rafael), 4427.
Buccellati (Giorgio), 1234.
Bucci (Onorato), 1846.
Buchanan (George), 4328.
Buchheit (Vinzenz), 1290, 1653.
Buchholtz (Werner), 3744.
Buchholz (Stephan), 6056.
Buchstab (Günter), 6346.
Buchwald-Pelcowa (Paulina), 34.
Buck (August), 4217, 4238.
Buckingham (George Villiers, 1st duke of), 3452.
Buckinghamshire (John, 2nd Earl of), 6367.
Buckler (John), 1342.
Buckley (Thomas E.), 4095.
Budzyk (Kazimierz), 937.
Buechler (Rose Marie), 6265.
Bülow-Jacobsen (Adam), 1524.
Büsch (Otto), 2768, 2779.
Büttner (Kurt), 6229.
Büttner (Thea), 6131.
Büttner (Wolfgang), 4385.
Buffévent (Béatrix de), 655.
Buffotot (Patrice), 3227, 6702.
Buhite (Russell D.), 6825.
Buirette, Familie, 5342.
Bukharin (Nikolaj Ivanovič), 3851.
Bukowski (Zbigniew), 1064.
Bulciolu (Maria Teresa), 5824.
Bulferetti (Luigi), 810.
Bulgarelli Lukacs (Alessandra), 3583.
Bulhof (Ilse N.), 4574.
Buller (Edward), 550.
Bullock (Mary Brown), 6978.
Bullock (Penelope L.), 4386.
Bulmer (Martin), 4281.
Bulst (Neithard), 5626.
Bulst (Walther), 2354.
Bulyčev (I.M.), 3740.
Bundy (Colin), 6190.
Buntowtt (Róża), 151.
Buonaccorsi (Filippo), [pseud. : Callimachus (Phillippus)], 2364.
Burck (Erich), 1654.
Burckel (Nicholas C.), 2957.
Burckhardt (Johann Ludwig), 185.

Burebista, roi des Daces, 1128, 1136.
Burgarella (Filippo), 1836.
Burgel (Guy), 5051.
Burger (Alice Sz.), 961.
Burges (William), 4862.
Burian (Jiři), 717.
Buriánek (František), 4776.
Buridan (Jean), 1950.
Burke (Edmund), 3391.
Burke (Frank G.), 229.
Burkholder (Mark A.), 6266.
Burmeister (Hans Wilhelm), 2723.
Burmistrov (N.A.), 451.
Burmistrova (T. Ju.), 3854.
Burnett (J.A.J.), 3410.
Burns (Alfred), 1393.
Burrow (Ian), 852.
Burrow (J.W.), 274.
Burstyn (Joan), 4282.
Buşe (Constantin), 4208.
Bush (Sargent), 4096.
Bushnell (Amy), 6267.
Bushnell (Horace), 4098.
Bushnell (John), 3818.
Bussmann (Walter), 6403.
Buszko (Józef), 6590.
Butera (Maria Maddalena), 5363.
Buti (Andrea), 4861.
Buttafuoco (Annarita), 5596.
Butterfield (Herbert), 275.
Buttoud (Gérard), 6009.
Butvin (Jozef), 715.
Buza (János), 85.
Buzatu (Gh.), 5149.
Byčkov (V.V.), 1655.
Bylina (Stanisław), 834, 2545.
Byrne (Donal), 2331.
Byrne (Muriel St. Clare), 3394.
Byron (George Gordon Byron, 6th baron), 4749, 4777.
Bystrický (Valerián), 611, 6646.

C

Cabanis (André), 667.
Cach (Josef), 813.
Caelestinus V [Pietro di Morrone], Papa, Sanctus, 2496.
Caesarius von Heisterbach, 1979.
Caesarius von Prüm, 1932.
Caetani, famiglia, 2009.
Ca'fer der Ältere, Pascha von Temeschburg, 3724.
Cagnazzi (Luca Samuele), 5037.
Caietanus Thianaeus, Sanctus, 4021.
Čaikovskij (Pëtr Il'ič), 4929.
Caillet (Gérard), 3214.
Caillot (Patrice), 4376.
Cain (Louis P.), 5136, 5150.
Cairo (Laura), 247.
Calabria (Alessandro), 970.
Calabria (Antonio), 3584.
Calafeteanu (Ion), 6647.
Calame (Claude), 1394.
Calder (Angus), 3411.
Calder (William M.), III, 404.
Calderón (Rafael Angel), 2878.
Caldwell (Dan), 6826.
Calhoun (John C.), 2914.
Caligari (Giovanni Andrea), Nuntius apostolicus, 3954.
Caligula (Gaius Julius), empe-

reur romain, 1696, 1704.
Callas (Maria Kalogeropoulos, dite), 4977.
Callimachus (Phillippus) [pseud.], v. Buonaccorsi (Filippo).
Calvert, family, 3450.
Calvi (Giulia), 3585.
Calvin (Jean), 4106, 4140, 4146.
Camarero González (Arturo), 2886.
Çambel (Halet), 1035.
Cambel (Samuel), 6827, 6891.
Cameron (Averil), 1832.
Cameron (Iain A.), 3215.
Camilleri (W.), 4021.
Camp (John F.), 250.
Campanini (Giorgio), 3984.
Campanus (Johannes), 4090.
Campbell (Edward D.C.) Jr., 4942.
Campbell (Gwyn), 5285.
Campbell (Leon G.), 5597.
Campbell (T.D.), 5016.
Camphausen (Ludolf), 2749.
Campion (Edmund), 4067.
Camporeale (G.), 1491.
Camporeale (Salvatore I.), 610, 2512.
Camps (Gabriel), 966.
Campus (Eliza), 6500, 6501.
Camus (Albert), 4750.
Camus (Michel), 6010.
Canart (Paul), 5, 452.
Canaud (Jacques), 6761.
Cancellieri (Jean-A.), 2218, 2583.
Cancho (Miguel Rodriguez), 5502.
Candelot (Jean-Louis Teuruarii Tamatoa), 7094.
Candler (Warren Akin), 4088.
Candussio (Aldo), 997.
Cannadine (David), 276.
Cannarella (Dante), 1487.
Cannatà (Roberto), 2009.
Canning (George), 6480.
Cannon (Joseph Gurney), 2973.
Cannon (Michael Montague), 6336.
Cano Ballesta (Juan), 4778.
Canocchi (D.), 1491.
Canosa (Romano), 3586.
Cantacuzino (Gheorghe I.), 2584.
Cantarella (Glauco Maria), 2513.
Cantera Montenegro (Enrique), 2136.
Cantoni (Simone), 4861.
Cantu (Francesca), 270.
Čanyšev (A.N.), 1395.
Capétiens (les), dynastie, 2028.
Capie (Forrest), 5286.
Čapkevič (E.I.), 393.
Caplice (R.), 1164.
Capovilla (L.F.), 3955.
Cappello (Teresa), 157.
Caprara (Giovanni Batista), cardinale, 4044.
Caracciolo (Paola), 967.
Carafa (Gian Pietro), v. Paulus IV, Papa.
Caraffa (F.), 4021.
Caratacus, rex Trinobantium, 1581.
Cârciumaru (Marin), 983, 1014.
Carcopino (Claude), 327.

Carcopino (Jérôme), 327.
Cardellini (Innocenzo), 1249.
Cardin Le Bret (Pierre), 6004.
Cardini (Antonio), 3587.
Cardini (Franco), 2170, 3971.
Cardoso (Ciro Flamarion S.), 453.
Cardozo (Thomas W.), 2955.
Carev (B.V.), 451.
Carew (Anthony), 3412.
Carey (C.), 1396.
Carey (J.A.), 5966.
Carey (John A.), 6057.
Cargill (J.), 1343.
Carl, rois de Suède, v. Karl.
Carletto (Giacomo), 3588.
Carlgren (W.M.), 3742.
Carlini (Antonio), 1250.
Carlo di Borbone, re di Napoli, v. Carlos III, rey de España.
Carlos I, rey de España, v. Karl V., röm-deutscher Kaiser.
Carlos III, rey de España, 3583.
Carlos (Ann), 5287.
Carlsnaes (Walter), 4446.
Carlson (Jody), 2958.
Carlson (Leland H.), 4097.
Carlson (Leonard A.), 5151, 5364.
Carlsson (Sten), 6400.
Carlyle (Thomas), 328.
Carmack (Robert M.), 7077.
Carmona (Michel), 3216.
Caroli (Giovanni), 2512.
Carolingiens, dynastie, 94, 2015.
Caron (François), 5052.
Caron (Pier Giovanni), 693.
Carozzi (Carlo), 3590.
Carpanetto (Dino), 4447.
Carpenter (Carole Henderson), 549.
Carpenter (Humphrey), 4764, 4779.
Carr (Francis), 3819.
Carr (Raymond), 2887.
Carrère (Casimir), 3217.
Carriat (Jeanne), 3184.
Carrière (Bruno), 4575.
Carrière (Geneviève), 4575.
Carrington (Dorothy), 3218.
Carroll (Lewis) [pseud. of Charles Lutwidge Dogson], 4748.
Carson (Clayborne), 2959.
Carson (R.A.G.), 86, 119.
Carter (Edward C.), II, 2925.
Carter (Elizabeth), 1281.
Carter (Jimmy [James]), 2929, 2995, 6245.
Carter (Susan Boslego), 4283.
Carver (Bruce M.), 3769.
Casa Irujo (Carlos Fernando Martínez marqués de), 6399.
Casanova (Antoine), 2219.
Casarico (Loisa), 1197.
Casarino (Olimpia), 5825.
Casdorph (Paul D.), 2960.
Caso (Anna), 2220.
Caspard (Pierre), 4266, 5598.
Cass (Lewis), 3116.
Casse (S.), 5974.
Cassius (Gaius Avidius), 1549.
Castagnetti (Andrea), 1996.
Castagnoli (F.), 1720.
Castel (André), 3413.

Castelli (Clara), 277.
Castellu (Jean-Marc), 562.
Castelo Branco (Humberto de Alencar), 2857.
Castiglione Trovato (Carmela), 316.
Castlereagh, v. Londonderry (Robert Stewart, 2nd marquess of).
Castracani (Castruccio), v. Castruccio Castracani degli Antelminelli.
Castries (René de La Croix, duc de), 3219.
Castro (Fidel), 2879, 6799.
Castronovo (Valerio), 454.
Castruccio Castracani degli Antelminelli, duca di Lucca, 2113.
Catalano (Gary), 4843.
Catherine II la Grande, v. Ekaterina II, impératrice de Russie.
Cattaneo (E.), 1755.
Catto (R.J.A.I.), 2385.
Cavagna (Anna Giulia), 4251.
Cavallaro (Anna), 2009.
Cavallo (Dominick), 5599.
Cavallo Pazzo, v. Crazy Horse.
Cavanagh (E.), 2961.
Cavanna (Adriano), 5967.
Cavenaile (R.), 1511.
Caviglia (Elena), 4387.
Cayet (Pierre Victor, sieur de La Palma), v. Palma-Cayet.
Cazals (Rémy), 6692.
Cazelles (Raymond), 3220.
Cazenave (Michel), 1291.
Čeboksarov (N.N.), 595.
Cedronio (Marino), 270.
Cegielski (Tadeusz), 6373.
Cella (Alexander), 2361.
Cellarius (Martin), 4090, 4170.
Cellini (Pico), 2009.
Cenci (Cesare), 248.
Censer (Jack R.), 4384.
Centurión, mercader genovés, 2260.
Ceplair (Larry S.), 5826.
Cerati (M.) 3221.
Čerepnin (L.V.), 455.
Čerkasov (P.P.), 6828.
Černaja (L.B.), 2764.
Černjak (E.B.), 4448.
Černobaev (A.A.), 3863.
Černohorský (Zdeněk), 4284.
Černov (I.F.), 6807.
Cernovodeanu (Paul), 6368, 6438.
Černý (Ervín), 159.
Černý (Jiří), 4554.
Černyševskij (N.G.), 4501, 4508.
Cerutti (Maria Vittoria), 903.
Cervide (Ricardo), 1910.
Cetl (Jiří), 4449.
Ceva (Lucio), 5773.
Cevini (Paolo), 694.
Chabal (Patrick), 6191.
Chaban-Delmas (Jacques), 3222.
Chablani (Preet), 6168.
Chablani (S.P.), 6168.
Chadeau (Emmanuel), 5152.
Chadwick (French Ensor), 2968.
Chadwick (Owen), 3958.
Chadwick Hawkes (Sonja), 2404.
Chafe (William H.), 2962.

Chaffanjon (Arnaud), 58.
Chagniot (Jean), 5600.
Chalmeta (P.), 87.
Chamarat (Jocelyne), 5764.
Chamberlain (Houston Stewart), 2732.
Chamberlain (Joseph), 3447, 6157.
Chambers (M.), 1332.
Chambers (Raymond W.), 3972.
Chambers (Whittaker), 3069.
Chamoux (François), 1344.
Champlin (Edward), 1616.
Chanal (Michel), 6591.
Chandler (Raymond), 4751.
Channing (William Ellery), 4213.
Channon (Geoffrey), 5153.
Chao (Kang), 6979.
Chapelot (Jean), 2585.
Chaplais (Pierre), 2025.
Chapman (Stanley D.), 4914.
Chapoulie (Jean-Michel), 4280.
Chappel (R.), 3809.
Chappet (Alain), 3223.
Charbit (Yves), 5017.
Chariton, 1316.
Charlemagne, v. Karl I., röm-Kaiser.
Charles II le Chauve, roi de France, v. Karl II. d. Kahle, röm. Kaiser.
Charles V, roi de France, 2331.
Charles VI, roi de France, 2126.
Charles VII, roi de France, 674, 2104.
Charles I, king of Great Britain. a. Ireland, 3431.
Charles II, king of Great Britain a. Ireland, 4931, 6325.
Charles le Téméraire, duc de Bourgogne, 329.
Charles Quint, v. Karl V., röm.-deutscher Kaiser.
Charretier (Martin), 3261.
Chartier (Roger), 35, 3224.
Chase (Samuel), 3017.
Chasins (Abram), 4944.
Chassagne (Serge), 4914, 5154.
Chastagnaret (Gérard), 2905.
Chastagnol (André), 1512.
Chastellain (Georges), 329.
Chateaubriand (François René, vicomte de), 3232.
Chatel (Elisabeth), 2440.
Chatelain (André), 2405.
Châtelet (François), 736.
Châtillon (François), 2546.
Chauncey (George) Jr., 5155.
Chauncy (Charles), 4110.
Chaunu (Pierre), 3225, 3913.
Chaussinand-Nogaret (Guy), 3260.
Cheetham (Nicolas), 1995.
Ch'en (Jerome), 6980.
Ch'en (Paul Heng-Chao), 6058.
Ch'en (Po-ta), 7029.
Cheney (Iris), 4884.
Cheney (Mary G.), 2547.
Chenntouf (Tayeb), 5601.
Cherny (Robert W.), 2963.
Cherry (Conrad), 4098.
Cherubini (Paolo), 625.
Chesnut (Mary), 2915.
Chesnutt (David R.), 6243.
Chesson (Michael B.), 2964.

Chester (Norman), 6011.
Cheulliat (Pierre), 5782.
Chevailler (L.), 5967.
Chevalier (B.), 2216.
Chevalier (Jean), 1480.
Chevalier (Maxime), 4241.
Chevalier (P.), 4285.
Chevalley (Sylvie), 4952.
Chevallier (Raymond), 1543.
Chiandotto (Vannes), 3973.
Chiappelli (Alberto), 4945.
Chiaraviglio (Curio), 3589.
Chibnall (Marjorie), 1958.
Chiffoleau (Jacques), 2221.
Childe (V. Gordon), 330.
Chimelli (Claire), 4084.
Chindriş (Ioan), 319.
Ch'ing, Chinese dynasty, 6979, 6980, 7022.
Chirac (Marcelle), 6366.
Chiriţă (Grigore), 6429.
Chiodi (Valentino), 811.
Chisick (Harvey), 4286.
Chisholm (Kitty), 1544.
Chiţescu (Maria), 88.
Chłebowczyk (Józef), 2634, 6439.
Chodakowska (Janina), 4287.
Ch'oe (Yŏng-ho), 7042.
Choisel (Francis), 3226.
Chojecki (Mirosław), 3669.
Cholvy (Gérard), 3277.
Choniawko (Andrzej), 3718.
Chopin (Frédéric), 4949.
Chouquer (G.), 1617.
Chovanec (Jaroslav), 3767.
Christ (Karl), 375.
Christ (Yvan), 853.
Christen (Yves), 4576.
Christensen (Paul P.), 5053.
Christian I, roi de Danemark, de Suède et de Norvège, 2124.
Christian (Curt), 4566.
Christian (William A.) Jr., 904, 3974.
Christides (V.), 1545.
Christienne (Charles), 3227.
Christine de Pisan, 14, 2335.
Christoph III, roi de Danemark, de Suède et de Norvège, 2112.
Chrościcki (Juliusz Antoni), 414.
Chrysos (Evangelos K.), 2041.
Chrysostomus, v. Johannes Chrysostomus.
Ch'u (Ch'iu-pai), 7021.
Chu-hung, Buddhist priest, 7030.
Church (Clive H.), 3228.
Churchill (Lord Randolph Henry Spencer), 3425.
Churchill (Sir Winston Leonard Spencer), 3415, 3428, 6611, 6623, 6664, 6687, 6765.
Chydenius (Johan), 2467.
Chylińska (Teresa), 4946.
Ciaccio (C.), 5054.
Ciapponi (Roberto), 967.
Cibukidis (D.I.), 1292.
Číč (Milan), 460.
Cicanci (Olga), 5288.
Cicero (Marcus Tullius), 21, 1648, 1650, 1675, 1670.
Ciconte (Enrico), 5827.
Cieński (Andrzej), 4728.
Ciepielewicz (Mieczysław), 3677.

Čierna (Dagmar), 6891.
Cieszewska (Maria), 4872.
Cigar (Norman), 6913.
Ciggaar (K.), 1848.
Cimma (M.R.), 1587.
Cipăianu (George), 319.
Cipollone (Giulio), 2514.
Ciriacono (Salvatore), 5156.
Čirkova (L.P.), 806.
Čistov (K.V.), 588.
Citi (Annamaria), 1250.
Civolani (Eva), 270, 5828.
Clark (C.M.H.), 2825.
Clark (Katerina), 4780.
Clark (Linda L.), 4288.
Clark (Paul F.), 5829.
Clarke (David), 415, 990.
Clarke (H.B.), 2535.
Clarke (Helen), 2157.
Clarke (M.L.), 1546.
Clarke (Robert I.), 230.
Clarke (Samuel), 4531, 4675.
Clary (David A.), 456.
Clarysse (Willy), 1198, 1219.
Clasen (Claus-Peter), 5157.
Classen (Peter), 2332.
Claudius I (Tiberius C. Nero Germanicus), empereur romain, 1526.
Clausberg (Karl), 2387.
Clause (Georges), 3260.
Clausen (Otto), 5365.
Clauzel (Denis), 2222.
Clawson (Marion), 2965.
Clay (Henry), 2916.
Clayton (Anthony), 3762.
Clegg (Jerry S.), 4450.
Clemenceau (Georges), 3365, 6521.
Clemens VII [Giulio de' Medici], Papa, 1900.
Clément (Jean-François), 4181.
Clément (Oliver), 1761.
Clemente (Guido), 1301.
Clemoes (Peter), 2038.
Clifton (James M.), 5366.
Clinquart (Jean), 6012.
Cl.isson (Olivier IV, sire de), 2097.
Clodius (Publius), 1675.
Clough (Shepard B.), 331.
Clowse (Barbara Barksdale), 4289.
Clubb (Jerome M.), 2966.
Cl.utton-Brock (Juliet), 968.
Coarelli (Filippo), 1715, 1730.
Coble (Parks M.) Jr., 6982.
Coburgs (the), v. Sachsen-Coburg-Gotha, Fürstengeschlecht.
Cocchiara (Giuseppe), 563.
Coccia (M.), 1647.
Cochin (Augustin), 3229.
Cochran (Sherman), 5289.
Cochran (Thomas C.), 5158.
Cochrane (Eric), 278.
Cockfield (Jamie I), 6502.
Cockle (Helen), 1513.
Cockle (W.E.H.), 1332.
Cocula-Vaillières (Anne-Marie), 3230.
Coel (Margaret), 2967.
Coffyn (A.), 1065.
Cogan (Marc), 1317.
Cogan (Mordechai), 1230.
Cogorno (Luisa), 3613.
Cohen (Albert), 4947.
Cohen (Elie), 4275.

Cohen (Gary B.), 3768.
Cohen (Jeffrey M.), 1251.
Cohen (Lester H.), 279.
Cohen (Michael J.), 6829.
Cohen (Patricia Cline), 5602.
Cohen (Yerachmiel [Richard]), 6764.
Cohn (Margot), 4427.
Cohn (Norman), 3927.
Cohn (Samuel Kline) Jr., 5603.
Coigny (Aimée de), 3169.
Colapietra (Raffaele), 625.
Coldstream (Nicola), 2389.
Coleman (Janet), 2333.
Coletta (Paolo E.), 2907, 2968, 2969.
Colin (Maurice), 5604.
Collcut (Martin), 7034.
Colley (Linda), 3414.
Collie (Melissa P.), 2970.
Collier (Charles), 457.
Collier (Richard), 6703.
Collingwood (Robin George), 332.
Collins (Bruce), 2971.
Collins (Robert M.), 5019.
Collodo (Silvana), 1996.
Collomp (Alain), 5605.
Collyer (Adelaide d'Arcy), 6367.
Colombari, colonel, 6412.
Colombel (Pierre), 7074.
Coloni (Marie-Jeanne), 2223.
Colonna (Fanny), 4181.
Colonna (G.), 1495.
Colorni (Vittore), 36.
Columbanus, Abbas et Confessor, Sanctus, 1947, 2535.
Columella (Lucius Junius Moderatus), 2264.
Colville (Sir Charles), 3416.
Colville (John), 3415, 3416.
Coman (Ioan G.), 1127.
Comba (Rinaldo), 160.
Comella (Annamaria), 1618.
Comenius, v. Komenský (Jan Amos).
Commynes (Philippe de), seigneur d'Argenton, 3194.
Comor (André-Paul), 3231.
Compagnon (général Jean), 6704.
Compère (Marie-Madeleine), 4290.
Compton (Sir William), 3405.
Comte (Auguste), 4429, 4504.
Conacher (D.J.), 1397.
Conat (Abraham), 36.
Conca (Fabrizio), 1398.
Concina (Ennio), 3572.
Condé (Louis II de Bourbon, prince de), 3241.
Condit (Carl W.), 5159.
Conforti (Joseph A.), 4099.
Congar (Yves), 894.
Conlin (Joseph R.), 5830.
Connah (Graham), 7053.
Conniff (Michael L.), 2856.
Connisbee (Philip), 4885.
Connolly (Peter), 1293.
Conrad (John), 4781.
Conrad (Joseph), 4781.
Constant (Edward W.), II, 4578.
Constant de Rebecque (Benjamin), 3232, 4426.
Constantine (Stephen), 5606.
Constantinescu (Ioana), 5367.

INDICE DE AUTORES Y DE PERSONAS

Constantinescu (Radu), 6348.
Constantini (les), dynastie, 1535, 1588.
Constantiniu (Margareta), 2592.
Constantinus I Magnus (Flavius Valerius), empereur romain, 119, 1512, 1536, 1559, 1621, 1789.
Constantinus IV, empereur de Byzance, 65.
Contegna (Pietro), 625.
Conzemius (Victor), 3975.
Coogan (John W.), 6116.
Cook (Charles M.), 6013.
Cook (Chris), 2635.
Cook (Daniel J.), 4451.
Cook (Michael), 2144.
Cook (Peter), 5160.
Cooke (James J.), 6192.
Coolidge (John Calvin), 3120.
Cooney (Jerry W.), 5290.
Cooney (Terry A.), 4388.
Cooper (Frederick), 6193.
Cooper (John Milton) Jr., 2972.
Cooper (Joseph), 2973.
Cooper (Matthew), 6592.
Cooper (Robyn), 4209.
Cooper (Ross), 4990.
Cope (Esther S.), 3417.
Corbett (John H.), 2334.
Corbier (Mireille), 1619.
Corbin (David Alan), 5831.
Corbin (Henry), 4452.
Corciulo (Maria Sofia), 3232.
Corday d'Armont (Charlotte), 3248.
Cordeaux (Edward Harold), 676.
Cordet (F.), 6775.
Cordy (Ross), 7095.
Cornebise (Alfred E.), 4389.
Cornell (Margaret), 6830.
Cornwell (R.D.), 2636.
Corsetti (Pierre-Paul), II.
Cortesi (Mariarosa), 4291.
Cortner (Richard C.), 5982.
Corvisier (André), 458.
Corvol (Andrée), 6014.
Coseriu (Eugenio), 140.
Cosgrove (Richard A.), 5968.
Cosmas, Martyr, Sanctus, 2536.
Cosmas le Mélode, v. Kosmas Melodos.
Costa (André), 3233.
Costa (Maria Mercedes), 2090.
Costabel (Pierre), 4557.
Costake (Valentina), 6429.
Costamagna (Henri), 3914.
Costas (Ilse), 5607.
Costello (John), 6705.
Costeloe (Michael P.), 5291.
Cotta (Johann Friedrich C., Freiherr v. Cottendorf), 4408.
Cotterell (Arthur), 6983.
Cotton (Hannah M.), 1515, 1547.
Cotton (James), 4453.
Coudouin (André), 5161.
Coulaud (Micheline), 3184.
Coumet (Ernest), 392.
Countryman (Edward), 6268.
Countryman (L. William), 1779.
Couprie (Alain), 3976.
Courbin (Paul), 1467.
Cournot (Antoine Augustin), 5032.
Coursier (Alain), 3234.
Courtet (Guillaume), 4062.

Courtilz de Sandras, v. Sandras de Courtilz (Gatien de).
Courtney (E.), 1516.
Cousin (Bernard), 3977.
Coutaz (Gilbert), 2091.
Cowper (William), 4752.
Cox (Lawanda), 2974.
Cozza (A.), 1725.
Cozzi (Gaetano), 6042.
Cracco (Giorgio), 342, 1996.
Crackel (Theodore Joseph), 2975.
Craig (Edward Gordon), 4933.
Cram (Ralph Adams), 4875.
Cramer (Johannes), 2225.
Cramer (Thomas), 2352.
Crampton (R.J.), 6503.
Cranbrook (Gathorne Gathorne-Hardy, 1st Earl of), 3392.
Crane (Robert I.), 6169.
Craton, 1962.
Crayencour (C. de), 89.
Crazy Horse, Oglala Sioux chief, 3073.
Creaton (Heather J.), X.
Crecelius (Daniel), 2883.
Creet (Mario), 4292.
Cremante (Renzo), 28.
Cremascoli (Giuseppe), 1990.
Cremène (Adrien), 564.
Cremer (Albert), 3235.
Crenshaw (James L.), 1252.
Crepeau (Paul A.), 6049.
Cresap (Bernard), 2976.
Crespelle (Jean-Paul), 4886.
Crespin (Jean), 4107.
Cress (Lawrence Delbert), 2977.
Crick (Bernard), 4782.
Cristea (Gheorghe), 5292.
Cristofoli (Maria Christina), 5162.
Critchlow (Donald T.), 2978.
Croce (Alda), 333.
Croce (Benedetto), 333.
Croix (Alain), 5608.
Croke (B.), 1849.
Crone (Marie-Louise), 2548.
Crook (J. Mordaunt), 4862.
Cropp (Glymnis M.), 2335.
Crosetto (A.), 1717.
Cross (Harry E.), 5368.
Crosskey (William Winslow), 2979.
Crossley (D.W.), 2226.
Crothers (Austin Lane), 2957.
Crouch (Harold), 6965.
Crouch (Tom D.), 5163.
Crouzel (Henri), 1766.
Crouzet (François), 5609.
Crouzet (Michel), 4783.
Crowe (David M.) Jr., 231.
Crowley (Christopher J.), 2888.
Crowther (M.A.), 5610.
Crozet (René), 2407.
Crummy (Philip), 2336.
Crump (Edward H.), 3139.
Csáky (Moritz), 3509.
Csapodiné Gárdonyi (Klára), 2408.
Csejtei (Dezső), 4454.
Csendes (Peter), 22, 642, 643.
Cseres (Tibor), 3494.
Csizmadia (Andor), 3915.
Csomasz Tóth (Kálmán), 4948.
Čubar'jan (A.D.), 2637, 2648, 6831.

Cuddy (Edward), 3978.
Cuenca Toribio (José Manuel), 3979.
Cuénot (René), 656.
Cuisenier (Jean), 555.
Cullen (Louis Michael), 3570.
Cumings (Bruce), 6832.
Cunha (Rosalina Branca da Silva), 269.
Cunliffe (Barry), 161, 960.
Cunningham (James W.), 4074.
Cuntzmann, von Ettlingen, Familie, 2298.
Cuomo (Ettore), 2638.
Cuozzo (Errico), 625.
Cupane (Carolina), 1828.
Curie (Marie), 4604.
Curto (Silvio), 1199.
Cushing (Frank H.), 4635.
Cutișteanu (S.), 3728.
Cvetkova (Bistra A.), 2092, 5369, 6343.
Cybenko (Elena Zakarovna), 4825.
Cyrillus, Apostolus Slavorum, Sanctus, 2537.
Czaki, Kardinal, 3965.
Czapliński (Marek), 6194.
Czapliński (Władysław), 638.
Czarnik (Oskar Stanisław), 5696.
Czartkowski (Adam), 4949.
Czeglédy (Károly), 2060.
Czepulis-Rastenis (Ryszarda), 5672.
Czeszejko-Sochacki (Zdzisław), 6090.
Czigány (István), 3510.
Czubiński (Antoni), 280.

D

Dabbab (Mohammed), 6195.
Dąbrowa (Edward), 406.
Dąbrowski (Jan Henryk), 3701.
Dąbrowski (Stanisław), 6593.
Dach (Krzysztof), 6440.
Dadian (Cecelia), 2912.
Daget (Serge), 6196.
Dagworth (Sir Thomas), 1939.
Dahabī (Muḥammad ibn Aḥmad Sams al-Dīn al-), 1915.
Dahl (Svein), 5611.
Dahlgren (Stellan), 3746.
Dahlmann (Friedrich Christoph), 634.
Dahlmann (Helfried), 1517.
Daicoviciu (Hadrian), 856, 1128, 1694.
Daigneault (Gilles), 4887.
Daim (Falka), 2588.
Dalin (V.M.), 281.
Dall'Aglio (Luigi), 1485.
Damianus, Martyr, Sanctus, 2536.
Damico (Alfonso J.), 4455.
Dampier (William), 3898.
Dane (Joseph A.), 1399.
D'Angelo (Lucio), 3592.
Daniel, personnage biblique, 1250.
Daniel (Cletus E.), 5370.
Daniel (Glyn E.), 282, 416, 960.
Daniel (Pete), 5371.
Daniel (Stephen H.), 4456.
Daniell (Jere R.), 6269.

Danilov (A.I.), 283, 2018.
Dankoff (Robert), 6903.
Dannenbaum (Jed), 2980.
Danninger (Gerhard), 5164.
Dante Alighieri, 2470, 2478.
Dányi (Dezső), 812.
Da Passano (Magda), 5808.
Darányi (Kálmán), 3555.
Darbord (Bernard), 2338.
Darby (William), 174.
Darcel (Jean-Louis), 734.
Daridan (Jean), 6594.
Daris (Sergio), 1718.
Darius Ier, roi des Perses, 1284.
Darms (Georges), 132.
D'Arms (John D.), 1620.
Darroch (R.), 4784.
Darrouzès (Jean), 1827.
Darsel (Joachim), 6015.
Daru (Pierre Antoine Noël Bruno, comte), 3614.
Darwin (Charles Robert), 4572, 4576, 4595, 4625, 4666.
Darwin (Erasmus), 4555.
Darwin (John), 6504.
Dascălu (Nicolae), 4390.
Da Silva (Gentil), 5612.
Daston (Lorraine J.), 4649.
Dattler (Philippe), 5165.
Dau Novelli (Cecilia), 3945.
Dauge (Y.A.), 1656.
Daultrey (Stuart), 5503.
Dauphin [1378], v. Charles VI, roi de France.
D'Avenza (Gian Pietro), 4291.
David, king of Israel a. Judah, 1256.
David l'Invincible, 1840.
David (M.), 1600.
David (Richard), 3902.
Davidovič (D.S.), 640.
Davids (Jules), 6427, 6428.
Davidson (Basil), 2639.
Davidson (Bruce Robinson), 5372.
Davidson (Janet), 7092.
Davies (R.G.), 2171.
Davies (Scrope Berdmore), 3410.
Davis (Donald E.), 4293.
Davis (J.C.), 4457.
Davis (Jefferson), 2918.
Davis (Natalie Zemon), 5613.
Davis (Ralph Henry C.), 459, 2385.
Dawit' von Xarbert, Bischof, 1821.
Dawson (John P.), 5969.
Dawson (Nelson Lloyd), 2981.
Day (C.R.), 4294.
Day (James), 4975.
Day (Richard Bruce), 2640.
Dayan (Moshe), 6800.
Deák (Ferenc), 3524, 3545.
Deák (István), 3511, 6595.
De Ambroggi (C.), 4021.
Deane (Silas), 6285.
Dearden (Paul F.), 6270.
Debat (abbé Antoine), 2093.
De Beer (E.S.), 4432.
De Benedictis (Elaine), 1780.
Debien (Gabriel), 6271.
De Bonfils (Giovanni), 1588.
Debré (Jean-Louis), 6016.
De Carli (Edoardo), 1398.
De Caro (Stefano), 1719.
De Casola (Maria Antonia), 6648.
De Castro (Diego), 6833.
Decembrio (Angelo), 17.
Decius (Gaius Messius Quintus Trajanus), empereur romain, 1555.
Decker (Hannah S.), 4579.
Decker (Klaus Peter), 6374.
Decker (Michel de), 3236.
Declerck (J.H.), 1818.
Deconde (Alexander), 6128.
Dédéyan (Gérard), 1850.
Dedieu (Hugues), 4044.
Dees (Anthonij), 133.
Deetjen (Werner-Ulrich), 4100.
De Felice (Renzo), 3593, 6184.
De Fiore (Gaspare), 3613.
Defoe (Daniel), 5584.
De Grazia (Victoria), 3594.
Dehergne (le P. Joseph), 6984.
Deinet (Klaus), 6401.
Delaby (P.-A.), 6505.
De Laet (S.J.), 957.
Delage (Emile), 1310.
Delange (Y.), 4580.
Delany (Sheila), 2227.
Delaunay (Jean-Marc), 4045.
Delbanco (Andrew), 4213.
Del Bianco (L.), 3599.
Delclos (Jean-Claude), 329.
Del Col (Andrea), 3628.
Delcor (Mathias), 2621.
Delcorno (Carlo), 895.
De Leo (Antonio), 3595.
De Leo (Pietro), 1833.
De Leonardis (Massimo), 6649.
Deler (Jean-Paul), 2884.
Delfino (Enrico), 970.
Delius (Frederick), 4954.
Deljusin (L.P.), 7020.
Della Pina (Marco), 767.
Dell'Aquila (Michele), 284.
Dell'Omodarme (Marcello), 6834.
Delmaire (Roland), 80.
Del Olmo Lete (G.), 1253.
Delouche (Denise), 5728.
Del Piazzo (Marcello), 53.
Deluca (Anthony R.), 6650.
De Maddalena (Aldo), 5614.
Demandt (Karl E.), 2172.
De Marco (William M.), 5615.
Demetrius, Martyr, Sanctus, 1825.
Demeulenaere-Douyère (Christiane), 5293.
Démians d'Archimbaud (Gabrielle), 2589.
Demokritos, 1436.
De Napoli (Domenico), 4001.
Denham (H.M.), 6506.
Denis (Michel), 5728.
Denisova (V.I.), 1129.
Denk (Hans Dieter), 5832.
Dennerline (Jerry), 6985.
Dennis (George T.), 1826.
Dentice di Accadia (Roberto), 3596.
Denton (J.H.), 2171.
De Pauw (Linda Grant), 6272.
Depont, famille, 5634.
De Quincey (Thomas), 4807.
Derchain-Urtel (Maria-Theresia), 1200.
Deretić (Jovan), 4785.
Derlange (Michel), 5373.
Dermigny (Louis), 5462.
Dernburg (Bernhard), 2794.
Derobert-Ratel (Christiane), 6017.
De Robertis (Antonio Giulio M.), 6651.
Derolez (René), 2379.
De Rosa (Gabriele), 905.
De Rossi (Giovanni Maria), 2590.
Derouet-Besson (Marie-Claude), 2339.
Déroulède (Paul), 3292.
Derow (Peter S.), 1312.
Derville (Alain), 669.
De Sainte Croix (G.E.M.), 1295.
De Sanctis (Benedetto), 284.
De Santis (Hugh), 6117.
Descamps (A.-L.), 1757.
Descamps (C.), 998.
Descartes (René), 4530.
Deschoux (M.), 1373.
Descotes (Dominique), 3980.
Désert (Gabriel), 663.
De Seta (Cesare), 694.
Desfarges (Patrick), 1480.
Deshusses (J.), 1945.
Desico [Edoardo Schott], 6507.
Desiderata, Gemahlin Karls I. d. Grossen 2040.
De Silva (K.M.), 6941.
Désirat (Claude), 4295.
Desjatskov (S.G.), 462.
Deslauriers (Ginette), 4887.
Des Masures (Louis), 4721.
Desmons (Martine), 6079.
Desportes (Françoise), 2173.
Dessertine (Dominique), 5616.
Destombes (Marcel), 162.
Dethan (Georges), 6344.
Detienne (M.), 1451.
Detorakis (Theocharis), 1819.
Detourney (Béatrice), 1466.
Deug-Su (I.), 1916.
Deutsch (Harold C.), 6762.
Deutsch (Robert), 463.
Deutschland (Heinz), 6813.
Deutschland (Ruth), 6813.
Devèze (Michel), 6018.
Devine (Michael J.), 2982.
Devisse (Jean), 2544.
Devonshire (Georgiana Spencer, duchess of), 3458.
Devorkin (David H.), 4581.
Dewey (John), 4455, 4458.
Deyl (Zdeněk), 3781.
Deyon (Pierre), 3916.
Deyon (Solange), 3237.
De Young (Marie), 5804.
Dhombres (Jean), 4296.
Diakonoff (Igor M.), 1254.
Dias (Jill R.), 6197.
Díaz (Félix), 3654.
Díaz (Porfirio), 5952.
Dicaearchus, v. Dikaiarchos.
Dicey (Albert Venn), 5968.
Dick (Bettina), 6019.
Dickens (Arthur Geoffrey), 383.
Dickens (Charles), 4753, 4836.
Dickinson (John N.), 5166.
Dickson (David), 5503.
Diderot (Denis), 4542.
Didier (Philippe), 1589.
Didu (Ignazio), 1548.
Diederichs (Catherine), 1480.
Dienst (Heide), 2550.
Dierenfeld (Bruce J.), 2983.
Dieterle (A.), 1400.
Dietrich (Donald J.), 3982.

Dietrich (Richard), 2699.
Dietrich (Wolf), 140.
Dietsch (V.), 3815.
Dietz (Karlheinz), 1549.
Diggins (John Patrick), 322, 4458.
Dihle (Albrecht), 1318, 4438.
Dikaiarchos, 1855.
Dilks (David), 6142.
Diller (George T.), 1917.
Dillon (Katherine V.), 6624.
Dimbleby (G.), 1105.
Di Meo (Antonio), 4582.
Dimitrov (Georgi), 5814.
Dimitrov (I.), 3807.
Dimnik (M.), 2061.
Dinesen (Isak), 6183.
Dinet (Dominique), 3983.
Dinet (Henri), 3170.
Dingel (J.), 1657.
Dingle (A.E.), 3418.
Dinu (Marin), 1066.
Dinwiddy (Hugh), 6198.
Dinzelbacher (Peter), 2340.
Dio Cassius Cocceianus, 1507.
Diodorus Siculus, 1329.
Diogenes Laërtius, 1671.
Diósdi (G.), 1590.
Diószegi (István), 317, 5728.
Dioudonnat (Pierre-Marie), 4391.
Dipper (Christof), 3238.
Di Rienzo (Eugenio), 4214.
Dirlmeier (Ulf), 2591.
Di Scala (Spencer), 5833.
Di Simplicio (Oscar), 5617.
Disraeli (Benjamin), v. Beaconsfield (Benjamin Disraeli, earl of).
Ditchfield (G.M.), 3419.
Dittmann (Knud), 2726.
Divine (Robert A.), 2984, 6835.
Dixon (John), 6986.
Dizikes (John), 5618.
D'jakonov (I.M.), 1165, 1166.
D'jakov (V.A.), 295, 298.
Djilas (Milovan), 3888.
Djordjevic (Dimitrije), 2641.
Dlubek (Rolf), 738, 741.
Długosz (Jan), 1919.
Dmitrievskij (V.N.), 4215.
Dobbs (Charles M.), 6836.
Dobrenn (Marguerite), 4750.
Dobrev (Čavdar), 627.
Dobrotich, despote, 2095.
Dobrovol'skij (I.G.), 90.
Dobson (Caroline J.), 3390.
Dockrill (Michael L.), 6508.
Dobb (Valerie A.), 4101.
Dodd-Opritescu (Ann), 1036.
Doenecke (Justus D.), 2985, 6486.
Dogson (Charles Lutwidge), v. Carroll (Lewis).
Dóka (Klára), 5167.
Dolan (Claire), 3985.
Dolbeau (François), 1920.
Doležal (Ivan), 6891.
Dolgilevič (G.V.), 6887.
Dolinescu-Ferche (Suzana), 2592.
Dolmányos (István), 2062.
Domański (Juliusz), 2551.
Domenichini (Jean-Pierre), 7054.
Dominguez (Jorge I.), 6273.
Domitianus (Lucius Domitius, empereur romain, 1645.

Domonkos (László), 4459.
Dompnier (Bernard), 3986.
Donahue (Charles) Jr., 2172.
Donaldson (Gordon), 240.
Donaldson (Robert H.), 6871.
Donatone (Guido), 4915.
Donatus (Aelius), 1519.
Donder (H.), 1067.
Doni Garfagnini (Manuela), 4199.
Donia (Robert J.), 3889.
Donner (Fred McGraw), 2145.
Donnet (André), 3756.
Donno (Antonio), 6837.
Donno (Carmelo Giovanni), 5834.
Donovan (James M.), 6060.
Donovan (P.F.), 6337.
Dontenwill (Serge), 5374.
Donzelli (C.), 1717.
Doolittle (James Harold), 6708.
Door (Rochus), 3512.
Dopico (Fausto), 5427.
Doppler (Alfred), 4829.
Dopsch (Heinz), 2094.
Doran (Edwin) Jr., 7096.
Dorival (G.), 1851.
Dorniak (Andrzej), 5838.
Doronin (I.P.), 6581.
D'Orsi (Angelo), 3623.
Dorwart (Jeffery M.), 2986, 6652.
Dostjan (I.S.), 607.
Dostoevskij (Fëdor Mikhailovič), 4786.
Douděra (Karel), 4409.
Dougherty (James J.), 2912.
Douglas (Roy), 6118.
Douglass (Frederick), 3096.
Dougui (Noureddine), 5463.
Dowbor (Władysław), 5056.
Dowe (Dieter), 5800.
Downey (Dennis B.), 3987.
Doyen (A.M.), 1319.
Doyle (William), 3239.
Drabina (Jan), 2493.
Drake (Richard), 3597.
Drakon, 1362.
Dralle (Lothar), 2042, 5294.
Draper (Alfred), 6170.
Draper (Peter), 2389.
Dray (W.), 514.
Drda (Miloš), 2608.
Drebota (Jindřich), 6589.
Drège (Jean-Pierre), 37.
Dreitzel (Horst), 464.
Drejden (S.D.), 4950.
Drescher (Seymour), 5168.
Drew (Elizabeth), 2987.
Drexhage (Hans-Joachim), 1781.
Dreyfus (Alfred), 3187, 6442.
Dreyfys (Theodore), 4460.
Drimba (Vladimir), 1921.
Driss (Rachid), 6199.
Drobižev (V.Z.), 473.
Drobiževa (L.M.), 565.
Droulers (Frédéric), 91.
Droz (Jacques), 6401.
Drozd-Piasecka (Mirosława), 568.
Drozdowski (Marian), 6375.
Drummond (Ian), 2870, 5464.
Drushka (Ken), 5169.
Drusilla, soeur de l'empereur Caligula, 1696.
Dry (Murray), 2917.
Drzewieniecki (Walter M.), 3678.

Du Yu, 6995.
Duarte (Carlos), 6283.
Dublin (Thomas), 5170.
Dubov (J.V.), 90.
Duby (Georges), 334, 665, 2229.
Ducasse (André), 6597.
Duchesne (Raymond), 285, 4583.
Duchhardt (Heinz), 6376.
Dudek (Zbigniew), 6509.
Dudley (Robert), earl of Leicester, v. Leicester (Robert Dudley, earl of).
Düchting (Reinhard), 2352, 2354.
Dülffer (Jost), 6441.
Dülmen (Richard von), 5619.
Dünnhaupt (Gerhard), 4705.
Duffy (Christopher), 3820.
Dufour (Alain), 4084.
Dufour (Liliane), 3988.
Dufour (Pierre), 5171.
Dufy (Raoul), 4891.
Dugas (Guy), 4747.
Du Guesclin (Olivier), 2100.
Duhamel (Olivier), 3240.
Duhamel (Pierre), 3241.
Duiker (William J.), 6966.
Dulles (John Foster), 6881.
Dulles (John W.F.), 2857.
Dulong (Claude), 3242.
Dumas (A.), 1945.
Dumas (F.), 105.
Dumas (Georges), 4258.
Dumas (René), 3243.
Dumett (Raymond E.), 6200.
Dumitrescu (E.), 1711.
Dumont (Jean-Christian), 1520.
Dumoulin (B.), 1401.
Dumoulin (Heinrich), 4461.
Dunae (Patrick A.), 5504.
Dunaevskij (V.A.), 393, 5835.
Dunant (Christiane), 266.
Dunbar (Anthony P.), 2988.
Duncan (Carol), 4844.
Dunin-Wąsowicz (Krzysztof), 6598.
Dunkley (Peter), 3420.
Dunlap (Thomas R.), 4584.
Dunleavy (Patrick), 5620.
Dunmore (John), 3900.
Dunmore (Timothy), 3821.
Dunn (Mary Maples), 6246.
Duns Scotus (John), 2471.
Dunsdorfs (Edgars), 3745.
Dupâquier (Jacques), 465, 493, 783, 2230, 3339.
Dupeux (Georges), 163.
Dupont (Jacques), 3244.
Dupont (Marcel), 3245.
Dupuy (Roger), 5728.
Duraczyński (Eugeniusz), 6763.
Durand (Georges), 5375.
Durand (Yves), 5670, 6599.
Durant (David N.), 6274.
Duranton (Henri), 3172.
Durkheim (Emile), 4308, 4488.
Durliat (Jean), 1820.
Durnovcev (V.I.), 393.
Dury-Moyaers (Geneviève), 1720.
Duse (Ugo), 4951.
Dušková (Sáša), 1911.
Dutt (R.C.), 6942.
Dutton (H.I.), 5836.
Duțu (Alexandru), 4216.
Du Vachat (Pierre), 3246.
Duval (Paul-Marie), 1722.

Duval-Arnould (Louis), 1922.
Duverger (Maurice), 737.
Duvoisin-Bammate (Marianne), II.
Duvosquel (Jean-Marie), 644.
Dux (Pierre), 4952.
Duysiny (F.), 1296.
Dwyer (J.), 3421.
Dyck (Harvey L.), 6377.
Dye (Nancy Schrom),, 5837.
Dziak (Ján), 460.
Dzieduszycki (Wojciech), 2231.
Džokhadze (D.V.), 2468.

E

Eacides, v. Aiakidai.
Eagan (Eileen), 4297.
Eagle (John A.), 5172.
Eberhard (Winfried), 2109, 3917.
Ebert (Berthold), 4298.
Ebert (Joachim), 1201.
Ebner (Michael H.), 286.
Ebrey (Patricia Buckley), 6987.
Eck (Werner), 1721.
Ecker (Gisela), 38.
Eckhart (Lothar), 1751.
Ecsedy (Ildikó), 6988.
Edel (L.), 4758.
Edgren (Torsten), 972.
Edstedt (Saga), 3754.
Edward I, king of England, 2199.
Edward VI, king of England a. Ireland, 3430, 3432, 4172.
Edwards (David L.), 881.
Edwards (Francis), 4046.
Edwards (Jonathan), 4098, 4119, 4169, 4643.
Edwards (Paul Kenneth), 5839.
Edwards (Phyllis Irene), 3901.
Edwards (Ruth Dudley), 164.
Eeden (Frederik van), v. Van Eeden.
Efimov (G.V.), 6989.
Eftimij de Târnovo, 4230.
Egge (Åsmund), 5465.
Eggert (Gerald G.), 5173.
Egorov (A.G.), 5058.
Ehlers (Eckart), 690.
Ehmer (Josef), 5621.
Ehrendorffer (Friedrich), 4673.
Ehrmann (Henry W.), 5984.
Eichholtz (Dietrich), 5174.
Eichner (Klaus), 1621.
Eichner-Dixon (Peter), 4729.
Eidlin (Fred H.), 6838.
Einstein (Albert), 4218, 4615, 4677.
Eisen (Janet), 6653.
Eisenach (Eldon J.), 4462.
Eisenhower (Dwight David), 2908, 2920, 3053, 6734, 6751, 6765, 6835, 6881.
Eisler (Gerhart), 5868.
Ėjdel'man (N. Ja.), 3822.
Ekanza (Simon-Pierre), 6201.
Ekaterina II, impératrice de Russie, 3829, 3848, 6367.
Ekbom (Carl-Axel), 2232.
Ekelund (Robert B.) Jr., 5020.
Ekirch (A. Roger), 6275.
Eklof (Ben), 4299.
Ekman (R.W.), 4888.
El-Amin (Y.M.), 1015.
Elborn (Geoffrey), 4787.

Eles Masi (Patrizia v.), 1503.
Eley (Geoff), 389.
El Gammal (Louis), 3247.
Eliade (Mircea), 335, 577.
Elisabeth, reine des Belges, 2853.
Elisabetha, landgravia Thuringiae, Sancta, 915.
Elison (George), 7035.
Elizabeth I, queen of Great Britain a. Ireland, 3404, 3437, 3454, 3455, 3471, 4164, 6083.
Elizabeth, queen consort of George VI, 3453.
Elkiss (T.H.), 6202.
Elleinstein (Jean), 3276.
Eller (Ernest McNeill), 6276.
Elliott (Clark A.), 466.
Ellis (Geoffrey), 5059.
Ellis (John Tracy), 3949.
Ellis (William E.), 288.
Elm (Kaspar), 2524.
El-Mallakh (Ragaei), 5060.
Elter (István), 2063.
Eltis (David), 5295.
Elton (Frederic), 6203.
Elton (G.R.), X.
Elze (Reinhard), 2587.
Emanuele Filiberto, duca di Savoia, 3620.
Emmanuelli (François-Xavier), 660, 6004, 6020.
Emmerson (Joan S.), 4585.
Emmerson (Richard Kenneth), 2489.
Emmert (Thomas A.), 732.
Emmrich (Volker), 5840.
Empereur-Bissonnet (Isabelle), 3339.
Enescu (George), 4943, 4957.
Engel (Pál), 2233.
Engelhardt (Bernd), 1037.
Engelhardt (Dietrich v.), 4586.
Engelhardt (Ulrich), 5018.
Engels (Friedrich), 336, 738, 741, 4486, 5874, 5878, 5882, 5934.
English (John), 2870.
Engrand (Charles), 5175.
Engstrand (Iris H.W.), 4587.
Enjalbert (Henri), 668.
Entfelder (Christian), 4090.
Eötvös (József), 3915.
Epalza (Miekl de), 2552.
Epifanov (P.P.), 3904.
Epois (J.), 3248.
Eppel (Peter), 2828.
Epstein (Ann Wharton), 1853.
Epstein (Barbara Leslie), 5622.
Epstein (Jeremiah F.), 7078.
Erasmus Roterodamus (Desiderius), 4033, 4353.
Erdélyi (Ilona), 4788.
Erdélyi (János), 4788.
Erdmann (Karl Dietrich), 2728, 3249.
Ereira (Alan), 3422.
Eremia Dpir Kömürcian, 1821.
Erenberg (Lewis A.), 5623.
Ericson (Jonathon E.), 7079.
Ericsson (Tom), 5624.
Erigena (Johannes Scotus), 2476, 2559.
Eriksen (Knut E.), 6839.
Erikson (Robert S.), 2989.
Eriksson (Gösta), 4393.
Erkem (Mehmet Ali), 3795.

Ernst (D.), 1009.
Ernst (Juliette), II.
Eroškin (N.P.), 6021.
Erroux (Jean), 1208.
Eršil (Jaroslav), 1900.
Ervamaa (Jukka), 4888.
Esin (B.I.), 4394.
Eskenasy (Victor), 2095.
Esoavelomandroso (Faranirina), 4588.
Esperandieu (Emile), 1722.
Essemyr (Mats), 5625.
Esteban (Javier Cuenca), 5296.
Estepa (Carles), 2234.
Esthus (Raymond A.), 3823.
Eszer (Ambrosius), 4047.
Ethelbert, king of Kent, 2195.
Etherege (Sir George), 4739.
Etherington (Norman), 6203.
Etienne Tempier, archevêque de Paris, 2558.
Etienne (Robert), 1726.
Ettling (John), 4589.
Ettori (Fernand), 1923.
Eude (Michel), 3250.
Eugenius Candidus (Valerianus), Sanctus, 1878.
Eugenius IV [Gabriele Condulmaro], Papa, 2503.
Eukles, agent de Ptolemaios II Philadelphos, 1217.
Eulenburg-Hertefeld (Philipp, Fürst zu), 2723.
Eunapios ho Sardianos, Eunapius Sardianus, 1652.
Euripides, 1318, 1397.
Eusebius Caesariensis, 1536.
Eusemann (Regina), 2737.
Euthymios, protasekretis, 1860.
Evagrius Scholasticus, 1777.
Evans (Sir Arthur John), 337.
Evans (Arthur R.) Jr., 6600.
Evans (Ellen Lovell), 2729.
Evans (Francis T.), 5176.
Evans (Gillian R.), 1924.
Evans (John D.), 960.
Evans (Wyn), 2409.
Evdokimova (Ju. K.), 862.
Evelyn (John), 3409.
Everest (Allan S.), 6404.
Evgrafov (V.E.), 4501.
Evison (Vera I.), 426.
Ėvozdover (M.D.), 1027.
Ewell (Judith), 3885.
Ewing, Indian traders, 3138.
Eyben (E.), 1622.
Eysenck (Hans Jürgen), 4600.
Ezechiel, propheta, 1264, 1790.
Ežov (V.D.), 6840.
Ezzelini, dinastia, 2120.

F

Faber (Richard), 3989.
Fabi de Laura (Letizia), 4590.
Fabian (Bernhard), 33.
Fabre (Georges), 1623.
Fabre (Jean Henri), 4580.
Fadda (Bianca), 4591.
Fagereng (Emile), 7055.
Fagerlund (Rainer), 3747.
Fagiolo (Marcello), 4916.
Failler (A.), 1822.
Fair (John D.), 3423.
Fairbanks (Charles H.), 7085.
Fairclough (Adam), 4102.
Fairclough (Oliver), 4917.

INDICE DE AUTORES Y DE PERSONAS

Fairfax (John), 47.
Fairweather (Janet), 1659.
Fajkowski (Józef), 6601.
Falardeau (Jean-Charles), 343.
Falchetti (Franco), 1499.
Falconi (Carlo), 3959.
Faler (Paul G.), 5177.
Falivene (M. Rosaria), 1320.
Falkensteiner (Reinhold), 5061.
Falkus (Malcolm E.), 166.
Falola (Toyin), 467.
Falus (Róbert), 1321.
Fanelli (Giovanni), 694.
Fanizza (Luciana), 1591.
Fanning (Steven C.), 1782.
Farah (Caesar E.), 4178.
Farfán (Pedro), 6311.
Farias García (Pedro), 5985.
Farissol (Abraham ben Mordecai), 4192.
Farkas (Márton), 6510.
Farley-Hills (David), 4711.
Farnsworth (Beatrice), 3824.
Farwell (Byron), 5627.
Fasoli (Gina), 2587.
Fassbender-Ilge (Monika Hildegard), 2730.
Fata (Frank J.), 1918.
Fatimides, dynastie, 2151.
Fauchon (Pierre), 6061.
Faull (M.I.), 855.
Faupel (C.E.), 6070.
Faure (Olivier), 4592.
Faury (Jean), 3251.
Faussner (Haus Constantin), 2064.
Faust (Imre), 6638.
Faustina (Annia Galeria), 1723.
Fauth (Wolfgang), 1402, 1660.
Favre (Pierre), 4009, 4300.
Favre (Robert), 5062.
Favreau (Robert), 1913.
Favrot (Brigitte), 3252.
Feaver (John H.), 6841.
Febvre (Lucien), 338.
Federico II d'Aragona, re di Sicilia, 2137.
Federley (B.), 233.
Fedorenko (N.), 946.
Fedorov-Davydov (G.A.), 93.
Fedosov (I.A.), 6469.
Fedou (René), 2593.
Fehrenbach (Elisabeth), 6405.
Fehrenbach (Philipp), 5233.
Fehrenbacher (Don E.), 2990.
Fehring (Günter P.), 2594.
Feinman (G.), 7076.
Feinman (Ronald L.), 2991.
Fejér (Judit), 756.
Fejes (Judit), 6511.
Fejnberg (I.L.), 4790.
Felcman (Ondřej), 5178.
Feldenkirchen (Wilfried), 5628.
Feldman (Egal), 6442.
Felipe II, rey de España, 4071, 5316.
Felipe V, rey de España, 5315.
Felix (Wolfgang), 1854.
Fellman (Anita Clair), 4593.
Fellman (Michael), 4593.
Femia (Joseph V.), 468.
Fenby (Eric), 4954.
Fénelon (François de Salignac de la Mothe), 4307.
Feneşan (Costin), 710.
Fenlon (Iain), 2456, 4955.
Fenske (Hans), 2731, 5505.
Fenyvesi (Charles), 2643.

Ferber (Rafael), 1403.
Ferdinand I., röm.-deutscher Kaiser, 6361.
Ferdon (Edwin N.), 7097.
Ferenczy (László), 4918.
Ferent (Ioan), 2553.
Ferge (Zsuzsa), 5021.
Ferguson (John), 1544.
Ferlin (John), 2992.
Ferling (John E.), 6277.
Fernández de Oviedo (Gonzalo), 339.
Fernández Pomar (José Mª), 769.
Fernández Varga (Valentina), 2889.
Fernando I, rey de Aragón, 2139.
Fernando II el Católico, rey de Aragón, 2178.
Fernando VII, rey de España, 6064.
Fernea (Elizabeth Warnock), 6917.
Ferrante (Biagio), 2137.
Ferrari (Andrea C.), cardinale, 4027.
Ferrari (Umberto), 5063.
Ferrary (Jean-Louis), 1520.
Ferreiro (Alberto), 1814.
Ferrell (Robert H.), 2920, 2932.
Ferri (Lucio), 3599.
Ferrier-Caverivière (Nicole), 3253.
Ferrieu (Xavier), 5629.
Ferrone (Vincenzo), 625, 4594.
Ferrua (Antonio), 1783.
Ferry (Jules), 4285.
Ferry (Robert J.), 5376.
Festanti (Maurizio), 252.
Fetting (Hugo), 4220.
Feuchtwanger (E.J.), 2714.
Fey (Hans-Joachim), 2065.
Feyér (Piroska), 770.
Fiah (Erica), 6238.
Ficino (Marsilio), 2466.
Ficken (Robert E.), 2993.
Ficker (Julius), 1997.
Fickle (James E.), 5179.
Fidolus, Abbas Trecensis, Sanctus, 1947.
Fiedler (Horst), 4200.
Field (Alexander James), 771.
Field (Geoffrey G.), 2732.
Fieldhouse (David K.), 6154.
Fielding (Henry), 4738.
Fielding (K.J.), 4753.
Fiering (Norman), 4103, 4463.
Figueira (Thomas J.), 1346.
Fikhman (I.F.), 1624.
Filipovič (Ljuba), 1048.
Filippi (Alberto), 5064.
Filipský (Jan), 6948.
Fillmore (Millard), 3012.
Finašina (G.N.), 378.
Finch (M.H.J.), 5022.
Findlay (James), 4301.
Finger (Heinz), 906.
Finger (John R.), 2994.
Fink (Carole), 6512.
Fink (Gary M.), 2995, 5942.
Fink (Julius), 1003.
Fink (Karl August), 2494.
Finkelman (Paul), 5986.
Finker (Kurt), 5841.
Finlay (Roger), 5506.
Finlayson (Geoffrey), 5630.

Finley (Moses I.), 1367.
Fioravanti (Gianfranco), 2469.
Firestone (Ya'akov), 5377.
Firpo (Massimo), 3960, 3990.
Firsov (F.I.), 5842.
Fischer (Heinz-Dietrich), 4423.
Fischer (Herbert), 6943.
Fischer (I.), 1288.
Fischer (Jean-Louis), 4595.
Fischer (Ludwig), 6598.
Fischer (T.), 1255.
Fischer-Galati (Stephen), 2641, 3729.
Fishbein (Leslie), 5631.
Fishburn (Janet Forsythe), 5632.
Fisher (John), 5297.
Fitchen (John F.), III, 814.
Fite (Gilbert C.), 5378.
Fittschen (Klaus), 1723.
Fitzgerald (F. Scott), 4775.
Fitzpatrick (Sir Jeremiah), 5710.
Fitzpatrick (Sir Percy), 2691.
Fitz Ralph (Richard), 2577.
Fladby (Rolf), 3660.
Flaminio (Marcantonio), 4514.
Flämmer (Philip M.), 2996.
Flashar (Helmut), 1404.
Flaubert (Gustave), 4754, 4772.
Flavio Biondo, 2320, 2328.
Flechtheim (Ossip K.), 617.
Fleckenstein (Josef), 2043.
Fleischer (Hagen), 3488.
Fleischer (Manfred P.), 5379.
Fletcher (Alice W.), 4635.
Fletcher (Anthony), 3424.
Fleuret (Colette), 4464.
Flinders (Matthew), 3901.
Flinn (Michael W.), 5507.
Flisowski (Zbigniew), 6513, 6706.
Flodoard, chroniqueur, 2546.
Florescu (Radu), 856.
Florey (R.A.), 5843.
Florja (B.N.), 3825.
Flory (Jean-Claude), 6514.
Flory (Thomas), 2858.
Floto (Inga), 469, 6515.
Floud (Roderick), 5057.
Flunec (Edmond), 6516.
Flusser (David), 1784.
Fodor (Pál), 4863.
Fogarassy (László), 6517.
Fogarty (Michael P.), 5633.
Fogarty (Robert S.), 4104.
Foisil (Madeleine), 3254.
Fokciński (Hieronim), 907.
Fokkelman (J.P.), 1256.
Folcher (Gustave), 6692.
Foley (Robert), 7056.
Folsom (Burton W.) Jr., 5508.
Folta (Jaroslav), 290.
Folz (Robert), 1987.
Foner (Eric), 2997.
Foner (Philip S.), 5806, 5844.
Fones-Wolf (Elizabeth), 5845.
Fones-Wolf (Kenneth), 5845.
Fonnes (Ivar), 491.
Fontaine (Jacques), 1661, 1785.
Foote (Peter), 2161, 2531.
Foraboschi (Daniele), 1523.
Forbes (John Douglas), 2998.
Forbin d'Oppède (Rosalyne, marquise de), 4015.
Ford (Gerald), 3098.
Foreman-Peck (James), 5180.
Fores (Michael), 5181.

Forgione (Mario), 1724.
Forgione (Pasquale), 1724.
Formiggini (Angelo Fortunato), 28.
Forrest (Alan), 3255.
Forsey (Eugene A.), 5846.
Forster (Edward Morgan), 4755.
Forster (Georg), 4200.
Forster (Robert), 5634.
Forstmann (Wilfried), 6378.
Forstreuter (Kurt), 2733.
Fortin (E.L.), 2470.
Fortunato (Giustino), 3574.
Foscolo (Ugo), 3614.
Fossard (Denise), 2440.
Fossier (Robert), 450, 2585.
Foster (John Watson), 2982.
Foster (Lawrence), 5635.
Foster (Mark S.), 5509.
Foster (R.F.), 3425.
Foster (Stephen), 4105.
Foti (Giuseppe), 1741.
Fotiou (A.S.), 1855.
Foucault (Léon), 4557.
Foucault (Michel), 522.
Foult (Claude-Lise), II.
Fouquet (Gerhart), 2554.
Fournial (Etienne), 5636.
Fournier (Marcel), 6278.
Foweraker (Joe), 5023.
Fowke (Edith), 549.
Fox (John Charles), 3398.
Fox (Vivian C.), 5637.
Frącek (Teresa), 4048.
Fraisse (Philippe), 1464.
Fraknói (Vilmos), 622.
Franchi (A.), 2495.
Francis (Daniel), 5714.
Francis (David Rowland), 6502.
Franco y Bahamonde (Francisco), 2886, 2889, 2894, 6896.
Franco Mendes (David), 340.
François Ier, roi de France, 3282, 3291.
François (Michel), 341.
Frank (Andre Gunder), 6279.
Frank (Robert G.) Jr., 4596.
Franke (Reiner), 6518.
Frankel (David), 973.
Frankel (Edith Rogovin), 4791.
Frankel (Jonathan), 3826.
Frankfurter (Felix), 2981, 3023.
Franklin (Benjamin), 5923.
Franklin (Jill), 4864.
Franklyn (Mary Eliza), 5407.
Frankowska (Maria), 568.
Franz (Otmar), 2625.
Fraser (Walter J.) Jr., 2999.
Frater (Zsuzsa), J., 5638.
Frazee (Charles), 1856.
Frears (John R.), 3256.
Frédéric (Louis), 6967.
Fredouille (Jean-Claude), 1771.
Fredrickson (George M.), 2644.
Freedman (Estelle B.), 6062.
Freeman (Edward Augustus), 342.
Frégault (Guy), 343.
Freise (Eckhard), 2410.
Frejdzon (V.I.), 2841.
Fremdling (Rainer), 5182, 5298.
Frémont (Armand), 5639.
French (David), 1727, 5024.
French (Sir John), v. Ypres (John Denton Pinkstone French, 1st earl of).
Frere (Hubert), 94.
Frère (Jean), 1405.

Freud (Sigmund), 4579, 4631, 4637, 4662.
Frevert (Ute), 5640.
Frey (Linda), 6379.
Frey (Marsha), 6379.
Frey (Sylvia R.), 6280.
Freydank (Helmut), 1159, 1242.
Freyer (Hans), 506.
Freyer (Tony), 5987.
Fribourg (Jeannine), 571.
Fricke (Dieter), 2724.
Fridlender (G.), 944.
Fridolinus, Abbas et Confessor, Sanctus, 1955.
Friedbergova (Maria), XVII.
Frieden (Nancy Mandelker), 4597.
Friedlaender (Henry), 2909.
Friedman (Lawrence J.), 470.
Friedman (Lawrence M.), 6063.
Friedman (Norman), 3029.
Friedrich I. Barbarossa, röm-deutscher Kaiser, 2181.
Friedrich II., röm.-deutscher Kaiser, 2390, 2495.
Friedrich III., röm-deutscher Kaiser, 2094, 2107.
Friedrich III., deutscher Kaiser, 2756.
Friedrich II. d. Grosse, König v. Preussen, 2789, 2815, 6380, 6382.
Friedrich I., Grossherzog v. Baden, 2696.
Friedrich Wilhelm, Kurfürst v. Brandenburg, 2751.
Friedrich (Gustavus), 1911.
Friedrichs (Elisabeth), 4792.
Friendly (Alfred), 1857.
Friess (Horace L.), 4465.
Frijhoff (Willem Th. M.), 803, 4302, 5641.
Frimigacci (Daniel), 7098, 7099.
Fritz (Birgitta), 2235.
Fritz (Kurt v.), 1406.
Fritz (Wolfgang), 1912.
Fritze (Konrad), 2242.
Froissart (Jean), chroniqueur, 1917, 2365.
Frolov (É.D.), 1407.
Frongia (G.), 4466.
Frorier (Siegfried), 1204.
Frost (Alan), 6338.
Frost (J. William), 6281.
Frostin (Charles), 5299.
Frutaz (Amato Pietro), 1981.
Fryer (W.R.), 6406.
Fuà (Giorgio), 5119.
Fuchs (Gerhard), 6519.
Fuchs (Walther Peter), 2696.
Fügedi (Erik), 1998, 5642.
Fuhrmann (Joseph T.), 3827.
Fuks-Mansfeld (R.G.), 340.
Fulford (Roger), 3426.
Fumaroli (Marc), 4049, 4712.
Funk (Aloys), 1786.
Funk (Arthur L.), 6765.
Furegon (Nevio), 3627.
Furet (François), 291, 471, 5728.
Furlani (Silvio), 5847.
Furley (David J.), 1408.
Furrer (Norbert), 4426.
Furst (Jill Leslie), 7080.
Furst (Peter J.), 7080.
Fusco (Sandro-Angelo), 1592.
Fussell (G.E.), 5353.

Fustel de Coulanges (Numa Denis), 344.
Futrel (Robert F.), 6842.

G

Gabal (Andrej), 460.
Gabard (Isabelle), 1286.
Gabba (Emilio), 342, 1625.
Gabert (P.), 5510.
Gabinius (Aulus), 1520.
Gábor (Áron), 3530.
Gáboriné Csánk (Vera), 1016.
Gadamer (Hans-Georg), 4438.
Gadanecz (Béla), 5643.
Gärtner (Helga), II.
Gaeta (Franco), 3601.
Gafurov (B.G.), 6126.
Gagarin (Michael), 1362.
Gagnon (Claude-Marie), 3907.
Gagnon (François-Marc), 196.
Gaillard (J.), 1673.
Gaines (Anne-Rosewell J.), 3000.
Gainsborough (Thomas), 4894.
Gaius, empereur romain, v. Caligula.
Gaius, jurisconsulte romain, 1600.
Gajdukevič (V.F.), 1130.
Galandauer (Jan), 5848, 5949.
Galasso (Giuseppe), 625.
Galatello Adamo (Andrea), 344.
Galavics (Géza), 4845.
Galbraith (John Kenneth), 2921.
Galenson (David W.), 6282.
Galiani (Celestino), 625.
Galič (Z.N.), 5065.
Galician (A.S.), 6707.
Galilei (Galileo), 4594, 4671.
Galimberti (Luigi), cardinale, 3965.
Galińska (Seweryna), 4060.
Gall (D.), 1409.
Gall (Ja. M.), 4655.
Gall (Lothar), 2624.
Gallay (Alain), 974.
Gallazzi (Claudio), 398.
Galliani (Gianni V.), 4861.
Gallieni (Joseph), maréchal de France, 6223.
Galliou (Patrick), 292.
Gallo (Italo), 1410.
Galloway (Strome), 67.
Gallus (Gaius Cornelius), 1506, 1690, 1693.
Gallus Anonymus, 1984.
Galos (Adam), 638, 6520.
Gálvez (Manuel), 4823.
Gambi (Lucio), 3590.
Gambill (Edward L.), 3001.
Gamboso (Virgilio), 1925.
Gamillscheg (Ernst), 15, 1826.
Gandhi (Mohandas Karamchand), 6943, 6947.
Gankovskij (Ju. V.), 6930.
Gann (Lewis H.), 6204.
Ganoczy (A.), 4106.
Gantz (Timothy), 1411.
Ganzer (Klaus), 2555.
Gapon (Georgij Apollonovič), 5941.
Gara-Bak (Anna), 3500.
Garand (Monique-Cécile), 7, 261.
Garanger (José), 7100.
Garavaglia (Juan Carlos), 4061.

Garbicz (Adam), 4956.
Garcia (Italo), 3602.
Garcia (Juan Ramon), 3002.
Garcia (Mario T.), 5511.
García Bazan (F.), 1412.
García Borrega (J. Antonio), 6064.
García Novo (E.), 1413.
Gardane (Claude-Mathieu, comte de), 6412.
Gardberg (C.J.), 5550.
Gardelles (Jacques), 853.
Garden (Maurice), 5066.
Gardiner (C. Harvey), 6602.
Gardner (A.), 2909.
Gardner (Charles), 5183.
Garfield (James Abram), 2922, 2985.
Garibaldi (Ricciotti), 2693.
Garlicki (Andrzej), 3683.
Garlinski (Jozef), 6603.
Garms (Jörg), 2430.
Garnier (Bernard), 5380.
Garnot (Benoît), 5644.
Garrett-Goodyear (Harold), 6065.
Garrido-Hory (M.), 1662.
Garrier (Gilbert), 5512.
Garrison (William Lloyd), 2923.
Garroni Carbonara (Vittorio), 3613.
Garrow (David J.), 3003.
Garson (Robert), 739.
Gascon (Richard), 345, 417.
Gąsiorowski (Andrzej), 4303.
Gąsiorowski (Antoni), 707.
Gaskell (Philip), 253.
Gasnault (Pierre), 8.
Gasparini (Graziano), 6283.
Gassendi (Pierre), 4430, 4482.
Gast (Marceau), 797.
Gates (Eleanor M.), 6654.
Gates (Paul W.), 3004.
Gatti (Daniela), 1982.
Gatti (Enzo), 1550.
Gauche (Catherine), 2236, 2342.
Gaucher (Gilles), 1069.
Gaudemet (Jean), 884.
Gauer (Werner), 1728.
Gaulle (Charles de), 674, 3171, 3214, 3222, 3233, 3234, 3376, 6611.
Gaumāta, Persian usurper, 1284.
Gaussin (Pierre-Roger), 2175.
Gauthier (Philippe), 1363.
Gautier (Achilles), 996.
Gautier (Paul), 1858.
Gavalierova (Krista), 2622.
Gavrilă (Irina), 497.
Gavrilov (L.M.), 3828.
Gawęda (Stanisław), 1919.
Gawerski (Andrzej), 3682.
Gawlik (Alfred), 2176.
Gayot (Gérard), 4431, 5184.
Gayraud (M.), 1729.
Gazali (Ihyā' 'Ulūm ad-Dīn al-), 1926.
Gazier (Bernard), 5025.
Geary (Dick), 5849.
Gębarowic (Mieczysław), 4889.
Gebert (Stanisław), 3005.
Gebhart (Jan), 6766.
Gečeva (Krăstina), 645.
Geckeler (Horst), 140.
Gedai (István), 95.
Gediga (Bogusław), 1070.

Gedl (Marek), 1071.
Geerdts (Hans Jürgen), 950.
Geerlings (Wilhelm), 1787.
Geggus (David), 6284.
Gégot (Jean-Claude), 5645.
Géhin (Etienne), 4467.
Geisler (Eberhard), 2890.
Geiss (Imanuel), 613.
Geissler (Friedmar), 1159.
Gelasius I, Papa, Sanctus, 1808.
Geldsetzer (Lutz), 928.
Gelfand (Tony), 4598.
Gélis (Jacques), 4599.
Gellner (Ernest), 4181.
Gelsinger (Bruce E.), 2237.
Gemeinhardt (Heinz Alfred), 4395.
Genizi (Haim), 3919.
Genri (Ernst), 4468.
Gentile (Giovanni), 333.
Gentles (I.J.), 3427.
Goergelin (Jean), 5467.
Georgescu (Valentin Al.), 751, 5970.
Geraci (Giovanni), 424.
Gérard (Claude), 555.
Gérard (Gabriel), 5468.
Gérard (J.), 1695.
Gerasimova (K.M.), 902.
Gerbod (Paul), 4958.
Gercen (Aleksander Ivanovič), 4413.
Geremek (Bronisław), 761.
Gergely (András), 4396.
Gergely (Jean), 4959.
Gerhardie (William), 2645.
Gerics (József), 1927.
Germann (Klaus), 1372.
Gerő (Győző), 4865.
Gerson (Jean Charlier, dit de), 2458.
Geuss (Herbert), 634.
Gheorghiu (Constantin C.), 5185.
Ghiață (Ancă), 2096.
Ghilardi (Fabrizio), 6443.
Ghisalberti (Carlo), 3603.
Ghosh (Sananda Lal), 6944.
Giallongo (Angela), 1414.
Gianfrotta (Piero Alfredo), 1626, 1730.
Giannetto (Francesco), 6407.
Giannone (Pietro), 284.
Giardina (Andrea), 1301, 1627.
Gibbon (Edward), 346.
Gibbs (Elizabeth), 2868.
Gibson (H.B.), 4600.
Gibson (Margaret), 1663, 2044.
Gicquel (Yvonig), 2097.
Giedroyć (Franciszek), 4601.
Gierzszewski (Stanisław), 703.
Gies (Frances), 2098.
Giesinger (Harold), 5067.
Gieysztor (Aleksander), 367.
Gigante (M.), 1415.
Gignac (Francis Thomas), 134.
Gijsel (J.), 1758.
Gilbert (Felix), 4218.
Gilbert (Grove Karl), 4657.
Gilbert (Jess), 5381.
Gilbert (Martin), 3428, 6604.
Gilbert de Cantobre, évêque de Rodez, 2093.
Gilchrist (John), 1928.
Giliberti (Giuseppe), 1628.
Gilissen (Léon), 9.
Gill (Eric), 4911.

Gillett (Mary C.), 4602.
Gillette (Philip S.), 5186.
Gillingham (John Bennett), 166, 2099.
Gillispie (Charles Coulton), 4603.
Gilmont (Jean-François), 4107.
Gimpel'son (E.G.), 5187.
Ginters (Valdemars), 2155.
Giolitti (Giovanni), 3589, 3592, 3611, 3636.
Giordanengo (Gérard), 2177.
Giorgetti (Giorgio), 765.
Giorgio, terrorista, 3575.
Giovanni da Parma, 2495.
Girard (Michel), 6580.
Girouard (Mark), 5646.
Giroud (Françoise), 4604.
Girs (G.F.), 6906.
Giscard d'Estaing (Valéry), 3256.
Gitay (Yehoshua), 1257.
Giuli Tozzi (Daniela), 6990.
Giurescu (Dinu C.), 711.
Giusberti (Gianni), 1485.
Giuseppe, Capo, v. Joseph, Nez Percé chief.
Giusti (Renato), 5068.
Given-Wilson (C.), 2100.
Gjuzelev (Vasil), 2343.
Gładkiewicz (Westyna), 348.
Gladstone (William Ewart), 3390.
Glanvill (Joseph), 4623.
Glasneck (Johannes), 5850.
Glass (Bentley), 4605.
Glass (Carter), 3049.
Glass (Jonathan Clyde), 875.
Glat (Mark), 4469.
Glatz (Ferenc), 3514.
Glatz (Joachim), 2411.
Glazunov (E.P.), 5069.
Gleason (Daniel), 3664.
Gleason (Philip), 3006.
Gleason (Walter J.), 3829.
Glendinning (Victoria), 4793.
Glendower (Owen), 2084.
Glénisson (Jean), XIII.
Glensk (Joachim), 4377.
Glidden (Hope H.), 363.
Gl.ines (Carroll V.), 6708.
Głowacki (Aleksander), 937.
Gluščenko (E.A.), 6205.
Głuško (V.P.), 4606.
Głuszek (Stanisław), XVII.
Glyn Dwr (Owen), v. Glendower (Owen).
Gob (A.), 957, 1017.
Gobineau (Joseph Arthur, comte de), 4443.
Gočeva (Zlatozara), 1514.
Godding (Robert), 1929.
Godechot (Jacques), 391, 3257, 6396.
Godeffrey (J.C.), 5284.
Godelier (Maurice), 572.
Godin (Edgar), 3992.
Godin (Pierre), 4397.
Godley (Michael R.), 6991.
Goedicke (Hans), 1205.
Gömbös (Gyula), 3555.
Görgei (Artur), 3518.
Görtler (Miroslav), 5949.
Goethe (Johann Wolfgang v.), 4704, 4722, 4723, 4730, 4740, 4741, 4745.
Goez (Werner), 4108.
Goff (Frederick R.), 40.

Goffart (Walter), 1551.
Goglia (Luigi), 3593, 6206.
Goguel (François), 3258.
Gold (David M.), 5382.
Goldberg (Robert Alan), 3007.
Golden (Richard M.), 3993.
Goldenberg (Samuil), 5300.
Goldfield (David R.), 3008.
Goldich (Robert L.), 3009.
Goldman (Merle), 6992.
Goldmann (Karlheinz), 2737.
Goldstein (Donald M.), 6624.
Goldstein (Kalman), 6285.
Goldstein (Leslie), 4520.
Goldthwaite (Richard A.), 5188.
Gołębiowski (Janusz Wojciech), 5853.
Gol'man (Lev I.), 336.
Golovakha (I.P.), 4477.
Golson (Jack), 1038.
Golz (Reinhard), 5851.
Gomez (J.), 1065.
Gómez de Silva (Carla), 1884.
Gómez Mampaso (María Valentina), 2178.
Gomółka (Mikołaj), 4988.
Gon (Philip), 6207.
Končarova (S.M.), 5852.
Gonda (Eugène), 6521.
Gondek (Leszek), 6844.
Gondos (Victor) Jr., 232.
González (Julián), 1518.
González Loscertaces (Vicente), 3651.
González Muñoz (M^a del Carmen), 5647.
Gooch (John), 3429.
Good (Peter), 3901.
Goodenow (Ronald K.), 4304, 4305, 4348.
Goodich (Michael), 2528.
Goodman (Anthony), 2101.
Goodwin (Jack), 804.
Goodwin (Paul B.) Jr., 5301.
Goralczyk (Zbigniew), 5853.
Gordianus III (Marcus Antonius), empereur romain, 1601.
Gordon (A.V.), 2647.
Gorelov (A.A.), 576, 586.
Gorjunov (E.A.), 1131.
Gorjuškin (L.M.), 5751.
Gor'kij (Maksim), 4215.
Gorman (Robert A.), 472.
Gorodeckij (E.N.), 3830.
Gorokhov (N.A.), 4412.
Górski (Karol), 1930.
Górski (Konstanty), 3684.
Gorskij (V.S.), 4477.
Gorškov (A.I.), 6655.
Gossman (Lionel), 346.
Gottlieb (G.), 1552.
Goubert (Pierre), 3230.
Gouberville (Gilles de), 3254.
Goudsmit (S.A.), 1206.
Goujard (Philippe), 3994.
Gould (J. Douglas), 6508.
Gould (Lewis L.), 3010.
Goulemot (Jean-Marie), 4470.
Goulet (Jacques), 3259.
Gouvion-Saint-Cyr (Laurent), 3181.
Gowland (D.A.), 4115.
Goy (Joseph), 2667, 5626.
Goyard-Fabre (Simone), 4471.
Gozzi (Giorgio), 733.
Graboïs (Aryeh), 2556.
Grabski (Andrzej Feliks), 352, 362.

Gracchus (Gaius Sempronius), 1637.
Gracchus (Tiberius Sempronius), 1637.
Grada (Cormac O.), 5503.
Gradidge (Roderick), 4866.
Gräslund (Anne-Sophie), 2156.
Graeve (Marie-Christine de), 1167.
Grafton (Anthony), 2738, 4306.
Grage (Elsa-Britta), 5302.
Graham (John K.), 4522.
Graham (Loren R.), 4607.
Graham-Yooll (Andrew), 2822.
Gramaglia (Bernardino), 2238.
Graml (Hermann), 6899.
Gramsch (Bernhard), 1021.
Granasztói (György), 2596, 5303, 5648.
Granasztói (Pál), 683.
Granata (Ivano), 5854.
Granatstein (J.L.), 6022.
Grand (Jean), 6583.
Granderoute (Robert), 4307.
Grangé (André-Marc), 3169.
Grant (Edward), 816, 2344.
Grant (Michael), 1500, 2026.
Grant (Ulysses Simpson), 3064, 3122.
Grantham (Dewey W.), 3011.
Grappin (Pierre), 4730.
Gras (M.), 1486.
Gras (Pierre), 664.
Gras (Vernon W.), 4219.
Grassi (Fabio), 6206.
Grassotti (hilda), 1999.
Graus (František), 2239.
Graves (Carol), 7078.
Graves (Michael A.R.), 3430.
Gray (Charles M.), 2179.
Grayson (Benson Lee), 3012.
Graziosi (Andrea), 5855.
Greaves (Richard I.), 3408.
Greaves (Richard L.), 5649.
Grebing (Helga), 2778.
Greceanu (Eugenia), 2597.
Greco (Angela), 1719.
Green (Benny), 4794.
Green (J.A.), 2045.
Green (Sally), 330.
Green (William Scott), v. Scott Green (William).
Greenberg (Dolores), 5470.
Greenberg (Janelle Renfrow), 6003.
Greenberg (Louis), 4308.
Greene (Christopher M.), 267.
Greene (Robert A.), 4109.
Greengrass (Mark), 3261.
Greenhalgh (Peter), 1553.
Greenhut (Jeffrey), 6522.
Greenwald (Maurice Weiner), 5189.
Greer (Allan), 5304.
Gregg (Pauline), 3431.
Gregg (R.C.), 1788.
Grégoire (abbé Henri), 4028.
Grégoire-Reiters (Madeleine), 758.
Gregoras (Nikephoros), 1872.
Gregorii Tzamblak, v. Tzamblak (Gregorii).
Gregorius, ep. Turoniensis, Sanctus, 2334.
Gregorius Nacianzenus, Sanctus, 1765.
Gregorius XII [Angelo Correr], Papa, 1900.

Gregorovius (Ferdinand), 347.
Grenand (Pierre), 573.
Grendler (Paul), 2391.
Grenier (Jean), 4750.
Grenier (Joseph A.), 4398.
Greschat (Martin), 3938.
Gresham (Stephen), 3432.
Grešík (Ladislav), 3770.
Gresset (Maurice), 5563.
Greve (Klaus), 5070.
Greve (Tim), 6444.
Greven-Aschoff (Barbara), 2739.
Grieder (Jerome B.), 6993.
Grieš (Ondrej), 3771.
Griffin (Edward M.), 4110.
Griffiths (Ralph A.), 2102.
Grigorean (Mesrob K.), 1821.
Grigor'ev (A.M.), 7000.
Grigor'jan (A.T.), 824.
Grigulevič (I.P.), 3961.
Grigulevič (I.R.), 2648, 3946.
Grillon (Pierre), 3177.
Grimal (N.-C.), 1203.
Grimal (Pierre), 327, 1664.
Grimm (Günter), 605.
Grimme (Ernst Günther), 41.
Gringmuth-Dallmer (Eike), 168.
Griswold (Charles), 1417.
Gritsch (Helmut), 2066.
Grivot (F.), 152.
Grochulska (Barbara), 4252.
Grodecki (Louis), 2406.
Grodziski (Stanisław), 6066.
Grønlie (Tore), 5190.
Groh (D.E.), 1788.
Grohmann (Alberto), 694.
Gromada (Thaddeus V.), 3685.
Gromyko (A.A.), 651, 3831, 6127, 6637.
Grondona (Marco), 1665.
Groniowski (Krzysztof), 5561, 5696.
Groom (Nigel), 6918.
Gross (H.), 3815.
Gross (James L.), 3013.
Gross (Mirjana), 3890.
Grossberg (Kenneth ALan), 7036.
Grossegger (Elisabeth), 4960.
Grossmann (Peter), 1202.
Grottanelli (Cristiano), 817.
Grothusen (Klaus-Detlev), 3891.
Grow (Michael), 6656.
Grozdanova (Elena), 2865.
Gruber (J.), 1666.
Gruber-Magitot (St.), 6067.
Gruel (Katherine), 96.
Grünewald (M.), 1731.
Gruenfelder (John K.), 3433.
Gruner (Gert), 5811.
Grunt (A. Ja.), 3832.
Grupp (Peter), 6483.
Gruppioni (Giorgio), 1485.
Gruszyński (Jan), 3262.
Grygiel (Ryszard), 1039.
Gschnitzer (F.), 1554.
Guariglia (Osvaldo N.), 1418.
Guarino (Antonio), 1593.
Gubenko (G.N.), 5383.
Guchmann (M.M.), 126.
Gudymenko (A.V.), 5650.
Güçlü (Meral), 721.
Güde (Wilhelm), 6023.
Gündisch (Gustav), 1978.
Guenée (Simone), 801.
Günther (Anton), 3982.
Günther (K.), 1099.

Guérard (Eugène), 5826.
Gueraud (Octave), 1766.
Guerci (Luciano), 364.
Guerra (François-Xavier), 3652.
Guerreau (Alain), 2515.
Guerreau-Jalabert (Anita), 2345.
Guès (André), 3263.
Gui (Francesco), 3604.
Guibert (Albert-Jean), 4725.
Guibert De Nogent, 1931.
Guida (Francesco), 2693.
Guidi (Guidubaldo), 2180.
Guidoboni (Emanuele), 5651.
Guidoni (Enrico), 2000.
Guiliano (E.), 4748.
Guillen (Pierre), 6523.
Guillon-Laffaille (Fanny), 4891.
Guillou (André), 1836.
Guimary (Donald), 5217.
Guiral (Pierre), 6366.
Guise (François Ier de Lorraine, 2e duc de), 3374.
Guitton (le P. Georges), 3995.
Gulbenkian (R.), 2001.
Gullickson (Gay L.), 5384.
Gumă (Marian), 1104, 1132.
Gumbrecht (Hans Ulrich), 3370.
Gunn (Elizabeth), 4795.
Gunnarsson (Gisli), 772.
Gunny (Ahmad), 6208.
Gunst (Péter), 756, 3515.
Gunstone (Anthony J.H.), 123.
Gunther de Pairis, 1902.
Gupta (Narayani), 6945.
Gurevič (A. Ja.), 2346.
Gurock (Jeffrey S.), 4179.
Gurvič (I.S.), 597.
Gusencova (T.M.), 1018.
Gusev (K.V.), 473.
Guskin (Phyliss J.), 3434.
Gutas (Dimitri), 6919.
Guth (James L.), 5385.
Guthrie (William Keith C.), 1419.
Gutiérrez (Leandro), 5652.
Gutton (François), 908.
Gutton (Jean-Pierre), 5653.
Guttsman (W.L.), 2740.
Gutwein (Kenneth C.), 1859.
Guy (Alan J.), 3435.
Guy (J.A.), 3436.
Guy (Marcel), 4309.
Guyer (Jane I.), 6209.
Guyon (Jean), 1789.
Guyon (Richard), 3511.
Gwyn (Peter), 6353.
Gyarmathy (Zsigmond), 689.
Gyarmati (György), 3516.
Gyémánt (Ladislau), 3725, 3730.
Gyimesi (Sándor), 2881.
Gyivicsán (Maria), Sz., XII.
Györffy (István), 838.
Györffy (Sándor), 6570.
Gyürky (Katalin H.), 2412.

H

Håkon V Magnusson, roi de Suède, 2086.
Håkon jarl Eiriksson, 2068.
Haakonssen (Knud), 5026.
Haan (Hans den), 4713.
Haas (Hans), 818.
Haas (Helmut), 819.
Haas (Volkert), 1168.

Haase (Wolfgang), 1533.
Habakkuk (Sir John), 5654.
Habedank (Heinz), 2741.
Habsburg, Dynastie, 2827, 2840, 2895, 3894, 6364, 6365, 6377.
Hadamowsky (Franz), 4961.
Haeger (John Denis), 5471.
Hägermann (Dieter), 1932.
Härtel (Helmar), 2330.
Haesenne-Peremans (Nicole), 5655.
Häusler (Alexander), 976.
Haeusler (Martin), 2347.
Haft (Cynthia J.), 3264.
Hagedorn (Dieter), 54, 1185.
Haggard (Sir Henry Rider), 4798.
Haggie (Paul), 6120.
Hahn (István), 1368.
Hahn (Karl-Heinz), 4723.
Hahn (Wolfgang), 97.
Haigh (Christopher), 3947.
Hailes (Daniel), 3712.
Haines (Gerald K.), 6121.
Hajdu (Tibor), 5656.
Hajduk (Bolesław), 5305.
Hájek z Libočan (Václav), 1933.
Hájková (Alena), 6766.
Hakluyt (Richard), 3902.
Hako (Matti), 4932.
Halaj (Dušan), 6780.
Hale (Frederick), 3920.
Hale (John R.), 2392.
Hale (William), 3796.
Haliczer (Stephen), 2891.
Halkin (François), 1860.
Hall (Catherine P.), 1934.
Hall (John R.), 474.
Hall (John Whitney), 7037.
Hall (Linda B.), 3653.
Hallam (H.E.), 2240.
Hallenbeck (J.T.), 1861.
Hallencreutz (Carl F.), 403.
Haller (Alberecht v.), 4659.
Haller (John A.) Jr., 4608.
Halleux (Robert), 1308.
Halley (Patrick L.), 3906.
Halliday (Jon), 7038.
Halls (Wilfred Douglas), 3265.
Halperin (David J.), 1790.
Halperin (Maurice), 2879.
Halpern (Baruch), 1258.
Halpern (P.G.), 6489.
Halsey (Harlan I.), 5191.
Halsted (Caroline), 2103.
Hamann (Manfred), 2778.
Hamburg (G.M.), 5657.
Hamdani (Abbas), 3905.
Hamilton (Alexander), 3019, 6102.
Hamilton (Bernard), 2557.
Hamilton (David), 4609.
Hamilton (Nigel), 4796, 6710.
Hamm (Michael F.), 3833.
Hammarskjöld (Dag), 6882.
Hammarström (Ingrid), 713.
Hammel (Rolf), 2241.
Hammer (Armand), 5186.
Hammer (Karl), 6155.
Hammer (Wilhelm), 4111.
Hammerstein (Hans v.), 2829.
Hammerstein (Reinhold), 820.
Hammond (Nicholas Geoffrey L.), 1347.
Hammond (Norman), 990.
Hammoudi (Abdallah), 4181.

Hamon (Paul), 662.
Hampartumian (N.), 1530.
Hampe (R.), 1469.
Hamre (James S.), 4112.
Handel (Michael I.), 6122.
Hanisch Espíndola (Walter), 6286.
Hanlan (James P.), 5658.
Hannibal, général cathaginois, 1263.
Hannick (Christian), 1862.
Hannover, Haus, 3485.
Hanotaux (Gabriel), 6491.
Hanover, dynasty, v. Hannover, Haus.
Hansemann (David), 2749.
Hansen (Klaus J.), 4113.
Hansen (Ann E.), 220.
Hanson (Carl A.), 5071.
Hanson (John H.) II, 5306.
Hansson (Stina), 4310.
Hanzal (Slavomír), 5856.
Happach (Friedrich), 2277.
Hapsburg, v. Habsburg.
Haraszti (Eva), H., 6657, 6845.
Harbutt (Fraser), 6846.
Hardeman (Nicholas P.), 5386.
Harder-Gersdorff (Elisabeth), 5387.
Harding (Harry), 6994.
Harding (Robert), 3266.
Hardman (John), 3267.
Hardy (Gathorne), v. Cranbrook
Hargittay (Emil), 3598.
Hargreaves (W.M.), 2916.
Harkhuf, prince of Elephantine, 1205.
Harlan (Louis R.), 2933.
Harlfinger (Dieter), 15.
Harmaṭṭa (János), 1282, 1305, 1420.
Harms (Robert W.), 7057.
Harna (Josef), 3781.
Harnisch (Hartmut), 2243.
Harpalos, trésorier d'Alexandre le Grand, 1349.
Harrauer (Hermann), 1322.
Harries (Patrick), 6210.
Harrington (James), 4453.
Harris (Brenda), 6797.
Harris (Jennifer), 5659.
Harris (William H.), 3014.
Harrison (Evelyn B.), 1470.
Harrison (Michael M.), 6847.
Harrison (Richard A.), 6658.
Harrison (Sarah), 6075.
Harsányi (Iván), 2892.
Harsányi (László), 5072.
Hársfalvi (Péter), 3517.
Hart (Thomas Charles), 3055.
Hart-Davis (Rupert), 4759, 4763.
Harthan (John), 42.
Hartley (T.E.), 3437.
Hartmann (Karl), 883.
Hartmann (Peter Claus), 3269.
Hartweg (Frédéric G.), 4114.
Harvey (A. McGehee), 4610.
Harvey (Charles E.), 5192.
Harvey (Donald J.), 3268.
Harvey (Nancy Lenz), 3948.
Harvey (Warren Zev), 4472.
Hasegawa (Tsuyoshi), 3834.
Hasenohr (Geneviève), 2337.
Hasler (A.B.), 3975.
Hasquin (Hervé), 2852.
Hass (Ludwik), 3270.
Hassall (M.), 1713.

Hassan (Schéhérazade Qassim), 575.
Hastings (Max), 6711.
Hatfield (Douglas W.), 2742.
Hathaway (Robert M.), 6848.
Hattenhauer (Hans), 2743.
Hattušilis III, roi des Hittites, 1245.
Haubelt (Josef), 5660.
Haubtmann (Pierre), 5857.
Hauck (Karl), 2410, 2413.
Hauptman (Laurence M.), 3015.
Haupts (Leo), 2744.
Hause (Steven C.), 3271, 3996.
Hausen (Karin), 5661.
Hauser (Arnold), 4846.
Hausmaninger (Herbert), 1594.
Haviland (William A.), 7081.
Havlíček Borovský (Karel), 3763.
Havránková (Růžena), 611.
Haw (James), 3017.
Hawley (Ellis W.), 3016.
Hawranek (Franciszek), 3679.
Hayes (A.J.), 4115.
Hayes (R.), 3888.
Hayez (Anne-Marie), 1944.
Hayez (Michel), 1944.
Haynes (C. Vance), 996.
Hays (Samuel P.), 3018.
Headington (Christopher), 4962.
Headrick (Daniel R.), 2893, 6156.
Healy (Paul F.), 7082.
Heap (Ruby), 4311.
Hebert (Pierre-François), 4971.
Heck (Christian), 197.
Heck (Roman), 348.
Hecker (Norbert), 2516.
Heckmann (Wolf), 6712.
Hedlund (Oscar), 4116.
Héduy (Philippe), 6182.
Heer (Caspar), 3892.
Heer (Friedrich), 6380.
Heers (Jacques), 2244.
Hefele (Bernhard), 4928.
Hegel (Georg Wilhelm Friedrich), 4473, 4493, 4500, 4540.
Heggie (Douglas C.), 1040.
Hegyi (Dolores), 1348.
Hegyi (Klára), 722.
Heidegger (Martin), 4491.
Heidenreich (Conrad E.), 169.
Heikal (Mohammed), 3567.
Heikkilä (Päivi), 553.
Heim (Bruno Bernard), 69.
Heimpel (Hermann), 349, 634, 866, 2413.
Heine (Heinrich), 4202, 4756.
Heinen (Heinz), 215, 605.
Heinrich V., röm.-deutscher Kaiser, 2176.
Heinrich VI., röm.-deutscher Kaiser, 22, 1985.
Heinrich VII., röm.-deutscher Kaiser, 2091.
Heinrich II. der Jüngere, Herzog v. Braunschweig-Wolfenbüttel, 2777.
Heissig (Walther), 6911.
Heitz (Gerhard), 5694.
Hejwowska (M.), 1043.
Held (Joseph), 5388.
Hélin (Etienne), 758.
Hélinand de Froidmont, 2367.
Heliodoros, 1387.
Hell (Jürgen), 5662.

Hellbling (Ernst C.), 418.
Heller (Gerhard), 6583.
Hellerstein (Erna Olafson), 5663.
Hellfaier (Detlev), 632.
Hellin (Jacqueline), 4611.
Hellinga (Lotte), 2330.
Hellman (John), 3997.
Hellmann (Manfred), 725.
Hellwig (Dorothee), 1421.
Hellwig (Fritz), 170.
Helmig (G.), 2581.
Helmreich (Ernst Christian), 3921.
Helms (Svend W.), 1259.
Helmstatt (von), Adels-familie, 2554.
Heltzer (Michael), 1160.
Hémeret (Georges), 3272.
Hémeret (Janine), 3272.
Hemingway (Ernest Miller), 4757.
Hemmerdinger (Bertrand), 1324, 4797.
Hempel (Carl G.), 350.
Hencz (Aurel), 4312.
Henderson (Peter V.N.), 3654.
Hendricks (Craig), 2859.
Hendrickson (Robert A.), 3019.
Hendrickx (J.-P.), 879.
Hengst (Karl), 4313.
Hengstl (Joachim), 1183.
Henig (Martin), 1735.
Henke (Klaus-Dietmar), 2745.
Henkel (Willi), 891.
Hennebicque (Régine), 2046.
Hennesey (James), 3949.
Henning (Hans), 4722.
Henning (Peter), 635.
Henrat (Philippe), 235.
Henri II, roi de France, 3953.
Henri III, roi de France, 4261.
Henri VI, roi de France, 3204, 3321.
Henriksen (Thomas H.), 6204.
Henry II, king of England, 2071.
Henry IV, king of England, 2549.
Henry VI, king of England, 2102, 2135.
Henry VII, king of England, 3399.
Henry VIII, king of England, 4172, 6071.
Henry (Yves), 5664.
Hensel (Witold), 992, 1133, 1863, 2414.
Hensellek (Werner), 1759.
Hensley (Thomas R.), 6024.
Hentschel (Volker), 5073.
Hepple (Bob Alexander), 6068.
Herakleios, empereur de Byzance, 97, 1817, 1888.
Herakleitos, 1433.
Herbart (Johann Friedrich), 4298.
Herborn (Wolfgang), 774.
Herczegh (Géza), 3518.
Herde (Peter), 2115, 2496.
Herder (Johann Gottfried), 4202, 4529.
Herity (Michael), 1041.
Herkenrath (Rainer Maria), 2181.
Herkless (John L.), 293.
Herman (Donald L.), 3886.
Hermann (Janet Sharp), 5389.

Hermann (Werner), III.
Hermann (Zsuzsa), 3519.
Hermet (Guy), 2894.
Hermon (Elly), 6524.
Hermon (Rita), 3273.
Hermsdorf (Klaus), 4220.
Hernández Ruigómez (Manuel), 6287.
Hernández Sánchez-Barba (Mario), 6288.
Herodes Magnus, roi de Judée, 1561.
Herodes Atticus (Lucius Vibullius Hipparchus Tiberius Claudius), 1678.
Herodotos, 1324, 1379, 1420.
Héron de Villefosse (René), 672.
Herondas, 1447.
Heroneinos, de Théadelphie, 1184.
Herren (Greg), 6849.
Herrenbrück (Fritz), 1791.
Herrera (Bartolomé), 3664.
Herrmann (Joachim), 1134, 2047, 2245.
Herscher (Uri D.), 4180.
Hershberg (Theodore), 5665.
Herter (Balduin), 64.
Hertling (Georg v.), 2712.
Hertz (Deborah), 234.
Hérubel (Michel), 2104, 2415.
Hervé (Roger), 152.
Herz (Peter), 1696.
Herzen (Alexander), v. Gercen (Aleksandr Ivanovič).
Herzfeld (Hans), 614.
Herzig (Thomas), 5233.
Herzstein (Robert Edwin), 2746.
Hesbert (Dom René-Jean), 3998.
Hesnard (Antoinette), 1732.
Hesse (Albert), 1281.
Hester (Thomas R.), 7078.
Heugas (Pierre), 4241.
Heukenkamp (Rudolf), 950.
Heuman (Gad J.), 6289.
Heuss (Alfred), 377, 1298.
Heuss (Theodor), 2819.
Heussler (Robert), 6171.
Heyde (Doris), 6995.
Heydenreich (Ludwig H.), 2416.
Heyl (John D.), 2747.
Heywood (Colin), 5193.
Heyworth (Peter L.), 2358.
Hickey (Donald R.), 3020, 5307.
Hicks (M.A.), 2246.
Hiegel (Charles), 2247.
Hienz (Hermann A.), 64.
Higgins (D. Sydney), 4798.
Higgins (Rosalyn), 6803.
Higham (Charles), 7101.
Highfield (John Roger L.), 2105.
Highsaw (Robert B.), 3021.
Higonnet (Patrice), 3274.
Higounet (Charles), 167.
Higuchi (Takayasu), 7033.
Hilaire (Yves-Marie), 5707.
Hilarion Iberikos, moine géorgien, 1878.
Hilarius, Roman aristocrat, 1793.
Hild (Friedrich), 171.
Hildebrand (Robert C.), 3022.
Hildebrandt (Gunther), 2698.

Hildesheimer (Françoise), 4612, 5472.
Hill (David), 172.
Hill (Leonidas E.), 6767.
Hill (Peter J.), 5046.
Hill (Richard H.), 7048.
Hill (Samuel S.) Jr., 3922.
Hillard (Denise), 4613.
Hillgruber (Andreas), 6525.
Hilpert (Hans-Eberhard), 1935.
Hiltbrunner (O.), 125.
Hilton (Stanley E.), 6659, 6850.
Hinck (Walter), 2735.
Hincmar, archevêque de Reims, 1969, 1972, 2544.
Hinde (Wendy), 3438.
Hindle (Brooke), 5194, 5195.
Hine (Robert V.), 5666.
Hinkel (Friedrich W.), 1207.
Hinske (Norbert), 605.
Hinsley (F.H.), 6605.
Hintermeyer (Pascalj), 3275.
Hintze (Otto), 4254.
Hinz (Paulus), 857.
Hiob, v. Job.
Hirdina (Karin), 4847.
Hirsch (H.N.), 3023.
Hirschfeldt (Gerhard), 2734.
Hirschmann (Edwin), 6946.
Hirschmeier (J.), 5074.
Hirshfield (Claire), 3439.
Hirsz (Zbigniew Jerzy), 6606.
Hirth (Kenneth), 7083.
Hissette (Roland), 2558.
Hitchcock (Henry-Russell), 4867.
Hitchcock (William S.), 3025.
Hitchins (Keith), 3520.
Hitler (Adolf), 2755, 2764, 2810, 2842, 3921, 6122, 6659, 6672, 6695, 6753, 6767, 6770, 6779.
Hobbes (Thomas), 4440, 4453, 4462, 4471, 4520, 4547.
Hobsbawm (Eric John), 793, 5858.
Hobson (Charles F.), 2926.
Hochheiser (Sheldon), 5196.
Hochstetter (A.), 1072.
Hocquet (Jean Claude), 775.
Hodcroft (Frederick W.), 831.
Hodder (Ian), 990.
Hoddeson (Lillian), 4614.
Hoddinott (R.F.), 1135.
Hodeir (Marcellin), 3227.
Hodges (Richard), 847, 2248.
Hodgkin (Thomas), 6968.
Hödl (Günther), IV.
Højgaard Jørgensen (Jørgen), 2531.
Hoekstra (A.), 1422.
Hölderlin (Johann Christian Friedrich), 4473.
Hörandner (Wolfram), 1864.
Hoerder (Dirk), 5810.
Hörmann-v. Stepski (Stanislaus), 1830.
Hoeveler (J. David) Jr., 4314.
Hoffer (Peter C.), 6069.
Hoffman (Abraham), 3026.
Hoffman (Daniel N.), 3027.
Hoffman (Ronald), 6291.
Hoffmann (Hartmut), 2249.
Hoffmann (Jochen), 2748.
Hoffmann (Peter), 6768.
Hoffmann (Rüdiger), 3966.
Hoffmann (Steven A.), 6904.
Hoffmann (Tamás), 2250.

Hoffmannová (Jaroslava), 757.
Hoffmeister (Elmar), 479.
Hofmann (Etienne), 4426.
Hofmann (Inge), 1174, 1555.
Hofmann (Jürgen), 2749.
Hofmannsthal (Hugo v.), 4963.
Hogan (Brian), 3908.
Hogg (Dorothy), 6947.
Hogg (James), 4777.
Hohberg (Claudia), 5859.
Hohenstein (Jutta), 3655.
Hohenzollern, Dynastie, 2699, 6389.
Hohlweg (A.), 1830.
Holban (Maria), 2106.
Holden (David), 6920.
Hollander (Harm W.), 1260.
Hollander (Paul), 4221.
Holley (Alexander), 5212.
Hollick (Ann L.), 6123.
Hollós (Ervin), 3521.
Holloway (Joseph E.), 6124.
Holloway (R. Ross), 1073.
Holloway (Thomas H.), 5667.
Holmberg (Åke), 419.
Holmes (Geoffrey), 5668.
Holmes (J. Derek), 3962.
Holmes (John W.), 6125.
Holmes (Richard), 3440.
Holmes (William H.), 4635.
Holobolos (Maximos), 1862.
Holroyd (Michael), 2645.
Holsinger (Donald C.), 5197.
Holt (John), 875.
Holt (Richard), 5669.
Holthaus (Fred), 5075.
Holton (Gerald), 4615.
Holtz (Louis), 1519.
Holtzmann (Bernard), 1471.
Holzapfel (Kurt), 3278.
Holzbach (Heidrun), 2750.
Holzbachová (Ivana), 823.
Holzberg (Niklas), 4222.
Holzner (Johann), 4829.
Homans (George C.), 3028.
Homeros, 1315, 1444, 1449.
Honan (Park), 4799.
Hone (Thomas), 3029.
Hoock (Jochen), 5626.
Hood (Sinclair), 1472.
Hooker (Thomas), 4096.
Hoop (Jean-Marie d'), 6607.
Hoover (Herbert Clark), 3016, 3100, 5385.
Hopkins (J.P.P.), 7046.
Hopkins (James F.), 2916.
Hopkins (M.), 6798.
Hopkins (Samuel), 4099.
Hopp (Lajos), 4474.
Hopton (John), 2289.
Horatius Flaccus (Quintus), 1409, 1533, 1653.
Hordé (Tristan), 4295.
Horea (Ursu Nicolae), 3739.
Hoření (Zdeněk), 4409.
Horn (David Bayne), 6381.
Horn (H.J.), 942.
Horn (Michiel), 2871.
Hornak (Angelo), 2400.
Hornbeck (Stanley K.), 6486.
Hornshöj Möller (Stig), 10.
Horsfield (John), 3441.
Horsman (Reginald), 4223, 6408.
Horváth (Gyula), 5860.
Horváth (Vladimír), 3765.
Horward (Donald D.), 6409.
Horwitz (Sylvia L.), 337.

Hosák (Ladislav), 716.
Hošek (Emil), 5390.
Hosmer (Charles R.) Jr., 3030.
Hoszowski (Stanisław), 5308.
Houbová (Bohumila), XX.
Houdaille (Jacques), 5513.
Houfová (Jarmila), 4409.
Houlding (J.A.), 3442.
Hourani (Albert H.), 6921.
Hourihan (William J.), 6445.
Houzard (G.), 5198.
Hóvári (János), 5309.
Howard (Deborah), 859.
Howard (Michael), 480.
Howarth (David), 6354.
Howell (J.M.), 1043.
Hoyer (Siegfried), 2669, 4475.
Hoyt (Edwin P.), 6713.
Hrobař (Jan), 4409.
Hroch (Miroslav), 2649.
Hrozienčík (Jozef), 611.
Hu-DeHart (Evelyn), 6292.
Huang (Ray), 6996.
Huang (Tsun-hsien), 6999.
Huard (Pierre), 4616.
Huart (Suzanne d'), 3174.
Hubáček (Miloš), 617.
Huber (Ernst Rudolf), 5988.
Huber (Thomas M.), 3647.
Hubert (le père), O.P., 2337.
Huchon (Mireille), 4714.
Hucke (Helmut), 2457.
Hudec (Vladimír), 4409.
Hudson (Kenneth), 294.
Hudson (Miles), 3893.
Hudson (Pat), 5473.
Hudson (Peter), 2598.
Hübener (Wolfgang), 2349.
Hünemörder (Christian), 4617.
Hüttel (H.-G.), 1074.
Hüttl (Ludwig), 2751.
Hugenberg (Alfred), 2750.
Hughes (Alan), 4964.
Hughes (P.J.), 1038.
Hugo, abbas Cluniacensis, Sanctus, 2538.
Hugot (Henri-Jean), 994.
Hugues IV de Lusignan, roi de Chypre, 1872.
Hugues de Salins, archevêque de Besançon, 2578.
Huhtala (Liisi), 4800.
Hulagu, il-khan of Persia, 1952.
Hull (N.E.H.), 6069.
Hulse (James W.), 3835.
Hultvall (John), 4118.
Humbert (M.), 1584.
Humbertclaude (Pierre), 4062.
Humboldt (Wilhelm, Freiherr von), 2738.
Hume (David), 4441, 4494, 4496, 4497, 5026.
Hume (L.J.), 481.
Hume (Leslie Parker), 5663.
Hummel (Heribert), 254.
Hummelberger (Walter), 2843.
Humphrey (Ted B.), 4476.
Hundert (Gershon David), 3687.
Hunger (Herbert), 15, 1828, 1865, 1889.
Hunt (Edward H.), 3443.
Hunt (Thomas C.), 3031, 4000.
Hunter (Michael), 3444.
Hunter (R.L.), 1667.
Huntington (Samuel P.), 3032.
Hunyadi, famille, 1936.

Hunyadi (János), 2092.
Hunyadi (Károly), 3522.
Hurezeanu (Damian), 5391.
Hurst (B.C.), 482.
Husain (Syed H.), 4755.
Husák (Gustáv), 3764.
Husmann (H.), 1866.
Hussain (Athar), 5861.
Huszár (Gál), 4948.
Hutcheson (Francis), 4573.
Hutchinson (E.P.), 3033.
Hutira (Ivan), 460.
Hutson (James H.), 3034.
Hutton (Patrick H.), 483, 3279.
Hutton (R.), 3445.
Huvelin (H.), 105.
Hvass (Steen), 2620.
Hyams (Paul R.), 2182.
Hyenstrand (Åke), 2157.

I

Iamblikhos, 1331.
Iancu de Hunedoara, v. Hunyadi (János).
Iancu-Agou (Danièle), 2138.
Ianziti (Gary), 2350.
Iatrides (John O.), 3490.
Ibn Baṭṭūṭa (Abū 'Abd Allah Muḥammad), 7070.
Ibn Ḥayyān (Abū Marwān), 2063.
Ibn Rushd (Abū al-Walīd Muḥammad ibn Aḥmad ibn Muḥammad), 2465.
Ibn Sīnā (Abū Sīnā, dit Avicenna), 2319, 2363.
Ichisar (Metin), 1235.
Ickes (Harold Loy), 3052.
Idzerda (Stanley J.), 3173.
Igarashi-Takeshita (Midori), 198.
Ignatius de Loyola, Sanctus, 4009, 4020.
Ikni (Guy), 3280.
Ilari (Virgilio), 752.
Ilardi (Vincent), 1918.
Ilbert (Robert), 5514.
Iliescu (Octavian), 199.
Iliescu (Vladimir), 1136.
Illmer (Detlef), 836.
Ilomäki (Henni), 553.
Iłowiecki (Maciej), 4224.
Imbault-Huart (Marie-José), 4618.
Imdilum, marchand cappadocien, 1235.
Imhof (Arthur E.), 5671.
Imsen (Steinar), 3660, 5989.
Inciardi (James A.), 6070.
Incze (Miklós), 2662.
Ingalls (Robert P.), 3035.
Ingeborg, Duchess of Sweden, 2086.
Ingersoll (David E.), 5971.
Ingham (Barbara), 5076.
Ingram (Edward), 6922.
Inikori (J.E.), 5310.
Innes (S.), 6263.
Innocenti (Marco), 6851.
Innocentius II [Gregorio Papareschi dei Guidoni], Papa, 2499.
Innocentius III [Giovanni Lotario, conte di Segni], 2500.
Innocentius VI [Etienne Aubert], Papa, 1900.

Inozemcev (N.N.), 5898.
Ionescu (Traian), 5311.
Ionescu-Nişcov (Traian), 4225.
Ioniţă (Gheorghe I.), 3728, 3731.
Ioppolo (A.M.), 1423.
Iorga (Nicolae), 351.
Iovčuk (M.T.), 931.
Ipolyi (Arnold), 622.
Ireland (Stanley), 1424.
Ireland (Timothy P.), 6852.
Irimia (M.), 1075.
Iriye (Akira), 6660.
Irmscher (Johannes), 1760.
Irsigler (Franz), 420.
Irving (Sir Henry), 4964, 4996.
Irving (Robert Grant), 4868.
Irwin (Joyce L.), 2458.
Irwin (Paul), 7058.
Isaac, patriarca biblicus, 2379.
Isaac (Glynn), 990.
Isaacus Syrus, episcopus Ninives, Sanctus, 1761.
Isabeau de Bavière, reine de France, 2133.
Isabel I la Católica, reina de Castilla, 2178.
Isaias, propheta, 1257.
Isenburg (Teresa), 3605.
Isern (Thomas D.), 5392.
Isherwood (Robert M.), 4965.
Isidorus Hispalensis, Sanctus, 1799.
Iskenderov (A.A.), 5863.
Ismaïlova (T.A.), 2417.
Israëljan (V.L.), 6853.
Issawi (Bahay), 996.
Issawi (Charles), 615.
Isticioaia-Budura (Tatiana), XVIII.
Itina (M.A.), 6925.
Ivan IV Groznij [le Terrible], tsar de Russie, 3819.
Ivan le Géorgien, peintre, 2436.
Ivănescu (G.), 135.
Ivan'o (I.), 4848.
Ivanov (G.M.), 484.
Ivanov (V.V.), 485.
Iverson (Peter), 3036.
Ives (E.W.), 6071.
Izac (René), 3281.
Izquierdo Benito (Ricardo), 2251.
Izsák (Lajos), 3523.

J

Jaanusson (H.), 1076.
Jacewicz (Wiktor), 6608.
Jack (Donald), 4620.
Jackowicz (Jerzy), 6854.
Jackson (Andrew), 3099, 3146.
Jackson (B.S.), 1261.
Jackson (Carl T.), 4478.
Jackson (Charles O.), 5517.
Jackson (Donald), 3037.
Jackson (Harvey H.), 6293.
Jackson (R.A.), 2183.
Jackson (Solomon), 4177.
Jacob (Frank-Dietrich), 4869.
Jacob (Margaret C.), 4226.
Jacobs (Sylvia M.), 6211.
Jacobs (Travis Beal), 6661.
Jacobsen (C.G.), 6855.
Jacobus, auctor Protevangelii,

1758.
Jacquart (Jean), 3282.
Jacques de Vitry, 1902.
Jacques (François), 1629.
Jacques-Chaquin (Nicole), 4479.
Jacquin (Nikolaus Freiherr v.), 4673.
Jäger-Sunstenau (Hanns), 2430.
Jaffé (William), 5027.
Jagellons (les), dynastie, 685.
Jago (Charles), 2895.
Jagoda (Zenon), 6609.
Jahn (Joachim), 637.
Jain (Ravindra K.), 6856.
Jakabffy (Imre), III, 958.
Jakešová (Elena), 5515.
Jakobs (Dan N.), 3837.
Jakobielski (Stefan), 2418.
Jakobson (A.L.), 1130.
Jakobson (V.A.), 1236.
Jakovlev (N.N.), 3038.
Jakuševskij (A.S.), 6610.
Jallard (Patricia), 3446.
James I, king of Great Britain a. Ireland, 3407, 6082.
James (Henry), 4758.
James (John A.), 5199.
James (N.D.G.), 776.
Jameson (Franklin), 232.
Jamieson (John F.), 4119.
Jamme (Christoph), 4473.
Jan de Ludzisko, 2551.
Jandt (Johannes), 636.
Janik (Andrzej), 920.
Janin (V.L.), 2252, 2423, 5543.
Jankovič (Vendelín), 3772.
Jankovics (József), 3493.
Janneau (Guillaume), 4919.
Janosz-Biskupowa (Irena), 3668.
Janowska (Halina), 3704, 5516.
Janotta (Christine Edith), 2107.
Jansen (Karl-Heinz), 4801.
Jansen (Paule), 3184.
Janssen (Jacob J.), 1174.
Janssens (Emile), 352.
Jansson (Erland), 6172.
Janz (Curt Paul), 4480.
Jaritz (Horst), 1202.
Jarník (Vojtěch), 4621.
Jaroševskij (M.G.), 4622.
Jarring (Gunnar), 3838.
Jaschinski (S.), 1349.
Jaskólski (Michał), 3688.
Jászi (Oszkár), 2657.
Jaucourt (Louis, chevalier de), 4516.
Jauffret (Jean-Charles), 3283.
Jaurès (Jean), 3284.
Jawad (Sa'ad), 6923.
Jay (Richard), 3447.
Jazikov (E.F.), 3068.
Jean II le Bon, roi de France, 2088, 2450.
Jean IV, duc de Bretagne, 1963.
Jean de Cantimpré, 1929.
Jean de Paris, 2475.
Jeanne d'Arc, 674, 2098, 2134.
Jeanson (Denis), 777.
Jedin (Hubert), 353.
Jędruszczak (Tadeusz), 3689, 3704, 6769.
Jefferson (Thomas), 2975, 3020, 3037, 3067, 5449.
Jeffrey (William) Jr., 2979.
Jeffs (Robin), 2105.
Jegou (Marie-Andrée), 4050.
Jeismann (Karl-Ernst), 2759.

Jellicoe (John Rushworth Jellicoe, 1st earl), 6577.
Jemnitz (János), 5864.
Jendy (Colette), 4315.
Jenei (Károly), 5200.
Jenner (W.J.F.), 6997.
Jensen (Gwendolyn E.), 3923.
Jensen (Richard Bach), 6098.
Jensen (Ronald J.), 6446.
Jenson (Nicolas), 43.
Jenšovská (Věra), 1964.
Jentz (John B.), 5675.
Jeremy (David J.), 5201.
Jerie (Miloš), 4409.
Jerussalimski (A.A.), 354.
Jespersen (Knud J.V.), 5676.
Jesus Christus, 857, 1261, 1784, 2451, 2573.
Jeszenszky (Géza), 6447.
Ježek (Alexandr), 2622.
Jeżewska (Zofia), 4949.
Jílek (František), 757.
Jílková (Jaroslava), 757.
Jillson (Calvin C.), 3039.
Jiménez Monteserin (Miguel), 910.
Jin, Chinese dynasty, 6995.
Jinnah (Mohammad Ali), 6895.
Joannes Ungarus, 2072.
Job, personnage biblique, 1787.
Job (Françoise), 3285.
Jobe (Thomas Harmon), 4623.
Jobert (Philippe), 5202.
Jodełka Burzecki (Tomasz), 4434.
Jodl (Ruth), 635.
Jörgensen (D.), 233.
Johanides (Josef), 3773.
Johann v. Köln, Buchdrucker, 43.
Johann (H.-T.), 1595.
Johannes, Apostolus, Sanctus, 1757, 1792.
Johannes Chrysostomus, Patriarcha Byzantinus, Sanctus, 1755, 1756, 1813, 4106.
Johannes XXIII [Angello Giuseppe Roncalli], Papa, 3955.
Johannes XXIII [Baldassare Cossa], Antipapa, 1900.
Johannes II Komnenos, empereur de Byzance, 1853.
Johannes Paulus II [Karol Wojtyła], Papa, 2688, 3963.
Johansen (Øystein), 1077.
John of Gaunt, 1937.
John of Salisbury, 2213, 2481.
John (Hartmut), 2752.
John (Jürgen), 2753.
Johns (Richard), 6920.
Johnson (Arne Odd), 2068, 5264.
Johnson (Charles W.), 5517.
Johnson (David), 6998.
Johnson (Frank), 3157.
Johnson (Herbert A.), 6294.
Johnson (James Turner), 6099.
Johnson (Janet H.), 1225.
Johnson (John W.), 5972.
Johnson (Michael P.), 3040, 5677.
Johnson (Nancy E.), 3392.
Johnson (Paul), 691.
Johnson (Penelope D.), 2517.
Johnson (Richard R.), 6295.
Johnstone (Hilda), 2199.
Jokipii (Mauno), 4247.
Jolicoeur (Catherine), 3924.

Jonasson (Gustaf), 3748.
Jonca (Karol), 6770.
Jones (Colin), 3286.
Jones (D.), 2369.
Jones (Douglas Lamar), 5678.
Jones (E.L.), 616.
Jones (Edgar), 5474.
Jones (Faustine C.), 3041.
Jones (H.), 4430, 4482.
Jones (Ieuan Gwynedd), 3909.
Jones (James H.), 4624.
Jones (Kenneth Paul), 6128.
Jones (M.), 1105.
Jones (Michael), 59, 1939, 1963.
Jones (P.M.), 3287.
Jones (R. Merfyn), 5203.
Jones (Rhys), 7102.
Jordan (Alexander T.), 4946.
Jordan (David W.), 6296.
Jordan (Sylvester), 5979.
Jordan (Terry G.), 5393.
Jordan (William Chester), 2184.
Jordens (J.T.F.), 6949.
Jorgensen (J.), 3802.
Jorland (Gérard), 360.
Joseph II., röm.-deutscher Kaiser, 4087.
Joseph, Nez Percé chief, 3073.
Josephine (Marie-Josèphe Tascher de La Pagerie), impératrice des Français, 58, 3175.
Josephson (Harold), 3042.
Josephson (Matthew), 3117.
Josephus, Sanctus, 1260.
Josephy (Alvin M.) Jr., 3104.
Joshua ben Ḥananiah, 1274.
Jouanna (Arlette), 6025.
Joubert (Jean-Paul), 5865.
Jouhaud (Edmond), 6212.
Jourdan (Lucien), 1208.
Joxe (Louis), 6771.
Jucker (Hans), 1733.
Judant (Denise), 911.
Judex (Matthaeus), 4126.
Jünger (Ernst), 6600.
Juffinger (Roswitha), 2430.
Juhász (Gyula), 6662.
Juhász (Péter), 627.
Julia (Dominique), 4302, 4316.
Julianus (Flavius Claudius), empereur romain, 1531, 1596.
Julii-Claudii, empereurs romains, 1537, 1542, 1733.
Jung (Carl Gustav), 4219.
Jurcă (Nicolae), 3732.
Jur'ev (M.F.), 7028.
Jurkov (I.A.), 5475.
Jurukova (Jordanka), 98.
Justi (J.H.G. v.), 5018.
Justinianus I, empereur de Byzance, 97, 1839, 1846, 1869, 1887.
Justinos II, empereur de Byzance, 97.
Justinus (Marcus Junianus), 1218.

K

Kaba (Lansiné), 7059.
Kabaj (Józef), 2559.
Kabuzan (V.M.), 561.
Kadletz (Edward), 1452.
Kadson (I.Z.), 6026.

Kaegi (Walter Emil) Jr., 486.
Kälvemark (Ann-Sofie), 5518.
Kagan (Donald), 1350.
Kagan (Ju. O.), 4912.
Kagan (Richard L.), 5990.
Kaganiec (Małgorzata), 70.
Kagedan (Allan L.), 6129.
Kageneck (Alfred Graf v.), 2754.
Kahil (Lilly), 202, 266.
Kahle (Günter), 358.
Kahler (Miles), 6539.
Kain (Philip J.), 487.
Kaiser (David E.), 6663.
Kaiser (Jochen-Christoph), 5866.
Kaiser (Reinhold), 2069.
Kaivola (Terttu), 553.
Kajanus (Herman), 4120.
Kajzer (Leszek), 5312.
Kalb (P.), 1078.
Kalbe (Ernstgert), 6843.
Kaledin (Eugenia), 4317.
Kalembka (Sławomir), 6448.
Kalesný (František), 912.
Kállai (Gyula), 3497.
Kállay (István), 5394.
Kallias, 1357, 1361.
Kallimakhos, 1320.
Kallmann (Helmut), 4953.
Kálmán (Béla), 825.
Kalmykov (N.P.), 2860.
Kalmykova (A.I.), 5395.
Kalu (O.U.), 3925.
Kamachi (Noriko), 6999.
Kamen (Ruth H.), 845.
Kaminer (L.V.), 805.
Kaminsky (John P.), 2919.
Kammen (Michael G.), 4227.
Kamoche (Jidlaph G.), 6213.
Kampen (Natalie Boymel), 1734.
Kancewicz (Jan), 5867.
Kane (John D.H.), 6245.
Kanior (Marian), 4051.
Kaniš (Pavol), 6570.
Kann (Robert A.), 355.
Kannicht (Richard), 1325.
Kannonier (Reinhard), 5868.
Kant (Immanuel), 4437, 4494.
Kanters (Robert), 4726.
Kantowicz (Edward R.), 4002.
Kanya-Forstner (A.S.), 6153.
Kapala (Zbigniew), 6772.
Kapera (Zdzisław J.), 1262.
Kapiszewski (Andrzej), 5679.
Kapitza (Peter K.), 4731.
Kaplan (Steven L.), 6027.
Kaplanova (S.G.), 4892.
Kapp (Wolfgang), 2757.
Karabélias (Evanghelos), 1838.
Karadagli (T.), 1425.
Karageorghis (Vassos), 1473.
Karayannopulos (J.), 1867.
Karkowski (Janusz), 1181.
Karl I. d. Grosse, Charlemagne, röm. Kaiser, König d. Franken, 1940, 1982, 2040.
Karl II. d. Kahle, röm. Kaiser, König v. Frankreich, 1972, 2044.
Karl IV., röm.-deutscher Kaiser, 2109, 2129.
Karl V., röm.-deutscher Kaiser, König v. Spanien, 666, 2777, 2899, 3953.
Karl VI., röm.-deutscher Kaiser, 4850.

Karl I., Kaiser v. Österreich, König v. Ungarn, 3544.
Karl X Gustaf, roi de Suède, 3753.
Karl XII, roi de Suède, 3751.
Karl XIV Johan, roi de Suède et de Norvège, 3752.
Karlin-Hayter (Patricia), 1834.
Karłowska-Kamzowa (Alicja), 2393.
Karlsson (Lennart), 2419.
Karpinskij (Aleksandr Petrovič), 4660.
Karpov (S.P.), 2110.
Karras (Margaret), 1287.
Karwowski (Stanisław), 3690.
Kaschko (Michael W.), 7095.
Kašpar (Oldřich), 262.
Kaspi (André), 5680.
Kasravi (Ahmad), 3566.
Kastory (Andrzej), 6858.
Kašuba (M.S.), 559.
Kater (Michael H.), 2755.
Katermaa-Ottela (Aino), 2420.
Kathe (Heinz), 3288.
Katona (Imre), 779.
Katona (Tamás), 2081.
Katus (László), 5519.
Katz (Friedrich), 6526.
Katz (Jacob), 2651.
Katz (Michael B.), 5681.
Kauffeldt (Leo), 5682.
Kaufmann (Bernd), 6859.
Kaufmann (Emil), 4870.
Kaufmann (Hans Walter), 6527.
Kaufmann (Walter), 864.
Kaul (T.N.), 6860.
Kávássy (Sándor), 5396.
Kavtaradze (A.G.), 6410.
Kazancigil (Ali), 3798.
Kazimierz IV Jagiellończyk, roi de Pologne, 2087.
Kealey (Edward J.), 2253.
Kealey (Gregory S.), 5804.
Keaveney (Arthur), 1556.
Keddie (Nikki R.), 3568.
Kedourie (Elie), 488.
Keen (M.H.), 2385.
Keenan (James G.), 1868.
Kehl (James A.), 3043.
Keil (Hartmut), 5675.
Keith (W.J.), 4840.
Kejř (Jiří), 2560.
Kelemen (János), 333.
Kelle (V.Ž.), 489.
Kellenbenz (Hermann), 780, 5127.
Keller (Hagen), 2048.
Kelley (Donald R.), 4121.
Kelley (George Armstrong), 3289.
Kelley (Jonathan), 2854.
Kelly (Alfred), 4625.
Kelly (Paul), 3448.
Kemal Atatürk (Mustafa), 3795, 3798, 3801, 6500.
Kemp (Martin), 2421.
Kennan (George), 6477.
Kennedy (D.L.), 1557.
Kennedy (David M.), 3044.
Kennedy (Emmet), 4318.
Kennedy (Hugh), 2146.
Kennedy (J. Gerald), 174.
Kennedy (John Fitzgerald), 3051.
Kennedy (Thomas C.), 3449.
Kenney (Anne R.), 3271, 3996.
Kent (D.V.), 2111.

Kent (F.W.), 2111.
Kent (Joan), 6028.
Kent (Peter C.), 6528.
Kent (Raymond A.), 5683.
Kent (Richard J.) Jr., 3045.
Kent (Tyler), 6664.
Kenworthy (J.), 1558.
Kenyon (John Philipps), 677.
Kępinski (Zdsisław), 2422.
Keresztes (Paul), 1559.
Kereszty (András), 6861.
Kerferd (G.B.), 1445.
Kerhervé (Jean), 2351.
Kern (Louis J.), 5684.
Kersaudy (François), 6611.
Kervan (Monique), 2301.
Kesner (Richard M.), 6157.
Kessler (Wolfgang), 3893.
Kessner (Thomas), 5077.
Kettenacker (Lothar), 421, 2734.
Kettering (Sharon), 3290.
Kettle (Michael), 6529.
Keul (Michael), XIII.
Keyder (Caglar), 3797.
Keyes (Roger John Brownlow Keyes, 1st baron), 6489.
Keynes (John Maynard Keynes, 1st baron), 5019.
Khajčenko (G.A.), 4966.
Khālidī (Tarīf), 2147.
Khayat (B.), 998.
Kho (Songmoo), 7043.
Kholjuškin (Ju. P.), 1019.
Khomeini (Ruhollāh), 3567.
Khorošaeva (I.F.), 567.
Khorošev (A.S.), 2423.
Khristov (Khr.), 6106.
Khromov (S.S.), 509, 728, 6720.
Khuri (Fuad I.), 6862.
Ki-Zerbo (J.), 628.
Kieman (Thomas), 4968.
Kieniewicz (Stefan), 490, 3691, 4252.
Kienitz (F.-K.), 1299.
Kierdorf (Wilhelm), 1668.
Kiersnowski (Ryszard), 99.
Kihlberg (Y.O.), 233.
Kilander (Svenbjörn), 3749.
Kilbourne (Richard Holcombe) Jr., 6029.
Killick (J.R.), 5313.
Killinger (Charles), 387.
Kilmurry (Kathy), 2254.
Kilpatrick (William Heard), 4304.
Kim (Han-Kyo), 7041.
Kim (Il-sung), 7045.
Kim (M.P.), 618, 5748.
Kim (Seyoon), 1815.
Kim (Yung-Jae), 4122.
Kimball (Heber C.), 4123.
Kimball (Stanley B.), 4123.
Kimball (Warren F.), 6664.
Kimbell (David R.B.), 4969.
Kimmig (W.), 1125.
Kindleberger (Charles P.), 5028.
King (Anthony), 1735.
King (J.E.), 5836.
King (James), 4752.
King (Martin Luther) Jr., 3003.
King (William Lyon Mackenzie), 6150.
King (William McGuire), 4124.
King-Hele (Desmond), 4555.
Kingdon (Robert M.), 3926, 3937.

Kingsford (Charles Lethbridge), 1941.
Kingston-Mann (Esther), 5869.
Kinmouth (Earl H.), 3648.
Kinnard (Douglas), 3046.
Kinner (Klaus), 5870.
Kinser (Samuel), 326.
Kiraly (Bela K.), 3524.
Király (Péter), 4319.
Király (T.), 6072.
Kirby (John B.), 3047.
Kirby (M.W.), 5078.
Kirchner (Klaus), 6580.
Kirchner (Walther), 5314.
Kirk-Greene (A.H.M.), 3658.
Kirkor (Stanisław), 6411.
Kirsch (George B.), 323.
Kiselev (I.N.), 5537.
Kiselev (V.I.), 6863.
Kishlansky (Mark), 3839.
Kishore (Braj), 6950.
Kiss (István N.), 756, 4802.
Kiss (Lajos), 5685.
Kiss (Zsolt), 1845.
Kissinger (Henry Alfred), 6804, 6826, 6860, 6879.
Kissling (H.J.), 436.
Kiste (John Van der), 2756.
Kitchen (Martin), 2713.
Kitching (Gavin), 6214.
Kjamilev (S. Kh.), 909.
Kjöllerström (Sven), 2561.
Klaczko (Julian), 4832.
Klami (H.T.), 5973.
Klaniczay (Gábor), 2530.
Klapp (Otto), 939.
Klar (Karl-Heinz), 5871.
Klauser (Theodor), 887.
Klein (Herbert S.), 2854, 5460.
Klein (Magnus), 356.
Klein (Michael), 4829.
Klein (P.A.), 5079.
Klein (René), 71.
Klein (Richard), 1596.
Kleineidam (Erich), 4253.
Klejn (N.L.), 5204.
Klemperer (Klemens v.), 355, 6773.
Klengel (Horst), 1164, 1169.
Klenner (Fritz), 5872.
Kleppner (Paul), 3048.
Kleve (Knut), 491.
Kligman (Gail), 577.
Kliment (Antonín), 766.
Klimko (Jozef), 718.
Kímová (Dagmar), 5770.
Klinck (Dennis R.), 4715.
Klinger (András), 5686.
Klinowski (Jacek), 4956.
Ključevskij (V.O.), 357.
Kłodziński (Stanisław), 6609.
Kloss (B.M.), 4508.
Kluke (Paul), 421.
Kluxen (Kurt), 492.
Kluxen (Wolfgang), 2480.
Kmiecik (Zenon), 4400.
Knaack (Rudolf), 5873.
Knab (Erhard), 4315.
Knabe (G.S.), 1669.
Knafla (Louis A.), 6059.
Knecht (R.J.), 3291.
Knjazeckaja (E.A.), 4626.
Knodel (John), 493.
Knöll (H.), 1042.
Knox (D. Edward), 6530.
Koberdowa (Irena), 5874.
Kobylińska (Urszula), 1106.

Kobyljanskij (K.V.), 5821.
Kobylková (Luďa), 5080.
Kočetkova (N.), 944.
Koch (Christian), 1364.
Koch (Hans-Albrecht), 940.
Koch (Rainer), 2624.
Koch (Rudolf), 2836.
Koch (Uta), 940.
Koch (Walter), 2430.
Kochanowicz (Jacek), 5400.
Kochanowski (Jan), 4709.
Kochanowski (Piotr), 4709.
Kočina (P.Ja.), 4627.
Kocka (Jürgen), 4254, 5081, 5570, 5687.
Kocój (Henryk), 3692, 3703.
Kocsis (Elemér), 4125.
Koder (Johannes), 186.
Kodevová (Oldřiška), 3774.
Kőhegyi (Mihály), 1137.
Koehler (Lyle), 5688.
Köhn (Rolf), 2562.
Kölling (Hartmut), 833.
Kölzer (Theo), 1942.
Kömürcian, v. Eremia Dpir Kömürcian.
Koenen (Ludwig), 220.
König (Helmut), 807, 5875.
König (Ingomar), 1560.
König (Wolfgang), 4320.
Koeniger (A. Cash), 3049.
Koenker (Diane), 3840.
Könnemann (Erwin), 2757.
Köpeczi (Béla), 3525, 4392, 5728.
Koeper (Frederick), 4879.
Köster-Bunselmeyer (Doris), 5876.
Kővágó (László), 3526, 5877.
Kövics (Emma), 2758.
Kofman (Jan), 3693.
Kogan (B.S.), 806.
Kogan (D.M.), 596.
Kogan (Norman), 3607.
Kohl (Philip L.), 1079.
Kohn (Richard H.), 5689.
Kojic (V.), 3888.
Kókay (György), 4380, 4392.
Kokowski (Andrzej), 1138.
Kolár (Jaroslav), 1933.
Kolář (Josef), 611.
Kolasiński (Dominic Hippolytus), 4013.
Kolb (Frank), 1474.
Kolb (Philippe), 4761.
Kolb (Robert Kolb), 4126.
Kolbe (Maksymilian Maria), 3991.
Kolčin (B.), 1091.
Kolčin (B.A.), 2423.
Kollár (Jozef), 3789.
Kollár (Zoltán), 2881.
Kollontai (Aleksandra Mikhailovna), 3824.
Kolníková (Eva), 100.
Kolodny (E.), 5082.
Kołodziejczyk (Edmund), 603.
Kolpinskij (Nikita), 5878.
Komarov (E.N.), 6964.
Komarov (S.V.), 4967.
Komenský (Jan Amos), 4343.
Komjathy (Anthony), 6665.
Komolova (N.P.), 3608.
Kon (I.S.), 578.
Kondufor (Ju. Ju.), 726, 5673.
Konetzke (Richard), 358.
Konieczny (Adam), 619.
Konopczyński (Władysław), 6382.

Konovalov (A.I.), 6666.
Konrad von Marburg, 2567.
Konrad (Helmut), 5690, 5862, 5868.
Konrad (Herman W.), 4063.
Konstantinos VII Porphyrogennetos, empereur de Byzance, 1823.
Kontos (Joan Fultz), 4321.
Koon (Tracy), 3609.
Koontz (Theodore J.), 4483.
Kopačka (Ludvík), 5205.
Kopernik (Mikołaj), 4526.
Kopf (Eike), 4484.
Kopicki (Edmund), 101.
Kopitsch (Franklin), 4322.
Korablev (I.Š.), 1263.
Korbonski (Andrzej), 3694.
Korczyk (Henryk), 6531.
Korelin (A.P.), 5476.
Kornweibel (Theodore) Jr., 3050.
Korom (Mihály), 3527.
Korpalska (Walentyna), 3695.
Koršunov (A.M.), 484.
Korta (Wacław), 638.
Korver (M.), 1219.
Korževa (Klavdija P.), 1630.
Kosarev (M.F.), 1080.
Kosáry (Domokos), 3528, 3529, 4392, 5691.
Koschik (Harald), 1081.
Kosev (Dimitǎr), 359.
Kosim (Jan), 6449.
Kosman (Marceli), 913.
Kosmas Melodos, 1819.
Koss (Stephen), 4401.
Kossok (Manfred), 494, 2736, 6843.
Kossuth (Lajos), 3494, 3502.
Kosthorst (Erich), 2759.
Kostický (Bohumír), 715.
Kostin (P.V.), 6030.
Kostova (Emilija), VI, 359.
Kosygin (Aleksej Nikolaevič), 3806.
Kosyk (Wolodymyr), 6532.
Koth (Harald), 5879.
Kotsilibas-Davis (James), 4970.
Kotula (Tadeusz), 1631.
Kour (Z.H.), 6173.
Kouri (E.I.), 6355.
Kouymjian (D.), 2424.
Kovács (Béla), 5352.
Kovács (Endre), 2652.
Koval' (B.I.), 2653.
Kovaľčenko (I.D.), 500, 5397, 5398.
Kovalčuk (V.M.), 6757.
Kovalenko (I.I.), 3649.
Kovalev (E.V.), 5399.
Kovalevskaja (Sof'ja Vasil'evna), 4627.
Koval'skaya (M.I.), 3610.
Koval'zon (M.Ja.), 489.
Kovařík (Zdeněk), 4409.
Kovássy (Zoltán), 3530.
Kovel'man (A.B.), 1209.
Kowalczyk (Maria), 1919.
Kowalewski (St. A.), 7076.
Kowecki (Jerzy), 5992.
Kowsky (Francis R.), 4871.
Koyré (Alexandre), 360, 930.
Kozlov (A.I.), 3841.
Kozlov (P.K.), 49.
Kozłowski (Jan), 256.
Kozłowski (Jerzy), 5692.
Kozłowski (Stefan Karol), 977.

Kraditor (Aileen S.), 5880.
Krämer (Peter), 2361.
Krákora (Antonín), 4409.
Král (V.), 6105.
Kramer (Bärbel), 54.
Kramer (Leonie), 4803.
Kramer (Lloyd S.), 6297.
Krammer (Arnold), 5206.
Krása (Miloslav), 6948.
Krasnobaev (B.I.), 357.
Krasucki (Jerzy), 2760.
Kratinos, 1377.
Kraus (Andreas), 2654.
Kraus (Richard Curt), 7001.
Krause (David), 4760.
Krause (Friedhilde), 48.
Krause (Gerhard), 888.
Krause (Walter), 200.
Krausnick (Helmut), 6715.
Krauss (Henning), 2341, 2352.
Krawczyk-Głyda (Ewa), 5693.
Kreikamp (Hans-Dieter), 2694.
Kreissig (Heinz), 1163.
Krejdlina (L.M.), 5881.
Kremenjuk (V.A.), 6888.
Krempa (Ivan), 3775.
Krepp (Endel), 6533.
Kresten (Otto), 1828.
Kreutel (Richard F.), 3724.
Kriechbaumer (Robert), 2837.
Kriedte (Peter), 2255.
Krikorian, v. Grigorean.
Kristó (Gyula), 684, 2067.
Krjukov (M.V.), 566.
Kroell (Anne), 3903.
Kroll (Paul W.), 7002.
Kromnov (Åke), 2112, 3750.
Kropilák (Miroslav), 719.
Krüger (Bruno), 1139.
Krüger (Karl Heinrich), 1943.
Krüger (Peter), 2761.
Krugler (John D.), 3450.
Kruglova (Z.M.), 4255.
Kruk (Janusz), 1043.
Krumwiede (Hans-Walter), 877.
Krupenikov (I.A.), 826.
Krusch (Hans-Joachim), 2757.
Krusenstjern (Benigna v.), 3531.
Krylov (L.S.), 6130.
Krymskij (A.E.), 2353.
Krynen (Jacques), 3292.
Krystufek (Zdenek), 3776.
Kryvelev (I.A.), 596.
Krzak (Zygmunt), 1044.
Kubiczek (Wolfgang), 6972.
Kubinszky (Mihály), 4859.
Kubinyi (András), 6356.
Kubitscheck (Hans-Dieter), 6970.
Kučera (Matúš), 2027.
Kudelásek (Miloslav), XX.
Kučerenko (G.S.), 4485, 5835.
Kucharzewski (Feliks), 4402.
Kučumova (L.I.), 6031.
Kuczynski (Jürgen), 5694.
Kudělka (Milan), 611.
Kudrna (Jaroslav), 495.
Kühn (Margarete), 1912.
Kuenringer, Adelsgeschlecht, 2011.
Künstler (Mieczysław Jerzy), 914.
Kuethe (Allan J.), 5695.
Küttler (Wolfgang), 496.
Kuhn (Dieter), 7003.
Kuhn (Thomas S.), 506.
Kuisel (Richard F.), 5029.
Kujala (Antti), 3160.

Kuklík (Jan), 6766.
Kukovecz (György), 2881.
Kukuškin (M.V.), 516.
Kula (Marcin), 2861.
Kula (Witold), 5400.
Kulak (Teresa), 6534.
Kulcsár (Péter), 685, 1936.
Kulczycki (John J.), 4323.
Kulczycki (Ladislaus), 3975.
Kulczykowski (Mariusz), 5207.
Kumanev (G.A.), 6697, 6721.
Kundel (Erich), 4486.
Kunderewicz (Teresa), 1869.
Kunfi (Zsigmond), 5864.
Kunina (Valerija), 5882.
Kuno von Öhningen, 2064.
Kunszabó (Ferenc), 686.
Kuntz (Marion L.), 4487.
Kunz (Eduard), 882.
Kunz (Hans Beat), 6535.
Kunze (Walter), 1045.
Kuper (Beatrice), 1000.
Kuper (Rudolph), 1000.
Kuppers (Willem), 2256.
Kuprijanova (L.V.), 5520.
Kuras (Stanisław), 2502.
Kurilov (A.S.), 4732.
Kuritz (Hyman), 4628.
Kuropjatnik (G.P.), 6450.
Kurt (G.), 978.
Kurz (G.), 1416.
Kusák (Dalibor), 717.
Kussmaul (Ann), 5401.
Kussmaul (Peter), 1597.
Kutnar (František), 3777.
Kuz'menko (Ju. K.), 90.
Kuzniewski (Anthony J.), 4003.
Kvaček (Robert), 3778, 6774.
Kwaśniewski (Krzysztof), 619.
Kyas (Vladimír), 1905.
Kyd (Thomas), 4720.
Kydones (Demetrios), 1824.
Kyhlberg (Ola), 2158.

L

Labande (Edmond-René), 1913, 1931.
Labé (Guillaume), 3900.
Labora Martín (Juan José), 5315.
Labrousse (Audran), 1281, 2301.
Labrousse (Michel), 1729.
Labuda (Gerard), 60, 2185.
Labudowa (Alberta), 2393.
Lacave (José Luijs), 2139.
Lacerte (Robert K.), 5084.
Lachaux (Jean-Claude), 1736.
Lachiver (Marcel), 493.
Lacina (Karel), 6864.
Lacina (Vlastislav), 3781.
Lackner (Wolfgang), 1756.
Lackó (Miklós), 4229.
La Colombière (Claude), 3995.
Lacour (René), 4324.
Lacouture (Jean), 3293.
Lacretelle (Ch.), 3207.
Lacroix (Bernard), 4488.
Ladányi (Andor), 4268.
Ladero Quesada (Miguel Ángel), 2257.
Ladislas, rois de Pologne, v. Władysław.
Ladouceur (David J.), 1561.
Laennec (René), 4577, 4616.
La Fare (Anne Louis Henry de), évêque de Nancy, 3213.

Lafaurie (Jean), 102, 105, 361, 422.
Lafaurie (Raymonde), 361.
La Fayette (Marie Joseph Gilbert Motier, marquis de), 3173, 6297.
Laffineur (R.), 1300.
Lafon (Jacqueline-Lucienne), 6032.
Lafon (Xavier), 1737.
Lafond (Jean), 4708.
La Fontaine (Charles V.) S.A., 4004.
La Fontaine (Jean de), 4307, 4727.
La Fournière (Xavier de), 3294.
Lafrance (Yvon), 1426.
Lagarde (L.), 152.
Lagzi (István), 6612.
Lahne (Hans-Dieter), 4243.
Laiou-Thomadakis (Angeliki E.), 1870.
Lajtai (Vera), 3521.
Lakó (Eva), 1046.
Lalo (Jean-Xavier), 4039.
Lamant (Hubert), 72.
Lamar (Curt), 6451.
Lamar (Howard), 2655, 6158.
Lamarque (Pierre), 3295.
Lambert (Nicole), 975.
Lambert (P.-Y.), 149.
Lambert (Raymond-Raoul), 6764.
Lambton (Ann S.K.), 2148.
Lamennais (Félicité Robert de), 4005.
Laming-Emperaire (A.), 7074.
Lamonde (Yvan), 4971.
Lamothe (Raymonde), 5573.
Lampert (R.J.), 1020.
Lamport (F.J.), 4972.
Lamprecht (Karl), 362.
Lancaster, dynasty, 2179.
Lancaster (Joseph), 4349.
Lancha (Janine), 1746.
Land (Aubrey C.), 6298.
Landau (Zbigniew), 5208.
Landseer (Sir Edwin Henry), 4898.
Lane Fox (Robin), 1351.
Lang (Bernhard), 1264.
Lang (Manfred), 5134.
Lange (Halvard), 6815.
Langenberg (Inge), 6299.
Langfield (Paul), 3391.
Langguth (A.J.), 4804.
Langkabel (Hermann), 1968.
Langlois (John D.) Jr., 6981.
Langlois (Pierre), II.
Langmann (Gerhard), 1562.
Lankford (John), 4629.
La Noue (François de), 3373.
Lantier (Raymond), 1722.
Lapeyre (H.), 5316.
Lapin (Z.G.), 7028.
Laplace (Pierre Simon, marquis de), 4296.
Lapomarda (Vincent A.), 4052.
Laportalière (René de), 6383.
Laporte (Renée), 2425.
La Potterie (Ignace de), 916.
Laprade (William Thomas), 3396.
La Puente (Fernando), arzobispo de Burgos y cardenal, 3979.
Lara (Dario), 6536.

Large (Stephen S.), 5883.
Larner (Christina), 3927.
La Rochefoucauld (François de), 4726.
La Rosa (Salvatore), 3617.
La Rose (André), 5496.
Larson (Simeon), 5884.
Larthomas (Pierre), 4973.
Lárusson (Björn), 5085.
Las Casas (Bartolomé de), 4070.
Laschke (Michael), 5209.
Lassalle (Ferdinand), 5790.
Lassen (Jan Gerhard), 5402.
Lasserre (André), 5086.
Lasson (Frans), 6183.
Lassus (Jean), 1871.
László (Gyula), 1140.
Latreille (André), 5697.
Latrobe (Benjamin Henry), 2925, 4556.
Latta (Claude), 3296.
Lattimer (John K.), 3051.
Laudat (I.D.), 4230.
Laufhuette (H.), 942.
Launay (Jean-Marie), 4403.
Launay (Michel), 6538.
Launet (Charles de), 73.
Laurain-Portemer (Madeleine), 3297.
Laurens (Henry), 6243.
Laurent (Emile), 3167.
Laurent (Jocelyne), 163.
Lauriola (Giovanni), 2471.
Lautemann (Wolfgang), 2626.
Lauzun (Philippe), 4256.
Lavency (M.), 138.
La Véronne (Chantal de), 7060.
Laveryčev (V.Ja.), 5698.
Ławacz (Małgorzata), 6859.
Lawrence (C.), 6490.
Lawrence (David Herbert), 4784.
Lawrence (T.E.), 1171.
Lawrence (Thomas), 6296.
Lay (Adriana), 3611.
Layne (Christopher), 6539.
Layton (Bentley), 1798.
Layton (Ian G.), 5210.
Lazarev (V.I.), 7004.
Lazarev (V.N.), 2426.
Lazarovici (Gh.), 1046.
Lazonick (William D.), 5211.
Lazukov (G.I.), 1027.
Lazzarini (John), 4974.
Lazzarini (Roberta), 4974.
Lê, Vietnamese dynasty, 6973.
Leach (Foss), 7092.
Leach (Foss), 7103.
Lear (Linda J.), 3052.
Learoyd (Stanley), 4920.
Lears (T.J. Jackson), 4231.
Leary (Emmeline), 4917.
Lebedev (E.A.), 2627.
Lebergott (Stanley), 5317.
Lebigre (Arlette), 3298.
Le Bohec (Sylvie), 1326.
Le Bohec (Yann), 1286.
Lebow (Richard Ned), 6132.
Le Bras (Gabriel), 884.
Le Brun (Alain), 1047.
Lebrun (François), 659.
Lebrun (Jean), 4005.
Lebrun (Marc), 758.
Lechner (Ödön), 4859.
Leclant (Jean), 1210.
Le Corbusier (Edouard Jeanneret-Gris, dit), 4870.

Le Cordeur (B.), 6215.
Le Corsu (France), 1427.
Ledóchowski (Stanisław), 4534.
Ledoux (Claude Nicolas), 4870.
Ledoyen (Dom Henri), 896.
Lee (Arthur), 6312.
Lee (Sir David), 6865.
Lee (Henry), 3103.
Leenhardt (Maurice), 4158.
Lee (R. Alton), 3053.
Lees-Milne (James), 4805.
Lefebvre-Teillard (Anne), 6073.
Lefèvre (Eric), 6716.
Left Hand, Arapaho chief, 2967.
Leggett (George), 3842.
Le Goff (Jacques), 270, 2070, 2563.
Le Goff (T.J.A.), 3300.
Legon (Ronald P.), 1352.
Legošin (L.I.), 740.
Legoy (Louis), 2427.
Legrand (Lucien), 1762.
Legrand (Robert), 3301.
Leguay (Jean-Pierre), 2258.
Lehárová (Jaroslava), 5920.
Lehmann (Rudolf), 511.
Lehmann (Yves), 1697.
Lehning (James E.), 5699.
Lehr (John C.), 179.
Le Huray (Peter), 4975.
Leibniz (Gottfried Wilhelm), 4440, 4444, 4451, 4511, 4531, 4535.
Leicester (Robert Dudley, earl of), 3487.
Leinenwerber (Charles), 5885.
Lelewel (Joachim), 3710.
Leloir (Louis), 1767.
Lemaire (André), 1265.
Lemaître (Nicole), 5403.
Le Maner (M.), 669.
Le Maner (Y.), 669.
Lemarchand (Guy), 3302.
Lemay (Edma), 3303.
Lemelin (André), 5318.
Lemerle (Paul), 1825.
Lemire (Maurice), 4806.
Lemke (Heinz), 5477.
Lemoine (Charlotte), 1732.
Lémonon (Jean-Pierre), 1563.
Lenin (Vladimir Il'ič Uljanov, dit), 485, 498, 505, 740, 3831, 3842, 3843, 3879, 4446, 4510, 5031, 5035, 5058, 5186, 5434, 5801, 5821, 5852, 5878, 5881, 5886, 5900, 6552.
Lenman (Bruce), 3451.
Lenoir (Alexandre), 267.
Lenoir (Madeleine), 6412.
Le Normand (Antoinette), 4921.
Lenz (Rudolf), 4719.
Leo I Magnus, Papa, Sanctus, 1810.
Leo IX [Bruno], Papa, Sanctus, 2454.
Leo XIII [Vincenzo Gioacchino Pecci], Papa, 4285.
Leon III, empereur de Byzance, 97.
Léonard (Jacques), 4630.
Leonardi (Claudio), 1990.
Leonardo de Vinci, 2416, 2421, 2428.
Leone (P.), 1872.

Leoni (Francesco), 4001.
Leonov (N.S.), 3741.
Leopold I., röm.-deutscher Kaiser, 6388.
Le Patourel (John), 2071.
Lepelley (Claude), 1564.
Le Pichon (Yann), 4893.
Leplant (Bernadette), 1913.
Lepre (Aurelio), 3612.
Lerner (Elinor), 3054.
Lerner (Henri), 3304.
Lerner (Robert E.), 2259.
Lerosier (Jean-Jacques), 6033.
Leroux (Roger), 3305.
Le Roy (Christian), 1211.
Le Roy Ladurie (Emmanuel), 363.
Leroy-Molinghen (A.), 352.
Le Saout (Françoise), 1224.
Lesch (Ann Mosely), 6926.
Lescure (Michel), 5456.
Lesenne (M.), 957.
Lesick (Lawrence Thomas), 4127.
Leskien (August), 136.
Lésnodorski (Bogusław), 5992.
Lessard (Pierre), 579.
Lessing (Gotthold Ephraim), 4733, 4972.
Leszczycki (Stanisław), 175.
Letort-Trégaro (Jean-Pierre), 2472.
Letourneau (Jeannette), 4325.
Leue (Horst-Joachim), 6174.
Leuschen-Seppel (Rosemarie), 2762.
Leutze (James), 3055.
Levasseur (Michel), 5478.
Levati (Ombretta), 156.
Levenstein (Harvey A.), 5887.
Lever (Maurice), 4725.
Leverett (John), 4103.
Levi (Doro), 1304.
Lévi-Strauss (Claude), 4219, 4506.
Levine (Daniel H.), 3950.
Levine (Peter), 3056.
Levine (Robert M.), 2859.
Levine (Susan), 5888.
Levitt (James H.), 5319.
Levtzion (Nehemia), 7046.
Levy (André), 7005.
Levy (C.), 1670.
Lévy (G.), 6775.
Levy (Leonard W.), 885.
Levy (R.P.), 3306.
Lévy-Leboyer (M.M.), 5047.
Lewandowska (Stanisława), 366.
Lewandowski (Jan), 3759.
Lewański (Julian), 4976.
Lewicka (Halina), 2318.
Lewin (Günter), 5700.
Lewis (Andrew W.), 2028.
Lewis (David Levering), 5701.
Lewis (Frank D.), 5404.
Lewis-Beck (Michael S.), 3307.
Ley (Francis), 6430.
Ležneva (O.A.), 805.
L'Huillier (Fernand), 6613.
Li (Lillian M.), 7006.
Liard (Louis), 4308.
Líbal (Dobroslav), 3783.
Licata (Glauco), 4404.
Licinianus (Granius), 1527.
Lieberson (Stanley), 5702.
Liebknecht (Wilhelm), 5806.
Liehr (Reinhard), 5703.
Lierdt (von), Familie, 5342.

Lienard (E.), 55.
Lietzmann (Hilde), 844.
Lifšic (M.), 4733.
Ligeti (Lajos), 1946, 2072.
Likhačev (D.S.), 949.
Likhačeva (V.D.), 1873.
Lileyko (Jerzy), 4872.
Lilie (Ralph-Johannes), 1874.
Linakis (Steven), 4977.
Lincoln (Abraham), 2974, 3051.
Lincoln (Bruce), 886.
Lincoln (W. Bruce), 3844.
Lindblom (Inge), 979.
Lindenfeld (David F.), 4489.
Linder (Jutta), 4978.
Lindert (Peter H.), 5128.
Lindon (Grevel), 4807.
Lindon (J.), 3614.
Lindsay (Jack), 330, 4894.
Lineham (P.A.), 2564.
Linguet (Simon Nicolas Henri), 364.
Linhart (Karel), 3845.
Link (Arthur S.), 2934.
Linnik (I.B.), 4912.
Linteau (Paul André), 2867, 5521, 6242.
Lipit-Ištar, roi d'Isin, 1240.
Lipman (Sonia L.), 4182.
Lipman (Vivian D.), 4182.
Lippmann (Walter), 3130.
Lipšic (E.É.), 1875.
Lisicyna (Gorislava), 1048.
Lisle (Arthur Plantagenet, Viscount), 3394.
Lisner (Margit), 2428.
Lissarague (Pierre), 3227.
Lithell (Ulla-Britt), 5522.
Little (J.I.), 5523.
Little. (Malcolm), v. Malcolm X.
Littlefield (Daniel C.), 5524.
Littlefield (Daniel F.) Jr., 3057.
Littrup (Leif), 7007.
Litván (György), 2657.
Litvinskij (B.A.), 6924, 6932.
Liu (Kwang-ching), 7008.
Liudolfinger, Adelsgeschlecht, 2058.
Liudprand von Cremona, 2372.
Livanova (T.N.), 862.
Liveanu (Vasile), 497.
Liversage (David), 1049.
Livet (Georges), 670, 5320.
Ljublinskaja (A.D.), 5704.
Ljubomudrov (M.N.), 4979.
Lloyd (A.C.), 1428.
Lloyd (Christopher), 5321.
Lloyd (Howell A.), 4490.
Lloyd-Jones (Hugh), 380.
Lo Cascio (Elio), 103, 1632.
Locatelli (René), 2518.
Locke (John), 4432, 4439, 4462, 4469, 4483, 4522, 4546, 4548.
Lockhart (Sir Robert Hamilton Bruce), 3395.
Lockridge (Kenneth A.), 6300.
Lockyer (Roger), 3452.
Loder (Robert), 5353.
Loeber (Rolf), 4873.
Löfgren (Oscar), 251.
Lönnroth (Eric), 2217.
Lönnström (Paul), 4327.
Loeschen (John R.), 4128.
Lövgren (Abba-Brita), 3751.
Löwe (Heinz), 1947.

Löwenthal (Richard), 5705.
Loftis (Anne), 5443.
Lohmeier (Anke-Marie), 4734.
Loiseau (Yvan), 3308.
Lolli (M.L.), 5889.
Lombard (Jean), 4735.
Londonderry (Robert Steward, 2nd marquess of), 3438.
Long (E.B.), 3058.
Long (Stephen Harriman), 3906.
Longacre (Edward G.), 3059.
Longère (Jean), 2337.
Longfellow (David), 5890.
Longford (Elizabeth), 3453.
Longland (John), 4092.
Longo (Oddone), 1429.
Longworth (Alice Rossevelt), 3134.
Looss (Sigrid), 4129.
López Beltran (María Teresa), 2260.
López de Coca Castañer (José-Enrique), 2260.
López Estrada (Francisco), 4241.
López-Salazar Pérez (Jerónimo), 5525.
Loraux (Nicole), 1430.
Lorcey (Jacques), 4980.
Lorcin (Marie-Thérèse), 2261, 5706.
Lorence (James J.), 5322.
Lorentz (Stanisław), 372.
Lorenz (Ina Susanne), 2763.
Lorenz (Richard), 3808.
Lorgnier (J.), 6074.
Loscerbo (J.), 4491.
Losev (A.F.), 1671.
Lossowski (Piotr), 6614.
Loth (Heinrich), 6229.
Lothar III., röm.-deutscher Kaiser, 2548.
Lothar Franz von Schönborn, Erzbischof v. Köln, 2793.
Lotter (Heinrich), 2828.
Lottes (Günther), 3454.
Lottin (Alain), 3237, 5707.
Louis IX, Saint-Louis, roi de France, 1952, 2070, 2401.
Louis XIII, roi de France, 91, 3244, 3375.
Louis XIV, roi de France, 91, 3253, 3288, 3320, 3385, 5114, 6079, 6376, 6388.
Louis XV, roi de France, 91.
Louis XVI, roi de France, 91, 3242.
Louis XVIII, roi de France, 3315, 3342, 6406.
Louis-Philippe Ier, roi des Français, 58, 3342.
Loulis (J.C.), 3489.
Loužil (Jaromír), 4554, 4566.
Loveland (Anne C.), 4130.
Lovestone (Jay), 5813.
Lowance (Mason I.) Jr., 4131.
Lowenstein (Steven M.), 4183.
Lowry (Bullitt), 6540.
Lowry (Heath W.), 4075.
Lowry (Martin), 43.
Lowther (Sir James), 5143.
Lowther (Sir John), 5143.
Loy (Jane M.), 6301.
Loyseau (Charles), 4490.
Lubin (Georges), 4762.
Lucarelli (Giuliano), 2113.
Lucas, Evangelista, Sanctus, 1762.
Lucas (Lydia), 237.
Lucas (Uliano), 3637.
Lucretius Carus (Titus), 1672, 1680, 1683.
Łuczak (Czesław), 366.
Ludwig V. d. Bayer, röm.-deutscher Kaiser, 2121, 2191.
Ludwigs (F.), 233.
Lüdtke (Alf), 5993.
Luirard (Monique), 3309.
Lukács (György), 4537.
Lukacs (John R.), 1107.
Lukács (Lajos), 6431.
Łukasiewicz (Juliusz), 5087.
Łukawski (Zymunt), 3846.
Luker (Ralph E.), 4132.
Lundström (Agneta), 2157.
Lunel (Pierre), 6302.
Lupaş (Liana), 1431.
Lupo (Salvatore), 3615.
Luprian (Karl-Ernst), 2497.
Lurker (Manfred), 195.
Luther (Martin), 2777, 3931, 4083, 4108, 4114, 4139, 4145, 4160, 4162, 4171.
Luttazzi Gregori (Elsa), 2262.
Lutyens (Sir Edwin L.), 4866, 4868.
Lutz (Heinrich), 3953.
Lutzhöft (Hans-Jürgen), 6667.
Luxemburg (Rosa), 5851.
L'vunin (Ju.A.), 5891.
Łyczko-Grodzicka (Beata), 6133.
Łyczkowska (Krystyna), 1237.
Lydon (James), 2114.
Lydon (John), 5323.
Lyly (John), 4720.
Lynch (Ann), 781.
Lynch (John), 2823.
Lynch (Michael), 4133.
Lyon (Judson M.), 6452.
Lyon (Matthew), 6254.
Lyons (Martyn), 3310.
Lyons (Michael S.), 3060.
Lysandros, 1341.
Lysias, 1363.
Lyttelton (George), 4759.
Lytton (Robert Bulwer-Lytton, 1st earl of), 6958.

M

Maas (Clifford W.), 2115.
Mabille (Madeleine), 261.
Mably (Gabriel Bonnot de), 3188, 4528, 5729.
Mac Arthur (Douglas), 3090.
Macartney (George Macartney, earl), 6406.
Macauley (Thomas Babington), 365.
Maccabées (les), famille juive, 1255.
MacCaffrey (Wallace T.), 3455.
Maccagnolo (Enzo), 2473.
McCahill (Michael W.), 5708.
Maccarone (Michele), 2498.
McCarthy (Joseph R.), 3078, 4382.
McCarthy (Timothy), 4631.
McCarty (Kieran), 6303.
McCaskie (T.C.), 7061.
McCauley (Mary), 3847.
Macchia (Giovanni), 4445.
McClellan (James E.) III, 4632.
McClellan (Woodford), 3696.
McClelland (Peter D.), 5030.
McClintock (Cynthia), 3665.
McCloskey (Donald N.), 5057, 5088.
McClure (Ruth K.), 5709.
McConville (Sean), 6034.
MacCormack (Sabine G.), 1738.
McCormick (Richard L.), 3061.
McCosh (James), 4314.
McCullough (David), 3062.
McDermott (Joseph P.), 7009.
McDonagh (Oliver), 5710.
MacDonald (Brian R.), 1369.
Macdonald (C.A.), 6668.
Macdonald (Michael), 4633.
McDonough (James Lee), 3063.
McDonough (John J), 2910.
Macer (Aemilius), 1517.
MacEwan (Arthur), 2880.
McEwan (Gilbert J.P.), 1238.
MacFarlane (Alan), 6075.
McFarlane (I.D.), 4328.
McFeely (William S.), 3064.
MaGowan (Winston), 6216.
MacGregor (Morris J.) Jr., 3065.
McGuire (Robert A.), 5405.
Machado (Manuel A.) Jr., 5406.
MacHaffie (Barbara Zink), 4134.
Machiavelli (Niccolò), 4495.
McHugh (Jeanne), 6218.
Maciejewski (Jarosław), 937.
Maciejewski (Jarosław), 3705.
McIntosh (James T.), 2918.
McIntosh (Roderick), 7062.
McIntosh (Susan Keech), 7062.
MacIntyre (Stuart), 5892.
Mackay (David), 6339.
McKay (K.L.), 141.
McKean (Sally), wife of the marqués de Casa Irujo, 6399.
McKee (Denis), 4135.
MacKenzie (Lionel A.), 3456.
Mackenzie King, v. King (William Lyon Mackenzie).
McKeon (Richard), 1353.
McKerrow (Ray E.), 3928, 4492.
McKinley (William), 3010.
Mackintosh (James), 3456.
McKitterick (David), 13.
McKnight (Brian E.), 7010.
McLaren (Angus), 4329.
McLaren (Angus), 5893.
McLaughlin (Charles Capen), 2928.
McLaughlin (William G.), 3066, 4136.
McLean (David), 6453.
Maclear (Michael), 6866.
McLeod (Hugh), 3929.
McLynn (F.J.M.), 6384.
McMahon (Robert J.), 6867.
McMann (Evelyn de R.), 4257.
McMillan (James F.), 3311, 5711.
MacMullen (Ramsay), 1698.
McNally (Vincent J.), 4006.
McNaughten (Daniel), 6078.
McPhee (Peter), 3312.
MacPherson (F.), 6217.
Macpherson-Grant (Nigel), 980.
Macquarrie (John), 3930.

MacShane (Frank), 4751, 4808.
Mactoux (Marie Madeleine), 1370.
Macůrek (Josef), 3779.
McWhinney (Edward), 6100.
Mączak (Antoni), 768.
Madajczyk (Czesław), 366, 6615.
Madariaga (Isabel de), 3848.
Maddin (R.), 1118.
Maddoli (Gianfranco), 371, 1327.
Madison (James), 2926, 3074, 6422.
Madonna (Maria Luisa), 4916.
Madsen (T.), 1050.
Mähl (Hans-Joachim), 4741.
Maehler (Herwig), 1202.
März (Eduard), 5479.
Maffei (Gian Luigi), 4874.
Maffei (Scipione), 4422.
Magdovitz (Alan L.), 5030.
Mager (Wolfgang), 3313.
Magister (Karl-Heinz), 4706.
Magliabechi (Antonio), 4199.
Maglyš (V.N.), 7063.
Magnus Erikson, roi de Norvège et de Suède, 2217.
Maguire (Henry), 1876.
Magyar (Lajos), 7011.
Mahé (J.-P.), 1948.
Maidment (Richard), 739.
Maier (Charles S.), 2658.
Maier (Gerhard), 1792.
Maier (Lothar), 6454.
Maillart-Luypaert (Monique), 1949.
Mainguy (Paul), 4634.
Maintenon (Françoise d'Aubigné, marquise de), 4343.
Mairold (Maria), 258.
Maistre (Joseph de), 734.
Maitre (Jacques), 4007.
Majed (Jaafar), 4810.
Majer (Diemut), 6616.
Major (J. Russel), 3314, 5089.
Major (Marjorie), 5407.
Mak (Lau Fong), 6971.
Maker (William), 4493.
Makk (Ferenc), 2067.
Makkabäer (die), v. Maccabées.
Makkai (László), 782, 4233, 5408, 5728, 5357.
Makogonenko (G.P.), 4698.
Makowski (Edmund), 3718.
Maksimovic (Lj.), 1877.
Malaise (Michel), 1212.
Malakhovskij (K.V.), 7105.
Malamud (Rikles (Carlos D.), 5324.
Malaparte (Curzio), 6600.
Malaspina (Germanico), Nuntius apostolicus, 3954.
Malatesta, dinastia, 2006.
Malchus Philadelphensis, 1652.
Malcolm X [orig. name : Malcolm Little], 3154.
Malcolmson (Patricia E.), 5213.
Malcolmson (Robert W.), 5712.
Malcówna (Anna), XVII.
Maleczek (Werner), 2499.
Malekin (Peter), 4736.
Malfer (Stefan), 2830.
Malherbe (Michel), 4494.
Malinowski (Bronisław), 4434.
Malinowski (Tadeusz), 981.
Maliński (Mieczysław), 3963.

Maliszewski (Edward), 701.
Maljavin (V.V.), 7012.
Mallory (J.P.), 982, 6035.
Malmer (Mats P.), 1051.
Malone (Dumas), 3067.
Malone (Michael P.), 5214.
Malov (V.N.), 11.
Maltese (Paolo), 6717.
Malý (Karel), 2186.
Malysch (Alexander), 4486.
Mályusz (Elemér), 4137.
Mamatey (Victor S.), 3780.
Mamba (Enoch), 6190.
Mamluks, dynasty, 2386.
Mammach (Klaus), 6718.
Manacorda (Daniele), 1789.
Manchester (William), 6617.
Mańczak (Witold), 1141.
Mandelbaum (Michael), 6134.
Manderscheid (Hubert) III, 1739.
Mandziuk (Józef), 915.
Mangan (J.A.), 4330.
Manglard (Adrien), 4896.
Manino (Luciano), 1521.
Mankowski (Zygmunt), 366.
Mann (Heinrich), 4796.
Mann (Miklós), 3532.
Mann (Thomas), 4796.
Mannack (Eberhard), 4741.
Mannheim (Karl), 4446.
Manni (Eugenio), 1489.
Manniche (Jeans Chr.), 299.
Manning (Eugène), 893.
Mannzmann (Anneliese), 617.
Mansell (Philip), 3315.
Mansergh (Nicholas), 6164.
Mansfeld (Günter), 1142.
Mansfield (Harvey C.) Jr., 4495.
Mansner (Markku), 5713.
Mantelli (Roberto), 4053.
Mantese (G.), 4021.
Manteuffel (Tadeusz), 367.
Manuwald (B.), 1672.
Manykin (A.S.), 3068.
Manzenko (P.T.), 4477.
Mao (Tse-tung), 6855, 7023, 7029.
Maraini (Fosco), 2689.
Marais (Mathieu), 4724.
Marat (Jean-Paul), 3248.
Maraval (José Antonio), 4241.
Marazzi (Massimillano), 1306.
Marbury (William L.), 3069.
Marcadé (J.), 5409.
Marcatto (Dario), 3990.
Marcellinus, comes Dalmatiae, 1583.
Marcet (Alice), 3316.
Marchand (Jean), 4726.
Marchand (Jean-Baptiste), 6201.
Marchand (L.A.), 4749.
Marchasson (Yves), 341.
Marchena Fernández (Juan), 6304.
Marchesani (Carlo), 2263.
Marchesetti (Carlo), 1487.
Marchetti (François), 5785.
Marchetti (Giulio), 5825.
Marchi (Paolo), 3613.
Marco (Miguel Ángel de), 5325.
Marcone (Arnaldo), 1633.
Marcus (Ivan G.), 2140.
Marcus (Jacob R.), 4174, 4184.
Marcus Aurelius Antoninus (Annius Verus), empereur

romain, 1677.
Marder (Arthur J.), 6669.
Marek (Jan), 6948.
Marenbon (John), 2474.
Marès (Antoine), 3317.
Mareš (Jaroslav), 5215.
Marg (W.), 1416.
Marganne (Marie-Hélène), 1328.
Margerie (Bertrand de), 916.
Margiocco (Mario), 6868.
Margolin (J.-C.), 4716.
Marguerite d'Angoulême, reine de Navarre, 3221, 4707.
Maria, Virgo, Mater Jesu Christi, Sancta, 1762.
Maria Aegyptiaca, Sancta, 1860.
Maria Theresia, Gemahlin Kaiser Josephs I., Königin v. Ungarn u. Böhmen, Erzherzogin v. Österreich, 3505, 3641, 5358, 5983, 6380.
Maria Luigia, duchessa di Parma, v. Marie-Louise, impératrice des Français.
Marichal (Robert), 261.
Marie de Médicis, reine de France, 3216.
Marie-Amélie de Bourbon, reine des Français, 3174.
Marie-Antoinette, reine de France, 3364.
Marie-Louise, impératrice des Français, duchesse de Parme, 3629.
Mariën (M.E.), 1740.
Marienstras (Elise), 2931.
Marinescu (Beatrice), 6455.
Marinescu-Bîlcu (Silvia), 983.
Maringer (Johannes), 984.
Marino (Adrian), 335.
Marival (Jérôme), 3167.
Marivaux (Pierre Carlet de Chamblain de), 951.
Mark (Eduard), 6135.
Mark (Joan), 4635.
Mark (S.), 2692.
Markale (Jean), 2116.
Markevič (V.I.), 1052.
Markl (Jaroslaw), 5770.
Markó (László), 756.
Marko (Miloš), 460.
Markov (Georgi), 6541.
Markov (Walter), 895.
Marková (Cyrila), 6948.
Markovskaja (G.M.), 6581.
Markowski (Mieczysław), 1950.
Markowski (Stanisław), 920.
Marks (Sally), 6542.
Márkus (László), 5894.
Markus (R.A.), 2049.
Marlowe (Christopher), 4720.
Marmori (Renato), 3613.
Marnata (F.), 5456.
Marois (Roger J.-M.), 7091.
Maróti (Egon), 1634, 2264.
Marouzeau (J.), II.
Marprelate (Martin) [pseudonym of Job Throckmorton], 4097.
Marqah (Memar), 1248.
Marranzini (A.), 3931.
Marrocu (Luciano), 5895.
Marrone (Nunzia), 3644.
Marrow (James H.), 4895.
Marrus (Michael R.), 3318.
Marsh (James), 5714.
Marshall (George Catlett), 2927, 6822.

Marshall (John), 3131.
Marshall (Peter), 2356.
Marshall (Peter James), 3391.
Marstrander (Sverre), 1082.
Marszalek (John F.), 4406.
Martel (Leon), 6670.
Martelli (F.), 1228.
Martí (Ramon), 2477.
Martialis (Marcus Valerius), 1662.
Martin (Bernd), 499, 778.
Martin (Charles H.), 5216.
Martin (Claude), 4324.
Martin (Geoffrey Thorndike), 1213.
Martin (Hervé), 4054.
Martin (Jacques), 6456.
Martin (Jean-Clément), 5326.
Martin (M.), 2581.
Martin (Marc), 4407.
Martin (Michel L.), 3319.
Martin (René), 1673.
Martin (Roger), 3223.
Martin (Ronald), 1674.
Martin (Ronald E.), 4811.
Martin (Thérèse), 4007.
Martin (Thomas R.), 1329.
Martin (Werner), 4425.
Martin-Chauffier (L.), 4726.
Martin du Gard (Roger), 4817.
Martín Galán (Manuel), 5526.
Martin-Hisard (Bernadette), 1878.
Martinage (Renée), 6074.
Martindale (Andrew), 2402.
Martinek (Edward C.), 4434.
Martinet (Jean-Claude), 6776.
Martini (Carlo M.), 4027.
Martinière (Guy), 4258.
Martino (Carmela), 2599.
Martino (Vittorio), 201.
Martinus, Ep. Turonensis, Sanctus, 1916.
Martinus Dumiensis, Archiep. Bracarensis, Sanctus, 1814.
Martuszewski (Edward), 4331.
Marx (Karl), 368, 487, 498, 505, 530, 738, 741, 4446, 4455, 4486, 4549, 4576, 5857, 5858, 5874.
Mary I, queen of England, 3430.
Masanelli (J.-C.), 3320.
Masaryk (Tomáš Garrigue), 3790.
Mascilli Migliorini (Luigi), 625.
Masdeu (Juan Francisco), 4053.
Maser (Peter), 3932.
Maserati (Ennio), 6457.
Masimov (I.S.), 1083.
Maslennikov (A.A.), 1371.
Masłowski (Jan), 6609.
Mason (Philip P.), 238.
Masotti (Pier Marcello), 6184.
Mass (Edgar), 4737.
Massa (Eugenio), 1981.
Masséna (André, duc de Rivoli, prince d'Essling), 6409.
Massetto (Gian Paolo), 6076.
Massicotte (Guy), 338.
Massie (Robert K.), 3849.
Masson (Jack), 5217.
Masson (Olivier), 1224.
Masson (V.M.), 993.
Mastai, v. Pius IX, Papa.
Master of Putti, Venetian painter, 2398.
Master (Robert Allen), 4064.

Masters (Anthony), 3457.
Masters (Brian), 3458.
Mastrocinque (Attilio), 1475.
Mátej (Jozef), 813.
Maternicki (Jerzy), 287, 300.
Mates (Pavel), 5994.
Mateu (André), 3321.
Mather (Richard B.), 6905.
Mathieu (Jacques), 5527.
Mathiez (Albert), 3250.
Mathisen (Ralph W.), 1793.
Matis (Herbert), 2849.
Matsche (Franz), 4850.
Matschke (Klaus-Peter), 1835.
Matteotti (Giacomo), 3576.
Matthaeus, Evangelista, Sanctus, 1763, 1768.
Matthaeus Parisiensis, 1935.
Matthes (Eckhard), 3850.
Matthews (T.I.), 6218.
Mattl (Siegfried), 5410.
Mattoso (José), 2265.
Mattson (Leif), 5411.
Maturová (Milada), XX.
Matuszewski (Józef), 104.
Matveeva (R.P.), 587.
Mauá (Ireneo Evangelista de Souza, barão e visconde de), 2855.
Maude (H.E.), 5327.
Mauger, famille, 6271.
Mauny (Raymond), 369, 423, 624, 3322, 5090.
Maur (Eduard), 5091.
Maurel (Frédéric), 5359.
Maurikios, empereur de Byzance, 1826.
Maurseth (Per), 5995.
Maury (Lucien), 6777.
Mauser (Wolfram), 4963.
Mauvillon (Jakob), 2748.
Maxfield (Valerie A.), 1565.
Maxim (Mihai), 4076.
Maximilian I., röm.-deutscher Kaiser, 6364.
Maximilian II., röm.-deutscher Kaiser, 2832.
Maxwell-Hyslop (K.R.), 1118.
May (Dean L.), 3070.
May (Elaine Tyler), 5715.
Mayer (Arno J.), 2659.
Mayer (colonel Emile), 3304.
Mayo (John), 6458.
Mayr (Otto), 5218.
Mazal (Otto), 827.
Mazarin (Giulio Mazarino, dit), cardinal, 3203, 3297, 4445, 6344.
Mazepa (Ivan Stepanovič), 3871.
Mazouer (Charles), 951.
Mazuzan (George T.), 5219.
Mazzaoui (Maureen Fennell), 2266.
Mazzei (Filippo), 6330.
Mead (William Richard), 176.
Meck (G. von), 4929.
Medcalf (Stephen), 2357.
Meddolesi (Luca), 5031.
Medici (Lorenzo de'), il Magnifico, 2123.
Medley (Margaret), 7013.
Medvedev (Roy A.), 3851.
Mees (L.F.C.), 1453.
Mehemet Ali, viceroy of Egypt, 6459.
Mehling (J.), 6951.
Mehnert (Klaus), 370.
Meier (Heinrich), 4008.

Meijer (Athèric de), 897.
Meijer (M.J.), 7014.
Meiji, Japanese hist. period, 3648, 6058.
Meinong (Alexius), 4489.
Mejcher (Helmut), 6927.
Mejerkhol'd (Vsevolod Émil'evič), 4997.
Mejzlík (Jaroslav), 5896.
Melanchthon (Philipp), 4111, 4114.
Mele (Alfred R.), 1432.
Melhado (Evan M.), 4636.
Mellaart (James), 1170.
Mellinato (Giuseppe), 4009.
Mel'nikov (D.E.), 2764.
Mel'nikov (Konstantin Stepanovič), 4878.
Melosi (Martin V.), 5716.
Meluso (Salvatore), 5220.
Memar Marqah, v. Marqah Memar).
Ménager (Bernard), 3323.
Menandros, 1313, 1330, 1380, 1424, 1462.
Menant (François), 301.
Ménard (Claude), 5032.
Ménard (Michèle), 4010.
Mendelsohn (Ezra), 3697.
Mendes (David Franco), v. Franco Mendes.
Mendes (Manfred), 6092.
Mendès France (Pierre), 3293.
Menegazzo (E.), 4021.
Ménès (Jean-Claude), 3324.
Menger (Manfred), 6671.
Menhennet (A.), 4813.
Mennella (Giovanni), 1522.
Mensdorff-Pouilly (Alexander, Graf v.), 2830.
Menu (Bernadette), 1176.
Menzel (Brigitte), 1239.
Menzione (Andrea), 785.
Mercalov (A.N.), 5092.
Mercer (John), 650.
Mercer (Roger), 985.
Merceron (P.), 74.
Merceron (R.), 74.
Mercier (Ch.), 1948.
Meredith (William), 540.
Mérei (Gyula), 5328.
Merényi (László), 2838.
Meriam (Lewis), 2978.
Meriggi (Marco), 3616.
Merino-Navarro (José Patricio), 2896.
Merkel (Renate), 738, 741.
Merkle (Judith A.), 5221.
Merl (Stephan), 5412.
Mérovingiens, dynastie, 1146, 2349, 2535.
Merpert (N. Ja.), 1053.
Merrill (Walter M.), 2923.
Merry (D.H.), 6196.
Mertens (P.), 1315.
Merwick (Donna), 6305.
Meščerjakov (M.T.), 5897.
Meshover (Ya'akov), 122.
Meskill (Johanna Menzel), 7015.
Mesmer (Franz Anton), 4676.
Mesqui (Jean), 5222.
Mészáros (István), 832, 4332, 4346, 4365.
Metcalf (David M.), 106.
Méthivier (Hubert), 3325.
Methodius, Apostolus Slavorum, Sanctus, 2537.
Mettig (Volker), 5800.
Mettra (Claude), 1291.

INDICE DE AUTORES Y DE PERSONAS

Metzger (Bruce M.), 12.
Metzger (Catherine), 268.
Metzler (Giuseppe), 891.
Meuret (Roger), 6778.
Meuvret (Jean), 5093.
Meyer (Eduard), 371.
Meyer (Gisela), 2267.
Meyer (Jean), 5094, 5728.
Meyer (Manfred), 2765.
Meyer (Stephen) III, 5223.
Meyer (W.), 2581.
Meyerhold, v. Mejerkhol'd.
Meyers (Edward M.), 1774.
Meyvaert (Paul), 1952, 1989.
Mgomezulu (Gadi G.Y.), 986.
Mialaret (Gaston), 821.
Mian (Franca), 4077.
Micha (Alexandre), 2359.
Michalczyk (Marian), 1953.
Michalon (Roger), 6413, 6709.
Michałowski (Kazimierz), 372.
Michalski (Jerzy), 6414.
Michaud (Claude), 501, 3326.
Michaud (Jacques), 667.
Michaud (Jean), 1913.
Michaux (Lightfoot), 4168.
Michel (Henri), 6618.
Michel (Jean-François), 5899.
Michel (Olivier), 4896.
Micheli (Gianni), 3618.
Michie (R.C.), 5480.
Middleton (Charles R.), 6459.
Midgley (C.), 5002.
Miège (Jean-Louis), 786, 6366.
Mierzejewski (Antoni), 1161.
Mieszko Ier, prince de Pologne, 2058.
Miethke (Jürgen), 2491.
Miglio (Bruno), 5033.
Mijatev (Petar), 627.
Mijolla (Marie-Cécile de), 4065.
Mikhail, prince of Chernigov a. grand prince of Kiev, 2061.
Mikhajlov (B.G.), 3852.
Mikhajlov (M.I.), 5674.
Mikheev (Ju. Ja.), 6969.
Miklukho-Maklaj (Nikolaj Nikolaevič), 373.
Mikos (Stanisław), 5413.
Mikulski (Jan), 2766.
Milanich (Jerald T.), 7085.
Mildenberger (Friedrich), 4138.
Milella Lovecchio (Marisa), 1879.
Milewska (Milena), 2268.
Milhou (Alain), 2897.
Milisauskas (Sarunas), 1043.
Mill (John (Stuart), 4442, 4462.
Millar (Fergus), 1566.
Miller (Aaron David), 6136.
Miller (Arnold), 5829.
Miller (D.), 4496.
Miller (Ed L.), 1433.
Miller (Frederic M.), 502.
Miller (Justin), 4637.
Miller (Michael B.), 5329.
Miller (Randall M.), 5224.
Miller (William L.), 3459.
Miller (Zane L.), 5528.
Millet (Hélène), 1954, 2565.
Millet (N.B.), 1214.
Mills (D.R.), 3460.
Mills (Gary B.), 3071.
Millward (R.), 5095.
Milne (Alexander Taylor), 4428.
Milov (L.V.), 3853.
Milsom (S.F.C.), 2187.

Milton (John R.), 933.
Minaeva (N.V.), 5996.
Minchinton (Walter Edward), 787.
Minerbi (Marco), 364.
Ming, Chinese dynasty, 6979, 6984, 6996, 7007, 7009, 7030.
Minicucci (Maria Jole), 3619.
Minier (Marc), 3945.
Minniti (Fortunato), 5225.
Mioc (Damaschin), 708.
Mioche (Philippe), 3327.
Miranda García (Soledad), 3979.
Mirnik (I.A.), 107.
Miroff (Bruce), 3072.
Mironenkov (E.G.), 6869.
Mironov (B.N.), 5330.
Mirow (Jürgen), 2767.
Mirowski (Philip), 5481.
Mischler (Beat), 2360.
Miska (János), 552.
Mitchell (Allan), 3328.
Mitchell (Harvey), 4638.
Mitchell (W.T.), 4270.
Mitin (M.B.), 5900.
Mitrofanova (L.S.), 6543.
Mittelkalkgruber (David), 1748.
Miyazaki (Ichisada), 7016.
Mleh le Grand, stratège de Lykandos, 1850.
Mocenigo, famiglia, 56.
Modrzejewski (Joseph), 1156, 1157.
Möhlenkamp (Renate), 75.
Moehring (Eugene P.), 5529.
Moeller (Robert G.), 5414, 5717.
Mörner (Magnus), 503.
Mötsch (Johannes), 239, 2117.
Mohen (J.-P.), 1065.
Mogul, Mughal, dynasty, 6938.
Mohl (Raymond A.), 5901.
Mohrmann (Wolf-Dieter), 2769.
Moisan (André), 2600.
Moisuc (Viorica), 3733.
Mokhtar (G.), 628.
Mokrosch (Reinhold), 877.
Mokšin (S.I.), 5950.
Molière (Jean-Baptiste Poquelin, dit), 5004.
Molinié (Georges), 1316.
Molinier (Alain), 5718.
Molinier-Meyer (Nicole), 5718.
Mollat (Michel), 3339.
Mollé (Paul), 2269.
Molnár (Erik), 374.
Molodin (V.I.), 991.
Moltmann (Jürgen), 4140, 5530.
Momigliano (Arnaldo), 342, 371.
Mommsen (Hans), 2843, 5784.
Mommsen (Theodor), 375.
Mommsen (Wolfgang J.), 402, 504, 2734, 6159.
Mompeut (Jacques), 4922.
Moncef-Bey, 6199.
Monière (Denis), 5562.
Monkkonen (Eric H.), 6077.
Monkman (Leslie), 4696.
Monluc (Blaise de Lasseran-Massencome, seigneur de), 3369.
Monnet (Jean), 3327.
Monnier (R.), 3329.
Monnin (Jean), 7099.
Monroe (Elizabeth), 2660.
Monroe (James), 2939.

Montagu (Lady Mary Wortley), 6917.
Montagu of Boughton (Edward Montagu, 1st baron), 3417.
Montaigne (Michel Eyquem de), 4464, 4527.
Montan (A.), 1794.
Montanari (Enrico), 1354.
Montanos Ferrín (Emma), 2270.
Monteiro (J.P.), 4497.
Montesquieu (Charles Louis de Secondat, baron de), 4471, 4551, 4737.
Montevecchi (Orsolina), 381, 424, 1567.
Montgomery of Alamein (Bernard Law Montgomery, 1st viscount), 6710.
Monti (Mario), 3073.
Montmorency (Anne, duc de), 3220.
Monzon (Susana), 7074.
Moodie (D. Wayne), 179.
Mooney (Peter J.), 6823.
Moore (Deborah Dash), 4185.
Moore (G.H.), 5079.
Moore (Sir John), 3330.
Moore (R.I.), 180.
Moore (R.J.), 6175.
Moore (Winfred B.) Jr., 2999.
Moorey (P.R.S.), 1171.
Moorhead (J.), 1880.
Moorhouse (S.A.), 855.
Móra (László), 4639.
Morabito (M.), 1881.
Moran (Bruce T.), 4640.
Moran (Daniel J.), 4408.
Moran (Emilio F.), 2862.
Moran (John), 5147.
Moran (Richard), 6078.
Morandi (Carlo), 5902.
Morani (Moreno), 1764.
Moravcová (Mirjam), 5770.
Mordier (Jean-Pierre), 4641.
More (Thomas), v. Thomas Morus, Sanctus.
Moreau (Brigitte), IX.
Moreau (P.), 1675.
Moreau (Philippe), 1520.
Moreen (Vera B.), 3933.
Morelli (M.), 1294.
Morelon (Régis), 1926.
Morenas (François), 4981.
Moretti (Mario), 1499.
Morgan (Gerald), 6460.
Morgan (H. Wayne), 5719.
Morgan (John Pierpont), 2998, 5488.
Morgan (Kenneth Owen), 3461.
Morgan (Lewis Henry), 4667.
Morgan (Robert J.), 3074.
Morgan (Wallace), 5226.
Morgan (William James), 6245.
Moriceau (Jean-Marc), 5531.
Morineau (Michel), 788.
Moriondo (Carlo), 3620.
Morison (Stanley), 13.
Moro (Aldo), 3608, 3621.
Morone (Giovanni), cardinale, 3990.
Morony (Michael G.), 2149.
Morozov (B.N.), 5045.
Morrell (Jack), 4642.
Morris (Lewis), jurist, 6323.
Morris (Peter), 4982.
Morris (R.A.), 3462.
Morris (R.W.B.), 987.
Morris (Robert C.), 4333.

Morris (William), 4917.
Morrisson (C.), 105, 108.
Morsey (Rudolf), 2700.
Morton, Bliss a. Co., 5470.
Morton (Ann), 240.
Morton (Desmond), 6619.
Morton (W. Scott), 7017.
Morvan (Alain), 3330.
Moscati (Ruggero), 3596.
Moseley (James G.), 3934.
Moser (Heinz), 109.
Moser (Johann Jakob), 2814.
Moses, législateur d'Israël, 1261, 1790.
Moss (Alfred A.) Jr., 4334.
Moss (David), 3621.
Mossadeq (Mohammed), 3567.
Mossakowski (Stanisław), 4851.
Mossay (J.), 1765.
Mosse (Werner E.), 2783.
Mostovec (N.V.), 5903.
Motte (A.), 1434.
Moudouès (Rose-Marie), 941.
Moulinas (René), 4186.
Mounier (Emmanuel), 3997.
Mountbatten of Burma (Louis Mountbatten, 1st earl of), 6164, 6175.
Mouriki (Doula), 1882.
Mousnier (Roland), 376, 425, 5670.
Mouton (Marie-Renée), 6491.
Mowafi (Reda), 5331.
Moxo (Salvador de), 2271.
Moynagh (Michael), 5227.
Mozzarelli (G.), 5974.
Mrázek (Rudolf), 6137.
Mrozowska (Kamilla), 4269.
Mrukówna (Julia), 1919.
Mtšedlov (Michail), 505.
Muccigrosso (Robert), 4875.
Muchembled (Robert), 6079.
Muchka (Ivan), 717.
Mucius Scaevola (Publius), 1593.
Mucsi (Ferenc), 5905.
Mühlen (Karl-Heinz zur), 4139.
Mühlpfordt (Günter), 4499.
Müller (Corinne), 742.
Müller (D.), 1416.
Müller (Gabriele), 4500.
Müller (Gerhard), 888.
Müller (Hanns-Hermann), 2272.
Müller (Hans), 789.
Müller (Hans-Joachim), 636.
Müller (Heinrich), 833.
Müller (Iso), 1955.
Müller (K.), 4106.
Müller (Michael G.), 6461.
Müller (Paul J.), 478.
Müller (Peter), 4814.
Müller (Rolf-Dieter), 6672.
Müller (Severin), 506.
Müller (Winfried), 2362.
Müller-Mertens (Eckhard), 2242.
Münchow (Ursula), 4815.
Mughal, v. Mogul, dynasty.
Muhamad Bey Abu al-Dhahab, v. Abu al-Dhahab.
Muhly (J.D.), 1101, 1118.
Muir (Edward), 3622.
Muir (Malcolm) Jr., 6673.
Muir (Thomas), 3406.
Mukhtar (Omar al-), 6221.
Muller (Gilberte), 5096.
Muller (Richard A.), 4140.

Muller (Sharon), 318.
Mulligan (Lotte), 4522.
Mulligan (William H.) Jr., 5228.
Munčaev (R.M.), 1053.
Munch-Petersen (Thomas), 6674.
Mundelein (George William), cardinal, 4002.
Munholland (J. Kim), 6176, 6544.
Munier (Charles), 1771.
Munkácsi (Bernát), 825.
Munro (Hector Hugh), 4804.
Munsche (P.B.), 5720, 6080.
Munteanu (George), 4816.
Muracciole (Marie-Madeleine), 5721.
Muradov (G.A.), 2690.
Muraru (Adrian), 983.
Murav'ev (A.V.), 544.
Murell (John A.), 3087.
Murgatroyd (P.), 1676.
Murian (I.F.), 863.
Muromachi, Japanese hist. period, 7036.
Murphy (Roland E.), 1266.
Murphy (Terence D.), 4643.
Murray (David), 5332.
Murray (Martin J.), 6177.
Murray (Williamson), 2770, 6719.
Murrell (Pat E.), 3463.
Muşat (Mircea), 5906.
Musella (Luigi), 5034.
Musil (Robert, Edler v.), 4769.
Musoke (Moses S.), 5415.
Mussat (André), 5728.
Mussener (Helmut), 4201.
Mussolini (Benito), 3576, 3578, 3625.
Mussot-Goulard (Renée), 2519.
Muste (A. J.), 5922.
Musti (Domenico), 1301.
Musto (Dora), 625.
Muszynski (M.), 1219.
Muzerelle (Denis), 261.
Mwendogo (Gaston), 7050.
Myant (Martin R.), 3782.
Myles (Ashley E.), 4984.
Myres (J.N.L.), 426.
Myška (Věroslav), XX.

N

Nachtergael (Georges), 1215.
Nada Patrone (Anna Maria), 2273.
Nadal (André), 753.
Nadell (Pamela S.), 5722.
Nadolski (Andrzej), 2118.
Näslund (L.), 233.
Nagata (K.), 6693.
Nagy (Istvánné), 5686.
Nagy (László), 3533, 5723, 6358.
Naimark (Norman M.), 3698.
Nairn (Bede), 2826.
Najdus (Walentyna), 5907.
Nakamura (J.I.), 7039.
Nakhov (I.M.), 1435.
Naldini (Mario), 1795.
Naldini (Maurizio), 2274.
Nalepin (A.L.), 581.
Namer (Emile), 4502.
Nandris (J.G.), 1143.
Nanni (Giovanni), 1496.
Napoléon Ier, empereur des Français, 3175, 3176, 3218, 3223, 3245, 3346, 3388, 3416, 4408, 5059, 6402, 6417, 6421, 6425.
Napoléon III, empereur des Français, 6456.
Napoli (Donald S.), 4644.
Naquin (Susan), 7018.
Naročnickij (A.L.), 727, 6138, 6415.
Nash (Carol S.), 4335.
Nash (Daphne), 81.
Nash (Jay Robert), 6081.
Nasser (Gamal Abd-al-), 2882.
Natalis (Gerhard), 4553.
Nati (Mario), 2159.
Nattrass (Jill), 5097.
Natwar-Singh (K.), 6952.
Naudon (Paul), 4503.
Naumenkov (O.A.), 6163.
Naumov (E.P.), 607.
Naumov (V.P.), 3869.
Nautin (Pierre), 1766.
Navard (Jean), 6722.
Nave (Dominique), 1338.
Neal (David S.), 1742.
Neal (James G.), 259.
Neale (R.S.), 5724.
Neamţu (Gelu), 319, 4410.
Neck (Rudolf), 2843.
Neckářová (Libuše), 2898.
Nečkin (M.V.), 297, 393.
Nectoux (Jean), 6306.
Nedeleu (Florea), 3734.
Nedorezov (A.I.), 6105.
Neebe (Reinhard), 2771.
Needham (Joseph), 7019.
Neeft (Cornelis W.), 1476.
Neesen (Lutz), 1599.
Nègre (Arlette), 1915.
Negri Arnoldi (Francesco), 2009.
Negrja (L.V.), 2275.
Negro Pavón (Dalmacio), 4504.
Negruţi (Ecaterina), 5532.
Neher-Bernheim (Renée), 4336.
Nehlsen-von Stryk (Karin), 2276.
Nehring (Karl), 609.
Nehru (Jawaharlal), 6942, 6959.
Nehru (Motilal), 6168.
Neidpath (James), 6178.
Nekljudov (S. Ju.), 582.
Nekuda (Vladimír), 865.
Nelson (H.L.W.), 1600.
Nelson (Horatio Nelson, viscount, duke of Brontë), 3441, 5744.
Nelson (Janet), 2044.
Nelson (Larry E.), 3075.
Němec (Igor), 146.
Nemes (Dezsö), 3535.
Nemesios, évêque d'Emesa, 1764.
Nemeskürty (István), 3536.
Németh (István), 2772.
Németh (Lajos), 4849.
Németh (Sándor), 4141.
Nemirovskij (E.L.), 39.
Nemoianu (Larisa), 1155.
Nenni (Giuliana), 6806.
Nenni (Pietro), 6806.
Neophytos Enkleistos, 1853.
Nerdeux-Laulanné (Daniel), 3331.
Nerva (el Marqués de), 321.
Nero (Claudius Caesar), empereur romain, 1632.

INDICE DE AUTORES Y DE PERSONAS

Nespor (S.), 5974.
Nestle (Rosemarie), 4927.
Nesvadba (František), 6723.
Nesvadbík (Lumír), XX.
Netea (Vasile), 6545.
Netter (Marie-Laurence), 4318.
Neubauer (Edith), 849.
Neuenschwander (E.), 4645.
Neugebauer (Wolfgang), 2768.
Neumann (Alfred), 1568.
Neumann (Hans-Bernhard), 2839.
Neumark (Fritz), 842.
Neumark (Georg), 2743.
Neumes (Gerd), 4817.
Nevakivi (Jukka), 3161.
Neveu (Bruno), 3964, 4011.
Neveux (Hugues), 5725.
Newbury (Colin), 6219.
Newitt (Malyn D.D.), 6220.
Newton (Sir Isaac), 4594, 4686.
Nežinskij (L.N.), 6138.
Niaussat (P.M.), 4616.
Nibbi (Alessandra), 1216.
Nicholas, emperors of Russia, v. Nikolaj.
Nicholas (Alison), 2853.
Nicholas (H.C.), 6640.
Nicholas (Ralph W.), 6953.
Nicholls (David), 4012.
Nichols (Glenn A.), 5726.
Nichols (Roger I.), 3906.
Nicias, v. Nikias.
Nickel (Ernst), 2277.
Nickels (A.), 1109.
Nickelsburg (G.W.E.), 1267.
Nicodim de la Tismana, 4230.
Nicolai (W.), 1416.
Nicolau (Edmond), 840.
Nicolet (Claude), 1520.
Nicoletti (Adele), 1601.
Nicollier (Béatrice), 4084.
Nicolson (Sir Harold Georges), 4805.
Niebuhr (Barthold Georg), 377.
Niebuhr (Reinhold), 519.
Niederhauser (Emil), 5416.
Nielsen (George R.), 5533.
Nielsen (Leif Chr.), 2620.
Nielsen (Margit Hurup), 332.
Nietyksza (Maria), 5727.
Nietzsche (Friedrich), 4450, 4480.
Niewęgłowski (Andrzej), 1110.
Niewyk (Donald L.P.), 2773.
Nihlén (Lars), 4337.
Nijenhuis (Emmil te), 864.
Niketas David, 1851.
Nikias, général athénien, 1350.
Nikolaj I Pavlovič, empereur de Russie, 3816.
Nikolaj II Aleksandrovič, empereur de Russie, 3823.
Nikolaus von Kues, Kardinal, 2503.
Nikoljukin (A.N.), 4818.
Nikolova (Veska), 6462.
Nikol'skaja (T.N.), 2278.
Nikula (Riitta), 5534.
Nikulin (N.N.), 2431.
Nilsson (Carl Axel), 5085.
Nil've (A.I), 5035.
Nimitz (August H.) Jr., 4187.
Ninkovich (Frank A.), 6620.
Nipperdey (Thomas), 507, 866.
Nistor (Ioan), 4505.
Nistor (Ioan Silviu), 3735.
Nitobiry (È.L.), 567.

Nitti (Francesco Saverio), 3604.
Nixon (Richard Milhous), 2956, 3098, 6122, 6826.
Nizami Ganjevi (Abu Muhammad Elyas ibn Yusuf), 2353.
Njammasch (Marlene), 6954.
Noack (Lutz), I.
Noah (Mordecai), 4193.
Nobili (Mario), 2003.
Nochlin (Linda), 4897.
Nocifora (Enzo), 3624.
Noël (Gilbert), 6870.
Noël (Léon), 3951.
Noelke (P.), 1710.
Nörr (Dieter), 1602.
Nogee (J.L.), 6871.
Nolan (Mary), 5908.
Nolè (Luigi), 4506.
Noll (Rudolf), 1899.
Nolte (Hans-Heinrich), 3855.
Nolte (Margret), 4876.
Nonnos Panopolites, 1402.
Noonan (John T.) Jr., 3076.
Noone (John B.) Jr., 4507.
Norbertus, Archiepiscopus Magdeburgensis, Sanctus, 2539.
Nord (Philip), 3332.
Nordström (W.E.), 4120.
Nori (Gabriele), 1956.
Norman (Hans), 461.
Norrvik (Christer), 5230.
North (Douglas C.), 771, 791.
North (J.J.), 110.
Nortier (Michel), 23, 654.
Norton (John), 6336.
Norwid (Cyprian Kamil), 4832.
Nosov (N.E.), 731, 795.
Nosov (S.N.), 315.
Nouailhat (Yves-Henri), 6872.
Nouschi (André), 3333.
Nouzille (Jean), 6463.
Novikova (N.N.), 4508.
Novotný (Karel), 5231.
Nowaczyk (Henryk), 241.
Nowak (Krystian), 1022.
Nowak (Kurt), 4142.
Nowak (Tadeusz Marian), 3699, 4646.
Nowak-Kiełbikowa (Maria), 6139.
Nowakowski (Wojciech), 1144.
Nürnberger (Lazarus), 3903.
Nugent (Walter), 5729.
Numbers (Ronald L.), 4647.
Nummela (Ilkka), 4247.
Nuraliev (Ju.), 2363.
Nussbächer (Gernot), 712.
Nuzzo (Enrico), 4509.
Nuzzo (Giuseppe), 625.
Nyáry (Zsigmond), 5098.
Nyberg (Tore), 2531.

O

Oakley (Francis), 2475.
Oakley (Stewart), 181.
Oancea (Alexandru), 1084.
Oberländer-Târnoveanu (Ernest), 2029.
Oberländer-Târnoveanu (Irina), 2029.
Oberman (Heiko Augustinus), 877.
Obregón (Álvaro), 3653.
O'Brien (Albert C.), 3625.
O'Brien (D.), 1436.

O'Brien (John T.), 3077.
O'Brien (Michael), 3078.
O'Brien (Raymond J.), 5730.
O'Brien (William Smith), 3479.
Obzina (Jaromír), 4510.
O'Callaghan (Joseph F.), 2188.
O'Casey (Sean), 4760.
Occhiato (Giuseppe), 2432.
Ochmański (Jerzy), 2602.
Ochshorn (Judith), 1162.
O'Connor (Brendan), 1085.
Odd Johnsen (Arne), 2566.
Oddone (Patrick), 3334.
Odelberg (Maj), 2160.
Oden (Robert A.) Jr., 1246.
Odoacer, roi d'Italie, 2283.
Odoardi (Giovanni), 2520.
Oelsner (Konrad Engelbert), 6401.
Oestreicher (Richard), 5909.
Oexle (Otto Gerhard), 334.
Offen (Karen M.), 5663.
Offer (Avner), 3464.
Offermann (Helmut), 1330.
Officer (Lawrence H.), 5482.
Ogarev (Nikolaj Platonovič), 4413.
Ogonowski (Zbigniew), 4511.
O'Hara (John), 4808.
Oikonomidès (Nicolas), 1883.
Okęcki (Stanisław), 6621.
Okladnikov (Aleksej Pavlovič), 378, 989, 991, 1023.
Okladnikova (E.A.), 991.
Okubo (Yasuo), 5975.
Olaechea Labayen (Juan B.), 6307.
Olajos (Teréz), 1121.
Oldberg (Ingmar), 303.
Oldfield (Adrian), 508.
Oliva (Pavel), 1355.
Olivack (Jean-Louis), 5478.
Oliver (James H.), 1677.
Oliver (Roland), 7064.
Oliver (W.H.), 6340.
Olivier (Jean-Pierre), 1466.
Olivier (Sir Laurence), 4968.
Olivier-Martin (Yves), 4819.
Olkiewicz (Joanna), 2364.
Olland (Hélène), 673, 1957.
Olliff (Donathan C.), 6464.
Olmstead (Alan L.), 5357.
Olmstead (Frederick Law), 2928.
Olsen (Jens E.), 2004.
Olsen (Olaf), 2161.
Olsen (Otto H.), 3079.
Olsson (Ulf), 5571.
Olteanu (Ştefan), 792.
Olympiodoros Thebaios, 1652.
O'Malley (John W.), 2279.
Omar (Sayed), 1182, 1311.
O'Meara (Dominic J.), 1331.
Omnès (Catherine), 5232.
Onasch (Konrad), 4078.
Oncken (Emily), 6546.
O'Neill (Francis), 3335.
Onimus (Jean), 4786.
Onofrio (Giulio d'), 2476.
Onuf (Peter S.), 3080.
Opaliński (Edward), 3700.
Opgenoorth (Ernst), 4143.
Opperby (Preben), 4985.
Oppermann (Manfred), 1514.
Oprea (Ion M.), 6547.
Oquist (Paul), 2877.
Orbán (Sándor), 5731.
Ord (E.O.C.), 2976.

Orderic Vitalis, 1958.
Ordioni (P.), 674.
Oresme (Nicole), 2356.
Orford (Robert Walpole, 1st earl of), 4693.
Origenes Adamantius, 1766, 1790, 1807.
Orlandi (Giovanni), 1990, 4512.
Orlandis (José), 917.
Orlando (Vittorio Emanuele), 3604.
Orliac (Catherine), 7104.
Orliac (Michel), 7104.
Orlova (M.I.), 2774.
Orlovsky (Daniel T.), 3856.
Ormond (Richard L.), 4898.
Ormos (Mária), 2662.
Ornato (Ezio), 32.
Orr (William J.) Jr., 242, 2775, 4647.
Orrieux (Claude), 1217.
Országh (László), 3537.
Ortega y Gasset (José), 4454.
Ortner (Franz), 3935.
Orton (Lawrence David), 379, 2840, 4013.
Orwell (George) [pseud. of Eric Arthur Blair], 4782.
Osborn (Eric Francis), 1796.
Osborne (Harold), 4852.
Osborne (J.), 2433.
Osborne (Thomas J.), 6341.
Oscar II, king of Sweden a. Norway, 6444.
Osiek (Carolyn), 754.
Osipova (T.S.), 6130.
Os'makov (N.V.), 4702.
Ostapenko (I.S.), 6873.
Osuchowski (Janusz), 4014.
O'Sullivan (J.N.), 142.
Otruba (Gustav), 5134, 5417.
Ott (Hugo), 5233.
Ottaway (John), 2434.
Otte (M.), 1024.
Otto (John Solomon), 5418.
Ó Tuathaigh (M.A.G.), 3465.
Ouellet (Fernand), 5732.
Ourliac (Paul), 327.
Oursel (Raymond), 2435.
Ousterhout (Anne M.), 6308.
Outhwaite (R.B.), 784.
Ouy (Gilbert), 14.
Ovadiah (Asher), 1884.
Ovidius Naso (Publius), 1525, 1533.
Ovsjanyj (I.D.), 6675.
Owen (Gale R.), 2005.
Owen (Roger), 5099.
Owen (Thomas C.), 3858.
Owsley (Frank Lawrence) Jr., 3081.
Oxenstierna (Axel), 3745.
Ozbudin (Ergun), 3798.
Ozouf (Mona), 4259.

P

Pach (Zsigmond Pál), 374, 3538, 5333.
Pachoński (Jan), 3701.
Pachymeres (Georgios), 1822.
Pacia (Amalia), 2009.
Pack (Edgar), 1721.
Packard (Randall M.), 6222.
Padfield (Peter), 3466.
Padilla Lapuente (José I.), 2521.

Paepe (Jean-Luc de), 3360.
Paetow (Louis John), 1989.
Pätzold (Kurt), 2776.
Page (Christopher), 2459.
Page (Thomas Nelson), 3000.
Pagès (Jean), 2603.
Pahlavi, dynasty, 3565, 6143.
Paillard (Yvan-Georges), 6223.
Paillat (Claude), 3336.
Pairault Massa (F.H.), 1501.
Paisij Khilendarski, 4743.
Pajakowski (Włodzimierz), 1145, 1356.
Palacios Rubios (Juan L. de), 6302.
Palacký (František), 379, 3769, 3777.
Palade (Vasile), 1635.
Palaiologoi, dynastie byzantine, 108.
Palanque (Jean-Rémy), 4015.
Palladius, bishop of Helenopolis, 1767.
Pallas (Ladislav), 6622.
Pallier (Denis), 44.
Palló (Gábor), 4648.
Pallos (László), 5419.
Pallottino (Massimo), 1488.
Palma-Cayet (Pierre Victor, sieur de La Palma, dit), 4037.
Palmer (Colin A.), 5334.
Palmer (J.J.N.), 2365.
Palmer (Leonard Robert), 1454.
Palmer (Robert E.A.), 1636.
Palmer (Robert R.), 4339.
Palmerston (Henry John Temple, 3rd viscount), 6459.
Pálsson (Hermann), 1967.
Paludan (Phillip Shaw), 3082.
Palumbo (Michael), 431, 6224.
Panayotova-Piguet (Dora), 2436.
Pančenko (A.M.), 4698.
Pancino (Claudia), 5733.
Pandev (Konstantin), 2866.
Pandstraller (Gian Paolo), 4234.
Panejakh (V.M.), 5734.
Pankrat'ev (V.P.), 3803.
Pantev (Andrej), 6465, 6548.
Paoletti (Maurizio), 1741.
Pap (Francisc), 5335.
Pap (Leo), 5535.
Papalas (Anthony J.), 1678.
Papen (C. v.), 954.
Papp (Zsolt), 4513.
Pappas (Nicholas C.), 3626.
Paprocka (Wanda), 568.
Paquette (Daniel), 4986.
Parássoglou (George M.), 1311.
Paravicini (Werner), 2366.
Paredi (Angelo), 260.
Paret (Peter), 3760, 4853.
Paris (Matthaeus), v. Matthaeus Parisiensis.
Paris (Tonino), 696.
Park (Chung-hee), 7045.
Park (Hong Kyoo), 7041.
Park (Katherine), 4649.
Parkanskij (A.B.), 6869.
Parker (D.), 3338.
Parker (H.), 6955.
Parker (R.A.C.), 3467.
Parma (Josef), 5234.
Parpola (Asko), 219.
Parry (Graham), 4235.
Parsons (Lee A.), 7087.

Parsons (P.J.), 1333.
Parsons (Robert), S.J., 4067.
Pasák (Tomáš), 4378.
Pascal (Blaise), 201, 3980.
Paschke (Franz), 1760.
Pascu (Ştefan), 319, 709, 2030, 3735, 3739.
Pasecky (V.M.), 182.
Paskaleva (Virginia), 4236, 5336.
Pasolini (Pier Paolo), 4978.
Pasquali (Giorgio), 1679.
Pasquelet (M.), 3340.
Pasqui (A.), 1725.
Passoni dell' Acqua (Anna), 1268, 1768.
Passuello (Mario), 3627.
Pásti (Judit), 5735.
Pastor (Peter), 3539.
Pastor (Robert A.), 3083.
Pastore (Alessandro), 4514.
Pastoureau (Michel), 76.
Pastoureau (Mireille), 183.
Pastukhov (D.A.), 2863.
Pašuto (V.T.), 509.
Pásztor (József), 4820.
Pater (Józef), 4055.
Paterson (Donald G.), 5150.
Patrušev (A.I.), 510.
Patschovsky (Alexander), 2567.
Patterson (James T.), 5736.
Patterson (Maureen L.P.), 6936.
Patterson (Michael), 4987.
Patton (George Smith), 6733.
Patton (Gerald W.), 3084.
Patze (Hans), 511, 2031.
Patzelt (Erna), 714.
Patzelt (Herbert), 714.
Paul (Charles B.), 4650.
Paul (Diana), 4515.
Paul (Sharada), 6956.
Paul-Lévy (Françoise), 5737.
Pauley (Bruce F.), 2842.
Paulhart (Herbert), IV.
Pauliak (Ervín), 6724.
Paulmier-Foucart (Monique), 2367.
Paulus, Apostolus, Sanctus, 1786, 1787, 1815.
Paulus IV [Gian Pietro Carafa], Papa, 4020.
Paulus Diaconus, 1943.
Păunescu (Alexandru), 1025.
Pavan (Elisabeth), 2368.
Pavanello (Italo), 3572.
Pavlenko (G.V.), 5822.
Pavlov (Ivan Petrovič), 4562.
Pavlova (Anna), 4974.
Pavlova (L. Ja.), 805.
Paweł de Wołczyn, 2551.
Pawiński (Adolf), 3681.
Paxton (John), 2635.
Paxton (Robert O.), 3318, 6779.
Paxton (Roger V.), 3894.
Payne (Christopher), 4923.
Payne (Peter L.), 5235.
Paz (Mathias de), 6302.
Pearce (George F.), 3085.
Pearce (R.D.), 6225.
Pearce (Susan M.), 867.
Pearson (Thomas S.), 3859.
Pease (Jane H.), 3086.
Pease (William H.), 3086.
Péchoux (Pierre-Yves), 1460.
Pecorari (Paolo), 4016.
Pedersen (Joyce Senders), 4340.

Pedosov (A.D.), 3807.
Peinado Santaella (Rafael G.), 2522.
Peiresc (Nicolas-Claude Fabri de), 4611.
Pelagia Paenitens [Peccatrix], Sancta, 1959.
Pelcl (František Martin), 3773.
Pelenski (Jaroslaw), 2663, 2678.
Pèlerin (Claude), 6036.
Pelgusij-Filipp, russ. Chronist, 3815.
Pelinka (Peter), 5910.
Pellecuer (C.), 1109.
Pellens (Karl), 512.
Pelon (Oliver), 1338, 1466.
Pencak (William), 6309.
Pendergast (David M.), 7088.
Penelea (Georgeta), XVIII.
Penick (James Lal) Jr., 3087.
Penn (William), 6246.
Pennell (C. Richard), 6226.
Penyigei (Dénes), 5420.
Pepe (Adolfo), 5834.
Pepin le Bref, roi des Francs, 1976.
Peppe (Leo), 1603.
Percival (Robert V.), 6063.
Perczel (Mór), 3551.
Perdue (Theda), 3088.
Pereira (Miriam Halpern), 5536.
Pereire (Jacob Rodrigues Pereira, dit), 4336.
Perelli (Luciano), 1569, 1637, 1638.
Peremans (Willy), 1218.
Perentidis (Stavros), 1885.
Pérez (Joseph), 4241.
Perez (Marie-Félicie), 4854.
Pérez de la Riva (Juan), 6310.
Pérez Jiménez (Marcos), 3885.
Pérez Vila (Manuel), 6283.
Perežogin (V.A.), 6725.
Perfahl (Brigitte), 5862.
Peri (Illuminato), 316.
Perikles, 1377.
Périn (Patrick), 1146.
Perjés (Géza), 3540, 5421.
Perkins (Kenneth J.), 6227.
Perkins (Whitney T.), 6140.
Perla (Georges A.), 4516.
Pernigotti (Sergio), 424.
Pernoud (Madeleine), 2437.
Pernoud (Régine), 2053, 2437.
Peroni (Renato), 1108.
Peronnet (Michel), 3918.
Pérouse (Gabriel A.), 4717.
Perret (Jacques), 1673, 1785.
Perria (Antonio), 2006, 2119, 2120.
Perrier (Hubert), 5911.
Perrier (Jean), 111.
Perrin (Guy), 6101.
Perrot (Francine), 5738.
Perrot (Françoise), 2406.
Perrot (Jean-Claude), 137, 326, 5337.
Perrot (Michelle), 6086.
Perry (John Curtis), 6874.
Perry (Lewis), 3089.
Perry (P.J.), 5422.
Perseus, héro légendaire, 1387.
Persegani (Italo), 6228.
Persell (Stuart Michael), 6161.
Persin (Michel), 61.
Person (Yves), 1147, 7050.
Pertué (Michel), 3341.

Perútka (Jaromír), 4341.
Peruzzi, famiglia, 2111.
Perz (Mirosław), 4988.
Perzanowska (Irena), XVII.
Perzanowski (Zbigniew), 1919.
Pesante (Maria Luisa), 3611.
Peschke (Erhard), 4144.
Peschlow-Bindokat (Anneliese), 1372.
Pesquies-Courbier (Simone), 6549.
Pestman (P.W.), 1178, 1219.
Peszke (Michael Alfred), 6726.
Pétain (Philippe), 5000.
Péter (Katalin), 3541, 5739.
Peter the Chanter, v. Pierre le Chantre.
Péteri (György), 5483.
Peters (Carl), 2782.
Peters (Dolores), 4651.
Peters (Jan), 2007.
Peters (Margot), 4989.
Peterson (Joyce Shaw), 5236.
Peterson (Trudy Huskamp), 5423.
Petillo (Carol Morris), 3090.
Petit (François), 2539.
Petit (Jacques G.), 6037.
Petitmengin (P.), 1959.
Pëtr I Velikij [le Grand], empereur de Russie, 3849, 4626.
Petraccone (Claudia), 3628.
Petre (Zoe), 1431.
Petri (Franz), 2777.
Petricioli (Maria), 2675.
Petrocchi (Giorgio), 3936.
Petrocik (John R.), 3091.
Petronius, Roman aristocrat, 1793.
Petronius Arbiter (Gaius), 1665.
Petrov (F.A.), 3860.
Petrov (Ju. V.), 484, 513.
Petrov-Vodkin (Kuz'ma Sergeevič), 4892.
Petrova (T.N.), 5817.
Petrovskaja (M.M.), 3092.
Petrowič (Grigor), 918.
Petrus Fourier, Sanctus, 4034.
Petry (Carl F.), 7065.
Petry (Manfred), 2605.
Pettersson (Jan-Erik), 5238.
Petti Balbi (Giovanna), 2280.
Petzina (Dietmar), 5055, 5083.
Peyronnet (Georges), 1960.
Peyrous (Bernard), 4017.
Peyvel (Pierre), 2281.
Pezlar (Ľudovít), 460.
Pfauch (Wolfgang), 4265.
Pfeffer (Leo), 5998.
Pfeiffer (Gerhard), 1901.
Pfeiffer (Rudolf Franz Otto), 380.
Pferschy (Gerhard), 429.
Pfohl (Gerhard), 1446.
Phair (P.B.), 4170.
Philipp v. Heinsberg-Valkenburg, Erzbischof v. Köln, 625.
Philippe II Auguste, roi de France, 23, 2054.
Philippe IV le Bel, roi de France, 2057.
Philippe III le Bon, duc de Bourgogne, 329.
Philippos II, roi de Macédoine, 1329, 1340.
Philippos V, roi de Macédoine, 1326.

Phillips (John A.S.), 3468.
Phillips (Roderick), 5740.
Philodemos, 1320.
Philon (Herennios), Byblios, 1246, 1386.
Philonenko (Alexis), 4517.
Phoibammon (Aurelius), 1868.
Phokas, empereur de Byzance, 97.
Photios, Patriarcha Byzantinus, 1829.
Phthia, épouse de Demetrios II, roi de Macédoine, 1326.
Piaget (Jean), 4343.
Piankhi, roi d'Egypte, 1203.
Piast, dynastie, 70, 99.
Piatkowski (A.), 1437.
Piattelli (D.), 1604.
Picard (Gilbert Charles), 1639.
Picasso (Pablo Ruiz), 4899.
Piccirillo (F.), 4021.
Piccirillo (Michele), 1744.
Pickowicz (Paul G.), 7021.
Pickstone (John V.), 4652.
Pieck (Wilhelm), 5809.
Piekoszewski (Jan), 3093.
Pierotti (Romano), 2282.
Pierre (Jean-Luc), 1629.
Pierre (José), 4900.
Pierre le Chantre, 1924.
Pierre-Deschenes (Claudine), 4653.
Pięta (Zenon), 4056.
Pietilä (Kauko), 4411.
Pietri (Charles), 2283.
Pietro di Morrone, v. Caelestinus V, Papa, Sanctus.
Pigeard (Alain), 3223.
Pigeaud (Jackie), 1438.
Pigeaud (J.M.), 1680.
Pigott (Stuart), 959.
Pijuan (José), 1797.
Pike (Andrew), 4990.
Pike (Frederick S.), 2664.
Pikhaus (D.), 1681.
Pilatus (Pontius), procurator Judaeae, 1563.
Pillitteri (Francesco), 5484.
Pillorget (Suzanne), 5741.
Piłsudski (Józef), 241, 3702.
Piltz (Anders), 2369.
Pincherle (Marcella), 3629.
Pindaros, 1376, 1440.
Pine-Coffin (R.S.), 3571.
Pinegina (L.A.), 4237.
Pinel (Philippe), 4654.
Piñero Ramírez (Pedro M.), 4241.
Pinkett (Harold T.), 243.
Pinkham (Lydia), 4674.
Pinkney (David H.), 304.
Pinney (Thomas), 365.
Pintaudi (Rosario), 404.
Pintér (István), 3542, 6638.
Pinto (Giuliano), 2284.
Pio (Alberto III), v. Alberto III Pio.
Piotrkiewicz (Teofil), 3702.
Piotrovskij (B.B.), 305, 6928.
Piotrowska-Orlof (Ewa), 6550.
Piotrowski (Bernard), 3162.
Piovani (Pietro), 4538.
Piper (Franciszek), 6676.
Pipes (Daniel), 2150.
Piqueras (Juan), 5424.
Pirckheimer (Willibald), 4222.
Piro (Franco), 5904.
Piru (Al.), 953.

Pirumova (N.M.), 5742.
Pisarev (Ju. A.), 6551.
Pisier-Kouchner (Evelyne), 736.
Pistone (Danièle), 4991.
Pitman (Sir Isaac), 2.
Pitt (Barrie), 6623.
Pitt (William), 3448, 6391.
Pittier (Yolande), 6416.
Pitz (Ernst), 5338.
Pius IX [Giovanni Maria, conte di Mastai-Ferretti], Papa, 3959, 6456.
Pius XI [Ambrogio Damiano Achille Ratti], Papa, 3956.
Piuz (Anne-Marie), 5100.
Plaisant (Michèle), 4498.
Plascov (Avi), 6929.
Platania (Margherita), 302.
Platelle (Henri), 2050, 2189.
Platen (Magnus v.), 4342.
Platon, 1373, 1378, 1383, 1384, 1417, 1421, 1426, 1434, 4544.
Plautus (Titus Maccius), 1657, 1667, 1688.
Plaza Santiago (Ascensión de la), 2899.
Plechanov, v. Plekhanov (G.V.).
Plekhanov (G.V.), 5859, 5945, 5951.
Plener (Ernst v.), 2834.
Pletcher (David M.), 5101.
Pleticha (Heinrich), 639.
Pletneva (S.A.), 963, 2008.
Pletnikov (Ju. K.), 498.
Plevza (Viliam), 460.
Plotinos, 1412.
Plowden (Alison), 3469.
Pluchon (Pierre), 5339.
Plucknett (T.F.T.), 2179.
Plümer (Erich), 2285.
Plutarchos, 1375, 1382, 1427.
Poche (Emanuel), 873, 3783.
Podgornova (A.I.), 3861.
Podhorodecki (Leszek), 62.
Podosinov (A.V.), 1525.
Poeck (Dietrich), 2568.
Pöggeler (Otto), 4473.
Poeschl (Viktor), II.
Pognon (Edmond), 2286.
Pohl (Hans), 5239.
Poincaré (Raymond), 6537.
Poindexter (Miles), 2937.
Poinsett (Joel Roberts), 6451.
Poiret (abbé), 7047.
Poitrineau (Abel), 5743.
Pokrovskij (Mikhail Nikolaevič), 3873.
Pokrovskij (V.K.), 473.
Polakoff (Keith Ian), 3094.
Pole (Reginald), cardinal, 3953, 3960.
Poleggi (Ennio), 694.
Polgár (László), 4040.
Poli (Gian Carlo), 5912.
Polin (Raymond), 4520.
Poljakov (Ju. A.), 509, 3857, 5537, 5991.
Pollard (Mark), 2404.
Pollard (Sidney), 5102, 5240.
Pollo (Stefanaq), 630.
Pollock (Fred E.), 6677.
Pol'skij (M.P.), 3862.
Polvinen (Tuomo), 6875.
Polybios, 1554, 1686.
Pombeni (Paolo), 5904.
Pomerleau (Claude), 4066.
Pomey (Patrice), 1730.

Pomfret (Richard), 5103.
Pommier (Henriette), 5241.
Pompa (Leon), 514.
Pompéii, famille romaine, 1619.
Pompeius Magnus (Gnaeus), triumvir, 1553, 1609.
Poniatowski (Michel), 3342.
Ponomarev (B.N.), 5898, 6127.
Pons (Jacques), 1269.
Ponsonby (John, viscount), 6459.
Ponsot (Pierre), 5104.
Ponte (Salete da), 1726.
Pontieri (Ernesto), 427, 625.
Pontoppidan (Erik), 4155.
Ponzo (Giovanni), 697.
Poole (Stafford) C.M., 4019, 6311.
Poole (Walter S.), 3024.
Pope (Dudley), 5744.
Popescu-Boteni (Stelian), 6466.
Popham (M.R.), 1111.
Popiołek (Kazimierz), 705.
Popkin (Jeremy D.), 4188.
Popov (Atanas), 2606.
Popov (N.P.), 4412.
Popov (V.A.), 7066.
Popov (V.I.), 6552.
Porch (Douglas), 6467.
Pore (Renate), 5913.
Porębski (Mieczysław), 428.
Porteau-Bitker (A.), 2287.
Portela Silva (Ermelindo), 2523.
Porter (Dale H.), 515.
Porter (J.M.), 4145.
Porter (Venetia), 2438.
Porubský (Juraj), 6891.
Porumb (Marius), 2439.
Posch (Fritz), 429.
Poschmann (Brigitte), 2778.
Pospelov (B.V.), 4189.
Pośpiech (Andrzej), 5745.
Post (Robert C.), 5218.
Poştăriţa (Emilia), 6429.
Postel (Guillaume), 4487.
Postel (Jacques), 4654.
Postel (Sylvie), IX.
Postumus (Marcus Cassianus Latinius), usurpateur romain, 1560.
Potabenko (S.I.), 4901.
Potemkina (T.M.), 1033.
Póth (István), 4992.
Potter (Anne L.), 2824.
Potts (Louis W.), 6312.
Potvin (Gilles), 4953.
Poucet (J.), 1682.
Pouilloux (Jean), 1480.
Poulson (Barry W.), 5105.
Poursat (Jean-Claude), 1466.
Pouthier (Pierre), 1700.
Povejšil (Jaromír), 143.
Powell (T.G.), 6728.
Power (Marjory W.), 7081.
Powers (James F.), 2073.
Pozzobon (Martino), 5162.
Prachner (Gottfried), 1640.
Prampolini (Antonio), 5426.
Prange (Gordon W.), 6624.
Prat (François), 1026.
Prato (Giancarlo), 1886.
Préaux (Claire), 381.
Pred (Allen), 5538.
Preisser (Thomas M.), 5106.
Preisshofen (Felix), III.
Přemyslides, dynastie, 2035.

Preobraženskij (A.A.), 729.
Preston (Dickson J.), 3096.
Prestwich (J.O.), 2074.
Pretagostini (Roberto), 1440.
Preto (Paolo), 3640.
Prévot (Jacques), 4343.
Price (Arnold H.), 2190, 2912.
Price (David C.), 4993.
Price (Nancy Waterman), 205.
Price-Jones (David), 3343.
Prignitz (Christoph), 2780.
Přikryl (František), 3784.
Primakov (E.M.), 2882.
Primas (Margarita), 1086.
Pringle (Denys), 1887.
Prinz (Otto), 1961.
Priskos, historien, 1652.
Pritz (Pál), 6678.
Procacci (Giovanna), 6553.
Prochaska (David), 6230.
Prochazka (Theodore) Sr., 3785.
Prodan (David), 6554.
Pronin (V.I.), 5539.
Pronti (S.), 4021.
Prost (Antoine), 5749.
Proudhon (Pierre Joseph), 5818, 5857, 5934.
Proust (Marcel), 4761.
Provancher (abbé Léon), 4583.
Provazník (Zdeněk), 4409.
Pruckov (N.I.), 948.
Prudentius (Aurelius P. Clemens), 1661.
Pruneda (Pedro), 3651.
Pruneti (Paola), 1220.
Prus (Bolesław) [pseud.], v. Głowacki (Alexander).
Pryor (Elizabeth Brown), 5750.
Przewłocki (Jan), 6555.
Przyboś (Adam), 6359.
Przybosiowa (Aleksandra), XVII.
Przytocki (Kazimierz), 6729.
Przywecka-Samecka (Maria), 45.
Pseudo-Clemens, 1803.
Ptolemaios III Euergetes, roi d'Egypte, 1218.
Ptolémées, dynastie, 1180, 1193, 1197, 1198.
Puduhepa, épouse de Ḫattušilis III, roi des Hittites, 1245.
Puente (Fernando de la), cardenal, 3979.
Puia (Ilie), 5485.
Puig i Scotoni (Pau), 620.
Pumprla (Václav), 262.
Puppo (Giancarlo), 7089.
Purš (Jaroslav), 719, 2666, 5243.
Pursell (Carroll W.) Jr., 4656.
Puşcaş (Vasile), 351.
Puškareva (I.M.), 5698.
Puškin (Aleksandr S.), 4790, 4834.
Putensen (Dörte), 5914.
Putilov (B.N.), 373, 580.
Putnam (Frederick W.), 4635.
Puto (Arben), 630.
Puzikov (A.I.), 4822.
Py (Michel), 1148.
Pyne (Stephen J.), 4657.
Pythagoras, 1331, 1384.

Q

Quarm (Roger), 4902.
Quatrefages (René), 2900, 6385.
Quay (Matthew Stanley), 3043.
Queille (Pierre), 6679.
Quellien (Jean), 3344.
Queniart (Jean), 5728.
Quétel (Claude), 6038.
Quevedo y Villegas (Franzisco Gómez de), 2890.
Quilici (Piccarda), 247.
Quilici Gigli (Stefania), 1745.
Quinet (Edgar), 382.
Quinn (Peter A.), 4020.
Quintavalle (A.C.), 3637.
Quispel (Gilles), 1456.
Quitt (Martin H.), 5637.

R

Raabe (Paul), 4690.
Raat (E. Dirk), 6141.
Rabb (Theodore K.), 837.
Rabelais (François), 4714.
Rabkin (Peggy A.), 6084.
Răcilă (Emil), 6556.
Rácz (Lajos), 3543, 5036.
Radant (Hans), 773.
Raddatz (K.), 1114.
Radice (Lisanne), 6557.
Radmilli (Antonio Mario), 1487.
Rădulescu (Speranța), 4943.
Răduțiu (Aurel), 3725, 6039.
Rae (John), 4344.
Raevskaja (M.A.), 806.
Rafael (Gideon), 6808.
Ragsdale (Hugh), 6417.
Raichle (Donald R.), 4345.
Raimond (Jean), 4767.
Rainer, Erzherzog von Österreich, 2830.
Rainer (Johann), 2844, 2954.
Rainero (Romain), 3606.
Raïos-Chouliara (Hélène), 1335.
Raison (Françoise), 7067.
Raitt (Jill), 3937, 4146.
Rakhmanov (M.), 868.
Rakhšmir (P. Ju.), 2668.
Rákóczi (Ferenc II), prince de Transylvanie, 3492, 3547, 3562, 4392, 6379, 6390.
Rakowski (Mieczysław Franciszek), 3706.
Ralegh (Sir Walter), 6274.
Raleigh (Donald J.), 3864.
Rall (Hans), 2121.
Ralle (Michel), 5916.
Ram (K.V.), 6468.
Rambaux (C.), 1683.
Ramíres Sádaba (José Luis), 1641.
Ramírez Rivera (Hugo Rodolfo), 2875.
Ramos-Lissón (Domingo), 917.
Rámoz Pérez (Demetrio), 6313.
Ranc (Arthur), 3178.
Rancoeur (René), 4691.
Ranke (Leopold v.), 293, 383.
Ránki (György), 5107, 6558, 6680.
Ransom (Roger), 5108.
Rantoandro (Andriamiarintsoa-Gabriel), 7068.
Ranum (Orest), 306.

Raphaël-Leygues (Jacques), 3345.
Rapp (Francis), 670.
Rappaport (Armin), 6876.
Rappaport (Herman), 3674.
Raspi Serra (Joselita), 869.
Ratajczyk (Leonard), 3686.
Ratcliffe (Bertram), 3346.
Rathmann (Lothar), 2646.
Ratnagar (Shereen), 6957.
Ratti (Antonio), 4001.
Rauhutowa (Jadwiga), 1863.
Rausch (David A.), 4190.
Rauty (Natale), 2441.
Ravachol (François Claudius Koenigstein, dit), 3243.
Ravindranathan (T.R.), 5917.
Ravitch (Diane), 4348.
Rawley (James A.), 5340.
Rawlings (Hunter R.) III, 1441.
Rawski (Tadeusz), 6730.
Ray (Laurence J.), 4658.
Rayburn (Samuel Taliaferro), 2973.
Rayman (Ronald), 4349.
Raymond (E. Neill), 6958.
Raynaud (C.), 1109.
Raytses (Vladimir), 3347.
Razdol'skaja (V.I.), 4903.
Rea (J.R.), 1333.
Rea (Kenneth W.), 6812.
Reagan (Ronald), 2930, 3098.
Reardon (Bernard M.G.), 4147.
Rebérioux (Madeleine), 3284.
3348.
Rebuffat (René), 1286.
Rechter (Gerhard), 2010, 2122.
Redford (Emmette S.), 3097.
Redondi (Pietro), 518.
Reed (Mark E.), 2993.
Reefe (Thomas Q.), 7069.
Reese (William J.), 5918.
Řehuřek (Miloš), 460.
Reichardt (Rolf), 3349.
Reichert (Folker), 2011.
Reichley (A. James), 3098.
Reichmann (Christoph), 2607.
Reid (Donald M.), 2670, 5919.
Reid (Escott), 6959.
Reid (John G.), 6314.
Reid (John Phillip), 5999.
Reindel (Kurt), 2012.
Reinhardt (Klaus), 2569.
Reinharz (Jehuda), 2695.
Reininghaus (Wilfried), 2288, 5244.
Reinitz (Richard), 519.
Reinke (Herbert), 478.
Reiss (Edmund), 2370.
Reitharová (Eva), 3783.
Religa (Jan), 6601.
Remi d'Auxerre, 2476.
Remini (Robert V.), 3099.
René Ier, duc d'Anjou, de Bar et de Lorraine, roi de Naples, 2376.
Renfrew (Colin), 960.
Renimel (Serge), 1281.
Reno (Christine M.), 14.
Renterghem, v. Van Renterghem.
Rentschler (Michael), 2372.
Repgen (Konrad), 353.
Resis (Albert), 6681.
Resmini (Bertram), 2076, 2781.
Resnick (Daniel P.), 4350.
Restle (Marcell), 171.
Retz (Jean François Paul de

Gondi, cardinal de), 3286.
Reuleaux (Franz), 4571.
Reuss (Martin), 2782.
Révai (József), 3517, 4771.
Révay (Péter), 384.
Rey-Flaud (Henri), 2373.
Reydellet (M.), 1799.
Reyes Cano (Rogalio), 4241.
Reyes Católicos, v. Fernando II el Católico, rey de Aragó, ; Isabel I la Católica, reina de Castilla.
Reynolds (Charles), 6160.
Reynolds (David), 6682, 6683.
Reynolds (David S.), 3939.
Reynolds (Ernest Edwin), 4067.
Reynolds (Frank E.), 875.
Réz (Pál), 4521.
Rezachevici (Constantin), 3736.
Rezun (M.), 6143.
Rhoads (James B.), 232.
Rhodes (Cecil John), 6219.
Rhodes (P.J.), 1442.
Rhotert (Hans), 1000.
Riasanovsky (Alexander V.), 3865.
Ribble (Frederick G.), 4738.
Ribes Montané (Pedro), 2477.
Ribichini (Sergio), 1455.
Ricasoli (Bettino), 3619, 3630.
Rice (C. Duncan), 3470.
Richard III, king of England, 2103, 2124.
Richard (Francis), 4068.
Richard (Jean), 2077.
Richard (Robert), 4148.
Richard (Yann), 919, 3568.
Richards (Judith), 4522.
Richardson (Gunnar), 520, 4351.
Richardson (H.), 7024.
Richardson (H.G.), 2032.
Richelieu (Louis François Armand de Vignerot du Plessis, duc de), 3217.
Richelieu (Armand Jean du Plessis, cardinal de), 3177, 3375.
Richer, chroniqueur, 2546.
Richez (G.), 5109.
Richez (Jean-Claude), 3350.
Richman (John), 6559.
Richmond (Colin), 2289.
Richter (Donald C.), 6085.
Richter (Eugen), 2763.
Richter (Karel), 621, 6731.
Richter (Michael), 2013.
Richter (Miroslav), 2608.
Ricke (Gabriele), 4523.
Rico (Francisco), 4241.
Rictrudis, Abbatissa Marchianis, Sancta, 2189.
Ridder-Symoens (Hilde de), 836.
Ridderikhoff (Cornelia M.), 836.
Ridenour (Robert C.), 4995.
Ridley (Jasper), 678.
Ridolfi (Roberto), 2123.
Riedel (Alfredo), 997.
Riemann (Georg Friedrich Bernhard), 4645.
Riess (Jonathan B.), 2442.
Rigaud (Nadia J.), 4739.
Riis (Jacob A.), 4179.
Riis (P.J.), 1502.
Riis (Thomas), 5540.
Riley (Glenda), 5752.

Riley-Smith (Jonathan S.C.), 2078.
Riley-Smith (Louise), 2078.
Rimbaud (Arthur), 3158.
Rimmer (Douglas), 3658.
Rink (Oliver A.), 5541.
Riosa (Alceo), 5935.
Rioux (Jean-Pierre), 3351.
Risch (Erna), 6315.
Ritchie (Anna), 1149.
Ritchie (Graham), 1149.
Ritenour (Sharon B.), 2927.
Ritter (Adolf M.), 877.
Ritter (G.A.), 5921.
Ritvo (Harriet), 4384.
Robbe-Grillet (Ingrid), II.
Robbins (Caroline), 6316.
Robbins (William G.), 3100.
Robe (André), 3223.
Robek (Antonín), 5770.
Robert III, comte d'Artois, 1917.
Robert (Jean-Baptiste), 794.
Robert (Jeanne), 1158.
Robert (Louis), 1158.
Robert de Boron, 2359.
Roberts (Hug), 4181.
Roberts (James S.), 5245.
Roberts (Michael), 6387.
Robertson (Norman A.), 6022.
Robespierre (Maximilien de), 3303.
Robichon (Jacques), 6732.
Robin (Paul), 4329.
Robinson (Armstead L.), 521.
Robinson (David J.), 5542.
Robinson (Jo Ann Ooiman), 5922.
Robinson (John), politician, 3396, 4093.
Robinson (Raoul), 3613.
Robinson (Willard B.), 4877.
Robreau (Yonne), 2374.
Robrieux (Pierre), 3352.
Roca Martínez (José Luis), 4823.
Rochais (Gérard), 1800.
Rochais (Henri), 893.
Roche (Daniel), 3339, 5753.
Rochefort, famille, 2281.
Rockefeller, Foundation, 6978.
Rockoff (Hugh), 5110.
Roderick (Gordon), 5273.
Rodney (Walter), 6317.
Rodríguez Adrados (Francisco), 1443.
Rodríguez Galdo (María Xoré), 5427.
Roe (Derek A.), 1028.
Roe (Shirley A.), 4659.
Roeber (A.G.), 6040.
Röder (Reinhard), 4265.
Röhrer-Ertl (O.), 978.
Römer (Cornelia), 404.
Römer (J.), 1684.
Rogalina (N.L.), 5395.
Rogalla von Bieberstein (Johannes), 2784, 4524.
Roger, bishop of Worcester, 2547.
Roger von Helmarshausen, 2410.
Rogers (Earl H.), 5351.
Rogers (George C.) Jr., 6243.
Rogers (Georges B.), 92.
Rogers (Susan H.), 5351.
Rogerson (A.), 4672.
Roginskij (Ja. Ja.), 1027.

Roguski (Piotr), 4824.
Rohmer (Richard), 6733.
Rohrer (Christian), 140.
Roider (Karl A.) Jr., 3737.
Roland (Pauline), 3178.
Roldán Hervás (José Manuel), 1570.
Rolle (Andrew), 5754.
Roller (Lynn E.), 1477.
Roman (Louis), 760.
Roman (Petre), 1054.
Romano (Salvatore Francesco), 2845.
Romane-Musculus (Paul), 4149.
Romanini (A.M.), 2390.
Romano (Sergio), 270.
Romanov, dynasty, 3844.
Romanovskij (S.I.), 4660.
Rome (Roman), 390.
Romeo (Rosario), 699, 700.
Römer (Florís), 622.
Rommel (Erwin), 6712, 6735.
Rommerskirchen (Giovanni), 891.
Romoli (Enrico), 2689.
Romulus, fondateur légendaire de Rome, 55, 1682.
Ronzani (E.), 4021.
Rooke (Patricia T.), 4352.
Roosevelt (Eleanor), 2949.
Roosevelt (Franklin Delano), 3038, 3047, 3107, 3123, 6652, 6658, 6664, 6677.
Roosevelt (Theodore), 2972, 3062.
Ropars (J.-M.), 2290.
Ropp (Paul S.), 7022.
Roquebert (Michel), 2570.
Rorabaugh (W.J.), 3101.
Ros (Antonio), 2901.
Rosas (Juan Manuel de), 2823, 4823.
Roscano (Antonio), 2478.
Roschmann (Anton), 385.
Roščin (V.L.), 6877.
Rose (Ann C.), 4525.
Rose (Günther), 743.
Rosemont (Henry) Jr., 4451.
Rosemont (Henry P.), 5923.
Rosen (Philip T.), 5246.
Rosen (Stephen Peter), 6102.
Rosenbaum (Robert J.), 3102.
Rosenberg (A.), 4441.
Rosenbert (Mark B.), 2878.
Rosenberg (Rainer), 4700.
Rosenberg (William G.), 5247.
Rosengarten (Adolph G.), Jr., 3353.
Ross (Charles), 2124.
Ross (J.S.), 5016.
Ross Holloway (R.), 112.
Rossel (G.), 4021.
Rosselli (John), 3631.
Rossetti (Christina Georgina), 4768.
Rossi (Amato), 6781.
Rossi (Arcangelo), 4526.
Rossignol (D.), 3354.
Rossos (Andrew), 6560.
Rostow (W.W.), 6734.
Rostworowski (Emanuel), 704, 6382.
Rostworowski de Diez Canseco (María), 6318.
Roşu (Lucian), 856.
Rotberg (Robert I.), 837.
Rotella (Elyce J.), 5111.
Roth (Michael S.), 522.

Roth (Robert), 6086.
Rothbarth (Maria), 6561.
Rothenberg (Winifred B.), 5428.
Rothman (David J.), 5755.
Rott (Jean), 4090.
Rotthoff (Claudia), 2191.
Rottler (Ferenc), 622.
Roubet (Colette), 994.
Roucaute (Yves), 3355.
Roucek (Joseph S.), 3544.
Rouche (Michel), 2050.
Roudil (Odile), 1055.
Rouffet (Gaspard-Léonce), 3178.
Rougé (Jean), 1571.
Rouge (Robert), 4204.
Rouillard (Jacques), 5924.
Rouleau (F.), 4079.
Rousseau (Guildo), 4239.
Rousseau (Henri, dit le douanier), 4893.
Rousseau (Jean-Jacques), 745, 4307, 4464, 4467, 4474, 4481, 4483, 4507, 4934.
Rousset (Paul), 3356.
Rousset (Paul-Louis), 2609.
Routhier (Gilles), 744.
Roux (Georges), 1478-1480.
Roux (J.C.), 1109.
Roux (Jacques), 386.
Rovda (K.I.), 543.
Rowan (Steven), 2125.
Rowell (George), 4996.
Rowen (Herbert H.), 3357.
Rowland (Beryl), 1951.
Rowse (A.L.), 3471.
Roy (Michel), 2873.
Royer (Claude), 585.
Royse (James R.), 1271.
Royster (Charles), 3103.
Różanka (Stanisław), 151.
Rożek (Michał), 920.
Rožnovskij (S.V.), 4740.
Rozov (N.N.), 2375.
Rozsnyói (Ágnes), XII.
Rubajlova (N.G.), 4661.
Rubin (Barry), 6684, 6878.
Rubin (Jeffrey Z.), 6879.
Rubinstein (Alvin Z.), 6880.
Rubinstein (W.D.), 5756.
Ruble (Blair A.), 3866.
Ruby (Robert H.), 3104.
Ruchames (Louis), 2923.
Rude (Fernand), 3178.
Ruderman (David B.), 4192.
Rudnickaja (E.L.), 4413.
Rudnicki (Szymon), 3707.
Rudnickij (A. Ju.), 6552.
Rudnickij (K.L.), 4997.
Rudolf von Habsburg, deutscher König, 2076.
Rudolf (Karl), 222.
Rudolph (Kurt), 1801.
Rüdel (Holger), 2785.
Rueff (Jacques), 5010.
Rüger (Adolf), 2786.
Rüsen (Jörn), 523.
Ruffilli (Roberto), 3945.
Ruffin (Raymond), 6782.
Rufinus (Tyrannius), 1766, 1805.
Ruge (Wolfgang), 6562.
Rugge (Thomas), 3397.
Ruggiero II, re di Sicilia, 2305.
Rugoff (Milton), 5757.
Ruiz Domenec (J.E.), 2291.
Ruiz Torres (Pedro), 5758.
Rule (John), 5248.

Rumi (Giorgio), 3945.
Rumjancev (A.M.), 1001.
Rummel (E.), 4353.
Runnals (Graham A.), 2376.
Ruoff (Ulrich), 1086.
Rupert, Prince Palatine, 6363.
Rupnik (Jacques), 3786.
Ruppelt (Georg), 4690.
Ruppert (Karsten), 2700.
Ruppert (Wolfgang), 2787.
Rupprecht (Hans-Albert), 1183.
Ruprecht der Cavalier, v. Rupert, Prince Palatine.
Ruprechtsberger (Erwin M.), 1748.
Rushkoff (Bennett C.), 6881.
Rusiński (Władysław), 5112, 5429.
Russell (Bertrand Arthur William Russell, 3rd earl), 3481, 4425, 4442.
Russell (Jeffrey Burton), 1802, 2540.
Russell (P.E.), 430, 831.
Russel of Liverpool (Edward, baron), 3752.
Russell-Wood (A.J.R.), 6319.
Russo (Francesco), 255.
Russo (Giuseppe), 625.
Rustad (Fritz), 6444.
Rusu (Mircea), 1150, 1894, 2610.
Rutenburg (V.I.), 828, 4032.
Rutherford (Ward), 6735.
Rutkoff (Peter M.), 325.
Rutkowska-Płachcińska (Anna), 2377.
Rutland (Robert K.), 2926.
Ruud (Charles A.), 3867.
Ruzsa (György), 1895.
Ryan (Mary P.), 5759.
Ryan (Paul B.), 3105.
Rybakov (B.A.), 723, 962, 963, 2014, 2571.
Rybecký (Vladislav), 7023.
Rychlak (Joseph F.), 4662.
Ryckmans (J.), 16.
Rysiewska (Teresa), 1087.
Ryskamp (Charles), 4752.
Ryszkiewicz (Andrzej), 4858.
Ržeševskij (O.A.), 6639.

S

Saad (Joud), 1480.
Sabah (Salem al-Jabir al-), 623.
Sabin (Guy), 3358.
Sachse (Wieland), 5133.
Sachse (William L.), 3397.
Sachsen-Coburg-Gotha, Fürstengeschlecht, 3400.
Sack (Friedrich S.G.), 3911.
Sacks (Kenneth), 1686.
Sadat (Anwar al-), 6122.
Sadriddin (Said-Murodzoda) [pseud. : Ajni], 945.
Sadykov (A.A.), 2319.
Säckler (Ulrich), v. Ulrich Säckler, Abt von Ursberg.
Saeger (James S.), 6320.
Safavids (the), dynasty, 3933, 4175.
Saffirio (Luigi), 1002.
Safford (Jeffrey J.), 6144.
Sagarra (Eda), 2788.
Sage (P.), 1526.
Sági (Károly), 1749.

Saham (Junid), 5249.
Saija (Marcello), 3632.
St. Clair (David J.), 5250.
Saint-Just (Louis Antoine Léon), 3201.
Saint-Martin (Louis-Claude de), 4433, 4479.
Saint-Simon (Claude Henri de Rouvroy, comte de), 4772, 5824, 5889.
Saint-Simon (Louis de Rouvroy, duc de), 3363, 4744.
Saizu (Ioan), 5113.
Sajko (E.V.), 1091.
Sakaon (Aurelius), Egyptian farmer, 1311.
Sakellariou (Michel B.), 1307.
Sakharov (A.M.), 524.
Šakhov (K.A.), 4821.
Saki [pseud.], v. Munro (Hector Hugh).
Saks (Edgar-Valter), 2162.
Saladino (Gaspare J.), 2919.
Saleh (Amid Abdel), 2151.
Salekhov (N.I.), 5430.
Salerno (Francesco), 1606.
Salinger (Sharon V.), 6321.
Salisbury (Robert Arthur Talbot Gascoyne-Cecil, 3rd marquess of), 6163.
Šaljapin (Fëdor Ivanovič), 4215.
Saller (Richard P.), 1367.
Salles (Jean-François), 1272.
Salmi (Harri), 6882.
Salminen (Renja), 4707.
Salmond (John), 3106.
Salmonowicz (Stanisław), 2789, 6087.
Salomon (Kim), 6145.
Salomons (R.P.), 1607.
Salov (V.I.), 307, 525.
Salskov Roberts (Helle), 1497.
Salutati (Coluccio), 1968.
Salvati (Catello), 625.
Salvemini (Biagio), 5037.
Salvemini (Gaetano), 387.
Salviat (François), 1471.
Salwa (Tadeusz), 4069.
Salway (Peter), 1572.
Salyčev (S.S.), 5898.
Salzmann (Christian Gotthilf), 4265.
Samaran (Charles), 261.
Samelson (Franz), 4663.
Samsonov (A.M.), 6736.
Samsonowicz (Henryk), 2192.
Samuel, personnage biblique, 1256.
Samuel (Albert), 5925.
Sánchez Herrero (José), 2611.
Sand (Aurore Dupin, baronne Dudevant, dite George), 4762, 4835.
Sander (Bernd), 6972.
Sanders (G.), 1687.
Sanderson (Lilian Passmore), 6231.
Sanderson (Neville), 6231.
Sanderson (Steven E.), 3656.
Sandgren (P.), 1103.
Sandiford (Keith), 526.
Sándor (Pál), 3545.
Sandos (James A.), 5368, 6563.
Sandoz (Ellis), 527.
Sandras de Courtilz (Gatien de), 4735.
Şandru (D.), 5486.
Sandy (D. Brent), 1769.

Sanie (Silviu), 1573.
Sankalia (H.D.), 6960.
Sansoni (Protaso), 2220.
Santamaria (Álvaro), 2079.
Santarelli (Enzo), 6221.
Santi (Paul), 7048.
Santossuosso (Amedeo), 3586.
Sanz Tapia (Angel), 3359.
Sapelli (Giulio), 3637.
Sapin (Christian), 2443.
Saporetti (C.), 1164.
Sappho, 1391, 1399.
Sapunov (B.V.), 4228.
Sargent (James E.), 3107.
Sárközi (István), 4354.
Sarlós (Béla), 3546.
Sarna (Jonathan D.), 4193, 5544.
Sarti (Roland), 4240.
Sartine (Antoine de), 5741.
Sartorius (Francis), 3360.
Sartre (Jean-Paul), 4519.
Sartre (Josiane), 871.
Šaskol'skij (I.P.), 795, 3164.
Sassatelli (Giuseppe), 1498.
Sassier (Yves), 2193.
Sasso (Gennaro), 333.
Sassoon (D.), 3633.
Sassoon (Siegfried), 4763.
Sater (William F.), 5431.
Satora (Kazimierz), 6783.
Sattler (Michael), 4156.
Saud, dynasty, 6920.
Saul (Nigel), 2292.
Saunders (H.W.), 6048.
Saunier (Annie), 2378.
Saurín de la Iglesia (María Rosa), 2902.
Sautel (Gérard), 749.
Sauvy (Alfred), 5017.
Sauzet (Robert), 5760.
Savage, family, 6071.
Savčenko (V.I.), 6737.
Savelli (Rodolfo), 6041.
Savickaja (R.M.), 5801.
Savina (Natalja V.), 5341.
Savoia, casa di, 2091, 3579.
Savon (H.), 1811.
Savonarola (Girolamo), 2123.
Sawyer (P.H.), 1988.
Say (Jean Baptiste), 5032.
Sayah (Mohamed), 6185.
Sayers (Dorothy S.), 4773.
Sayles (G.O.), 2032.
Scaramuzza (Emma), 5926.
Scarcia Piacentini (Paola), 17.
Scardigli (Barbara), 1527.
Schaefer (David Lewis), 4527.
Schaefer (P.), 1273.
Schaeffer (Robert K.), 5038.
Schaeper (Thomas J.), 5114.
Schaepmann (Antoinette), 6784.
Schafer (Judith Kelleher), 5761.
Schalk (Emily), 1088.
Schallenberg (Richard H.), 4664.
Scharnhorst (Gerhard Johann David v.), 6423.
Scheel (Heinrich), 2697.
Scheele (Martin), 4553.
Scheer (Friedrich-Karl), 2790.
Scheffers (A.A.), 399.
Scheibe (Friedrich Carl), 347.
Scheiber (Harry N.), 6000.
Schenke (Hans-Martin), 1763.
Scheuerman (Richard D.), 3108.
Scheufler (Vladimír), 5770.
Schieb (Gabriele), 129.

Schieder (Theodor), 2671.
Schieffer (Rudolf), 1969, 2501.
Schieffer (Theodor), 1966.
Schiek (S.), 1125.
Schiera (Pierangelo), 5983.
Schietzel (K.), 2612.
Schild (Romuald), 996.
Schildhauer (Johannes), 2242.
Schildt (Joachim), 127, 144.
Schiller (Dan), 4414.
Schiller (Gertryd), 203.
Schilling (Hartmut), 2672.
Schilling (Heinz), 2791.
Schilling (R.), 1701.
Schilpp (Paul Arthur), 4519.
Schindling (Anton), 6388.
Schirmer (Wulf), 1035.
Schiwy (Günther), 4022.
Schlaun (Johann Conrad), 4876.
Schlegel (Friedrich v.), 4529.
Schleich (Thomas), 4528.
Schleiermacher (Friedrich Daniel Ernst), 3911.
Schlenstedt (Silvia), 4220.
Schlesinger (Arthur L.) Jr., 431.
Schlesinger (Arthur M.) Jr., 5774.
Schlicher (Alfons), 6809.
Schlicht (Alfred), 6470.
Schlieben-Lange (Brigitte), 140.
Schlieben-Lange (Brigitte), 4355.
Schliemann (Heinrich), 371.
Schlosser (Hans), 2293.
Schlossman (Steven), 5762.
Schmal (Henk), 2673.
Schmaus (Michael), 882.
Schmetterer (Viktor), 1970.
Schmid (Irmtraut), 4723.
Schmid (Karl), 1971.
Schmidt (Albert J.), 5545.
Schmidt (Dorothea), 2792.
Schmidt (Ernst Günther), 408, 1376.
Schmidt (Gustav), 6564.
Schmidt (Heide-Irene), 6565.
Schmidt (Roland), 1003.
Schmidt (Wolff A. von), 4529.
Schmied-Kowarzik (Wolfdietrich), 574.
Schmitt (Charles B.), 2479, 4260.
Schmitt (Eberhard), 3349.
Schmitt (Louis), 6369.
Schmitt (Otto), 870.
Schmitt (Rüdiger), 145, 1280.
Schmitz (Gerhard), 1972.
Schmitz (Mark), 5251.
Schnakenbourg (Christian), 5252.
Schnapp-Gourbeillon (Annie), 1444.
Schneemelcher (Wilhelm), 1772.
Schneider (Helmuth), 195, 1643.
Schneider (Irene), 938.
Schneider (John C.), 6088.
Schneider (Jürgen), 6471.
Schneider (Martin), 2572.
Schneider (Max), 864.
Schnoor (Rainer), 3109.
Schnurrer (Ludwig), 2194.
Schölch (Alexander), 6927.
Schöllgen (Gregor), 6472.
Schön (Lennart), 5085.
Schönborn, v. Lothar Franz von Schönborn.

Schoenbrun (D.), 6785.
Schönherr (Margit), 6625.
Schöttle (Rainer), 4423.
Schofield (R.S.), 5560.
Schopenhauer (Arthur), 4476, 4517.
Schott (Edoardo), v. Desico.
Schramm (Gottfried), 184.
Schramma (Martijn), 897.
Schreiner (Klaus), 2294, 4356.
Schreiner (Rupert), 203.
Schremmer (Eckart), 5115.
Schröcker (Alfred), 2793.
Schroeder (Hans-Christoph), 324.
Schröder (Wilhelm Heinz), 477.
Schröder (Wolfgang), 5873.
Schuba (Ludwig), 4315.
Schubert (Frank N.), 3110.
Schubert (Jozef), 813.
Schulin (Ernst), 778.
Schulte (Dieter), 2794.
Schultenover (David G.), 4023.
Schulz (Günther), 4080.
Schulz (Jindřich), 173.
Schulz (Joachim), 6813.
Schulz (Klaus Dieter), 745.
Schulze (Gerhard), 2795.
Schulze (Hagen), 2796.
Schulze (Winfried), 5784.
Schulzinger (Robert D.), 6146.
Schumann (Wolfgang), 6596.
Schur (N.), 899.
Schurz (Carl), 3137.
Schutgens (A.), 1219.
Schuyler (Eugene), 6446.
Schwaab (Ute), 2379.
Schwab (George), 2674.
Schwab (Roland), 3361.
Schwaller (John Frederick), 4024.
Schwarcz (Katalin), 5487.
Schwartz (Anna J.), 5015.
Schwartz (Jacques), 1334.
Schwarz (Hans-Ulrich), 4357.
Schwarz (Jordan A.), 3111.
Schwarz (Reinhard), 2573.
Schwarz (Ted), 113.
Schwerin (K.), 2909.
Schwinges (Rainer Christoph), 2380.
Schwoerer (Lois G.), 3472.
Scilanga (Giuseppe), 400.
Scirocco (Alfonso), 625, 3634.
Scivoletto (Nino), 1642.
Scot (Jean-Paul), 6162.
Scot (John), v. Erigena (Johannes Scotus).
Scotellaro (Rocco), 284.
Scotland (Nigel), 5927.
Scott (Dred), 2990.
Scott (Samuel F.), 3362.
Scott (Simone), 3363.
Scott (Sir Walter), 4910.
Scott (William B.), 325.
Scott Green (William), 1274.
Scotus (Johannes), v. Erigena.
Scribner (R.W.), 4150.
Scruton (Roger), 4530.
Scull (Andrew T.), 4665.
Scullard (H.H.), 1702.
Sealy (Robert J.), 4261.
Seaman (Lewis Charles B.), 679.
Sear (David R.), 114.
Seaton (Beverly), 5432.
Seaton (Douglas P.), 5928.
Šebánek (Jindřich), 1911, 1973.

Sečenov (Ivan M.), 4622.
Secord (James A.), 4666.
Seddon (David), 5433.
Sedlák (Vincent), 1965.
Sedov (V.V.), 2228.
Sedova (M.V.), 2444.
Šedová (Věra), 2797.
Sedulius Scottus, 1906.
Seeber (Gustav), 2798.
Seegrün (Wolfgang), 1966.
Seeley (Sir John Robert), 293.
Seerveld (Calvin), 4904.
Segal (Erich), 1688.
Segalen (Martine), 5763, 5764.
Segall (Aryeh), 227.
Segre (Sandro), 746.
Séguenny (André), 4090.
Seibold (Gerhard), 5342.
Seibt (Ferdinand), 2126.
Seibt (Werner), 1821.
Seidel (Anna), 926.
Seidel (Jutta), 5929.
Seidel (Linda), 2445.
Seidenspinner (Wolfgang), 5765.
Seider (Richard), 18.
Seidman (Michael), 5930.
Selb (Walter), 921, 1594.
Selden (Anthony), 3473.
Selem (Petar), 1703.
Šelestov (D.K.), 528.
Séleucides, dynastie, 1255.
Seleukos IV Philopator, roi séleucide, 1548.
Selirand (Jüri), 1004.
Sellnow (Irmgard), 4667, 7106.
Selmeczi Kovács (Attila), 838.
Šelov (D.B.), 1574.
Šelov (D.V.), 115.
Selunskaja (N.B.), 5398.
Selunskaja (V.M.), 5395, 5434.
Semans (Cheryl A.), 1029.
Semeniščev (Ju. P.), 4668.
Semenjuk (N.N.), 126.
Semirjaga (M.I.), 6685.
Semple (Neil), 4151.
Senac (Philippe), 2152.
Seneca (Annaeus), 1659.
Seneca (Lucius Annaeus), 1664.
Senkowska-Gluck (Monika), 5435, 6418.
Senn (Alfred Erich), 6566.
Senn (Henry), 4262.
Senoner (R.), 1685.
Seoane (M.I.), 5976.
Septimius Severus (Lucius), empereur romain, 1571.
Serangeli (Flavia), 1089.
Seripão (Luis Benjamin), 4025.
Şerban (Constantin), 6419.
Şereghyová (Jana), 5116.
Şeremet'ev (I.K.), 5242.
Sereton (L. Glen.), 5931.
Sergeant (R.B.), 6931.
Sergeev (F.), 6883.
Sergeev (V.N.), 854.
Sergi (Giuseppe), 2003.
Seripando (Gerolamo), 3931.
Serle (Geoffrey), 2826.
Serrao (Feliciano), 1598.
Servais Soyez (B.), 204.
Servet (Jean-Michel), 116.
Serwański (Edward), 6626.
Sesboüé (Bernard), 4152.
Sesostris, legendary king of Egypt, 1379.
Sestan (Ernesto), 308.
Seton-Watson (Christopher), 388.
Seton-Watson (Hugh), 388.

Seton-Watson (R.W.), 388.
Settia (Aldo A.), 2613.
Settis (Salvatore), 1741.
Ševčenko (Ihor), 1896.
Severinus, Noricorum Apostolus, Sanctus, 1899.
Severn (John Kenneth), 6420.
Severus (Lucius Septimius), v. Septimius Severus.
Sevost'janov (G.N.), 2938.
Sevost'Janov (P.P.), 6686.
Seward (Desmond), 3364.
Sewell (William H.) Jr., 5932.
Seyfried (Karl-Joachim), 1221.
Seyssel (Claude de), 747.
Sforza, dinastia 2085, 2119, 2350.
Sforza (Ippolita Maria), sposa di Alfonso II, re di Napoli, 625.
Shafer (Boyd C.), 6147.
Shaftesbury (Anthony Ashley Cooper, 7th earl of), 5630.
Shahid (Irfan), 1888.
Shakespeare (William), 4706, 4718.
Shanabruch (Charles), 4026.
Shanahan (William O.), 431.
Shanahan (William G.), 2799.
Shankman (Arnold M.), 3112, 5253.
Shapin (Steven), 4531.
Shatzmiller (Joseph), 2492.
Shaw (Brent D.), 1367.
Shaw (Frank), 1940.
Shaw (George Bernard), 4837, 4989.
Shaw (Graham W.), 46.
Shaw (Peter), 6322.
Shaw (William), 7044.
Shedel (James), 4855.
Sheehan (James J.), 389, 2800.
Sheets-Pyenson (Susan), 4532.
Shek (B.-Z.), 4840.
Shells (W.J.), 3427.
Shelton (George), 5039.
Shelton (J.C.), 1332.
Shepherd (Simon), 4998.
Shepperson (George A.), 3113.
Sheridan (Eugene R.), 6323.
Sherman (William Tecumseh), 4406.
Sherraden (Michael W.), 3114.
Sherwood (Morgan), 3115.
Shestack (Alan), 4895.
Shewmaker (Kenneth E.), 3116.
Shi (David E.), 3117.
Shiels (Richard D.), 4153.
Shillony (Ben-Ami), 7040.
Shimoni (Gideon), 4194.
Shiner (John F.), 3118.
Shinn (Terry), 4358.
Shinnie (Peter L.), 1222.
Shklar (Judith N.), 4533.
Shlyapnikov (Alexander), 3809.
Shofner (Jerrell H.), 3119.
Short (K.R.M.), 4999.
Shostakovich, v. Šostakovič.
Showalter (Dennis E.), 2801.
Shraddhananda (Swami), 6949.
Shrewsbury (John Talbot, 1st earl of), 2131.
Siblewski (Klaus), 4826.
Siclier (Jacques), 5000.
Sidhu (Jagjit Singh), 6179.
Sidonius Apollinaris (Gaius Sollius Modestus), Sanctus, 1799.

Siebenhaar (K.), 954.
Siegel (Adrienne), 4827.
Siegel (Steven W.), 2909.
Sieradzka (Danuta), 3708.
Sigaut (François), 797.
Sigebert de Gembloux, 1976.
Siger de Brabant, 2465.
Sigismund, Könige v. Polen, v. Zygmunt.
Signorini (Rodolfo), 2127.
Sijpesteijn (Pieter J.), 1184, 1322.
Siklós (András), 6567.
Sikorski (Jerzy), 3680.
Sikorski (Władysław Eugeniusz), 3677, 3695, 3714, 6643.
Silard (Andrei), 529, 5933.
Silla (Lucius Cornelius), v. Sulla.
Silver (Thomas B.), 3120.
Silverberg (Paul), 2771.
Silverman (Robert A.), 6089.
Silvestri (Carlo), 3576.
Sim (Kathleen), 185.
Simakin (S.A.), 922.
Simek (Rudolf), 1967.
Simili (Raffaelle), 350.
Simion (Eugen), 4701.
Simkins (Charles), 5436.
Simmonds (J.C.), 6786.
Simmons (C.), 5076.
Simmons (Dennis E.), 3121.
Simmons (Ian), 1005.
Simon (E.), 1469.
Simon (Gerhard), 4154.
Simon (John Y.), 3122.
Simon (Lawrence H.), 530.
Simon (Marcel), 1775.
Simoncelli (Vittoria), 967.
Simonetta (Giovanni), 2350.
Simonetti (Manlio), 1766.
Simonides Keios, 1440.
Simpson (A.W.B.), 2195.
Simpson (C.J.), 1704.
Simpson (Tony), 6738.
Sims (John Merriman), 6180.
Sims-Williams (Nicholas), 1770.
Sinclair (Andrew), 5488.
Singer (Barnett), 3365.
SInger (Itamar), 1243.
Singerman (Robert), 4195.
Sinkovics (István), 3499.
Sinor (Denis), 6907.
Sipols (V. Ja.), 6887.
Sipos (Ferenc), 3547.
Sira (ben), v. Sirach.
Sirach, ben Sira, 1275.
Sirácky (Ján), 3788.
Siracusa (Joseph M.), 6687, 6884.
Siraisi (Nancy G.), 2381.
Sirat (Colette), 19.
Širendyb (B.), 6126.
Širokov (G.K.), 5254.
Sirotkin (V.G.), 6421.
Sisa (Béla), 872.
Sisinni (Francesco), 3619.
Sisler (Rebecca), 4263.
Sitárová (Zdenka), 766.
Sitting Bull, Sioux chief, 3073.
Sitwell (Edith), 4787, 4793.
Sitwell (N.H.H.), 1750.
Sivačev (N.V.), 3095, 3123.
Sivák (Florián), 3787.
Sivardus, bishop of Uppsala, 2566.
Sivéry (Gérard), 2295.
Sizonenko (A.I.), 6148.

Sjödell (Ulf), 531, 2128.
Sjöstrand (C.E.), 4888.
Skalníková (Olga), 5770.
Skansjö (S.), 1103.
Škarenkov (L.K.), 3868.
Skarsten (Trygve R.), 4155.
Skazkin (S.D.), 2016.
Sked (Alan), 2846.
Skeen (C. Edward), 3124.
Skelhorn (Sir Norman), 6050.
Skempton (A.W.), 4669.
Skidelsky (Robert), 2645.
Skjølsvold (Arne), 1115.
Škoda (Ján), 460.
Skodlarski (Janusz), 6885.
Skodvin (Magne), 6839.
Škorupová (Anna), XX.
Skorynina (E.A.), 991.
Skov (Torben), 2620.
Skowrońska (Anna), 348.
Skripnikova (L.V.), 6324.
Skrzypczak (Stanisław), 3692.
Skrzypek (Andrzej), 3709.
Skubała-Tokarska (Zofia), 935.
Skubiszewski (Piotr), 2394.
Skurnowicz (Joan S.), 3710.
Sládek (Oldřich), 6739.
Slagstad (Rune), 2676.
Slapnicka (Harry), 2829.
Slater (Catherine), 4828.
Slater (Samuel), 5266.
Slavko (T.I.), 532.
Sławski (Franciszek), 649.
Sledzevskij (Igor' Vasil'evič), 3659.
Slezák (Lubomír), 5437.
Sloan (Kay), 5001.
Sloboda (Daniel), 3779.
Słuczański (Edward), 6908.
Ślusarczyk (Jacek), 6688.
Small (Jocelyn Penny), 1504.
Smart (Véronica), 123.
Smeaton (John), 4669.
Šmelhaus (Vratislav), 2296.
Šmeral (Bohumír), 5848, 5896.
Šmerda (Milan), 5766.
Šmidt (S.O.), 516, 724.
Smiley (Gene), 5489.
Smiljanskaja (I.M.), 909.
Smirnova (A.I.), 117.
Smirnova (Valentina), 5934.
Smith (A. Mark), 4670.
Smith (Adam), 5016, 5026, 5037.
Smith (Bardwell L.), 875, 7035.
Smith (Billy G.), 5767.
Smith (Bonnie G.), 5768.
Smith (Bradley F.), 6103.
Smith (David M.), 924.
Smith (Harold), 3474, 5802.
Smith (Howard W.), 2983.
Smith (Laurence D.), 4242.
Smith (Myron J.) Jr., 3804.
Smith (Paul H.), 6244.
Smith (Roger), 6091.
Smith (Steven R.), 5255.
Smith (Woodruff), 2802.
Smits (Kathryn), 410.
Smock (Raymond W.), 2933.
Smólski (Władysław), 6632.
Smoldon (William L.), 2460.
Smyšljaev (A.L.), 1608.
Smyth (David), 1472.
Snell (Bruno), 1325.
Snellgrove (David Llewellyn), 7024.
Snider (Carlo), 4027.
Snyder (C. Arnold), 4156.

Snyder (Louis L.), 390, 431.
Snyder (Philip S.), 5726.
Sobczak (Kazimierz), 6740.
Sobieski, famille, 62.
Soboleva (N.A.), 78.
Soboul (Albert), 3366, 4028, 5728.
Sochacki (Zdsisław), 1090.
Söderlund (Rune), 4157.
Šofman (A.S.), 451.
Sognness (Kalle), 2614.
Soják (Vladimír), 6149.
Sokol (Hans Hugo), 2847.
Sokolov (A.G.), 4825.
Solari (Giovanna), 6360.
Solberg (Bergljot), 1116.
Soldani (Simonetta), 4359.
Solecki (Rose L.), 1057.
Soler García (José María), 1058.
Solier (Yves), 92.
Solin (Heikki), 1528.
Šolle (Miloš), 2033.
Šolle (Zdenko), 4671.
Sollertinsky (Dmitri), 5002.
Sollertinsky (Ludmilla), 5002.
Sollie (Finn), 6886.
Solovjev (Ju. I.), 4619.
Šoťa (Jan), 533.
Soltész (István), 3548.
Soltow (Lee), 4360, 5769.
Soly (Hugo), 5547.
Solymosi (László), 688.
Somkin (Fred), 3125.
Somlyai (Magda), 3549.
Somlyó (György), 4899.
Sommers (Richard J.), 3126.
Somogyi (Éva), 3550.
Sondheimer (E.), 4672.
Sonnichsen (C.L.), 309.
Sophilos, 1461.
Sopko (Július), 1974.
Sopocinskij (O.I.), 4905.
Sorel (Georges), 4543.
Sorge (Bartolomeo), 3981.
Sori (Ercole), 5117.
Sorrel (Christian), 3367.
Sosin (J.M.), 6325.
Sosnovskij (A.A.), 2863.
Sosson (J.-P.), 879.
Šostakovič (Dmitrij Dmitrievič), 5002.
Soterichos, 1182, 1311.
Sotgiu (Giovanna), 1529.
Sotropa (Valeriu), 755.
Soubeyroux-Delefortrie (Nicole), 5438.
Soucy (Robert), 3368.
Soulié (Frédéric), 4830.
Soumille (P.), 4029.
Sourdis (François de), cardinal, 4017.
Sournia (Jean-Charles), 3369.
Soustal (Peter), 186.
Souter (Gavin Geoffrey), 47.
Southern (Robert William), 432, 2385.
Souville (Georges), 994.
Sowell (Thomas), 3127.
Spadolini (Giovanni), 3630.
Spann (Edward K.), 5548.
Spartacus, 1630.
Spear (Percival), 6961.
Spear (T.), 6232.
Speck (William Arthur), 3475.
Specklin (Robert), 187.
Spector (Ronald), 6181.
Speer (Albert), 2701.

Spencer (I.R.G.), 5343.
Spencer (James), 3898.
Spencer (Thomas T.), 3128.
Sperati (Giorgio), 2263.
Sperber (Jonathan), 4030.
Spěváček (Jiří), 2129, 2297.
Špičák (Josef), 3763.
Spies (Hans-Bernd), 6402.
Špiesz (Anton), 5091.
Spill (J.M.), 5256.
Spinder (Marc R.), 4158.
Spindler (Konrad), 1006.
Spindler (Max), 4264.
Spinosa (Nicola), 4915.
Spinoza (Baruch), 4436, 4472.
Spira (György), 3551, 5439.
Spira (Thomas), 2677.
Spivak (Marcel), 4361.
Šplíchal (Karel), 6787.
Spree (Reinhard), 477.
Sprigath (Gabriele), 3371.
Spröte (Wolfgang), 6813.
Sprunt (Alexander), firm, 5313.
Spycket (Agnès), 1172.
Squibb (G.D.), 680.
Šrámek (Rudolf), 716.
Srogoň (Tomáš), 813.
Sršeň (Karel), 4409.
Stacey (C.P.), 6150.
Stache (Christa), 2803.
Stachiewicz (Piotr), 6788.
Stachuła (Adolf), 6741.
Stachura (Peter D.), 2804.
Stackelberg (Roderick), 2805.
Stade (Arne), 3753.
Stadelmann (Helge), 1275.
Stadler (Karl R.), 5953.
Staël (Germaine Necker, baronne de Staël-Holstein, dite Mme de), 4772.
Stafford (G.B.), 5118.
Stafleu (Frans Antonie), 4673.
Stage (Sarah), 4674.
Stagg (J.C.A.), 6422.
Stagl (Justin), 574.
Stalin (Iosip Vissarionovič, Džugašvili, dit), 3821, 3837, 3876, 6673, 6687.
Stan (Apostol), 6473.
Stanciu (Ion), 6438.
Stanczykiewicz (Eugeniusz), 6844.
Standen (Edith A.), 4924.
Stănescu (M.C.), 5936.
Stang (Håkon), 2034, 2080.
Stanjukovikh (M.V.), 591.
Stankiewicz (Witold), 5561.
Stano (Jiří), 4409.
Stapleton (Darwin H.), 4556.
Stark (Gary D.), 2806, 5771.
Starling (N.J.), 1043.
Starr (S. Frederick), 4878.
Starr (Stephen Z.), 3129.
Stary (Peter F.), 1117.
Šťastná (Jarmila), 5770.
Staszewski (Jacek), 6389, 6390.
Staufer, dynastie, 1985, 2059.
Stauffer (Richard), 4159.
Staupitz (Johann v.), 4160.
Stearns (Peter N.), 310.
Stech-Wheeler (T.), 1118.
Stecher (Anton), 1446.
Steckzén (Birger), 3754.
Steel (Ronald), 3130.
Ştefan cel Mare [Etienne le Grand], prince de Moldavie, 2439.
Ştefan (Alexandra), 1288.

Ştefan (I.M.), 840.
Stegmann (André), 747, 4708.
Stein (Stanley J.), 6326.
Stein (Steve), 3666.
Steinbach (Peter), 534.
Steinberg (Stephen), 5772.
Steindl (Harald), 5134.
Steiner (Gerd), 1244.
Steiner (Herbert), 6789.
Steinhardt (Laurence A.), 6684.
Steinkellner (Franz), 1977.
Steinmetz (David C.), 4160.
Steinson (Barbara J.), 4362.
Stelling-Michaud (Suzanne), 4326.
Stelter (Gilbert A.), 5495.
Stendhal (Henri Beyle, dit), 4783.
Stent (Angela), 6889.
Stenzel (Rüdiger), 2298.
Stephan (Cora), 5799.
Stephens (John Russell), 5003.
Stephens (Michael D.), 5273.
Stephenson (D. Grier) Jr., 5978.
Stephenson (Jill), 2807.
Sterkowicz (Stanisław), 6627.
Stern (Mark J.), 5681.
Stern (Steve J.), 6327.
Stevens (Edward), 4360.
Stevens (Ruth P.), 599.
Stevenson (David), 3476.
Stewart (Andrew), 1481.
Stewart (Larry), 4675.
Stiefel (Dieter), 2848.
Still (William N.) Jr., 5257.
Stilling (Niels Peter), 2163.
Stirling (Matthew W.), 433, 7086.
Stites (Francis N.), 3131.
Stivers (William), 6568.
Stjažkin (N.I.), 2468.
Stjernquist (B.), 1103.
Stoclet (Alain J.), 1976.
Stoecker (Erika), 354.
Stökl (Günther), 730.
Stoff (Michael B.), 6689.
Stokes (Durward T.), 5258.
Stokowski (Leopold), 4944, 4985.
Stollberg (Gunnar), 5937.
Stolypin (Pëtr Arkad'evič), 3875.
Stone (Bailey), 3372.
Stones (Daniel), 3712.
Stonor, family, 1941.
Storey (Graham), 4753.
Storing (Herbert J.), 2917.
Storoni Mazzolani (Lidia), 1575.
Stoss (Veit, v. Stwosz (Wit).
Stoumann (Ingrid), 2620.
Stourzh (Gerald), 2830.
Strabon, 1374.
Stradling (R.A.), 2903.
Strange (J.F.), 1774.
Stratton (Joanna L.), 5774.
Straus (Jean A.), 1644.
Strauss (David Friedrich), 4101.
Strauss (Herbert A.), 2909.
Strawson (John), 6742.
Strazzullo (Franco), 625.
Strecker (Georg), 1803.
Streisand (Joachim), 4243.
Stribrny (Wolfgang), 641.
Stricker (Frank), 5260.
Střída (Miroslav), 6948.
Striesow (Jan), 2808.

Strihan (Petre), 5970.
Strinati (Claudio), 2009.
Stringa (Paolo), 3613.
Strods (Hinrik), 3870.
Strömberg-Back (Kerstin), 5571.
Strohbach (Hermann), 947.
Strohm (Reinhard), 2461.
Strong (John), 875.
Strube (Wilhelm), 841.
Strüber (Lothar), 1789.
Struik (J. Eduard), 2299.
Struve (Tilman), 2481.
Struwe (Ruth), 7107.
Stryczyński (Michał), 3713.
Strzałkowski (Jacek), 118.
Strzelczyk (Jerzy), 1151, 2017, 2051.
Strzeszewski (Czesław), 3999.
Stuard (Susan Mosher), 2300.
Stuart, dynasty, 3433, 4235, 6003.
Stuart (John Leighton), 6812.
Stuart (Reginald C.), 6328.
Stubbs (John), 3446.
Stueck (William Whitney) Jr., 6890.
Stürmel (Marcel), 6790.
Stürzl (Erwin Anton), 4777.
Stwosz (Wit), 2422.
Stylianou (Andreas), 188.
Stylianou (Judith A.), 188.
Subera (Ignacy), 900.
Subtelny (Orest), 3871.
Sucheni-Grabowska (Anna), 6361.
Suchl (Jan), 5940.
Suchodolski (Bogdan), 835, 4534.
Suciu (Dumitru), 319.
Sue (Marie-Joseph, dit Eugène), 4830.
Sürenhagen (Dietrich), 1245.
Suero Roca (M. Teresa), 2904.
Suess (Hans E.), 999.
Süss (Herbert), 2277.
Sugár (István), 3552, 5440.
Sugar (Peter F.), 2679, 3553.
Sukhardina (S.V.), 806.
Sukhotina (L.G.), 5775.
Sulejmenov (B.S.), 3872.
Šul'govskij (A.F.), 6329.
Sulitková (Ludmila), 2196.
Sułkowska-Kurasiowa (Irena), 2130, 2502.
Sulla (Lucius Cornelius), 1580.
Šumberová (Ľudmila), 5949.
Summerville (C. John), 3940.
Sumner (William Graham), 739.
Sun (Yat-sen), 6989.
Sunderman (James F.), 6743.
Sundermann (Werner), 1770.
Sundin (Jan), 5549.
Sung, Chinese dynasty, 7003.
Suomela-Härmä (Elina), 2382.
Supple (James J.), 3373.
Suraj Mal, Maharaja, 6952.
Surchat (Pierre Louis), XIX.
Surgy (Albert de), 593.
Surh (Gerald D.), 5941.
Surikov (Vasilij), 4892.
Surrault (Jean-Pierre), 5776.
Surville (Jean de), 3900.
Šurygin (E.I.), 3854.
Susanna, personnage biblique, 1250.
Susbielle (général baron Bernard de), 6432.

Susbielle (général Bernard de), 6432.
Susini (Giancarlo), 424.
Susokolov (A.A.), 565.
Sutcliffe (Anthony), 5551.
Sutherland (C.H.V.), 119.
Sutherland (Daniel E.), 3132, 5777.
Sutherland (Donald W.), 2197.
Sutherland (N.M.), 3374.
Sutton (Donald), 7026.
Sutton (Geoffrey), 4676.
Sutton (J.E.G.), 7070.
Suvorov (Aleksandr Vasil'evič), 6410.
Svejda (Heinz), 1045.
Svencickaja (I.S.), 1804.
Sverdlov (M.B.), 594.
Šverma (Jan), 5940.
Svistunova (N.P.), 296.
Svobodová (Jiřina), 5770.
Swai (B.), 6234.
Swanson (Dorothy), 5803.
Sweeny (James O.), 120.
Sweet (William Warren), 4086.
Światło (Adam), 4363.
Swiderski (Richard M.), 4535.
Swiny (S.), 1092.
Swords (Liam), 4364.
Sydenham (M.J.), 535.
Sydow (Jürgen), 2809.
Syme (Ronald), 1576, 1705.
Szabó (Anna), 756.
Szabó (Erzsébet), 6569.
Szabó (Ervin), 5894.
Szabó (Imre), 6104.
Szádeczky-Kardoss (Samu), 1121.
Szafran (Przemysław), 5778.
Szakács (Kálmán), 5441.
Szakály (Ferenc), 3554.
Szaki (Jerzy), 4536.
Szamosközy (Istvan), 3499.
Szarzyńska (Krystyna), 1237.
Szasz (Ferenc M.), 3133.
Szatmári (Sarolta), 1152.
Szczepański (Jan), 3706.
Széchenyi (István), 3529, 5036.
Székely (György), 2446, 5120, 5728.
Szekeres (József), 5200.
Szemző (Béla), 5442.
Szendrey (István), 3495.
Sziklai (László), 4537.
Sziklay (László), 4392.
Szilárd (Béla), 4648.
Szirtes (I. János), 6892.
Szlechter (Emile), 1240.
Szőke (Béla Miklós), 1153.
Szostakowski (Stanisław), 3680.
Szporluk (Roman), 3790, 3873.
Sztafrowski (Edward), 925.
Szücs (Jenő), 626, 2302.
Szulkin (Michał), 6933.
Szweykowski (Zygmunt), 937.
Szydłowski (Piotr), 4031.
Szymanowski (Karol), 4946.

T

Tabaczyński (Stanisław), 2414.
Taborsky (Edward), 3791.
Tabory (Ephraim), 4196.
Taburet (Marjatta), 4925.
Tabuteau (Emily Zack), 2198.
Tacitus (Publius Cornelius), 1669, 1674.

Tadmir (Achim), 1230.
Taft (Philip), 5942.
Taft (Robert), 1890.
Taft (William Howard), 2942.
Taftă (Lucia), XVIII.
Tagliavini (Carlo), 157.
Tai (Ta Van), 6973.
Taillemitte (Etienne), 245.
Taine (Hippolyte Adolphe), 391.
Tait (W.J.), 1219.
Takács (Olga), 4812.
Talamanca (Mario), 1301.
Talamo (Giuseppe), 4278.
Talbot (Hugh), 2131.
Talbott (John), 6233.
Tallgren (Vappu), 2810.
Talmage (Frank), 3941.
Tamburrano (Giuseppe), 6806.
Tanaşoca (Anca), 3799.
T'ang, Chinese dynasty, 6975, 7002, 7013.
Tanguy Baum (Margarethe), 4830.
Tann (Jennifer), 5135.
Tannery (Paul), 392.
Tapié (Victor-Lucien), 3375.
Tapio-Penttilä (Eijaliisa), 4267.
Tăpkova-Zaimova (Vasilka), 2019.
Taranto (Diego), 2575.
Tardieu (Jean-Pierre), 5344.
Tarle (E.V.), 393.
Tarnovskij (K.N.), 5261.
Tarozzi (Gino), 4677.
Tarpino (Antonella), 63.
Tarr (Joel A.), 5552.
Tarr (Roger L.), 328.
Tašean (Jakowbos), 189.
Tate (C. Neal), 6001.
Tattersall (Jill), 190.
Tatton-Brown (Tim), 1007.
Tau Anzoategui (Victor), 6313.
Taylor (A.J.P.), 394.
Taylor (Graham D.), 5262.
Taylor (Joan J.), 1093.
Taylor (Marcia Whicker), 3060.
Taylor (Paul S.), 5443.
Taylor (Philip M.), 3477.
Taylor (Robert J.), 2913.
Taylor (Samuel S.), 5004.
Tazawa (Yutaka), 851.
Tażbierski (Zdzisław), 6391.
Tazbir (Janusz), 3942, 4161.
Tchaikovsky, v. Čaikovskij (Pëtr Il'ič),
Teague (Michael), 3134.
Tealdi (Jacques), 2405.
Tedebrand (Lars-Göran), 5549.
Tedeschi (Mario), 3573.
Tedin (Kent L.), 2989.
Tedlow (Richard S.), 3135.
Teilhard de Chardin (Pierre), 4022.
Teitge (Hans-Erich), 48.
Tellenbach (Gerd), 395.
Telschow (Kurt), 1289.
Temesi (Mihály), 148.
Témime (Emile), 2905.
Temimi (Abdeljelil), 6474.
Temin (Peter), 4678.
Temperley (Nicholas), 5005.
Temporini (Hildegard), 1533.
Temu (A.), 6234.
Tenenti (Alberto), 5490.
Tenfelde (Klaus), 5939, 5943.
Tennstedt (Florian), 2811.
Teodor (Pompiliu), 311, 3738.

Teply (Karl), 3724.
Terent'ev-Katanskij (A.P.), 49.
Terlecki (Olgierd), 3714.
Terraine (John), 6571.
Terranova (Antonino), 696.
Terrenoire (Louis), 3376.
Terzuolo (Eric R.), 6791.
Tertullianus (Quintus Septimius Florens), 1771.
Tessitore (Fulvio), 4538.
Testa (Emmanuele), 1276.
Testa (Gian Albino), 5491.
Testard (Maurice), 1776.
Tetricus (Gaius Pius Esuvius), usurpateur romain, 1560.
Thålin-Bergman (Lena), 2160.
Thackray (Arnold), 4642.
Thadden (Rudolf von), 2812.
Thaden (Edward C.), 3874.
Thelamon (Françoise), 1805.
Thelaus (Erik), 3754.
Thelin (Bengt), 4366.
Theoderich der Grosse, König d. Ostgoten, 2283.
Theodorescu (Răzvan), 2082.
Theodorus, Dux [Stratelates], Martyr Heracleae in Ponto, Sanctus, 1860.
Theodorus Studites, Sanctus, 1856.
Theodotus, Ep. Cyriniae in Cypro, Sanctus, 1860.
Theokritos, 1320.
Theseus, héro légendaire, 1385.
Thierfelder (Helmut), 1223.
Thiering (Barbara Elizabeth), 1277.
Thierry de Chartres, 2473.
Thiers (Adolphe), 3377.
Thiery (Árpád), 2615.
Thilmans (G.), 998.
Thinley (Karma), 7027.
Thirring (Gusztáv), 812.
Thirsk (Joan), 959.
Thobie (Jacques), 6572.
Thomas Aquinas, Sanctus, 1383, 2279, 2465, 2486.
Thomas Morus, Sanctus, 3436, 3972, 4032, 4241.
Thomas (Charles), 1806.
Thomas (E.E.), 6605.
Thomas (J.), 1689.
Thomas (Robert Murray), 771.
Thomas (Siegfried), 6893.
Thomas (Yan), 1609.
Thomas de Cantimpré, 1929.
Thombs (Robert), 3377.
Thompson (J.A.), 3478.
Thompson (Kenneth W.), 6894.
Thompson (Leonard), 2655, 6158.
Thompson (W.F.K.), 6397.
Thompson (Wesley E.), 1357.
Thoms (David William), 4367.
Thorne (Samuel E.), 434.
Thorner (Daniel), 435, 793.
Thornton (Henri), 5013.
Thourel (Marcel), 5812.
Throckmorton (Job), v. Marprelate (Martin).
Thür (Gerhard), 1364.
Thukydides, 1317, 1327, 1441.
Thunberg (Carl Peter), 7032.
Thyselius (Ingrid), 4368.
Tibenský (Ján), 715.
Tiberios II (Konstantinos), empereur de Byzance, 54.
Tiberius (Julius Caesar Augustus), empereur romain, 1508, 1575, 1576, 1591.
Tibullus (Albius), 1691, 1692.
Ticker (Jay), 4197.
Tiesler (Frank), 7108.
Tiercy (Jean-François), 4426.
Tigner (James L.), 5553.
Tihon (Anne), 1891.
Tikhonova (T.P.), 4539.
Tikhvinskij (S.L.), 6807.
Tilkovszky (Loránt), 3555, 6628.
Tillich (Paul), 4152.
Tillotson (John), 4103.
Tilly (Charles), 536, 5944.
Tllly (Louise A.), 5944.
Timár (László), 2447.
Timpanaro (Sebastiano), 1679.
Tingley (Donald F.), 3136.
Tinnefeld (Franz), 1824.
Tiškov (V.A.), 305, 2872.
Tissot (Roland), 4906.
Tisza (Istvan), 3520.
Tito (Josip Broz, dit), 3888.
Tits-Dieuaide (Marie-Jeanne), 2303.
Tjaželov (V.N.), 2395.
Tjutjulin (S.V.), 5945.
Tlapák (Josef), 5390.
Toaff (Ariel), 2141.
Tobey (Ronald C.), 4679.
Tobin (Richard), 1482.
Tobino (Mario), 2113.
Tocqueville (Charles Alexis Henri Clérel, baron de), 396, 3294.
Todd (Ian A.), 1008.
Todd (Malcolm), 1577.
Todd (William B.), 3391.
Toegel (Miroslav), 6347.
Tønnesson (Kåre), 5444.
Töpfer (Bernhard), 2576.
Török (Katalin), 5445.
Toews (John Edward), 4540.
Toit (Darcy Du), 5946.
Tokarev (P.A.), 6805.
Tokarev (S.A.), 590.
Tokmakoff (George), 3875.
Tokugawa, Japanese hist. period, 7037.
Tolkien (John Ronald Reuel), 4764.
Tollison (Robert D.), 5020.
Tolnai (György), 5263.
Toločko (P.P.), 988.
Tolstoj (Lev Nikolaevič), 4831.
Tolstoj (N.I.), 589.
Tolstoy (Nikolai), 3876.
Tomaszewski (Andrzej), 4244.
Tombs (Robert), 6475.
Tomczak (Andrzej), 244.
Tomicki (Jan), 3715, 5947.
Tomka (Péter), 1154.
Tomlinson (Jim), 5121.
Tommasi (Francesco), 2525.
Tommila (Päiviö), 5550.
Tomonari-Tuggle (M.J.), 7109.
Tončeva (Goranka), 1094.
Tonchais (Gilles), 1460.
Tondo (Salvatore), 1610.
Toniolo (Giuseppe), 4016.
Tonnessen (J.N.), 5264.
Tooke (Thomas), 5015.
Tooley (Michael), 1005.
Toplin (Robert Brent), 5779.
Topolski (Jerzy), 537, 706, 2304, 4369.
Topping (James), 4370.
Toprak (Binnaz), 3800.
Torbacke (Jarl), 4415.
Torelli (Mario), 1505.
Torelli (Pietro), 24.
Toro (Carlo del), 2881.
Toro Seduto, v. Sitting Bull.
Torrey (Glenn E.), 3723.
Torri (Michelguglielmo), 6934.
Torstendahl (Rolf), 538, 4371.
Tort (Patrick), 4680.
Tortarola (Edoardo), 6330.
Tortorella (Stefano), 1752.
Tortorelli (Gianfranco), 4245.
Tory (H.M.), 4292.
Torzecki (Ryszard), 6792.
Tóth (Ágnes), 2881.
Tóth (András), 4268.
Tóth (Béla), 264.
Tóth (Endre), 1578.
Tóth (Imre), 2537.
Tóth (Kálmán), 191.
Tóth (Melinda), 2448.
Tóth (Pál Péter), 3556.
Tóth (Sándor), 6362.
Tóth (Tibor), 682.
Touchais (Gilles), 1483.
Touhill (Blanche M.), 3479.
Toullelan (Pierre-Yves), 6342.
Touraille (Jacques), 1761.
Tournyer (Nicolas), 4433.
Tourtier-Bonazzi (Chantal de), 3175.
Tout (T.F.), 2199.
Towle (Philip), 6690.
Toye (John), 6962.
Toynbee (Arnold), 3491.
Trabant (Jürgen), 140, 3378.
Trachtenberg (Marc), 6537.
Tracy (James D.), 4033.
Traini (Renato), 251.
Traniello (Francesco), 3984.
Tranoy (Alain), 1579.
Trapl (Miloš), 173.
Trask (David F.), 6476.
Traunecker (Claude), 1224.
Trautmann (Wolfgang), 6331.
Travaini (Lucia), 2305.
Traveneaux (René), 4034.
Travis (Frederick F.), 6477.
Travzer (Clifford E.), 3108.
Treadgold (Warren T.), 1829.
Treasure (G.R.R.), 3379.
Trefort (Ágoston), 3532.
Trefousse (Hans L.), 3137.
Treitler (Leo), 2462.
Tremblay-Daviault (Christiane), 5006.
Trénard (Louis), 666, 4742.
Trennert (Robert A.) Jr., 3138.
Trescott (Martha Moore), 5265.
Třeštík (Dušan), 2035.
Tret'jakov (V.P.), 1060.
Treue (Wilhelm), 4681.
Trevelyan (Raleigh), 6744.
Trevor-Roper (Hugh R.), 539, 6363.
Trexler (Richard C.), 2306, 3638.
Tribe (Keith), 5861.
Tribout de Morembert (Henri), 658.
Trifonov (D.N.), 4683.
Trigg (Joseph W.), 1807.
Trigger (Bruce G.), 6332.
Trincanato (Egle R.), 3572.
Trithemius (Johannes), 2555.
Triulzi (Alessandro), 3159.
Trockij (Lev Davidovič Bronš-

tejn, dit), 3810, 3873, 5865.
Trofenik (Rudolf), 436.
Trogmayer (Ottó), 2617.
Trohani (George), 1155.
Troickaja (T.N.), 1113.
Trojanowiczowa (Zofia), 3705, 4832.
Troncarelli (Fabio), 2482.
Tron'ko (P.T.), 3836.
Troper (Michel), 6002.
Tropper (Peter G.), 356.
Trory (Ernie), 3557.
Trost (Franz), 1009.
Trotsky (Leon), v. Trockij (Lev Davidovič).
Trott zu Solz (Adam v.), 6773.
Troy (John Thomas), archbishop of Dublin, 4006.
Truchet (Sybil), 4720.
Trullinger (James Walker) Jr., 6974.
Truman (Harry S.), 2932, 6829, 6837.
Trunz (Erich), 4741.
Trutko (I.I.), 4967.
Tryjarski (Edward), 6910.
Trzeciakowski (Lech), 619, 6478.
Tschudi (Gilg), 3760.
Tubiana (Joseph), 3158.
Tucci (Ugo), 5122.
Tuchman (Barbara), 540.
Tucker (Barbara M.), 5266.
Tucker (Bruce), 4163.
Tucker (David M.), 3139.
Tucker (Josiah), 5039.
Tuczyński (Jan), 4833.
Tudor, dynasty, 3399, 3405, 6065.
Tudor (D.), 1611.
Tuggle (H. David), 7109.
Tuilier (André), 2200.
Tukhačevskij (Mikhajl Nikolaevič), 3812.
Tulard (Jean), 3176.
Tulepbaev (B.A.), 3877.
Tůma (Jiří), 5948.
Tunis (Barbara), 4682.
Túpac Amaru II (José Gabriel Condorcanqui), 5597.
Turati (Filippo), 5833.
Turčin (V.S.), 4907.
Turczel (Lajos), 4416.
Turczynski (Emanuel), 2109.
Turek (Rudolf), 2449.
Turgenev (Ivan S.), 4835.
Turkowska (Danuta), 1919.
Turner (Eric Gardner), 397, 1332, 1333, 1336, 1484.
Turner (Frank M.), 4246.
Turner (James), 5780.
Turner (Sharon A.), 2802.
Turowski (Konstanty), 3999.
Turrell (Rob), 6235.
Tursky (Heinz), 109.
Turtola (Martti), 6573.
Tusa (Sebastiano), 1306.
Tushnet (Mark V.), 6043.
Tuszyński (Bogdan), 4417.
Tutorow (Norman E.), 6426.
Tuttle (William M.) Jr., 5267.
Tuţu (Dumitru), 6574.
Tutzke (Dietrich), 815.
Twohig (Dorothy), 2924.
Twohig (Elizabeth Shee), 1061.
Tygiel (Jules), 5268.
Tygielski (Wojciech), 5745.
Tyloch (Witold Józef), 1278.

Tyrowicz (Marian), 4418.
Tyrrell (George), 3944, 4023.
Tyszkiewicz (Jan), 2618.
Tyszkiewicz (Teresa), 937.
Tzamblak (Gregorii), 4230.

U

Ucrain (Constantin), 3739.
Udal'cova (Z.V.), 1837, 2648.
Udolph (Jürgen), 2619.
Udovitch (A.L.), 798.
Ugolini (Romano), 748.
Ugoni (Mattia), 2475.
Uitz (Erika), 2307.
Ukhanova (I.N.), 4228.
Ukolova (V.I), 2483.
Ulam (Adam B.), 3878.
Ul'janovskij (R.A.), 6963.
Ullmann (Hans-Peter), 2725.
Ullmann (Walter), 1808.
Ulloa (Girolamo), 625.
Ulrich I., Herzog v. Württemberg, 4100.
Ulrich Säckler, Abt v. Ursberg, 2107.
Ultee (Maarten), 4058.
Ulunjan (A.A.), 648.
Umberto I, re d'Italia, 4210.
Underdown (David), 3480.
Unger (Josef), 865.
Unger (Richard W.), 2308.
Unterberger (Betty Miller), 6895.
Upton (Anthony F.), 3163.
Urbán (Aladár), 3558.
Urbán (Károly), 3559.
Urban (Ralf), 1358.
Urban (Wayne J.), 4372.
Urban (William), 2036.
Urbańczyk (Przemysław), 541.
Urbanik (Andrew A.), 6575.
Urbański (Edmund Stephen), 2680.
Urbanus V [Guillaume de Grimoard], Papa, 1944.
Uricoechea (Fernando), 2864.
Urofsky (Melvin I.), 3140, 4198.
Urquijo y Goitia (José Ramón de), 2906.
Ursu (D.P.), 225.
Uruszczak (Wacław), 3716, 5977.
Usczeck (Hansjürgen), 6423.
Usher (Roland G.), 4164.
Ussher (Robert G.), 1447.
Usson de Bonnac (Pierre Chrysostome d'), 6383.
Ustinov (V.A.), 5537.
Ustor (Endre), 6479.
Ustvedt (Yngvar), 3662.
Utilov (V.A.), 4967.
Utin (Nikolaj Isaakovič), 3696.
Utkin (A.I.), 4541.
Utrilla Miranda (Pilar), 1030.

V

Vaccarino (Giorgio), 6793.
Vacha (J.E.), 5007.
Vachet (André), 5562.
Vadon (Jacques), 6794.
Vaganov (F.M.), 3879.
Vagedes (Arnulf), 2503.
Vail (Leroy), 6236.

Vaisey (G. Douglas), 5804.
Vaïsse (Maurice), 6576.
Vaivre (Jean-Bernard de), 2450.
Válaszuti (György), 4165.
Vălčev (Veselin), 645.
Valentinus, haeresiarcha, 1798.
Valerianus, Roman aristocrat, 1793.
Valette (J.), 6151.
Valev (L.B.), 6106.
Valiani (Leo), 3639.
Valitutti (Salvatore), 3589.
Vallat (François), 1281.
Valsecchi (Franco), 3641, 6109.
Valtz Mannucci (Loretta), 3141.
Vámos (Éva), 4419.
Van Aken (Mark), 2885.
Van Belle (A.), 876.
Vancea (Zeno), 4957.
Vande Kemp (Hendrika), 4420.
Vandenabeele (Frida), 1466.
Vandenbossche (André), 749.
Van Den Broek (R.), 1456.
Vandenbroeke (Ch.), 5123.
Van der Dussen (W.J.), 332.
Van der Meer (Frédéric), 2451.
Vandermeersch (Bernard), 1031.
Van der Meulen (Jan), 205.
Van der Weijden (Gera), 598.
Vanderwood (Paul J.), 3657, 5781.
Vandoni (Mariangela), 398.
Van Eeden (Frederik Willem), 4574.
Van Eerde (Katherine S.), 50.
Van Gelder (H. Enno), 124, 399.
Vanger (Milton L.), 3884.
Vanini (J.-C.), 4502.
Vaniš (Jaroslav), 2309.
Vannoni (Gianni), 3945.
Van Ommeslaeghe (F.), 1813.
Van Reenen (Pieter Th.), 133.
Van Renterghem (Albert Willem), 4574.
Van Roon (Ger), 5083.
Van Schaïk (Remi), 2256.
Van Seters (John), 1279.
Van Sickle (John), 1690.
Van ter Meer (Wim), 864.
Vantini (Joseph), v. Yousouf.
Van West (Carroll), 3142.
Van Young (Eric), 6333.
Vanzetti (Bartolomeo), 3125.
Van Zwantwijk (Rudolf), 7090.
Vařeka (Josef), 5770.
Varga (F. János), 3560.
Varga (J. János), 3561.
Varga (Jenő), 5124.
Varga (József), 4639.
Varga (László), 5269.
Vargas (Getulio Dornellas), 2860.
Vargyai (Gyula), 6795.
Varholík (Juraj), 3845.
Várkonyi (Ágnes), R., 3562, 6392.
Varloot (Jean), 3184.
Varnucci (Marcello), 3642.
Varsik (Milan), 6745.
Vartanian (Aram), 4542.
Vartíková (Marta), 715.
Vasco Rocca (Sandra), 2009.
Vasile (Radu), 5555.
Vasil'ev (L.S.), 7025.
Vasil'ev (V.V.), 5125.
Vasil'evskij (R.S.), 378.
Vašků (Vladimír), 1973, 6044.

Vasselle (Pierre), 6746.
Vatin (Jean-Claude), 4181.
Vatinel (Denis), 4148.
Vauchez (André), 2532.
Vaughn (Sally N.), 2083.
Vázquez (Juan), 6262.
Vedaldi Iasbez (Vanna), 1580.
Vejmarn (B.V.), 861, 4905.
Velčev (Velčo), 4743.
Veliky (János), 4396.
Veliký (Mariáņ), 3792.
Vellacott (Jo), 3481.
Velmans (Tania), 2452.
Velsius (Justus), 4090.
Venceslaus IV, rex Bohemiae, v. Wenzel, deutscher König.
Vendryes (J.), 149.
Veneto (Vittorio), 3604.
Vennebusch (Joachim), 1979.
Venturi (Antonello), 5951.
Venturi (Franco), 364.
Verancsics (Antal), 3496.
Verbík (Antonín), 1980, 5270.
Verdi (Giuseppe), 4969.
Verdier (Philippe), 206.
Verdon (Jean), 2133.
Verdu (Alfonso), 934.
Veremans (J.), 1691.
Vergennes (Charles Gravier, comte de), 6330.
Vergilius Maro (Publius), 1516, 1533, 1689, 1692.
Vergoutstrate (Etienne), 1809.
Verhaeghe (F.), 957.
Vermaseren (M.J.), 1456, 1699.
Vermes (Gabor P.), 3895.
Vernet (Jacques), 6413, 6747.
Vernet (M.), 4721.
Vernon (Richard), 4543.
Versnell (H.S.), 1297.
Verucci (Guido), 3643.
Vervliet (Hendrick D.L.), 25.
Veselsky (Oskar), 4035.
Vesely (Jiri), 4789.
Vespasianus (Titus Flavius), empereur romain, 1532, 1567.
Veyne (Paul), 1457, 1612.
Vial (Jean), 821.
Vialetes d'Aignan, 4433.
Vian (Francis), 1310.
Viana (Manuel Nunes), 6319.
Viard (Georges), 3260.
Vico (Giambattista), 530, 4538.
Victoria, queen of Great Britain a. Ireland, 3400, 3426, 3468, 3469.
Vida (István), 3563.
Vida (Mária), 2536.
Vidal-Naquet (Pierre), 1448.
Vidalenc (Jean), 6748.
Vieillard-Baron (Jean-Louis), 4544.
Vieillard-Troïekouroff (May), 2440.
Vieira (Antonio), 3966.
Vigasin (A.A.), 6939.
Vigil (Ralph E.), 4070.
Vignono (Ilo), 1981.
Viguera (María Jésus), 2153.
Viguerie (Jean de), 3952, 5782.
Viktoria, deutsche Kaiserin, 3426.
Vilkov (O.N.), 5546.
Villa (Pancho), 6563.
Villa (Renzo), 542.
Villani (Pasquale), 3644.

Villard de Honnecourt, 2447.
Villari (Pasquale), 400.
Villars (Nicolas de Montfaucon, abbé de), 3980.
Villaseñor (Jorge Angulo), 7083.
Ville (Georges), 1645.
Viñas (Ángel), 6896.
Vincent (John R.), 3482.
Vincent (Madeleine), 4908.
Vincent de Beauvais, 2367.
Vincente-Burgoa (Lorenzo), 2484.
Vineis (Edoardo), 2616.
Viniczai (István), XII.
Vinogradov (Ju. G.), 1359.
Vinogradov (K.B.), 6163.
Vinogradov (V.B.), 2020.
Vinogradov (V.N.), 226, 607, 2813, 6480.
Vinogradova (L.V.), 6581.
Vinovskis (Maris A.), 5556.
Virágh (Ferenc), 5446.
Virány (Judit F.), 756.
Virgil, Virgile, v. Vergilius Maro (Publius).
Visconti, famiglia, 2006.
Visconti di Baratonia, famiglia, 63.
Vismara (Giulio), 2201.
Višváder (František), 6891.
Vitali (Daniele), 1485.
Vitelli (Girolamo), 404.
Vivarelli (Roberto), 2681, 3645.
Vivian (James F.), 6481.
Vjatkin (R.V.), 296.
Vlaemminck (Joseph-H.), 5345.
Vlamynck (Alain), 5783.
Vobr (Jaroslav), 263.
Voegelin (Eric), 401, 527.
Völker (Werner), 4081.
Vogelsberger (Alfred), 1045.
Vogler (Bernard), 2682, 5492.
Vogne (Marcel), 4421.
Vogt (E.), 952.
Voisé (Waldemar), 843, 935.
Vojtěch (Tomáš), 3793, 4545.
Volborth (Carl Alexander v.), 79.
Volkmann (Heinrich), 5939.
Volkonsky (prince Grégoire), 6430.
Volkov (F.G.), 4979.
Volkov (I.M.), 5425.
Vollrath (Hanna), 2310.
Voltaire (François Marie Arouet, dit), 4521, 4742.
Voogd (Ch. de), 6424.
Voronkova (S.V.), 544.
Vorovsky (Vatslav), 6566.
Voss (Stuart F.), 6334.
Voutey (Maurice), 6629.
Vovelle (Michel), 5785.
Vrbenský (Bohuslav), 5948.
Vrégille (Bernard de), 2578.
Vries (Johan A. de), 133.
Vroom (W.H.), 2311.
Vrubel' (Mikhail Aleksandrovič), 4892.
Vryonis (Speros) Jr., 1892.
Vucinich (Wayne S.), 437.
Vuillemin-Diem (Gudrun), 2533.
Vuorinen (Tuula), 4267.

W

Wachowiak (Bogdan), 5346.
Waddington (Patrick), 4835.

Wadl (Wilhelm), 2142.
Wagner (Joachim), 6092.
Wagner (Richard), 4991.
Wahl (Rainer), 5997.
Waitz (Georg), 634.
Wajda (Kazimierz), 5786.
Walbank (F.W.), 1360.
Walczak (Marian), 4373.
Waldegrave (Robert), 50.
Walder (Dennis), 4836.
Waldo (Holly), 875.
Waldron (Kathy), 5447.
Waldrown (J.J.), 4546.
Walendowska-Garczarczyk (Anna), 6630.
Walichnowski (Tadeusz), 246.
Walker (David), 5952.
Walker (J. Samuel), 6121, 6897.
Walker (Lawrence D.), 325.
Walker (Mack), 2814.
Wall (Donald D.), 4167.
Wallace (George C.), 2958.
Wallace (peter), 5493.
Wallace-Hadrill (J.M.), 2385.
Waller (John Lewis), 3155.
Waller (Philip), 3483.
Wallerstein (Immanuel), 5126.
Wallon (Armand), 5787.
Walpole (Robert), v. Orford (Robert Walpole, 1st earl of).
Walras (Léon), 5027, 5032.
Walsh (John), 1361.
Walsh (Katherine), 2577.
Walsh (Margaret), 3143.
Walsh (Richard J.), 1988.
Walsh (Victor A.), 3144.
Walter, archdeacon of London, 1902.
Walter (Jürgen), 2815.
Walther von der Vogelweide, 2383.
Walvin (James), 5295.
Walz (Gotthilf), 6237.
Walz (Herbert), 877.
Wandersee (Winifred D.), 5788.
Wandruszka (Adam), 6109.
Wang Lun, 7018.
Waquet (Françoise), 4422, 5789.
Ward (Graeme), 7103.
Ward (James A.), 5271.
Ward (James F.), 4684.
Ward (James J.), 2816.
Ward (W. Peter), 5790.
Ward (Wilfred), 3944.
Ward-Perkins (Bryan), 2430.
Ward-Perkins (John B.), 1753.
Ware (Susan), 3145.
Waridel (Brigitte), 4426.
Warner (Marina), 2134.
Warner (Philip), 6750.
Wartelle (André), 1539.
Wartelle (Jean-Claude), 3380.
Waryński (Ludwik), 3698.
Washington (Booker T.), 2933.
Washington (George), 2924, 6315.
Wataghin (G.), 1717.
Waterhouse (Ellis), 4909.
Wathelet (P.), 1449.
Watson (Adam), 275.
Watson (Alan), 6093.
Watson (Harry L.), 3146.
Watson (John B.), 4663.
Watson (John Crittenden), 6445.
Watt (James), 5135.

Watteau (Antoine), 4904.
Watts (Eugene J.), 6094.
Wattson (Paul), 4004.
Weaver (Mary Jo), 3944.
Webb (Eugene), 401.
Webb (Lillian Ashcraft), 4168.
Weber (Christoph), 3965.
Weber (Eugen), 3381, 4703.
Weber (Hermann), 2683.
Weber (Max), 402, 4254.
Webster (Charles), 4685.
Webster (Daniel), 2947, 3116.
Webster (Graham), 1581.
Webster (Jill R.), 2526.
Webster (John) [1610-1682], 4623.
Wedin (Folke), 3743.
Weeks (Jeffrey), 5791.
Wegert (Karl H.), 2817.
Wehlens (A.), 4744.
Weibull (Lauritz Ulrik Absalon), 538.
Weidenholzer (Josef), 5953.
Weierstrass (Karl Theodor Wilhelm), 4645.
Weigley (Russell F.), 6751.
Weijers (Olga), 1962.
Weiker (Walter F.), 3801.
Weiler (Peter), 6898.
Weill (Georges), 6046.
Weimar (Peter), 2371.
Weinberg (Gerhard L.), 6691.
Weingartner (Fannia), 4465.
Weinstein (Edwin A.), 3147.
Weis (Eberhard), 2684.
Weisenfeld (Ernst), 3382.
Weiss (Janice), 4374.
Weiss (Sabine), 3954.
Weiss (Thomas), 5141.
Weissbecker (Manfred), 2776.
Weissman (Neil B.), 3880.
Weitzmann (Kurt), 1484, 1893.
Welch (Holmes), 926.
Welcker (Karl Theodor), 4423.
Wellesley (Richard Colley Wellesley, marquess), 6420.
Wellington (Arthur Wellesley, 1st duke of), 6409.
Wellmann (Imre), 5557.
Wellner (Gabriele), 5792.
Wells (Peter), 1119.
Wells (Ronald A.), 4424.
Welskopf (Elisabeth Charlotte), 147.
Wemple (Suzanne Fonay), 2312.
Wende (Frank), 2656.
Wendorf (Fred), 996.
Wenham (Jane), 3434.
Wenke (Robert J.), 1283.
Wenninger (Markus Johannes), 2143.
Wenzel, deutscher König, König v. Böhmen, 1964.
Werbőczi (István), 3519.
Werner (Ernst), 2021, 2579.
Werner (George S.), 5272.
Werner (Karl Ferdinand), 476.
Wertime (T.A.), 1101.
Wessel (Ingrid), 6970.
West (Martin L.), 1337.
West (Nigel), 3484.
West (William C.), II.
Westcott (N.J.), 6238.
Westfall (Richard S.), 4686.
Westman (Karl Gustaf), 3742.
Westman (Knut Bernhard), 403.
Westoby (Adam), 5954.

Weston (Corinne Comstock), 6003.
Wetmore (Karin), 4687.
Weydt (Harald), 140.
Wężyk (Jan), 900.
Whately (Richard), archbishop of Dublin, 3928, 4085, 4492.
Wheeler (Stanton), 5755.
Whelan (Frederick G.), 4547.
Whetstone (Anne), 6047.
Whichcote (Benjamin), 4109.
Whiffen (Marcus), 4879.
Whimster (Rowan), 1120.
Whitcomb (Donald), 1225.
White (Arthur O.), 4305.
White (Dan S.), 5955.
White (Donald), 1229.
White (Edward Douglass), 3021.
White (Eugene Nelson), 5494.
Whyte (I.D.), 192.
White (Jeremy), 6239.
Whyte (K.A.), 192.
White (Landeg), 6236.
Whitelock (Dorothy), 1914, 1983.
Whitmore (R.L.), 5274.
Whiting (Kenneth R.), 3804.
Whynot (Chris), 5009.
Wiberg (Anders), 4089.
Wichmann (Siegfried), 4857.
Wickens (P.L.), 799.
Wickham (Glynne), 955.
Wicki (Josef), 4071.
Wickman (Kurt), 3881.
Wido, auctor Epistolae Widonis, 1928.
Wiedmann (T.E.J.), 1302.
Wiehl (Reiner), 4438.
Wielowiejski (Jerzy), 992.
Wiener (Martin J.), 5275.
Wiese (Renate), 631.
Wieseltier (Leon), 409.
Wiesflecker (Hermann), 6364.
Wieshöfer (Josef), 1284, 1287.
Wiesiołowski (Jacek), 2313.
Wiesmüller (Wolfgang), 4829.
Wiestrand Schiebe (Marianne), 1692.
Wik (Reynold M.), 5448.
Wilamowitz-Moellendorff (Ulrich v.), 404.
Wild (Robert A.), 1226.
Wildung (Dietrich), 1010.
Wilhelm II., deutscher Kaiser, 2723, 2744, 2782, 6472.
Wilhelm (Hans-Heinrich), 6715, 6752.
Wilhelmine, Markgräfin v. Bayreuth, 2815.
Wilke (Manfred), 5811.
Wilkins (John), 4109.
Wilkinson (James D.), 6796.
Wilkinson (John), 1897.
Willbold (Franz), 6425.
Williams (Aubrey Willis), 3106.
Williams (B.R.), 6340.
Williams (David), 3148.
Williams (David B.), 4169.
Williams (Frederick D.), 2922.
Williams (Guy), 4688.
Williams (Jeffrey C.), 3149.
Williams (Karel), 3486.
Williams (Loretta J.), 5793.
Williams (Maurice), 2850.
Williams (R.J.), 1227.
Williams (R.L.), 4170.
Williams (T. Harry), 3150.
Williams (Trevor I.), 5276.

Williams (William Appleman), 545.
Williams-Wood (Cyril), 4926.
Williamson (Adam), 3398.
Williamson (Jeffrey G.), 5128.
Williamson (Joel), 5558.
Wills (Antoinette), 6095.
Wills (Garry), 3151.
Wilson (Charles Reagan), 3152.
Wilson (Clyde N.), 2914.
Wilson (Colin), 4837.
Wilson (Derek), 3487.
Wilson (Douglas L.), 5449.
Wilson (Gary E.), 6393.
Wilson (Nigel), 20.
Wilson (Stephen), 3383, 5794.
Wilson (Woodrow), 2934, 2972, 3000, 3147, 6563.
Wilt (Alan F.), 6753.
Wiltgen (Ralph M.), 4072.
Wimmer (Jan), 3699.
Wimshurst (Kerry), 4375.
Winance (Eleuthère), 2485.
Winberg (Christer), 5450.
Windisch (Aladárné), XII.
Windthorst (Ludwig), 2705.
Wines (Richard A.), 5451.
Winfrey (John C.), 4548.
Winge (Harald), 3660.
Winkler (Gerhard), 5956.
Winnicki (J.K.), 1219.
Winston (Henry), 5903.
Winter (Eduard), 405, 6365.
Winter (Erich), 605.
Winter (Jörg), 3945.
Winterhager (Friedrich), 2818.
Winters (Kenneth), 4953.
Winters (L. Alan), 5347.
Winthrop (Delba), 396.
Winton (John), 6577.
Wippel (John F.), 2486.
Wirth (J.), 4171.
Wirth (Karl-August), 870.
Wischer (E.), 954.
Wiseman (T.P.), 546.
Wisłocki (Jerzy), 4036.
Wismes (Armel de), 5795.
Wisner (Henryk), 6394.
Wistrand (Erik), 1582.
Withers (Frederick Clarke), 4871.
Witkiewicz (Stanisław Ignacy), 4434.
Wittelsbacher, Dynastie, 2031, 2654, 2684, 3750.
Wittgenstein (Karl), 4466, 4530, 4550, 5147.
Wittgenstein (Wilhelm Ludwig Georg, Fürst von), 2719.
Wittlich (Petr), 3783.
Władysław II Jagiello, roi de Pologne, 2130.
Władysław III, roi de Pologne, 2092.
Władysław IV Waza, roi de Pologne, 6359.
Wodehouse (Pelham Grenville), 4794.
Wofford (Harris), 2685.
Wohlgemuthová (Renata), 3384.
Wojciak (Jerzy), 3717.
Wojnar (Irena), 4534.
Wojtkowski (Andrzej), 3690.
Wojtowytsch (Myron), 1810.
Wokeck (Marianne), 5559.
Woldan (Erich), 193.
Wolf (Alois), 2384.
Wolfe (Christopher), 3153.

Wolfenstein (Eugene Victor), 3154.
Wolff (Christian), 4659.
Wolff (Hartmut), 1613.
Wolff (Otto), 6537.
Wolff (Philippe), 2037.
Wolff (Thomas), 6900.
Wolffe (Bertram), 2135.
Wolny (Antoni), 6754.
Wolsey (Thomas), cardinal, 3948, 6353.
Wolski (Józef), 406, 1285.
Wolter (Heinz), 2798, 6482.
Wood (Allen W.), 4549.
Wood (Charles L.), 5277.
Wood (Charles T.), 2487.
Wood (David L.), 5452.
Wood (Susan), 1754.
Woods (Randall Bennett), 3155.
Woodward (C. Vann), 2915.
Wooley (C.L.), 1171.
Woolf(Stuart J.), 2686.
Wordsworth (Dorothy), 4795.
Wormald (Jenny), 681.
Worp (K.A.), 1816.
Worsley (Roger), 2409.
Worthington (B.A.), 4550.
Woś (Jan), 6608.
Woś (Jan Władysław), 1984.
Wozniak (Frank E.), 1583.
Woźniak (Zbigniew), 5348.
Wright (Beth Segal), 4910.
Wright (Gwendolyn), 5796.
Wright (Henry Clarke), 3089.
Wright (J. Leitch) Jr., 3156.
Wright (J.V.), 7091.
Wright (Tim), 6977.
Wrigley (Christopher J.), 394.
Wrigley (E.A.), 5560.
Wu (Tzu-hsü), Chinese hero, 6998.
Wu-feng, family, 7015.
Wülfing (P.), 1450.
Wünsche (Harry), 6813.
Wünsche (Rosemarie), 636.
Wunderli (Richard M.), 3943.
Wurm (Clemens A.), 5349.
Wurtzbacher-Rundholz (Ingrid), 2819.
Wycliffe (John), 2576.
Wyczawski (Hieronim Eugeniusz), 923, 4057.
Wyglenda (Ewa), 3667.
Wylie (Raymond F.), 7029.
Wyllie (John), 4902.
Wyllie (W.L.), 4902.
Wymer (J.J.), 1032.
Wynn (Graeme), 194.
Wyrobisz (Andrzej), 5129.
Wyszcelski (Lech), 5957.
Wyszyński (Stefan), 3999.

X

X (Malcolm), v. Malcolm X.
Xella (Paolo), 1173.
Xenopol (A.D.), 407.

Y

Yagi (Viviane Amina), 554.
Yahya (D.), 7071.
Yakar (Jak), 1095.
Yale (D.E.C.), 6096.
Yamani, usurper of Ashdod, 1262.
Yamazaki (Kazuhiro), 599.
Yang (Hsüan-chih), 6997.
Yang (Sung Chul), 7045.
Yapp (Brunsdon), 2453.
Yarbrough (Tinsley E.), 3157.
Yardeni (Myriam), 671, 3385, 4037.
Yeager (Gertrude Matyoka), 320.
Yeager (Mary), 5278.
Yeats (William Butler), 4984.
Yellowitz (Irwin), 5958.
Yeo (Eileen), 5797.
Yeo (Stephen), 5797.
Yerma (Gabriel de), 6287.
Ylvisakar (Marguerite), 7072.
Yogananda (Paramhansa), 6944.
Yorke (Malcolm), 4911.
Yost (John K.), 4172.
Young (David), 4551.
Young (James Harvey), 4689.
Young (Kenneth), 3395.
Young (Percy Marshall), 4929.
Young (Robert J.), 3386.
Yousouf (Joseph Vantini, dit), général, 6212.
Youtie (Herbert C.), 1185.
Youtie (Louise C.), 1185.
Ypres (John Denton Pinkstone French, 1st earl of), 3440, 6540.
Ytalián, mercader genovés, 2260.
Yü (Chün-fang), 7030.
Yui (J.), 5074.
Yuzyk (Paul), 4082.

Z

Zaborov (M.A.), 5959.
Zaccaria (Claudio), 1646.
Zachar (József), 2851.
Zachrisson (Inger), 2160.
Zádor (Anna), 4880.
Zăgănescu (Florin), 5185.
Zaghini (F.), 4021.
Zagladin (N.V.), 6152.
Zagladin (V.V.), 3843, 5950.
Zahrnt (Michael), 1289.
Zając (Miriam), 4059.
Zajbert (V.F.), 1033.
Zajceva (E.A.), 3854.
Zajda (Aleksander), 150.
Zajewski (Władysław), 3719.
Zajončkovskij (P.A.), 3805.
Zak (L.M.), 4248.
Zakharov (J.Z.), 3854.
Zaldumbide (Gonzalo), 6536.
Zaller (Robert), 3408.
Załuski (Andrzej Stanisław), 256.
Załuski (Józef Andrzej), 256.
Zamagni (Vera), 5130.
Zamojski (Jan), 6631, 6755.
Zanetto (Giuseppe), 1398.
Zanotti (David G.), 1096.
Zanzi (Giovanni), 3598.
Zapater Equioiz (Horacio), 6335.
Zaporožskaja (V.D.), 991.
Zapponi (Niccolò), 4552.
Žarnovskij (Ja.), 2642.
Żarnowska (Anna), 5960.
Zarodov (K.I.), 3882.
Żaroń (Piotr), 6756.
Zarzycki (Edmund), 6633.
Zaslow (Morris), 158.
Zasurskij (Ja. N.), 4699.
Zauzich (Karl-Theodor), 1202.
Zawadzki (Stefan), 1241.
Żeberek (Gerard), 5961.
Zecchini (Giuseppe), 1693.
Zeeden (Ernst Walter), 2687.
Zeil (Wilhelm), 312.
Zeitler (Rudolf), 218.
Zeldin (Theodore), 3387.
Zelenák (Štefan), 6891.
Żelewski (Roman), XVII.
Zellschütz (Catherine), 4090.
Żelnov (M.V.), 936.
Żelokhovcev (A.N.), 956.
Zelzer (Michaela), 21.
Žemlička (Josef), 2621.
Zemmal (Françoise), 564.
Zemskov (I.N.), 6810, 6811.
Zenon, fonctionnaire de l'Egypte anc., 1219.
Zenon Eleates, 1403.
Żerbin (A.S.), 3164.
Zerker (Sally F.), 5962.
Zernack (Klaus), 3755, 6395.
Zerner-Chardavoine (Monique), 2314.
Zetkin (Clara), 5817.
Zguta (Russell), 2580.
Zięba (Ryszard), 6901.
Ziegler (Walter), 2315.
Zieliński (Władysław), 3720.
Zieliński (Zygmunt), 3721.
Zieme (Peter), 6935.
Zientara (Benedykt), 2022, 2316.
Zieseniss (Charles-Otto), 3388.
Zlff (Larzer), 4249.
Žigalov (I.I.), 2650, 6902.
Žilin (P.A.), 6727.
Zimányi (Vera), 5131, 5350, 5453.
Zimmermann (Albert), 2533.
Zimmermann (Harald), 2504.
Zimmermann (Marie), 657, 2688.
Zingerle (Arnold), 402.
Zinser (Ervin Petrovič), 3838.
Zinsmaier (Paul), 1985.
Zinsou (Jean-Vincent), 6240.
Žirmunskij (V.M.), 4704.
Zischka (Gert A.), 4745.
Zitz-Halein (Kathinka), 2820.
Zöllner (Norbert), 4484.
Zola (Emile), 4814, 4822.
Zolberg (Aristide R.), 629.
Zotova (Julija Nikolaevna), 3659.
Zombori (István), 2617.
Zonhoven (L.M.J.), 1174.
Zorita (Alonso de), 4070.
Zrinyi, famille, 5453.
Zrinyi (Miklós), 4694.
Zsiga (László), 5807.
Zsigmond (László), 547.
Zsindely (Endre), 4173.
Zub (Alexandru), 407.
Zucàro (Domenico), 6806.
Zucker (Friedrich), 408.
Zucker (Stanley), 2820.
Zuckerman (Charles), 2505.
Žudel (Juraj), 718.
Zürrer (Werner), 6578.
Žukov (E.M.), 5747.
Zunkel (Friedrich), 5132.
Zunz (Leopold), 409.
Zurndorfer (Harriet T.), 7031.
Zvada (Ján), 5963.
Žvanija (G.), 3883.

Zwahr (Hartmut), 5798.
Zwierzchowski (Eugeniusz), 3722.
Zwingli (Huldrych), 4125.
Zygmunt II August, roi de Pologne, 6361.
Zygmunt III Waza, roi de Pologne, 3675, 3700.
Zylbergerg-Hocquard (Marie-Hélène), 4838, 5964.
Żytkowicz (Leonid), 5454.

ÍNDICE GEOGRÁFICO

A

Aachen (Nordrhein-Westfalen, BRD), 2267.
Århus (Denmark), Viking congress, 2161.
Abdera (Grèce), 1340.
Acadie (rég., Canada), 2873, 3924, 6253, 6314.
Addis Ababa (Ethiopia), 6468.
Aden (Rép. démocrat. et pop. du Yémen), 6173.
Adriatique (mer), 6457.
Aegina (Grèce), 1346.
Afghanistan, 2689, 2690, 6909.
Afrique, 193, 225, 411, 419, 557, 592, 624, 628, 799, 994, 1752, 2204, 2623, 2639, 2647, 2672, 2786, 3113, 5295, 5310, 5524, 6124, 6131, 6702, 6712, 6803, 6814, 6828, 6830. - A. anglophone, 4801. - A. byzantine, 1820-1887. - A. coloniale, 6182-6240. - A. de l'Est, 592, 986, 3158, 4187, 6229, 6238, 7056. - A. de l'Ouest, 3925. - A. du Nord, 233, 1286, 4191, 6192, 6755. - A. du Sud, 592, 2655, 4194, 6158. - A. du Sud-Est, 6210. - A. francophone, 4801. - A. précoloniale, 7046-7072. - A. proconsulaire, 1736. - A. romaine, 1564, 1631, 1641. - A. subsaharienne, 137, 548, 6864. - A. tropicale, 5065.
Afro-Americans, v. Noirs d'Amérique, s.v. Noirs.
Agadir (Maroc), 6546.
Agde (Hérault, France), 1109.
Agen (Lot-et-Garonne, France), 3347. - Soc. acad., 4256.
Ahaggar (massif montagneux, Algérie), 1009.
Aigues, Pays d' (Vaucluse, France), 860.
Aiurua (vallée, Tahiti), 7100.
Aix-en-Provence (Bouches-du Rhône, France), 3985, 6017. - Parlement, 3290.
Alabama (state, U.S.A.), 3071, 3157, 5216, 5942.
Alamannen, v. Alemannen.
Alameda (co., Calif., U.S.A.), 6063.
Alamein, v. El Alamein.
Alaska (state, U.S.A.), 3115, 5217.
Albani, colli (Italia), 696.
Albania, Albanie, v. Shqipria.

Albany (N.Y., U.S.A.), 6305.
Alemannen (german. Volk), 2048.
Alexandria, Iskanderija (Egypte) 605, 1211, 1567, 1845.
Alexandria (Va., U.S.A.), 5106.
Alfonsine (Emilia-Romagna, Italia), 3598.
Alger (Algérie), Régence, 7047.
Algérie, 1009, 3178, 5197, 5601, 6233, 6474, 6824. - A. française, 6182, 6187.
Alpes, 1534, 2609, 6709. - A. occid., 974. - Ostalpenraum, 1097.
Alsace (rég., France), 860, 2509, 3165, 3350, 3361, 5059, 6046, 6790.
Altaï (massif montagneux, Asie centrale), Pétroglyphes, 991.
Altdorf (Bayern, BRD), Akademie, 2737.
Amaler (ostgot. Königsgeschlecht), 2041.
Amazone (fleuve), 2862.
American Indians, v. Indiens d'Amérique.
Amérique, 557, 592, 2663, 2664, 3905, 5137, 5295, 5299, 5324, 6020. - A. centrle, 592, 7073, 7076. - A. coloniale, 6241-6335. - A. du Nord, 597, 2655, 4424, 4459, 4571, 5287, 6158, 6255. - A. du Sud, 567, 6349, 6659. - A. espagnole, 262, 5334, 5542, 5579, 6273, 6288, 6307, 6471. - A. française, 6242. - A. latine, 592, 2653, 2672, 2680, 3946, 3950, 4066, 4258, 5064, 5242, 5291, 5553, 6148, 6329, 6656. - A. précoloniale, 7073-7091.
Amiens (Somme, France), 6746.
Amritsar (Punjab, India), Massacre [1919], 6170.
Anatolia (rég., Turquie), 1008, 1095, 1170, 1243, 1244, 1338.
Andalucía (reg., España), 2326.
Andreas-Kastros (cap, Chypre), 1047.
Andrinople, v. Edirne.
Angeln (Landschaft, BRD), 1114.
Angers (Maine-et-Loire, France), 3266. - Diocèse, 659.
Angkor (Cambodge), 6967.
Angles (people), 426.
Anglo-Americans, 2680.

Anglo-Normans, 2075, 2083, 2253. - Cf. Normannen.
Anglo-Saxons, 172, 2005, 2038. 2039, 2082, 2336, 2404, 6433.
Angola, 6197, 6814.
Anjou (rég., France), 2355, 3197, 5644.
Ankara (Turquie), Bataille [1402], 1835.
Antarctica (continent), 592.
Antibes (Alpes-Maritimes, France), 5588. - Anse St. Roch, 92.
Antilles (archipel et mer), Caribbean, 5299, 6140, 6290. - Cf. British West Indies, West Indies.
Antinoe, Antinoopolis (Egypte anc.), 132.
Antwerpen, Anvers (Belgique), 5547.
Appennini (monti, Italia), 4240.
Appomatox (Va., U.S.A.), 2976. - Surrender [1865], 3129.
Aquila (Abruzzi e Molise, Italia), 625.
Aquitaine (rég., France), 1746, 2050, 2445.
Arabie, Arabes, 82, 87, 251, 606, 615, 789, 1557, 1880, 1887, 2275, 2627, 2646, 2670, 4539, 6821, 6865, 6878, 6912, 6918, 6919, 6926, 6931, 7046. - A. du Sud, 122. - Golf d'A., 6820. - Cf. United Arab Emirates.
Aragón (rég., España), 2073, 2090, 2139, 2153, 2164.
Arapaho Indians (U.S.A.), 2967.
Arctic, Arctique (continent), 158.
Ardagger (N.-Ö., Österreich), Stift, 1977.
Ardennes (massif montagneux), A. françaises, 2167.
Ardennes (dépt., France), 6794.
Arelat, v. Arles.
Arezzo (Toscana, Italia), 1640.
Argentina, 2821-2824, 5301, 5976, 7089.
Argolis (rég., Grèce anc.), 1303
Argos (Grèce anc.), 1345.
Arizona (state, U.S.A.), 6303.
Arles (Bouches-du-Rhône, France), Royaume [Arelat], 2076.
Armagh (Armagh, N. Ireland), 2577.
Armenia, Arménie (rég., Asie occid.) 145, 189, 918, 1165, 1821, 1948, 2001, 2424, 3811

Arras (Pas-de-Calais, France), 2324.
Arretium, v. Arezzo.
Arsinoe (Egypte anc.), 1718.
Artois (rég., France), 5567.
Ashanti (people, Ghana), 7061, 7066.
Ashdod (Israel), 1262.
Asie, 233, 557, 569, 616, 1254, 2080, 2623, 2672, 3899, 5217, 6825, 6859, 6903-7045. - A. centrale, 902, 1019, 1023, 1068, 1079, 4118, 6460, 6903, 6907, 6909-6935 passim. - A. coloniale, 6164-6181. - A. de l'Est, 403, 566. - A. du Sud, 219, 595, 1107, 6856, 6932-6964. - A. du Sud-Est, 566, 5065, 6137, 6869, 6965-6974. - A. du Sud-Ouest, 595. - A. Mineure anc., 1164-1173, 1348, 1379, 1533, 1727.
Assisi (Umbria, Italia), convento di S. Francesco, 248.
Assyria, Assyrie, 1232, 1239, 1241.
Asti (Piemonte, Italia), 2238.
Athenai, Athènes (Grèce), 1343, 1353, 1354, 1362, 1363, 1369, 1370, 1393, 1430, 1481, 1677, 5051.
Athos (Mont, Grèce), 1844, 4075.
Atlantique (Océan), 6709, 6847. - NATO, 6852. - Slave trade, 5295, 5340.
Attike, Attique (rég., Grèce), 1327, 1369, 1481.
Aube (dépt., France), 3260.
Aubin (Aveyron, France), 5919.
Aubusson (Creuse, France), 3212.
Aude (dépt., France), 6777.
Auffray (Seine-Maritime, France), 5384.
Augsburg (Bayern, BRD), 1552. - Weber, 5157.
Auschwitz, v. Oświęcim.
Australia, 47, 193, 557, 592, 1020, 2825, 2826, 3898, 3899, 3901, 4273, 4784, 4803, 4843, 4990, 5372, 6336, 6490, 6884, 7102, 7105, 7107.
Austria, v. Österreich.
Austronesia, 7096.
Autriche, v. Österreich.
Auvergne (rég., France), 3215, 5743, 6775.
Auxerre (Yonne, France), 2474. - Diocèse, 3983.
Auxerrois (rég., France), 2193.
Avaris (Egypte anc.), 1192.
Avars (peuple anc.), 1121, 1126, 1152, 1153.
Aveyron (dépt., France), 853.
Avignon (Vaucluse, France), 1922, 2221, 2577. - Juifs, 4186. - Librairie pontificale, 8. - Papauté, 74.
Avranchin (rég., France), 6061.
Awadh (area, India), 6938.
Awaren, v. Avars.
Aztec Indians, Aztèques, 7090.

B

Babylon, Babylonia, 1165, 1230, 1238.
Bacharach (Rheinl.-Pfalz, BRD), Landfriede, 2191.
Bačkovo (Arménie, U.R.S.S.), 2436.
Bács-Kiskun (Komitat, Ungarn), 1137.
Bad Homburg (Hessen, BRD), 4473. - Colloquium [1979], 1445.
Baden (Landschaft, BRD), 1090, 2731, 5765. - Markgrafschaft, 2298.
Baden-Württemberg (Land, BRD), 1125.
Baebiani Ligures (popolo, Italia ant.), 1616.
Bajuwaren (german. Volk), 2012.
Bâle, v. Basel (Schweiz).
Bǎlgarija, Bulgarie, VI, 312, 611, 627, 645-649, 2019, 2092, 2343, 2865, 2866, 3807, 4081, 4212, 4230, 4236, 5336, 6106, 6343, 6462, 6465, 6541, 6548, 6854, 6858.
Balkans, Balkaniques (pays, peuples, etc.), 295, 436, 589, 607, 1048, 1123, 1514, 1533, 1825, 2019, 2641, 3626, 6133, 6446, 6455, 6488, 6503, 6560, 6646, 6647, 6696, 6730.
Baltique (mer, pays, peuples, etc), 612, 913, 2155, 3747, 3874, 5387.
Ba.Mbenga (peuple, Rep. Centrafricaine), 584.
Banat (rég., Roumanie), 710, 3737, 4206.
Baoulé (peuple africain), 6240.
Baranya (rég., Hongrie), 6569.
Barbarie (rég., Afrique du N.), 5321, 7047.
Barcelona (España), 1712, 2234, 2526.
Bari (Puglia, Italia), Museo S. Nicola, 1879.
Baruya (peuple, Nouvelle-Guinée), 572.
Basel, Bâle (Schweiz), 4475. - Concile, 2503. - Evêché, 6398. - Klein-B., 2581.
Basque, Pays (rég., France), 73, 853.
Bath (Som., England), 5724.
Bayern (Land, BRD), 631, 637, 2711, 4264, 5832. - Nieder-B., 2315. - Ober-B., 1081.
Bayeux (Calvados, France), Amirauté, 6015.
Bayreuth (Bayern, BRD), 819.
Bazas (Gironde, France), Colloque [1978], 167.
Béarn (rég., France), 853.
Beaujolais (rég., France), 5512.
Beaumesnil (Calvados, France), 5380.
Bec-Hellouin (Eure, France), Abbaye, 2083.
Beja (tribu africaine), 1545.
Békés (comitat, Hongrie), 684, 872.

Bekesbourne (near Canterbury, Kent, England), 1007.
Belā Shangul (reg., Ethiopia), 3159.
Belfort (Territoire de B., France), 5165.
Belgique, V, 644, 1629, 1740, 2852, 2853, 3360, 3719, 6434, 6542.
Belize, 7088.
Belmont (Mo., U.S.A.), 3122.
Belorussija, Russie Blanche (rép., U.R.S.S.), 5425.
Benevento (Campania, Italia), 1943.
Bengal (reg., Indian subcontinent), 3391, 6953.
Berlin, 131, 4244, 5811, 5873. - Achse B.-Rom, 6678. - Kongress [1878], 6455. - Sezession, 4853.
Bern (Schweiz), 6097.
Bernburg (Bez. Halle, DDR), 1059.
Besançon (Doubs, France), 2578, 5563.
Bezons (Val-d'Oise, France), 5146.
Biatorbagy (Hongrie), 3535.
Bir Sahara (oasis, Egypte), 996.
Birka (Sweden), 2154, 2155, 2158.
Bîrlad-Valea Seacă (Roumanie), 1635.
Birma, Birmanie, v. Burma.
Birmingham (Ala., U.S.A.), 3035.
Birmingham (Warwick., England), Mint, 120.
Bizye · (Bulgarie anc.), 98.
Björkö (island, Sweden), Graves, 2156.
Blemmyes (peuple de l'Ethiopie anc.), 1545, 1555.
Bodensee, Lac de Constance, 5067.
Böhmen, v. Čechy.
Boghazköi (Turquie), 1242.
Bohème, Bohemia, v. Čechy.
Bolivia, 2854.
Bologna (Emiglia-Romagna), Museo civico, 1498.
Bolsena (Lazio, Italia), Tavola marmorea, 1619.
Bône (Algérie), 6230.
Bordeaux (Gironde, France), Archidiocèse, 4017. - Congrès nat. des soc. savantes [1979], 1992, 3179.
Bosna, Bosnie (rég., Yougoslavie), 3889, 4395.
Bosporus (anc. royaume), 115, 1129, 1130, 1371.
Boston (Mass., U.S.A.), 4110, 5615, 6089.
Bosut (Roumanie), 1104.
Botany Bay (N.S.W., Australia), 6339.
Botoşani (Roumanie), 2597.
Bourgogne (rég., France), 652, 1918, 2443, 2510, 2609.
Bouvignies (Nord, France), 6079.
Brabant (rég., Belgique et Pays-Bas), 2303.
Brandenburg (ehem. Territorium DDR), Mark, 2065. - Sprachlandschaft, 131. - B.-

INDICE GEOGRAFICO

Preussen, 4143.
Brasil, 2855-2864, 4258, 5023, 5056, 5355, 5662, 5726, 5779, 6319, 6481, 6659, 6850, 7074.
Braşov (Roumanie), 712.
Bratislava (Tchécoslovaquie), 3765, 6724.
Braunau am Inn (O.-Ö., Österreich), 2829.
Braunschweig, (Stadt u. ehem. Territorium, BRD), 2249, 2769. - B.- Wolfenbüttel, 5338.
BRD (Bundesrepublik Deutschland), 283, 504, 510, 2694, 2759, 2760, 2774, 2797, 5822, 6889, 6893.
Breisgau (Landschaft, Baden-Württemberg, BRD), 2754.
Bremen (BRD), Kirchenprovinz Hamburg-B., 1966.
Breslau, v. Wrocław.
Brest (Finistère, France), 2290, 5795. - Bagne, 4575.
Brest (ancienn. B.-Litovsk, Biélorussie, URSS), Traité [1918], 3683, 6533.
Bretagne (rég., France), 59, 292, 1939, 1960, 1963, 2071, 2097, 2351, 4054, 5608, 5629, 5664, 5795, 6278. - Duché, 2258. - Haute-B., 5721.
Brionnais (rég., France), 5374.
Britain, v. Great Britain.
British Columbia (prov. Canada), 5169.
British Commonwealth, 6175.
British Empire, 5524, 6120, 6159, 6178, 6203.
British Isles, 123, 1093.
British West Indies, 4352, 6324.
Brno (Tchécoslovaquie), 263, 5437.
Bronocice (Pologne), Site préhist., 1043.
Brünn, v. Brno.
Bruges (Belgique), Conférence [1521], 6353.
Brunel University (Hillingdon, London), 4370.
Brześć Kujawski (Pologne), 1039.
Brześć Litewski, v. Brest Biélorussie, URSS).
Bucureşti (Roumanie), 2592, 6454.
Budapest (Hongrie), 683, 2412, 5167. - "Concordia", 4410. - Forteresse, 178. - Peace congress [1896], 6479. - Univ.-Druckerei, 4319.
Buenos Aires (Argentina), 5565, 5652.
Buganda (reg., Uganda), 7063.
Burgos (España), 3979.
Buridava (auj. Ocniţa, Roumanie), 1124.
Burma, Birmanie, 922.
Bury St. Edmunds (Suff., England), 3463. - Abbey, 1934.
Butte (Mont., U.S.A.), 5214.
Byblos (auj. Jubeil, Liban), 978, 1272.
Bydgoszcz (Pologne), 6626.
Byzantion, 65, 97, 134, 171, 186, 218, 610, 751, 1480, 1551, 1813, 1816-1897, 1902, 1904, 2030, 2183, 2200, 2495.

C

Cáceres (España), 5502.
Cadenet (Vaucluse, France), 860.
Cádiz (España), 2611.
Caen (Calvados, France), 663, 5725.
Caire (Le), Cairo (Egypte), 7065. - Héliopolis, 5514. - Musée, 1203, 1315.
Calabria (reg., Italia), 2432, 3595, 5220, 5827.
Calais (Pas-de-Calais, France), 3394. - Conférence [1521], 6353.
Calcutta (West Bengal, India), 46.
California (state, U.S.A.), 5357, 5370, 6063, 7079.
Cambodge, 6969.
Cambridge (England), 1088. - Corpus Christi Coll., 1934. - Trinity Coll. Libr., 253.
Cambridge (Mass., U.S.A.), 4463.
Cameroun 6209, 6237.
Campania (reg., Italia), 1502, 1714, 1719, 1724.
Canaan, 1253.
Canada : Bibliogr. hist. gén., VII. - Sci. auxil., 67, 158. - Ouvrages gén., 285, 549, 550, 552, 602. - Hist. polit. mod., 2867-2873. - Hist. relig. mod., 3908, 4041, 4043, 4082, 4151. - Hist. Cult. intellect. mod., 4257, 4263, 4292, 4620, 4682, 4696, 4840, 4953. - Hist. écon. soc. mod., 5103, 5140, 5160, 5172, 5262, 5304, 5404, 5495, 5496, 5504, 5515, 5523, 5554, 5576, 5714, 5790, 5804, 5815, 5846, 5893, 5924. - Hist. Droit mod., 6005, 6022, 6035, 6059. - Hist. Relat. internat. mod., 6111, 6115, 6125, 6150, 6370, 6422, 6619. - English C., 5790. - Lower C., 5304. - Upper C., 5140, 5576.
Canarias (islas), 650.
Canet (Pyrénées-Orientales, France), 3312.
Čankyr-Këlja (Altaï, Sibérie), Pétroglyphes, 991.
Cantabria (reg., España), Costa, 1030.
Cappadocia (Asie Mineure anc.), 171, 1235.
Capri (isola, Italia), 846.
Carentan (Manche, France), Amirauté, 6015.
Caribbean, v. Antilles.
Carnuntum (heute Petronell, N.-Ö., Österreich), 1731.
Caroline Islands (Pacific Ocean), 7103.
Carpates (montagnes), 1573, 2667. - Bassin, 1072, 2610.
Capri (Emilia-Romagna, Italia), 3635.
Carthago, Carthage, 1554, 1634.
Casaglia (Italia), Polesine, 5651.
Casanare (río, Colombia), Llanos, 6301.
Castilla (reg., España), 2073, 2090, 2271, 2891, 2895, 2897, 5316, 5526, 5990. - Cortes, 2188.
Cataluna (reg., España), 2164, 2234, 2399, 2526.
Catanzaro (Calabria, Italia), 5063.
Catskills (mountains, N.Y., U.S.A.), 5382.
Caucase, Caucasus, v. Kavkaz.
Caux (Pays de C., rég., France), 5384.
Cayönü Tepesi (Turkey), Prehist. site, 1035.
Čechy, Bohème : Sci. auxil. 159. - Ouvrages gén., 236, 717, 757, 873. - Moyen âge, 1905, 1911, 1933, 1964, 1973, 2027, 2186, 2296, 2297, 2567. - Hist. polit. mod., 2821, 3769, 3774, 3777, 3780, 3793. - Hist. relig. mod., 3917. - Hist. Culture intellect. mod., 4378, 4545, 4776. - Hist. écon. soc. mod., 5178, 5234, 5243, 5270, 5390. - Hist. Relat. internat. mod., 6347.
Celtes (les), Kelten (die), VIII, 81, 130, 1125, 1142, 1147, 1543, 2013.
Centrafricaine, République, 584.
Cêrca Grande (Minas Gerais, Brésil), 7074.
Cerdagne (rég., France), 3316.
Cernavodă (Roumanie), Civilization préhist., 1036.
Československo, Tchécoslovaquie : Bibl. hist. gén., XX. - Ouvrages gén., 290, 611, 715-719. - Moyen âge, 1975. - Hist. polit. mod., 2622, 3763-3793. - Hist. Culture intellect. mod., 4225, 4284, 4416, 4449, 4789. - Hist. écon. soc. mod., 5080, 5091, 5205, 5215, 5660, 5766, 5814, 5948, 5949. - Hist. Droit mod., 5994. - Hist. Relat. internat. mod., 6105, 6519, 6655, 6723, 6766, 6774, 6793, 6838.
Ceylan, Ceylon, v. Sri Lanka.
Chad, v. Tchad.
Chambéry (Savoie, France), 3367.
Champlain (lake, N. Am.), War [1812], 6404.
Chantilly (Oise, France), Musée Condé, 3220.
Chaour (riv., Iran), 1281, 2301.
Charleston (S.C., U.S.A.), 3086.
Charleville (Ardennes, France), Souverainté, 3235.
Charsianon (Empire byzantin), 171.

INDICE GEOGRAFICO 319

Chartres (Eure-et-Loir, France), 2269. - Cathédrale, 205.
Chemnitz, v. Karl-Marx-Stadt.
Cherokee Indians, 2994, 3066, 4136.
Chesapeake Bay (U.S.A.), 6276, 6306.
Cheshire (co., England), 6053.
Chiampo (Valle del C., Veneto, Italia), 3640.
Chia-ting (district, China), 6985.
Chiavari (Liguria, Italia), 3613.
Chickasaw Indians, 3057.
Chicago (Ill., U.S.A.), 4002, 4026, 4086, 4281, 5675. - Columbian exposition [1893], 3987. - „Workingman's Advocate", 5806.
Chieri (Piemonte, Italia), 2238.
Chikunda (African people), 6218.
Chile, 320, 2874-2876, 5431, 6284, 6335, 6458.
China, Chine : Sci. auxil., 1, 37. - Ouvrages gén., 296, 914, 926, 946, 956. - Hist. polit. mod., 3837. - Hist. relig. mod., 4071. - Hist. Culture intellect. mod., 4221, 4451. - Hist. écon. soc. mod., 5289, 5322, 5700, 5853. - Hist. Droit mod., 6058. - Hist. Relat. internat. mod., 6139, 6427, 6428, 6820, 6841, 6855, 6856, 6859, 6890. - Hist. Asie, 6905, 6971, 6973, 6975-7031.
Choiseul (Haute-Marne, France), Baronnie, 673.
Chulutyn-gola (Mongolia), Petroglyphs, 989.
Chur (Graubünden, Schweiz), Sozialistenkongress [1881], 5840.
Chypre, v. Kypros (île).
Cilicia (rég., Asie Mineure anc.), 2452.
Cincinnati (Ohio, U.S.A.), Lane theol. seminary, 4127.
Cîteaux (Côte-d'Or, France), 889, 893, 2511.
Cluj-Napoca (Roumanie), 5335.
Cluny (Saône-et-Loire, France), 2568. - Ordre, 2511, 2513.
Côa (riv., Portugal), Bataille [1810], 6409.
Cochinos (Bahía de -, Cuba), 6883.
Colchester (Ess., England), 2336.
Colchis (rég., Asie Mineure anc.), 1379.
Colmar (Haut-Rhin, France), 5493.
Colombia, 2877, 3950.
Colorado (riv., U.S.A.- Mexico), 2948.
Colorado (state, U.S.A.), 3007.
Comtat Venaissin (rég., France), Juifs, 4186.
Conimbriga (auj. Condeixa-a-Velha, Portugal), 1726.
Constantinople, v. Byzantion, Istanbul.
Copenhague, v. København.

Coptes (les), 1763.
Corail (mer), Coral Sea, 6706.
Córdoba (España), 1518, 1716.
Corée, v. Korea.
Corinthe, v. Korinthos.
Coriosolites (peuple de l'antiquité), 96.
Corse (île, France), 2218, 2219, 2280, 2583, 3383, 5794.
Corsica, v. Corse.
Cosaques, Cossacks, v. Kazačij.
Costa Rica, 2878.
Côte d'Azur (rég., France), 860.
Côte d'Ivoire (rép.), 6201.
Côte-d'Or (dépt., France), 5202, 6629, 6778.
Cracovie, Cracow, v. Kraków.
Creek Indians, 3081.
Crete, v. Krete.
Crimea, Crimée, v. Krym.
Criş, Körös (riv., Roumanie et Hongrie), 1153.
Crna Gora, Montenegro (rép., Yougoslavie), 3892, 6457, 6551.
Croatie, v. Hrvatska.
Cronstadt, v. Kronštadt (Russie).
Csepel (Hongrie), 5269.
Csongrád (Hongrie), 5577.
Cuba, 2879-2881, 4221, 5332, 5695, 6310, 6799, 6883.
Cucuteni (Roumanie), Civilisation néolith., 1036.
Cumans, Kumans, 1921, 1946, 2553.
Cumberland (co., England), 5143.
Cumberland (co., N.C., U.S.A.), 3146.
Curia romana, v. Vaticano (Città del).
Cuzco (Perú), 5597.
Cyprus, v. Kypros.
Cyrène, v. Kyrene.

D

Dacia, Daci, 88, 1124, 1127, 1128, 1143, 1611. - Géto-Daces, 199, 1132, 1155. - D. romana, 1711.
Dalarna (rég., Suède), 4116.
Dalmacija, Dalmatie (rég., Yougoslavie), 1583.
Damascus, Dimashq (Syrie), 6914.
Danmark, 299, 303, 469, 1050, 1100, 1497, 2112, 2163, 4059, 5533, 5676, 6145.
Danube, v. Donau.
Dardanelles (détroit, Turquie), 6484, 6506.
Dauphiné (rég., France), 662, 2177, 5587, 5782.
DDR (Deutsche Demokratische Republik), 443, 533, 2736, 4243, 5430, 5805, 6811.
Debrecen (Hongrie), 264, 3495, 5420. - Univ., 3556.
Debrešte (Yougoslavie), 1863.
Delhi (India), 6945. -Mughal D., 6961. - Cf. New Delhi.
Delos (île, Grèce), 1464, 1467, 1478, 1479, 1520.
Delphoi, Delphes (Grèce anc.), 1459, 1478.

Detroit (Mich., U.S.A.), 5909, 6088. - Polish D., 4013.
Deutschland : Allg. hist. Bibliogr., I. - Hilfswiss., 126, 127, 129, 143, 144, 147, 150, 187. - Allg. Werke, 312, 354, 389, 410, 421, 499, 631-641, 780, 830, 836, 870, 938, 940, 947, 950. - Mittelalter, 1912, 1987, 2010, 2017, 2085, 2125, 2140, 2143, 2380, 2384, 2388, 2501, 2516, 2587, 2591. - Allg. Gesch. d. Neuzeit, 2631, 2682, 2694-2820, 3252, 3269, 3503, 3555, 3708, 3717, 3850. - Religionsgesch. d. Neuzeit, 3921, 3937, 4138, 4150, 4183. - Bildungsgesch. d. Neuzeit, 4222, 4313, 4320, 4389, 4395, 4461, 4473, 4513, 4518, 4544, 4553, 4561, 4571, 4605, 4625, 4640, 4690, 4700, 4705, 4719, 4731, 4789, 4792, 4815, 4824, 4826, 4853, 4856, 4867, 4987. - Wi.- u. Sozialgesch. d. Neuzeit, 5040-5132 passim, 5174, 5182, 5233, 5239, 5245, 5272, 5314, 5338, 5341, 5379, 5414, 5417, 5477, 5500, 5505, 5530, 5551, 5559, 5594, 5607, 5626, 5687, 5694, 5705, 5717, 5726, 5771, 5799-5964 passim. - Rechtsgesch. d. Neuzeit, 5988, 5997, 6019, 6023, 6092, 6097. - Internat. Beziehungen d. Neuzeit, 6110, 6145, 6194, 6236, 6343-6902 passim. - Cf. BRD, DDR, Weimarer Republik, s.v. Weimar.
Deutz (Stadtteil v. Köln, BRD), 774.
Deve Hühük (Syria), 1171.
Dijon (Côte-d'Or, France), 664. - Diocèse, 3983.
Djerba (île, Tunisie), 4029.
Djibouti (république et ville), 6468.
Dnepr (fleuve, U.R.S.S.), 971, 1060, 1098, 1131.
Dobrogea (rég., Roumanie), 1075, 1530, 2096, 2582.
Döbling (Stadtteil v. Wien, Österreich), 3529.
Dolny Śląsk, Basse-Silésie, v. s.v. Śląsk.
Dominicana (República), 3359, 5299, 6271, 6284.
Don (fleuve, U.R.S.S.), 3841.
Donau, Danube (fleuve), 1514. - Bassin central, 958. - Bouches, 2029. - Valley, 6558.
Donbass, Donets Basin (reg., U.S.S.R.), 5673.
Dordogne (dépt., France), 853.
Dresden (DDR), Bezirk, 636. - Biblia palaebohema, 1905. - Leipzig-D.er Eisenbahn, 5142.
Drôme (dépt., France), 3339.
Dublin (Ireland), 3928, 4085.
Dubrovnik, Raguse (Yougoslavie), 733, 2300, 3887, 5490.

Düsseldorf (Nordrh.-Westf., BRD), 5908.
Dunántúl, Transdanubie (rég., Hongrie), 3561.
Dunhuang, v. Tun Huang.
Dunkerque (Nord, France), 6716. - Région, 3334.
Durostorum (auj. Silistra, Bulgarie), 65, 1514.

E

East Anglia (anc. kingdom, England), 5927.
East Turkestan, v. Sinkiang.
Ecuador, 2884, 2885, 6536.
Edgerton (Wis., U.S.A.), Bible decision [1891], 4000.
Edinburgh (Scotland), 4133.
Edirne, Andrinople (Turquie), 2866.
Egée (mer), 1073, 1338.
Eger (Hongrie), 3552, 5440.
Egypte, 996, 2204, 2882, 2883, 5331, 6413, 6504, 6800, 6819, 6861.
Egypte ancienne, 54, 265, 1174-1227, 1247, 1333, 1696, 2151. - E. arabe, 1545. - E. byzantine, 1868. - E. gréco-romaine, 215, 1156, 1201, 1209, 1229. - E. préhist., 1002, 1014. - E. romaine, 1197, 1513, 1524, 1545, 1607, 1624, 1644.
Eiao (île, Marquises, Océan Pacif.), 7094.
Einbeck (Niedersachsen, BRD), Bierhandel, 2285.
El Alamein (Egypte), 6742.
Elam, Elymais (Proche-Orient ant.), 1283.
Elbe, v. Labe.
Elchingen (Baden-Württemberg, BRD), Schlacht [1805], 6425.
Elephantine (modern Jazirat Aswan, Egypt), 1202.
El Paso (Texas, U.S.A.), 5511.
Elymais, v. Elam.
England : Auxil. Sci., 50, 59, 106, 110, 172. - General Works, 274, 324, 421, 426, 434, 462, 629, 678-680, 776, 881, 924, 955. - Prehistory, 959. - Middle Ages, 1898-2135 passim, 2164-2201 passim, 2240, 2547, 2549. - Mod. polit. Hist., 2822, 3459-3487 passim, 3898. - Mod. relig. Hist., 3910, 3923, 3947, 3967, 4093, 4101. - Hist. mod. Culture, 4209, 4442, 4457, 4485, 4498, 4633, 4675, 4690-4767 passim, 4920, 4926, 4993, 5003. - Mod. econ. a. soc. Hist., 5073, 5095, 5213, 5348, 5275, 5301, 5312, 5321, 5401, 5481, 5560, 5610, 5637, 5646, 5649, 5654, 5663, 5668, 5712, 5720. - Mod. legal Hist., 6003-6080 passim, 6653, 6654, 6679, 6682, 6683, 6689.
Enköping (Suède), 3746.
Epernay (Marne, France), Châtellenie, 3235.
Epirus (rég., péninsule balkan. anc.), 1356.
Erbiceni (Roumanie), 1025.
Erdély, v. Transilvania.
Erevan (Armenie, U.R.S.S.), Matenadaran, 2417.
Erfurt (DDR), Univ., 4253.
Eridu (Iraq), 978.
Erie (co., N.Y., U.S.A.), 5681.
Ertan (Wadi, Libyen), 1000.
Escaut, Schelde (fleuve), Bassin, 2295.
España : Ciencias auxil., 87. - Obras gen., 262, 412, 430, 650, 769, 831, 904, 910. - Hist. de Roma, 1716, 1797. - Edad media, 1999, 2051, 2060, 2270, 2552, 2569. - Hist. polít. mod., 2664, 2886-2906. - Hist. relig. mod., 3974, 4045. - Hist. Cult. mod., 4220, 4232, 4241, 4587, 4778. - Hist. econ. y soc. mod., 5291, 5293, 5296, 5297, 5325, 5332, 5344, 5356, 5703, 5828, 5897, 5957. - Hist. Derecho mod., 5985. - Relac. internac. mod., 6020, 6302, 6326, 6354, 6385, 6397, 6399, 6420, 6445, 6476, 6728.
Estepa (España), 2522.
Estonija, Eesti (rép., U.R.S.S.), 1004, 2162, 6533.
Etablissements Français de l'Océanie, v. Polynésie Française.
Ethiopie, 651, 3158, 3159, 6110, 6184, 6224, 7049.
Etruria, Etrusci, 1490-1505, 1521.
Euboia (île, Grèce), 1449.
Euphrate (fleuve), 1231.
Eurasia, 963.
Europe : Sci. auxil. 33, 45. - Ouvrages gén., 242, 304, 388, 607, 616, 625, 626, 748, 761, 762, 771, 833, 843, 929, 942. - Préhist., 977, 1021, 1042, 1066, 1090, 1138. - Antiquité, 1750. - Moyen Age, 1990, 2013, 2015, 2031, 2121, 2132, 2248, 2250, 2308, 2341, 2366, 2408, 2456, 2461, 2572, 2595. - Hist. polit. mod., 2622-2688 passim, 2758, 2903, 3322, 3335, 3755. - Hist. relig. mod., 3945, 3958. - Hist. Culture intellect. mod., 4205, 4216, 4218, 4233, 4277, 4489, 4541, 4560, 4695, 4716, 4914, 4923. - Hist. écon. soc. mod., 5090, 5102, 5120, 5126, 5137, 5206, 5209, 5240, 5259, 5288, 5295, 5324, 5507, 5570, 5619, 5670, 5728, 5816, 5849, 5904, 5955. - Hist. Droit mod., 5967, 6045, 6059. - Hist. Relat. internat. mod., 6108, 6128, 6156, 6196, 6211, 6226, 6245, 6255, 6343-6425 passim, 6526-6902 passim. - Hist. précoloniale Afrique, 7048, 7049, 7068. - E. centrale, 226, 1024, 1064, 1074, 1119, 1139, 2047, 2207, 2316, 2395, 2633, 2370, 3544, 4201, 4236, 5087, 5207, 5501, 5585, 6488, 6685. - E. centrale-orientale, 85, 834, 2634, 5049, 5333, 5429, 5453, 6439, 6557. - E. de l'Est, 1074, 2022, 2304, 2633, 3270, 3835, 4474, 5207, 5416, 5544, 5722, 6135, 6663, 6672. - E. de l'Ouest, 590, 619, 1061, 2016, 2110, 2259, 2395, 2468, 2658, 3929, 4448, 4704, 4912, 5041, 5387, 5835. - E. du Nord, 84, 592, 979, 1051, 5540. - E. du Nord-Ouest, 1040. - E. du Sud, 2633, 5981. - E. du Sud-Est, 184, 226, 609, 2047, 2092, 2109, 4208, 5107, 5369, 5391, 5454, 5459, 6558, 6574, 6647, 6685.
Evhé (peuple de l'Afrique), 593.
Ezerovo (Bulgarie), Site préhist., 1094.

F

Făgăraş (Roumanie), Pays de F., 712.
Faliscus ager (reg., Italia ant.), 1725.
Far East, v. Extrême-orient, s.v. Orient.
Faras (Egypte), 1181.
Fayum (prov., Egypte), 1179, 1204.
Federated Malay States, v. Malaysia.
Fenuaino (îlot, Tahiti), 7100.
Fertőszentmiklós (Hongrie), 1154.
Feuchtwangen (Bayern, BRD), Reichsstadt, 2194.
Feuerbach (Baden-Württemberg, Deutschland), 4357.
Fezzan (rég., Libye), 1000.
Fiji (archip., Pacific), 5227.
Filipinas (Rep.), Philippines, 591, 3090, 6972.
Finlande, v. Suomi.
Finglesham (Kent, England), 2404.
Finno-Ougriens (peuples), 2162.
Firenze, Florence (Italia), 694, 1968, 2111, 2180, 2274, 2284, 2306, 2329, 3638, 4203, 4874, 5188, 6351, 5603. - Bibliot. Riccardiana, 3619. - Ciompi, 2132. - Convegno Ricasoli [1980], 3630.
Five Civilized Tribes, (Am. Indians), 3088.
Flandre (rég., Belgique et France), 1848, 1920, 1949, 2303, 2393, 5123, 6074, 6079.
Flavigny (Côte-d'Or, France), 2443.
Florence, v. Firenze.
Florida (state, U.S.A.), 3119,

4064, 6304, 7085. - Spanish F., 6267.
Fondi (Lazio, Italia), 2009.
Fontanabuona, Valle di (Liguria, Italia), 3613.
Fordwich (Kent, England), Handaxes, 1017.
Forest (La) en Combraille (anc. seigneurie, Allier, France), 5636.
Forest Park (Ohio, U.S.A.), 5528.
Forez (rég., France), 2281.
Formosa, Formose, v. Taiwan.
Fouta Djalon (massif, Guinée), 6216.
France : Bibl. hist. gén., IX. - Sci. auxil., 27-190 passim. - Ouvrages gén., 221-306 passim, 391, 440, 493, 495, 517, 555, 629, 652-674, 801, 803, 853, 860, 871, 939. - Préhist., 1026, 1063. - Moyen Age, 1913, 1918, 1952, 2023-2135 passim, 2152, 2154, 2167-2236 passim, 2318-2450 passim, 2505-2600 passim. - Hist. polit. mod., 2626, 2746, 3165-3388, 3456, 3596, 3682. - Hist. relig. mod., 3951-4066 passim, 4121. - Hist. Culture intellect. mod., 4214-4435 passim, 4485, 4499, 4528, 4599-5000 passim. - Hist. écon. soc. mod., 5017-5222 passim, 5281, 5298, 5311, 5320, 5373, 5438, 5456, 5458, 5466, 5478, 5551, 5564-5789 passim, 5812, 5826, 5865, 5890, 5932, 5964. - Hist. Droit mod., 5965-6067 passim. - Hist. Relat. internat. mod., 6153, 6161, 6162, 6176, 6195, 6208, 6216, 6227, 6233, 6291, 6306, 6351-6786 passim, 6824, 6828, 6847, 6872. - Hist. Afrique précolon., 7060.
Franche-Comté rég., France), 2609, 4421.
Franken, Francs (german. Stamm), 2043, 2046, 2276, 2294, 2312.
Franken (Landschaft, BRD), 5765. - Mittel-F., 1037. - Ober-F., 819.
Frankfurt am Main (Hessen, BRD), 2716. - Paulskirche, 2698.
Friuli (reg. stor., Italia-Iugoslavia), 3582, 3600, 6791. - F. occid., 3973.
Fulani (African people), 6216.
Fulda (Hessen, BRD), Hospital, 2181.
Futa Jallon, v. Fouta Djalon.

G

Gårdlösa (Suède), 1103.
Gabon, 7050.
Gadsden (Ala., U.S.A.), 5216.
Galicia (reg., España), 1579, 1814, 2523, 2902, 5427.
Galicja, Galicija (rég., Pologne et Ukraine), 6510.
Gallia, Gaule, 161, 1560, 1639, 6490, 6495.
Gallipoli, Gelibolu (Turquie), 6490, 6495.
Gand (Belgique), v. Gent.
Gary (Ind., U.S.A.), 5901.
Gascogne (rég., France), 853, 1992, 2603.
Gaujac (Gard, France), 3320.
Gaule, v. Gallia.
Gdańsk (Pologne), 2185, 3669, 3672, 3713, 5305, 5346, 5778, 6633. - Westerplatte, 6729.
Gellone, v. Saint-Guilhelm-le-Désert.
Genève (ville, Suisse), 156, 2209. - Acad., 4326. - Conférence [1954], 6802. - Hôpitaux, 5100. - Musée d'art et d'hist., 266. - Prison, 6086.
Genova (Liguria, Italia), 694, 2095, 2218, 2260, 2583, 6041. - Ospedali, 2263. - Palazzo ducale, 4861.
Gent, Gand (Belgique), Sozialistenkongress [1877], 5840.
Georgia (state, U.S.A.), 6293.
Géorgie, v. Gruzija (rép., U.R.S.S.).
Germanen, Germania, 1139, 1154, 1537, 1710, 2190, 2413. - G. romana, 1710, 1722.
Gers (dépt., France), 853, 1913.
Getae, Gètes (peuple de l'antiquité), 1127. - Géto-Daces, 199, 1132, 1155.
Gettysburg (Pa., U.S.A.), Battle [1863], 3129.
Ghana, 3389, 6200.
Gibraltar, 6755.
Gironde (dépt., France), 853, 3179.
Giulia (reg. stor., Italia), 1487.
Glastonbury (Som., England), 2389.
Gloucestershire (England), 2103, 2293.
Gniezno (Pologne), Archevêques, 900.
Göteborg (Suède), 5302.
Gold Coast, v. Ghana.
Gondrecourt-le-Château (Meuse, France), 860.
Górny Śląsk, Haute-Silésie, v. s.v. Śląsk.
Goten (german. Volk), 1151. - Ost-G., 97. - Cf. Visigothi.
Gothenburg, v. Göteborg.
Gottwaldov (Tchécoslovaquie), 173.
Grandcamp-les-Bains (Calvados, France), Amirauté, 6015.
's-Gravenhage, La Haye (Pays-Bas), Friedenskonferenzen [1899, 1907], 6441.
Great Britain : Gen. hist. Bibl., III, X. - Auxil. Sci., 15, 161, 166. - Gen. Works, 240, 276, 421, 581, 675-681, 845, 867. - Prehist., 985, 1005, 1028, 1062, 1120. - Roman Hist., 1540, 1572, 1577, 1581, 1742, 1806. - Middle Ages, 2660. - Mod. polit. Hist., 2660, 3390-3487, 3571, 3843. - Mod. relig. Hist., 4109, 4134, 4182. - Hist. mod. Culture, 4246, 4282, 4330, 4340, 4344, 4381, 4384, 4401, 4424, 4463, 4629, 4642, 4658, 5665, 4909, 4937. - Mod. econ. a. soc. Hist., 5024, 5048, 5057, 5078, 5088, 5118, 5121, 5140-5350 passim, 5422, 5474, 5504, 5551, 5582, 5593, 5609, 5620, 5627, 5683, 5708, 5724, 5746, 5756, 5775, 5802, 5882, 5892, 5895. - Mod. legal Hist., 6050, 6051, 6068. - Hist. mod. intern. Relat. 6116-6284 passim, 6372, 6381, 6387, 6422, 6427-6677 passim, 6797, 6816, 6839, 6845, 6848, 6865, 6402. - Hist. of Asia, 6938. - Cf. England.
Great Lakes (N. America), 169.
Grèce, 3, 15, 221, 1882, 1883, 1886, 1892, 1995, 3488-3491, 4212, 4246, 5256, 5288, 6453, 6462, 6480, 6578, 6730.
Grèce ancienne, II, 98, 121, 122, 134, 141, 147, 202, 364, 952, 1067, 1072, 1109, 1156, 1178, 1179, 1183, 1223, 1289, 1292, 1293, 1295, 1299, 1301-1484, 1533, 1595, 1667, 1701.
Greensboro (N. Car., U.S.A.), 2962.
Groningen (Pays-Bas), 1088.
Grosser Hafner (Inselsiedlung, Zürichsee, Schweiz), 1086.
Gruissan (Aude, France), Epaves, 92.
Grunwald (Pologne), Bataille [1410], 2118.
Gruzija, Géorgie (rép. U.R.S.S.), 849, 1817, 3883.
Guadalajara (México), Región, 6333.
Guadeloupe (île, Antilles franç.), 5252, 6290.
Guaraní (Indios, America del Sur), 6258.
Guatemala (ciudad, Guatemala), 6299.
Guatemala (Rep. de), 6900, 7077.
Gubbio (Umbria, Italia), 2141.
Guinea Bissau, Portuguese G., 6191.
Gurk (Kärnten, Österreich), 2094.W
Guyana, 5050, 6317.
Guyane Française, 573.
Guyenne (rég., France), 853, 3215.
Gwembe Valley (Zambezi River, Africa), 6218.

H

Haag, v. 's-Gravenhage.
Habsburgermonarchie, v. Österreich-Ungarn.
Haemus, v. Balkans.

Haithabu (ehem. Handelsplatz, Schleswig-Holstein, BRD), 2612.
Haiti, 5084.
Halhin-Gol (riv., China-Mongolia), 6727.
Hall (Tirol, Österreich), Münzstätte, 109.
Halle (DDR), Bezirk, 635.
Hallunda (Suède), Site préhist., 1076.
Hamburg (BRD), 2704. - Kirchenprovinz H.-Bremen, 1966.
Hambye (Manche, France), 2506.
Hannover (BRD), Provinz, 2778.
Hanse (die), 2241, 2242, 5455.
Harappa (Pakistan), Prehist. civilization, 6957.
Harlem (distr., New York City, U.S.A.), 5701.
Harvard University (Cambridge, Mass., U.S.A.), 4463.
Hattians (anc. people), 1243. - Cf. Hittites.
Haut-Rhin (dépt., France), 860, 5360.
Haute-Marne (dépt., France), 3260.
Haute-Savoie (dépt., France), 2440.
Haute-Vienne (dépt., France), 111, 3339.
Havel (Fluss, DDR), 2042.
Havre (Le), v. Le Havre.
Hawaii (islands, Pacific), 6341, 7095.
Hawarden (Wales, Great Britain), St. Deniol's Library, 3390.
Haye (La), v. 's-Gravenhage.
Heba (Italia ant.), 1721.
Hébreux (peuple), 19, 1266, 2569. - Cf. Juifs.
Heidelberg (Baden-Württemberg, BRD), Disputation [1518], 4139, 4157. - Univ., 4315.
Helgö (Suède), 2157, 2158.
Heliopolis (suburb of Cairo, Egypt), 5514.
Helsinki (Finlande), 219, 5534.
Henryków (Pologne), 104.
Herakleia (Carie, Asie mineure anc.), 1372.
Hercegovina (rég., Yougoslavie), 3889.
Herero (African people), 6189.
Hessen (Land, BRD), 5765. - Kurfürstentum, 5979. - Landgrafschaft, 2172. - Rhein-H., 2411. - H.-Kassel, 5244.
Heveller (slaw. Volk), 2042.
Heves (comitat, Hongrie), 5352.
Hillingdon (borough, London), Brunel Univ., 4370.
Hiroshima (Japon), 6134.
Hittites, 1242-1245.
Holešov (Tchécoslovaquie), 173.
Hollywood (Calif., U.S.A.), 4942, 4970.
Holy Land, v. Palestine.
Homburg vor der Höhe, v. Bad Homburg.

Honduras, 6817.
Hordaland (co., Norway), 2396.
Hranice (Tchécoslovaquie), 173.
Hrvatska, Croatie (rép., Yougoslavie), 3887, 3890, 3893.
Hsiung-nu (anc. people of Asia), 6915.
Hudson Bay (Canada), Company, 179.
Hudson River (N.Y., U.S.A.), Lower H. valley, 5730.
Hüttenberg (Kärnten, Österreich), 800.

I

Iberia, Ibérica (península), 917, 1579, 2224, 4841, 5323.
Ile-de-France (rég., France), 655.
Ille-et-Vilaine (dépt., France), 5728.
Illinois (state, U.S.A.), 3136.
Illyria, Illyrie (rég., Balkans), 1145, 1550. - I. napoléonienne, 5435.
Ilurat (Ukraine, U.R.S.S.), 1129, 1130.
Imérina (rég., Madagascar), 7052.
Impero (fiume, Liguria, Italia), Valle, 3613.
Incas (Indios), 6335.
Inguarán (Michoacán, México), 6257.
Indiens d'Amérique, American Indians, 196, 447, 550, 2885, 2931, 2978, 3073, 3100, 3104, 3138, 3156, 3912, 4019, 4349, 4696, 5364, 5452, 6248, 6255, 6292, 6307, 6327, 6332, 7073.
India, 864, 3391, 3473, 3903, 3905, 4755, 4833, 4901, 5343, 6164-6181 passim, 6522, 6818, 6856, 6860, 6904, 6905, 6936-6964. - Indes occid., 5344. - Compagnie franç. des I., 3250.
Indochine, 6177, 6967.
Indo-Européens, 984, 1095, 1123, 1170.
Indonesia, 598, 863, 6818, 6867, 6970.
Innsbruck (Tirol, Österreich), 5061.
Invergordon (Scotland), Mutiny, 3412, 3422.
Ionia, Ioniens, 132, 1348.
Iowa (state, U.S.A.), 2943, 5752.
Iran, 177, 690, 789, 919, 1280-1285, 1770, 1952, 3564-3568, 3933, 4068, 6143, 6175, 6412, 6424, 6452, 6909, 6930.
Iraq, 575, 1053, 2204, 6568, 6923.
Ireland, III, X, 149, 164, 691, 781, 845, 1041, 1147, 2114, 3144, 3401, 3402, 3446, 3465, 3476, 3569, 3570, 3978, 4873, 5503, 5769, 6068, 6130, 6460.
Iroquois Indians, 3015.

Isandlwana (S. Africa), Battle [1879], 6207.
Isère (dépt., France), 2440, 6591.
Isigny-sur-Mer (Calvados, France), Amirauté, 6015.
Islam (pays, peuples, civilisation), 52, 606, 798, 827, 909, 919, 1836, 1854, 1915, 2144-2153, 2301, 2386, 2497, 2552, 3800, 3889, 4068, 4178, 4181, 4187, 4191, 4452, 6226, 6393, 6990, 7049.
Island (île et république), 772, 1967, 2237.
Israel, 1031, 1247, 1258, 1265, 1279, 4196, 4746, 6530, 6800, 6808, 6819, 6861.
Istanbul, Constantinople, 6350. - Cf. Byzantion.
Istria (péninsule), 1534.
Italia : Sc. ausil., 157, 175. - Opere gen., 212, 255, 270, 278, 308, 382, 401, 449, 563, 692-700, 810, 847. - Preist., 964, 1034, 1073, 1097, 1112, 1117. - Antichità, 1306, 1486, 1488, 1498, 1618, 1634, 1725. - Medioevo, 1994, 2003, 2024, 2041, 2127, 2159, 2266, 2283, 2305, 2321, 2381, 2390, 2392, 2414, 2442, 2455, 2541, 2587, 2613. - Stor. polit. mod., 2633, 3000, 3202, 3571-3645. - Stor. relig. mod., 3970, 3981, 3984, 4001-4210, 4211, 4240, 4347, 4359. - Stor. movim. intell. mod., 4210, 4211, 4240, 4347, 4359, 4404, 4447, 4514, 4552, 4594, 4841, 4940, 4969, 5004. - Stor. econ. e soc. mod., 5068, 5117, 5119, 5130, 5156, 5225, 5363, 5510, 5615, 5726, 5754, 5773, 5821, 5828, 5833, 5854, 5902, 5933, 5951. - Stor. Diritto mod., 5974. - Relaz. internaz. mod., 6109, 6206, 6221, 6224, 6228, 6359, 6407, 6410, 6443, 6457, 6497, 6499, 6523, 6524, 6588, 6649, 6651, 6732, 6781, 6868. - Cf. Mezzogiorno.
Ivrea (Piemonte, Italia), Diocesi, 1981.

J

Jaén (España), 1716.
Jalta, Yalta (Crimée, U.R.S.S.), 6875.
Jamaica, 6284, 6289.
Japan, Japon : Ouvrages gén., 499, 599, 850, 851. - Hist. polit. mod., 3646-3649, 3823. - Hist. relig. mod., 4062, 4071, 4189. - Hist. Culture intellect. mod., 4570, 4857, 4918. - Hist. écon. soc. mod., 5044, 5074, 5553, 5726, 5883. - Hist. Droit mod., 5975, 6058. -

Relat. internat. mod., 6120, 6139, 6427, 6428, 6435, 6477, 6602, 6660, 6669, 6857, 6874. - Hist. Asie, 6904, 6999. - Hist. (avant 1868), 7032-7040.
Jaroslavl' (Russie), Théâtre, 4979.
Jastrzębie (Pologne), 3672.
Jász-Nagykun-Szolnok (anc. comitat, Hongrie), 3549.
Jászföld, Pays Iazyge (rég., Hongrie), 686.
Jawa (anc. city, Jordan), 1259.
Jenne (Mali), 7062.
Jericho (Jordan), Tell es Sultan, 978.
Jérusalem, 899, 1956, 2053, 4060.
Jews, v. Juifs.
Jibuti, v. Djibouti.
Jordan, Jordanie, 1259, 1744, 6929.
Judaea, Judée (rég., Palestine anc.), 1563.
Juden, Judíos, v. Juifs.
Jütland, v. Jylland.
Jugoslavija, Yougoslavie, 107, 559, 732, 733, 1123, 1703, 1863, 3887-3895, 6730.
Juifs, Jews : Sci. auxil., 36. - Ouvrages gén., 224, 227, 231, 318, 409, 488, 617, 778, 911. - Antiquité, 1412, 1801. - Moyen Age, 2136-2143. - Hist. polit. mod., 2710, 2773, 2781, 2783, 2909, 3054, 3264, 3318, 3365, 3439, 3687, 3697, 3814, 3826. - Hist. relig. mod., 3941, 4174-4198 passim. - Hist. Culture intellect. mod., 4202, 4383. - Hist. écon. soc. mod., 5382, 5544, 5722, 5958. - Hist. Droit mod., 6023, 6046. - Relat. internat. mod., 6129, 6585-6587, 6632, 6684, 6764. - Hist. Asie, 6933. - Judéo-chrétiens, 1773, 1803.
Jutes (Germanic people), 426.
Jylland, Jütland (rég., Danemark), 2620, 6513.

K

Kärnten, Carinthie (Land, Österreich), 2142, 2361, 2835.
Kaga (Japan), 599.
Kalisz (Pologne), Voïvodie, 3700.
Kalmar (Suède), 713. - Union, 2128.
Kama (riv., Russie), 1018.
Kamerun, v. Cameroun.
Kansas (state, U.S.A.), 3149, 5277, 5774.
Kapingamarangi (island, Carolines, Pacific Ocean), 7103.
Kappadokia, v. Cappadocia.
Karl-Marx-Stadt, Chemnitz (DDR), 5735. - Bezirk, 636.
Karlowitz (auj. Sremski Karlovic, Yougoslavie), Traité [1699], 6368.
Karnak (Egypte), Chapelle d'Achôris, 1224.
Kassa, v. Košice.
Kavkaz, Caucase (montagnes, U.R.S.S.), 1817, 1904, 2020, 3816, 5520, 6721, 6924.
Kazačij, Cosaques (populations, U.R.S.S.), C. du Don, 3841.
Kazakhstan (rép., U.R.S.S.), 3872, 3877.
Kefallinia (île, Grèce), 186.
Kent (co., England), 2404, 6082.
Kent (Ohio, U.S.A.), State Univ., 6024.
Kenya (rep.), 4564, 5343, 6193, 6213, 6214, 6232.
Kephallenia, v. Kefallinia.
Keszthely-Dobogó (Hongrie), 1749.
Khalkhin-Gol, v. Halhin-Gol.
Khar'kov (Ukraine, U.R.S.S.), 3833.
Khirokitia (Chypre), 978.
Khorezm (anc. kingdom, U.R. S.S.), 6925.
Kiel (Schleswig-Holstein, BRD), Univ.-Bibliothek, 2785.
Kiev (Ukraine, U.R.S.S.), 988, 2014, 2061, 5961.
Kimberley (S. Africa), 6235.
Kitsos (Attique, Grèce), Grotte, 975.
Klagenfurt (Kärnten, Österreich), Intern. Symposium [1980], 2835.
Knossos (anc. city, Crete), 337, 1472.
København (Denmark), National Museum, 1497.
Köln (Nordrh.-Westf., BRD), 5132. - Deutz, 774. - Dom, 866.
Körös, v. Criș.
Kohala (Hawaii), 7109.
Kolarovgrad, Šumen (Bulgarie), 1514.
Konstanz (Bad.-Württ., BRD), 2205. - Konzil, 1900.
Korea, Corée, 4122, 6427, 6428, 6807, 6832, 6836, 6890, 7041-7045.
Korinthos (Grèce), 1358.
Košice, Kassa (Tchécoslovaquie), 5303, 5648.
Kosovo (Yougoslavie), 732.
Koufra (oasis, Libye), 6702.
Kouřim (Tchécoslovaquie), 2033.
Kraichgau (Landschaft, BRD), 2554.
Kraków, Cracovie (Pologne), 2551, 3687, 3688, 3835. - Professeurs, 6590. - Varnhagen Coll., 234. - Wawel, 920.
Krete, Crète (île, Grèce), 1305, 1454, 1466, 6738.
Kroměříž (Tchécoslovaquie), 173.
Kronštadt (Russie), Révolte [1921], 3813.
Krym, Crimée (péninsule, U.R. S.S.), 6473.
Kuban (fleuve, U.R.S.S.), 3841.
Külső-Szolnok (comitat, Hongrie), 5352.
Kujawy (rég., Pologne), 3681.
Kulikovo Pole, Plaine de K.

(Russie), Bataille [1380], 2062.W
Kumanen, Kumans, v. Cumans.
Kurds (people), 6923.
Kush (anc. empire, Ethiopia), 1186, 1222.
Kyoto (Japan), Univ., 7012.
Kypros, Chypre, Cyprus, 5, 188, 973, 1047, 1067, 1092, 1473, 1480, 1872.
Kyrene, Cyrène (Afrique du N. anc.), 1228, 1229.

L

Labe, Elbe (Fluss), E.-Saale-Gebiet, 2272.
Lackawanna (riv., Pa., U.S.A.), 5508.
La Guaira (Venezuela), 6283.
Lamanai (Belize), 7088.
Lamu (Kenya), 7072.
Landes (dépt., France), 853, 1913.
Langobarden, Longobardi (german. Volk), 1943, 2040, 2429.
Langres (Haute-Marne, France), Diocèse, 3983.
Languedoc (rég., France), 3277, 3320, 5359, 6025, 6692. - Bas-L., 5373. - Haut-L., 5574.
Laon (Aisne, France), 1972. - Chapitre cathédral, 2565.
La Rochelle (Charente-Maritime, France), 3338, 3373.
Laterano, Latran (palazzo, Roma), 6528. - III concilio, 2542. - IV Concilio, 3971. - Treaties, 3625.
Latin America, v. Amérique latine, s.v. Amérique.
Latina (lingua), 7, 11, 18, 21, 125, 128, 138, 139, 261, 1511, 1515, 1647, 1776, 1974, 2354.
Latium, v. Lazio.
Latmos (montagne, Asie mineure anc.), 1372.
Latvija, Lettonie (rép., U.R. S.S.), 3870, 4272.
Lausitz, Lusace (Landschaft, DDR), L.er Kultur, 981, 1087.
Lavinium (Latium, Italia ant.), 1720.
Layrac (Lot-et-Garonne, France), 3321.
Lazio (reg., Italia), 2009, 2430.
Lebanon, v. Liban.
Lectoure (Gers, France), Monastère St.-Géni, 2519.
Lefkadia Levkas, (Grèce), 1465.
Lefkandi (Greece), 1111.
Le Havre (Seine-Maritime, France), Eglise réformée, 4148.
Lehigh (riv., Pa., U.S.A.), Region, 5508.
Leiden, Leyde (Pays-Bas), Papyrus, 1308.
Leipzig (DDR), 5798. - Bezirk, 636. - L.-Dresdener Eisenbahn, 5142.
Le Mans (Sarthe, France), Dio-

cèse, 4010.
Lemberg, v. L'vov.
Leningrad (Russie), 3834, 4120, 5941. - Région, 6757.
Lentia (heute Linz, O.-Ö., Österreich), Terra sigillata, 1748.
León (reg., España), Cortes, 2188.
Lettland, Lettonie, v. Latvija.
Levant (rég.), 995, 1379, 5333. - Ottoman L., 5377.
Liban, Lebanon, 6862.
Liberia, 6124, 6452.
Libice nad Cidlinou (Bohême, Tchécoslovaquie), 2449.
Libisonis Turris, v. Portotorres.
Libya, Libye, 1000, 6221, 6228.
Liège (Belgique), 5655.
Liepaja (Lettonie, U.R.S.S.), 6737.
Ligures Baebiani (popolo, Italia ant.), 1616.
Liguria (reg., Italia), 156, 970, 3613.
Lille (Nord, France), 666, 2222, 5175.
Lima (Perú, Audiencia, 6266.
Limousin (rég., France), 74. - Bas-L., 5403.
Lincoln (Lincs., England), 4092.
Lincolnshire (co., England), 123.
Lindebjerg (Zealand, Denmark), 1049.
Linz (O.-Ö., Österreich), 5164. - Cf. Lentia.
Lipari (isola, Italia), 1462.
Lippe (ehem. Territorium, BRD), Grafschaft, 2791.
Liptako (rég., Haute-Volta), 7058.
Litva, Lituanie (rép., U.R.S.S.), 750, 2602, 4069, 5907, 6394, 6614.
Liverpool (Lancs., England), 3483.
Livonija, Livland (rég., U.R.S.S.), 2004, 2036, 3745.
Lobith (Niederlande), Rheinzoll, 2202.
Locarno (Tessin, Schweiz), Verträge [1925], 6519.
Loire (fleuve, France), 2212. - L. moyenne, 2216. - Val de L., 777.
Lombardia (reg., Italia), 301, 1782, 3616, 6076.
London, 3943, 5255, 5506, 5879, 6518, 6641. - Brit. Museum, 265. - Brunel Univ., 4370. - County Council, 4367. - Foundling Hospital, 5709. - Public Record Office, 77. - Tower, 3398.
Long Island (N.Y., U.S.A.) 5451.
Longobardi, v. Langobarden.
Longone, v. Porto Azzurro.
Lorient (Morbihan, France), 5795.
Lorraine, Lothringen (rég., France), 555, 656, 860, 1949, 2247, 3252, 3968, 5096, 6549.
Lorsch (Hessen BRD), Klosterbibliothek, 254.

Los Angeles (Calif., U.S.A.), 3026.
Lot (dépt., France), 853.
Lot-et-Garonne (dépt., France), 853, 1913, 4376.
Louisiana (state, U.S.A.), 6029.
Louny (Bohème, Tchécoslovaquie), 2309.
Lowell (Mass., U.S.A.), 5170.
Loyang (Chine), 6997.
Luba (people, Africa), 7069.
Lubéron (chaîne des Alpes), France, 3977.
Lucania (reg., Italia ant.), 1528.
Lucca (Toscana, Italia), 4291.
Lübeck (Schleswig-Holstein, BRD), 829, 2241, 2594. - Recht, 2185.
Lunel (Hérault, France), Psautier, 197.
Lunigiana (reg. stor., Italia), 3581.
Luxembourg, XIV, 71, 6549.
Luxeuil-les-Bains (Haute-Saône, France), Abbaye, 2518.
L'vov, Lemberg (Ukraine, U.R.S.S.), 6510.
Lykandos (Cappadoce, Empire byzantin), 171, 1850.
Lynn (Mass., U.S.A.), 5177, 5228.
Lynn (Mass., U.S.A.), 5177, 5228.
Lyon (Rhône, France), 1571, 2513, 2593, 4324, 4742, 4854, 4925, 5613, 5616, 5697, 5890. - Foires, 2209. - Hospices, 4592. - Musique, 4986. - Peinture, 4908. - Soierie, 5241.
Lyonnais (rég., France), 2261, 5706.

M

Maas, v. Meuse (fleuve).
Macedonia, Macédoine (rég., Balkans), 1358, 2866, 3626.
Madagascar, 4588, 5285, 6223, 7054, 7055, 7067, 7068.
Madaras (Komitat Bács-Kiskun, Ungarn), 1137.
Madras (India), 3391.
Madrid (España), 5460, 5647, 5916, 6064. - Movimiento estudiantil, 2886.
Mähren, v. Morava.
Mälaren (lac, Suède), 2157.
Magdeburg (DDR), 2277. - Bezirk, 635.
Maghreb (rég., Afrique du Nord), 1539, 4181, 6227, 6474.
Magra (fiume, Italia), Valle, 3613.
Magyarország, Hongrie : Bibl. hist. gén., III, XII. - Sci. auxil., 85, 95, 148. - Ouvrages gén., 627, 682-689, 770, 779, 808, 832. - Préhist., 961, 1016, 1137, 1140, 1153. - Moyen Age, 1903, 1938, 1998, 2060, 2063, 2106, 2233, 2530, 2536, 2596. - Hist. polit. mod., 3492-3563, 3895. - Hist.

relig. mod., 4059. - Hist. Culture intellect. mod., 4268, 4312, 4332-4419 passim, 4474, 4694, 4802-4880 passim, 4959, 4992. - Hist. écon. soc. mod., 5200, 5263, 5303-5487 passim, 5519, 5557, 5638, 5642, 5691, 5728, 5731, 5766, 5807, 5905. - Hist. Droit mod., 6072. - Relat. internat. mod., 6345, 6350, 6358, 6390, 6431, 6447, 6494, 6511, 6517, 6550, 6570, 6595, 6612, 6628, 6638, 6662, 6678, 6680, 6795, 6845, 6858. - Cf. Österreich-Ungarn.
Mahurjhari (India), 1107.
Maine (rég., France), 6314.
Mainz (Rheinland-Pfalz, BRD), Republik, 2697.
Maisonneuve (Montréal, Canada), 5521.
Málaga (España), 1716, 2260.
Malaya, 6171. - Cf. Malaysia.
Malaysia, 5249, 6179, 6965, 6971. - Cf. Malaya.
Mali, 7062.
Mallia (Crète anc.), 1466.
Mallorca (isla, Baleares, España), 5109. - Reino, 2079.
Malta (islands), 786. - Ordre, 908, 5373.
Mancha (La, reg. hist., España), 5525.
Manchester (N.H., U.S.A.), 5658.
Manchuria (reg., China), 6428, 6486.
Manhattan (borough, N.Y.C., U.S.A.), 5529.
Mans (Le), v. Le Mans.
Mantova (Lombardia, Italia), 36, 4955.
Manzikert (auj. Malazgirt, Turquie), Bataille [1071], 1857.
Maoris (people, New Zealand), 7101.
Marchiennes (Nord, France), 2189.
Marcianopolis (auj. Reka Devnja, Bulgarie), 1514.
Mariana Islands (pacific Ocean), 6713.
Markomannen (german. Volk.), 1562.
Marlhes (Loire, France), 5699.
Marmekij (Ukraine, U.R.S.S.), 1129.
Marne (dépt., France), 3260.
Maroc, Morocco, 5433, 6186, 6546, 7059, 7060, 7071.
Marquises (îles, Polynésie franç.), 7094.
Marseille (Bouches-du-Rhône, France), 2314, 2514, 5785. - Monnaies, 102.
Martinique (île, Antilles), 6290.
Maryland (state, U.S.A.), 2917, 2957, 3096, 6250, 6296, 6298.
Marzobotto (città etrusca, Italia), 1501.
Massachusetts (state, U.S.A.), 2917, 3028, 5228, 5323, 5428, 5556, 5678, 6309.
Massachusetts Bay (Mass., U.S.

A.), 4095, 6247.
Matsu (island, China), 6881.
Maubeuge (Nord, France), 6514.
Mauritius (island, Indian Océan), 6208.
Maya (Indios), 7084. - Quiché M., 7077.
Maynooth (Ireland), St. Patrick's College, 4006.
Mazara del Valle (Sicilia, Italia), Diocesi, 2575.
Mazille (Saône-et-Loire, France), Soeurs Carmelites, 1767.
Mazury (rég., Pologne), 1144, 3680, 4303.
Mecklenburg (Landschaft, DDR), 633.
Méditerranée (mer), 216, 790, 1119, 1870, 2244, 6499. - M. occid., 966, 1306. - M. orient., 1096, 1118. - Pays, 5458.
Megara (Grèce), 1352.
Memphis (Tenn., U.S.A.), 3139.
Menton (Alpes-Maritimes, France), 794.
Mergentheim (Baden-Württemberg, BRD), 906.
Meroe (Rep. of the Sudan), 1207, 1214, 1222.
Meshed (Iran), 177.
Mesoamerica, v. Amérique centrale, s.v. Amérique.
Mesopotamia, Mésopotamie, 1053, 1230-1241, 5226, 5477, 6472.
Messina (Sicilia, Italia), 2599.
Meurthe (dépt., France), 3285.
Meuse (dépt., France), 860.
Meuse, Maas (fleuve), 2191.
México (Ciudad), 4024, 5952.
México (Estados unidos de), 3002, 3102, 3650-3657, 5368, 5406, 5511, 5781, 5860, 5887, 6141, 6259, 6260, 6262, 6279, 6287, 6326, 6333, 6426, 6451, 6464, 6526, 6563, 6728, 6810, 6900, 7078, 7080, 7083. - Cf. Nueva España.
Mezzogiorno (reg. geogr., Italia), 401, 3612, 3617, 3634, 5426.
Michigan (state, U.S.A.), 4104.
Midway Islands (Pacific), 6706.
Milano (Lombardia, Italia), 625, 1918, 2220, 4245, 5162, 5935. - Ambrosiana, 251, 260. - Ospedale Maggiore, 4842. - Pataria, 2066. - Senato, 6076. - Univ., Papiri, 1523.
Miletos (auj. Balat, Turquie), 1372, 1475.
Millstatt (Kärnten, Österreich), Bibliothek, 258.
Milwaukee (Wis., U.S.A.), 5918.
Minas Gerais (Etat, Brésil), 7074.
Moçambique, Mozambique, 4025, 6236.
Modena (Emilia-Romagna, Italia), Ducato, 4512.
Mohács (Hongrie), Bataille [1526], 3540, 6356.
Moldavija (rép., U.R.S.S.), 1052.

Moldova, Moldavie (rég., Roumanie), 75, 1573, 2439, 3726, 5532, 5070. - Cf. Principautés Danubiennes.
Moluques (archipel, Indonésie), 4071.
Mondsee (O.-Ö., Österreich), 1045.
Monferrato (reg. stor., Italia), 2238.
Mongolia, Mongols, 582, 989, 2072, 2077, 2081, 2497, 6126, 6911, 6916, 6081.
Montbéliard (Doubs, France), Pays, 6398.
Monte Cassino (Lazio, Italia), 2455.
Montenegro, v. Crna Gora.
Monteoru (Roumanie), Civilisation préhist., 1084.
Montericco (Emilia-Romagna, Italia), Necropoli, 1503.
Monticello (N.Y., U.S.A.), 3037.
Montmorency (Val-d'Oise, France), Châtellenie, 2206.
Montpellier (Hérault, France), Banque, 5462. - Colloque Eglises et leurs institutions, 3918.
Montreux (Vaud, Suisse), Convention [1936], 6650, 6690.
Montségur (Ariège, France), 2570, 2601.
Mora (Portugal), Cova, 1006.
Morava, Mähren (rég., Tchécoslovaquie), 173, 716, 717, 865, 1964, 3779, 6044.
Morbihan (dépt., France), 3305.
Morelos (estado, México), 7083.
Morocco, v. Maroc.
Moronou (rég., Côte-d'Ivoire), 6201.
Morvan (massif montagneux, France), 6761.
Moskwa, Moscou, 93, 3840, 4077, 5545, 6638, 6639, 6695, 6697, 6720, 6725, 6736. - Merchants, 3858. - Univ., 544. - Tret'jakovskaja, 4890.
Moustiers-Sainte-marie (Alpes-de-Haute-Provence, France), Faïences, 4922.
Moyltyn am (Mongolia), 1023.
Mozambique, v. Moçambique.
München (Bayern, BRD), Brauwesen, 2293. - Congrès européen d'agriculture [1949], 6870.
Murat (Cantal, France), Pays, 5743.
Mureş (rég., Roumanie), 3735.
Murgab (riv., U.R.S.S.), 1083.
Musulmans, v. Islam.
Mykenai, Mycène (Grèce), 1303, 1304, 1306, 1392, 1454, 1469.

N

Nagasaki (Japan), 6693.
Nan-chao (anc. kingdom, China), 6975.
Nantes (Loire-Atlantique, France), 3266, 5795. - Edit, 4135.

Nantucket (Mass., U.S.A.), 6408.
Nanyang (Honan, Chine), 6991.
Napata (anc. city, Sudan), 1203.
Napoli (Italia), 3628, 4509, 5825, 5917. - Assedio [1191], 625. - Bibliot. S. Tommaso, 255. - Maiolica, 4915. - Peste [1656], 3585. - Regno, 3584, 5037.
Narbonne (Aude, France), 667. - N. antique, 1729.
Narmada (riv., India), Valley, 1029.
Nashville (Tenn., U.S.A.), 5381.
Navajo Indians, 3036.
Nebraska (state, U.S.A.), 2963.
Nederland, Pays-Bas, XVI, 124, 898, 2431, 4220, 4713, 5342, 5641, 6305, 6374, 6641, 6653, 6784.
Negroes, v. Noirs.
Neubrandenburg (DDR), Bezirk, 633.
Nevers (Nièvre, France), Faïence, 4925.
New Brunswick (prov., Canada), 194, 3992.
New Caledonia, v. Nouvelle Calédonie.
New Delhi (India), 4868. - Cf. Delhi.
New England, 2917, 2992, 4099, 4105, 4131, 4163, 5279, 5443, 5688, 6069, 6249, 6295, 6328.
New Guinea, Nouvelle-Guinée (island), 572, 1038. - Cf. Papua N.G.
New Hampshire (state, U.S.A.), 6269.
New Holland, v. Australia.
New Jersey (state, U.S.A.), 5319, 6316. - Kean College, 4345.
New Netherland, 5541.
New Orleans (La., U.S.A.), 5761. - Battle [1815], 3081.
New Scotland, v. Nova Scotia.
New Spain, v. Nueva España.
New World, 4279.
New York (state, U.S.A.), 2917, 3061, 3101, 5030, 5541, 5759, 5885, 6294, 6305.
New York (N.Y., U.S.A.), 3054, 4348, 5159, 5471, 5489, 5548, 5594, 5623, 5837, 5911, 6268. - Int. Congress of Papyrol., 220. - Jews, 4185. - Manhattan, 5529.
New Zealand (islands, Pacific Ocean), 6340.
Newcastle upon Tyne (Northumb., England), Univ. Library, 4585.
Nicaragua, 7082.
Nice (Alpes-Maritimes, France), 794, 3914.
Niederösterreich (Land, Österreich), 2550.
Niedersachsen (Land, BRD), 2778.
Nièvre (dépt., France), 6776.

Niger (fleuve, Afrique), Delta, 7062.
Nigeria, 467, 3658, 3659, 6205, 6225, 6239, 7053.
Nijmegen, Nimwegen (Pays-Bas), Paix [1678, 1679], 6388.
Nikolaev (Ukraine, U.R.S.S.), Oblast', 3836.
Nikopolis (Grèce), 186.
Nil (fleuve, ≠Afrique), Delta, 1192.
Nîmes (Gard, France), N. préromaine, 1148. - Région, 5760.
Nimwegen, v. Nijmegen.
Nördlingen (Bayern, BRD), 4154.
Noire (mer), Black Sea, Pontus, 3345. - Northern area, 976, 1574, 1904. - Littoral ouest, 1525, 2095. - Pontic area, 2082.
Noirs, Negroes, 5524, 5793. - N. d'Amérique, 230, 2940, 2950, 2959, 2960, 2962, 2974, 3041, 3047, 3050, 3059, 3071, 3077, 3084, 3154, 3155, 4094, 4334, 4352, 4386, 5583, 5702, 6211, 6282, 6289.
Nord (dépt., France), 3237, 5783.
Norfolk (co., England), 6048.
Norge, Norvège, XV, 233, 303, 1077, 1082, 1115, 1116, 2080, 2112, 2614, 3660-3662, 3920, 4059, 4112, 4155, 5190, 5465, 5611, 6444, 6543, 6700, 6815.
Normandie (rég., France), 654, 2198, 2506, 3254, 5639, 5725. - Amirauté, 6015. - Basse-N., 3344.
Normannen, Normans, 2052, 2074, 2336. -Cf. Anglo-Normans.
Norrland (prov., Sweden), 5210.
North Carolina (state, U.S.A.), 2904, 3146, 5257, 6275.
Northern Territory (Australia), 6337.
Noto (Japan), 599.
Notre-Dame-d'Allençon (Maine-et-Loire, France), 1708.
Notre-Dame-de-Lumières (Vaucluse, France), 3977.
Noua (Roumanie), Civilisation préhist., 1072.
Nouvelle-Calédonie, 7093, 7098, 7099.
Nouvelle-France, 6278, 6332.
Nouvelle-Guinée, v. New Guinea.
Nova Scotia (prov., Canada), 5407, 6314.
Novgorod (Russie), 2023, 2252, 2423, 2426, 2444.
Nubia (reg., Africa), 1002, 2418. - Sudanese N., 1015.
Nürnberg (Bayern, BRD), 1901, 2737, 5342. - Prozesse, 6103.
Nueva España, 4019, 6252, 6257, 6292, 6334. - Cf. México (Estados unidos de).
Numidia (rég., Afrique du Nord anc.), 1539.

Nysa (Pologne), 4055.

O

Oak Ridge (Tenn., U.S.A.), 5517.
Oberösterreich (Land, Österreich), 2829, 5690.
Occident, 4, 41, 42, 884, 954, 1592, 1645, 1785, 1902, 2337, 2640, 4234, 4279, 4857, 5300. - O. latin, 610.
Océanie, 233, 557, 592, 4065, 4072. - O. coloniale, 6336-6342. - O. précoloniale, 7092-7109.
Österreich : Allg. hist. Bibl. IV. - Allg. Werke, 214, 222, 418, 625. - Vorgesch., 1003. - Gesch. d. alten Kirche, 1756. - polit. Gesch. d. Neuzeit, 2827-2851, 3584, 3895. - Bildungsgesch. d. Neuzeit, 4338, 4395, 4829. - Wi.- u. Sozialgesch. d. Neuzeit, 5134, 5410, 5479, 5850, 5868, 5872, 5910, 5953. - Rechtsgesch. d. Neuzeit, 5983. - Internat. Beziehungen d. Neuzeit, 6109, 6364, 6457, 6793, 6809, 6892. - Vorderösterreich, 2754.
Österreich-Ungarn, 388, 2827, 2831, 2840, 2845, 2846, 3982, 5292, 5358, 6510, 6567.
Ofen, Ofenpest. v. Budapest.
Ogdensburg (N.Y., U.S.A.), Agreement [1940], 6677.
Ogooué (fleuve, Afrique équatoriale), 7050.
Ohio (state, U.S.A.), 5528.
Ohře (riv., Tchécoslovaquie), 2621.
Ohrid (Yougoslavie), Archevêché, 4076.
Oise (dépt., France), 3280.
Oka (riv., Russie), 2278.
Olbia (anc. colonie grecque, Ukraine, U.R.S.S.), 1359.
Oleśnica (Pologne), 70.
Olite (España), 1910.
Olmec Indians, 433, 7086.
Olomouc (Tchécoslovaquie), 262. - Biblia palaebohema, 1905.
Olympia (Grèce anc.), 1366.
Omdurman (Niger), 554.
Omgård (Danemark), 2620.
Oneida (N.Y., U.S.A.), 5684.
Oneida (co., N.Y., U.S.A.), 5759.
Ontario (prov., Canada), 6005, 7091.
Ópusztaszer (Hongrie), 2617.
Oradea (Roumanie), 154.
Orcistus (Asie mineure anc.), 1512.
Orient, 90, 225, 436, 762, 909, 921, 1292, 1455, 1533, 1592, 1604, 1699, 1703, 2647, 3932, 5254, 5300, 6371, 6377, 6454, 6469, 6906. - O. antique, 1156-1285. - Extrême-O., 3904, 5045, 5137. - Moyen-O.,

798, 969, 2204, 2660, 5099, 6504, 6645, 6756, 6863, 6865, 6879. - Proche-O., 978, 1167, 1172, 1893, 6470, 6756.
Orléans (Loiret, France), 5749. - Univ., 836.
Oroszlány (Hongrie), 1152.
Osnabrück (Niedersachsen, BRD), Städtekurie, 6346.
Ostia (Latium, Italia ant.), 1639.
Oświęcim, Auschwitz (Pologne), 6604, 6609, 6676.
Otranto (Puglia, Italia), Terra d'O., 5834.
Ottoman (Empire), v. Türkyie.
Oudh, v. Awadh.
Ourscamp (Oise, France), Eglise, 2403.
Ourthe (riv., Belgique), 1017.
Ovilava (heute Wels, O.-Ö., Österreich), 1751.
Owens Valley (Calif., U.S.A.), 3026.
Oxford (England), 2577. - Ashmolean Museum, 121. - Physiologists, 4596. - Univ., 4270.
Oxfordshire (co., England), 676.
Oxyrhynchus (auj. Behnesa, Egypte), 1220, 1271. - Papyri, 1332.
Oyapock (riv., Guyane franç.), 573.

P

Pacifique (Océan), 604, 3899, 3900, 5282, 5284, 6617, 6705, 6713, 6714, 6743, 7092, 7106, 7108.
Paeonia (pénins. balkan. anc.), 121.
Pakistan, 6172, 6856, 6895, 6930.
Palermo (Sicilia, Italia), 4916. - Moti [1866], 5808.
Palestine (rég., Proche-Orient), 5, 122, 1089, 1859, 1874, 1884, 1897, 4387, 6530, 6820, 6829, 6863, 6878, 6926-6929, 6933.
Pannonia (prov., Empire romain), 1578, 1703.
Panopolis (Egypte anc.), 1185.
Pantocrator (monastère, Byzance), 1853.
Papua New Guinea, 3663.
Pará (Etat, Brésil), 5355.
Paraguay, 4061, 5290, 6320, 6656.
Parigné-le-Pôlin (Sarthe, France), 3331.
Paris, 655, 672, 2077, 2401, 2440, 3168, 3172, 3186, 3207, 3291, 3298, 3306, 3343, 3993, 4306, 4407, 4598, 4965, 4991, 5591, 5600, 5753, 5930, 6027, 6095, 6432, 6475, 6536, 6582, 6583. - Abbaye St. Germain des Prés, 4058. - Acad. des Sci., 4632, 4650. - Archives nat., 68, 235, 245. - Bassin, 1069. - Biblioth. nat., 233, 261, 1953. - Bon

INDICE GEOGRAFICO

Marché, 5329. - Comédie franç., 4936, 4952, 4980. - Commune [1871], 3185, 3337, 3360, 3384. - Conférence de Paix [1919], 6515, 6542, 6547, 6555. - Conférence écon. [1916], 6565. - Douane, 6036. - Ecole milit., 4652. - Ecoles, 4339. - Faubourg St.-Honoré, 3329. - Faubourg St.-Jacques, 4050. - Franc-maçons, 3270. -Irish College, 4364. - Librairies, 44. - Louvre, 268. - Parlement, 2165, 3372. - Région, 5531, - Sorbonne, 4308. - Théâtre, 4958. - Traité [1955], 6893. - Traité de Paix [1947], 6875, 6901. - Univ., 801.
Parthia (rég., Iran anc.), 1283, 1542, 1556.
Pau (Pyrénées-Atlantiques, France), Colloque [1980], 2224.
Pavia (Lombardia, Italia), 2598, 4251.
Pearl Harbour (Hawaii), 6624.
Pécs (Hongrie), 4165.
Peera Nullah (Madhya Pradesh, India), 1029.
Peking (China), Union Medical Coll., 6978.
Peloponnesos (péninsule, Grèce), 1346.
Pennsylvania (state, U.S.A.), 2917, 3043, 3112, 4277, 5508, 6281, 6308, 6316.
Pensacola (Fla., U.S.A.), 3085, 6385.
Pergamon (auj. Bergama, Turquie), 1458.
Pernambuco (Brésil), 2859.
Persique (Golfe), Emirats, 623.
Pertuis (Vaucluse, France), 860.
Perú, 2897, 3664-3666, 5327, 5402, 6251, 6318, 6326, 6602.
Perugia (Umbria, Italia), 694, 2525, 3957. - Palazzo dei Priori, 2442. - Territorio, 2282.
Pestlőrinc (Hongrie), 1122.
Petersburg (Va., U.S.A.), Siege [1864/65], 3126.
Petricani (Roumanie), Tîrpești, 983.
Petrograd, v. Lenigrad.
Pfalz (Landschaft, BRD), 2411.
Philadelphia (Pa., U.S.A.), 5559, 5665, 5767, 5923, 6321.
Philippines, v. Filipinas.
Philistia (Etat, Palestine anc.), 1262.
Phoenicia, Phoenices (rég. et peuple, Proche-Orient anc.), 1246, 1270, 1366, 1386.
Piemonte (reg., Italia), 697, 1522, 2273, 3599, 5938. - P. sabaudo, 3579.
Piramesse (anc. Egypte), 1192. - Cf. Tanis.
Pisa (Toscana, Italia), concilio [1409], 1954.
Pistoia (Toscana, Italia), Palazzo dei Vescovi, 2441. - Teatro, 4945.
Pittsburgh (Pa., U.S.A.), 3144, 5552.
Plata (Rio de la, América del Sur), 5290, 5325.
Po (fiume, Italia), 1543.
Poitou (rég., France), 198.
Polabes (peuple slave), 2017.
Polemon (Egypte anc.), 1179.
Polska, Pologne : Bibl. hist. gén., XVII. - Sci. auxil., 34, 51, 99, 101, 104, 118, 150, 151, 175. - Ouvrages gén., 224, 244, 246, 271, 280, 287, 300, 362, 517, 568, 603, 619, 649, 701-707, 750, 768, 834, 835, 843, 918, 923, 927, 935, 937. - Préhist., 981, 992, 1022, 1043, 1070, 1087. - Moyen Age, 1919, 2017, 2055, 2087, 2118, 2130, 2192, 2231, 2393, 2394, 2414, 2502, 2618. - Hist. polit. mod., 2715, 2770, 2809, 2861, 3093, 3162, 3262, 3667-3722, 3759, 3870. - Hist. relig. mod., 3937, 3942, 3944-4072 passim, 4161. - Hist. Culture intellect. mod., 4207, 4224, 4269, 4287, 4323, 4363, 4373, 4402, 4418, 4524, 4601, 4646, 4728, 4824, 4825, 4833, 4858, 4889, 4976. - Hist. écon. soc. mod., 5112, 5129, 5208, 5303, 5305, 5312, 5348, 5362, 5413, 5498, 5516, 5561, 5672, 5692, 5693, 5696, 5727, 5745, 5766, 5851, 5867, 5874, 5875, 5907, 5957, 5960. - Hist. Droit mod., 5977, 5992, 6066, 6087, 6090. - Relat. internat. mod., 6108, 6111, 6133, 6139, 6343-6796 passim, 6844, 6885, 6901. - Hist. Asie, 6933. - Wielkopolska, Grande P., 707, 2313.
Polynésie (îles, Pacifique), 5327, 7104. - P. franç., 6342.
Pomorze, Pommern (rég., Pologne), 101, 5786. - P. de Gdańsk, 60. - P. Zachodnie, P. occid., 3676. - Civilisation préhist., 981.
Pompeii (Italia ant.), 1709.
Pont-à-Mousson (Meurthe-et-Moselle, France), 5139a.
Pontus Euxinus, v. Noire (mer).
Porrentruy (Jura, Suisse), 6398.
Porto Azzurro (già Longone, isola d'Elba, Italia), 3596.
Portotorres (Sardegna, Italia), Ipogeo di Tanca di Borgone, 1529.
Portugal, 269, 430, 831, 1006, 1078, 1726, 2001, 2090, 2265, 3941, 5071, 5535, 5536, 6191, 6202, 6218, 6220.
Portuguese Guinea, v. Guinea Bissau.
Posen, v. Poznań.
Potosí (Bolivia), 6265.
Poznań, Posen (Pologne), 3705, 3718. - Grand-Duché, 3690. - Prov., 3721. - Région, 3717. - Voïvodie, 3700.
Praha, Prague, 143, 3783, 5770, 6518, 6723. - Germans, 3768. - Univ., 2560.
Prémontré (Aisne, France), Ordre, 2539.
Přerov (Tchécoslovaquie), 173.
Preston (Lancs., England), Strike [1853-54], 5836.
Preussen, Prusse, 280, 1930, 2036, 2366, 2694-2820 passim, 3692, 3717, 3923, 4323, 5133, 5294, 6056, 6373, 6375, 6395, 6414, 6478, 6520. - P. royale, 3668, 3673. - Ordens-P., 6008. - Ost-P., 2775. - West-P., 6633.
Prince Edward Island (Canada), 6253.
Princeton (N.J., U.S.A.), Univ., 4314.
Principautés Danubiennes, P. Roumaines, 5367, 6429. - Cf. Moldova, Țara Românească.
Provence (rég., France), 660, 860, 2164, 2177, 2425, 4981, 5373, 5472, 6722. - Haute-P., 5605. - Intendance, 6004. - Juifs, 2138.
Prusse, Prussia, v. Preussen.
Przeczyce (distr. de Zawiercie, Pologne), 1087.
Przeworsk (Pologne), 1110.
Puglia, Apulia (reg., Italia), 698.
Punici,. v. Carthago.
Putney (Surrey, England), Debates [1647], 3839.
Pyrénées (montagnes), 2667.
Pyrénées-Atlantiques (dépt., France), 853, 1913.
Pyrgi, Pyrgoi (Etruria, Italia ant.), 1492.

Q

Qafza (Israel), Prehist. site, 1031.
Québec (ville et prov., Canada), 579, 2867, 3907, 4239, 4250, 4311, 4325, 4397, 4568, 4653, 4806, 4887, 5171, 5527, 5562, 5573, 6049, 6261. - Cinéma, 4971, 5006. - Conférence [1944], 6666. - Port, 5318.
Quechan Indians, 2948.
Queensland (state, Australia), 5274.
Quelimane (Mozambique), District, 6236.
Quemoy (island, China), 6881.
Quiberon (Morbihan, France), 3324.
Quiché Indians, 7077.
Qumran (Jordan), Gospels, 1277.

R

Rabat (Maroc), 6186.
Raguse, v. Dubrovnik.

Ravenna (Emiglia-Romagna, Italia), 2049.
Rawicz (Pologne), 6630.
Recife (Brazil), Law school, 2859.
Red Sea, v. Rouge (mer).
Reims (Marne, France), Archevêques, 2546.
Remi, Rèmes (peuple de l'antiquité), 1629.
Remiremont (Vosges, France), Abbaye, 1908.
Rendal Mountains (Norway), 1115.
Rennes (Ille-et-Vilaine, France), 3266.
Réunion (île, Océan Indien), 5468, 5513.
Rhein, Rhin (Fluss), 2191, 2202. - R.-Bund, 2799. - R.-Lande, 632. - Mittel-R., 2781. - Nieder-R., 2393, 2605.
Rheinland, - provinz (ehem. Territorium, BRD), 2727, 4030.
Rhode Island (state, U.S.A.), 6270.
Rhodesia, v. Zimbabwe.
Rhône-Alpes (rég., France), 5066.
Ribe (Sweden), Combs, 2154.
Richmond (Va., U.S.A.), 2964, 3077, 3126.
Rif (massif, Maroc), 5433, 6226.
Ripiceni-Izvor (Roumanie), 1025.
Rivas (Nicaragua), Région, 7082.
Roannais (rég., France), 5374.
Rochelle, v. La Rochelle.
Rodès (Pyrénées-Orientales, France), 3312.
Rodez (Aveyron, France), 668.
Roma, 1715, 1728, 1747, 2009, 2049, 2057, 2203, 2279, 2430, 2633, 3959, 3989, 6430, 6744. - Acad. de France, 4921. - Antianarchist Conference [1898], 6098. - Axe R.-Berlin, 6678. - Bibliot. Casanatense, 247. - Campagna, 2590. - Casetorri, 2420. - Cimiteri cristiani, 1783. - Österr. Hist. Inst., 214, 222. - Palazzo Farnese, 4884. - Questione romana, 3602. - S. Clemente, 2433. - S. Maria del Popolo, 2009. - SS. Pietro e Marcellino, 1789. - Sacco, 6360. - Tedeschi, 2115. - Trastevere, 1636. - Imperium Romanum, II, 4, 10, 55, 86, 100, 114, 19, 202, 215, 292, 342, 347, 364, 546, 751, 752, 1273, 1289, 1293, 1299, 1301, 1302, 1400, 1485-1754, 1846, 2041. 2201.
Romagna (reg. stor., Italia), 1503, 1617.
România, Roumanie : Bibl. hist. gén., XVIII. - Sci. auxil., 135. - Ouvrages gén., 311, 564, 577, 708-712, 751, 755, 760, 792, 840, 856, 943, 953. - Préhist., 1014, 1046. - Antiquité, 1288, 1635. - Moyen Age, 1907, 2030, 2106, 2439. - Hist. polit. mod., 3520, 3723-3739. - Hist. relig. mod., 4076. - Hist. Culture intellect. mod., 4207, 4208, 4216, 4225, 4230, 4390, 4410, 4505, 4701, 4816. - Hist. écon. soc. mod., 5043, 5113, 5149, 5185, 5292, 5311, 5459, 5461, 5485, 5486, 5555, 5906, 5936. - Hist. Droit mod., 6039. - Relat. internat. mod., 6348, 6367, 6438, 6440, 6454, 6455, 6466, 6473, 6500, 6547, 6556, 6574, 6644, 6858.
Roncesvalles (Navarra, España), 2600.
Roncevaux, v. Roncesvalles.
Rossija, Russie : Sci. auxil., 11, 78, 182. - Ouvrages gén., 357, 570, 576, 581, 586-588, 594, 725, 727, 730, 740, 795, 854, 948. - Moyen Age, 1904, 1991, 2014, 2228, 2278, 2375, 2580. - Hist. polit. mod., 3804-3883 passim. - Hist. relig. mod., 4074, 4079, 4080. - Hist. Culture intellect. mod., 4228, 4293, 4299, 4335, 4394, 4405, 4477, 4524, 4597, 4626, 4698, 4702, 4704, 4732, 4818, 4825, 4907, 4995. - Hist. écon. soc. mod., 5035, 5229, 5247, 5261, 5280, 5282, 5314, 5330, 5377, 5395, 5397, 5398, 5476, 5499, 5543, 5566, 5657, 5698, 5747, 5775, 5859-5945 passim. - Hist. Droit mod., 5965, 5996, 6026, 6031. - Relat. internat. mod., 6112, 6114, 6417, 6421, 6426-6578 passim, 6600. - Hist. Asie, 7043.
Rostock (DDR), Bezirk, 633.
Rothenburg ob der Tauber (Bayern, BRD), 2122.
Rouen (Seine-Maritime, France), 3183, 3198, 3994, 5293, 5740. - Diocèse, 4012.
Rouge (mer), Red Sea, 7049.
Rougiers (Var, France), Fouilles, 2589.
Ruhrgebiet (Nordrh.-Westf., BRD), 6537.

S

Saarland (Land, BRD), 170.
Sachsen (german. Volk), 426. - Cf. Anglo-Saxons.
Sachsen (Landschaft, DDR), 636, 4008, 6389. - S.-Anhalt, 635.
Saedding (Danemark), 2620.
Sahara (desert, Africa), Algerian S., 5197.
Sahel (reg., Africa), 7062.
Saï, Sais (Egypte anc.), 1208.
Saint-Arnould de Metz (abbaye, Moselle, France), 2176.
Saint-Cyr-l'Ecole (Yvelines, France), 6010.
Saint David's (Pembroke, Wales), Cathedral, 2409.
Saint-Domingue, v. Dominicana (República).
Saint-Etienne (Loire, France), Région, 3309.
Saint-Guilhelm-le-Désert (Hérault, France), Liber sacramentorum gellonensis, 1945.
Saint Helena (island, Atlantic), 3176.
Saint-Laurent (fleuve, Amérique du N.), Vallée, 5732.
Saint Louis (Mo., U.S.A.), 6094.
Saint-Malo (Ille-et-Villaine, France), 5795.
Saint-Omer (Pas-de-Calais, France), 669.
Saint-Roch (anse à Antibes, Alpes-Marit., France), 92.
Sainte-Anne-de-Beaupré (Québec, Canada), 4041.
Salamis, Salamina (Chypre anc.), 1480.
Salassi (peuple de l'antiquité), 1638.
Salerno (Campania, Italia), Principato, 625, 869.
Salęt (See, Polen), 1144.
Salt Lake City (Utah, U.S.A.), 2827.
Salvador (El), 3740, 3741, 6817.
Salzburg (Österreich), 4941. - Erzbistum, 2094. - Erzstift, 3935.
Salzkammergut (Landschaft, Österreich), 1003.
Samaria, Samaritani (anc. Palestine), 1248, 1251.
Sambia, Samland, v. Semlandskij poluostrov.
Samos (île et ville, Grèce), 1364.
Samothraki (île, Grèce), 5082.
San Colombano (seigneurie, Corse, France), 1923.
San Remo (Liguria, Italia), 3613.
Sant'Eufemia (Calabria, Italia), Abbaziale, 2432.
Sant Pere de Gran d'Escales (monasterio, España), 2521.
Santa Lucia (anc. Jesuit hacienda, Mexico), 4063.
Santa Maria de Valle Josaphat [o della Scala] (monasterio, Sicilia), 1942.
Santiago de Compostela (España), 2522.
Santo Domingo, v. Dominicana (República).
São Paulo (Brésil), 5667.
Saqqarah (Egypte), 1213.
Saragosse,v. Zaragoza.
Sardegna (isola, Italia), 5510.
Sarmizegetusa, v. Ulpia Traiana S.
Sarrasins (les), 2152.
Saskatchewan (prov., Canada), 2869.
Satu Mare (Roumanie), 5396. - Paix [1711], 3501.

INDICE GEOGRAFICO

Saudi Arabia, Arabie Saoudite, 6107, 6136.
Sault Sainte Marie (Mich., U.S.A.), Canal, 5166.
Savoie (dépt., France), 2440.
Scandinavia, 176, 181, 218, 33, 419, 2004, 4247, 4393, 5444, 5847, 6839.
Schaumburg-Lippe (ehem. Land BRD), 2778.
Schlesien, v. Śląsk, Slezsko.
Schleswig (ehem. Herzogtum, BRD u. Dänemark), 5070, 5365, 6145.
Schleswig-Holstein (Land, BRD), 4322.
Schmidtburg (BRD), 2117.
Schwarzes Meer, v. Noire (mer).
Schweiz, Suisse, XIX, 266, 1086, 2682, 3756-3760, 3937, 5320, 6410, 6535, 6566, 6603. - S. romande, 2609.
Schwerin (DDR), Bezirk, 633.
Scotland, Ecosse, 50, 192, 681, 987, 1149, 1558, 1940, 2056, 3421, 3451, 3459, 3470, 3476, 3927, 4115, 4314, 4609, 5235, 5480, 5595, 6047.
Scottsboro (Ala., U.S.A.), 3142.
Scythae, Scythia, 1098.
Sebasteia (auj. Sivas, Turquie), 171.
Seckau (Steiermark, Österreich), 4035.
Sedan (Ardennes, France), 4135, 5604. - Manufacture, 5184.
Segovia (España), 2564.
Sémites (peuples), 16, 1246 - 1279.
Semlandskij poluostrov, Samland (péninsule, Russie), 1106.
Sénanque (abbaye à Gordes, Vaucluse, France), Colloques internat., 4191.
Sénégal (Rép.), 562, 998.
Senigallia (Marche, Italia), 3959.
Serer (peuple, Sénégal), 562.
Sevilla (España), 2257, 5104. - Casa de la Contratación, 162.
Shandong, Shantung (prov., China), 7007, 7018.
Shanghai (China), 6982.
Shenandoah National Park (Va., U.S.A.), 3121.
Shona (people of Africa), 7051.
Shqipria, Albanie, 630, 1123, 2693, 4321, 6457, 6488.
Sialk (Iran), 978.
Sibir', Sibérie (rég., U.R.S.S.), 570, 587, 597, 1019, 1033, 1080, 1113, 3838, 3846, 3904, 5539, 5546, 5751.
Sicilia (isola, Italia), 625, 700, 1306, 1350, 1486, 1489, 3615, 3617, 3624, 3632, 3988, 4278, 5054, 5426, 5484, 5510, 6717.

Siebenbürgen, v. Transilvania.
Siena (Toscana, Italia), 2024.
Sigmundsherberg (N.-Ö., Österreich), Kriegsgefangenlager, 2836.
Silésie, v. Śląsk, Slezsko.
Singapore, 6178, 6971.
Singkiang, East Turkestan (reg., China), 4118.
Sinope (auj. Sinop, Turquie), 1359.
Śląsk, Schlesien, Silésie, (rég., Pologne), 70, 705, 915, 3676, 4057, 4377, 6535, 6770, 6772. - Dolny Ś., Basse-S., 6534. - Górny S., Haute-S., 3667, 3679, 3720, 6520, 6555, 6622, 6772. - Voïvodie, 3708.
Slaves (peuples), 295, 298, 379, 517, 533, 589, 603, 1131, 1133, 1141, 1825, 1892, 1894, 2017, 2042, 2208, 2211, 2571, 2610. - S. du Nord-Ouest, 1134. - S. du Sud, 5117. - S. orientaux, 2619.
Slavonija, Slawonien (Landschaft, Jugoslavien), 3893.
Slezsko, Silésie (rég., Tchécoslovaquie), 173, 716.
Slovensko, Slovaquie (rég., Tchécoslovaquie), 100, 600, 715, 718, 912, 1965, 1974, 2027, 2821, 3763-3793 passim, 4341, 5234, 5515, 5642, 5856, 6550, 6570, 6780.
Słupsk (Pologne), 703.
Sörup (Schleswig-Holstein, BRD), 1114.
Soest (Nordrh.-Westf., BRD), S.-Ardey, 2607.
Sofala (Mozambique), 6202.
Sogdiana (rég., Asie anc.), 117.
Sokolovo (Ukraine, U.R.S.S.), 6731.
Somerset (co., England), 852.
Somme (dépt., France), 2212.
Songhay (people of Africa), 7059.
Sonora (estado, México), 3656, 6303.
Sorben (Volk, DDR), 533.
Soudan, v. Sudan.
South Africa (Rep. of), 2644, 2691, 2692, 5097, 5436, 5946, 6188, 6203, 6527.
South Australia (state, Australia), 4375, 6337.
South Carolina (state, U.S.A.), 3040.
South Seas, 3898.
Southampton (Hants, England), 2248.
Sparta (Grèce), 1341.
Sperlonga (Lazio, Italia), 1737.
Speyer (Rheinl.-Pfalz, BRD), Domkapitel, 2554.
Spezia (Liguria, Italia), 3613.
Spree (Fluss, Mitteleurope), 2042.
Srbija, Serbie (rép., Yougoslavie), 3507, 3551, 3894, 4785, 4992, 6377, 6415, 6551.
Sri Lanka, Ceylon, 6169, 6940, 6941, 6955.
S.S.S.R. (Sojuz Sovetskikh Socialističeskikh Respublik) : Ouvrages gén., 217, 277, 298, 303, 305, 354, 473, 509, 517, 565, 576, 596, 723-731, 861. - Préhist., 963, 1027, 1079. - Antiquité, 1630. - Hist. polit. mod., 2640, 2647, 3774, 3776, 3794, 3804-3883. - Hist. Culture intellect. mod., 4221, 4248, 4255, 4412, 4606, 4740, 4780, 4791, 4905, 4950, 4966. - Hist. écon. soc. mod., 5092, 5145, 5186, 5187, 5412, 5434, 5469, 5475, 5537, 5582, 5748, 5751, 5817, 5835, 5851, 5891, 5950, 5959. - Relat. internat. mod., 6105-6152 passim, 6371, 6543, 6559, 6581, 6596, 6655, 6681, 6685, 6686, 6688, 6756, 6797-6902 passim.
Stafford (Staffs, England), Archdeaconry, 4117.
Stamford (Lincs., England), Pottery, 2254.
Steiermark (Land, Österreich), 2839.
Stiffkey (Norfolk, England), 6048.
Stockholm, Papyrus, 1308.
Stones River (Tenn., U.S.A.), 3063.
Storey Mountains (U.S.A.), 3037.
Strasbourg (Bas-Rhin, France), 26, 670, 4129, 5492, 6369, 6378, 6386, 6463, 6613. - Papyrus grecs, 1334. - Réforme protestante, 4091, 4170.
Styria, v. Steiermark.
Sudan, Soudan (area, Africa), 7059.
Sudan (Rép. of the), 1210, 1545, 5331, 6231, 7048.
Suède, v. Sverige.
Südtirol, v. Trentino-Alto Adige.
Sueben, Suevi (german. Volk), 2051.
Suffolk (co., England), 2289.
Šumen, v. Kolarovgrad.
Sumer (Mésopotamie anc.), 1240.
Suomi, Finlande : Ouvrages gén., 233, 249, 553, 795. - Préhist., 972. - Hist. polit. mod., 3160-3164, 3874. - Hist. Culture intellect. mod., 4247, 4267, 4800, 4888, 4932. - Hist. écon. soc. mod., 5230, 5522, 5534, 5550, 5713, 5914. - Hist. Droit mod., 5973. - Relat. internat. mod., 6400, 6573, 6671, 6702, 6875.
Surrey (co., England), 6083.
Susa (Iran anc.), 1281, 2301.
Susa (Piemonte, Italia), Valle, 1717.
Sutaeans (anc. Semitic peoples), 1160.
Sverige, Suède : Ouvrages gén., 233, 419, 538, 713, 714. - Préhist., 1076. - Moyen Age, 2007, 2112, 2160, 2217, 2232, 2235, 2419, 2561. - Hist. polit.

mod., 3742-3755, 3838. - Hist. relig. mod., 4059, 4118. - Hist. Culture intellect. mod., 4201, 4310, 4327, 4337, 4351, 4366, 4368, 4371, 4415. - Hist. écon. soc. mod., 5411, 5518, 5522, 5549, 5624, 5625. - Relat. internat. mod., 6383, 6387, 6394, 6400, 6444, 6573, 6667, 6674, 6882.
Syria, Syrie, 1168, 1548, 1874, 2438, 3761, 6470.
Szabolcs-Szatmár (comitat, Hongrie), 689.
Szatmár, v. Satu Mare.
Szczecin (Pologne), 3672.
Szegvár (Hongrie), 1126.
Szolnok (Hongrie), Comitat, 682.

T

Taanach (Israel), 1118.
Tabor (Bohème, Tchécoslovaquie), 2608.
Tadžikistan (rép., U.R.S.S.), 945.
Tahiti (île, Polynésie franç.), 7097.
T'ai-hu (lake, China), 7009.
Taiwan, Formose (île, Chine), 7015.
Tanca di Borgona (Portotorres, Sardegna), Ipogeo, 1529.
Tangut (anc. kingdom a. prov., China), 49.
Tanzania, 3762, 4187, 4564.
Țara Românească, Valachie (rég., Roumanie), 708, 2584, 3727, 5970.
Tarhoscht (Wadi, Libyen), 1000.
Tarn (dépt., France), 3251.
Tarn-et-Garonne (dépt., France), 853.
Târnovgrad (Bulgarie), 2606.
Tartu (Estonie, U.R.S.S.), Treaty [1920], 6533.
Tasmania (island a. state, Australia), 7102.
Tchad, Chad (lac, Afrique), 7053.
Tegernsee (Bayern, BRD), Kloster, 2362.
Tell es Sultan (Jericho, Jordan), 978.
Temeschvar, v. Timişoara.
Tennessee (state, U.S.A.), 3063.
Teotihuacán (México), 7083.
Tepeaca (México), 6260.
Terek (fleuve, U.R.S.S.), 3841.
Texas (state, U.S.A.), 4877, 5393, 7078.
Thamugadi, v. Timgad.
Thann (Haut-Rhin, France), 860.
Theadelphia (Egypte anc.), Archives, 1311.
Thebai, Thèbes (Egypte anc.), 1586.
Thebai, Thèbes (Grèce anc.), 1342.
Themistos (Egypte anc.), 1179.
Thessalia (rég., Grèce), 121, 1329.

Thessaloniki (Grèce), 1892.
Thrake, Thrakes, Thrace, Thraces (pays, peuple), 1127, 1379, 1514.
Tibet (rég. auton., Chine), 7024, 7027.
Timgad (Algérie), Forteresse byzantine, 1871.
Timişoara (Roumanie), 3724, 3737.
Tiritaka (Ukraine, U.R.S.S.), 1129.
Tiron (anc. abbaye à Thiron, Eure-et-Loir, France), Ordre, 2506.
Tîrpeşti (at Petricani, Romania), 983.
Tlaxcala (estado, México), 6331.
Tokyo (Japan), Raid [1942], 6708.
Tolbuhin (Bulgarie), 1514.
Toledo (España), 2251.
Tonkin (rég., Vietnam), 6176.
Torino (Piemonte, Italia), 31, 2091, 3494.
Toronto (Ont., Canada), Typogr. Union, 5962.
Torrelaguna (Madrid, España), Judíos, 2136.
Toscana (reg., Italia), 765, 767, 2262, 3642.
Tószeg (Hongrie), 1088.
Touaregs (peuple d'Afrique), 556.
Toul (Meurthe-et-Moselle, France), Evêché, 1957.
Toulouse (Haute-Garonne, France), 3257, 3310, 4502, 5568, 5574. - Eglise réformée, 4149.
Toura, Tura (Egypte), Papyrus, 1766.
Touraine (rég., France), 5776.
Tours (Indre-et-Loire, France), Soierie, 5161.
Trabjerg (Danemark), 2620.
Trabzon, Trébizonde (Turquie), 1878. - Empire, 2110.
Transilvania, Siebenbürgen (rég., Roumanie), 64, 85, 709, 712, 2439, 3499, 3504, 3543, 3725, 3726, 3730, 3738, 5042, 5288, 5723, 5739. - Deutsche, 1978.
Transvaal (prov., Rep. of S. Africa), 5700.
Trébizonde, v. Trabzon.
Trébry (Côtes-du-Nord, France), 96.
Trelleborg (Sweden), Viking fortress, 2163.
Trentino-Alto-Adige, Südtirol (reg., Italia), 3577.
Trento (Trentino-Alto-Adige, Italia), 2541.
Treveri, Trévires (peuple de l'antiquité), 1629.
Treviso (Veneto, Italia), 2169.
Trianon (châteaux à Versailles, France), Traité [1920], 6545, 6554.
Trier (Rheinland-Pfalz, BRD), 2117. - Univ., 215.
Trieste (Friuli-Venezia Giulia, Italia), 1487, 6507, 6833.
Trinidad (island, Caribbean),

6264.
Tripol'e (Ukraine, U.R.S.S.), Civilisation préhist., 1052.
Tripolitania (rég., Lybie), 6474.
Troms (Norvège), 2080.
Tübingen (Baden-Württemberg, BRD), 2809. - Univ., 4356, 4357.
Türkiye, Turquie : Sci. auxil., 154. - Ouvrages gén., 212, 720-722, 789. - Préhist., 1035. - Moyen Age, 2021, 2610. - Hist. polit. mod., 2865, 3554, 3794-3801, 3905. - Hist. relig. mod., 4075. - Hist. Culture intellect. mod., 4863, 4865. - Hist. écon. soc. mod., 5043, 5309, 5348, 5377. - Relat. internat. mod., 6350, 6362, 6407, 6462, 6473, 6500, 6572, 6575, 6578, 6648, 6650. - Hist. Asie, 6910, 6914, 6930, 6988.
Tulcea (Roumanie), 5309.
Tun Huang, Dunhuang (Chine), 37.
Tunisie, 4747, 4810, 6185, 6195, 6199, 6474, 6704.
Turkestan oriental, v. Sinkiang.
Turkmenija, Turkmenistan (rép., U.R.S.S.), 1091.
Tuskegee (Ala., U.S.A.), Syphilis experiment, 4624.

U

Udeşti (Roumanie), 1013.
Udinese (reg. stor., Friuli-Venezia Giulia, Italia), 997.
Uganda, 3802, 3803.
Ugarit (auj. Ras Shamra, Syrie), 1173, 1253.
Uiguren (türk. Volk. Zentralasien), 6935.
Ukraine (rép., U.R.S.S.), 561, 726, 3702, 3836, 3871, 4082, 4477, 4848, 5383, 6532, 6792.
Ulm (Baden-Württemberg, BRD), 6425.
Ulpia Traiana Sarmizegetusa (anc. ville, Roumanie), 1694.
Umeå (Suède), 3754.
Umm el-Ga'ab (Egypt), 1195.
United Arab Emirates, 5060.
United Kingdom, v. Great Britain.
Uppsala (Suède), 2566, 4337. - Colloque [1979], 218. - County, 5238. - Univ., 461.
Uruguay, 3884, 5022.
U.S.A. (United States of America) : Auxil. Sci., 113, 122. - Gen. Works, 223, 227-268 passim, 279, 304, 309, 322, 325, 387, 517, 519, 521, 581, 602. - Mod. polit. Hist. 2626, 2644, 2840, 2876, 2908-3157, 3391, 3571, 3906. - Mod. relig. Hist., 3907-3943 passim, 3949, 3987, 4002, 4026, 4059, 4083-4198 passim. - Hist. mod. Culture, 4199-4375 passim, 4386, 4389, 4478, 4553-4689 passim, 4699, 4770, 4811-

INDICE GEOGRAFICO

4879 passim, 4906, 4930, 4938, 5007. - Mod. econ. a. soc. Hist., 5040-5964 passim. - Mod. Legal Hist., 5965-6104 passim. - Hist. intern. Relations, 6105-6342 passim, 6393, 6396-6482 passim, 6526, 6548, 6559, 6563, 6568, 6579-6689 passim, 6797-6902 passim. - Hist. Asia, 6978.
Usk (Monm., England), 1713.
Utah (state, U.S.A.), 3058.
Utatlán (Guatemala), 7077.
Utrecht (Pays-Bas), 2299. - Cathédrale, 2311.
Uzbekistan (rép., U.R.S.S.), 868.

V

Värmdö (Suède), 4415.
Västergötland (prov., Suède), 5450.
Växjö (Sweden), Diocese, 2561.
Vaiote (vallée, Tahiti), 7100.
Valais (canton, Suisse), 3756, 6416.
Valašské Meziříčí (Tchécoslovaquie), 173.
Valencia (España), 1011, 2569, 5424. - País, 5758.
Vandali, Wandalen (german. Volk), 97.
Vannes (Morbihan, France), 3300.
Var (dépt., France), 1055.
Vara (fiume, Liguria, Italia), Val, 3613.
Varat, v. Oradea.
Varmie, v. Warmia.
Varna (Bulgarie), 1094.
Vaticano (Città del), 907, 925, 2493, 2495, 2498, 2513, 3965, 6431. - Biblioteca, 1922.
Vaucluse (dépt., France), 860.
Vaud (canton, Suisse), 5086.
Vénat (France), 1065.
Vendée (dépt., France), 3190.
Vendôme (Loir-et-Cher, France), Abbaye La Trinité, 2517.
Veneto (reg., Italia), 3582.
Venezia (Italia), 56, 692, 764, 775, 859, 1996, 2368, 2398, 3572, 3614, 3622, 5122. - Ghetto, 3588. - Repubblica, 6042.
Venezia Giulia (reg. stor., Italia), 6791, 6833.
Venezuela, 3885, 3886, 3950, 6256.
Verdun (Meuse, France), Bataille [1916], 6505.
Vermont (state, U.S.A.), 3080, 7081.
Verona (Veneto, Italia), 4422.
Versailles (Yvelines, France), Paix [1919], 6521, 6538, 6562. - Cf. Trianon.
Versilia (reg. stor., Italia), 3581.
Veszprém (Hongrie), 2615.
Vexin (rég., France), V. franç., 2230.
Viatichi, v. Vjatiči.

Vicenza (Veneto, Italia), 3627.
Vichy (Allier, France), Gouvernement, 3265, 3318, 3354.
Vienne (dépt., France), 1746.
Vietnam, 5069, 6866, 6966, 6968, 6973, 6974.
Vikings, 2007, 2154-2163, 2207, 2620.
Villefranche-de-Rouergue (Aveyron, France), 3281.
Villena (Alicante, España), 1058.
Vil'nius, Vilna (Lituanie, U.R.S.S.), Jews, 6585.
Vindobona, v. Wien.
Virginia (state, U.S.A.), 2917, 3025, 5106, 6040, 6054, 6263, 6330.
Virnsberg (Bayern, BRD), Kommende, 2010.
Visigothi, Westgoten (german. Volk), 1797.
Vizcaya (prov., España), 5315.
Vizsoly (Hongrie), Bible, 4466.
Vjatiči (anc. Russian tribe), 2278.
Vjatka (riv., Russia), 1018.
Volga (river, U.S.S.R.), Middle V. region, 5204. - V. Germans in the U.S.A., 3108.
Vorarlberg (Land, Österreich), 6625.
Vorbasse (Danemark), 2620.
Vorderösterreich, v. s.v. Österreich.
Vsetín (Tchécoslovaquie), 173.
Vyatichi, v. Vjatiči.

W

Wales (principality, Great Britain), VIII, 680, 924, 959, 2084, 3461, 3909, 5203.
Wallagā (reg., Etiopia), 3159.
Wallonie (rég., Belgique), 2852.
Walternienburg (Bez. Magdeburg, DDR), 1059.
Warmia (rég., Pologne), 3680, 4303, 4331.
Warquignies (Hainaut, Belgique), 5592.
Warszawa, Varsovie, 4383, 6598, 6729, 6740. - Château, 4872. - Grand-Duché, 4056. - Presse, 4400. - Univ., 4252.
Washington (D.C., U.S.A.), 3111, 5845, 6640. - Conference [1921-22], 6497. - Library of Congress, 228, 2910.
Wasmes (Hainaut, Belgique), 5592.
Wayãpi (Indiens, Guyane franç.), 573.
Weimar (Bez. Erfurt, DDR), Republik, 2694-2820 passim, 4142, 5792, 5866, 5988.
Wells (Som., England), 2389.
West Indies, 6422. - Cf. Antilles, British West Indies.
West Point (N.Y., U.S.A.), Military Acad., 2975.
West Virginia (state, U.S.A.), 5831.
Westerplatte, v. s.v. Gdańsk.
Westfalen (Landschaft BRD), 1099, 2727, 4030. - Frieden [1648], 6347.
White Mountain, v. Bilá Hora (Czechoslovakia).
Wielkololska, Grande Pologne, v. s.v. Polska (in fine).
Wien, Vienne, 642, 643, 2588, 2833, 2838, 4855, 5335, 5621, 6431, 6789. - Döbling, 3529. - Kongress [1814-15], 6405. - Konkordat [1448], 2094. - Ringstr., 4681. - l. Schiedsspruch [1938], 6665. - Theater, 4960, 4961. - Vindobona, 1568.
Wilmington (N.C., U.S.A.), 5313.
Wilzen (slaw. Volk), 2042.
Windsheim (Bayern, BRD), Reichsstadt, 2122.
Wisconsin (state, U.S.A.), 3031, 3078, 4003, 5581.
Wisła, Vistule (fleuve, Pologne), 5308.
Wrocław, Breslau (Pologne), 2493.
Wronki (Pologne), 6630.
Württemberg (Landschaft, BRD), 2731, 4100. - W. - Hohenzollern, 2745.

X

Xanthos (auj. Kinik, Turquie), 1468.

Y

Yalta, v. Jalta.
Yaqui (Indian tribe), 6292.
Yonkers (N.Y., U.S.A.), 5888.
York (Yorks., England), Cathedral, 2400.
Yorkshire (co., England), 855, 5473.
Yünnan (prov., Chine), 6990.

Z

Zaire (river, Africa), 7057.
Zambezi (river, Africa), 6218.
Zambia, 3896, 5155, 6202, 6217, 6218.
Zanzibar (island, Tanzania), 3762, 6193.
Zaporož'e (Ukraine, U.R.S.S.), Oblast', 3836.
Zaragoza (España), 571.
Zăuan (Roumanie), 1046.
Zawi Chemi Shanidar (Iraq), Neolith. site, 1057.
Zenngrund (Landschaft, Bayern BRD), 2010.
Zimbabwe (Republic), 3897, 6204, 7051.
Zlín, v. Gottwaldov.
Znojmo (Tchécoslovaquie), 1980.
Zürichsee (Schweiz), 1086.
Zutphen (Pays-Bas), 2256.

Deutsches Biographisches Archiv

(German Biographical Archive)

A cumulation from 254 of the most important biographical dictionaries of the German-speaking regions through the end of the 19th century

Edited by Bernhard Fabian
Compiled unter the direction of Willi Gorzny
1982—1984. Ca. 1000 fiches in 10 installments
Reduction rate 24:1

DM 18 000,— (Diazofiche)   ISBN 3-598-30410-2
DM 19 800,— (Silberfiche) ISBN 3-598-30421-8

During the 19th century numerous biographical dictionaries were compiled in Germany which, even today, are indispensable due to the extensive information they contain. Even large libraries lack complete collections of these dictionaries and those of the 18th century are altogether difficult to locate.
It is the prime objective of the German Biographical Archive to rearrange all the entries contained in these 254 dictionaries into one alphabetical sequence with references to the original sources. Entries often include bibliographic references to secondary sources. Thus the biographical or bio-bibliographical information on one person is available in a convenient new collection.
The number of name entries will total about 300,000 about 200,000 persons. Entries relevant to Germany were selected from international works.
The German Biographical Archive is a universal archive indispensable for every library and publisher's archive.

K·G·Saur München·New York·London·Paris

K·G·Saur Verlag KG · Postfach 71 10 09 · 8000 München 71 · Tel. (0 89) 79 89 01

Ref. Z 6205 I 61 v.50 1981   AUG 1 4 1985